WEBSTER'S
DICTIONNAIRE
FRANÇAIS

D1242107

Èdité 2011, pour Strathearn Books, par Geddes & Grosset,
144 Port Dundas Road, Glasgow, Ecosse, G4 0HZ.

Autorisé par le *Succès du Livre*.

Ouvrage réalisé par le *Succès du Livre*.

Direction: Alexandre Falco.
Responsable des publications: Françoise Orlando-Trouvé.
Responsables édition-fabrication: Stéphanie Bogdanowicz,
Marie-Cécile Jouhaud.

Garantie de l'éditeur:
Malgré tout le soin apporté à sa réalisation, cet ouvrage peut comporter
des erreurs ou des omissions. Nous remercions le lecteur de bien vouloir
nous faire part de toute remarque à ce sujet.

ISBN 978-1-84205-686-8

Imprimé en Canada

WEBSTER'S
DICTIONNAIRE
FRANÇAIS

PRÉSENTATION

L'essentiel de la langue française, mais aussi de nombreux termes appartenant aux différents domaines de la connaissance scientifique et de la culture générale: telle est la richesse de ce dictionnaire. Tous les curieux pourront y chercher le sens des mots qu'ils rencontrent au fil de leurs lectures ou dans la vie courante. L'écolier le consultera pour répondre à ses questions d'orthographe et de grammaire.

Chaque notice récapitule les principaux sens du mot, clairement séparés les uns des autres. Des exemples viennent apporter les précisions nécessaires sur son emploi. Des indications de spécialité permettent de savoir dans quel contexte apparaît tel ou tel sens. En outre, les locutions courantes sont mentionnées et expliquées.

Une notice du dictionnaire se divise toujours en trois parties : l'entrée; les définitions et les informations grammaticales.

L'entrée

C'est dans l'entrée que sont mentionnées les variantes orthographiques proches. Lorsque deux mots s'écrivent de la même façon, un chiffre entre parenthèses permet de les distinguer. Tous les adjectifs sont assortis de leur féminin, dès lors que ce dernier diffère de la forme du masculin. Le pluriel des adjectifs et des noms simples est donné lorsqu'il présente une difficulté.

Lorsqu'un mot est adjectif et substantif, le genre est indiqué pour chacun de ces emplois. L'absence d'une précision de genre signifie toujours que le mot est à la fois masculin et féminin. De même, l'absence des mentions «trans.» et «intrans.», pour un verbe, signifie que ce verbe connaît les deux emplois.

Les définitions

Dans les définitions se trouve alors indiquée la distinction entre les emplois transitifs et intransitifs, masculins et féminins, etc. Les précisions de nature («adj.», «subst.», «trans.», «intrans.», «pronom.», etc.) sont données en tête des sens sur lesquels elles portent. Une telle précision reste valable pour tous les sens qui la suivent aussi longtemps qu'elle n'est pas contredite par une nouvelle indication.

Chacun des sens principaux est séparé du suivant par un tiret, le point-virgule intervenant pour séparer deux sens appartenant au même champ sémantique lorsque plusieurs champs sont représentés.

Toutes les fois où un exemple est nécessaire à la compréhension d'un mot ou à la connaissance de son emploi (avec quelle préposition, dans quel contexte particulier, avec une majuscule, etc.), il est mentionné avec le sens correspondant, en italique. Un exemple peut aussi bien se trouver avant une définition qu'après elle; il en est toujours séparé par un deux-points.

Quand un mot est couramment employé dans un domaine particulier du savoir (en histoire, en architecture, en littérature, en physique, en chimie, en zoologie, etc.), une abréviation en italique situe la définition dans la spécialité concernée.

Certaines définitions sont en outre accompagnées d'une indication de niveau de langue (familier, péjoratif, ironique...). Cette dernière se trouve le plus souvent après la définition, entre parenthèses. Cependant, lorsque plusieurs sens appartiennent au même niveau de langue, la précision est placée en tête de la première des définitions concernées.

La grammaire

Les informations grammaticales, quant à elles, apparaissent toutes les fois où un mot présente une difficulté particulière. C'est dans cette partie de la notice que l'on trouvera le pluriel des mots composés, les spécificités orthographiques, les particularités d'emploi (cas d'élision, féminins rares, restrictions d'emploi de certains verbes...), etc.

ABRÉVIATIONS

abrév.	abréviation	empl.	emploi	*Océanogr.*	océanographie
abs.	absolu	env.	environ	oppos.	opposé, opposition
Acoust.	acoustique	ex.	exemple	p.p.	participe passé
adj.	adjectif,	exclam.	exclamatif	p.pr.	participe
	adjectival(e)	f., fém.	féminin		présent
adv.	adverbe,	fam.	familier	partic.	particulier
	adverbial(e)	fig.	figuré	péj.	péjoratif
Aéron.	aéronautique	*Fin.*	finances	pers.	personne,
Agric.	agriculture	gén.	général,		personnel
Anat.	anatomie		généralement	*Pharm.*	pharmacie
Antiq.	Antiquité	*Géogr.*	géographie	*Philos.*	philosophie
Archit.	architecture	*Géol.*	géologie	*Phys.*	physique
art.	article	*Géom.*	géométrie	plur.	pluriel
Astron.	astronomie	*Hérald.*	héraldique	*Pol.*	politique
auj.	aujourd'hui	*Hist.*	histoire	poss.	possessif
auxil.	auxiliaire	*Hortic.*	horticulture	prép.	préposition,
B.-A.	beaux-arts	impers.	impersonnel		prépositionnel(le)
Belg.	belgicisme	*Impr.*	imprimerie	pron.	pronom
Biol.	biologie	ind.	indicatif	pronom.	pronominal
Bot.	botanique	indéf.	indéfini	prop.	proposition
Bouch.	boucherie	indir.	indirect	*Psych.*	psychiatrie
c.-à-d.	c'est-à-dire	inf.	infinitif	*Psychan.*	psychanalyse
Can.	canadianisme	*Informat.*	informatique	*Psychol.*	psychologie
Ch. de fer	chemin de fer	interj.	interjection	qqch.	quelque chose
Chim.	chimie	interr.	interrogatif	qqn	quelqu'un
Chir.	chirurgie	intrans.	intransitif	réf.	référence
Cin.	cinéma	inv.	invariable	rel.	relatif
circ.	circonstanciel	iron.	ironique	*Relig.*	religion
Comm.	commerce	*Journ.*	journalisme	Sc.	sciences
compl.	complément	*Ling.*	linguistique,	sing.	singulier
cond.	conditionnel		grammaire	souv.	souvent
conj.	conjonction,	*Litt.*	littérature	*Sp.*	sports
	conjonctive	littér.	littéraire	*Stat.*	statistiques
conjug.	conjugaison	loc.	locution	subj.	subjonctif
contr.	contraire	m., masc.	masculin	subst.	substantif
Cout.	couture	*Mar.*	marine	symb.	symbole
Cuis.	cuisine	*Math.*	mathématiques	synon.	synonyme
déf.	défini	*Mécan.*	mécanique	*Tech.*	technique,
dém.	démonstratif	*Méd.*	médecine		technologie
dir.	direct	*Milit.*	militaire	trans.	transitif
Dr.	droit	*Mus.*	musique	*Zool.*	zoologie
Écon.	économie	*Myth.*	mythologie		
Électr.	électricité	n.	nom		

A

a, a, *subst. m. inv.* Première lettre et première voyelle de l'alphabet français.

à, *prép.* Introduit des compléments de verbe, de nom et d'adjectif : *Je donne un livre* **à** *Pierre* (attribution); *Je vis* **à** *Paris, je vais* **à** *Londres* (lieu); **À** *demain* (temps); *Songer* **à** *sa destinée* (but).

abaissement, *subst. m.* Action d'abaisser. – État de ce qui est abaissé.

abaisser, *verbe trans.* Faire descendre. – *Fig.* Humilier.

abandon, *subst. m.* Action de renoncer à *qqch.* ou de laisser *qqn.* – Nonchalance.

abandonner, *verbe trans.* Renoncer à. – Laisser, quitter. – Confier. – *Pronom.* Se livrer à.

abaque, *subst. m.* Tableau facilitant le calcul. – Boulier. – *Archit.* Tablette surmontant un chapiteau.

abasourdir, *verbe trans.* Étourdir. – *Fig.* Déconcerter.

abat-jour, *subst. m. inv.* Dispositif qui rabat ou qui tamise la lumière d'une lampe.

abats, *subst. m. plur.* Viscères d'animaux de boucherie ou de volailles (cœur, foie, etc.).

abattage, *subst. m.* Action d'abattre (un arbre, un animal, une construction).

abattement, *subst. m.* Affaiblissement. – Découragement. – Déduction sur une somme due.

abattis, *subst. m. plur.* Abats de volaille.

abattoir, *subst. m.* Lieu où l'on abat les animaux de boucherie.

abattre, *verbe trans.* Jeter à bas. – Tuer. – *Fig.* Démoraliser. – *Pronom.* Tomber brusquement.

abbatial, ale, aux, *adj. et subst. f. adj.* Relatif à un abbé ou à une abbaye. – *Subst.* Église d'une abbaye.

abbaye, *subst. f.* Monastère dirigé par un abbé ou une abbesse.

abbé, abbesse, *subst.* Supérieur d'une abbaye. – *Masc.* Titre donné à un prêtre séculier.

abc, *subst. m. inv.* Les rudiments d'une connaissance, d'une pratique.

abcès, *subst. m.* Amas de pus.

abdiquer, *verbe trans.* Renoncer à. – *Empl. abs.* Renoncer au pouvoir suprême; se décourager.

abdomen, *subst. m.* Partie inférieure du tronc, qui contient les viscères de l'appareil digestif.

abdominal, ale, aux, *adj. et subst. m. plur. Adj.* De l'abdomen. – *Subst.* Les muscles de l'abdomen.

abeille, *subst. f.* Insecte social vivant dans une ruche et produisant le miel.

aberrant, ante, *adj.* Qui dévie du bon sens, de la norme. – Absurde.

aberration, *subst. f.* État de ce qui s'écarte de la norme. – Erreur de jugement, absurdité.

abêtir, *verbe trans.* Rendre bête.

abhorrer, *verbe trans.* Détester, avoir en horreur.

abîme, *subst. m.* Gouffre insondable. – Fig. Très grande différence.

abîmer, *verbe trans.* Détériorer.

abject, ecte, *adj.* Qui suscite la répugnance, méprisable.

abjection, *subst. f.* Le comble de l'ignominie.

abjurer, *verbe trans.* Renoncer à (une foi, une opinion).

ablation, *subst. f. Chir.* Action d'enlever un organe, une partie d'organe, un tissu, etc.

ablution, *subst. f.* Action de se laver, par hygiène ou pour se purifier rituellement.

abnégation, *subst. f.* Renoncement. – Sacrifice volontaire de soi. – Dévouement.

abolir, *verbe trans.* Supprimer. – *Dr.* Abroger; mettre fin à une coutume.

abolition, *subst. f.* Action d'abolir : *L'abolition de l'esclavage.*

abominable, *adj.* Qui inspire l'horreur, le dégoût. – Très mauvais.

abondance, *subst. f.* Quantité plus que suffisante. – Richesse.

abonder, *verbe intrans.* Être en très grande quantité. – **Abonder** *dans le sens de qqn* : l'approuver pleinement.

abonnement, *subst. m.* Contrat portant sur la fourniture d'une prestation régulière.

abonner, *verbe trans.* Souscrire un abonnement pour (*qqn*). – *Pronom.* Prendre un abonnement pour soi.

abord, *subst. m.* Action d'arriver en un lieu. – Apparence extérieure de *qqn.* – *Plur.* Environs. – *D'abord* : en premier lieu.

aborder, *verbe trans.* Atteindre (un lieu, un rivage). – *Fig.* Entrer en contact (avec *qqn*). – Commencer à traiter (une question).

aborigène, *adj. et subst.* Qui est originaire du pays où il vit.

aboutir, *verbe Trans. indir.* **Aboutir à** : se terminer à ; avoir pour résultat. – *Intrans.* Réussir.

aboyer, *verbe intrans.* Pousser son cri (aboiement), en parlant du chien.

abracadabrant, ante, *adj.* Incompréhensible, incohérent, invraisemblable.

abrasif, ive, *adj. et subst. m.* Se dit d'une matière pouvant polir par frottement.

abrégé, *subst. m.* Forme condensée d'un texte. – Ouvrage résumant une science.

abréger, *verbe trans.* Raccourcir (une durée, un discours, un écrit).

abreuver, *verbe trans.* Faire boire.

abreuvoir, *subst. m.* Lieu où vont boire les animaux. – Auge destinée à abreuver le bétail.

abréviation, *subst. f.* Action d'abréger. – Mot ou groupe de mots abrégé.

abri, *subst. m.* Lieu où l'on peut se protéger du soleil, des intempéries, des dangers.

abricot, *subst. m.* Fruit de l'abricotier, à peau duveteuse et à chair jaune orangé.

abriter, *verbe trans.* Mettre à l'abri. – Héberger. – Protéger des agents naturels ou des dangers.

abroger, *verbe trans.* Annuler (une loi, un règlement, un décret).

abrupt, upte, *adj.* Escarpé, raide. – *Fig.* Qui manque de douceur, rude.

abrutir, *verbe trans.* Rendre semblable à une brute. – Épuiser intellectuellement.

abscisse, *subst. f.* L'une des deux coordonnées d'un point dans un plan.

abscons, onse, *adj.* Difficile à comprendre.

absence, *subst. f.* Fait de ne pas être présent. – Manque. – Perte passagère de mémoire ou de connaissance.

absent, ente, *adj. et subst.* Adj. Qui n'est pas dans un lieu. – Qui manque. – *Fig.* Inattentif. – *Subst.* Personne qui n'est pas présente.

absenter (s'), *verbe pronom.* S'éloigner pour un temps.

absinthe, *subst. f.* Plante amère et aromatique. – Liqueur toxique tirée de cette plante.

absolu, ue, *adj. et subst. m.* Adj. Qui est total, sans réserves. – Qui n'est soumis à aucune condition. – Qui est sans concessions, intransigeant. – *Subst.* Ce qui est parfait, idéal (*oppos. relatif*).

absolution, *subst. f.* Rémission des péchés accordée par un prêtre. – Pardon d'une faute.

absolutisme, *subst. m.* Régime politique dans lequel une seule personne a les pleins pouvoirs.

absorber, *verbe trans.* Faire pénétrer et retenir en soi. – Avaler, ingérer. – *Fig.* Occuper le temps de (*qqn*).

absorption, *subst. f.* Action d'absorber, d'ingérer, de s'imprégner de.

absoudre, *verbe trans.* Pardonner.

abstenir (s'), *verbe pronom.* Renoncer à (un plaisir, une activité, une habitude, etc.). – Ne pas voter.

abstention, *subst. f.* Fait de ne pas voter.

abstinence, *subst. f.* Fait de s'interdire (un plaisir, un aliment).

abstraction, *subst. f.* Action ou faculté d'abstraire ; son résultat. – Idée abstraite.

abstraire, *verbe trans.* Isoler une idée, une qualité particulière, pour l'envisager à part.

abstrait, aite, *adj. et subst. m.* Qui ne se réfère pas à la réalité concrète : *Art* abstrait.

absurde, *adj. et subst. m.* Qui est contraire aux principes de la raison, au sens commun.

absurdité, *subst. f.* Caractère de ce qui est absurde. – Chose absurde, bêtise.

abus, *subst. m.* Action d'abuser. – Son résultat.

abuser, *verbe trans.* Trans. indir. **Abuser** de qqch. : en user mal ou avec excès ; **Abuser** *d'une femme* : la violenter. – Trans. dir. **Abuser** qqn : le tromper. – *Pronom.* Se tromper.

abusif, ive, *adj.* Qui constitue un abus.

abysse, *subst. m.* Grand fond marin (à partir de 2 000 m de profondeur).

acabit, *subst. m.* Qualité d'une chose. – Sorte, espèce.

acacia, *subst. m.* Arbre à fleurs jaunes odorantes. – Robinier (abusivement).

académicien, ienne, *subst.* Membre d'une académie (en *partic.* de l'Académie française).

académie, *subst. f.* Cercle de lettrés, de savants, d'artistes. – Circonscription administrative de l'enseignement.

acajou, *subst. m.* Arbre dont le bois est de couleur rougeâtre. – Bois de cet arbre.

a cap(p)ella, *loc. adv. Mus.* Sans accompagnement instrumental.

acariâtre, *adj.* D'un tempérament grincheux, aigri, querelleur.

acarien, *subst. m.* Petit arachnide, *souv.* parasite.

accabler, *verbe trans.* Écraser de maux, de travaux pénibles. – Confondre (un accusé).

accalmie, *subst. f.* Apaisement momentané d'une tempête, d'une agitation.

accaparer, *verbe trans.* S'emparer (de qqch.) pour son usage exclusif. – Occuper totalement (qqn).

accéder, *verbe trans. indir.* Accéder à un lieu, à la réussite : y parvenir. – **Accéder** à une demande : y répondre positivement.

accélérateur, *subst. m.* Ce qui accélère un processus. – Dans un véhicule, pédale ou poignée permettant d'accélérer.

accélération, *subst. f.* Augmentation de la vitesse.

accélérer, *verbe trans.* Augmenter la vitesse (d'un corps, d'un processus, d'un rythme).

accent, *subst. m.* Signe graphique placé au-dessus de certaines lettres. – Manière de prononcer propre à une région. – *Ling.* Mise en valeur d'une syllabe. – *Fig. Mettre l'*accent *sur* : mettre en valeur ; insister sur.

accentuer, *verbe trans.* Mettre un accent au-dessus d'une lettre. – Prononcer un son, une syllabe avec plus de force. – *Fig.* Intensifier.

acceptation, *subst. f.* Fait d'accepter, de donner son consentement.

accepter, *verbe trans.* Consentir à recevoir. – Admettre, se soumettre à.

acception, *subst. f.* Sens que prend un mot dans un contexte.

accès, *subst. m.* Moyen d'accéder à un lieu, à une personne. – Manifestation soudaine (d'un trouble, d'une affection).

accessible, *adj.* Dont l'abord est possible. – Que l'on peut obtenir.

accession, *subst. f.* Action de parvenir à (un droit, une fonction, un état, etc.).

accessoire, *adj. et subst. m.* Adj. Secondaire, moins important. – *Subst.* Objet qui complète un ensemble principal.

accident, *subst. m.* Événement imprévu, *souv.* fâcheux, qui interrompt le cours naturel des choses.

accidenté, ée, *adj.* Qui a subi un accident. – Irrégulier : *Un parcours* accidenté.

acclamation, *subst. f.* Clameur collective de joie, d'approbation, saluant qqn ou un succès.

acclamer, *verbe trans.* Manifester (à qqn) sa joie, son accord par des acclamations.

acclimatation, *subst. f.* Action d'acclimater.

acclimater, *verbe trans.* Adapter (un organisme) à un nouvel environnement.

accolade, *subst. f.* Action de serrer qqn dans ses bras, en signe d'affection ou dans le cadre d'un rituel. – Signe graphique utilisé pour réunir plusieurs lignes.

accoler, *verbe trans.* Réunir par une accolade. – Rapprocher deux éléments.

accommodant, ante, *adj.* Tolérant, conciliant.

accommodation, *subst. f.* Adaptation réflexe de l'œil permettant d'obtenir une image nette.

accommodement, *subst. m.* Arrangement.

accommoder, *verbe trans.* Adapter. – Apprêter, assaisonner (des aliments). – *Pronom.* **S'accommoder** *de* : se satisfaire de ; **S'accommoder** *à* : s'adapter à.

accompagnement, *subst. f.* Action d'accompagner ; ce qui accompagne. – *Mus.* Partie accessoire jouée en même temps qu'une mélodie, ou qu'un solo.

accompagner, *verbe trans.* Aller avec. – Joindre à. – *Mus.* Soutenir par un accompagnement.

accompli, ie, *adj.* Réalisé complètement. – Parfait en son genre.

accomplir, *verbe trans.* Exécuter jusqu'à son terme. – Faire, exécuter. – *Pronom.* Se réaliser, s'épanouir.

accomplissement, *subst. m.* Action d'accomplir. – Son résultat.

accord, *subst. m.* Convention entre deux parties. – Marque d'assentiment : *D'accord.* – Union, harmonie. – *Ling.* Concordance du genre et du nombre des mots dans une phrase. – *Mus.* Combinaison simultanée d'au moins trois notes.

accordéon, *subst. m. Mus.* Instrument à soufflet.

accorder, *verbe trans.* Mettre en harmonie. – Concéder, donner. – *Ling.* Appliquer les règles de l'accord à. – *Mus.* Régler (un instrument).

accostage, *subst. m.* Action d'accoster.

accoster, *verbe trans.* S'approcher de *qqn* en vue de lui parler. – Pour un navire, se placer le long d'un quai ou d'un autre navire.

accotement, *subst. m.* Bordure d'une route, d'une voie ferrée.

accouchement, *subst. m.* Action d'accoucher, enfantement. – *Fig.* Élaboration lente et difficile d'une œuvre, d'un projet.

accoucher, *verbe Intrans.* et *trans. indir.* Donner naissance à (un enfant). – *Trans. dir.* Aider à **accoucher**.

accouder (s'), *verbe pronom.* Poser son ou ses coudes sur un point d'appui.

accoudoir, *subst. m.* Appui auquel on s'accoude.

accouplement, *subst. m.* Union sexuelle, en parlant des animaux. – Réunion mécanique de deux éléments.

accoupler, *verbe trans.* Réunir par paire. – Unir un mâle et une femelle de sorte qu'ils se reproduisent.

accourir, *verbe intrans.* Venir en courant.

accoutrement, *subst. m.* Habillement insolite.

accoutrer, *verbe trans.* Vêtir d'une manière surprenante ou ridicule.

accoutumance, *subst. f.* Fait de s'habituer ou d'être habitué à. – Dépendance à l'égard d'une drogue, associée à la nécessité d'augmenter les doses.

accoutumer, *verbe trans.* Donner une habitude à. – *Pronom.* S'habituer à.

accréditer, *verbe trans.* Rendre croyable (une idée). – **Accréditer** *un ambassadeur* : le faire reconnaître officiellement.

accroc, *subst. m.* Déchirure dans un tissu. – *Fig.* Incident.

accrochage, *subst. m.* Action d'accrocher. – Accident bénin entre deux véhicules. – Querelle, dispute (*fam.*).

accrocher, *verbe trans.* Suspendre à un crochet ou à un objet analogue. – Heurter. – Parvenir à saisir. – *Pronom.* Se cramponner. – Se disputer (*fam.*).

accroissement, *subst. m.* Augmentation.

accroître, *verbe trans.* Rendre plus grand ; augmenter (en quantité ou en qualité).

accroupir (s'), *verbe pronom.* S'asseoir sur ses talons, en pliant les genoux.

accueil, *subst. m.* Fait ou manière d'accueillir *qqn* ou *qqch.* – Pièce, comptoir où l'on reçoit les visiteurs, dans une administration ou une entreprise.

accueillir, *verbe trans.* Recevoir (*qqn* ou *qqch.*).

acculer, *verbe trans.* Pousser (*qqn*) dans une impasse. – *Fig.* Mettre (*qqn*) dans une situation extrême.

acculturation, *subst. f.* Assimilation, par un groupe humain, d'une culture étrangère.

accumulateur, *subst. m.* Appareil qui accumule l'énergie électrique et restitue du courant.

accumulation, *subst. f.* Action d'accumuler. – Son résultat.

accumuler, *verbe trans.* Amasser, réunir progressivement en grande quantité ; entasser.

accusatif, *subst. m.* Cas complément d'objet direct des langues à déclinaison.

accusation, *subst. f.* Fait d'accuser. – *Dr.* Action en justice, plainte ; ministère public, par *oppos.* à la défense.

accusé, ée, *adj. et subst.* Se dit d'une personne à qui l'on impute une infraction. – **Accusé** de *réception* : avis de réception d'un envoi. – *Adj.* Souligné, mis en relief.

accuser, *verbe trans.* Imputer une faute à (*qqn*). – *Fig.* Souligner, mettre en relief.

ace, *subst. m.* Au tennis, balle de service manquée par l'adversaire.

acerbe, *adj.* Dur, agressif : *Un rire* **acerbe**. – Âpre, piquant : *Un citron* **acerbe**.

acéré, ée, *adj.* Pointu, tranchant. – *Fig.* Caustique, blessant.

acétique, *adj. Acide* **acétique** : constituant du vinaigre.

acétone, *subst. f.* Liquide très volatil, d'odeur éthérée, excellent solvant.

achalandé, ée, *adj.* Qui a de nombreux chalands (clients), en parlant d'un commerce.

acharnement, *subst. m.* Action de s'acharner. – Ardeur, opiniâtreté.

acharner (s'), *verbe pronom.* **S'acharner** *contre, sur qqn* : s'en prendre à lui avec opiniâtreté. – S'attacher avec ténacité à (un projet, une œuvre).

achat, *subst. m.* Action d'acheter. – Acquisition. – Ce que l'on a acheté (*souv.* au *plur.*).

acheminer, *verbe trans.* Conduire vers un but : **Acheminer** *du courrier, une affaire.*

acheter, *verbe trans.* Acquérir contre un paiement. – *Fig.* Corrompre (*qqn*) avec de l'argent.

achever, *verbe trans.* Mettre fin à, terminer. – Donner le coup de grâce à, tuer. – Anéantir.

acide (i), *adj.* Qui a une saveur aigre et piquante. – *Fig.* Mordant, désagréable.

acide (ii), *subst. m.* Composé chimique ou ion qui agit sur certains indicateurs colorés et sur les bases pour donner des sels.

acidité, *subst. f.* Saveur aigre, piquante. – Caractère acide d'une solution. – *Fig.* Causticité.

acidulé, ée, *adj.* Légèrement acide.

acier, *subst. m.* Alliage de fer et de carbone.

aciérie, *subst. f.* Usine où l'on produit de l'acier.

acné, *subst. f.* Dermatose se traduisant par des boutons, surtout sur le visage.

acolyte, *subst. m.* Compagnon, complice.

acompte, *subst. m.* Paiement partiel d'un dû.

acoquiner (s'), *verbe pronom.* Se lier à (des gens douteux).

À-côté, *subst. m.* Ce qui est accessoire.

À-coup, *subst. m.* Brusque irrégularité dans un mouvement, dans un processus.

acoustique, *adj. et subst. f. Adj.* Relatif au son. – *Subst.* Science des sons ; qualité sonore d'un lieu.

acquéreur, *subst. m.* Personne qui acquiert.

acquérir, *verbe trans.* Devenir propriétaire (d'un bien, d'un droit). – Obtenir : **Acquérir** *une grande expérience.*

acquiescer, *verbe trans. indir.* **Acquiescer** *à* : consentir à. – Exprimer, donner son accord à.

acquis, ise, *adj. et subst. m. Adj.* Qui a été obtenu ; qui n'est pas héréditaire ou naturel à l'individu (*oppos. inné*). – *Fig.* Totalement dévoué. – *Subst.* Ce qui est acquis. – Savoir-faire.

acquisition, *subst. f.* Action d'acquérir ; son résultat. – Fruit de l'effort ou de l'apprentissage.

acquit, *subst. m.* Reconnaissance d'un paiement. – *Par* **acquit** *de conscience* : afin de libérer sa conscience.

acquittement, *subst. m.* Action de payer son dû. – Action de déclarer *qqn* non coupable.

acquitter, *verbe trans.* Payer un dû. – Déclarer (*qqn*) non coupable. – *Pronom.* Se libérer de (ses dettes, son devoir).

âcre, *adj.* Qui irrite (l'odorat ou le goût). – *Fig.* Blessant, agressif.

âcreté, *subst. f.* Qualité de ce qui est âcre.

acrimonie, *subst. f.* Aigreur du caractère qui se manifeste dans les propos.

acrobate, *subst.* Artiste qui exécute des exercices d'adresse, de force. – *Fig.* Individu habile à manier les choses et les idées.

acrobatie, *subst. f.* Exercice fait par un acrobate.

acropole, *subst. f.* Citadelle, dans la Grèce antique. – *L'***Acropole** : celle d'Athènes.

acrylique, *adj. et subst. m. Adj.* Qualifie des produits obtenus à partir du propène. – *Subst.* Fibre textile synthétique.

acte, *subst. m.* Écrit officiel : **Acte** *d'état civil.* – Mouvement (ou ensemble de mouvements) adapté à une fin : **Acte** *de courage.* – Chacune des parties d'une pièce de théâtre.

acteur, actrice, *subst.* Personne qui joue un rôle dans un événement, un film ou une pièce.

actif (i), *adj.* Qui agit ; qui aime agir. – Qui est en exercice. – Qualifie la forme d'un verbe : Voix active (*contr. passif*).

actif (ii), *subst. m.* Ce que possède un particulier ou une entreprise, par *oppos.* à son passif (ses dettes).

action, *subst. f.* Fait d'agir. – Acte. – Effet produit par *qqch.* – Fin. Titre représentant une fraction du capital d'une société.

actionnaire, *subst.* Propriétaire d'une ou de plusieurs actions d'une société.

actionner, *verbe trans.* Mettre en mouvement.

activer, *verbe trans.* Rendre plus actif. – Rendre plus rapide ; hâter. – *Pronom.* S'affairer (*fam.*).

activité, *subst. f.* Faculté d'agir. – Ardeur à l'action. – *Être en* **activité** : avoir une fonction professionnelle (*contr. être retraité*) ; fonctionner.

actualiser, *verbe trans.* Rendre actuel ; mettre à jour.

actualité, *subst. f.* Caractère de ce qui est actuel. – Ensemble des événements présents ou récents : *L'***actualité** *sportive.* – *Plur.* Informations télévisées ou radiodiffusées.

actuel, elle, *adj.* Qui appartient, qui convient au temps présent.

acuité, *subst. f.* Qualité de ce qui est aigu, intense. – Degré de finesse d'un sens.

acupuncture, *subst. f.* Médecine chinoise qui utilise de fines aiguilles piquées en des points précis du corps.

adage, *subst. m.* Brève sentence, maxime.

adagio, *subst. m. et adv. Mus.* Se dit d'un morceau joué lentement.

adaptation, *subst. f.* Action d'adapter ou de s'adapter. – Son résultat.

adapter, *verbe trans.* Ajuster. – Mettre en accord. – Transposer (une œuvre) d'un mode d'expression en un autre. – *Pronom.* Se modifier en fonction du milieu.

additif, ive, *adj. et subst. m.* Qui s'ajoute.

addition, *subst. f.* Fait d'ajouter *qqch.* – Opération, symbolisée par le signe +, consistant à ajouter des quantités arithmétiques. – Note de restaurant ou de café.

additionner, *verbe trans.* Effectuer l'addition de. – Ajouter (*qqch.*) pour modifier : **Additionner** *d'eau un breuvage.*

adduction, *subst. f.* Action de rapprocher un membre de l'axe du corps. – Apport de gaz ou d'eau par des canalisations.

adénome, *subst. m.* Tumeur qui se développe à partir d'une glande.

adepte, *subst.* Membre d'une secte, d'un groupement. – Personne qui adhère à une doctrine, à une religion.

adéquat, ate, *adj.* Qui est parfaitement approprié à son objet.

adhérence, *subst. f.* État de ce qui adhère.

adhérent, ente, *adj. et subst. Adj.* Qui adhère à. – *Subst.* Membre d'une organisation.

adhérer, *verbe trans. indir.* **Adhérer** *à* : coller, s'attacher fortement à. – *Fig.* Souscrire, se rallier à.

adhésif, ive, *adj. et subst. m. Adj.* Qui adhère, qui colle. – *Subst.* Substance, matière collante.

adhésion, *subst. f.* Inscription à un organisme. – Soutien apporté à *qqn*, à un groupe, à une idée.

adieu, adieux, *subst. m. et interj.* Formule adressée à *qqn* dont on prend congé pour toujours ou pour longtemps. – *Subst.* Séparation d'avec *qqn* ou *qqch.* ; rite de séparation.

adipeux, euse, *adj.* Qui contient de la graisse : *Tissu* **adipeux.**

adjacent, ente, *adj.* Attenant. – *Angles* **adjacents** : dont le sommet et un côté sont communs.

adjectif, *subst. m.* Mot qui se rapporte à un substantif, avec lequel il s'accorde.

adjoint, ointe, *adj. et subst.* Se dit d'une personne associée à une autre comme auxiliaire.

adjudant, *subst. m.* Sous-officier de grade immédiatement supérieur à celui de sergent-chef.

adjudication, *subst. f.* Attribution d'un bien mis aux enchères ou d'un marché public au mieux disant.

adjuger, *verbe trans.* Attribuer par jugement ou par adjudication. – *Pronom.* S'attribuer.

adjurer, *verbe trans.* Supplier au nom de ce qui est sacré.

admettre, *verbe trans.* Agréer, laisser entrer. – Accepter, tolérer. – Recevoir à un examen.

administrateur, **trice**, *subst.* Personne qui administre (un bien) ; gestionnaire.

administratif, **ive**, *adj.* Qui relève de l'administration ou en fait partie.

administration, *subst. f.* Gestion (d'affaires privées ou publiques). – *L'***Administration** : l'ensemble de toutes les institutions et des personnes assurant l'**administration** publique d'un État.

administrer, *verbe trans.* Gérer (des affaires, un service publics ou privés). – Donner, dispenser : **Administrer** *une correction, un médicament.*

admirable, *adj.* Digne d'être admiré.

admirateur, **trice**, *adj. et subst.* Qui admire.

admiratif, **ive**, *adj.* Qui exprime l'admiration.

admiration, *subst. f.* Sentiment d'émerveillement, d'enthousiasme pour *qqn* ou pour *qqch.* de beau, de vrai ou de bien.

admirer, *verbe trans.* Considérer avec émerveillement ou enthousiasme.

admis, **ise**, *adj.* Accepté. – Considéré comme étant vrai ou bien. – Reçu (à un examen, à un concours).

admissible, *adj. et subst.* Se dit d'un candidat jugé apte à subir les dernières épreuves d'un examen ou d'un concours. – *Adj.* Acceptable, en accord avec une norme, avec la raison.

admission, *subst. f.* Action d'admettre. – Fait d'être admis.

admonester, *verbe trans.* Rappeler à l'ordre.

a.d.n., *subst. m.* Sigle pour « acide désoxyribonucléique », très longue molécule porteuse du patrimoine génétique d'un individu.

adolescence, *subst. f.* Période de la vie humaine comprise entre l'enfance et l'âge adulte.

adolescent, **ente**, *adj. et subst.* Qui est dans la période de l'adolescence.

adonis, *subst. m.* Jeune homme très beau. – Papillon diurne.

adonner (s'), *verbe pronom.* Se livrer à : **S'adonner** *au jeu.*

adopter, *verbe trans.* Prendre légalement (*qqn*, un enfant) pour fille ou pour fils. – Faire sien : **Adopter** *une doctrine.* – Approuver, voter (une loi, un texte).

adoptif, **ive**, *adj.* Qui a été adopté ou qui a adopté : *Un enfant, un père* **adoptif.**

adorable, *adj.* Gentil, charmant, gracieux. – Qu'on aime.

adorateur, **trice**, *adj. et subst.* Qui adore.

adoration, *subst. f.* Culte rendu à Dieu ou à un dieu. – Passion, amour intense.

adorer, *verbe trans.* Rendre un culte à (Dieu ou un dieu). – Aimer passionnément ; apprécier.

adosser, *verbe trans.* Appuyer l'arrière de (*qqch.*) contre. – *Pronom.* Mettre son dos contre : **S'adosser** *à un mur.*

adoubement, *subst. m.* Cérémonie féodale par laquelle un seigneur armait *qqn* chevalier.

adoucir, *verbe trans.* Rendre plus doux.

adoucissant, **ante**, *adj. et subst. m.* Qui adoucit. – Qui calme l'irritation.

adoucissement, *subst. m.* Action d'adoucir ; son résultat. – *Fig.* Atténuation.

adrénaline, *subst. f.* Hormone sécrétée par les glandes surrénales.

adresse (i), *subst. f.* Destination : À *votre* **adresse**, à votre intention. – Coordonnées du domicile de *qqn.*

adresse (ii), *subst. f.* Habileté corporelle ou intellectuelle.

adresser, *verbe trans.* Faire parvenir (une lettre, une requête). – Exprimer à l'intention de. – Envoyer (*qqn*) auprès de.

adret, *subst. m.* Versant montagnard ensoleillé, *gén.* exposé au midi (*oppos. ubac*).

adroit, **oite**, *adj.* Habile ; qui a du savoir-faire. – *Fig.* Subtil.

adulateur, **trice**, *adj. et subst.* Qui flatte par intérêt, servilement (*littér.*).

aduler, *verbe trans.* Louer avec excès.

adulte, *adj. et subst.* Qui est complètement développé. – Qui est sorti de l'adolescence.

adultère, *adj. et subst.* Qui viole le devoir conjugal de fidélité.

adultérin, **ine**, *adj. et subst.* Qui est né d'un adultère.

advenir, *verbe intrans.* Arriver, se produire.

adverbe, *subst. m.* Mot invariable qui précise le sens d'un verbe, d'un adjectif ou d'un autre **adverbe**.

adversaire, *adj. et subst.* Personne, groupe, État à qui l'on s'oppose, dont on est l'ennemi.

adverse, *adj.* Situé à l'opposé. – Hostile.

adversité, *subst. f.* Obstacle, coup du sort, malchance que l'on doit affronter.

aède, *subst. m.* Dans la Grèce antique, poète itinérant.

aération, *subst. f.* Action de renouveler l'air (d'un local). – Son résultat.

aérer, *verbe trans.* Renouveler l'air de, ventiler. – Exposer à l'air. – *Fig.* Rendre moins serré, moins compact.

aérien, **ienne**, *adj.* Constitué d'air. – Situé dans l'air. – Léger. – Qui concerne les avions.

aérobic, *subst. m.* Gymnastique dynamique, rythmée par une musique.

aérobie, *adj. et subst. m.* Se dit d'un être qui a besoin d'oxygène ou d'air pour vivre (*contr. anaérobie*).

aérodrome, *subst. m.* Terrain aménagé pour le décollage, l'atterrissage et l'entretien des avions.

aérodynamique, *adj. et subst. f. Adj.* Qui offre une résistance minimale à l'air. – *Subst.* Science étudiant le déplacement des corps dans l'air.

aérogare, *subst. f.* Ensemble des installations d'un aéroport conçues pour les voyageurs et le fret.

aéroglisseur, *subst. m.* Véhicule qui se déplace au-dessus du sol ou de l'eau grâce à un mince coussin d'air.

aéronaute, *subst.* Personne qui navigue dans un aérostat ou qui le dirige.

aéronautique, *adj. et subst. f. Subst.* Science de la navigation aérienne. – *Adj.* Qui se rapporte à la navigation aérienne.

aéronaval, **ale**, **als**, *adj. et subst. f. Adj.* Relatif à l'aviation et à la marine de guerre. – *Subst.* Force aérienne de la marine militaire.

aéronef, *subst. m.* Tout appareil capable de se déplacer et de se diriger dans les airs.

aérophagie, *subst. f.* Déglutition d'air, qui pénètre dans l'estomac.

aéroplane, *subst. m. Synon.* désuet d'« avion ».

aéroport, *subst. m.* Lieu aménagé pour le décollage, l'atterrissage, l'entretien des avions et pour la gestion des voyages aériens.

aérosol, *subst. m.* Suspension de fines particules dans un gaz. – Vaporisateur permettant la projection de cette suspension.

aérospatial, ale, aux, *adj.* Qui concerne la navigation aérienne et spatiale.

aérostat, *subst. m.* Aéronef (ballon, dirigeable) qui peut s'élever au moyen d'un gaz plus léger que l'air.

affable, *adj.* Accueillant, avenant.

affabulation, *subst. f.* Récit imaginaire présenté comme s'il se rapportait à des faits réels, sans intention mensongère.

affadir, *verbe trans.* Rendre fade, insipide. – Affaiblir (une idée, un style, une œuvre).

affaiblir, *verbe trans.* Rendre faible. – Atténuer.

affaiblissement, *subst. m.* Fait d'affaiblir. – Son résultat.

affaire, *subst. f.* Occupation ; question qu'il faut traiter : *Avoir* **affaire** : *Une* **affaire** *d'argent*. – Ce qui concerne *qqn* en propre : *C'est mon* **affaire**. – Entreprise. – Opération commerciale : *Conclure une* **affaire**. – Opération avantageuse : *Ce lot, c'est une* **affaire** ! – Procès, scandale suscitant l'intérêt du public. – Conflit. – *Avoir* **affaire** *à qqn* : être en contact avec *qqn* ; l'avoir pour adversaire. – *Plur.* Objets usuels d'une personne. – Ensemble des activités financières et commerciales.

affairé, ée, *adj.* Très occupé.

affairer (s'), *verbe pronom.* S'empresser, s'activer.

affairisme, *subst. m.* Activité d'une personne guidée par la recherche du profit à tout prix.

affaissement, *subst. m.* Fait de s'affaisser. – État qui en résulte. – *Fig.* Abattement moral.

affaisser (s'), *verbe pronom.* Baisser de niveau sous l'effet de son propre poids : *Le terrain* **s'est affaissé**. – Tomber de sa hauteur, en parlant d'un être vivant.

affaler, *verbe trans. Mar.* Faire descendre (une voile, par *ex.*). – *Pronom.* Se laisser tomber, s'effondrer (*fam.*).

affamé, ée, *adj. et subst.* Qui a très faim. – *Fig.* Qui est très désireux de *qqch.*

affamer, *verbe trans.* Faire souffrir de la faim.

affameur, euse, *subst.* Qui réduit à la famine.

affectation (i), *subst. f.* Simulation, comportement qui manque de naturel.

affectation (ii), *subst. f.* Imputation de *qqch.* à un usage précis. – Désignation de *qqn* à une fonction ou à un poste.

affecter (i), *verbe trans.* Feindre avec ostentation, faire semblant de.

affecter (ii), *verbe trans.* Imputer pour un usage. – Désigner pour un poste.

affecter (iii), *verbe trans.* Atteindre, causer une douleur à. – Affliger. – Faire sentir son action sur.

affectif, ive, *adj.* Qui est du domaine des émotions, des sentiments.

affection, *subst. f.* Amitié, tendresse envers *qqn*. – Prédilection pour. – Maladie.

affectionner, *verbe trans.* Éprouver du goût pour.

affectivité, *subst. f.* Faculté d'éprouver des émotions et des sentiments. – Ces phénomènes.

affectueux, euse, *adj.* Qui témoigne de l'affection, de la tendresse.

afférent, ente, *adj.* Relatif à. – *Dr.* Qui revient à. – *Anat.* Qui arrive à un organe.

affermir, *verbe trans.* Rendre plus ferme.

affichage, *subst. m.* Action de coller des affiches. – Son résultat : *L'***affichage** *des listes électorales*.

affiche, *subst. f.* Annonce écrite, apposée dans les lieux publics.

afficher, *verbe trans.* Apposer une affiche ; annoncer par voie d'affiche. – *Fig.* Exhiber. – *Pronom.* Se montrer avec ostentation.

affilée (d'), *loc. adv.* D'une seule traite, sans interruption.

affiliation, *subst. f.* Action d'affilier, de s'affilier à.

affilier, *verbe trans.* Rattacher (*qqn*) à un groupe, à un organisme. – *Pronom.* Adhérer à.

affiner, *verbe trans.* Épurer. – Rendre plus fin. – **Affiner** *un fromage* : achever sa maturation.

affinité, *subst. f.* Ressemblance, analogie, rapprochement. – Harmonie, accord.

affirmatif, ive, *adj. et subst. f. Adj.* Qui énonce ou constitue une affirmation. – *Subst. Répondre par l'affirmative* : dire oui.

affirmation, *subst. f.* Action d'affirmer la véracité (d'un jugement). – Proposition affirmative. – Action d'imposer avec netteté et vigueur (sa personnalité, ses idées, etc.).

affirmer, *verbe trans.* Énoncer que *qqch.* est vrai. – Rendre plus net, plus solide. – *Pronom.* S'imposer avec netteté.

affleurer, *verbe trans.* Mettre de niveau. – Parvenir à fleur de.

affliction, *subst. f.* Chagrin, douleur accablante.

affliger, *verbe trans.* Accabler, éprouver durement. – Faire souffrir moralement, attrister.

affluence, *subst. f.* Rassemblement important de personnes.

affluent, *subst. m.* Cours d'eau qui se jette dans un autre, plus important.

affluer, *verbe intrans.* Couler abondamment. – Arriver en grand nombre, en grande quantité.

afflux, *subst. m.* Fait d'affluer. – Arrivée en masse.

affolant, ante, *adj.* Qui affole, qui trouble.

affolement, *subst. m.* Grand trouble, agitation très intense et confuse.

affoler, *verbe trans.* Rendre comme fou (d'amour, de terreur, de colère, etc.).

affranchi, ie, *adj. et subst. Adj.* Rendu libre. – Libéré de préjugés et d'idées préconçues. – *Lettre* **affranchie** : timbrée. – *Subst.* Esclave qui a été **affranchi**.

affranchir, *verbe trans.* Libérer d'une autorité physique ou morale. – Payer le port d'un envoi postal. – *Pronom.* Se dégager d'une emprise.

affranchissement, *subst. m.* Action d'affranchir. – Paiement du port d'un envoi postal.

affres, *subst. f. plur.* Angoisse extrême. – Torture : *Les* **affres** *de la soif dans le désert*.

affréter, *verbe trans.* Prendre en location un navire, un avion ou tout autre moyen de transport.

affreux, euse, *adj.* Qui engendre l'épouvante ; hideux, repoussant. – Détestable.

affriolant, ante, *adj.* Qui provoque le désir.

affrioler, *verbe trans.* Séduire, exciter.

affront, *subst. m.* Marque d'offense, *souv.* en public. – Humiliation.

affrontement, *subst. m.* Rencontre face à face de deux personnes ou de deux forces, *souv.* hostiles. – Opposition de deux idées, de deux sentiments.

affronter, *verbe trans.* Faire front, livrer bataille contre. – Combattre hardiment (un adversaire, une doctrine, des préjugés, etc.).

affubler, *verbe trans.* Vêtir de façon bizarre.

affût, *subst. m.* Support d'une pièce d'artillerie. – Lieu d'où l'on guette un gibier, un adversaire. – *Être à l'***affût** : aux aguets.

affûter, *verbe trans.* Aiguiser, rendre pointu.

afin de, afin que, *loc. Loc. prép.* **Afin de**+inf : pour, en vue de. – *Loc. conj.* **Afin que**+subj. : pour que.

a fortiori, *loc. adv.* À plus forte raison.

after-shave, *subst. m. inv.* Lotion après-rasage.

agacement, *subst. m.* Légère irritation, impatience.

agacer, *verbe trans.* Causer une légère irritation à ; impatienter, énerver.

agapes, *subst. f. plur.* Repas entre amis, copieux et gai.

agate, *subst. f.* Variété de quartz présentant des couches concentriques colorées.

agave, *subst. m.* Plante grasse, originaire d'Amérique centrale.

âge, *subst. m.* Temps écoulé depuis la naissance de *qqn* ou la fabrication de *qqch*. – Période de la vie. – Période de l'histoire : *Le Moyen* **Âge**. – Étage géologique.

âgé, âgée, *adj.* Qui a atteint tel âge : **Âgé** *de quatre ans*. – Vieux, vieille : *Une femme* **âgée**.

agence, *subst. f.* Organisme administratif. – Succursale d'une entreprise. – Établissement commercial servant d'intermédiaire.

agencer, *verbe trans.* Organiser (les parties d'un ensemble).

agenda, *subst. m.* Carnet sur lequel on note ce que l'on doit faire jour par jour.

agenouiller (s'), *verbe pronom.* Se mettre à genoux.

agent, *subst. m.* Celui qui agit. – Celui qui agit pour le compte d'autrui. – Ce qui produit un effet : *Le bacille de Koch est l'***agent** *de la tuberculose.*

agglomération, *subst. f.* Action d'agglomérer. – Ensemble urbain.

aggloméré, *subst. m.* Matériau obtenu par l'agglomération d'éléments disparates.

agglomérer, *verbe trans.* Agréger en une masse compacte d'aspect unifié.

agglutiner, *verbe trans.* Concentrer en une masse compacte.

aggraver, *verbe trans.* Rendre plus grave. – *Pronom.* Empirer.

agile, *adj.* Adroit, prompt dans ses mouvements. – *Fig.* Vif, délié : *Une intelligence* **agile**.

agilité, *subst. f.* Adresse et rapidité corporelles. – *Fig.* Vivacité intellectuelle.

agio, *subst. m.* Commission de banque.

agir, *verbe intrans.* Accomplir des actes, des actions. – Se comporter : **Agir** *en brave.* – Produire un effet : *Ce sirop* **agit** *sur la toux.* – **Agir** *auprès de qqn* : tenter de l'influencer ; **Agir** *sur qqch.* : le modifier. – Intenter une action (en justice). – *Pronom. impers. Il s'***agit** *de* : il est question de.

agissements, *subst. m. plur.* Activité critiquable.

agitateur, trice, *subst.* Personne qui cherche à susciter des troubles politiques ou sociaux.

agiter, *verbe trans.* Remuer fortement, de manière plus ou moins irrégulière. – Troubler, exciter. – *Fig.* **Agiter** *des idées* : débattre.

agneau, elle, *subst.* Petit de la brebis.

agnosticisme, *subst. m.* Doctrine qui considère que toute recherche de l'absolu est illusoire.

agnostique, *adj. et subst.* Qui professe l'agnosticisme.

agonie, *subst. f.* Moment qui précède immédiatement la mort, caractérisé par l'affaiblissement des fonctions vitales. – *Fig.* Déclin, approche de la fin.

agoniser, *verbe intrans.* Être à l'agonie.

agora, *subst. f.* Dans la Grèce antique, place publique d'une cité, centre politique et social.

agoraphobie, *subst. f.* Crainte obsessionnelle des grands espaces vides ou de la foule.

agrafe, *subst. f.* Petit crochet de métal servant à assembler des choses : **Agrafe** *de bureau.*

agrafer, *verbe trans.* Attacher avec une agrafe.

agrafeuse, *subst. f.* Machine servant à agrafer.

agraire, *adj.* Qui concerne les terres cultivées.

agrandir, *verbe trans.* Accroître les dimensions de.

agrandissement, *subst. m.* Action d'agrandir (un domaine, un cliché, etc.). – Son résultat.

agrandisseur, *subst. m.* Appareil servant à agrandir les photographies lors du tirage.

agréable, *adj.* Que l'on trouve à son gré. – Séduisant pour les sens ou pour l'esprit.

agréé, ée, *adj.* Reconnu officiellement.

agréer, *verbe trans. Trans. dir.* Accueillir favorablement. – Reconnaître officiellement. – *Trans. indir.* Convenir, plaire à.

agrégat, *subst. m.* Agglomération d'éléments différents ; ensemble hétérogène. – *Écon.* Grandeur calculée à l'échelle d'une population.

agrégation, *subst. f.* Action d'agréger. – Concours de recrutement de certains professeurs (de lycée, de droit, etc.).

agrégé, ée, *adj. et subst.* *Adj.* Formé d'éléments hétérogènes. – *Subst.* Personne reçue à l'agrégation.

agréger, *verbe trans.* Réunir étroitement. – Incorporer à un ensemble constitué.

agrément, *subst. m.* Consentement donné par une autorité ; reconnaissance officielle. – Qualité de ce qui est agréable.

agrémenter, *verbe trans.* Rendre plus agréable, orner.

agrès, *subst. m. plur.* Éléments de la mâture d'un navire (voiles, poulies, cordages, etc.). – Appareils de gymnastique.

agresser, *verbe trans.* Attaquer brutalement (*qqn*).

agressif, ive, *adj.* Qui est porté à agresser autrui. – Qui choque : *Un parfum* **agressif**.

agression, *subst. f.* Attaque violente. – *Fig.* Comportement, parole tendant à blesser.

agressivité, *subst. f.* Tendance à agresser. – Ensemble des pulsions agressives d'un sujet.

agricole, *adj.* Relatif à l'agriculture.

agriculteur, **trice**, *subst.* Personne qui a l'agriculture pour métier.

agriculture, *subst. f.* Activité économique dont l'objet est la culture du sol et l'élevage des animaux, afin de produire des denrées alimentaires.

agripper, *verbe trans.* Saisir fermement. – *Pronom.* S'accrocher (à).

agroalimentaire, *adj. et subst. m.* Se dit du traitement industriel des produits agricoles.

agronome, *subst.* Spécialiste en agronomie.

agronomie, *subst. f.* Approche scientifique (biologie, chimie, physique) de l'agriculture.

agrume, *subst. m.* Nom générique de certains fruits (orange, citron, pamplemousse, etc.).

aguerrir, *verbe trans.* Endurcir, accoutumer aux épreuves, aux souffrances.

aguets, *subst. m. plur.* *Être aux* **aguets** : être très vigilant.

aguicher, *verbe trans.* Chercher à séduire par une attitude coquette ou provocante.

ah, *interj.* Cri ou soupir renforçant l'expression d'une émotion, d'une idée, etc.

ahuri, **ie**, *adj. et subst.* Qui a l'air très étonné, hébété.

ahurissant, **ante**, *adj.* Qu'on a peine à croire.

ahurissement, *subst. m.* Stupéfaction.

aide (i), *subst. f.* Assistance, soutien. – Secours matériel accordé à qqn par une institution.

aide (ii), *subst.* Personne qui aide, auxiliaire : **Aide** *de camp* ; **Aide** *familiale*.

aide-mémoire, *subst. m. inv.* Note, résumé, contenant l'essentiel de ce qui doit être su.

aider, *verbe trans.* *Trans. dir.* Apporter une aide, un soutien à (qqn). – *Trans. indir.* **Aider** *à* : contribuer à. – *Pronom.* Se servir de : **S'aider** *d'une canne.*

aïe, *interj.* Cri exprimant la douleur ou une désapprobation ironique.

aïeul, **aïeule**, *subst.* Le grand-père ou la grand-mère de qqn.

aïeux, *subst. m. plur.* Ancêtres (*littér.*).

aigle, *subst. Masc.* Oiseau rapace diurne. – *Fém.* Enseigne militaire portant une figure d'**aigle** : *Les* **aigles** *romaines.*

aiglefin, *voir* **églefin**

aigre, *adj.* Piquant, acide : *Saveur, odeur* **aigre**. – Criard, perçant : *Voix* **aigre**.

aigre-doux, **-douce**, *adj.* Dont la saveur est à la fois aigre et sucrée.

aigrette, *subst. f.* Échassier blanc, voisin du héron. – Faisceau de plumes sur la tête de certains oiseaux. – Plumet servant d'ornement.

aigreur, *subst. f.* Saveur ou odeur aigre, piquante. – *Fig.* Amertume, animosité.

aigri, **ie**, *adj.* Devenu, rendu aigre.

aigrir, *verbe Intrans.* Devenir aigre, tourner. – *Trans.* Rendre acariâtre, amer.

aigu, **uë**, *adj.* Pointu. – *Fig.* Fin, pénétrant : *Un esprit* **aigu**. – *Mus.* Qualifie un son de fréquence élevée (*contr. grave*).

aiguière, *subst. f.* Vase à eau pourvu d'une anse et d'un bec.

aiguillage, *subst. m.* Dispositif permettant de faire passer un train d'une voie sur une autre. – Manœuvre de ce dispositif. – *Fig.* Orientation (de personnes, d'idées).

aiguille, *subst. f.* Petite tige d'acier percée d'un trou, servant à coudre et à broder. – **Aiguilles** *à tricoter* : tiges servant à tricoter. – *Tech.* Élément terminé en pointe, en *gén.* mobile : **Aiguille** *d'une boussole.*

aiguiller, *verbe trans.* Diriger un train à l'aide d'un aiguillage. – Orienter (une personne ou un véhicule) dans une direction définie.

aiguilleur, *subst. m.* Agent chargé d'aiguiller les convois ferroviaires. – **Aiguilleur** *du ciel* : agent chargé du contrôle de la navigation aérienne.

aiguillon, *subst. m.* Dard de certains animaux. – Pointe de fer fixée au bout d'un bâton, utilisée pour stimuler les bœufs. – *Fig.* Incitation, stimulation.

aiguiser, *verbe trans.* Affûter (une lame). – Stimuler, donner de l'acuité à.

aïkido, *subst. m.* Art martial japonais.

ail, **ails** *ou* **aulx**, *subst. m.* Plante dont le bulbe est utilisé comme condiment.

aile, *subst. f.* Chacun des membres mobiles des oiseaux, des chauves-souris et des insectes, qui leur servent en *gén.* à voler. – Chacune des surfaces planes qui assurent la sustentation d'un avion. – Partie latérale d'un bâtiment, d'une armée, etc. – Élément de la carrosserie recouvrant le haut de la roue d'une automobile.

ailé, **ée**, *adj.* Qui possède des ailes.

aileron, *subst. m.* Extrémité de l'aile d'un oiseau. – Nageoire des requins, des raies. – Volet mobile à l'arrière d'une aile d'avion.

ailier, *subst. m.* Joueur qui se trouve à l'aile d'une équipe de football, de rugby, etc.

ailleurs, *adv.* Dans un autre lieu. – *Fig.* *Être* **ailleurs** : être distrait. – *D'***ailleurs** : en outre ; *Par* **ailleurs** : d'autre part.

ailloli, *voir* **aïoli**

aimable, *adj.* Bienveillant, doux.

aimant, *subst. m.* Pièce d'oxyde de fer (**aimant** *naturel*) ou corps traité (**aimant** *artificiel*) qui a la propriété d'attirer le fer.

aimantation, *subst. f.* Action d'aimanter. – État d'un corps aimanté.

aimanter, *verbe trans.* Communiquer des propriétés magnétiques à (un corps).

aimer, *verbe trans.* Éprouver de l'affection, une passion amoureuse pour (qqn). – Montrer de l'intérêt, une inclination pour (qqch).

aine, *subst. f.* Région du corps située entre la cuisse et le bas du ventre.

aîné, **ée**, *adj. et subst.* Qui est né le premier. – Qui est plus âgé : *Elle est son* **aînée** *de un an.*

aînesse, *subst. f. Droit d'***aînesse** : droit qui privilégiait l'aîné dans la succession.

ainsi, *adv.* De cette manière, de la sorte. – En conséquence. – Par exemple.

aïoli, *subst. m.* Mayonnaise à l'huile d'olive et à l'ail. – Le plat (morue bouillie, légumes) servi avec cette sauce.

air (i), *subst. m.* Mélange gazeux invisible, incolore et sans saveur qui enveloppe la Terre et constitue l'atmosphère. – L'espace au-dessus du sol : *En l'***air** ; *À l'***air** *libre*, dehors.

air (ii), *subst. m.* Attitude, allure, apparence : *Avoir l'air*, sembler.

air (iii), *subst. m.* Mélodie. – Chanson.

airain, *subst. m.* Alliage de cuivre et d'étain (*synon. bronze*).

air bag, *subst. m.* Coussin de protection à l'intérieur d'une voiture, qui se gonfle lors d'un choc.

aire, *subst. f.* Nid d'un grand oiseau de proie. – Espace aménagé pour une activité : **Aire** *de jeu.* – Superficie : *L'aire d'un cercle.* – **Aires** *cérébrales* : régions du cortex. – Zone où a lieu une activité ou un phénomène : **Aire** *culturelle.*

airelle, *subst. f.* Arbrisseau des montagnes, à baies comestibles. – Son fruit.

aisance, *subst. f.* Facilité, élégance naturelle. – Bonne situation de fortune. – *Lieux, cabinets d'*aisances : pour les besoins naturels (vieilli).

aise (i), *subst. f.* Confort, absence de gêne (physique ou monétaire) : *Vivre à l'*aise.

aise (ii), *adj.* Satisfait, comblé : *J'en suis fort* aise.

aisé, ée, *adj.* Qui se fait sans difficulté. – Qui vit dans l'aisance.

aisselle, *subst. f.* Creux situé sous l'attache du bras au tronc.

ajonc, *subst. m.* Arbuste à fleurs jaunes.

ajourer, *verbe trans.* Percer de jours, dans un but d'ornementation.

ajournement, *subst. m.* Report à une date ultérieure.

ajourner, *verbe trans.* Remettre à plus tard. – Renvoyer (un candidat) à une autre session d'examen.

ajout, *subst. m.* Ce qui est mis en plus.

ajouter, *verbe trans.* Mettre en plus. – Dire en plus : *J'*ajoute *que.*

ajusté, ée, *adj.* Se dit d'un vêtement qui épouse la forme du corps.

ajuster, *verbe trans.* Rendre conforme à une norme. – Adapter parfaitement (une chose à une autre), assembler.

alacrité, *subst. f.* Ardeur joyeuse, entrain.

alaise, *subst. f.* Tissu recouvrant un matelas pour le protéger.

alambic, *subst. m.* Appareil servant à la distillation, en *partic.* de l'alcool.

alambiqué, ée, *adj.* Trop subtil. – Obscur.

alangui, ie, *adj.* Affaibli. – Envahi par une tendre mélancolie langoureuse.

alarme, *subst. f.* Signal qui avertit d'un danger. – Trouble, inquiétude.

alarmer, *verbe trans.* Avertir d'un danger, proche ou lointain. – *Pronom.* Se soucier vivement de, redouter.

albâtre, *subst. m.* Roche calcaire blanche et fine, translucide. – *Fig. D'*albâtre : d'un blanc très pur.

albatros, *subst. m.* Grand oiseau marin de l'hémisphère Sud.

albigeois, oise, *subst.* Adepte de l'hérésie cathare dans le sud de la France, au Moyen Âge.

albinos, *adj. et subst.* Se dit de *qqn* ou d'un animal qui est atteint d'une anomalie congénitale caractérisée par l'absence de pigmentation de la peau, des cheveux.

album, *subst. m.* Cahier où l'on réunit des dessins, des timbres, des photographies, etc. – Livre illustré, de grandes dimensions. – Disque.

albumine, *subst. f.* Substance organique azotée (protéine), présente notamment dans le blanc d'œuf, le lait et le plasma sanguin.

alcalin, ine, *adj. Chim.* Qui a les propriétés d'une base : *Solution* alcaline. – *Méd.* Qui a des propriétés antiacides.

alchimie, *subst. f.* Science occulte visant à la transmutation de l'être et de la matière, en *partic.* du plomb en or.

alchimiste, *subst. m.* Celui qui pratiquait l'alchimie.

alcool, *subst. m.* Liquide obtenu par la distillation de jus sucrés fermentés. – *Chim.* Composé organique dont la molécule contient un ou plusieurs groupements — OH.

alcoolémie, *subst. f.* Taux d'alcool dans le sang.

alcoolique, *adj. et subst. Adj.* Qui contient de l'alcool ; relatif à l'alcool. – *Subst.* Personne qui souffre d'alcoolisme.

alcoolisme, *subst. m.* Dépendance à l'égard de l'alcool, intoxication par l'alcool.

alco(o)test, *subst. m.* Appareil permettant de mesurer le degré d'alcoolémie de *qqn.*

alcôve, *subst. f.* Renfoncement, dans une chambre, où l'on peut placer un lit.

aléa, *subst. m.* Hasard. – *Plur.* Risques.

aléatoire, *adj.* Qui dépend du hasard.

alentour, *adv.* Aux environs.

alentours, *subst. m. plur.* Voisinage, lieux environnants.

alerte (i), *adj.* Éveillé, vif.

alerte (ii), *subst. f. et interj.* Signal notifiant un danger imminent.

alerter, *verbe trans.* Avertir d'un danger ou d'une situation anormale.

alèse, *voir* alaise

alevin, *subst. m.* Jeune poisson à son éclosion.

alexandrin, *subst. m. Litt.* Vers de douze syllabes.

alezan, ane, *adj. et subst.* Se dit d'un cheval dont la robe et les crins sont brun-rouge.

alèze, *voir* alaise

algèbre, *subst. f.* Méthode de calcul symbolique pour poser et résoudre des équations. – Branche des mathématiques qui a pour objet l'étude de la structure d'un ensemble.

algébrique, *adj.* Qui relève de l'algèbre.

algue, *subst. f.* Végétal, *gén.* aquatique, n'ayant ni racines, ni tige, ni feuilles.

alias, *adv.* Autrement nommé.

alibi, *subst. m.* Preuve fournie par un suspect, un accusé attestant qu'il ne se trouvait pas sur le lieu du délit ou du crime quand ce dernier a été commis. – *Fig.* Justification, excuse.

aliénation, *subst. f. Dr.* Cession d'un bien ou d'un droit. – Asservissement de l'individu résultant des conditions extérieures. – **Aliénation** *mentale* : folie.

aliéné, ée, *adj. et subst. Adj. Dr.* Transmis par aliénation. – *Subst.* Fou.

aliéner, *verbe trans.* Céder (un bien ou un droit). – *Fig.* Renoncer à : **Aliéner** *sa liberté.*

alignement, *subst. m.* Action d'aligner ; son résultat. – Fait de se conformer à la position d'autrui.

aligner, *verbe trans.* Mettre sur une ligne. – Présenter d'une façon méthodique : **Aligner** *des* *arguments*. – *Pronom.* **S'aligner** *sur qqn, qqch.* : l'imiter, s'y conformer.

aliment, *subst. m.* Ce qui sert de nourriture aux êtres vivants.

alimentation, *subst. f.* Action d'alimenter, de s'alimenter. – Industrie et commerce des produits alimentaires. – Approvisionnement.

alimenter, *verbe trans.* Nourrir (*qqn*). – Approvisionner (*qqch.*).

alinéa, *subst. m.* Retrait au début de la première ligne d'un paragraphe. – Le paragraphe lui-même.

aliter, *verbe trans.* Faire garder le lit à (*qqn*). – *Pronom.* Se mettre au lit à cause d'une maladie.

alizé, *adj. m. et subst. m.* Se dit d'un vent marin régulier de la zone tropicale.

allaitement, *subst. m.* Action d'allaiter.

allaiter, *verbe trans.* Nourrir de son lait (un bébé), donner le sein.

allant, *subst. m.* Ardeur, entrain : *Être plein d'allant.*

alléchant, ante, *adj.* Qui met en appétit. – Attirant.

allécher, *verbe trans.* Attirer par une excitation des sens, par des promesses.

allée, *subst. f.* Voie bordée d'arbres, de végétation. – Passage entre des rangées de sièges.

allégation, *subst. f.* Citation d'une autorité. – Affirmation.

allégeance, *subst. f.* Obligation de fidélité et d'obéissance d'une personne envers l'autorité dont elle relève (suzerain, État).

allégement, *subst. m.* Diminution d'une charge.

alléger, *verbe trans.* Rendre plus léger. – Rendre plus supportable : **Alléger** *les impôts.*

allégorie, *subst. f.* Représentation d'une idée abstraite par une figure symbolique ou une narration.

allègre, *adj.* Vif, joyeux.

allégresse, *subst. f.* Joie vive, qui se manifeste. – État de celui qui est allègre.

allegro, *adv.* Gaiement, vivement.

allégro, *subst. m. Mus.* Morceau joué allegro.

alléguer, *verbe trans.* Citer comme autorité ou comme preuve. – Prétexter.

alléluia, *subst. m. et interj.* Cri d'allégresse, dans la liturgie juive et chrétienne. – *Subst.* Chant d'allégresse.

allemand, *subst. m.* Langue germanique parlée surtout en Allemagne et en Autriche.

aller (I), *verbe intrans.* Se déplacer, se rendre dans un lieu ; conduire vers : **Aller** *à Londres* ; *Cette route* **va** *jusqu'à Lyon.* – Être dans un état donné : *Mes affaires* **vont** *bien* ; *Ça* **va** ! – S'accorder, convenir : *Ce chapeau ne me* **va** *pas.* – **Aller**+*inf.* indique le futur proche : *Il* **va** *manger.* – À l'impératif, *interj.* d'encouragement : **Allons** ! *Au travail !* – *Pronom.* S'en **aller** : partir ; disparaître.

aller (II), *subst. m.* Trajet. – Billet de transport : *Un* **aller** *simple.*

allergie, *subst. f.* Réaction de l'organisme à la présence de certaines substances étrangères.

allergique, *adj.* Qui relève de l'allergie.

alliage, *subst. m.* Corps métallique obtenu en mélangeant à un métal d'autres éléments (métalliques ou non).

alliance, *subst. f.* Action d'allier, de s'allier ; résultat de cette action. – Anneau de mariage. – Lien de parenté établi par un mariage.

allié, ée, *adj. et subst.* Se dit de personnes ou de collectivités qui sont unies par un pacte, ou de personnes liées par le mariage d'un membre de leur famille.

allier, *verbe trans.* Combiner (des métaux). – Assembler harmonieusement, associer (des choses). – *Pronom.* S'unir ; s'ajouter.

alligator, *subst. m.* Reptile proche du crocodile, qui vit essentiellement en Amérique.

allitération, *subst. f.* Reprise de sonorités identiques (le plus *souv.* des consonnes) dans un énoncé.

allô, *interj.* Terme qui introduit une communication téléphonique.

allocation, *subst. f.* Action d'allouer *qqch.* à *qqn.* – Somme allouée.

allocution, *subst. f.* Bref discours.

allongé, ée, *adj.* Étiré dans le sens de la longueur. – Rendu plus long. – Couché.

allonger, *verbe trans.* Rendre plus long, étirer. – Étendre. – Délayer. – *Intrans. Les jours* **allongent**. – *Pronom.* Devenir plus long ; s'étendre.

allopathie, *subst. f.* Médecine qui emploie des médicaments dont l'effet est contraire à celui de la maladie.

allouer, *verbe trans.* Donner, accorder : **Allouer** *une bourse, du temps.*

allumage, *subst. m.* Action d'allumer ; son résultat. – Inflammation du mélange gazeux, dans un moteur à explosion.

allumer, *verbe trans.* Mettre le feu à. – Éclairer. – Faire fonctionner (*fam.*) : **Allumer** *la télévision.* – Provoquer ; exciter. – *Pronom.* S'enflammer ; devenir lumineux.

allumette, *subst. f.* Brin de bois dont l'extrémité est enduite d'une matière inflammable par frottement.

allure, *subst. f.* Vitesse de déplacement. – Manière de marcher, de se tenir ; aspect.

allusif, ive, *adj.* Qui contient une allusion. – Qui s'exprime par allusion.

allusion, *subst. f.* Évocation implicite.

alluvial, ale, aux, *adj.* Composé d'alluvions.

alluvion, *subst. f. Géol.* Dépôt sédimentaire laissé sur un terrain par un cours d'eau, par un glacier (*gén.* au *plur.*).

almanach, *subst. m.* Calendrier populaire comportant des indications astronomiques, météorologiques, etc.

aloi, *subst. m. De bon, de mauvais* **aloi** : de bonne, de mauvaise qualité.

alors, *adv.* En ce temps-là. – En conséquence, donc. – *Empl. conj.* **Alors** *que* : au moment où ; tandis que.

alouette, *subst. f.* Oiseau passereau des champs.

alourdir, *verbe trans.* Rendre plus lourd.

alpaga, *subst. m.* Mammifère ruminant d'Amérique du Sud, élevé pour son poil long et fin. – Tissu en laine d'**alpaga**.

alpage, *subst. m.* Prairie de haute montagne où paissent les troupeaux pendant l'été.

alpestre, *adj.* Propre aux Alpes.

alphabet, *subst. m.* Ensemble des signes figurant les phonèmes d'une langue, disposés selon un ordre déterminé, dit alphabétique.

alphabétique, *adj.* Qui a rapport à l'alphabet.

alphabétisation, *subst. f.* Action d'alphabétiser une population. – Son résultat.

alphabétiser, *verbe trans.* Enseigner la lecture et l'écriture (à des adultes).

alphanumérique, *adj.* Qui combine les lettres de l'alphabet et les chiffres.

alpin, ine, *adj.* Relatif aux Alpes. – Qui a rapport à la haute montagne : *Le ski* **alpin**.

alpinisme, *subst. m.* Sport et technique de l'ascension et de l'escalade en haute montagne.

alpiniste, *subst.* Celui qui pratique l'alpinisme.

altération, *subst. f.* Modification en mal de l'état normal d'une chose. – Falsification. – *Mus.* Signe, placé au début d'une portée, qui modifie la hauteur d'une note.

altercation, *subst. f.* Échange violent de propos hostiles, dispute.

alter ego, *subst. m. inv.* Personne de toute confiance, qu'on juge digne d'agir à sa place.

altérer, *verbe trans.* Modifier en mal la nature de ; détériorer. – Donner soif à.

alternance, *subst. f.* Succession à tour de rôle, dans l'espace ou dans le temps.

alternateur, *subst. m.* Générateur de courant électrique alternatif.

alternatif, ive, *adj.* Périodique, successif. – Qualifie un courant électrique dont l'intensité varie (*oppos. continu*).

alternative, *subst. f.* Option entre deux propositions ou deux situations possibles.

alterner, *verbe Intrans.* Se relayer tour à tour dans une tâche ; se succéder. – *Trans.* Faire se succéder.

altesse, *subst. f.* Titre donné aux princes et aux princesses.

altier, ière, *adj.* Fier, hautain.

altitude, *subst. f.* Hauteur, élévation, par rapport à un niveau donné (*gén.* celui de la mer).

alto, *adj. et subst. m. Subst.* Instrument à cordes, entre le violon et le violoncelle. – Voix de femme la plus grave (*synon. contralto*) ; cantatrice qui possède cette voix (parfois *fém.* en ce cas). – *Adj.* Entre le soprano et le ténor, en parlant d'un instrument à vent.

altruisme, *subst. m.* Disposition à se montrer bienveillant envers les autres.

altruiste, *adj. et subst.* Qui relève de l'altruisme. – *Plur.* Personne soucieuse des autres.

aluminium, *subst. m.* Métal léger blanc, brillant quand il est poli.

alunir, *verbe intrans.* Se poser sur la Lune.

alunissage, *subst. m.* Action de se poser sur la Lune.

alvéole, *subst. m.* Petite cavité.

amabilité, *subst. f.* Qualité d'une personne aimable ; affabilité. – *Plur.* Prévenances, civilités.

amadou, *subst. m.* Substance facilement inflammable tirée de certains champignons.

amadouer, *verbe trans.* Cajoler, adoucir en flattant.

amaigri, ie, *adj.* Devenu maigre.

amaigrir, *verbe trans.* Rendre maigre. – *Fig.* Affaiblir. – *Pronom.* Maigrir.

amaigrissement, *subst. m.* Le fait de maigrir. – L'état d'une personne amaigrie.

amalgame, *subst. m.* Assemblage hétérogène. – Assimilation abusive.

amande, *subst. f.* Fruit de l'amandier. – Graine contenue dans un noyau. – Ce qui évoque la forme ou la couleur de l'**amande**.

amanite, *subst. f.* Champignon dont la plupart des espèces sont vénéneuses et dont certaines sont mortelles : **Amanite** *phalloïde*.

amant, amante, *subst.* Personne qui aime et qui est aimée (vieilli). – *Masc.* Homme qui entretient une liaison avec une femme qui n'est pas son épouse. – *Masc. plur.* Couple uni par un amour réciproque.

amaril, ile, *adj.* Qui concerne la fièvre jaune.

amarrage, *subst. m.* Action d'amarrer. – Résultat de cette action.

amarre, *subst. f.* Cordage, chaîne servant à amarrer (un navire).

amarrer, *verbe trans.* Maintenir en place, *gén.* à un quai, un navire, à l'aide de cordages ou de chaînes.

amas, *subst. m.* Accumulation, tas (d'objets).

amasser, *verbe trans.* Amonceler, réunir en grande quantité, accumuler.

amateur, *adj. et subst. m.* Qui aime ou qui montre un goût vif pour *qqch.* – Qui exerce une activité sans en faire sa profession. – Dilettante.

amateurisme, *subst. m.* Caractère d'une activité pratiquée pour le plaisir, sans rémunération. – Dilettantisme ; négligence.

amazone, *subst. f.* Cavalière. – *Monter en* **amazone** : avec les deux jambes du même côté de la selle.

ambages, *subst. f. plur. Sans* **ambages** : franchement, sans détours.

ambassade, *subst. f.* Mission officielle auprès d'un haut personnage. – Mission diplomatique auprès d'un autre État. – Bâtiment abritant le personnel d'une **ambassade**.

ambassadeur, drice, *subst.* Personne qui est à la tête d'une ambassade. – *Fig.* Porteur d'un message, annonciateur.

ambiance, *subst. f.* Qualité d'un environnement. – Atmosphère gaie, allégresse (*fam.*).

ambiant, ante, *adj.* Qui appartient au milieu environnant : *La température* **ambiante**.

ambidextre, *adj. et subst.* Qui se sert également de ses deux mains.

ambigu, uë, *adj.* À double sens, équivoque.

ambiguïté, *subst. f.* Caractère de ce qui est ambigu.

ambitieux, ieuse, *adj. et subst.* Qui a de l'ambition. – Qui marque de l'ambition.

ambition, *subst. f.* Appétit de pouvoir ou de réussite. – Idéal, aspiration.

ambivalence, *subst. f.* Caractère de ce qui présente deux aspects, deux valeurs opposés.

amble, *subst. m.* Allure naturelle ou artificielle de certains quadrupèdes, qui lèvent simultanément les deux membres du même côté.

ambre, *subst. m.* **Ambre** *gris* : sécrétion intestinale du cachalot utilisée en parfumerie. – **Ambre** *jaune* : résine fossile de conifères, dont on fait des objets précieux et des vernis.

ambré, ée, *adj.* Parfumé d'ambre gris. – De la couleur de l'ambre jaune.

ambulance, *subst. f.* Véhicule servant au transport des malades et des blessés.

ambulancier, ière, *subst.* Personne qui conduit une ambulance.

ambulant, ante, *adj. et subst.* Qui se déplace.

âme, *subst. f.* Principe de vie et de pensée de l'être humain. – Personnalité, sensibilité : *L'**âme** d'un peuple.* – Habitant : *Un village de 1 200 **âmes.*** – Partie essentielle de *qqch.* – *Rendre l'**âme*** : mourir.

amélioration, *subst. f.* Action d'améliorer. – Résultat de cette action.

améliorer, *verbe trans.* Rendre meilleur. – *Pronom.* Devenir meilleur, se perfectionner.

amen, *interj.* Mot hébreu signifiant « Ainsi soit-il », et qui termine les prières chrétiennes. – *Dire* **amen** *à* : approuver.

aménagement, *subst. m.* Action d'aménager, d'agencer (une habitation, une entreprise, un territoire).

aménager, *verbe trans.* Agencer, organiser ou équiper en vue d'un résultat précis.

amende, *subst. f.* Pénalité pécuniaire infligée à l'auteur d'une infraction. – *Faire* **amende** *honorable* : reconnaître ses torts.

amendement, *subst. m. Agric.* Substance apportée à un sol pour le rendre plus fertile. – *Dr.* Modification apportée à un projet ou à une proposition de loi.

amender, *verbe trans.* Réformer en vue d'améliorer. – *Agric.* Augmenter la fertilité d'un sol. – *Pronom.* S'améliorer, se corriger.

amène, *adj.* Agréable, avenant, bienveillant.

amener, *verbe trans.* Faire venir (*qqn*) avec soi. – Conduire (*qqn*) dans un lieu. – *Fig.* Pousser, inciter : *Amener qqn à se décider.* – Causer, occasionner : *La guerre* **amène** *le malheur.*

aménité, *subst. f.* Douceur. – *Plur.* Injures, méchancetés (*iron.*) : *Échanger des* **aménités.**

amenuiser, *verbe trans.* Rendre plus menu. – *Fig.* Réduire l'importance d'un propos, d'une situation, etc. – *Pronom.* Devenir de plus en plus fin ; diminuer.

amer, amère, *adj.* Qui a une saveur âpre, mauvaise. – *Fig.* Qui manifeste de l'amertume.

amerrir, *verbe intrans.* Se poser sur un plan d'eau.

amertume, *subst. f.* Saveur amère. – *Fig.* Tristesse.

améthyste, *subst. f.* Variété de quartz, de couleur violette.

ameublement, *subst. m.* Ensemble des meubles et des objets d'une habitation, d'une pièce.

ameublir, *verbe trans.* Rendre (la terre, le sol) plus meuble.

ameuter, *verbe trans.* Regrouper des chiens en meute. – Provoquer un attroupement de.

ami, amie, *adj. et subst. Subst.* Personne à laquelle on est lié par un sentiment d'amitié, d'amour, ou par un idéal commun. – Personne qui manifeste du goût pour *qqch.* : *Un* **ami** *des arts.* – *Adj.* Accueillant, favorable, allié : *Pays* **ami.**

amiable, *adj.* Qui se règle sans procédure judiciaire, d'un commun accord.

amiante, *subst. m.* Substance minérale blanche et fibreuse, incombustible et isolante.

amibe, *subst. f.* Animal unicellulaire aquatique dont certaines espèces peuvent parasiter l'homme.

amical, ale, aux, *adj. et subst. f. Adj.* Qui est inspiré par l'amitié ; qui la manifeste. – *Subst.* Association.

amidon, *subst. m.* Substance organique qui constitue la réserve alimentaire de nombreux végétaux et qu'on utilise, en solution, pour empeser du linge.

amidonner, *verbe trans.* Empeser, imprégner d'amidon.

amincir, *verbe trans.* Rendre ou donner une apparence plus mince.

amiral, ale, aux, *adj. et subst. Subst.* Chef d'une flotte de guerre, officier général de la marine de guerre ; au *fém.*, femme d'un **amiral.** – *Adj.* Qualifie le navire à bord duquel se trouve un **amiral.**

amirauté, *subst. f.* Office d'amiral. – Siège des services du haut commandement de la marine.

amitié, *subst. f.* Sentiment d'affection qui s'installe entre des personnes. – Entente entre deux groupes. – Marques d'affection (*gén.* au *plur.*).

ammoniac, *subst. m.* Gaz incolore et suffocant, dont la solution aqueuse est l'« ammoniaque ».

amnésie, *subst. f.* Perte totale ou partielle de la mémoire.

amnésique, *adj. et subst. Adj.* Relatif à l'amnésie. – *Subst.* Personne atteinte d'amnésie.

amniotique, *adj.* Relatif à la membrane (amnios) qui enveloppe le fœtus.

amnistie, *subst. f.* Acte législatif prescrivant l'oubli officiel de certaines condamnations ou poursuites et qui en annule les conséquences pénales.

amnistier, *verbe trans.* Faire bénéficier (*qqn* ou *qqch.*) d'une amnistie.

amoindrir, *verbe trans.* Diminuer. – *Pronom.* Devenir moindre, perdre de sa vitalité.

amollir, *verbe trans.* Rendre mou, moins ferme.

amonceler, *verbe trans.* Mettre en monceau, réunir en un grand tas. – *Pronom.* S'accumuler.

amoncellement, *subst. m.* Action d'amonceler. – Accumulation.

amont, *subst. m.* Partie d'un cours d'eau située entre sa source et un point déterminé (*oppos.* aval).

amoral, ale, aux, *adj.* Qui ignore la morale. – Qui agit contre la morale.

amorce, *subst. f.* Appât servant à capturer des poissons ou à attirer un gibier. – Ce qui déclenche l'explosion d'une charge. – *Fig.* Ébauche, phase initiale d'un processus.

amorcer, *verbe trans.* Garnir d'une amorce. – Mettre en route un processus. – *Pronom.* Débuter.

amorphe, *adj.* Qui n'a pas de forme déterminée. – Sans énergie.

amortir, *verbe trans.* Atténuer l'effet de, diminuer l'intensité de. – Rembourser (un emprunt) par paiements successifs. – **Amortir** *une machine, un véhicule* : en l'utilisant, reconstituer le capital employé pour l'acquérir. – *Pronom.* Devenir plus faible.

amortissement, *subst. m.* Action d'amortir ou de s'amortir : **Amortissement** *d'une dette.*

amortisseur, *subst. m.* Dispositif destiné à amortir les chocs, les vibrations, les oscillations.

amour, *subst. m.* Sentiment intense qui attache une personne à une autre. – Sentiment de dévouement ou d'adoration : **Amour** *de la patrie* ; **Amour** *divin.* – Personne aimée. – Goût prononcé pour une chose : *L'*amour *de la lecture.*

amouracher (s'), *verbe pronom.* Éprouver une passion soudaine et fugace pour (*qqn*).

amourette, *subst. f.* Liaison amoureuse passagère.

amoureux, euse, *adj. et subst.* Qui est épris de. – Qui manifeste de l'amour, qui le dénote ou s'y rapporte.

amour-propre, *subst. m.* Sentiment de dignité personnelle.

amovible, *adj.* Que l'on peut déplacer ou ôter.

amphétamine, *subst. f.* Substance médicamenteuse agissant sur le système nerveux central.

amphibie, *adj. et subst. m.* Qui peut vivre dans l'air ou dans l'eau. – *Une voiture* **amphibie** : se déplaçant sur le sol et sur l'eau.

amphibien, *subst. m.* Animal vertébré dont la larve a une vie aquatique et l'adulte une vie aérienne (*synon. batracien*). – *Plur.* La classe correspondante.

amphithéâtre, *subst. m.* Bâtiment en gradins où se tenaient les jeux du cirque. – Grande salle à gradins, dans un théâtre, une université.

amphore, *subst. f. Antiq.* Vase en terre cuite à deux anses.

ample, *adj.* Vaste, large. – Puissant.

ampleur, *subst. f.* Qualité de ce qui est ample.

amplificateur, trice, *adj. et subst. m.* Adj. Qui amplifie. – *Subst.* Appareil qui augmente l'intensité d'un signal électrique (*abrév. fam. ampli*).

amplifier, *verbe trans.* Rendre plus ample, plus intense. – *Pronom.* S'agrandir, s'intensifier.

amplitude, *subst. f.* État de ce qui est ample, vaste, prestigieux. – Mesure maximale de l'écart réalisé par une grandeur qui varie périodiquement.

ampoule, *subst. f.* Petit récipient de verre utilisé pour conserver des liquides (médicaments). – **Ampoule** *électrique* : enveloppe de verre contenant un filament qui devient lumineux au passage du courant électrique. – Cloque pleine de sérosité, sous la peau.

ampoulé, ée, *adj.* Emphatique, pompeux.

amputation, *subst. f.* Action d'amputer (*qqn* ou *qqch.*). – Son résultat.

amputer, *verbe trans. Méd.* Retrancher chirurgicalement un membre ou une partie de membre. – Retrancher une partie de.

amulette, *subst. f.* Petit objet auquel on attribue, par superstition, des vertus protectrices.

amusant, ante, *adj.* Qui amuse, divertit.

amuse-gueule, *subst. m.* Petit hors-d'œuvre servi avant un repas.

amusement, *subst. m.* Ce qui amuse. – Divertissement, distraction.

amuser, *verbe trans.* Divertir agréablement, distraire. – Tromper ou retarder par des feintes : **Amuser** *l'ennemi.* – *Pronom.* Se divertir.

amygdale, *subst. f.* Glande en forme d'amande, située au fond de la gorge.

an, *subst. m.* Année civile. – Temps que met la Terre pour accomplir une révolution autour du Soleil ; année.

anabolisant, ante, *adj. et subst. m.* Se dit d'une substance favorisant le développement artificiel des tissus musculaires.

anachorète, *subst. m.* Moine ermite vivant dans la solitude. – *Fig.* Personne qui a choisi de vivre retirée du monde.

anachronisme, *subst. m.* Faute chronologique qui consiste à situer à une époque ce qui appartient à une autre. – Objet, usage dépassé.

anaconda, *subst. m.* Serpent d'Amérique du Sud.

anaérobie, *adj. et subst. m.* Se dit d'un être vivant qui peut se développer normalement en l'absence d'air ou d'oxygène.

anagramme, *subst. f.* Mot formé des lettres d'un autre mot disposées différemment.

anal, anale, anaux, *adj.* Qui se rapporte à l'anus.

analgésique, *adj. et subst. m.* Qui supprime la douleur.

analogie, *subst. f.* Ressemblance entre des choses ou des êtres, similitude.

analogue, *adj.* Qui présente une analogie avec.

analphabète, *adj. et subst.* Qui ne sait ni lire ni écrire. – *Fig.* Qui est peu instruit, ignorant.

analyse, *subst. f.* Décomposition d'un tout en ses parties. – Étude détaillée de *qqch.* – *Ling.* Étude de la nature et de la fonction des mots et des propositions dans une phrase. – *Math.* Branche comprenant le calcul différentiel et intégral, et la théorie des fonctions. – *Synon.* de « psychanalyse ».

analyser, *verbe trans.* Faire l'analyse de.

analytique, *adj. et subst. f.* Qui se rapporte à l'analyse.

ananas, *subst. m.* Plante des régions chaudes, cultivée pour son fruit très sucré. – Ce fruit.

anarchie, *subst. f.* Doctrine politique refusant toute organisation de la société fondée sur la notion d'État. – *Fig.* Désordre.

anathème, *subst. m.* Sentence d'excommunication. – Personne frappée d'**anathème**. – *Fig.* Blâme solennel, condamnation publique.

anatomie, *subst. f.* Science qui étudie les parties et la constitution des êtres vivants ; son objet. – Plastique, aspect extérieur du corps (*fam.*).

ancestral, ale, aux, *adj.* Propre aux ancêtres ; qui vient d'eux. – Très ancien.

ancêtre, *subst.* Personne dont on descend, ascendant éloigné. – *Plur.* Ceux qui ont vécu dans les temps anciens : *Nos* **ancêtres** *les Gaulois.*

anche, *subst. f. Mus.* Languette dont les vibrations produisent un son, dans certains instruments à vent.

anchois, *subst. m.* Petit poisson osseux, commun en Méditerranée.

ancien, ienne, *adj. et subst.* Qui existe depuis longtemps. – Qui n'existe plus, révolu ; qui a perdu sa qualité, ses fonctions. – Qui a de l'ancienneté. – *Les* **Anciens** : personnages et écrivains de l'Antiquité.

ancienneté, *subst. f.* Caractère de ce qui est ancien. – Temps écoulé depuis l'entrée en fonction, la nomination.

ancre, *subst. f.* Lourde pièce de métal, fixée au bout d'une chaîne, qu'on immerge pour immobiliser un navire : *Jeter, lever l'ancre.*

ancrer, *verbe trans.* Mettre (un navire) à l'ancre. – Fixer fortement. – *Fig.* Implanter.

andante, *subst. m. et adv.* Se dit d'une œuvre musicale jouée dans un mouvement modéré.

andouille, *subst. f.* Boyau de porc farci de tripes et de viande. – *Fig.* Imbécile (*fam.*).

androgyne, *adj. et subst. m.* Qui tient des deux sexes ; hermaphrodite.

androïde, *subst. m.* Robot à forme humaine.

âne, ânesse, *subst.* Mammifère voisin du cheval, à longues oreilles. – *Masc. Fig.* Personne stupide et têtue ; personne ignorante.

anéantir, *verbe trans.* Réduire à néant, annihiler. – *Fig.* Exténuer ; accabler.

anéantissement, *subst. m.* Fait d'être anéanti. – Destruction totale, effondrement.

anecdote, *subst. f.* Petit récit concernant un fait secondaire, mais amusant ou révélateur.

anémie, *subst. f.* Appauvrissement du sang en globules rouges. – *Fig.* Affaiblissement.

anémique, *adj. et subst.* Qui est atteint d'anémie. – *Fig.* Qui est faible, sans vigueur.

anémone, *subst. f.* Plante herbacée aux fleurs de couleurs vives.

ânerie, *subst. f.* Ignorance. – Propos d'ignorant.

anesthésie, *subst. f. Méd.* Suppression, totale ou partielle, de la sensibilité.

anesthésier, *verbe trans.* Procéder à une anesthésie sur. – *Fig.* Rendre indifférent, endormir.

aneth, *subst. m.* Plante aromatique au goût d'anis.

anfractuosité, *subst. f.* Cavité irrégulière et profonde (dans une masse rocheuse).

ange, *subst. m.* Être spirituel, intermédiaire entre Dieu et l'homme. – *Fig.* Personne parfaite.

angélique, *adj.* Qui a les qualités d'un ange.

angélus, *subst. m. L'Angélus* : prière chrétienne. – Son de cloche annonçant cette prière.

angine, *subst. f.* Inflammation de l'isthme du gosier et du pharynx.

angiosperme, *subst. f.* Plante dont les ovules sont enfermés dans un ovaire clos. – *Plur.* Le sous-embranchement correspondant.

anglais, *subst. m.* Langue germanique parlée en Grande-Bretagne, aux États-Unis, etc.

angle, *subst. m.* Figure formée par deux demi-droites ou demi-plans qui se coupent. – Partie saillante ou rentrante d'un objet, coin.

anglicisme, *subst. m.* Tournure propre à la langue anglaise. – Mot ou expression empruntés à l'anglais.

anglophone, *adj. et subst.* Qui est de langue anglaise.

angoisse, *subst. f.* Inquiétude profonde, peur, anxiété extrême due à un sentiment de menace imminente.

angoisser, *verbe trans.* Causer de l'angoisse à.

angora, *adj. et subst.* Se dit de certains animaux aux poils longs et soyeux (chat, lapin, chèvre).

anguille, *subst. f.* Poisson d'eau douce (mais se reproduisant dans la mer des Sargasses), au corps allongé et à la peau visqueuse.

angulaire, *adj.* Qui forme un angle ou qui est situé à un angle.

anicroche, *subst. f.* Petit incident, petit obstacle.

animal, ale, aux, *adj. et subst. m. Subst.* Être vivant non végétal, autre que l'être humain. – *Adj.* Qui concerne les animaux, qui leur est spécifique. – Bestial.

animalier, ière, *adj.* Se dit d'un art ou d'un artiste qui représente des animaux : *Peintre* **animalier**.

animation, *subst. f.* Fait d'animer (un groupe, un lieu, etc.). – Mouvement, vivacité, agitation. – *Cin.* Technique consistant à filmer des dessins et à leur donner l'apparence du mouvement.

animé, ée, *adj.* Plein de vie, d'animation. – Qui manifeste de l'entrain, de la vivacité.

animer, *verbe trans.* Insuffler la vie à. – Entraîner, communiquer l'enthousiasme à. – *Pronom.* Se remplir de vie, se mettre en mouvement.

animosité, *subst. f.* Hostilité, désir de nuire.

anion, *subst. m.* Ion de charge électrique négative (*oppos.* cation).

anis, *subst. m.* Plante aromatique dont on extrait une huile au goût typique.

ankylose, *subst. f.* Blocage partiel ou total d'une articulation ; raideur.

ankyloser, *verbe trans.* Produire l'ankylose. – *Pronom.* Se raidir par ankylose.

annales, *subst. f. plur.* Chronique rapportant les événements année par année. – *Rester dans les* **annales** : marquer son époque.

anneau, *subst. m.* Objet circulaire et évidé à usages divers. – Bague. – Toute forme circulaire.

année, *subst. f.* Unité servant à mesurer le temps par *réf.* au mouvement de la Terre autour du Soleil. – Période de douze mois. – **Année** *civile* : du 1er janvier au 31 décembre. – Période d'activité annuelle : *L'*année *scolaire*.

année-lumière, *subst. f.* Distance parcourue par la lumière en une année (*symb. al*).

annelé, ée, *adj.* Composé d'anneaux.

annexe, *adj. et subst. f.* Qui est joint, lié à une chose principale.

annexer, *verbe trans.* Rattacher, joindre à un ensemble plus important. – Faire passer (un territoire) sous sa souveraineté.

annexion, *subst. f.* Action d'annexer. – Territoire ou pays annexé.

annihiler, *verbe trans.* Anéantir. – Supprimer.

anniversaire, *adj. et subst. m. Adj.* Qui rappelle un événement survenu le même jour, une ou plusieurs années auparavant. – *Subst.* Jour anniversaire, en *partic.* de la naissance.

annonce, *subst. f.* Information portée à la connaissance d'un public. – Signe précurseur.

annoncer, *verbe trans.* Faire connaître un fait. – Laisser présager un événement à venir. – *Pronom.* Laisser prévoir sa venue. – Se présenter.

annotation, *subst. f.* Remarque, note portée en marge d'un texte.

annoter, *verbe trans.* Marquer d'une ou de plusieurs annotations.

annuaire, *subst. m.* Publication annuelle contenant divers renseignements dans un domaine déterminé : *L'*annuaire *du téléphone.*

annuel, elle, *adj.* Qui a lieu chaque année. – Qui dure un an.

annuité, *subst. f.* Paiement annuel.

annulaire, *subst. m.* Quatrième doigt de la main, en partant du pouce.

annulation, *subst. f.* Action d'annuler. – Résultat de cette action.

annuler, *verbe trans.* Considérer comme nul, sans effet. – Supprimer.

anoblir, *verbe trans.* Conférer la noblesse à (*qqn*).

anode, *subst. f.* Électrode reliée au pôle positif d'un générateur électrique (*oppos. cathode*).

anodin, ine, *adj.* Sans danger, sans gravité.

anomalie, *subst. f.* Caractère anormal, inhabituel de *qqch*. – Bizarrerie, étrangeté.

ânonner, *verbe* Lire, réciter avec peine, en balbutiant.

anonymat, *subst. m.* Qualité de *qqn*, de *qqch*. qui est anonyme.

anonyme, *adj. et subst. Adj.* Dont le nom est inconnu. – Dont l'auteur est inconnu; sans signature. – *Fig.* Impersonnel, sans originalité : *Un appartement* **anonyme**. – *Subst.* Personne anonyme.

anorak, *subst. m.* Veste courte, chaude et imperméable, avec ou sans capuche.

anorexie, *subst. f.* Disparition pathologique de l'appétit.

anormal, ale, aux, *adj. et subst. Adj.* Contraire à la norme, aux règles habituelles. – *Subst.* Personne ou chose **anormale** ; sujet déficient mentalement.

anoure, *subst. m.* Amphibien sans queue tel que le crapaud. – *Plur.* La classe correspondante.

anse, *subst. f.* Partie courbe, *gén.* en forme d'arc, par laquelle on saisit un objet. – *Géogr.* Petite baie peu profonde.

antagonisme, *subst. m.* Rivalité, lutte, opposition.

antalgique, *adj. et subst. m.* Se dit d'une substance qui apaise la douleur.

antan (d'), *loc. adj.* Du temps jadis (*littér.*).

antarctique, *adj.* Du pôle Sud et des régions qui l'environnent.

antécédent, ente, *adj. et subst. m. Adj.* Qui est antérieur. – *Subst. Ling.* Nom ou pronom représenté par un pronom relatif. – *Plur.* Événements passés permettant de comprendre l'état présent.

antédiluvien, ienne, *adj.* D'avant le Déluge. – Vieux, démodé, révolu (*iron.*).

antenne, *subst. f.* Organe sensoriel de certains invertébrés. – Dispositif servant à diffuser et à recevoir des ondes électromagnétiques.

antépénultième, *adj. et subst. f. Adj.* Qui précède immédiatement l'avantdernier. – *Subst.* Dans un mot, syllabe qui précède l'avant-dernière syllabe.

antérieur, ieure, *adj.* Qui est devant, qui précède.

antériorité, *subst. f.* Caractère de ce qui est antérieur dans le temps.

anthologie, *subst. f.* Recueil de morceaux choisis, littéraires ou musicaux.

anthracite, *subst. m.* Houille riche en carbone, qui brûle sans fumée et presque sans flamme. – *Empl. adj. inv.* Gris foncé : *Des vestons* **anthracite**.

anthropoïde, *adj. et subst.* Se dit des grands singes qui ressemblent le plus à l'homme.

anthropologie, *subst. f.* Science qui étudie les croyances, mœurs et coutumes des sociétés humaines.

anthropophage, *adj. et subst.* Qui mange de la chair humaine. – Cannibale.

anti-, préfixe Exprime l'idée de « contre » ou, plus rarement, d'« avant » ou d'« en face de ».

antiaérien, ienne, *adj.* Relatif à la défense contre les attaques aériennes.

antiatomique, *adj.* Qui protège des radiations ou des armes atomiques.

antibiotique, *adj. et subst. m.* Se dit de substances qui empêchent le développement des micro-organismes.

antibrouillard, *adj. inv. et subst. m.* Se dit d'un phare qui perce le brouillard.

antichambre, *subst. f.* Salle d'attente, vestibule.

anticiper, *verbe trans.* Devancer ; prévoir. – **Anticiper** *sur* : user de *qqch*. par avance.

anticorps, *subst. m.* Molécule synthétisée par l'organisme en présence d'antigènes et capable de les neutraliser.

anticyclone, *subst. m.* Centre de hautes pressions atmosphériques.

antidater, *verbe trans.* Inscrire sur (un écrit, un acte) une date antérieure à la date réelle.

antidépresseur, *adj. m. et subst. m.* Se dit d'une substance qui combat les états dépressifs.

antidote, *subst. m.* Substance qui combat les effets d'un poison. – *Fig.* Remède moral.

antigel, *subst. m.* Produit qui abaisse le point de congélation de l'eau.

anti-inflammatoire, *adj. et subst. m.* Se dit d'un médicament qui combat l'inflammation.

antilope, *subst. f.* Mammifère ruminant d'Afrique.

antimilitariste, *adj. et subst.* Adversaire de l'institution et de l'esprit militaires.

antimite, *adj. inv. et subst. m.* Qui préserve des mites.

antinomie, *subst. f.* Opposition, contradiction entre deux idées, deux principes.

antipathie, *subst. f.* Aversion spontanée, hostilité.

antiphrase, *subst. f.* Manière de s'exprimer consistant à employer un mot ou une phrase pour son contraire.

antipode, *subst. m.* Lieu du globe terrestre diamétralement opposé à un autre.

antipoison, *adj. inv. Centre* **antipoison** : spécialisé dans le traitement des intoxications.

antiquaire, *subst.* Marchand d'antiquités.

antique, *adj.* Qui appartient à l'Antiquité ou qui l'évoque. – Très ancien. – Vieux, passé de mode (*iron.*).

antiquité, *subst. f.* Caractère de ce qui est ancien. – *L'*Antiquité : période de l'histoire allant de la fin de l'âge des métaux à la chute de l'Empire romain. – Œuvre d'art de cette période. – Objet d'art, meuble ancien.

antisémite, *adj. et subst.* Qui relève de ou qui professe l'antisémitisme.

antisémitisme, *subst. m.* Forme de racisme dirigée contre les Juifs.

antisepsie, *subst. f.* Méthode destinée à prévenir l'infection par la destruction systématique des bactéries qui en sont la cause.

antiseptique, *adj. et subst. m.* Se dit d'une substance ou d'une pratique qui prévient l'infection.

antithèse, *subst. f.* Rapprochement de deux mots ou expressions contraires. – L'**antithèse** *de* : l'opposé de.

antivol, *adj. inv. et subst. m.* Se dit d'un dispositif protégeant contre le vol.

antonyme, *subst. m.* Terme dont le sens s'oppose à celui d'un autre terme (*contr. synonyme*).

antre, *subst. m.* Caverne servant de gîte à un animal. – *Fig.* Lieu retiré ou sordide.

anus, *subst. m.* Orifice du rectum, extrémité terminale du tube digestif.

anxiété, *subst. f.* Inquiétude, sentiment confus d'un danger imminent (réel ou imaginaire).

anxieux, ieuse, *adj. et subst.* Sujet à l'anxiété.

aorte, *subst. f.* Artère qui part du ventricule gauche du cœur.

août, *subst. m.* Huitième mois de l'année.

aoûtat, *subst. m.* Acarien dont la piqûre provoque de fortes démangeaisons.

apaisement, *subst. m.* Retour au calme, à la paix.

apaiser, *verbe trans.* Amener la paix. – Calmer (une souffrance, un besoin).

apanage, *subst. m.* Ce qui est le propre d'une personne, d'une chose.

aparté, *subst. m.* Réplique qu'un acteur dit pour lui-même, et qui est censée n'être entendue que du public. – Entretien particulier, au sein d'une réunion.

apartheid, *subst. m.* Régime sud-africain de ségrégation raciale, aujourd'hui aboli.

apathie, *subst. f.* Absence de volonté, d'énergie.

apatride, *adj. et subst.* Qui n'est reconnu comme citoyen par aucun État.

apercevoir, *verbe trans.* Commencer à voir (*qqch.* ou *qqn*), soudainement ou après un effort d'attention. – *Pronom.* Se rendre compte de (*qqch.*).

aperçu, *subst. m.* Vue succincte, rapide d'une chose.

apéritif, ive, *adj. et subst. m. Adj.* Qui ouvre, stimule l'appétit. – *Subst.* Boisson alcoolisée, que l'on sert en *gén.* avant les repas.

apesanteur, *subst. f.* Disparition des effets de la pesanteur terrestre.

apeurer, *verbe trans.* Effrayer.

aphone, *adj.* Qui a perdu momentanément l'usage de la voix.

aphorisme, *subst. m.* Vérité générale, en forme de maxime simple et rapide.

aphrodisiaque, *adj. et subst. m.* Se dit de ce qui tend à intensifier l'appétit sexuel.

aphte, *subst. m.* Petite ulcération de la muqueuse buccale.

aphteux, euse, *adj.* Caractérisé par l'apparition d'aphtes. – *Fièvre* **aphteuse** : maladie du bétail, très contagieuse.

à-pic, *subst. m. inv.* Paroi abrupte surplombant le vide.

apiculture, *subst. f.* Art d'élever des abeilles et de recueillir le produit de leur activité.

apitoiement, *subst. m.* Action de s'apitoyer.

apitoyer, *verbe trans.* Susciter la pitié de, éveiller la compassion de. – *Pronom.* Compatir.

aplanir, *verbe trans.* Rendre plan, niveler. – *Fig.* Atténuer, faire disparaître (des obstacles).

aplatir, *verbe trans.* Rendre plat. – Humilier (*fam.*).

aplatissement, *subst. m.* Action d'aplatir. – État de ce qui est aplati.

aplomb, *subst. m.* Direction verticale. – Stabilité, équilibre. – *Fig.* Audace. – D'**aplomb** : bien équilibré ; en bonne santé (*fam.*).

apnée, *subst. f.* Suspension de la respiration.

apocalypse, *subst. f.* Catastrophe. – Fin du monde.

apocope, *subst. f.* Coupure de la fin d'un mot.

apogée, *subst. m. Astron.* Point où se trouve un corps céleste lorsque sa distance à la Terre est maximale. – *Fig.* Le degré le plus haut.

apologie, *subst. f.* Défense, éloge de *qqch.*, de *qqn* ; discours ou écrit rédigé à cet effet.

apoplexie, *subst. f.* Arrêt soudain des fonctions cérébrales (perte de connaissance).

a posteriori, *adj. inv. et loc. adv. Loc.* À partir de l'expérience. – *Adj.* Raisonnement **a posteriori**.

apostolat, *subst. m.* Ministère d'un apôtre. – Évangélisation. – *Fig.* Tâche requérant un grand dévouement.

apostolique, *adj.* Qui procède des apôtres. – Qui a pour but de propager la foi catholique. – Qui émane du Saint-Siège ou qui le représente.

apostrophe (i), *subst. f.* Interpellation plus ou moins vive, peu polie.

apostrophe (ii), *subst. f.* Signe graphique (') marquant l'élision d'une voyelle.

apostropher, *verbe trans.* Interpeller brusquement.

apothéose, *subst. f. Antiq.* Déification des empereurs romains, des héros après leur mort. – Honneurs exceptionnels. – *Fig.* Moment le plus intense.

apothicaire, *subst. m.* Pharmacien (vieilli). – *Compte d'*apothicaire : compliqué ou mesquin.

apôtre, *subst. m.* Chacun des douze disciples que Jésus chargea de prêcher l'Évangile. – *Fig.* Défenseur d'une idée, d'une doctrine.

apparaître, *verbe intrans.* Se manifester ; devenir visible. – Se révéler. – Se montrer sous une certaine apparence, sembler.

apparat, *subst. m.* Cérémonial pompeux, faste.

appareil, *subst. m.* Objet, machine destinée à une fonction définie. – Ensemble d'éléments concourant à une fonction : **Appareil** *digestif* ; **Appareil** *d'État*. – Avion. – Prothèse : **Appareil** *dentaire*. – Téléphone. – *Archit.* Agencement des éléments d'une maçonnerie.

appareiller, *verbe Trans.* Préparer *qqch.* en vue d'un but précis. – Munir d'une prothèse. – *Intrans.* Lever l'ancre, prendre la mer.

apparence, *subst. f.* Manière d'apparaître, de se présenter au regard. – Vraisemblance.

apparent, ente, *adj.* Visible, qui apparaît. – Nom conforme à la réalité ; illusoire.

apparenter (s'), *verbe pronom.* S'allier ou être allié par mariage. – *Fig.* **S'apparenter** *à* : avoir des traits communs avec.

apparition, *subst. f.* Action d'apparaître. – Manifestation d'un être surnaturel ; cet être.

appartement, *subst. m.* Logement particulier, dans un immeuble.

appartenance, *subst. f.* Le fait d'appartenir à.

appartenir, *verbe trans. indir.* Être la propriété de : *Ce livre m'*appartient. – Faire partie de : **Appartenir** *à la bourgeoisie*. – Être le propre de : *La raison* **appartient** *à l'être humain*. – *Impers.*

*Il m'*appartient *de choisir* : c'est mon devoir, mon rôle de le faire.

appas, *subst. m. plur.* Les charmes d'une femme, en *partic.* sa poitrine.

appât, *subst. m.* Pâture, nourriture utilisée pour attirer des animaux qu'on veut prendre. – *Fig.* Ce qui attire, incite à agir.

appâter, *verbe trans.* Attirer avec un appât. – *Fig.* Attirer par des promesses.

appauvrir, *verbe trans.* Rendre pauvre.

appauvrissement, *subst. m.* Action d'appauvrir. – Fait de s'appauvrir. – Leur résultat.

appel, *subst. m.* Action d'appeler. – Convocation sous les drapeaux. – Incitation, exhortation : **Appel** *à l'insurrection.* – Énumération des noms de ceux dont on veut vérifier la présence. – *Dr.* Recours à une juridiction supérieure pour rejuger une affaire.

appeler, *verbe trans.* Attirer l'attention de (*qqn*) par la voix ou le geste. – Téléphoner à. – Nommer. – **Appeler** *à* : destiner à. – *Pronom.* Avoir pour nom.

appellation, *subst. f.* Manière de nommer ; nom réglementaire de *qqch.*

appendice, *subst. m.* Partie qui complète, qui prolonge *qqch.* – Petite poche au bout du gros intestin.

appendicite, *subst. f.* Inflammation de l'appendice.

appentis, *subst. m.* Toit à une seule pente, adossé au mur d'un bâtiment. – Petit bâtiment adossé à un plus grand.

appesantir, *verbe trans.* Rendre plus pesant. – *Pronom.* S'**appesantir** *sur* : insister sur.

appétissant, ante, *adj.* Qui stimule l'appétit ou le désir ; qui attire.

appétit, *subst. m.* Désir de satisfaire un besoin organique, en *partic.* la faim. – Désir impérieux de *qqch.*

applaudir, *verbe trans.* Battre des mains pour manifester son approbation, pour acclamer. – **Applaudir** *à* : approuver.

applaudissement, *subst. m.* Action d'applaudir.

application, *subst. f.* Action d'appliquer une chose sur une autre. – Mise en pratique : **Application** *d'une théorie, d'une idée.* – Soin, attention soutenue.

applique, *subst. f.* Appareil d'éclairage fixé au mur.

appliqué, ée, *adj.* Attentif, studieux. – Utilitaire : *Une science* **appliquée.**

appliquer, *verbe trans.* Mettre en pratique. – Plaquer sur, étendre sur. – Donner (un baiser, une gifle, etc.). – *Pronom.* Apporter toute son attention à. – Être applicable (à).

appoint, *subst. m.* Complément d'une somme en petite monnaie. – *Fig.* Chauffage d'**appoint.**

appointements, *subst. m. plur.* Rémunération, salaire.

apport, *subst. m.* Action d'apporter ; ce qui est apporté. – *Fig.* Contribution à *qqch.*

apporter, *verbe trans.* Porter (*qqch.*) à *qqn.* – Fournir, procurer : **Apporter** *un soulagement.*

apposer, *verbe trans.* Poser sur ou contre.

apposition, *subst. f.* Action d'apposer. – *Ling.* Terme mis à côté d'un autre, qu'il qualifie ou détermine.

apprécier, *verbe trans.* Évaluer le prix, la valeur de. – Estimer ; aimer.

appréhender, *verbe trans.* Prendre, procéder à l'arrestation de (*qqn*). – Saisir (*qqch.*) par la pensée. – Craindre.

appréhension, *subst. f.* Crainte, inquiétude.

apprendre, *verbe trans.* Acquérir (une connaissance). – Informer ; enseigner.

apprenti, ie, *subst.* Personne qui s'initie à un métier, qui est en apprentissage.

apprêt, *subst. m.* Action d'apprêter ; produit employé à cet effet. – Enduit préalable mis sur une surface à peindre.

apprêter, *verbe trans.* Préparer (*qqch.*) en vue d'un usage prochain. – *Pronom.* Se préparer à.

apprivoiser, *verbe trans.* Rendre moins sauvage.

approbateur, trice, *adj.* Qui approuve.

approbation, *subst. f.* Action de donner son assentiment, de juger bien, convenable.

approche, *subst. f.* Action de s'approcher. – Proximité (d'un événement, d'un moment) : *L'*approche *de Noël.* – *Plur.* Abords.

approcher, *verbe Trans.* Mettre à proximité. – Aborder. – Devenir proche de. – *Intrans.* Être sur le point de se produire.

approfondir, *verbe trans.* Creuser, rendre plus profond. – *Fig.* Étudier, examiner plus à fond.

approprier, *verbe trans.* Rendre propre à un usage. – *Pronom.* S'attribuer la propriété de.

approuver, *verbe trans.* Donner son accord à. – Juger bon, louable.

approvisionner, *verbe trans.* Fournir des provisions, des choses nécessaires à.

approximatif, ive, *adj.* Peu précis.

approximation, *subst. f.* Estimation approchée.

appui, *subst. m.* Ce qui sert de soutien ou de support. – Aide, assistance.

appui(e)-tête, *subst. m.* Dispositif adapté à un siège et destiné à maintenir la tête.

appuyer, *verbe Trans.* Placer une chose contre une autre qui la soutient ou la supporte. – *Fig.* Fournir une aide. – Soutenir, encourager (*qqn*) ; étayer (un avis au moyen d'arguments). – *Intrans.* Presser fortement sur. – *Pronom.* Prendre appui sur.

âpre, *adj.* Rugueux ; rude au goût. – *Fig.* Acharné, violent.

après, *prép. et adv.* Prép. Postérieurement, dans le temps ou dans l'espace : **Après** *les vacances* ; **Après** *le feu rouge.* – *Adv.* Vingt ans **après.** – *Être* **après** *qqn* : le harceler (*fam.*). – *Loc. conj.* **Après** *que+ind.* : une fois que.

après-demain, *adv.* Au jour qui suit immédiatement demain.

après-midi, *subst. m. ou f. inv.* Partie de la journée entre midi et le soir.

après-rasage, *adj. inv. et subst. m.* Se dit d'un produit que l'on met sur la peau pour éteindre le feu du rasoir.

après-ski, *subst. m.* Bottillon fourré qu'on met, aux sports d'hiver, lorsqu'on ne skie pas.

âpreté, *subst. f.* Caractère de ce qui est âpre.

a priori, *adj. inv., subst. m. inv. et loc. adv.* Loc. Antérieurement, à toute expérience ; au premier abord. – *Subst.* Préjugé : *Avoir des* **a priori.** – *Adj. Un jugement* **a priori.**

à-propos, *subst. m. inv.* Ce qui est pertinent, opportun. – *Avoir de l'***à-propos** : de la présence d'esprit, le sens de la repartie.

apte, *adj.* Qui a les qualités ou les propriétés nécessaires pour faire *qqch.*

aptitude, *subst. f.* Disposition. – Capacité.

aquarelle, *subst. f.* Couleur diluée dans l'eau. – Peinture faite avec ce type de couleur.

aquarium, *subst. m.* Bassin vitré à poissons.

aquatique, *adj.* Qui vit dans l'eau ou à proximité de l'eau.

aqueduc, *subst. m.* Canal souterrain ou aérien servant à conduire l'eau.

aqueux, euse, *adj.* Qui contient de l'eau.

aquilin, *adj. m.* Nez aquilin : fin et busqué.

ara, *subst. m.* Perroquet d'Amérique du Sud.

arabe, *subst. m.* Langue sémitique parlée principalement en Arabie, au Moyen-Orient et en Afrique du Nord.

arabesque, *subst. f.* Motif ornemental de courbes entrelacées. – Ligne sinueuse.

arable, *adj.* Qui peut être labouré, cultivé.

arachide, *subst. f.* Plante tropicale dont la graine (cacahuète) est riche en huile.

arachnide, *subst. m.* Arthropode sans antennes (araignée, scorpion, etc.). – *Plur.* La classe correspondante.

araignée, *subst. f.* Arthropode qui tisse une toile pour piéger ses proies. – **Araignée** *de mer* : sorte de crabe.

araire, *subst. m.* Sorte de charrue primitive.

araser, *verbe trans.* Rendre plat et uni.

arbalète, *subst. f.* Arme de trait formée d'un arc monté sur un fût.

arbitraire, *adj. et subst. m.* Adj. Qui dépend du libre choix, de la volonté, sans autre considération. – Despotique. – *Subst.* Autorité qui n'a d'autre fondement que le caprice de son détenteur.

arbitre, *subst. m.* Personne désignée pour régler un litige. – *Sp.* Personne qui veille à la régularité d'un match, d'une épreuve.

arbitrer, *verbe trans.* Juger ou contrôler en qualité d'arbitre.

arborer, *verbe trans.* Dresser, hisser, déployer : **Arborer** *un drapeau*. – Porter sur soi avec ostentation : **Arborer** *ses décorations*.

arbre, *subst. m.* Plante ligneuse dotée d'un tronc, d'une cime et de branches. – **Arbre** *généalogique* : schéma de filiation d'une famille. – *Tech.* Axe transmettant un mouvement.

arbuste, *subst. m.* Petit arbre.

arc, *subst. m.* Arme de jet lançant des flèches. – Courbure d'une voûte, du sommet d'une ouverture : **Arc** *en ogive*. – Portion d'une courbe géométrique.

arcade, *subst. f. Archit.* Ouverture dont la partie supérieure forme un arc ; au *plur.*, succession d'arcs et de piliers, galerie couverte. – **Arcade** *sourcilière* : proéminence de l'os frontal, à l'endroit des sourcils.

arc-bouter(s'), *verbe pronom.* S'appuyer solidement pour résister à une poussée.

arc-en-ciel, *subst. m.* Phénomène lumineux apparaissant dans le ciel et divisant la lumière blanche en couleurs allant du rouge au violet.

archaïque, *adj.* Ancien. – Primitif.

archange, *subst. m.* Ange d'un ordre supérieur.

arche, *subst. f.* Voûte soutenant le tablier d'un pont.

archéologie, *subst. f.* Étude des traces matérielles laissées par les anciennes civilisations aujourd'hui disparues.

archéologue, *subst.* Spécialiste de l'archéologie.

archer, ère, *subst.* Personne qui tire à l'arc.

archet, *subst. m.* Baguette tendue de crins utilisée pour jouer du violon, du violoncelle, etc.

archevêché, *subst. m.* Province ecclésiastique comprenant plusieurs diocèses.

archevêque, *subst. m.* Supérieur hiérarchique des évêques, dans une province ecclésiastique.

arch(i)-, préfixe Exprime l'idée de prééminence ou de degré extrême.

archiduc, duchesse, *subst.* Titre des princes et des princesses de la maison d'Autriche.

archipel, *subst. m.* Ensemble d'îles.

architecte, *subst.* Personne qui conçoit des édifices et en contrôle la construction.

architecture, *subst. f.* Art de concevoir et d'édifier des constructions. – Disposition d'ensemble d'un édifice.

archiver, *verbe trans.* Conserver comme archives.

archives, *subst. f. plur.* Documents conservés, en *gén.* pour leur intérêt historique ou sentimental. – Lieu où ils sont conservés.

arctique, *adj.* Du pôle Nord et des régions qui l'environnent.

ardent, ente, *adj.* En feu, incandescent ; brûlant, torride. – *Fig.* Très vif, passionné.

ardeur, *subst. f.* Chaleur intense. – *Fig.* Passion.

ardoise, *subst. f.* Roche schisteuse qui se débite en plaques minces et résistantes : *Un toit en* **ardoise**. – Tablette effaçable sur laquelle on écrit.

ardu, ue, *adj.* Difficile à résoudre.

arène, *subst. f.* Espace sablé au centre d'un amphithéâtre. – *Plur.* Amphithéâtre où se déroulaient les jeux du cirque et où ont lieu des corridas.

aréopage, *subst. m.* Docte assemblée.

arête, *subst. f.* Os mince et allongé des poissons. – Droite commune à deux plans.

argent, *subst. m.* Métal précieux, blanc et brillant. – Monnaie d'**argent** ; toute sorte de monnaie.

argenterie, *subst. f.* Vaisselle, couverts et autres objets en argent ou en métal argenté.

argile, *subst. f.* Roche sédimentaire tendre et imperméable, utilisée pour faire des poteries.

argileux, euse, *adj.* Qui contient de l'argile.

argot, *subst. m.* Vocabulaire propre à certains milieux sociaux ou professionnels.

argotique, *adj.* Qui appartient à l'argot.

argument, *subst. m.* Preuve. – Moyen utilisé pour convaincre.

argumenter, *verbe intrans.* Présenter des arguments.

aride, *adj.* Sec, sans végétation. – *Fig.* Peu attrayant, difficile.

aridité, *subst. f.* Caractère de ce qui est aride.

aristocrate, *subst.* Membre de l'aristocratie. – Membre d'une élite.

aristocratie, *subst. f.* Noblesse. – Gouvernement d'une élite héréditaire. – Élite.

arithmétique, *adj. et subst. f. Subst.* Science des nombres et de leurs propriétés ; en *partic.*, théorie qui étudie l'ensemble (des nombres entiers. – *Adj.* Qui relève de l'**arithmétique.**

arlequin, *subst. m.* Personnage de théâtre vêtu d'un habit multicolore.

armada, *subst. f.* Grand nombre.

armateur, *subst. m.* Personne qui équipe et exploite un navire.

armature, *subst. f.* Assemblage de pièces maintenant, renforçant ou soutenant les diverses parties d'un ouvrage, d'un objet.

arme, *subst. f.* Objet, instrument servant à attaquer ou à se défendre. – *Fig.* Tout moyen d'attaque. – *Hérald. Plur.* Signes propres à une famille, à une ville, à un pays.

armée, *subst. f.* Ensemble des forces militaires d'un pays ; chacune des forces spécialisées de cet ensemble : **Armée** *de terre, de l'air,* etc. – *Fig.* Grand nombre.

armement, *subst. m.* Action de fournir des armes pour le combat. – Ensemble des moyens d'attaque et de défense d'un pays, d'un soldat. – Action d'équiper un navire.

armer, *verbe trans.* Fournir des armes à ; équiper en armements. – Équiper (un navire).

armistice, *subst. m.* Suspension des hostilités décidée par les belligérants.

armoire, *subst. f.* Meuble de rangement haut et clos par une porte.

armoiries, *subst. f. plur.* Ensemble des signes héraldiques constituant l'emblème d'une famille noble, d'une ville, d'un pays.

armure, *subst. f.* Au Moyen Âge, protection en métal que revêtait un homme d'armes.

armurier, *subst. m.* Celui qui fabrique, entretient, répare ou vend des armes.

a.r.n., *subst. m.* Sigle pour « acide ribonucléique », substance présente dans le cytoplasme et le noyau cellulaire.

aromate, *subst. m.* Substance végétale odoriférante, servant de condiment ou de parfum.

aromatiser, *verbe trans.* Parfumer aux aromates.

arôme, *subst. m.* Principe odorant qui s'exhale des végétaux. – Parfum d'un mets, d'un vin.

arpège, *subst. m. Mus.* Accord dont les notes sont jouées les unes après les autres.

arpenter, *verbe trans.* Mesurer la superficie d'un terrain. – *Fig.* Parcourir à grands pas.

arquebuse, *subst. f.* Arme à feu ancienne.

arquer, *verbe trans.* Donner la forme d'un arc à.

arracher, *verbe trans.* Déraciner (une plante). – Enlever brutalement ou difficilement (*qqch.*). – *Pronom.* Quitter, se détacher de.

arraisonner, *verbe trans.* Interpeller, contrôler un navire.

arrangement, *subst. m.* Agencement d'éléments. – Entente, accord amiable entre deux parties. – Modification d'une œuvre musicale.

arranger, *verbe trans.* Disposer de façon agréable ou pratique. – Réparer. – *Pronom.* S'entendre. – *S'arranger pour* : faire en sorte que.

arrestation, *subst. f.* Action d'appréhender *qqn* pour le conduire devant une autorité judiciaire ou policière.

arrêt, *subst. m.* Action d'arrêter ou de s'arrêter ; son résultat. – L'endroit où l'on s'arrête. – *Dr.* Décision d'une juridiction supérieure.

arrêté, ée, *adj. et subst. m. Adj.* Décidé ; définitif. – *Subst.* Décision d'une autorité administrative.

arrêter, *verbe Trans.* Immobiliser. – Procéder à une arrestation. – Décider, choisir. – *Intrans.* Cesser d'avancer, interrompre une action.

arrhes, *subst. f. plur.* Somme versée pour garantir l'exécution d'un contrat.

arrière, *adj. inv., subst. m. et adv. Adv.* et *adj.* Dans la partie postérieure : *Les portes* **arrière.** – Qui va dans la direction opposée : *Marche* **arrière.** – *Subst.* Ce qui est derrière, par *oppos.* à l'avant, à la façade. – *Milit. Plur.* Partie d'un pays située en retrait d'une zone de combat.

arriéré, ée, *adj. et subst.* Qui est en retard dans son développement : **Arriéré** *mental* ; *Pays* **arriéré.** – *Subst. masc.* Somme restant due après l'échéance d'une dette.

arrière-boutique, *subst. f.* Pièce attenante à une boutique.

arrière-garde, *subst. f.* Partie d'une armée qui ferme la marche.

arrière-goût, *subst. m.* Goût qui subsiste dans la bouche. – *Fig.* Sentiment qui reste à l'esprit.

arrière-grand-mère, *subst. f.* Mère du grand-père ou de la grand-mère.

arrière-grand-père, *subst. m.* Père du grand-père ou de la grand-mère.

arrière-pays, *subst. m. inv.* Territoire situé à l'intérieur d'une région côtière.

arrière-pensée, *subst. f.* Pensée, intention que l'on garde cachée.

arrière-petite-fille, *subst. f.* Fille du petit-fils ou de la petite-fille.

arrière-petit-fils, *subst. m.* Fils du petit-fils ou de la petite-fille.

arrière-plan, *subst. m.* Ce qui, dans un paysage ou un tableau, est situé derrière le sujet principal. – *Fig. À l'* **arrière-plan** : à un rang secondaire.

arrière-saison, *subst. f.* Fin de l'automne.

arrière-train, *subst. m.* Partie postérieure du corps d'un quadrupède. – Fesses (fam).

arrimer, *verbe trans.* Fixer un chargement.

arrivée, *subst. f.* Fait d'atteindre le terme d'un déplacement. – Ce terme. – Approche.

arriver, *verbe intrans.* Parvenir au terme d'un voyage, à un but, ou s'en approcher. – Atteindre (un certain point) : *Ce manteau m'* **arrive** *aux pieds.* – Réussir : *Je n'* **arrive** *pas à dormir.* – *Empl. impers.* Se produire : *Il* **arrive** *que.*

arriviste, *subst.* Personne qui recherche la réussite sociale par tous les moyens.

arrogance, *subst. f.* Orgueil insolent.

arroger (s'), *verbe pronom.* S'attribuer indûment (un droit, un pouvoir).

arrondir, *verbe trans.* Donner une forme ronde à. – Accroître (une somme). – Supprimer les décimales d'un nombre, ou les unités trop petites. – *Pronom.* Devenir plus rond.

arrondissement, *subst. m.* Subdivision administrative d'un département, d'une grande ville.

arroser, *verbe trans.* Asperger avec de l'eau. – Couler à travers, en parlant d'un fleuve.

arrosoir, *subst. m.* Récipient servant à arroser les plantes.

arsenal, **aux**, *subst. m.* Lieu de construction de navires de guerre. – Fabrique d'armes ; quantité importante d'armes.

arsenic, *subst. m.* Élément chimique (*symb. As*) dont l'un des composés donne un poison violent.

art, *subst. m.* Activité visant à réaliser un idéal de beauté à travers des œuvres ; l'ensemble de ces œuvres. – Ensemble des règles d'une activité ; cette activité : *L'*art *culinaire.* – Aptitude, talent.

artère, *subst. f.* Vaisseau conduisant le sang du cœur vers les organes. – *Fig.* Voie de circulation urbaine.

arthrite, *subst. f.* Inflammation d'une articulation.

arthropode, *subst. m.* Animal invertébré au corps annelé. – *Plur.* L'embranchement correspondant, qui comprend notamment les Arachnides, les Crustacés et les Insectes.

arthrose, *subst. f.* Lésion des cartilages d'une articulation, surtout au genou et à la hanche.

artichaut, *subst. m.* Plante potagère.

article, *subst. m.* Subdivision d'une loi, d'un contrat, etc. – Texte dans une publication : *Un* article *de journal.* – Marchandise. – *Ling.* Déterminant d'un substantif, qui indique son genre et son nombre.

articulaire, *adj.* Relatif aux articulations.

articulation, *subst. f.* Jonction de deux os. – Jonction, élément de liaison de deux pièces mobiles. – Liaison entre les parties d'un texte, d'un raisonnement. – Action d'articuler, de prononcer distinctement.

articulé, **ée**, *adj.* Composé de plusieurs parties mobiles, liées les unes aux autres.

articuler, *verbe trans.* Prononcer distinctement. – *Pronom.* Former une articulation.

artifice, *subst. m.* Procédé trompeur, ruse, servant à faire illusion. – *Feu d'*artifice : spectacle pyrotechnique.

artificiel, **ielle**, *adj.* Produit par l'homme. – Affecté, manquant de simplicité.

artificier, *subst. m.* Spécialiste de la pyrotechnie.

artillerie, *subst. f.* Ensemble des canons d'une armée et des troupes qui les servent.

artilleur, *subst. m.* Militaire qui fait partie de l'artillerie.

artisan, **ane**, *subst.* Personne qui exerce, à son compte, un métier manuel.

artisanat, *subst. m.* Activité d'un artisan. – Classe socioprofessionnelle des artisans.

artiste, *adj. et subst.* *Subst.* Créateur d'œuvres d'art. – Interprète d'œuvres (musicales, théâtrales, etc.). – *Adj.* Qui a le goût des arts.

artistique, *adj.* Qui appartient à l'univers de l'art et des artistes.

as, *subst. m.* Face de dé, carte à jouer marquée d'un seul point. – *Fig.* Champion.

ascendance, *subst. f.* Lignée d'aïeux. – Origine.

ascendant (**I**), **ante**, *adj.* Qui s'élève, qui va en montant. – *Fig.* Qui progresse.

ascendant (**II**), *subst. m.* Parent dont on est issu généalogiquement. – Influence exercée sur *qqn.*

ascenseur, *subst. m.* Appareil servant à monter et à descendre des personnes ou des charges.

ascension, *subst. f.* Action de s'élever, de monter ; action de gravir une montagne. – *Fig.* Progression sociale.

ascète, *subst.* Personne qui pratique l'ascétisme.

ascétisme, *subst. m.* Discipline de vie très austère visant à la libération de l'âme.

asepsie, *subst. f.* Ensemble des méthodes visant à détruire les microbes de façon préventive. – Absence de microbes.

aseptiser, *verbe trans.* Débarrasser de tout germe infectieux, stériliser.

asile, *subst. m.* Lieu de refuge. – Lieu où l'on trouve le repos. – Autrefois, hôpital psychiatrique.

asocial, **ale**, **aux**, *adj. et subst.* Inadapté à la vie en société.

aspect, *subst. m.* Point de vue, angle, face : *Étudier un problème sous tous ses* aspects. – Manière de se présenter au regard.

asperge, *subst. f.* Plante potagère dont on mange la pointe et les parties tendres.

asperger, *verbe trans.* Projeter un liquide sur.

aspérité, *subst. f.* Saillie, irrégularité que présente une surface.

asphalte, *subst. m.* Revêtement des chaussées.

asphyxie, *subst. f.* Détresse respiratoire due à un manque d'oxygène.

asphyxier, *verbe trans.* Causer l'asphyxie de.

aspic, *subst. m.* Serpent venimeux de la famille des Vipéridés. – *Cuis.* Mets en gelée.

aspirant, *subst. m.* Grade immédiatement inférieur à celui de sous-lieutenant.

aspirateur, *subst. m.* Nom de divers appareils servant à aspirer des poussières, des liquides, des déchets, etc.

aspiration, *subst. f.* Action d'aspirer (du gaz, un liquide, etc.). – Inspiration d'air. – Désir, souhait élevé.

aspirer, *verbe trans.* Faire entrer de l'air dans ses poumons. – Attirer (des poussières, un fluide) par un vide partiel. – **Aspirer** *à* : prétendre à, désirer, ambitionner.

aspirine, *subst. f.* Médicament combattant la fièvre et la douleur.

assagir, *verbe trans.* Rendre sage.

assaillir, *verbe trans.* Attaquer soudainement, avec violence. – *Fig.* Harceler ; tourmenter.

assainir, *verbe trans.* Rendre sain. – *Fig.* Ramener à un équilibre.

assaisonner, *verbe trans.* Ajouter des épices, des condiments à un plat. – *Fig.* Ajouter du piquant à un style, à un propos.

assassin, *subst. m.* Personne qui commet un assassinat, *c.-à-d.* un meurtre avec préméditation.

assassiner, *verbe trans.* Tuer (*qqn*) avec préméditation.

assaut, *subst. m.* Action d'assaillir, de se précipiter sur un objectif. – Attaque, offensive.

assèchement, *subst. m.* Action d'assécher, de s'assécher. – Son résultat.

assécher, *verbe trans.* Mettre à sec.

assemblage, *subst. m.* Action d'assembler, montage ; le résultat ainsi obtenu. – Réunion de plusieurs éléments.

assemblée, *subst. f.* Réunion de personnes.

assembler, *verbe trans.* Mettre ensemble, réunir. – Joindre divers éléments pour en former un tout, monter.

assener, *verbe trans.* Porter avec violence (un coup).

assentiment, *subst. m.* Accord, approbation.

asseoir, *verbe trans.* Mettre (*qqn*) sur son séant. – Édifier sur une base stable.

assermenté, ée, *adj.* Qui a prêté serment pour exercer certaines fonctions.

assertion, *subst. f.* Affirmation que l'on soutient comme vraie.

asservir, *verbe trans.* Rendre esclave, assujettir.

assesseur, *subst. m.* Assistant d'un juge, d'un président d'assemblée, etc.

assez, *adv.* Suffisamment. – Passablement.

assidu, ue, *adj.* Qui n'est jamais absent là où il est censé être. – Régulier.

assiduité, *subst. f.* Constance, présence régulière.

assiégé, ée, *adj. et subst.* Qui subit un siège.

assiéger, *verbe trans. Milit.* Encercler une place que l'on veut emporter. – *Fig.* Presser, traquer, importuner.

assiette, *subst. f.* Stabilité, équilibre. – Pièce de vaisselle individuelle à fond plat ; son contenu.

assignation, *subst. f.* Action d'assigner. – Citation à comparaître en justice.

assigner, *verbe trans.* Attribuer, affecter (*qqch.* à *qqn*). – Citer à comparaître en justice.

assimilation, *subst. f.* Action d'assimiler. – Fait d'être assimilé.

assimiler, *verbe trans.* Rendre semblable, comparable à. – Intégrer à (un groupe). – Convertir en substance organique ; au *fig.* : **Assimiler** *un savoir.* – *Pronom.* S'estimer l'égal de.

assis, ise, *adj. et subst. I Adj.* Qui s'appuie sur son séant. – Solidement établi. – *Subst.* Base, fondement.

assises, *subst. f. plur.* Séances tenues par un tribunal qui juge les crimes : *La cour d'***assises**. – Congrès d'un parti, d'un syndicat.

assistance, *subst. f.* Action d'assister ; aide. – Institution qui a pour vocation d'assister : *Assistance publique*. – Assemblée, auditoire.

assisté, ée, *adj. et subst.* Se dit d'une personne qui bénéficie d'une aide, d'un secours.

assister, *verbe trans.* Aider, secourir. – **Assister** *à* : être présent à, témoin de.

association, *subst. f.* Action d'associer ou de s'associer ; son résultat. – Groupement de personnes réunies à des fins communes, non lucratives.

associé, ée, *adj. et subst.* Qui a uni ses intérêts ou ses biens à ceux d'autres personnes, à des fins communes.

associer, *verbe trans.* Assembler, relier, réunir. – Faire participer. – *Pronom.* S'unir ; s'allier.

assoiffé, ée, *adj.* Qui a très soif. – *Fig.* Qui est avide de.

assolement, *subst. m.* Alternance des cultures, d'une année à l'autre, sur un même terrain.

assombrir, *verbe trans.* Rendre sombre. – *Fig.* Attrister.

assommer, *verbe trans.* Frapper à la tête pour étourdir. – *Fig.* Affliger, ennuyer. **assorti, ie**, *adj.* En harmonie, en accord avec. – Pourvu de marchandises.

assortir, *verbe trans.* Réunir des personnes, des choses qui s'accordent. – Approvisionner.

assoupir, *verbe trans.* Endormir légèrement.

assouplir, *verbe trans.* Rendre plus souple. – *Fig.* Rendre moins strict, moins rigide.

assouplissement, *subst. m.* Action d'assouplir. – Fait de s'assouplir.

assourdir, *verbe trans.* Rendre comme sourd. – Atténuer (un son).

assouvir, *verbe trans.* Satisfaire complètement (un sentiment, un désir).

assujettir, *verbe trans.* Asservir, soumettre. – **Assujettir** *à* : astreindre à. – Fixer fermement, immobiliser (*qqch.*).

assumer, *verbe trans.* Prendre sur soi ; prendre en charge (*qqch.* ou *qqn*). – Accepter les conséquences de. – *Pronom.* S'accepter tel que l'on est.

assurance, *subst. f.* Certitude. – Audace, aplomb, confiance. – Garantie contractuelle.

assuré, ée, *adj. et subst.* Qui a souscrit une assurance. – *Adj.* Certain, garanti : *Bonheur* **assuré**. – Confiant, décidé.

assurer, *verbe trans.* Mettre en sécurité, protéger. – Consolider, rendre plus ferme. – Donner pour vrai, pour fiable. – Garantir ou faire garantir des risques par un contrat d'assurance. – *Pronom.* Vérifier, contrôler.

astérisque, *subst. m.* Signe typographique en forme d'étoile (*), qui sert à marquer un mot.

astéroïde, *subst. m.* Petite planète.

asthmatique, *adj. et subst.* Relatif à l'asthme ; qui en souffre. – *Subst.* Personne qui est atteinte d'asthme.

asthme, *subst. m. Méd.* Affection qui se caractérise par des crises de suffocation.

asticot, *subst. m.* Larve de mouche servant d'appât pour la pêche.

astigmatisme, *subst. m.* Défaut de l'œil provoquant une vision trouble.

astiquer, *verbe trans.* Faire reluire en frottant.

astrakan, *subst. m.* Fourrure d'agneau d'Asie, à laine frisée.

astre, *subst. m.* Corps céleste.

astreignant, ante, *adj.* Qui astreint, qui ne laisse guère de liberté.

astreindre, *verbe trans.* Obliger (*qqn* à faire *qqch.*). – *Pronom.* S'obliger à.

astreinte, *subst. f. Dr.* Obligation de payer une certaine somme par jour de retard. – Obligation rigoureuse ; contrainte.

astringent, ente, *adj. et subst. m.* Se dit d'une substance qui resserre les tissus biologiques.

astrolabe, *subst. m.* Instrument qui sert à déterminer la latitude d'un lieu.

astrologie, *subst. f.* Étude de l'influence supposée des astres sur les hommes et les événements.

astrologue, *subst.* Spécialiste de l'astrologie.

astronaute, *subst.* Pilote ou passager d'un astronef américain.

astronef, *subst. m.* Véhicule spatial.

astronome, *subst.* Spécialiste d'astronomie.

astronomie, *subst. f.* Science des astres et de la structure de l'Univers.

astronomique, *adj.* Relatif à l'astronomie. – *Fig.* Très grand, excessif.

astuce, *subst. f.* Ingéniosité malicieuse. – Moyen habile, truc. – Plaisanterie (*fam.*).

astucieux, ieuse, *adj.* Habile, ingénieux.

asymétrique, *adj.* Qui manque de symétrie.

asymptote, *subst. f.* Droite vers laquelle une courbe tend indéfiniment, sans jamais la couper.

atavisme, *subst. m.* Hérédité.

atelier, *subst. m.* Lieu où travaillent des artisans, des ouvriers ou des artistes.

atermoiement, *subst. m.* Action de remettre à plus tard, tergiversation (*gén.* au *plur.*).

athée, *adj. et subst.* Qui professe l'athéisme.

athéisme, *subst. m.* Doctrine qui nie l'existence de Dieu (ou des dieux).

athlète, *subst. m.* Sportif qui s'adonne à l'athlétisme. – Personne vigoureuse et musclée.

athlétisme, *subst. m.* Ensemble de sports comprenant des courses, des lancers et des sauts.

atlantique, *adj.* Relatif à l'océan Atlantique et aux pays qui le bordent.

atlas, *subst. m.* Recueil de cartes géographiques, historiques, etc.

atmosphère, *subst. f.* Couche gazeuse qui entoure la Terre ou d'autres corps célestes. – Air d'un lieu. – *Fig.* Ambiance.

atoll, *subst. m.* Île formée de récifs de coraux entourant un lagon.

atome, *subst. m.* Ensemble de particules (protons, neutrons et électrons), élément fondamental de la matière.

atomique, *adj.* Relatif à l'atome.

atomiseur, *subst. m.* Appareil servant à projeter en pluie fine un liquide.

atone, *adj.* Qui est sans vigueur. – Vague, inexpressif.

atout, *subst. m.* Aux jeux de cartes, couleur qui l'emporte sur toutes les autres. – *Fig.* Moyen de réussir.

âtre, *subst. m.* Foyer d'une cheminée. – La cheminée elle-même.

atroce, *adj.* D'une cruauté affreuse. – Très douloureux. – Horriblement laid.

atrocité, *subst. f.* Caractère de ce qui est atroce. – Action atroce, acte criminel.

atrophie, *subst. f.* *Méd.* Diminution anormale du volume d'un organe, d'un tissu. – *Fig.* Affaiblissement d'une faculté.

atrophier, *verbe trans.* Provoquer l'atrophie de.

attabler (s'), *verbe pronom.* Prendre place à table.

attachant, ante, *adj.* Qui plaît, qui suscite la sympathie, l'affection.

attache, *subst. f.* Ce qui sert à attacher. – *Fig.* Lien d'affection ou d'intérêt. – *Plur.* Les poignets et les chevilles.

attaché, ée, *subst.* Fonctionnaire dans une ambassade, un ministère.

attacher, *verbe trans.* Fixer à (*qqch.*), maintenir ou joindre par un lien. – Accorder, attribuer : **Attacher** *de l'importance à qqch.* – Affecter (à un emploi, à un poste). – Faire dépendre de, associer à. – *Pronom.* S'appliquer à. – Commencer à éprouver de l'affection pour (*qqn, qqch.*).

attaque, *subst. f.* Action d'attaquer. – Apparition soudaine d'un mal. – *Mus.* Début d'un morceau.

attaquer, *verbe trans.* Engager une action violente, un combat contre. – Entamer, détériorer. – Commencer. – *Pronom.* S'en prendre à.

attarder (s'), *verbe pronom.* Se mettre en retard. – Rester quelque part plus longtemps que prévu.

atteindre, *verbe trans.* Toucher, blesser (en lançant un projectile). – Émouvoir. – Arriver (en un lieu, à un but, etc.). – Parvenir à (un niveau).

atteinte, *subst. f.* Fait d'atteindre : *Hors d'***atteinte**. – Dommage, blessure.

attelage, *subst. m.* Action ou manière d'atteler. – Ensemble des animaux attelés.

atteler, *verbe trans.* Attacher (un animal, des animaux) à un véhicule. – Accrocher (une remorque, des wagons, etc.) à un véhicule moteur. – *Pronom.* Commencer, se mettre à.

attelle, *subst. f.* Élément rigide qui maintient immobile un membre fracturé.

attenant, ante, *adj.* Contigu, adjacent.

attendre, *verbe* Rester en un lieu, patienter jusqu'à l'arrivée de qqn, de qqch. ou d'un événement. – Espérer. – *Pronom.* S'**attendre** *à* : prévoir.

attendrir, *verbe trans.* Rendre tendre : **Attendrir** *une viande*. – Émouvoir, apitoyer.

attendrissement, *subst. m.* Fait de s'attendrir.

attendu, *prép.* En raison de. – *Loc. conj.* **Attendu** *que* : vu que.

attentat, *subst. m.* Acte de violence à visée idéologique contre des biens ou des personnes.

attente, *subst. f.* Action d'attendre ; le temps que dure cette action. – Espoir.

attenter, *verbe trans. indir.* Agir contre (*qqn* ou *qqch.*) : **Attenter** *aux mœurs*.

attentif, ive, *adj.* Qui fait preuve d'attention.

attention, *subst. f.* Faculté mentale de se concentrer sur un objet donné. – Prévenance, égard. – *Faire* **attention** : prendre garde.

attentionné, ée, *adj.* Qui manifeste des égards, de la prévenance.

atténuation, *subst. f.* Action d'atténuer. – Fait d'être atténué.

atténuer, *verbe trans.* Affaiblir, diminuer la gravité, l'intensité de.

atterrer, *verbe trans.* Consterner, accabler.

atterrir, *verbe intrans.* *Mar.* Accoster. – *Aéron.* Se poser.

atterrissage, *subst. m.* Action d'atterrir, de toucher terre. – Son résultat.

attestation, *subst. f.* Action d'attester. – Certificat, témoignage confirmant que qqch. est vrai.

attester, *verbe trans.* Certifier, témoigner. – Montrer, être la preuve de.

attirail, *subst. m.* Ensemble, plus ou moins encombrant, d'objets nécessaires à une activité.

attirance, *subst. f.* Effet d'une force d'attraction. – Attrait, désir, goût.

attirant, ante, *adj.* Qui séduit, qui plaît.

attirer, *verbe trans.* Faire venir à soi, éveiller l'intérêt de. – Occasionner. – Séduire.

attiser, *verbe trans.* Ranimer (un feu). – *Fig.* Exciter (des passions, des sentiments).

attitré, ée, *adj.* Chargé en titre d'une fonction. – Habituel, réservé.

attitude, *subst. f.* Manière de se tenir. – Manière d'agir, de s'exprimer.

attraction, *subst. f.* Force qui tend à rapprocher deux corps. – *Fig.* Attirance. – Spectacle de foire ou de variétés.

attrait, *subst. m.* Qualité de ce qui est attirant. – *Plur.* Aspect plaisant, charme de qqn ou de qqch.

attrape-nigaud, *subst. m.* Tromperie grossière.

attraper, *verbe trans.* Prendre dans un piège. – Saisir, atteindre. – Contracter (une maladie). – Réprimander (*fam.*).

attrayant, ante, *adj.* Attirant, séduisant.

attribuer, *verbe trans.* Accorder, allouer ; conférer (une fonction, un avantage). – Considérer comme cause (en parlant d'une chose) ou comme auteur (en parlant d'une personne). – *Pronom.* S'approprier.

attribut, *subst. m.* Caractère propre. – Signe distinctif d'une fonction. – *Ling.* Mot qualifiant le sujet ou le complément d'objet direct par l'intermédiaire d'un verbe.

attribution, *subst. f.* Action d'attribuer ; son résultat. – *Plur.* Pouvoirs attribués à qqn.

attrister, *verbe trans.* Rendre triste.

attroupement, *subst. m.* Rassemblement inorganisé de personnes en un lieu précis.

attrouper (s'), *verbe pronom.* Constituer un attroupement.

atypique, *adj.* Différent du type habituel. – Dépourvu de type.

au, **aux**, *art.* Forme contractée de l'article défini, mise pour « à le », « à les ».

aubade, *subst. f.* Petit concert donné à l'aube sous les fenêtres de qqn.

aubaine, *subst. f.* Profit, avantage inespéré.

aube (i), *subst. f.* Première lueur du jour. – *Fig.* Commencement.

aube (ii), *subst. f.* Tunique blanche d'un prêtre qui dit la messe. – Robe de premier communiant.

aubépine, *subst. f.* Arbrisseau épineux, aux fleurs blanches ou roses.

auberge, *subst. f.* Hôtel-restaurant de campagne.

aubergine, *subst. f.* Fruit de forme allongée, de couleur violette, consommé comme légume.

aubergiste, *subst.* Personne qui tient une auberge.

aubier, *subst. m.* Partie tendre qui se trouve entre le bois dur et l'écorce d'un arbre.

auburn, *adj. inv.* D'un brun rougeâtre, acajou.

aucun, **une**, *adj. et pron. indéf.* Pas un, nul (avec la négation *ne* ou la *prép. sans*). – *D'aucuns :* quelques-uns.

audace, *subst. f.* Tendance à oser entreprendre ce qui est difficile, dangereux ou novateur. – Hardiesse excessive, impudence.

audacieux, **ieuse**, *adj. et subst.* Qui manifeste de l'audace.

au-delà, *subst. m., adv. et loc. prép. Adv. et loc.* Plus loin (que). – *Subst.* Le monde des morts.

audible, *adj.* Qui peut être entendu.

audience, *subst. f.* Entretien accordé par un haut personnage. – Séance d'un tribunal. – Crédit, autorité morale.

audiovisuel, **elle**, *adj. et subst. m. Adj.* Qui utilise simultanément le son et l'image. – *Subst.* Ensemble des techniques **audiovisuelles.** – Le secteur d'activité correspondant.

audit, *subst. m.* Opération par laquelle on contrôle la comptabilité et la gestion d'une entreprise. – Personne chargée de cette opération, auditeur.

auditeur, **trice**, *subst.* Personne qui écoute une conférence, un concert, etc. – Fonctionnaire au Conseil d'État, à la Cour des comptes. – Audit.

audition, *subst. f.* Perception des sons par l'ouïe. – Essai fait par un artiste en vue d'être engagé.

auditoire, *subst. m.* Public qui écoute.

auditorium, *subst. m.* Salle conçue pour accueillir des représentations musicales ou théâtrales, ou pour permettre les enregistrements sonores.

au fur et à mesure, *voir* fur **auge**, *subst. f.* Récipient servant à nourrir les animaux. – Baquet utilisé par les maçons.

augmentation, *subst. f.* Action d'augmenter ; résultat de cette action. – Somme d'argent qui élève un salaire.

augmenter, *verbe Trans.* Rendre plus grand, plus intense. – Élever la rémunération de qqn. – *Intrans.* Devenir plus important.

augure, *subst. m.* Présage : *Être de bon, de mauvais* **augure.**

aujourd'hui, *adv.* Ce jour-ci. – De nos jours.

aulne, *subst. m.* Arbre au bois léger, qui pousse le long des cours d'eau.

aulx, *voir* ail **aumône**, *subst. f.* Don charitable. – *Fig.* Faveur accordée par bonté d'âme.

aumônier, *subst. m.* Prêtre qui desservait la chapelle d'un seigneur, d'un monarque. – Prêtre d'une institution, d'une collectivité.

aumônière, *subst. f.* Bourse portée à la ceinture.

aune, *voir* aulne **auparavant**, *adv.* Avant, à une époque antérieure. – Au préalable.

auprès de, *loc. prép.* Près de, à côté de. – Aux yeux de. – *Fig.* En comparaison de.

auquel, *voir* lequel **aura**, *subst. f.* Atmosphère qui émane d'un être.

auréole, *subst. f.* Cercle lumineux placé par les peintres autour de la tête des saints. – Tache circulaire. – *Fig.* Prestige.

auréoler, *verbe trans.* Parer d'une auréole. – *Fig.* Procurer du prestige à (qqn).

auriculaire, *adj. et subst. m. Adj.* De l'oreille ; d'une oreillette du cœur. – *Subst.* Petit doigt de la main.

aurifère, *adj.* Qui contient de l'or.

aurore, *subst. f.* Lueur qui suit l'aube et précède le lever du soleil. – *Fig.* Commencement.

auscultation, *subst. f.* Action d'ausculter.

ausculter, *verbe trans.* Écouter le cœur et les poumons.

auspice, *subst. m.* Présage, signe (*gén.* au *plur.*).

aussi, *adv. et conj. Adv.* Également, pareillement ; en outre, en sus : *Il sait le latin et* **aussi** *le grec.* – *Conj.* En conséquence ; c'est pourquoi.

aussitôt, *adv.* Immédiatement. – *Loc. conj.* **Aussitôt** *que :* dès que.

austère, *adj.* Sévère, qui exclut toute fantaisie. – Sans ornement.

austérité, *subst. f.* Qualité de ce qui est austère. – Politique économique de rigueur.

austral, **ale**, **als** *ou* **aux**, *adj.* Relatif à l'hémisphère Sud.

autant, *adv.* D'une manière égale, en quantité et en intensité. – *Loc. conj. D'*autant *que :* surtout que.

autarcie, *subst. f.* État d'un groupe, d'un pays qui produit tout ce qu'il consomme.

autel, *subst. m. Relig.* Table destinée aux sacrifices et à recevoir les offrandes. – Dans le culte catholique, table où est célébrée la messe.

auteur, *subst. m.* Celui qui est à l'origine de qqch. : *L'*auteur *d'un crime, d'un film.* – Écrivain.

authentifier, *verbe trans.* Certifier authentique. – Rendre authentique.

authentique, *adj.* Dont on peut garantir l'exactitude ou l'origine. – *Fig.* Profondément sincère.

autisme, *subst. m. Psych.* Absence pathologique de communication avec le monde extérieur.

auto, *subst. f.* Apocope pour « automobile ». **auto-**, préfixe Exprime l'idée de « soi-même ». **autobiographie**, *subst. f.* Récit écrit de l'histoire de sa propre vie.

autobus, *subst. m.* Grand véhicule automobile de transport en commun urbain.

autocar, *subst. m.* Grand véhicule automobile de transport collectif routier ou touristique.

autochtone, *adj. et subst.* Dont les ancêtres ont toujours habité le pays.

autocollant, **ante**, *adj. et subst. m. Adj.* Qui colle ou se colle sans être humecté. – *Subst.* Étiquette, vignette **autocollante**.

autocrate, *subst. m.* Souverain absolu.

autocritique, *subst. f.* Critique de soi-même.

autodafé, *subst. m.* Destruction par le feu.

autodéfense, *subst. f.* Fait de se défendre soi-même.

autodétermination, *subst. f.* Choix que fait un peuple de son statut politique.

autodidacte, *adj. et subst.* Qui s'est instruit tout seul.

autodiscipline, *subst. f.* Discipline qu'une personne s'impose à elle-même.

auto-école, *subst. f.* École de conduite automobile.

autogestion, *subst. f.* Gestion d'une collectivité par ses membres.

autographe, *adj. et subst. m. Adj.* Écrit de la propre main de l'auteur. – *Subst.* Écrit ou signature de la main d'une célébrité.

automate, *subst. m.* Jouet, appareil qui se meut de lui-même, robot.

automatique, *adj. et subst. m. Adj.* Qui fonctionne sans intervention humaine. – Qui est accompli par réflexe, inconsciemment. – *Subst.* Réseau téléphonique sans opérateur. – Pistolet **automatique**.

automatiser, *verbe trans.* Rendre automatique.

automatisme, *subst. m.* Caractère de ce qui est entièrement automatique. – Actions, gestes effectués sans y penser, à force d'être répétés.

automnal, **ale**, **aux**, *adj.* De l'automne.

automne, *subst. m.* Saison qui suit l'été et précède l'hiver.

automobile, *adj. et subst. f. Adj.* Qui se meut à l'aide d'un moteur. – *Subst.* Véhicule à moteur, *gén.* doté de quatre roues.

automobiliste, *subst.* Conducteur d'automobile.

automoteur, **trice**, *adj. et subst.* Se dit d'un véhicule (au *masc.*), d'une voiture de chemin de fer (au *fém.*) qui se déplace grâce à son propre moteur.

autonettoyant, **ante**, *adj.* Qui se nettoie automatiquement : *Four* **autonettoyant.**

autonome, *adj. et subst. Adj.* Qui se gouverne et s'administre librement. – Qui ne dépend de personne. – *Subst.* Contestataire, *gén.* d'extrême gauche.

autonomie, *subst. f.* Fait de pouvoir se gouverner, s'administrer soi-même. – Distance que peut parcourir un véhicule sans être ravitaillé.

autoportrait, *subst. m.* Portrait qu'un artiste fait de lui-même.

autopsie, *subst. f.* Dissection d'un cadavre afin de déterminer les causes de la mort.

autoradio, *subst. m.* Poste de radio fonctionnant dans une automobile.

autorail, *subst. m. Ch. de fer.* Véhicule automoteur Diesel, conçu pour le transport des voyageurs sur les lignes secondaires.

autorisation, *subst. f.* Fait d'autoriser. – Document attestant une **autorisation**.

autoriser, *verbe trans.* Donner (à *qqn*) le droit, la permission de (faire *qqch.*). – Rendre possible.

autoritaire, *adj.* Qui impose son autorité à autrui, sans admettre d'opposition.

autorité, *subst. f.* Pouvoir de soumettre *qqn* à sa volonté, de le faire obéir. – Personne, ouvrage dont la compétence est reconnue. – *Plur.* Personnes qui exercent le pouvoir.

autoroute, *subst. f.* Large voie à deux chaussées séparées, à sens unique et sans intersections.

auto-stop, *subst. m. inv.* Pratique qui consiste à faire signe à des automobilistes pour se faire transporter gratuitement.

autour, *adv.* Dans l'espace environnant. – *Loc. prép.* **Autour** *de* : à la périphérie de, en faisant le tour de ; vers, environ (*fam.*).

autre, *adj. et pron. indéf. Adj.* Mot indiquant une différence, une idée de surplus : *L'autre solution.* – *Pron.* Désigne *qqn* ou *qqch.* avec une idée de différence : *Parler à un* **autre.**

autrefois, *adv.* Dans un passé lointain.

autrement, *adv.* D'une autre manière. – Sans quoi, sinon.

autruche, *subst. f.* Grand oiseau coureur.

autrui, *pron. indéf.* Les autres personnes. – Notre prochain : *Penser à*

autrui. auvent, *subst. m.* Petit toit au-dessus d'une porte.

auxiliaire, *adj. et subst.* Qui aide, qui seconde ; qui est employé à titre provisoire. – *Ling.* Se dit de la catégorie grammaticale des verbes « être » et « avoir », dont on se sert pour former les temps composés.

avachi, **ie**, *adj.* Déformé, froissé. – *Fig.* Ramolli, sans énergie.

avachir, *verbe trans.* Amollir, déformer.

aval (i), **avals**, *subst. m.* Partie d'un cours d'eau située entre le point où l'on se trouve et le confluent ou la mer (*oppos. amont*).

aval (ii), **avals**, *subst. m.* Garantie de paiement donnée par un tiers. – *Fig.* Soutien, caution.

avalanche, *subst. f.* Descente brutale de masses de neige le long des pentes d'une montagne.

avaler, *verbe trans.* Faire descendre dans le gosier. – *Fig.* Croire naïvement ; supporter (*fam.*).

à-valoir, *subst. m. inv.* Acompte.

avance, *subst. f.* Progression. – Temps ou distance gagnée sur *qqn*, *qqch.* – Somme versée par anticipation. – *Plur.* Démarche pour entrer en relation avec *qqn.*

avancement, *subst. m.* Action d'avancer dans le temps ; progression d'une tâche. – Promotion professionnelle.

avancer, *verbe Trans.* Porter en avant ; faire se produire avant son terme : **Avancer** *un rendez-vous* ; faire progresser. – Prétendre, formuler. – Prêter (de l'argent). – *Intrans.* Aller vers l'avant, vers un but ; progresser. – Faire saillie. – *Cette montre* **avance** : elle indique l'heure avec de l'avance.

avanie, *subst. f.* Humiliation publique.

avant (i), *adv. et prép.* Exprime l'antériorité dans le temps, dans l'espace, un ordre de préférence : **Avant** *l'heure* ; *Deux jours* **avant**. – *Loc. conj.* et *prép.* **Avant** *que+subj.*, *de+inf.* : marque le moment qui précède.

avant (ii), *subst. m.* Ce qui est devant. – *Sp.* Joueur placé en attaque.

avantage, *subst. m.* Privilège. – Agrément, bénéfice. – Supériorité.

avantager, *verbe trans.* Accorder un avantage, une faveur à (*qqn*). – Mettre en valeur le physique de (*qqn*).

avantageux, euse, *adj.* Qui est profitable, utile. – Qui favorise *qqn*, moralement ou physiquement. – Suffisant, fat.

avant-bras, *subst. m. inv.* Partie du membre supérieur allant du coude au poignet.

avant-centre, *subst. m.* Au football, joueur qui est placé au centre de la ligne d'attaque.

avant-coureur, *adj. m.* Qui annonce, qui laisse prévoir.

avant-dernier, ière, *adj. et subst.* Qui précède directement le dernier.

avant-garde, *subst. f.* Partie d'une armée qui ouvre la voie. – Groupe de personnes qui sont en avance sur la culture de leur temps.

avant-goût, *subst. m.* Sensation éprouvée par avance.

avant-guerre, *subst. m. ou f.* Période qui a précédé une guerre.

avant-hier, *loc. adv.* Au jour qui a précédé hier.

avant-première, *subst. f.* Représentation, en *gén.* sur invitation, avant la première d'un spectacle.

avant-propos, *subst. m. inv.* Introduction à un livre.

avant-veille, *subst. f.* Le jour qui précède la veille.

avare, *adj. et subst.* Qui fait preuve d'avarice. – Qui accorde avec parcimonie.

avarice, *subst. f.* Besoin quasi obsessionnel d'accumuler les richesses et de les conserver.

avarie, *subst. f.* Détérioration d'un navire, de sa cargaison. – Panne mécanique.

avarier, *verbe trans.* Endommager, dégrader.

avatar, *subst. m.* Chacune des incarnations successives d'un dieu, dans l'hindouisme. – *Fig.* Métamorphose.

avec, *prép.* Exprime un rapport d'accompagnement, d'appartenance : *Voyager* **avec** *ses enfants*. – Introduit un complément de moyen, de cause ou de manière : *Manger* **avec** *les doigts*.

avenant (i), ante, *adj.* Qui plaît, qui a un air, un aspect agréable.

avenant (ii), *subst. m.* Document modifiant un contrat.

avenant (iii) (à l'), *loc. adv.* Conformément à ce qui précède ; pareillement.

avènement, *subst. m.* Arrivée, survenue (d'un événement important). – Accession au pouvoir.

avenir, *subst. m.* Le temps futur. – Les événements dont le futur sera fait. – Destin ; carrière qui s'ouvre devant *qqn*.

avent, *subst. m.* Les quatre semaines qui précèdent Noël, dans l'année liturgique.

aventure, *subst. f.* Événement inopiné. – Équipée hasardeuse. – Brève liaison amoureuse.

aventurer (s'), *verbe pronom.* Se hasarder, se risquer.

aventurier, ière, *subst.* Personne qui court, qui cherche l'aventure.

avenu, ue, *adj.* Nul et non **avenu** : qui n'a jamais existé.

avenue, *subst. f.* Large rue, *gén.* bordée d'arbres.

avérer (s'), *verbe pronom.* Se révéler vrai. – Se révéler.

averse, *subst. f.* Pluie soudaine, abondante et de courte durée.

aversion, *subst. f.* Vif sentiment de répulsion, de dégoût.

averti, ie, *adj.* Dont l'attention a été éveillée. – Compétent, instruit.

avertir, *verbe trans.* Informer, mettre en garde.

avertisseur, euse, *adj. et subst. m.* Adj. Qui avertit, qui met en garde. – *Subst.* Dispositif qui émet un signal d'avertissement.

aveu, aveux, *subst. m.* Confession, déclaration par laquelle on reconnaît sa culpabilité, on révèle un sentiment.

aveuglant, ante, *adj.* Qui aveugle, qui éblouit. – *Fig.* Dont l'évidence saute aux yeux.

aveugle, *adj. et subst.* Qui est privé de la vue. – *Adj.* Sans lucidité ni esprit critique. – Qui frappe au hasard. – Sans ouverture sur le jour.

aveuglement, *subst. m.* Manque de discernement.

aveuglette (à l'), *loc. adv.* À tâtons, comme un aveugle.

aviateur, trice, *subst.* Pilote d'avion. – Militaire qui sert dans l'armée de l'air.

aviation, *subst. f.* Ensemble des activités, des techniques qui concernent la construction, l'entretien et l'utilisation des avions.

aviculture, *subst. f.* Élevage des oiseaux et des volailles.

avide, *adj.* Qui manifeste de l'avidité. – Impatiemment désireux de *qqch*.

avidité, *subst. f.* Cupidité ; désir ardent d'obtenir *qqch*. en quantité. – Intérêt passionné.

avilir, *verbe trans.* Rendre vil, méprisable. – Dégrader, déshonorer.

avion, *subst. m.* Aéronef plus lourd que l'air, muni d'ailes et de moteurs, qui lui permettent de voler.

aviron, *subst. m.* Rame. – Sport nautique.

avis, *subst. m.* Point de vue, opinion. – Annonce publique. – Opinion exposée officiellement par un organisme consulté.

avisé, ée, *adj.* Qui est prudent, sage, dont le jugement est réfléchi.

aviser, *verbe Trans.* Apercevoir (*littér.*). – Faire savoir à, prévenir. – *Intrans.* Prendre une décision, réfléchir (*littér.*). – *Pronom.* S'apercevoir de. – Prendre le risque de : *Ne t'*avise *pas de trahir !*

aviver, *verbe trans.* Rendre plus vif (un feu, une couleur, un style). – Exciter, attiser (un sentiment, un désir).

avocat (i), ate, *subst.* Personne dont la profession est de défendre les intérêts de ses clients en justice. – *Fig.* Personne qui défend à titre personnel l'œuvre, la personnalité, les intérêts de *qqn*.

avocat (ii), *subst. m.* Fruit de l'avocatier, en forme de poire, à gros noyau.

avoine, *subst. f.* Céréale utilisée pour nourrir les chevaux.

avoir (i), *verbe Trans.* Posséder (un bien, une caractéristique physique ou morale). – Être dans une relation avec : **Avoir** *des amis.* – Être affecté par, ressentir : **Avoir** *chaud, faim, peur.* – Disposer de : *Ce dé* **a** *six faces.* – Vaincre, tromper *qqn* (*fam.*) : *Se faire* **avoir**. – *Auxil.* Le verbe **avoir** sert à former les temps composés des verbes « avoir » et « être », des verbes transitifs et de certains verbes intransitifs. – *Loc. impers. Il y* **a** *il existe.*

avoir (ii), *subst. m.* Ensemble des biens, du patrimoine de *qqn.* – Crédit dont on dispose chez un commerçant. – Partie d'un compte où sont reportées les sommes dues.

avoisiner, *verbe trans.* Se trouver dans le voisinage de. – *Fig.* Être proche de, ressembler à.

avortement, *subst. m.* Interruption accidentelle ou volontaire d'une grossesse. – *Fig.* Échec.

avorter, *verbe Intrans.* Subir une interruption de grossesse. – *Fig.* Ne pas aboutir, échouer. – *Trans.* Provoquer l'avortement de.

avorton, *subst. m.* Individu petit et chétif (*péj.*).

avoué, *subst. m.* Officier ministériel représentant les parties devant une cour d'appel.

avouer, *verbe trans.* Admettre ; révéler. – Reconnaître sa responsabilité, sa culpabilité ; *empl. abs.* : *L'assassin* **a avoué**.

avril, *subst. m.* Quatrième mois de l'année.

axe, *subst. m.* Pièce autour de laquelle s'effectue une rotation. – Ligne médiane, réelle ou imaginaire. – Orientation générale.

axiome, *subst. m.* Vérité universelle, jamais démontrée mais qui s'impose par son évidence.

ayant droit, *subst. m.* Personne qui a des droits à *qqch.* – Personne qui obtient ses droits d'une autre.

azalée, *subst. f.* Arbuste ornemental aux fleurs très colorées.

azimuts, *subst. m. plur. Tous* **azimuts** : dans toutes les directions (*fam.*).

azote, *subst. m.* Gaz incolore et inodore, qui constitue 78 % de l'air atmosphérique.

azur, *subst. m.* Couleur bleu clair. – Le ciel, l'air.

azyme, *adj. et subst. m. Adj.* Qui est cuit sans levain. – *Subst.* Pain sans levain

B

b, b, *subst. m. inv.* Deuxième lettre et première consonne de l'alphabet français.

baba, *subst. m.* Gâteau, *souv.* imbibé de rhum.

baba cool, *subst.* Marginal des années 1970, antimilitariste et écologiste.

babiller, *verbe trans.* Tenir des propos futiles. – Parler à la manière des enfants.

babine, *subst. f.* Lèvre pendante de certains animaux. – *S'en lécher les* **babines** : se délecter par avance de *qqch.*

babiole, *subst. f.* Objet de peu de valeur. – Chose sans importance.

bâbord, *subst. m.* En regardant la proue, partie gauche d'un navire (*oppos. tribord*).

babouche, *subst. f.* Mule orientale sans talon.

babouin, *subst. m.* Singe africain à long museau, vivant en groupes organisés.

baby-sitter, *subst.* Jeune qui garde les enfants à domicile quand les parents s'absentent.

bac (i), *subst. m.* Caisse ou cuve : *Un* **bac** *à sable.*

bac (ii), *subst. m.* Embarcation à fond plat servant à passer d'une rive à l'autre d'un cours d'eau.

bac (iii), *subst. m.* Abréviation de « baccalauréat ».

baccalauréat, *subst. m.* Examen qui clôt les études secondaires.

bacchanale, *subst. f. Plur.* Fêtes romaines en l'honneur de Bacchus. – *Sing.* Débauche.

bâche, *subst. f.* Toile robuste et imperméable servant à protéger des marchandises.

bachelier, ière, *subst.* Titulaire du baccalauréat.

bâcher, *verbe trans.* Recouvrir d'une bâche.

bacille, *subst. m.* Bactérie en forme de bâtonnet, *souv.* pathogène.

background, *subst. m.* Arrière-plan, contexte.

bâcler, *verbe trans.* Exécuter (une tâche) à la hâte, sans rigueur.

bactérie, *subst. f.* Micro-organisme unicellulaire, quelquefois pathogène.

bactériologie, *subst. f.* Partie de la biologie qui étudie les bactéries.

badaud, aude, *subst.* Flâneur, curieux qui contemple le spectacle de la rue.

badge, *subst. m.* Insigne, *gén.* agrafé, indiquant une appartenance ou une opinion.

badigeon, *subst. m.* Couleur en détrempe à base de chaux, qui s'applique sur les murs.

badigeonner, *verbe trans.* Enduire de badigeon. – Enduire d'une préparation médicamenteuse.

badin, ine, *adj.* Enjoué, espiègle, folâtre.

badine, *subst. f.* Baguette flexible tenue à la main.

badiner, *verbe intrans.* Plaisanter. – Traiter (*qqch.*) à la légère : *On ne* **badine** *pas avec le règlement.*

badminton, *subst. m.* Jeu de volant proche du tennis, qui se pratique sur un court.

baffle, *subst. m.* Caisson dont la face est un écran qui abrite un haut-parleur et en améliore la sonorité.

bafouer, *verbe trans.* Outrager, railler.

bafouiller, *verbe* Parler, dire de manière embrouillée ou difficilement (*fam.*).

bagage, *subst. m.* Ce qu'on emporte avec soi en voyage. – *Fig.* Ensemble des connaissances que l'on a acquises : **Bagage** *intellectuel.*

bagagiste, *subst. m.* Employé responsable des bagages, dans une gare, un hôtel, etc.

bagarre, *subst. f.* Rixe, querelle.

bagarrer (se), *verbe pronom.* Se battre, se quereller.

bagatelle, *subst. f.* Chose de peu de valeur. – Petite somme d'argent : *Pour la* **bagatelle** *de quarante francs.* – Jeu amoureux : *Aimer la* **bagatelle**.

bagnard, *subst. m.* Forçat.

bagne, *subst. m.* Établissement où étaient détenus les condamnés aux travaux forcés.

bagou, *subst. m.* Manière de parler volubile.

bague, *subst. f.* Anneau porté au doigt. – Objet en forme d'anneau : **Bague** de cigare.

baguenauder, *verbe intrans.* Flâner, se balader.

baguer, *verbe trans.* Garnir, orner d'une ou de plusieurs bagues.

baguette, *subst. f.* Petit bâton mince et allongé, parfois flexible : **Baguettes** de tambour. – Moulure de bois. – Pain long et mince.

bahut, *subst. m.* Coffre de bois ; meuble rustique large et bas. – *Fam.* Camion. – Collège, lycée.

bai, **baie**, *adj. et subst.* Se dit d'un cheval à la robe brune, aux crins et aux extrémités noirs.

baie (i), *subst. f.* Petit golfe.

baie (ii), *subst. f.* Fruit charnu à pépins.

baie (iii), *subst. f.* Ouverture pratiquée dans une façade : *Une* **baie** *vitrée*.

baignade, *subst. f.* Action de se baigner. – Endroit aménagé à cet effet.

baigner, *verbe Trans.* Mettre dans un bain, en *partic.* pour laver ; mouiller. – Pour un fleuve, une mer, arroser, border : *La plaine que* **baigne** *le Pô*. – *Fig.* Envelopper. – *Intrans.* Être plongé dans (un liquide). – *Fig. La chambre* **baigne** *dans l'obscurité*.

baignoire, *subst. f.* Cuve où l'on peut se baigner. – Loge de rez-de-chaussée, au théâtre.

bail, **baux**, *subst. m.* Contrat de louage.

bâiller, *verbe intrans.* Action réflexe d'ouvrir la bouche en inspirant, par ennui, fatigue, faim. – Être mal joint, mal fermé : *La porte* **bâille**.

bailleur, **eresse**, *adj. et subst.* Qui donne à bail. – **Bailleur** de fonds : qui fournit des fonds.

bailli, *subst. m.* Représentant judiciaire et administratif officiant au nom du roi.

bâillon, *subst. m.* Étoffe placée contre la bouche de *qqn* pour la réduire au silence.

bâillonner, *verbe trans.* Mettre un bâillon à (*qqn*). – *Fig.* Réduire au silence.

bain, *subst. m.* Endroit où l'on se baigne ; au *plur.* : thermes. – Action de se plonger dans l'eau ; au *fig.* : **Bain** de soleil. – *Chim.* Solution dans laquelle on plonge un corps.

bain-marie, *subst. m.* Eau bouillante dans laquelle on met un récipient dont on veut chauffer le contenu.

baïonnette, *subst. f.* Arme blanche qui s'ajuste au canon d'un fusil. – *À* **baïonnette** : qui se fixe comme cette arme.

baisemain, *subst. m.* Usage consistant à approcher ses lèvres de la main de *qqn*, en *partic.* d'une dame, en signe d'hommage.

baiser (i), *verbe trans.* Poser ses lèvres sur, embrasser. – *Fam.* Berner. – Avoir des relations sexuelles avec.

baiser (ii), *subst. m.* Action de baiser, d'embrasser.

baisse, *subst. f.* Action de baisser. – Diminution, déclin. – *Spéculer à la* **baisse** : spéculer sur la baisse des cours.

baisser, *verbe Trans.* Mettre plus bas, diriger vers le bas. – Diminuer : **Baisser** les prix. – *Intrans.* Diminuer de hauteur, d'intensité, de qualité. – *Pronom.* Se rapprocher du sol.

bajoue, *subst. f.* Partie de la tête d'un animal comprise entre l'œil et la mâchoire. – Joue pendante d'une personne.

bakélite, *subst. f.* Résine synthétique isolante, imitant l'ambre.

bal, **bals**, *subst. m.* Réception, lieu où l'on danse.

balade, *subst. f.* Promenade sans but, sans hâte.

balader (se), *verbe pronom.* Faire une balade.

baladeur, **euse**, *subst.* Personne qui aime à se balader. – *Masc.* Lecteur portatif de cassettes ou de disques compacts. – *Fém.* Lampe électrique qu'on peut déplacer avec soi.

baladin, **ine**, *subst.* Saltimbanque, membre d'une troupe de théâtre ambulant.

balafre, *subst. f.* Entaille faite par une arme tranchante, cicatrice, *souv.* au visage.

balai, *subst. m.* Brosse fixée à un manche, servant à nettoyer le sol. – *Manche à* **balai** : levier de commande d'un avion. – **Balai** *d'essuieglace* : lame en caoutchouc qui nettoie le pare-brise.

balance, *subst. f.* Instrument qui sert à peser. – *Fig. Mettre en* **balance** : comparer. – Comparaison des débits et des crédits. – Septième signe du zodiaque.

balancer, *verbe Trans.* Mouvoir alternativement dans un sens et dans un autre. – *Intrans.* Osciller. – *Fig.* Hésiter.

balancier, *subst. m.* Dans un mécanisme, pièce assurant la régulation d'un mouvement : **Balancier** *d'une horloge*. – Long bâton servant à équilibrer.

balançoire, *subst. f.* Siège suspendu par deux cordes, sur lequel on peut se balancer.

balayer, *verbe trans.* Nettoyer avec un balai ; écarter. – Emporter : *La crue a tout* **balayé**. – Parcourir une surface, l'explorer : *Un radar* **balaie** *le ciel*. – *Fig.* Repousser : **Balayer** *les préjugés*.

balbutiement, *subst. m.* Action de balbutier. – *Plur.* Débuts hésitants.

balbutier, *verbe* Parler difficilement, avec hésitation ou confusément.

balcon, *subst. m.* Plate-forme à balustrade, saillant de la façade d'un bâtiment. – Galerie d'une salle de spectacle, au-dessus de l'orchestre.

baldaquin, *subst. m.* Ensemble de tentures placées au-dessus d'un lit, d'un trône.

baleine, *subst. f.* Cétacé, le plus grand des animaux (jusqu'à 30 m de long). – Lame ou tige flexible : *Une* **baleine** *de parapluie*.

baleinier, **ière**, *adj. et subst. m. Adj.* Relatif à la pêche à la baleine. – *Subst.* Navire pour cette pêche.

balise, *subst. f.* Objet indiquant aux pilotes et aux marins la voie à suivre.

baliser, *verbe Trans.* Disposer des balises. – *Intrans.* Avoir peur (*fam.*).

balistique, *adj. et subst. f. Adj.* Relatif au trajet des projectiles. – *Subst.* Science étudiant la trajectoire des objets lancés dans l'espace.

baliverne, *subst. f.* Propos insignifiant ou erroné.

ballade, *subst. f.* Poème à couplets et refrain. – Pièce de musique inspirée par ce type de poème.

ballant, **ante**, *adj.* Qui se balance mollement, en pendant : *Bras* **ballants**. **ballast**, *subst. m.* Matériau, remblai de pierraille soutenant les traverses d'une voie ferrée. – Dans un sous-marin, réservoir de plongée.

balle (i), *subst. f.* Pelote élastique utilisée dans de nombreux jeux. – Petit projectile d'arme à feu. – *Enfant de la* **balle** : qui exerce le métier de ses parents, en *partic.* dans le spectacle.

balle (ii), *subst. f.* Paquet emballé dans une grosse toile : *Une* **balle** *de coton.* – Meule.

ballerine, *subst. f.* Danseuse de ballet. – Chaussure plate évoquant un chausson de danse.

ballet, *subst. m.* Spectacle de danse. – *Corps de* **ballet** : troupe de danseurs.

ballon, *subst. m.* Grande balle (I) gonflée d'air utilisée dans de nombreux sports. – Jouet en forme de sphère qui flotte dans l'air. – Aérostat, montgolfière : **Ballon**-*sonde*, pour les observations météorologiques. – Montagne au sommet arrondi.

ballot, *subst. m.* Petite balle (II), paquet.

ballotin, *subst. m.* Petit emballage de confiseries.

ballottage, *subst. m.* Lors d'une élection, situation, à l'issue du premier tour, dans laquelle aucun candidat n'a obtenu la majorité requise.

ballotter, *verbe Trans.* Secouer dans tous les sens. – *Fig.* Faire passer par des sentiments contraires. – *Intrans.* Être secoué en tous sens.

bal(l)uchon, *subst. m.* Petit paquet de vêtements ramassés dans un tissu noué.

balnéaire, *adj.* Relatif aux bains de mer.

balourd, ourde, *adj. et subst.* Maladroit, stupide.

balourdise, *subst. f.* Caractère du balourd. – Acte, propos stupides et maladroits.

balsa, *subst. m.* Arbre au bois très léger. – Ce bois, *souv.* utilisé pour fabriquer des maquettes.

balustrade, *subst. f.* Clôture à hauteur d'appui faite de colonnettes surmontées d'une tablette. – Gardecorps ajouré.

bambin, ine, *subst.* Jeune enfant (*fam.*).

bambou, *subst. m.* Plante arborescente exotique aux longues tiges flexibles.

ban, *subst. m.* Applaudissements rythmés. – *Plur.* Proclamation d'un futur mariage.

banal (i), ale, aux, *adj.* Que les vassaux étaient obligés d'utiliser, contre une redevance : *Des fours* **banaux**.

banal (ii), ale, als, *adj.* Commun, sans originalité.

banaliser, *verbe trans.* Rendre banal.

banalité, *subst. f.* Caractère de ce qui est banal.

banane, *subst. f.* Fruit du bananier.

bananeraie, *subst. f.* Plantation de bananiers.

bananier, *subst. m.* Plante cultivée dans les régions chaudes pour ses fruits, les bananes. – Cargo équipé pour le transport des bananes.

banc, *subst. m.* Siège étroit et allongé, à plusieurs places. – Couche de matières amassées : *Un* **banc** *de sable.* – Groupe important, en parlant de poissons. – **Banc** *d'essai* : bâti où l'on monte les moteurs pour les tester ; au *fig.*, épreuve.

bancaire, *adj.* Qui se rapporte à la banque.

bancal, ale, als, als, *adj.* Instable : *Une table* **bancale**. – *Fig. Un raisonnement* **bancal** : sans base solide.

bandage, *subst. m.* Action de bander une partie du corps ; la bande elle-même. – Cercle de fer ou de caoutchouc entourant une roue.

bande (i), *subst. f.* Morceau de tissu ou d'une autre matière, long et étroit, qui sert à bander. – Partie étroite et allongée ; large rayure : **Bandes** *de couleur.* – **Bande**-*annonce* : montage d'extraits d'un film à des fins publicitaires. – **Bande** *magnétique* : support d'enregistrement électromagnétique (images, sons, etc.). – Rebord élastique d'un billard. – **Bande** *dessinée* (B.D.) :

suite de dessins *souv.* assortis de paroles, de commentaires écrits et constituant une histoire.

bande (ii), *subst. f.* Groupe de personnes.

bandeau, *subst. m.* Bande de tissu servant à ceindre le front, à retenir les cheveux ou à couvrir les yeux de *qqn* pour l'empêcher de voir.

bandelette, *subst. f.* Petite bande étroite.

bander, *verbe Trans.* Entourer, comprimer avec une bande. – Tendre : **Bander** *la corde d'un arc.* – *Intrans.* Avoir une érection (*fam.*).

banderille, *subst. f.* Dard qu'on plante sur le garrot du taureau pendant la corrida.

banderole, *subst. f.* Longue bande qu'on peut déployer et qui porte une inscription.

bandit, *subst. m.* Malfaiteur qui vit de brigandages. – Personne sans scrupules.

banditisme, *subst. m.* Ensemble des agissements des bandits.

bandoulière, *subst. f.* Lanière servant à porter *qqch.* à l'épaule. – *En* **bandoulière** : porté de l'épaule à la hanche opposée.

banjo, *subst. m.* Sorte de guitare à long manche et à caisse ronde tendue de peau.

banlieue, *subst. f.* Ensemble des localités aux alentours d'une grande ville.

banlieusard, arde, *subst.* Qui vit en banlieue. – *Empl. adj.* De la banlieue.

bannière, *subst. f.* Étendard, emblème.

bannir, *verbe trans.* Condamner (*qqn*) à quitter son pays, sa ville. – Écarter, rejeter.

banque, *subst. f.* Établissement spécialisé dans le commerce de l'argent.

banqueroute, *subst. f.* Faillite frauduleuse : *Faire* **banqueroute**. – *Fig.* Échec, débâcle.

banquet, *subst. m.* Festin, repas festif réunissant de nombreux convives.

banquette, *subst. f.* Siège en forme de banc, avec ou sans dossier, rembourré ou canné.

banquier, ière, *subst.* Personne faisant commerce de l'argent. – Directeur d'une banque.

banquise, *subst. f.* Dans les régions polaires, ensemble des glaces formées par l'eau de mer congelée.

baobab, *subst. m.* Arbre tropical, fameux pour le diamètre de son tronc (jusqu'à 7 m).

baptême, *subst. m.* Sacrement qui fait entrer *qqn* dans la communauté chrétienne. – **Baptême** *de l'air* : premier vol en avion.

baptiser, *verbe trans.* Donner le baptême à (*qqn*). – Donner un nom à : **Baptiser** *une rue.*

baptismal, ale, aux, *adj.* Qui est propre au baptême : *Les fonts* **baptismaux**.

baptistère, *subst. m.* Bâtiment attenant à une église, où est administré le baptême.

baquet, *subst. m.* Récipient de bois à usage domestique. – Siège bas d'une voiture de sport.

bar (i), *subst. m.* Débit de boissons où l'on consomme debout ou assis sur de hauts tabourets, devant un comptoir. – Comptoir.

bar (ii), *subst. m.* Poisson de mer appelé aussi loup, très recherché pour sa chair.

baragouiner, *verbe* Parler mal une langue. – Tenir des propos inintelligibles.

baraque, *subst. f.* Construction rudimentaire en planches. – Logement misérable (*fam.*).

baraquement, *subst. m.* Ensemble de logements improvisés, rudimentaires.

baratin, *subst. m.* Discours trompeur ou flatteur (*fam.*).

baratiner, *verbe* Faire du baratin à (*qqn*).

baratte, *subst. f.* Récipient servant à battre la crème du lait pour produire le beurre.

barbare, *adj. et subst.* Étranger, pour les anciens Grecs et Romains. – *Fig.* Non civilisé ; non conforme aux usages. – Cruel, sauvage.

barbarie, *subst. f.* État de ce qui est barbare, cruel.

barbarisme, *subst. m.* Faute de langue qui se caractérise par l'emploi impropre ou la déformation d'un mot.

barbe, *subst. f.* Pilosité qui pousse sur les joues et le menton des hommes. – Pointe des épis de certaines céréales.

barbecue, *subst. m.* Installation permettant de griller des aliments en plein air.

barbelé, ée, *adj. et subst. m. Adj.* Garni de pointes, comme les barbes d'un épi. – *Subst.* Fil de fer **barbelé**, utilisé en *gén.* pour clôturer.

barber, *verbe trans.* Ennuyer (*fam.*).

barbiche, *subst. f.* Petite barbe effilée, au menton.

barbier, *subst. m.* Coiffeur qui taillait ou rasait la barbe.

barbiturique, *subst. m.* Médicament, dérivé synthétique de l'urée, utilisé comme sédatif.

barboter, *verbe Intrans.* S'agiter, patauger dans l'eau, dans la boue. – *Trans.* Voler (*fam.*).

barboteuse, *subst. f.* Vêtement d'enfant sans manches, à culotte courte bouffante.

barbouiller, *verbe trans.* Salir, enduire grossièrement une surface. – Peindre de façon médiocre ; écrire sans soin, à la hâte.

barbue, *subst. f.* Poisson de mer plat.

barda, *subst. m. Fam.* Paquetage d'un soldat. – Chargement que l'on transporte avec soi.

barde (i), *subst. m.* Poète celte qui s'accompagnait d'une lyre. – Poète lyrique, aède.

barde (ii), *subst. f.* Fine tranche de lard enveloppant une pièce de viande qui doit être rôtie.

barder, *verbe trans.* Entourer une viande de tranches de lard. – *Fig. Être* **bardé** *de diplômes* : avoir beaucoup de diplômes. – *Pronom.* Se protéger.

barème, *subst. m.* Répertoire de calculs déjà effectués, livre de comptes. – Table de tarifs ou de données chiffrées.

barge, *subst. f.* Bateau à fond plat ressemblant à une péniche.

baril, *subst. m.* Petit tonneau.

barillet, *subst. m.* Petit baril. – **Barillet** *d'un revolver* : cylindre où se logent les cartouches.

barioler, *verbe trans.* Peindre de couleurs vives mal assemblées.

barman, *subst. m.* Garçon de comptoir.

baromètre, *subst. m.* Instrument utilisé pour mesurer la pression atmosphérique. – *Fig.* Indicateur de tendance.

baron, onne, *subst.* Titre nobiliaire, entre vicomte et chevalier.

baroque, *adj. et subst.* Se dit du style artistique né en Italie après 1580, caractérisé, en architecture, par des décorations riches, des courbes et des enroulements. – Bizarre.

baroud, *subst. m.* Combat. – *Un* **baroud** *d'honneur* : ultime combat, pour sauver l'honneur.

barque, *subst. f.* Petit bateau sans pont.

barquette, *subst. f.* Petite barque. – Petit panier utilisé pour conditionner certains aliments. – Petite pâtisserie de forme ovale.

barracuda, *subst. m.* Poisson des mers chaudes réputé pour sa voracité.

barrage, *subst. m.* Obstacle qui ferme un passage. – Ouvrage construit sur un cours d'eau pour le dériver ou pour utiliser sa force.

barre, *subst. f.* Pièce longue, étroite, droite et rigide, en métal, en bois, etc. ; objet qui en a la forme. – Trait allongé : **Barre** *de fraction*. – Objet qui sert de séparation : *Appeler un témoin à la* **barre**, qui le sépare symboliquement des juges. – Dispositif de commande du gouvernail d'un bateau. – Haut-fond à l'embouchure d'un fleuve. – **Barres** *parallèles, asymétriques* : agrès de gymnastique.

barreau, *subst. m.* Petite barre servant de clôture ou de support. – Enceinte réservée aux avocats, dans un tribunal ; ensemble des avocats d'une juridiction.

barrer, *verbe trans.* Bloquer au moyen d'une barre ; obstruer. – Rayer, biffer d'un trait. – Manier la barre (d'un bateau).

barrette, *subst. f.* Bijou. – Décoration montée sur une petite barre. – Pince à cheveux.

barreur, euse, *subst.* Personne tenant la barre d'un bateau.

barricade, *subst. f.* Amas d'objets destiné à barrer une rue lors d'un affrontement.

barricader, *verbe trans.* Obstruer avec une barricade. – *Pronom.* S'enfermer avec soin.

barrière, *subst. f.* Assemblage de barres empêchant le passage. – *Fig.* Obstacle à la libre circulation des biens et des personnes : **Barrières** *douanières*. – Obstacle naturel : *Une* **barrière** *de récifs*.

barrique, *subst. f.* Tonneau d'env. 200 l.

barrir, *verbe intrans.* Pousser son cri (barrissement), en parlant de l'éléphant.

baryton, *subst. m.* Voix masculine, entre le ténor et la basse. – *Empl. adj. Un saxophone* **baryton**.

bas (i), **basse**, *adj., subst. m. et adv. Adj.* Qui n'est pas haut, par *réf.* à ses dimensions, à sa situation dans l'espace ou dans le temps : *Une maison* **basse** ; *La marée est* **basse** ; *Le* **bas** *Moyen Âge*. – *Fig.* Faire main **basse** *sur* : prendre, voler. – *Ici-***bas** : sur terre. – *Un son à* **basse** *fréquence* : un son grave ; *A voix* **basse** : doucement. – *Un enfant en* **bas** *âge* : jeune. – *A* **bas** *prix* : à faible prix. – *De* **basses** *intentions* : mesquines. – *Subst.* La partie inférieure de *qqch.* : *Le* **bas** *d'une échelle*. – *Adv.* À faible altitude, à un niveau inférieur : *Voler* **bas** ; *Voir plus* **bas** (*dans le texte*). – *Être bien* **bas** : être mal en point.

bas (ii), *subst. m.* Pièce d'habillement qui couvre le pied, la jambe et la cuisse.

basalte, *subst. m.* Roche éruptive lourde et noire.

basané, ée, *adj.* Bruni, en parlant de la peau.

bas-côté, *subst. m.* Nef latérale d'une église. – Espace aménagé entre une chaussée et un fossé.

bascule, *subst. f.* Levier mobile, sur un pivot, actionné par contrepoids pour obtenir un balancement. – Appareil de pesage, balance.

basculer, *verbe Intrans.* Faire un mouvement de bascule, chavirer ; au *fig.* : **Basculer** *d'un extrême* *à l'autre. – Trans.* Renverser en déséquilibrant : **Basculer** *un wagon.*

base (i), *subst. f.* Partie inférieure d'un objet sur laquelle il repose : *La* **base** *d'une colonne. – Fig.* Fondement d'un savoir. – Point d'attache, stratégique ou tactique : **Base** *aérienne. – À* **base** *de :* principalement constitué de. – *Géom.* Côté à partir duquel on mesure la hauteur d'un corps ou d'une figure plane.

base (ii), *subst. f.* Substance chimique qui neutralise les acides en se combinant à eux.

base-ball, *subst. m.* Sport dérivé du cricket, pratiqué surtout aux États-Unis.

baser, *verbe trans.* Prendre, donner pour base (I). – **Baser** *sur :* fonder sur. – Attacher à une base militaire.

bas-fond, *subst. m.* Fond de la mer ou d'un fleuve, au-dessus duquel il y a peu d'eau. – Partie enfoncée d'un terrain. – *Fig. Plur.* Lieu où règne la déchéance.

basilic, *subst. m.* Plante aromatique utilisée comme condiment.

basilique, *subst. f.* Église de plan rectangulaire terminée par une abside. – Église dont on veut honorer l'importance.

basique, *adj.* Fondamental. – *Chim.* Qui possède les caractères d'une base (II).

basket, *subst. f.* Chaussure de basket-ball.

basket-ball, *subst. m.* Sport (2 équipes de 5 joueurs) consistant à envoyer le ballon dans le panier adverse.

basque, *subst. f.* Partie d'un vêtement descendant audessous de la taille.

bas-relief, *subst. m.* Sculpture en faible saillie sur un fond.

basse, *subst. f.* Partie musicale, voix masculine ou instrument faisant entendre les sons les plus graves.

basse-cour, *subst. f.* Cour d'une ferme où l'on élève les volailles et les lapins. – L'ensemble de ces animaux.

bassesse, *subst. f.* Caractère de ce qui est inférieur, de ce qui est méprisable.

basset, *subst. m.* Chien courant, à pattes courtes.

bassin, *subst. m.* Récipient de grande contenance, à usage domestique. – Construction destinée à contenir de l'eau ou un autre liquide. – Région arrosée par un cours d'eau et par ses affluents. – *Anat.* Ceinture osseuse formant la base du tronc. – *Géol.* Vaste dépression comblée par des sédiments ; gisement.

bassine, *subst. f.* Grand récipient circulaire.

basson, *subst. m. Mus.* Instrument de la famille des hautbois, dont il constitue la basse.

bastide, *subst. f.* Maison de campagne provençale. – Village fortifié, dans le Sud-Ouest.

bastille, *subst. f.* Ouvrage fortifié situé à l'entrée d'une ville.

bastingage, *subst. m.* Garde-corps, sur un bateau.

bastion, *subst. m.* Ouvrage en saillie sur l'enceinte d'une place forte. – *Fig.* Ce qui défend activement : *La Chine,* **bastion** *du communisme.*

bastonnade, *subst. f.* Volée de coups de bâton.

bastringue, *subst. m. Fam.* Bal populaire. – Vacarme, chahut. – Attirail.

bas-ventre, *subst. m.* Partie du ventre située audessous du nombril.

bât, *subst. m.* Harnachement des bêtes de somme permettant le port de charges.

bataille, *subst. f.* Combat qui oppose deux ou plusieurs armées. – Querelle, lutte violente.

batailler, *verbe intrans.* Lutter avec ténacité.

bataillon, *subst. m.* Unité d'infanterie composée de plusieurs compagnies. – Groupe important.

bâtard, arde, *adj. et subst.* Né hors du mariage. – Qui tient de deux races, en parlant d'un animal. – De moindre qualité.

bâté, ée, *adj.* Qui porte un bât. – *Fig. Âne* **bâté** : idiot.

bateau, *subst. m.* Tout ouvrage flottant destiné à naviguer ; navire.

batelier, ière, *adj. et subst.* Professionnel naviguant sur les rivières et les canaux ; marinier.

bat-flanc, *subst. m. inv.* Pièce de bois séparant deux chevaux dans une écurie. – Panneau de bois rabattable servant de lit.

bathyscaphe, *subst. m.* Engin de plongée autonome servant à explorer les grands fonds.

bâti (i), *subst. m.* Couture provisoire à grands points.

bâti (ii), ie, *adj. et subst. m. Adj.* Construit, en parlant d'un édifice. – *Fig. Un homme bien* **bâti**. – *Subst.* Assemblage destiné à supporter ou à consolider.

batifoler, *verbe intrans.* Folâtrer.

bâtiment, *subst. m.* Édifice. – Industrie, métiers de la construction. – Navire de fort tonnage.

bâtir, *verbe trans.* Construire. – Coudre à grands points.

bâtisse, *subst. f.* Grande maison sans caractère.

bâtisseur, euse, *subst.* Personne qui construit.

bâton, *subst. m.* Fin morceau de bois plus ou moins long. – Objet en forme de **bâton**.

batracien, *voir* amphibien **battage,** *subst. m.* Action de battre certaines plantes pour séparer le grain de l'épi ou de la tige.

battant (i), *subst. m.* Pièce mobile suspendue dans une cloche, dont elle vient taper la paroi. – **Battant** *d'une porte :* sa partie mobile.

battant (ii), ante, *adj.* Pluie **battante** : qui tombe avec force. – *Porte* **battante** : qui s'ouvre dans les deux sens et se ferme toute seule.

batte, *subst. f.* Outil servant à battre. – Bâton servant à renvoyer la balle : **Batte** *de cricket*.

battement, *subst. m.* Choc qui se répète par intervalles ; le bruit qui en résulte. – Mouvement alterné et rapide. – Pulsation d'un organe. – Intervalle de temps.

batterie, *subst. f.* Ensemble d'éléments utilisés pour le même but : **Batterie** *de cuisine*. – Ensemble de bouches à feu, de canons. – Appareil fournissant de l'électricité. – *Mus.* Instrument regroupant plusieurs percussions.

batteur, euse, *subst.* Personne qui bat ou qui fait le battage. – Appareil servant à battre des aliments. – *Mus.* Joueur de batterie.

battoir, *subst. m.* Instrument servant à battre.

battre, *verbe Trans.* Frapper de coups répétés. – Agiter : **Battre** *des œufs*. – **Battre** *la mesure* : marquer le rythme. – Vaincre. – *Intrans.* **Battre** *des mains* : applaudir. – *Pronom.* Combattre.

battu, ue, *adj.* Terre **battue** : foulée, durcie. – *Fig. Avoir les yeux* **battus** : paraître épuisé.

battue, *subst. f.* Action de rabattre le gibier vers des tireurs en frappant les taillis.

baudet, *subst. m.* Âne. – *Fig.* Ignorant, sot.

baudrier, *subst. m.* Bande de cuir ou d'étoffe portée en écharpe et supportant une arme.

baudruche, *subst. f.* Membrane de caoutchouc dont on fait des ballons.

bauge, *subst. f.* Gîte du sanglier. – *Fig.* Lieu très sale, taudis.

baume, *subst. m.* Onguent propre à adoucir ou à guérir les blessures. – *Fig.* Réconfort.

bauxite, *subst. f.* Roche sédimentaire constituant le principal minerai d'aluminium.

bavard, arde, *adj. et subst.* Qui parle beaucoup. – Qui est indiscret.

bavardage, *subst. m.* Action de bavarder. – Propos futiles ou indiscrets (*gén.* au *plur.*).

bavarder, *verbe intrans.* Parler beaucoup, de choses futiles ou indiscrètes.

bave, *subst. f.* Salive qui s'écoule de la bouche. – Substance visqueuse sécrétée par certains mollusques.

baver, *verbe intrans.* Laisser couler de la bave. – Se répandre, en parlant d'un liquide.

bavette, *subst. f.* Morceau du bœuf.

baveux, euse, *adj.* Qui bave. – *Omelette* **baveuse** : moelleuse à l'intérieur.

bavoir, *subst. m.* Pièce de tissu absorbant attachée au cou des bébés.

bavure, *subst. f.* Trace d'encre qui déborde. – Erreur plus ou moins grave.

bayer, *verbe intrans.* **Bayer** *aux corneilles* : regarder bouche bée en l'air, rêvasser.

bazar, *subst. m.* Marché couvert oriental. – Magasin vendant toutes sortes d'articles. – *Fig.* Lieu en désordre ; amas d'objets disparates.

b.c.g., *subst. m.* Vaccin contre la tuberculose.

béant, béante, *adj.* Largement ouvert.

béat, béate, *adj.* Bienheureux. – Excessivement satisfait et serein.

béatification, *subst. f.* Action de béatifier.

béatifier, *verbe trans. Relig.* Mettre (*qqn*) au rang des bienheureux (sans le canoniser).

béatitude, *subst. f. Relig.* Bonheur éternel des élus. – Sérénité, bonheur parfait, euphorie.

beau (i), bel, belle, *adj. et adv. Adj.* Qui peut faire l'objet d'un jugement de valeur positif : *Une* **belle** *image* ; *Un* **beau** *temps*. – *Un* **bel** *appétit* : grand. – Exprime un jugement de valeur négatif : *Vous m'en contez de* **belles**, des choses incroyables ; *Être dans de* **beaux** *draps*, dans une mauvaise situation. – Qui est imprévisible : *Un* **beau** *jour*, un certain jour ; *L'échapper* **belle**, éviter de justesse. – *Adv.* **Bel** *et bien* : d'une manière certaine ; *De plus* **belle** : de plus en plus fort. – *Avoir* **beau** + *inf.* : *Il a* **beau** *faire*, quoiqu'il fasse des efforts.

beau (ii), belle, *subst. Masc.* Concept esthétique : *Le* **Beau**, *le Bien et le Vrai* ; beauté. – *Fém.* Fiancée, amie. – Partie décisive d'un jeu.

beaucoup, *adv.* En grande quantité : **Beaucoup** *de gens*. – Avec intensité : *Je t'aime* **beaucoup**. – Fréquemment : *Il est* **beaucoup** *venu ces derniers temps*.

beau-fils, *subst. m.* Fils du conjoint né d'une précédente union. – Gendre.

beau-frère, *subst. m.* Frère du conjoint ou époux de la sœur.

beau-père, *subst. m.* Père du conjoint ou, pour les enfants, second mari de la mère.

beauté, *subst. f.* Caractère de ce qui est beau, artistiquement, physiquement ou moralement.

beaux-arts, *subst. m. plur.* Ensemble des arts suivants : architecture, sculpture, peinture, gravure ; on y ajoute *souv.* la musique et la danse.

beaux-parents, *subst. m. plur.* Père et mère du conjoint.

bébé, *subst. m.* Très jeune enfant, nourrisson.

bec, *subst. m.* Enveloppe cornée des mâchoires d'oiseaux. – Extrémité ou avancée pointue de certains objets : **Bec** *d'une cruche*.

bécane, *subst. f.* Bicyclette, cyclomoteur (*fam.*).

bécasse, *subst. f.* Oiseau migrateur, au long bec. – *Fig.* Sotte.

bécassine, *subst. f.* Oiseau des marais proche de la bécasse.

bec-de-lièvre, *subst. m.* Déformation congénitale consistant en une fente de la lèvre supérieure.

béchamel, *subst. f.* Sauce blanche à base de beurre, de farine et de lait.

bêche, *subst. f.* Outil de jardinage fait d'une lame plate et tranchante adaptée à un manche.

bêcher, *verbe trans.* Retourner la terre avec une bêche.

becquée, *subst. f.* Quantité de nourriture qu'un oiseau peut prendre dans son bec.

becqueter, *verbe trans.* Donner des coups de bec, picorer. – Manger (*fam.*).

bedaine, *subst. f.* Panse, ventre rebondi.

bedeau, *subst. m.* Employé laïque préposé au service matériel des offices dans une église.

bédouin, ouine, *adj. et subst.* Arabe nomade du désert.

bée, *adj. f. Bouche* **bée** : grande ouverte.

beffroi, *subst. m.* Tour ou clocher de ville où l'on sonnait l'alarme autrefois.

bégaiement, *subst. m.* Trouble de l'élocution qui se traduit par la répétition saccadée de syllabes et l'arrêt au milieu des mots. – Balbutiement.

bégayer, *verbe intrans.* Être atteint de bégaiement. – *Empl. trans.* **Bégayer** *des excuses*.

bégonia, *subst. m.* Plante ornementale, aux vives couleurs.

bègue, *adj. et subst.* Qui est affecté de bégaiement.

bégueule, *adj. et subst.* D'une pruderie exagérée.

béguin, *subst. m.* Toquade, amour passager.

beige, *adj. et subst. m.* Couleur brun clair de la laine ou du coton naturel.

beignet, *subst. m.* Mets frit composé de pâte enrobant un aliment.

bel, *voir* **beau (i) bel canto**, *subst. m. inv.* Art du chant virtuose selon l'opéra italien.

bêler, *verbe* Émettre son cri (bêlement), en parlant du mouton ou de la chèvre. – *Fig.* Parler d'une voix chevrotante ; geindre.

belette, *subst. f.* Petit mammifère carnivore, bas sur pattes, à long museau.

bélier, *subst. m.* Mouton mâle non castré. – Poutre servant jadis à défoncer portes et murs. – Premier signe du zodiaque.

belladone, *subst. f.* Plante dont une espèce contient de l'atropine, stupéfiant très toxique.

bellâtre, *subst. m.* Homme à la beauté un peu mièvre, satisfait de lui-même.

belle, *voir* **beau belle-famille**, *subst. f.* Famille du conjoint.

belle-fille, *subst. f.* Épouse du fils, bru. – Fille que le conjoint a eue d'une union antérieure.

belle-mère, *subst. f.* Pour un enfant, nouvelle femme du père. – Mère du conjoint.

belles-lettres, *subst. f. plur.* Arts littéraires et poétiques.

belle-sœur, *subst. f.* Sœur du conjoint. – Épouse du frère.

bellicisme, *subst. m.* Penchant pour la guerre. – Doctrine qui préconise la guerre pour régler les problèmes internationaux.

belligérance, *subst. f.* État d'un pays en guerre.

belligérant, ante, *adj. et subst.* Qui est en guerre.

belliqueux, euse, *adj.* Qui aime la guerre. – *Fig.* Violent, intolérant.

belote, *subst. f.* Jeu de cartes, qui se pratique à 2, 3 ou 4 joueurs avec un jeu de 32 cartes.

belvédère, *subst. m.* Construction ou terrasse située en un lieu élevé, d'où la vue est dégagée.

bémol, *subst. m.* *Mus.* Signe d'altération (♭), abaissant d'un demi-ton la note qu'il précède.

bénédictin, ine, *adj. et subst.* Religieux qui suit la règle édictée par saint Benoît.

bénédiction, *subst. f.* Geste rituel par lequel un prêtre implore la grâce divine pour *qqch.* ou *qqn.* – *Fig.* Chance.

bénéfice, *subst. m.* Avantage. – Gain, profit. – *Fig.* Privilège : *Le* **bénéfice** *de l'âge.*

bénéficiaire, *adj. et subst.* Qui procure un bénéfice. – Qui jouit d'un bénéfice.

bénéficier, *verbe trans. indir.* Profiter, jouir de : Bénéficier *d'un avantage.*

bénéfique, *adj.* Favorable, bienfaisant.

benêt, *adj. et subst. m.* Niais.

bénévolat, *subst. m.* Activité non rémunérée, effectuée par une personne de son plein gré.

bénévole, *adj. et subst.* Qui œuvre sans être rémunéré.

béni(t), i(t)e, *adj.* Béni. Qui est sous la protection de Dieu. – Qui est source de bonheur ou d'avantages : *Des instants* **bénis**. – Bénit. Consacré rituellement : *De l'eau* **bénite**.

bénin, igne, *adj.* Sans conséquence grave.

bénir, *verbe trans.* Consacrer, donner la bénédiction à (*qqch.* ou *qqn*). – Louer, remercier, exalter : *Bénissons le ciel de ses bienfaits.*

bénitier, *subst. m.* Vasque contenant l'eau bénite.

benjamin, ine, *subst.* Le plus jeune enfant d'une famille. – Jeune sportif de 11 à 13 ans.

benne, *subst. f.* Appareil, caisson, servant au transport et à la manutention de matériaux lourds : **Benne** *basculante*, montée sur le châssis d'un camion.

benzène, *subst. m.* Hydrocarbure liquide, volatil, obtenu par distillation de la houille.

béotien, ienne, *adj. et subst.* Qui est peu réceptif aux arts, qui manque de goût.

béquille, *subst. f.* Bâton muni d'une traverse sur lequel s'appuient ceux qui marchent avec peine. – Support, étai : **Béquille** *d'une moto.*

bercail, *subst. m. sing.* Communauté religieuse ou familiale ; foyer : *Rentrer au* **bercail.**

berceau, *subst. m.* Lit d'enfant dans lequel on peut le bercer. – *Fig.* Lieu d'origine. – *Voûte en* **berceau** : engendrée par des arcs, *souv.* en plein cintre.

bercer, *verbe trans.* Balancer doucement, avec régularité. – *Fig.* Calmer, endormir. – Tromper ; *empl. pronom.* : *Se* **bercer** *d'illusions.*

berceuse, *subst. f.* Chanson lente utilisée pour endormir un enfant.

béret, *subst. m.* Coiffure ronde et plate sans bord.

bergamote, *subst. f.* Plante dont l'écorce renferme une essence camphrée utilisée en parfumerie et en confiserie.

berge, *subst. f.* Bord d'un cours d'eau.

berger (i), ère, *subst.* Gardien de moutons.

berger (ii), *subst. m.* Chien de garde ou de défense.

bergère, *subst. f.* Fauteuil grand et large aux joues rembourrées et aux accoudoirs pleins.

bergerie, *subst. f.* Bâtiment qui abrite des ovins.

bergeronnette, *subst. f.* Passereau à longue queue.

berline, *subst. f.* Véhicule hippomobile à quatre roues muni d'une capote. – Automobile à quatre portes et à quatre glaces latérales.

berlingot, *subst. m.* Bonbon en forme de tétraèdre. – Emballage tétraédrique pour un liquide.

bermuda, *subst. m.* Short coupé au ras du genou.

bernard-l'ermite, *subst. m. inv.* Crustacé qui habite la coquille vide d'un mollusque.

berne, *subst. f.* *Drapeau en* **berne** : hissé à mi-hauteur et non déployé, en signe de deuil.

berner, *verbe trans.* Leurrer, tromper (*qqn*).

besace, *subst. f.* Long sac ouvert en son milieu, formant deux poches, qu'on porte à l'épaule.

bésicles, *subst. f. plur.* Lunettes anciennes.

besogne, *subst. f.* Travail que l'on doit effectuer. – *Aller vite en* **besogne** : brûler les étapes.

besogneux, euse, *adj. et subst.* Qui travaille durement pour une faible gratification.

besoin, *subst. m.* Désir naturel ou non, issu d'un manque ou d'une insatisfaction. – Ce qui est nécessaire : *Un* **besoin** *d'aide.*

bestiaire, *subst. m.* Iconographie animalière. – Recueil de poèmes sur les animaux.

bestial, ale, aux, *adj.* Relatif à la bête.

bestiau, aux, *subst. m. Plur.* Les gros animaux de la ferme. – *Sing.* Animal (*fam.*).

bestiole, *subst. f.* Petite bête.

best-seller, *subst. m.* Livre qui bat un record de ventes.

bétail, *subst. m. sing.* Ensemble des animaux d'élevage d'une ferme, sauf la basse-cour.

bête (i), *subst.* Tout être faisant partie du monde animal, à l'exception de l'homme.

bête (ii), *adj.* Sot, inintelligent. – Étourdi.

bétel, *subst. m.* Poivrier grimpant. – Mélange masticatoire tonique.

bêtifier, *verbe Trans.* Rendre bête. – *Intrans.* Se comporter de façon puérile.

bêtise, *subst. f.* Manque d'intelligence. – Chose, action idiote ou sans importance.

béton, *subst. m.* Matériau de construction très résistant, agrégat de gravillons et de sable liés par du ciment : **Béton** *armé*, coulé sur une armature en acier. – *Fig.* Sûr, inattaquable.

betterave, *subst. f.* Plante potagère, cultivée pour son sucre ou comme légume.

beugler, *verbe intrans.* Produire un cri (beuglement), en parlant de bovins. – Hurler, brailler.

beur, **beurette**, *adj. et subst.* Se dit d'un jeune né en France de parents maghrébins (*fam.*).

beurre, *subst. m.* Matière grasse provenant du lait de vache ou de certains végétaux. – Préparation à base de beurre : *Un beurre d'ail.*

beurrer, *verbe trans.* Étaler du beurre sur.

beurrier, *subst. m.* Récipient servant à conserver ou à présenter le beurre.

beuverie, *subst. f.* Réunion où l'on boit beaucoup.

bévue, *subst. f.* Maladresse choquante.

bey, *subst. m.* Titre de haut fonctionnaire ou de prince vassal dans l'Empire ottoman.

biais, *subst. m.* Direction oblique : *Le biais d'un pont.* – *Fig.* Échappatoire. – *Par le biais de* : par le moyen indirect de ; *De biais* : obliquement.

biaiser, *verbe trans.* Être de biais ; s'écarter. – *Fig.* Agir par des moyens détournés.

biathlon, *subst. m.* Épreuve sportive combinant course de ski de fond et tir à la carabine.

bibelot, *subst. m.* Petit objet décoratif.

biberon, *subst. m.* Récipient muni d'une tétine permettant d'allaiter les nourrissons.

bible, *subst. f. La* **Bible** : recueil des textes sacrés qui sont à la base des religions juive et chrétienne. – *Une bible* : livre contenant ces textes. – *Fig.* Ouvrage fondamental dans un domaine particulier. – *Papier bible* : résistant et fin.

bibliographie, *subst. f.* Répertoire des écrits relatifs à un sujet ou à un auteur donnés. – Liste d'ouvrages parus.

bibliophile, *subst.* Personne qui aime les livres rares et précieux.

bibliothécaire, *subst.* Responsable ou employé d'une bibliothèque.

bibliothèque, *subst. f.* Salle, lieu public ou privé où sont rangées des collections de livres. – Meuble à rayonnages où l'on range des livres. – Collection de livres.

bicarbonate, *subst. m.* Carbonate acide.

bicentenaire, *adj. et subst. m. Subst.* Anniversaire d'un événement qui s'est produit deux siècles auparavant. – *Adj.* Deux fois centenaire.

bicéphale, *adj.* Qui a deux têtes. – *Fig.* Qui a deux chefs.

biceps, *subst. m.* Muscle possédant deux tendons à une de ses extrémités. – Muscle fléchisseur de l'avant-bras.

biche, *subst. f.* Femelle du cerf. – *Pied-de-biche* : outil coudé, utilisé comme levier.

bichonner, *verbe trans.* Entourer de soins, pomponner.

bicoque, *subst. f.* Maison sans allure ni confort.

bicorne, *adj. et subst. m. Adj.* Qui a deux cornes. – *Subst.* Chapeau d'uniforme à deux pointes.

bicyclette, *subst. f.* Véhicule à deux roues propulsé par le biais d'un pédalier entraînant la roue arrière au moyen d'une chaîne.

bidet, *subst. m.* Petit cheval vigoureux. – Appareil sanitaire bas servant aux ablutions intimes.

bidon, *subst. m.* Récipient à fermeture étanche servant à transporter un liquide.

bidonville, *subst. m.* Ensemble d'habitations précaires et insalubres, aux abords d'une grande ville.

bidule, *subst. m.* Petit objet quelconque (*fam.*).

bief, *subst. m.* Canal amenant l'eau à un moulin. – Intervalle entre deux écluses d'un canal.

bielle, *subst. f. Mécan.* Tige articulée à ses deux extrémités sur deux pièces mobiles, et qui transmet le mouvement de l'une à l'autre.

bien (i), *adj. inv., adv. et interj. Adv.* De manière satisfaisante : *Bien écrit.* – Conforme à la morale, à la règle. – *Interj.* Marque l'étonnement ou l'hésitation : *Eh bien !* – *Adj.* Digne d'être approuvé, conforme aux normes : *Un jeune homme très* **bien**. – *Loc. conj.* **Bien que** : quoique.

bien (ii), *subst. m.* Ce qui est utile, agréable ou conforme à la morale. – Ce que l'on possède : *Les biens matériels.*

bien-être, *subst. m. inv.* Impression agréable que procure le contentement du corps et de l'esprit. – Prospérité, confort matériel.

bienfaisance, *subst. f.* Action d'aider les autres. – Charité : *Gala de bienfaisance.*

bienfaisant, **ante**, *adj.* Qui s'attache à pratiquer le bien. – Dont l'action est bénéfique.

bienfait, *subst. m.* Action généreuse. – Avantage, résultat heureux.

bienfaiteur, **trice**, *adj. et subst.* Qui agit avec générosité, qui est l'auteur de bienfaits.

bien-fondé, *subst. m.* Caractère de ce qui est légitime, conforme au droit.

bienheureux, **euse**, *adj. et subst.* Très heureux. – Qui est ou qui rend très heureux. – *Relig.* Promis à la béatitude céleste ; béatifié par l'Église catholique.

biennal, **ale**, **aux**, *adj. et subst. f. Adj.* Qui s'étend sur deux ans. – Qui revient tous les deux ans. – *Subst.* Manifestation artistique qui a lieu tous les deux ans.

bienséance, *subst. f.* Qualité de ce qui est conforme aux normes d'une société, à ses usages.

bientôt, *adv.* En un temps très court. – Prochainement. – Presque, environ.

bienveillance, *subst. f.* Inclination à désirer le bonheur pour autrui. – Indulgence.

bienvenue, *subst. f.* Accueil aimable et favorable. – Formule d'accueil : **Bienvenue** *à bord.*

bière (i), *subst. f.* Boisson alcoolique fermentée préparée à partir du malt et aromatisée au houblon.

bière (ii), *subst. f.* Cercueil : *Mettre en* **bière**.

biffer, *verbe trans.* Barrer d'un trait un ou plusieurs mots.

bifteck, *subst. m.* Tranche de bœuf.

bifurcation, *subst. f.* Dédoublement d'une branche, d'une tige, d'une voie de communication. – Le lieu de cette division.

bifurquer, *verbe intrans.* Se diviser en deux. – Changer de direction.

bigame, *adj. et subst.* Qui a deux épouses ou deux époux en même temps.

bigarreau, *subst. m.* Variété de cerise bigarrée de rouge et de blanc.

bigarrer, *verbe trans.* Juxtaposer des couleurs, des motifs différents ; barioler. – Mêler des choses variées ou disparates.

big(-)bang, *subst. m. inv.* Explosion qui aurait donné naissance à l'Univers.

bigleux, euse, *adj. et subst. Fam.* Qui louche. – Qui a une mauvaise vue.

bigorneau, *subst. m.* Gastéropode marin qui ressemble à un limaçon.

bigot, ote, *adj. et subst.* Excessivement dévot.

bigoudi, *subst. m.* Petit cylindre autour duquel on enroule les cheveux afin qu'ils bouclent.

bigre, *interj.* Exclamation marquant la surprise.

bihebdomadaire, *adj.* Qui a lieu, qui paraît deux fois par semaine. – *Empl. subst.* Journal paraissant deux fois par semaine.

bijou, oux, *subst. m.* Petit objet de parure que la matière, le travail rendent précieux ou original. – *Fig.* Ce qui est remarquable pour ses qualités artistiques, sa facture délicate, son élégance ou sa valeur.

bijouterie, *subst. f.* Fabrication, commerce, industrie des bijoux. – Ensemble de bijoux. – Le magasin où ils sont vendus.

bijoutier, ière, *subst.* Personne qui fabrique et/ou qui vend des bijoux.

bilan, *subst. m.* Inventaire des comptes d'une entreprise, à une date donnée, dressant l'état de l'actif et du passif. – Évaluation chiffrée des conséquences d'un événement. – *Fig.* Appréciation globale d'une situation.

bilatéral, ale, aux, *adj.* Qui comporte deux côtés ; qui se rapporte à deux côtés. – *Dr.* Qui engage deux parties contractantes.

bilboquet, *subst. m.* Jeu consistant à lancer une boule percée et reliée par un fil à un petit bâton au bout duquel elle doit s'enfiler.

bile, *subst. f.* Liquide visqueux et amer sécrété par le foie et stocké dans la vésicule biliaire.

biliaire, *adj.* Qui concerne la bile.

bilieux, ieuse, *adj.* Qui résulte d'une hypersécrétion de bile. – *Fig.* Qui est coléreux, irritable, d'une humeur aigrie. – Inquiet.

bilingue, *adj.* En deux langues. – Se dit d'une personne qui maîtrise deux langues.

billard, *subst. m.* Jeu pratiqué sur une table rectangulaire à rebords où, avec une queue, on envoie une boule d'ivoire sur d'autres. – La table elle-même. – Le lieu public où l'on joue.

bille (i), *subst. f.* Petite boule pleine et dure utilisée dans certains jeux. – Petite sphère métallique : *Roulement à* **billes** ; *Stylo (à)* **bille**.

bille (ii), *subst. f.* Pièce de bois de toute la grosseur d'un tronc d'arbre, destinée à être équarrie.

billet, *subst. m.* Bref message écrit : **Billet** *doux*. – Écrit ou imprimé garantissant un droit ou attestant un fait : **Billet** *de théâtre*. – **Billet** *de banque* : papier-monnaie émis par la banque centrale d'un pays. – *Journ.* Court article humoristique sur un sujet d'actualité.

billetterie, *subst. f.* Ensemble des opérations d'émission et de délivrance des billets. – Distributeur, lieu où l'on délivre les billets.

billevesée, *subst. f.* Propos creux, dénué de sens (*gén.* au *plur.*).

billot, *subst. m.* Bloc de bois épais et aplani servant de support de travail. – Pièce de bois sur laquelle on décapitait les condamnés.

bimensuel, elle, *adj.* Qui a lieu ou paraît deux fois par mois. – *Empl. subst.* Journal paraissant deux fois par mois.

binaire, *adj.* Composé de deux éléments. – Se dit d'un système de numération de base 2.

biner, *verbe trans.* Travailler, sarcler la terre avec une binette.

binette, *subst. f.* Petite pioche à fer large et aplati.

biniou, *subst. m.* Cornemuse utilisée en Bretagne.

binôme, *subst. m. Math.* Somme de deux monômes. – Groupe de deux éléments.

biochimie, *subst. f.* Étude de la matière vivante et de ses composants chimiques.

biodégradable, *adj.* Qui peut être dégradé par des bactéries ou des processus biologiques.

biographie, *subst. f.* Histoire, récit de la vie de *qqn*.

biologie, *subst. f.* Science des êtres vivants.

bionique, *subst. f.* Science qui répercute sur la mécanique et l'électronique ce que révèle l'étude des phénomènes biologiques.

biopsie, *subst. f.* Prélèvement sur un sujet vivant, pour examen, d'un fragment de tissu.

biosphère, *subst. f.* Ensemble de tous les écosystèmes de la planète.

biotope, *subst. m.* Milieu biologique dont l'écologie répond aux besoins vitaux d'un ensemble d'animaux et de végétaux.

bipartite, *adj.* Partagé en deux parties. – Fait de deux parties. – Relatif à deux parties.

bipède, *adj. et subst. m.* Qui marche sur deux pieds. **biplan,** *subst. m.* Avion à deux plans de sustentation superposés.

bique, *subst. f.* Chèvre (*fam.*).

bis (i), *subst. m., adv. et interj.* Adv. Une deuxième fois. – *Interj. et subst.* Cri réclamant la répétition d'un morceau de musique, d'une chanson, etc.

bis (ii), bise, *adj.* Qui est d'un gris soutenu ou gris ocre : *Pain* **bis**, coloré par le son.

bisaïeul, eule, *subst.* Père ou mère des aïeuls.

bisannuel, elle, *adj.* Qui se reproduit ou réapparaît tous les deux ans.

biscornu, ue, *adj.* Qui a une forme irrégulière, curieuse. – *Fig.* Confus, alambiqué.

biscuit (i), *subst. m.* Pâtisserie à base de farine, d'œufs et de sucre.

biscuit (ii), *subst. m.* Porcelaine à pâte dure, cuite sans émail. – Pièce réalisée en biscuit.

bise (i), *subst. f.* Vent du nord ou du nord-est, froid et pénétrant.

bise (ii), *subst. f.* Petit baiser donné sur la joue.

biseau, *subst. m.* Bord taillé en oblique.

biseauté, ée, *adj.* Taillé en biseau.

bisexué, ée, *adj.* Qui a les deux sexes.

bisexuel, elle, *adj. et subst.* Qui est à la fois homosexuel et hétérosexuel.

bison, *subst. m.* Bovidé sauvage aux épaules massives, au cou bossu et au collier laineux.

bisque, *subst. f.* Potage préparé à partir d'un coulis de crustacés.

bissecteur, trice, *adj. et subst.* Se dit d'une demi-droite qui divise un angle ou d'un demi-plan qui divise un dièdre en deux parties égales.

bissextile, *adj. f.* Qualifie l'année qui contient un jour supplémentaire, intercalé tous les quatre ans en février.

bistouri, *subst. m.* Couteau chirurgical qui sert à inciser les chairs.

bistre, *adj. inv. et subst. m.* Couleur brun foncé, obtenue autrefois à partir de la suie.

bistro(t), *subst. m.* Café, restaurant modeste.

bit, *subst. m. Informat.* Unité d'information ne pouvant prendre que deux valeurs, notées 0 et 1.

bitte, *subst. f.* Cylindre en acier sur un navire ou un quai, servant à enrouler les amarres.

bitume, *subst. m.* Mélange d'hydrocarbures servant notamment pour le revêtement des chaussées.

bivalent, ente, *adj. Chim.* Qui a pour valence 2. – Qui a deux valeurs, deux fonctions.

bivouac, *subst. m.* Campement provisoire en plein air. – Le lieu du campement.

bizarre, *adj.* Qui déroute par son caractère inhabituel.

bizut(h), *subst. m.* Élève de première année d'une grande école. – Nouveau venu, débutant.

black, *adj. et subst.* Se dit d'une personne de race noire (*fam.*).

black-out, *subst. m. inv.* Le fait de plonger un lieu dans l'obscurité totale pour déjouer les attaques aériennes. – Silence observé volontairement sur un sujet particulier.

blafard, arde, *adj.* Blême et sans éclat.

blague, *subst. f.* Petite poche à tabac. – Histoire inventée pour tromper ou amuser *qqn. – Pas de* **blagues !** : pas d'imprudences, pas de bêtises.

blaguer, *verbe Fam. Intrans.* Dire des blagues. – *Trans.* Se moquer sans méchanceté de.

blaireau, *subst. m.* Mammifère carnivore bas sur pattes, au pelage gris-roux. – Pinceau, brosse.

blâme, *subst. m.* Condamnation morale. – Remontrance officielle.

blâmer, *verbe trans.* Émettre de vifs reproches.

blanc, blanche, *adj. et subst. Adj.* De la couleur de la neige, du lait, etc. – Clair, par *oppos.* à foncé ou à très coloré : *Du vin* **blanc.** – *Fig.* Qui évoque la pureté, l'honnêteté : *Être* **blanc** *comme neige*, n'avoir rien à se reprocher. – *Un mariage* **blanc** : qui ne sera pas consommé. – *La page* **blanche** : sur laquelle rien n'est écrit. – *Passer une nuit* **blanche** : ne pas dormir. – *Subst.* Peindre une pièce en **blanc.** – *Fig.* Espace vide : *Un* **blanc** *dans la conversation.* – *Tirer à* **blanc** : avec des cartouches ne contenant que de la poudre. – *Les* **Blancs** : les hommes **blancs.** – *Mus.* Une **blanche** *vaut deux noires.*

blanc-bec, *subst. m.* Jeune homme aussi prétentieux qu'ignorant.

blanchâtre, *adj.* Proche de la couleur blanche.

blancheur, *subst. f.* Qualité de ce qui est blanc.

blanchiment, *subst. m.* Action de peindre en blanc. – Action de décolorer chimiquement. – *Fig.* Action de blanchir de l'argent.

blanchir, *verbe Trans.* Rendre blanc ; décolorer. – Nettoyer. – *Fig.* **Blanchir** *un prévenu* : le disculper ; **Blanchir** *des capitaux* : masquer leur origine frauduleuse. – **Blanchir** *des légumes* : les ébouillanter. – *Intrans.* Devenir blanc.

blanchissage, *subst. m.* Action de nettoyer le linge. – Raffinage, en parlant du sucre.

blanchisserie, *subst. f.* Établissement où l'on fait nettoyer son linge. – Le secteur économique correspondant.

blanc-seing, *subst. m.* Document signé à l'avance et remis à une personne qui le remplira à sa convenance.

blanquette, *subst. f.* Ragoût de viande blanche.

blasé, ée, *adj. et subst.* Devenu insensible ou indifférent.

blason, *subst. m.* Les armes, les figures et les signes composant un écu armorial.

blasphème, *subst. m.* Parole attentatoire à la divinité ou au sacré. – Parole insultant *qqn* ou *qqch.* qui est respectable.

blasphémer, *verbe* Proférer un blasphème contre (*qqn* ou *qqch.*).

blatérer, *verbe intrans.* Pousser son cri, en parlant du chameau, du bélier, etc.

blatte, *subst. f.* Insecte coureur de forme aplatie.

blazer, *subst. m.* Veste de sport. – En Angleterre, veste aux couleurs d'un collège.

blé, *subst. m.* Plante de la famille des Graminées ; de ses grains on tire la farine.

blême, *adj.* Très pâle, d'une blancheur maladive, en parlant d'un visage. – Blafard, terne.

blêmir, *verbe intrans.* Devenir blême.

blesser, *verbe trans.* Infliger une blessure ; faire mal. – *Fig.* Nuire à, aller à l'encontre de, insulter.

blessure, *subst. f.* Lésion, plaie d'un organisme vivant, accidentelle ou volontaire. – *Fig.* Atteinte, souffrance morale ; offense.

bleu, bleue, bleus, *adj. et subst. m. Adj.* De la couleur d'un ciel sans nuages. – D'une couleur tirant sur le **bleu**, livide : **Bleu** *de froid. – Fig. Une peur* **bleue** : intense. – Qui évoque la pureté, la douceur, le merveilleux : *Des rêves* **bleus.** – *La petite fleur* **bleue** : la sentimentalité. – *Un bifteck* **bleu** : à peine cuit. – *Subst.* La couleur bleu. – Vêtement de travail, *gén.* **bleu.** – Nouvelle recrue ; novice. – Marque bleutée sur la peau due à un coup, ecchymose. – Matière colorante **bleue.** – *Bleu d'Auvergne, de Bresse* : fromages à moisissures **bleues.** – *Bleus de Gascogne, d'Auvergne* : races de chiens.

bleuâtre, *adj.* Proche de la couleur bleue.

bleuet, *subst. m.* Plante à fleurs bleues qui pousse dans les champs de blé.

bleuir, *verbe Trans.* Rendre bleu. – *Intrans.* Devenir bleu.

bleuté, ée, *adj.* Légèrement teinté de bleu.

blindage, *subst. m.* Revêtement de métal servant de protection.

blindé, ée, *adj. et subst. m.* Recouvert d'un blindage. – *Milit.* *Un* **blindé** : un véhicule blindé ; *Une division* **blindée** : constituée de **blindés.**

blinder, *verbe trans.* Renforcer avec un blindage.

blini, *subst. m.* Petite crêpe de sarrasin.

blizzard, *subst. m.* Tempête de neige accompagnée d'un vent glacial, dans le Grand Nord.

bloc, *subst. m.* Masse compacte : *Un* **bloc** *de pierre.* – *Fig.* Ensemble plus ou moins homogène de personnes ou de choses : *Le* **bloc** *familial.* – Union, coalition : *Le* **bloc** *des gauches* ; *Le* **bloc** *de l'Est.* – *D'un* **bloc,** *en* **bloc** : en totalité ; *À* **bloc** : à fond, complètement. – **Bloc** *opératoire* : installation servant aux interventions chirurgicales.

blocage, *subst. m.* Action de bloquer. – État de ce qui est bloqué.

blockhaus, *subst. m. inv. Milit.* Ouvrage fortifié en béton.

bloc-notes, *subst. m.* Paquet de feuilles de papier détachables servant à prendre des notes.

blocus, *subst. m.* Encerclement d'une ville, d'un port, d'un pays afin d'empêcher toute communication avec l'extérieur.

blond, blonde, *adj. et subst. Adj.* D'une couleur claire, tendant vers le jaune doré : *Bière* **blonde**. – *Subst.* Personne aux cheveux de cette couleur.

blondir, *verbe Intrans.* Devenir blond, s'éclaircir. – *Trans.* Rendre blond.

bloquer, *verbe trans.* Mettre en bloc, grouper : **Bloquer** *ses jours de congé.* – Serrer à fond : **Bloquer** *les freins.* – Barrer, fermer : **Bloquer** *une rue* ; arrêter, empêcher *qqch.* de fonctionner, de se déplacer : **Bloquer** *une porte.* – Faire un blocus. – *Pronom.* S'immobiliser ; ne plus réagir. – *Fin.* **Bloquer** *un crédit* : en suspendre la libre disposition ; **Bloquer** *les prix* : en empêcher la hausse. – *Psychol.* Être **bloqué** : être inhibé par une cause inconsciente.

blottir (se), *verbe pronom.* Se tasser, se replier sur soi-même. – Se réfugier.

blouse, *subst. f.* Vêtement de travail que l'on met pour protéger ses vêtements. – Chemisier de femme de forme ample.

blouson, *subst. m.* Veste courte serrée à la taille.

blue-jean(s), *subst. m.* Pantalon surpiqué, en toile bleue très résistante.

blues, *subst. m.* Mélancolie, idées noires (*fam.*) : *Avoir le* **blues**. – Musique populaire noire américaine, annonciatrice du jazz.

bluff, *subst. m.* Attitude d'exagération visant à intimider, à se vanter, à induire en erreur.

bluffer, *verbe intrans.* Faire du bluff. – *Empl. trans.* Tenter de tromper.

blush, *subst. m.* Fard à joues qu'on applique au pinceau.

boa, *subst. m.* Serpent non venimeux d'Amérique tropicale qui étouffe sa proie avant de la dévorer. – Longue écharpe, gén. de plumes.

boat people, *subst. inv.* Personne qui fuit son pays au risque de sa vie, en bateau.

bobine, *subst. f.* Cylindre autour duquel est enroulée une matière souple : *Une* **bobine** *de fil.* – La matière enroulée.

bobinette, *subst. f.* Pièce de bois mobile destinée à maintenir une porte fermée.

bobsleigh, *subst. m.* Traîneau permettant de glisser à vive allure sur des pistes de neige glacée. – Sport pratiqué avec cet engin.

bocage, *subst. m.* Paysage rural où les champs sont bordés ou entourés de haies vives.

bocal, aux, *subst. m.* Récipient de verre à large ouverture et à col très court.

bock, *subst. m.* Verre à bière de 0,25 l.

body, *subst. m.* Justaucorps.

body-building, *subst. m.* Culturisme.

bœuf, *adj. inv. et subst. m. Subst.* Taureau émasculé. – Bovidé. – *Adj.* Énorme, surprenant (*fam.*).

bogue (i), *subst. f.* Enveloppe de la châtaigne, recouverte de piquants.

bogue (ii), *subst. m. Informat.* Anomalie de fonctionnement d'un logiciel due à un défaut de conception ou de réalisation.

bohème, *adj. et subst.* Qui est non conformiste, qui est insouciant. – *Subst. fém.* Mode de vie non conformiste.

bohémien, ienne, *subst.* Nomade que l'on croyait venir de Bohême ; romanichel.

boire, *verbe trans.* Avaler un liquide, une boisson. – Absorber, se laisser pénétrer : *La terre* **buvait** *la pluie glacée.* – *Fig.* **Boire** *les paroles de qqn* : l'écouter avec passion. – *Empl. abs.* Absorber régulièrement des boissons contenant de l'alcool ; s'enivrer.

bois, *subst. m.* Petite forêt. – Matière ligneuse des végétaux (tronc, rameaux, racines). – *Plur.* Cornes des Cervidés.

boisé, ée, *adj.* Qui est planté d'arbres.

boiserie, *subst. f.* Revêtement mural en panneaux de bois, lambris.

boisseau, *subst. m.* Ancienne mesure de capacité (*env.* 10 l). – Élément creux emboîtable servant de conduit.

boisson, *subst. f.* Liquide destiné à être bu. – *Empl. abs. La* **boisson** : l'alcool ; l'alcoolisme.

boîte, *subst. f.* Récipient de dimensions variables, *gén.* à couvercle. – Cavité, objet creux, plus ou moins clos, contenant *qqch.* : *La* **boîte** *crânienne* ; **Boîte** *de vitesses.*

boiter, *verbe intrans.* Marcher avec un balancement irrégulier ou accentué du corps. – *Fig.* Manquer de rigueur.

boîtier, *subst. m.* Boîte compartimentée. – Boîte renfermant un mécanisme.

boitiller, *verbe intrans.* Boiter légèrement.

bol, *subst. m.* Tasse sans anse.

bolchevisme, *subst. m.* En Russie, doctrine fondée sur le collectivisme marxiste.

boléro, *subst. m.* Danse espagnole à trois temps ; musique accompagnant cette danse. – Veste courte sans manches ni boutons.

bolet, *subst. m.* Champignon charnu et spongieux : *Les cèpes sont des* **bolets**.

bolide, *subst. m.* Véhicule extrêmement rapide.

bombance, *subst. f.* Festin, bonne chère (*fam.*).

bombarder, *verbe trans.* Assaillir par un lancer de projectiles, en *partic.* d'obus, de bombes. – *Fig.* Presser, harceler (*qqn*) : **Bombarder** *l'orateur de questions.*

bombardier, *subst. m.* Aviateur chargé de lâcher des bombes. – Avion de bombardement.

bombe, *subst. f.* Projectile, engin explosif. – Récipient servant à vaporiser *qqch.* : *Une* **bombe** *insecticide.* – Coiffure rigide de cavalier.

bombé, ée, *adj.* Convexe, arrondi.

bôme, *subst. f. Mar.* Espar horizontal sur lequel est fixée la partie basse d'une voile.

bon (i), bonne, *adj., subst. m., adv. et interj. Adj.* Qui est adapté à sa fonction, qui remplit bien son rôle, ou dont le comportement peut faire l'objet d'une approbation : *Un* **bon** *écrivain* ; au sens moral : *Une* **bonne** *âme* ; *Une* **bonne** *action.* – *Interj.* **Bon** ! ; *Ah* **bon** ? ; *A quoi* **bon** ? : c'est inutile ; *C'est* **bon** ! : c'est entendu. – *Pour de* **bon** : vraiment. – *Adv.* Tenir **bon** : résister ; *Sentir* **bon** : exhaler une odeur agréable. – *Subst.* Personne qui a de la bonté (*gén.* au *plur.*) : *Les* **bons** *et les méchants.* – Ce qui est **bon** : *Du* **bon**, *du beau.*

bon (ii), *subst. m.* Document écrit donnant droit à *qqch.* ou attestant un paiement.

bonbon, *adj. inv. et subst. m. Subst.* Friandise sucrée et aromatisée. – *Adj. Rose* **bonbon** : rose vif.

bonbonne, *subst. f.* Bouteille pansue, à col très court, ou dame-jeanne.

bonbonnière, *subst. f.* Boîte à bonbons. – Petite maison coquette.

bond, *subst. m.* Saut brusque et vif : *Progresser par* **bonds**. – *Fig.* **Bond** *en avant* : progrès.

bonde, *subst. f.* Ouverture par où se vide un étang, un évier, etc. – Système de fermeture de ce trou.

bondé, ée, *adj.* Plein de gens : *Un train* **bondé**.

bondieuserie, *subst. f.* Dévotion excessive. – Objet pieux de mauvais goût.

bondir, *verbe intrans.* Faire des bonds. – S'élancer vivement : **Bondir** *hors de, sur*. – *Fig. Mon cœur* **bondit** *de joie* : bat plus vite.

bonheur, *subst. m.* Chance, événement propice. – État de félicité, d'épanouissement affectif : *Aspirer au* **bonheur**.

bonhomie, *subst. f.* Attitude bienveillante, affable. – Innocence, naïveté.

bonhomme, *adj. et subst. m. Subst.* Individu (*fam.*). – Représentation grossière d'un homme. – *Adj.* Qui montre de la bonhomie.

bonifier, *verbe trans.* Améliorer la qualité de (*qqch.*).

boniment, *subst. m.* Propos habile visant à attirer la clientèle. – Discours fabulateur et creux visant à séduire, à abuser (*fam.*).

bonjour, *subst. m.* Salutation.

bonne, *subst. f.* Employée de maison (vieilli).

bonnet, *subst. m.* Coiffure souple, sans bordure ni visière.

bonneterie, *subst. f.* Fabrication ou commerce d'articles en tricot ou en tissu à mailles.

bonsaï, *subst. m.* Arbre miniaturisé.

bonsoir, *subst. m.* Salutation employée le soir.

bonté, *subst. f.* Qualité, vertu d'une personne qui est moralement bonne ou qui est bonne envers autrui.

bonus, *subst. m.* Rémunération obtenue en plus d'un dû. – Réduction d'une prime d'assurance automobile en l'absence de sinistre.

bonze, *subst. m.* Moine de la religion bouddhique. – Personnage important et solennel (*fam.*).

book, *voir* **press-book boomerang**, *subst. m.* Pièce de bois recourbée qui, habilement lancée, revient à son point de départ.

boots, *subst. f. plur.* Bottes courtes.

borborygme, *subst. m.* Gargouillement intestinal.

bord, *subst. m.* Côté d'un navire : *Virer de* **bord**, changer de route. – Le navire lui-même : *Monter à* **bord**. – *Tableau de* **bord** : ensemble des appareils de navigation d'un véhicule. – Contour d'une surface : *Le* **bord** *d'un champ, d'un bassin* ; limite : *Le* **bord** *de la mer.* – *Fig. Être du même* **bord** : partager les mêmes idées. – *Être au* **bord** *de* : être tout proche de.

bordeaux, *adj. inv. et subst. m. Adj.* De la couleur rouge foncé du vin de Bordeaux. – *Subst.* Ce vin.

bordée, *subst. f.* Distance parcourue par un voilier sans virer de bord. – *Milit.* Ensemble des canons disposés sur le même bord d'un navire.

border, *verbe trans.* Servir de bord à, longer, délimiter, entourer. – Orner d'un bord. – **Border** *un lit* : rentrer les couvertures sous le matelas.

bordereau, *subst. m.* Document récapitulant des opérations commerciales, fiscales, etc.

bordure, *subst. f.* Ce qui constitue, consolide ou orne un bord. – *En* **bordure** *de* : sur le bord de.

boréal, ale, als *ou* **aux**, *adj.* Du nord, septentrional.

borgne, *adj. et subst.* Qui ne voit que d'un œil ou qui n'a qu'un œil. – *Fig. Un hôtel* **borgne** : mal tenu, mal famé.

borne, *subst. f.* Bloc de pierre, poteau ou autre marque délimitant un terrain ou servant de repère : **Borne** *kilométrique*. – Frontière : *Les* **bornes** *du département*. – *Fig.* Ultime limite (*gén.* au *plur.*) : *Dépasser les* **bornes**, exagérer. – Élément d'un appareil électrique servant de point de connexion.

borner, *verbe trans.* Délimiter par des bornes ; servir de frontière à. – *Fig.* Limiter : **Borner** *son ambition*. – *Pronom.* Se contenter de, se limiter à : *Se* **borner** *à l'essentiel*.

bosquet, *subst. m.* Petit groupe d'arbres, d'arbustes.

boss, *subst. m.* Patron (*fam.*).

bosse, *subst. f.* Protubérance anormale du dos. – Partie arrondie des os du crâne. – Enflure consécutive à un choc, à un coup. – Relief sur une surface plane. – *Fig. Avoir la* **bosse** *de* : des aptitudes à.

bosseler, *verbe trans.* Décorer en relief (une pièce d'orfèvrerie). – Déformer par des bosses.

bossu, ue, *adj. et subst.* Dont le squelette déformé fait apparaître une bosse sur le dos ou le thorax.

bot, bote, *adj.* Qualifie une malformation causée par la rétraction de certains muscles.

botanique, *adj. et subst. f.* Se dit de la science des végétaux et de ce qui s'y rapporte.

botaniste, *subst.* Spécialiste de la botanique.

botte (i), *subst. f.* Chaussure dont la tige couvre la jambe et parfois la cuisse.

botte (ii), *subst. f.* Ensemble de végétaux de même sorte liés ensemble : *Une* **botte** *de radis*.

botte (iii), *subst. f.* Coup infligé avec une épée ou un fleuret. – *Fig.* Attaque verbale vive.

bottillon, *subst. m.* Chaussure souple et confortable s'arrêtant au-dessus de la cheville.

bottin, *subst. m.* Annuaire.

bottine, *subst. f.* Chaussure montante souvent pourvue de boutons et/ou de lacets.

boubou, *subst. m.* Tunique large et longue portée en Afrique noire.

bouc, *subst. m.* Mâle de la chèvre. – Petite barbe au menton. – **Bouc** *émissaire* : personne à qui l'on fait endosser des fautes collectives.

boucaner, *verbe Trans.* Fumer (de la viande ou du poisson). – *Intrans.* Se comporter en boucanier.

boucanier, *subst. m.* Nom donné aux pirates qui écumaient les Caraïbes au xviiie s.

bouche, *subst. f.* Cavité, délimitée par les lèvres, permettant d'ingérer les aliments, de respirer, de parler. – Ouverture : **Bouche** *d'égout*. – **Bouche(s)** *d'un fleuve* : son delta.

bouche-à-bouche, *subst. m. inv.* Méthode de respiration artificielle consistant à expirer de l'air dans la bouche d'une personne asphyxiée.

bouchée, *subst. f.* Quantité de nourriture introduite dans la bouche en une fois. – *Cuis.* Croûte de pâte feuilletée garnie ; petit-four.

boucher (i), *verbe trans.* Combler (un orifice, une cavité). – Fermer une ouverture. – Faire obstacle à : **Boucher** *la rue.*

boucher (ii), ère, *subst.* Personne qui vend de la viande. – *Fig. Masc.* Homme sanguinaire.

boucherie, *subst. f.* Magasin du boucher. – Commerce de la viande. – *Fig.* Massacre.

bouche-trou, *subst. m.* Personne ou objet servant à combler un vide.

bouchon, *subst. m.* Poignée de paille. – Ce qui obture, en *partic.* une bouteille, un flacon ; ce qui obstrue, en *partic.* une rue.

bouchonner, *verbe Trans.* **Bouchonner** *un cheval* : le frictionner avec un bouchon de paille. – *Intrans.* Former un embouteillage.

boucle, *subst. f.* Anneau ou rectangle de métal permettant de fixer une ceinture. – Objet en forme d'anneau. – Ce qui s'enroule en anneau ou en spirale. – Méandre, pour un cours d'eau.

boucler, *verbe Trans.* Attacher avec une boucle ; fermer : **Boucler** *sa valise.* – Encercler, isoler un lieu. – Enrouler en forme de boucle. – *Fig.* Achever. – *Intrans.* Onduler.

bouclier, *subst. m.* Arme portée au bras, servant à parer les coups. – *Fig.* Tout dispositif défensif physique ou abstrait.

bouddha, *subst. m.* Dans le bouddhisme, homme qui a connu l'Éveil, qui a atteint la sagesse parfaite. – Statue d'un de ces hommes.

bouddhisme, *subst. m.* Religion et philosophie orientale fondée par Bouddha.

bouder, *verbe Intrans.* Faire la moue, être fâché. – *Trans.* Se montrer maussade ou indifférent à l'égard de (*qqn* ou *qqch.*).

boudin, *subst. m.* Boyau rempli de sang et de viande de porc. – **Boudin** *blanc* : à base de volaille et de lait. – Objet en forme de **boudin.**

boudoir, *subst. m.* Petit salon de dame. – Biscuit allongé recouvert de sucre.

boue, *subst. f.* Terre, poussière mêlée d'eau, plus ou moins épaisse – Dépôt argileux au fond des mers. – *Fig.* Déchéance.

bouée, *subst. f.* Objet flottant signalant un danger, un obstacle ou un passage. – Anneau gonflable aidant à faire flotter un corps. – *Fig.* Aide providentielle.

bouffarde, *subst. f.* Grosse pipe.

bouffée, *subst. f.* Souffle d'air perçu par intermittence. – *Fig.* Accès passager : **Bouffée** *de rage.*

bouffer, *verbe Intrans.* Se gonfler. – *Trans.* Manger (*fam.*).

bouffon, onne, *adj. et subst. Adj.* Qui amuse, burlesque. – *Subst.* Personne ridicule.

bougainvillée, *subst. f.* Plante grimpante ornementale aux fleurs roses.

bouge, *subst. m.* Taudis. – Bar mal fréquenté.

bougeoir, *subst. m.* Court chandelier à anse.

bougeotte, *subst. f.* Manie de remuer, de voyager.

bouger, *verbe Intrans.* Faire un mouvement. – Changer. – Se rebeller. – *Trans.* Déplacer (*qqch.*).

bougie, *subst. f.* Moyen d'éclairage composé d'une mèche enrobée de cire. – Pièce d'allumage d'un moteur à explosion.

bougon, onne, *adj. et subst.* Qui bougonne, mécontent.

bougonner, *verbe intrans.* Grommeler, exprimer du mécontentement.

bouillabaisse, *subst. f.* Soupe provençale à base de poissons, de crustacés, à l'ail et au safran.

bouillie, *subst. f.* Farine bouillie dans de l'eau ou du lait. – Mélange pâteux.

bouillir, *verbe intrans.* Être en ébullition. – Cuire dans un liquide qui bout. – *Fig.* **Bouillir** *de colère.*

bouilloire, *subst. f.* Récipient dans lequel on fait bouillir de l'eau.

bouillon, *subst. m.* Ensemble des bulles qui se forment lors de l'ébullition. – Aliment liquide obtenu en faisant bouillir de la viande et/ou des légumes.

bouillonnement, *subst. m.* Effervescence d'un liquide qui bouillonne. – *Fig.* Vive agitation.

bouillonner, *verbe intrans.* Former des bouillons. – *Fig.* S'agiter : *Ses idées* **bouillonnent** ; **Bouillonner** *de colère.*

bouillotte, *subst. f.* Récipient que l'on remplit d'eau chaude pour réchauffer (*gén.* un lit).

boulanger, ère, *adj. et subst. Subst.* Personne qui fabrique et/ou qui vend du pain. – *Adj.* Relatif à la boulangerie.

boulangerie, *subst. f.* Fabrication du pain. – Lieu où l'on fabrique ou vend du pain.

boule, *subst. f.* Objet sphérique ou de forme proche : **Boule** *de pétanque* ; **Boule** *de neige.*

bouleau, *subst. m.* Arbre élancé des pays froids et tempérés, à l'écorce blanche, dont le bois est utilisé en papeterie.

bouledogue, *subst. m.* Petit dogue à forte mâchoire.

boulet, *subst. m.* Projectile dont on chargeait les canons. – Boule de métal fixée par une chaîne au pied d'un bagnard.

boulevard, *subst. m.* Large voie urbaine.

bouleversement, *subst. m.* Perturbation importante, désordre. – *Fig.* Émotion vive.

bouleverser, *verbe trans.* Déranger, saccager, modifier. – Émouvoir fortement (*qqn*).

boulier, *subst. m.* Instrument de calcul manuel, constitué de tringles munies de boules.

boulimie, *subst. f.* Appétit insatiable d'origine psychique. – *Fig.* Besoin impérieux de *qqch.*

boulon, *subst. m.* Ensemble composé d'une vis et d'un écrou, servant à sceller.

boulonner, *verbe Trans.* Fixer à l'aide de boulons. – *Intrans.* Travailler (*fam.*).

boulot (i), otte, *adj. et subst.* Se dit d'une personne petite et dodue.

boulot (ii), *subst. m.* Travail (*fam.*).

bouquet, *subst. m.* Fleurs et/ou feuillages groupés en gerbe. – Parfum d'un vin.

bouquetin, *subst. m.* Ruminant à longues cornes annelées, vivant en montagne.

bouquin, *subst. m.* Livre (*fam.*).

bouquiniste, *subst.* Marchand de livres de seconde main.

bourbeux, euse, *adj.* Plein de boue marécageuse.

bourbier, *subst. m.* Dépression de terrain remplie de boue. – *Fig.* Problème inextricable.

bourde, *subst. f.* Erreur grossière, maladresse.

bourdon, *subst. m.* Insecte voisin de l'abeille. – Registre grave de l'orgue. – Grosse cloche.

bourdonnement, *subst. m.* Vrombissement de certains insectes. – Ce qui rappelle ce bruit.

bourdonner, *verbe intrans.* Produire un bourdonnement. – Rendre un son grave et continu.

bourg, *subst. m.* Petite ville de caractère rural, où se tiennent foires et marchés.

bourgeois, oise, *adj. et subst. Subst.* Membre de la bourgeoisie. – *Adj.* Relatif à la bourgeoisie.

bourgeoisie, *subst. f.* Classe sociale aisée n'exerçant pas de métier manuel.

bourgeon, *subst. m.* Excroissance sur la tige des plantes, d'où sortent les feuilles ou les fleurs.

bourgeonner, *verbe intrans.* Produire des bourgeons.

bourlinguer, *verbe intrans.* Voyager beaucoup, par goût de l'aventure.

bourrade, *subst. f.* Coup donné à *qqn* avec brusquerie ou entrain : *Une* **bourrade** *amicale.*

bourrasque, *subst. f.* Coup de vent brusque et violent, rafale.

bourratif, ive, *adj.* Qui bourre l'estomac.

bourre, *subst. f.* Amas de poils servant à rembourrer coussins, matelas, etc.

bourreau, *subst. m.* Personne qui administre les peines corporelles.

bourrelet, *subst. m.* Rouleau d'étoffe rembourré. – Renflement de chair.

bourrelier, ière, *subst.* Personne qui produit et vend des harnais et des équipements de cuir.

bourrer, *verbe trans.* Remplir au maximum. – Mettre de la bourre dans un coussin. – *Pronom.* Se gaver (*fam.*).

bourriche, *subst. f.* Panier utilisé pour le transport des produits de la chasse et de la pêche.

bourrique, *subst. f.* Âne. – Individu sot et buté (*fam.*).

bourru, ue, *adj.* Qui se comporte avec brusquerie.

bourse (i), *subst. f.* Petit sac souple servant à transporter de l'argent. – **Bourse** *d'études* : aide financière. – *Anat. Les* **bourses** : enveloppe des testicules.

bourse (ii), *subst. f.* Lieu de réunion où l'on établit le marché des valeurs ou des marchandises.

boursicoter, *verbe intrans.* Se livrer à de petites opérations boursières.

boursier (i), ière, *adj. et subst.* Se dit d'une personne qui bénéficie d'une bourse d'études.

boursier (ii), ière, *adj. et subst. Adj.* Qui concerne la Bourse (II). – *Subst.* Professionnel de la Bourse.

boursoufler, *verbe trans.* Faire enfler en distendant.

bousculade, *subst. f.* Action de bousculer. – Désordre, remous dans une foule.

bousculer, *verbe trans.* Pousser, heurter vivement. – Bouleverser (un certain ordre).

bouse, *subst. f.* Excrément des bovins.

boussole, *subst. f.* Cadran muni d'une aiguille aimantée qui indique le nord.

bout, *subst. m.* Extrémité d'un objet. – Limite d'un espace. – Fin d'une durée. – Petit morceau.

boutade, *subst. f.* Trait d'esprit inattendu, fantaisiste et *souv.* paradoxal.

boute-en-train, *subst. m. inv.* Personne qui entraîne les autres à s'amuser.

boutefeu, eux, *subst. m.* Personne qui suscite ou attise les querelles (vieilli).

bouteille, *subst. f.* Récipient à goulot étroit, destiné à contenir des liquides. – Son contenu.

boutique, *subst. f.* Lieu où un artisan, un commerçant vend sa marchandise.

bouton, *subst. m.* Bourgeon proche de son éclosion. – Petite excroissance sur la peau. – Petite pièce servant à attacher un vêtement. – Petit élément actionnant un appareil.

bouton-d'or, *subst. m.* Renoncule dont les fleurs sont jaune doré.

boutonner, *verbe trans.* Fermer avec des boutons.

boutonnière, *subst. f.* Petite fente faite dans un vêtement pour y insérer un bouton.

bouture, *subst. f.* Jeune pousse ôtée d'un végétal et plantée en terre pour y prendre racine.

bouvier, ière, *subst.* Personne qui garde les bœufs. – Grand chien de berger.

bouvreuil, *subst. m.* Oiseau des bois et des jardins, à ventre rouge, à tête et à queue noires.

bovidé, *subst. m.* Animal de la famille des **Bovidés**. – *Plur.* Famille de ruminants comprenant les bovins, les ovins, les caprins, les antilopes.

bovin, ine, *adj. et subst. m.* Qui concerne le bœuf. – *Subst. Plur.* Sous-famille des Bovidés : taureau, bœuf, buffle, bison, etc. – *Sing.* Animal de cette sous-famille.

bowling, *subst. m.* Jeu de quilles sur piste.

box, *subst. m.* Stalle d'écurie. – Compartiment cloisonné.

boxe, *subst. f.* Sport dans lequel deux adversaires s'affrontent à coups de poing.

boxer (i), *verbe Intrans.* Pratiquer la boxe. – *Trans.* Frapper à coups de poing.

boxer (ii), *subst. m.* Chien de garde.

boxeur, euse, *subst.* Sportif pratiquant la boxe.

boyau, aux, *subst. m.* Intestin. – Passage long et étroit ; conduit, tuyau.

boycotter, *verbe trans.* Cesser toutes relations avec une personne ou un groupe, par rétorsion.

boy-scout, *subst. m.* Personne appartenant à un mouvement de scoutisme.

bracelet, *subst. m.* Bijou en anneau qui se porte autour du poignet.

brachial, ale, aux, *adj.* Relatif au bras.

brachycéphale, *adj. et subst.* Qui a le crâne arrondi et peu allongé.

braconnage, *subst. m.* Délit de chasse ou de pêche.

braconner, *verbe intrans.* Chasser ou pêcher en fraude.

braconnier, ière, *subst.* Personne qui se livre au braconnage.

bractée, *subst. f.* Petite feuille recouvrant la fleur avant son éclosion.

brader, *verbe trans.* Vendre à bas prix. **braderie**, *subst. f.* Action de brader. – Manifestation où les commerçants bradent.

braguette, *subst. f.* Ouverture verticale sur le devant d'un pantalon.

brahmane, *subst. m.* Membre de la plus élevée des quatre castes de l'Inde classique.

brahmanisme, *subst. m.* L'une des religions de l'Inde.

braies, *subst. f. plur.* Pantalon ample des Gaulois.

braillard, arde, *adj. et subst.* Se dit d'une personne qui braille, qui hurle.

braille, *subst. m.* Écriture à l'usage des aveugles, composée de caractères en relief.

brailler, *verbe intrans.* Crier, vociférer. – *Empl. trans.* **Brailler** *sa joie.*

braire, *verbe intrans.* Pousser son cri (braiement), en parlant de l'âne.

braise, *subst. f.* Bois réduit par combustion à l'état de charbon ardent.

braiser, *verbe trans.* Cuire un aliment à feu doux et à l'étouffée.

bramer, *verbe intrans.* Pousser son cri (brame ou bramement), en parlant d'un cervidé.

brancard, *subst. m.* Chacune des barres d'un attelage entre lesquelles se place une bête de trait. – Civière.

brancardier, *subst. m.* Porteur de civière.

branchage, *subst. m.* Ensemble des branches d'un arbre. – *Plur.* Branches coupées.

branche, *subst. f.* Ramification d'un végétal. – Partie mobile d'un objet : *Une* **branche** *de lunettes.* – *Fig.* division d'un système.

branchement, *subst. m.* Action de brancher *qqch.* – Son résultat.

brancher, *verbe trans.* Relier à une installation principale ; connecter un appareil à une prise électrique. – Intéresser (*fam.*).

branchial, ale, aux, *adj.* Relatif aux branchies.

branchie, *subst. f.* Organe respiratoire des animaux aquatiques.

brandade, *subst. f.* Mets provençal à base de morue émiettée, de pommes de terre et d'ail.

brandir, *verbe trans.* Agiter (*qqch.*) en l'air, pour défier, menacer ou attirer l'attention.

brandon, *subst. m.* Torche de paille enflammée. – Fragment incandescent éjecté d'un feu.

branle-bas, *subst. m. inv.* Activité fébrile et confuse préludant à un événement.

branler, *verbe Trans.* Faire bouger ; secouer. – *Intrans.* Vaciller, trembler.

braque, *subst. m.* Chien de chasse à poil ras et aux oreilles pendantes.

braquer, *verbe Intrans.* Orienter les roues d'un véhicule pour le faire tourner. – *Trans.* Diriger (*qqch.*) vers, pointer. – *Fam.* **Braquer** *qqn* : susciter sa résistance ; **Braquer** *une banque* : la dévaliser. – *Pronom.* S'entêter.

bras, *subst. m.* Partie du membre supérieur de l'homme située entre l'épaule et le coude. – Membre supérieur de l'homme. – Membre antérieur de certains vertébrés. – Appendice de certains mollusques. – Élément mobile d'un objet.

brasero, *subst. m.* Bassin rempli de braises permettant de se chauffer en plein air.

brasier, *subst. m.* Ensemble de matériaux en train de brûler. – Incendie.

bras-le-corps (à), *loc. adv. Saisir, prendre* **à bras-le-corps** : étreindre des deux bras, traiter énergiquement (*gén.* un problème).

brassard, *subst. m.* Bande d'étoffe que l'on porte au bras comme signe distinctif.

brasse, *subst. f.* Ancienne mesure de longueur. – Nage sur le ventre.

brassée, *subst. f.* Ce que les deux bras peuvent entourer, porter.

brasser, *verbe trans.* Mélanger l'eau et le malt pour préparer la bière. – Remuer, mélanger.

brasserie, *subst. f.* Fabrique de bière ; industrie de la bière. – Bar-restaurant.

brasseur, euse, *subst.* Fabricant de bière.

brassière, *subst. f.* Chemise des nourrissons.

bravache, *adj. et subst. m.* Qui feint la bravoure.

bravade, *subst. f.* Action ou attitude de défi.

brave, *adj. et subst.* Qui est honnête, bon. – Qui est courageux.

braver, *verbe trans.* Affronter sans crainte, défier.

bravo, *subst. m. et interj.* Mot marquant l'approbation, l'enthousiasme. – Applaudissement.

bravoure, *subst. f.* Qualité d'une personne brave, courageuse.

break, *subst. m.* Pause. – Automobile à banquette amovible ou rabattable pour permettre le transport de marchandises.

brebis, *subst. f.* Femelle adulte du mouton.

brèche, *subst. f.* Ouverture pratiquée dans une paroi, un ouvrage, une défense.

bréchet, *subst. m.* Saillie osseuse sur le sternum des oiseaux.

bredouille, *adj. Rentrer* **bredouille** : sans avoir rien pris, obtenu.

bredouiller, *verbe Intrans.* S'exprimer indistinctement, balbutier. – *Trans. Il* **bredouilla** *une excuse.*

bref, brève, *adj. et adv. Adj.* Court, dans l'espace ou dans le temps. – *Adv.* En résumé.

brelan, *subst. m.* Jeux. Groupe de 3 cartes de même valeur : **Brelan** *de rois.*

breloque, *subst. f.* Petit bijou de peu de valeur, *souv.* attaché à un bracelet, à une chaîne.

brème, *subst. f.* Poisson plat d'eau douce.

bretelle, *subst. f.* Bande de tissu ou de cuir passée à l'épaule pour porter *qqch.*, pour tenir un vêtement : *Une* **bretelle** *de fusil* ; **Bretelles** *de pantalon.* – **Bretelle** *d'autoroute* : voie d'accès.

breuvage, *subst. m.* Boisson.

brève, *subst. f.* Voyelle, syllabe courte. – *Journ.* Très court article sur un fait précis.

brevet, *subst. m.* Titre ou diplôme d'État attestant des aptitudes ou conférant des droits.

bréviaire, *subst. m.* Livre de prières catholiques.

briard, *subst. m.* Chien de berger à poil long.

bribe, *subst. f.* Petit morceau, miette, fragment.

bric-à-brac, *subst. m. inv.* Ensemble disparate et confus d'objets sans valeur.

brick, *subst. m.* Deux-mâts à voiles carrées.

bricole, *subst. f.* Chose insignifiante.

bricoler, *verbe Intrans.* Se livrer successivement à diverses occupations. – Faire des petits travaux de réparation. – *Trans. Fam.* Réparer provisoirement. – Trafiquer.

bride, *subst. f.* Harnais de tête du cheval. – Lien, attache. – *Fig.* Frein.

brider, *verbe trans.* Passer la bride à un cheval. – Serrer à l'aide d'une bride. – *Fig.* Limiter, restreindre.

bridge (i), *subst. m.* Jeu de cartes qui se pratique à 4 par équipes de 2.

bridge (ii), *subst. m.* Prothèse dentaire maintenant ou remplaçant une dent.

brièveté, *subst. f.* Qualité de ce qui est bref.

brigade, *subst. f.* Groupe de personnes réunies sous l'autorité d'un chef. – *Milit.* Unité composée de plusieurs régiments.

brigadier, *subst. m.* Militaire du grade le moins élevé dans l'artillerie, la cavalerie et le train. – Chef d'une brigade.

brigand, *subst. m.* Bandit. – Personne malhonnête.

brigandage, *subst. m.* Vol à main armée commis par des bandes. – Escroquerie.

briguer, *verbe trans.* Ambitionner.

brillant, ante, *adj. et subst. m. Adj.* Qui brille. – *Fig.* Qui s'impose par sa qualité. – *Subst.* Éclat de ce qui brille. – Pierre précieuse taillée.

briller, *verbe intrans.* Projeter une lumière vive. – *Fig.* Se distinguer par ses qualités.

brimade, *subst. f.* Épreuve vexatoire.

brimer, *verbe trans.* Infliger des épreuves vexatoires à des nouveaux venus. – Humilier.

brin, *subst. m.* Petit morceau de forme allongée. – *Fig.* Petite quantité.

brindille, *subst. f.* Petite branche fine.

brio, *subst. m.* Vivacité, talent.

brioche, *subst. f.* Pâtisserie légère et ronde. – Ventre bien arrondi, embonpoint.

brique, *subst. f.* Matériau de construction rectangulaire en argile. – Produit de même forme : *Une* **brique** *de savon.* – Million de centimes (*fam.*).

briquer, *verbe trans.* Frotter pour faire briller.

briquet, *subst. m.* Instrument servant à produire du feu.

bris, *subst. m.* Destruction, rupture illégale (d'une clôture, d'un scellé).

brisant, *subst. m.* Rocher sur lequel la mer se brise.

brise, *subst. f.* Vent frais et modéré.

brise-glace(s), *subst. m. inv.* Navire conçu pour briser la glace dans les régions arctiques.

briser, *verbe trans.* Casser. – Ruiner.

bristol, *subst. m.* Carton satiné de belle qualité. – Carte de visite.

broc, *subst. m.* Récipient à bec verseur et à anse utilisé pour transporter des liquides.

brocante, *subst. f.* Commerce d'objets d'occasion.

brocanteur, euse, *subst.* Marchand d'objets d'occasion, de curiosités.

brocard (i), *subst. m.* Nom donné à un cervidé (cerf, daim, chevreuil) âgé de un an.

brocard (ii), *subst. m.* Raillerie, injure.

brocart, *subst. m.* Soierie brodée d'or et d'argent.

broche, *subst. f.* Tige de métal pointue sur laquelle on enfile une pièce de viande à rôtir. – Bijou agrafé sur un vêtement.

brocher, *verbe trans.* Relier (un livre). – Tisser un motif en relief.

brochet, *subst. m.* Poisson d'eau douce, à la mâchoire garnie de dents pointues.

brochette, *subst. f.* Petite broche sur laquelle on enfile des mets à rôtir.

brochure, *subst. f.* Mince ouvrage broché. – Motif ornemental d'un tissu.

brocoli, *subst. m.* Petit chou-fleur originaire d'Italie du Sud, vert ou violet.

broder, *verbe trans.* Orner de broderies. – *Fig.* Enjoliver un récit en inventant des détails.

broderie, *subst. f.* Travail d'aiguille consistant à orner une étoffe. – *Fig.* Embellissement.

bronche, *subst. f.* Conduit situé entre la trachée-artère et les poumons.

broncher, *verbe intrans.* Trébucher, en parlant d'un cheval. – *Fig.* Réagir, manifester de l'humeur.

bronchite, *subst. f.* Inflammation des bronches.

brontosaure, *subst. m.* Reptile géant du secondaire.

bronzage, *subst. m.* Action, fait de bronzer. – Son résultat.

bronze, *subst. m.* Alliage de cuivre et d'étain. – Objet d'art en **bronze**.

bronzer, *verbe intrans.* Brunir, en parlant de la peau.

brosse, *subst. f.* Accessoire de nettoyage fait de poils ou de crins fixés sur un support. – Pinceau plat.

brosser, *verbe trans.* Nettoyer avec une brosse. – Peindre à la brosse. – *Fig.* Exposer (une situation) dans ses grandes lignes.

brou, *subst. m.* Gaine entourant la coque des fruits à écale (noix, amande).

brouet, *subst. m.* Sorte de bouillie. – Nourriture inconsistante ou peu appétissante.

brouette, *subst. f.* Petite carriole à une roue et à deux brancards, déplacée à bras d'homme.

brouhaha, *subst. m.* Rumeur confuse, bruit indistinct montant d'une foule.

brouillard, *subst. m.* Concentration de fines gouttelettes d'eau en suspension dans l'air près du sol, gênant la visibilité. – *Fig.* Confusion de l'esprit.

brouille, *subst. f.* Mésentente, fâcherie.

brouiller, *verbe trans.* Rendre trouble. – *Fig.* Rendre confus. – Désunir.

brouillon, onne, *adj. et subst. m. Adj.* Confus, désordonné. – *Subst.* Ébauche d'un écrit.

broussaille, *subst. f.* Végétation des sols incultes (arbustes, plantes épineuses).

broussailleux, euse, *adj.* Couvert de broussailles.

brousse, *subst. f.* Végétation pauvre de l'Afrique tropicale et de l'Australie.

brouter, *verbe* Manger de l'herbe, des feuilles arrachées sur place, en parlant du bétail.

broutille, *subst. f.* Objet, chose sans valeur.

broyer, *verbe trans.* Réduire en miettes. – Écraser. – *Fig.* **Broyer** *du noir* : être déprimé.

broyeur, euse, *adj. et subst. Adj.* Qui broie. – *Subst.* Machine à broyer.

bru, *subst. f.* Épouse du fils, belle-fille.

bruant, *subst. m.* Oiseau des prés et des jardins, nichant au sol.

brugnon, *subst. m.* Hybride de la pêche et de la prune.

bruine, *subst. f.* Petite pluie très fine.

bruiner, *verbe impers.* Tomber, en parlant de la bruine.

bruire, *verbe intrans.* Produire un léger bruit indistinct et prolongé.

bruissement, *subst. m.* Bruit faible et persistant.

bruit, *subst. m.* Ensemble de sons aux vibrations inégales. – Sensation auditive désagréable. – Rumeur, bavardage.

bruitage, *subst. m.* Reconstitution artificielle des bruits au cinéma, à la radio, etc.

brûlé, ée, *adj.* Consumé par le feu. – *Fig.* Démasqué ; qui n'est plus crédible (*fam.*).

brûle-parfum(s), *subst. m.* Récipient, réchaud dans lequel on brûle du parfum.

brûle-pourpoint (à), *loc. adv.* De façon brusque.

brûler, *verbe Trans.* Détruire ou altérer par le feu. – Causer une brûlure. – *Intrans.* Se consumer.

brûlerie, *subst. f.* Lieu où l'on torréfie le café.

brûleur, *subst. m.* Dispositif permettant une combustion.

brûlis, *subst. m.* Forêt ou champ incendié afin de préparer le sol à la culture.

brûlure, *subst. f.* Lésion des tissus provoquée par le feu, un produit caustique, l'électricité ou les rayonnements. – Sensation douloureuse de chaleur.

brumaire, *subst. m.* Deuxième mois du calendrier républicain (22-24 oct. – 20-22 nov.).

brume, *subst. f.* Brouillard très léger.

brumisateur, *subst. m.* Atomiseur qui projette un liquide en très fine pluie.

brun, **brune**, *adj. et subst. Adj.* De couleur marron. – *Subst.* Personne aux cheveux bruns.

brunch, *subst. m.* Petit déjeuner consistant pris vers midi.

brunir, *verbe Trans.* Rendre brun. – *Intrans.* Devenir brun ; bronzer.

brushing, *subst. m.* Mise en plis où l'on brosse les cheveux tout en les séchant.

brusque, *adj.* À l'humeur ou aux mouvements rudes ; brutal. – Soudain.

brusquer, *verbe trans.* User de manières brusques à l'égard de (*qqn*). – Hâter.

brut, **brute**, *adj.* Bestial, grossier. – À l'état naturel.

brutal, **ale**, **aux**, *adj.* Qui est rude, bestial, violent. – Soudain.

brutaliser, *verbe trans.* Traiter avec brutalité.

brutalité, *subst. f.* Nature brutale. – Acte violent.

brute, *subst. f.* Individu violent, méchant. – Individu grossier et ignorant.

bruyant, **ante**, *adj.* Qui fait du bruit. – Où il y a beaucoup de bruit.

bruyère, *subst. f.* Plante ligneuse aux fleurs violettes. – Lieu où elle pousse.

buanderie, *subst. f.* Local où l'on fait la lessive.

bubon, *subst. m.* Tuméfaction des ganglions lymphatiques dans certaines affections.

buccal, **ale**, **aux**, *adj.* Relatif à la bouche.

bûche, *subst. f.* Tronçon de bois, destiné à être brûlé. – Chute, échec (*fam.*).

bûcher, *subst. m.* Tas de bois prêt à être brûlé. – Lieu où l'on entrepose le bois de chauffage. – Amas de bois servant à incinérer les morts. – Supplice du feu.

bûcheron, **onne**, *subst. Masc.* Celui dont le métier est d'abattre des arbres. – *Fém.* Sa femme.

bucolique, *adj. et subst. f. Adj.* Qui se rapporte à la vie pastorale. – *Subst.* Poème pastoral.

budget, *subst. m.* Comptes prévisionnels des recettes et des dépenses. – Somme disponible pour entreprendre *qqch.*

budgétaire, *adj.* Relatif au budget.

buée, *subst. f.* Vapeur d'eau.

buffet, *subst. m.* Table garnie de mets, lors d'une réception. – Meuble de rangement pour la vaisselle. – Brasserie, dans une gare.

buffle, *subst. m.* Ruminant d'Afrique et d'Asie, proche du bœuf.

bug, *voir* **bogue (ii)** **buis**, *subst. m.* Arbrisseau ornemental.

buisson, *subst. m.* Ensemble d'arbustes, de petits végétaux, *souv.* densés et épineux.

buissonnier, **ière**, *adj.* Relatif aux buissons. – *Faire l'école* **buissonnière** : se promener au lieu d'aller en classe.

bulbe, *subst. m.* Organe souterrain de certaines plantes, de forme renflée. – *Anat.* **Bulbe** *rachidien* : partie inférieure de l'encéphale.

bulldozer, *subst. m.* Engin de terrassement.

bulle (i), *subst. f.* Petite sphère d'air, de gaz, qui se forme dans un liquide. – **Bulle** *de savon* : fine pellicule d'eau savonneuse formant une sphère et flottant dans l'air.

bulle (ii), *subst. f.* Acte portant le sceau pontifical.

bulletin, *subst. m.* Document officiel. – Publication périodique officielle ; communiqué. – Papier servant à exprimer un vote.

bulot, *subst. m.* Mollusque gastéropode que l'on déguste comme fruit de mer.

bungalow, *subst. m.* Maison indienne. – Petit pavillon, *gén.* habité temporairement.

buraliste, *subst.* Personne qui tient un bureau de tabac.

bure, *subst. f.* Étoffe rude et grossière, en laine. – Vêtement de cette étoffe.

bureau, *subst. m.* Table sur laquelle on écrit. – Pièce où est installée cette table. – Lieu où travaillent des employés. – Établissement où s'exerce un service d'intérêt collectif : **Bureau** *de vote*. – Groupe d'études.

bureaucrate, *subst.* Employé, fonctionnaire abusant de son rôle auprès du public.

bureaucratie, *subst. f.* Pouvoir de l'Administration. – L'ensemble des fonctionnaires (*fam.*).

burette, *subst. f.* Petite fiole à goulot étroit. – Son contenu.

burin, *subst. m.* Instrument d'acier servant à graver les métaux ou à sculpter le bois.

burlesque, *adj.* Cocasse, comique, bouffon.

burnous, *subst. m.* Manteau arabe, à capuche.

buse, *subst. f.* Rapace diurne. – *Fig.* Personne sotte (*fam.*).

business, *subst. m.* Les affaires, le commerce (*fam.*).

businessman, **woman**, *subst.* Homme ou femme d'affaires.

busqué, **ée**, *adj.* Arqué : *Un nez* **busqué**.

buste, *subst. m.* Partie du corps allant de la taille au cou. – Poitrine féminine. – Sculpture.

bustier, *subst. m.* Corsage sans manches qui moule le buste.

but, *subst. m.* Ce que l'on se propose d'atteindre, au sens physique, moral ou intellectuel.

butane, *adj. et subst. m.* Gaz combustible.

buté, **ée**, *adj.* Têtu, obstiné.

buter, *verbe Intrans.* **Buter** *sur*, *contre* : heurter du pied. – *Trans.* Étayer. – Provoquer la résistance de (*qqn*). – *Pronom.* S'entêter.

butin, *subst. m.* Trésor de guerre. – Produit d'un vol, d'une recherche, d'une découverte.

butiner, *verbe* Recueillir le pollen de fleur en fleur, en parlant des abeilles.

butor, *subst. m.* Oiseau échassier. – *Fig.* Personnage grossier (vieilli).

butte, *subst. f.* Petit tertre, hauteur.

butyrique, *adj.* Relatif au beurre.

buvard, *adj. m. et subst. m.* Se dit d'un papier poreux servant à absorber et à sécher l'encre d'un écrit.

buvette, *subst. f.* Lieu où l'on sert des boissons.

buveur, euse, *adj. et subst.* Qui boit. – Qui s'adonne à la boisson.

byzantin, ine, *adj.* De Byzance. – D'une subtilité excessive.

C

c, c, *subst. m. inv.* Troisième lettre et deuxième consonne de l'alphabet français, qui se prononce [k] devant toutes les lettres sauf devant le *e*, le *i* et le *y*, devant lesquelles il se prononce [s], et devant le *h*, avec lequel il se prononce [ʃ] ou [k] ; muni d'une cédille (ç, Ç), il se prononce toujours [s].

ça, *pron. dém.* Forme familière de « cela ».

çà, *adv. Adv.* **Çà et là** : de côté et d'autre. – *Empl. interj.* Marque l'impatience, l'étonnement : *Ah* **çà** !

cabale, *subst. f.* Science occulte. – Intrigue menée contre *qqn*.

caban, *subst. m.* Veste de marin, en épais drap de laine, à double boutonnage.

cabane, *subst. f.* Abri, logis rudimentaire. – *En* **cabane** : en prison *(fam.)*.

cabaret, *subst. m.* Établissement de spectacle où le public peut consommer.

cabas, *subst. m.* Sac à provisions.

cabillaud, *subst. m.* Morue fraîche. – Églefin.

cabine, *subst. f.* Chambre, dans un bateau. – Local exigu à usage déterminé : **Cabine** *téléphonique*. – Habitacle.

cabinet, *subst. m.* Petite pièce. – Lieu où est exercée une profession libérale. – Ensemble des membres d'un gouvernement ou des collaborateurs d'un ministre, d'un haut fonctionnaire. – *Plur.* Lieux d'aisances.

câble, *subst. m.* Gros cordage, en *gén.* de fils métalliques. – Faisceau de fils conducteurs d'électricité.

cabosser, *verbe trans.* Faire des bosses à. – Déformer.

cabotage, *subst. m.* Navigation près des côtes.

cabotin, ine, *subst.* Comédien médiocre et vaniteux. – Personne au comportement théâtral.

cabrer (se), *verbe pronom.* Se dresser sur ses membres postérieurs, en *partic.* pour un cheval. – *Fig.* Se rebeller.

cabri, *subst. m.* Petit de la chèvre, chevreau.

cabriole, *subst. f.* Petit bond agile.

cabriolet, *subst. m.* Automobile décapotable. – Sorte de fauteuil à dossier incurvé.

cacah(o)uète, *subst. f.* Fruit de l'arachide. **cacao**, *subst. m.* Graine du cacaoyer. – Poudre obtenue en broyant ces graines, servant à fabriquer le chocolat.

cacatoès, *subst. m.* Oiseau grimpeur, voisin du perroquet, à la huppe chamarrée.

cachalot, *subst. m.* Mammifère marin carnassier.

cache, *subst. Fém.* Lieu où l'on peut se cacher ou cacher *qqch.* – *Masc.* Objet destiné à faire écran.

cachemire, *subst. m.* Fibre textile mêlant du poil de chèvre et de la laine. – Vêtement fait de cette matière.

cache-nez, *subst. m. inv.* Écharpe protégeant à la fois le cou et le bas du visage.

cacher, *verbe trans.* Soustraire à la vue ou à la recherche. – Taire.

cachet, *subst. m.* Marque apposée : **Cachet** *de la poste*. – Comprimé pharmaceutique. – *Fig.* Originalité, caractère distinctif. – Rétribution que perçoit un artiste pour un travail donné.

cachette, *subst. f.* Lieu propre à cacher ou à se cacher. – *Loc. adv. En* **cachette** : en secret.

cachot, *subst. m.* Cellule dans laquelle on isole un prisonnier.

cachotterie, *subst. f.* Mystère que l'on fait pour cacher de petits secrets.

cacophonie, *subst. f.* Mélange de sons discordants.

cactus, *subst. m.* Plante grasse dont les feuilles sont des épines.

cadastre, *subst. m.* Ensemble des documents administratifs qui précisent les limites des propriétés foncières et les noms de leurs propriétaires. – Administration ayant en charge ces documents.

cadavérique, *adj.* Propre au cadavre.

cadavre, *subst. m.* Corps d'un être mort.

caddie, *subst. m.* Petit chariot utilisé pour transporter des bagages dans une gare, des achats dans un libre-service, etc.

cadeau, *subst. m.* Chose offerte.

cadenas, *subst. m.* Serrure mobile.

cadence, *subst. f.* Rythme régulier d'une musique, d'une poésie, d'un mouvement. – Rythme de production ou d'exécution.

cadet, ette, *adj. et subst.* Qui est né après un aîné. – Dernier-né. – *Subst.* Personne plus jeune qu'une autre. – Jeune sportif de 15 à 17 ans. – Élève officier, dans certains pays.

cadran, *subst. m.* Surface graduée d'un instrument de mesure : **Cadran** *d'une montre*.

cadre, *subst. m.* Bordure entourant un tableau, un miroir, etc. – Châssis, armature : **Cadre** *de porte*. – Ce qui délimite, borne. – Environnement, milieu, décor. – Membre du personnel d'encadrement.

cadrer, *verbe Intrans.* Concorder : **Cadrer** *avec qqch.* – *Trans.* Placer dans le champ, amener dans les limites du viseur d'un appareil photo, d'une caméra, etc.

caduc, uque, *adj.* Périmé. – *Feuilles* **caduques** : qui tombent des arbres tous les ans.

cafard, *subst. m.* Blatte. – *Fig.* Idées noires.

cafardeux, euse, *adj.* Qui a ou donne le cafard.

café, *subst. m.* Graines du caféier. – Infusion de ces graines, torréfiées et moulues. – Débit de boissons.

cafétéria, *subst. f.* Établissement où l'on peut se désaltérer et se restaurer sommairement.

cafetière, *subst. f.* Récipient utilisé pour préparer le café ou pour le servir.

cafouiller, *verbe intrans. Fam.* Mal fonctionner. – Agir de façon inefficace et brouillonne.

cage, *subst. f.* Loge garnie de grillage ou de barreaux, où l'on enferme des animaux. – Espace contenant un escalier, un ascenseur. – **Cage thoracique** : squelette du thorax.

cageot, *subst. m.* Caissette à claire-voie servant à transporter les légumes ou les fruits.

cagibi, *subst. m.* Réduit destiné au rangement.

cagneux, euse, *adj. et subst.* Qui a les genoux tournés vers l'intérieur.

cagnotte, *subst. f.* Somme d'argent économisée par les membres d'un groupe. – Économies.

cagoule, *subst. f.* Capuchon, passe-montagne.

cahier, *subst. m.* Liasse de feuilles de papier assemblée sur l'une de ses côtés.

cahin-caha, *adv.* Tant bien que mal.

cahot, *subst. m.* Secousse, sursaut d'un véhicule, provoqué par les irrégularités du chemin.

cahute, *subst. f.* Abri rudimentaire.

caïd, *subst. m.* Dignitaire musulman d'Afrique du Nord. – Chef de bande (*fam.*).

caille, *subst. f.* Oiseau migrateur brun tacheté, voisin de la perdrix.

cailler, *verbe Trans.* Coaguler ; faire prendre en caillots. – *Intrans. et pronom. Fam.* Avoir froid. – *Ça* **caille** : il fait froid.

caillot, *subst. m.* Masse de liquide organique coagulé, en *partic.* de sang.

caillou, oux, *subst. m.* Fragment de pierre, de roche.

caïman, *subst. m.* Crocodile d'Amérique, au museau large et court.

caisse, *subst. f.* Grande boîte servant au rangement. – Coffre utilisé pour emballer, transporter ou protéger ; son contenu. – Meuble, appareil enregistreur où un commerçant dépose sa recette ; cette recette. – Guichet, comptoir où se font les paiements. – Établissement qui gère des fonds en dépôt. – Carrosserie d'une automobile. – *Mus.* **Grosse caisse** : gros tambour.

caissier, ière, *subst.* Personne qui tient la caisse.

cajoler, *verbe trans.* Combler de caresses et de tendresse.

cake, *subst. m.* Gâteau aux raisins secs et aux fruits confits.

cal, *subst. m.* Durcissement localisé de la peau, dû à un frottement continu.

calamar, *voir* **calmar calamité**, *subst. f.* Fléau, malheur, catastrophe.

calandre, *subst. f.* Garniture, *souv.* en métal, placée devant le radiateur d'une automobile.

calanque, *subst. f.* Crique étroite de Méditerranée, aux parois rocheuses escarpées.

calcaire, *adj. et subst. m. Adj.* Qui renferme du carbonate de calcium. – *Subst.* Roche sédimentaire constituée surtout de carbonate de calcium.

calciner, *verbe trans.* Soumettre à une très forte chaleur. – Brûler, carboniser.

calcul, *subst. m.* Opération ou ensemble d'opérations effectuées sur les nombres, des grandeurs. – Technique ou pratique des opérations arithmétiques. – Préméditation des moyens nécessaires pour parvenir à une fin ; intention. – Concrétion pierreuse qui se forme dans divers organes.

calculateur, trice, *adj. et subst.* Qui sait calculer. – Qui agit par calcul, sans spontanéité. – *Subst. fém.* Machine à calculer.

calculer, *verbe trans.* Déterminer par le calcul.

calculette, *subst. f.* Petite machine à calculer.

cale (i), *subst. f.* Partie d'un navire, sous le pont, destinée à recevoir la cargaison.

cale (ii), *subst. f.* Pièce de bois ou de métal utilisée pour mettre d'aplomb, stabiliser ou immobiliser un objet.

calé, ée, *adj. Fam.* Instruit, fort. – Difficile.

calèche, *subst. f.* Voiture découverte à quatre roues, tirée par des chevaux.

caleçon, *subst. m.* Sous-vêtement masculin. – Pantalon féminin très collant.

calembour, *subst. m.* Jeu de mots portant sur la différence de sens entre des termes de même prononciation.

calendrier, *subst. m.* Système de division du temps. – Tableau des jours d'une année. – Emploi du temps.

calepin, *subst. m.* Carnet de poche.

caler, *verbe Intrans.* S'arrêter brusquement, pour un moteur. – *Fam.* Ne pas pouvoir continuer à manger. – Reculer, céder. – *Trans.* Mettre de niveau, stabiliser, immobiliser avec une cale (II).

calfeutrer, *verbe trans.* Obturer les fentes (d'une fenêtre, d'une porte) pour empêcher l'air de pénétrer. – *Pronom.* S'enfermer.

calibre, *subst. m.* Diamètre intérieur d'un tube, ou extérieur d'un objet cylindrique, d'un projectile. – Pistolet (*fam.*).

calice, *subst. m.* Vase sacré contenant le vin consacré par le prêtre lors de la messe.

calicot, *subst. m.* Toile de coton. – Banderole.

calife, *subst. m.* Successeur de Mahomet.

califourchon (à), *loc. adv.* À cheval.

câlin, ine, *adj. et subst. m. Adj.* Qui recherche les **câlins**. – Caressant, doux. – *Subst.* Caresse affectueuse, geste tendre.

calleux, euse, *adj.* Qui présente des callosités.

calligraphie, *subst. f.* Art de donner au tracé de l'écrit un caractère esthétique. – Écriture formée selon cet *art*.

callosité, *subst. f.* Épaississement, induration de la peau.

calmar, *subst. m.* Mollusque marin à coquille interne, doté de bras munis de ventouses.

calme, *adj. et subst. m. Adj.* Qui est tranquille, sans agitation. – *Subst.* Tranquillité, repos.

calmer, *verbe trans.* Rendre plus calme, apaiser.

calomnie, *subst. f.* Accusation mensongère visant à discréditer *qqn*.

calomnier, *verbe trans.* Dire des calomnies au sujet de.

calorie, *subst. f.* Unité de valeur énergétique d'un aliment (*symb. Cal*).

calot, *subst. m.* Coiffure militaire. – Grosse bille.

calotte, *subst. f.* Petit bonnet rond, en *partic.* des ecclésiastiques. – **Calotte** *glaciaire* : étendue de glace des régions polaires.

calque, *subst. m.* Copie d'un dessin obtenue par transparence. – Imitation exacte. – *Papier-* **calque** : papier translucide.

calquer, *verbe trans.* Reproduire fidèlement à l'aide d'un papiercalque. – Imiter exactement.

calumet, *subst. m.* Grande pipe que fument les Indiens d'Amérique.

calvaire, *subst. m.* Monument évoquant la crucifixion du Christ. – *Fig.* Succession de souffrances.

calvinisme, *subst. m.* Doctrine protestante enseignée par Calvin.

calvitie, *subst. f.* Absence de cheveux.

camaïeu, eux *ou* **eus**, *subst. m.* Peinture utilisant divers tons d'une seule couleur.

camarade, *subst.* Compagnon. – Ami.

camaraderie, *subst. f.* Lien qui réunit des camarades, amitié.

cambouis, *subst. m.* Graisse de moteur usagée, noircie par le frottement.

cambrer, *verbe trans.* Courber légèrement, arquer. – *Pronom.* Se redresser en creusant les reins.

cambriolage, *subst. m.* Action de cambrioler. – Son résultat.

cambrioler, *verbe trans.* Voler en entrant dans un lieu par effraction.

cambrure, *subst. f.* État de ce qui est cambré.

camée, *subst. m.* Pierre fine sculptée en relief.

caméléon, *subst. m.* Grand lézard capable de changer de couleur. – *Fig.* Personne qui change d'opinion selon la situation.

camélia, *subst. m.* Arbuste à belles fleurs. – Fleur de cet arbuste.

camelot, *subst. m.* Marchand ambulant d'objets de pacotille.

camelote, *subst. f.* Marchandise médiocre.

camembert, *subst. m.* Fromage normand à pâte molle et affinée, fait avec du lait de vache.

caméra, *subst. f.* Appareil de prise de vues, pour le cinéma ou la télévision.

caméscope, *subst. m.* Caméra vidéo intégrant un magnétoscope.

camion, *subst. m.* Gros véhicule automobile qui sert au transport des marchandises.

camionnette, *subst. f.* Petit camion, fourgonnette.

camisole, *subst. f.* **Camisole** *de force* : sorte de blouse utilisée pour immobiliser les malades mentaux.

camoufler, *verbe trans.* Dissimuler à la vue.

camp, *subst. m.* Lieu où stationne une troupe. – Terrain où l'on campe ; campement. – Lieu de rassemblement ou de détention dans des conditions précaires. – Équipe ; groupe opposé à un autre.

campagnard, arde, *adj. et subst.* De la campagne.

campagne, *subst. f.* Vaste étendue de pays plat. – Les régions rurales. – Expédition militaire. – Ensemble d'opérations effectuées pendant une période limitée.

campagnol, *subst. m.* Petit rongeur des champs.

campanile, *subst. m.* Clocher bâti à côté d'une église.

campanule, *subst. f.* Plante à fleurs bleues en forme de clochettes.

campement, *subst. m.* Lieu où l'on campe. – Action de camper.

camper, *verbe intrans.* Installer un camp. – S'installer temporairement. – Faire du camping. – *Empl. trans.* Représenter avec vigueur. – *Pronom.* Se dresser fièrement.

camphre, *subst. m.* Essence âcre utilisée comme antimite ou dans des onguents.

camping, *subst. m.* Activité touristique consistant à loger sous une tente, dans une caravane, etc. – Terrain aménagé pour le **camping**.

campus, *subst. m.* Vaste terrain entourant une université. – Université située à l'écart d'une ville.

canadienne, *subst. f.* Veste doublée de fourrure ou de peau de mouton. – Petite tente à deux pans.

canaille, *subst. f.* Personne malhonnête, gredin.

canal, aux, *subst. m.* Cours d'eau artificiel. – Bras de mer : *Le* **canal** *de Mozambique.* – *Fig.* Voie d'acheminement des informations. – *Anat.* Conduit ou structure tubulaire naturels.

canalisation, *subst. f.* Action de canaliser. – Conduit servant au transport d'un fluide.

canaliser, *verbe trans.* Rendre un cours d'eau navigable. – *Fig.* Diriger dans un sens défini.

canapé, *subst. m.* Long siège confortable, à dossier. – Petite tranche de pain avec garniture.

canard, *subst. m.* Oiseau aquatique, palmipède. – *Fam. Froid de* **canard** : froid vif. – Journal.

canarder, *verbe trans.* Tirer sur (*qqn* ou *qqch.*), en restant soi-même à couvert.

canari, *subst. m.* Serin de couleur jaune. – *Empl. adj. inv.* De couleur jaune.

cancer, *subst. m.* Tumeur maligne qui résulte de la prolifération désordonnée des cellules. – Quatrième signe du zodiaque.

cancéreux, euse, *adj. et subst.* Qui est atteint d'un cancer. – *Adj.* De la nature du cancer.

cancérigène, *adj.* Qui favorise le cancer.

cancre, *subst. m.* Très mauvais élève.

candélabre, *subst. m.* Grand chandelier à branches.

candeur, *subst. f.* Innocence, crédulité, pureté.

candidat, ate, *subst.* Personne qui postule un emploi, se présente à un examen, à une élection.

candidature, *subst. f.* Fait d'être candidat. – Action de se porter candidat.

candide, *adj.* Ingénu, innocent, naïf.

cane, *subst. f.* Femelle du canard.

can(n)ette, *subst. f.* Bobine de fil placée dans la navette d'une machine à coudre. – Petite bouteille de bière ; son contenu.

canevas, *subst. m.* Grosse toile à jour servant à exécuter des tapisseries. – *Fig.* Schéma, ébauche.

caniche, *subst. m.* Race de chien à poil frisé.

canicule, *subst. f.* Période de forte chaleur. – Cette chaleur elle-même.

canidé, *subst. m.* Mammifère carnivore aux griffes non rétractiles, tel que le chien, le loup, le renard, le chacal. – *Plur.* La famille correspondante.

canif, *subst. m.* Petit couteau à lame repliable.

canin, ine, *adj. et subst. f. Adj.* Relatif au chien. – *Subst.* Dent, entre les prémolaires et les incisives.

caniveau, *subst. m.* Rigole courant le long des trottoirs.

canne, *subst. f.* Bambou, roseau. – **Canne** *à sucre* : graminée tropicale cultivée pour son sucre. – Bâton sur lequel on prend appui pour marcher. – **Canne** *à pêche* : perche flexible portant une ligne de pêche ; gaule.

cannelle, *subst. f.* Écorce aromatique.

cannibale, *adj. et subst.* Se dit d'un homme ou d'un animal qui mange des êtres appartenant à sa propre espèce.

canoë, *subst. m.* Canot mû à la pagaie simple.

canon (i), *subst. m.* Règle religieuse. – Mélodie reprise par plusieurs voix, en décalage. – Modèle idéal.

canon (ii), *subst. m.* Pièce d'artillerie lançant des obus. – Tube d'une arme à feu.

canonique, *adj.* Conforme aux règles de l'Église. – *Âge* **canonique** : 40 ans ; âge avancé.

canoniser, *verbe trans.* Pour l'Église, proclamer la sainteté de (*qqn*).

canonnade, *subst. f.* Suite ou échange de coups de canons.

canonner, *verbe trans.* Tirer au canon sur.

canot, *subst. m.* Légère embarcation, non pontée.

canotage, *subst. m.* Navigation en canot.

canotier, *subst. m.* Personne qui navigue, qui se promène en canot. – Chapeau de paille.

cantate, *subst. f.* Pièce musicale à une ou plusieurs voix avec accompagnement.

cantatrice, *subst. f.* Chanteuse de chant classique ou d'opéra.

cantine, *subst. f.* Coffre de voyage. – Lieu où l'on sert les repas pour une collectivité.

cantique, *subst. m.* Chant religieux.

canton, *subst. m.* En France, subdivision territoriale d'un arrondissement. – En Suisse, État membre de la Confédération.

cantonade, *subst. f.* *Parler à la* **cantonade** : à tout le monde.

cantonnement, *subst. m.* Installation provisoire de troupes. – Lieu où sont cantonnées des troupes.

cantonner, *verbe trans.* Installer (des troupes) dans une localité. – Maintenir d'autorité (dans les limites) : **Cantonner** *qqn dans un rôle secondaire*. – *Pronom.* Se limiter à, se borner à.

cantonnier, *subst. m.* Ouvrier chargé de l'entretien des chemins ou des voies ferrées.

canular, *subst. m.* Mystification. – Fausse nouvelle, blague.

canyon, *subst. m.* Gorge profonde creusée par un cours d'eau.

caoutchouc, *subst. m.* Matière élastique et imperméable obtenue à partir du latex, ou de manière artificielle. – Élastique (*fam.*).

cap, *subst. m.* Pointe de terre qui s'avance dans la mer. – *Fig.* Étape décisive. – Direction d'un bateau, d'un avion.

capable, *adj.* Compétent. – **Capable** *de* : qui a le pouvoir de ; susceptible de ; apte à.

capacité, *subst. f.* Contenance (d'un récipient). – Compétence, aptitude.

caparaçon, *subst. m.* Manteau servant à parer ou à protéger un cheval.

cape, *subst. f.* Manteau ample sans manches.

capeline, *subst. f.* Chapeau de femme, à large bord souple.

capharnaüm, *subst. m.* Lieu en désordre.

capillaire, *adj. et subst. m. Adj.* Relatif aux cheveux. – *Subst.* Fin vaisseau sanguin.

capillarité, *subst. f.* Se dit des phénomènes physiques qui se produisent lors du contact d'un liquide avec une paroi solide.

capitaine, *subst. m.* Dans les armées de terre et de l'air, officier au-dessus du lieutenant et au-dessous du commandant. – Commandant d'un navire marchand. – **Capitaine** *de corvette, de frégate, de vaisseau* : grades successifs des officiers supérieurs de la marine de guerre. – Chef d'une équipe sportive.

capital (i), **ale, aux**, *adj. Peine* **capitale** : peine de mort. – Essentiel, primordial.

capital (ii), **aux**, *subst. m.* Bien d'une entreprise ou d'un particulier, qui peut produire un intérêt. – *Plur.* Liquidités, actifs.

capitale, *subst. f.* Ville où siège le gouvernement d'un État. – Lettre majuscule.

capitalisme, *subst. m.* Système économique et social fondé sur le capital privé.

capiteux, euse, *adj.* Qui enivre les sens.

capitonner, *verbe trans.* Rembourrer.

capituler, *verbe intrans.* Se rendre à l'ennemi. – *Fig.* Renoncer, céder.

caporal, aux, *subst. m.* Militaire de l'infanterie et de l'aviation qui a le grade le moins élevé.

capot, *subst. m.* Couverture métallique mobile d'un moteur.

capote, *subst. f.* Manteau militaire. – Couverture mobile d'un véhicule, d'un landau. – Préservatif masculin (*fam.*).

capoter, *verbe intrans.* Se renverser, se retourner. – *Fig.* Rater, échouer (*fam.*).

câpre, *subst. f.* Bouton à fleur du câprier, servant de condiment.

caprice, *subst. m.* Fantaisie, lubie. – Amourette. – Modification imprévisible.

capricieux, ieuse, *adj. et subst.* Sujet à des caprices, fantasque. – *Adj.* Variable, imprévisible.

capricorne, *subst. m.* Insecte coléoptère aux longues antennes. – Dixième signe du zodiaque.

caprin, ine, *adj.* Relatif aux chèvres.

capsule, *subst. f.* Enveloppe soluble de certains médicaments. – Couvercle de bouteille. – Habitacle d'un véhicule spatial.

capter, *verbe trans.* Saisir, intercepter.

captif, ive, *adj. et subst.* Prisonnier.

captiver, *verbe trans.* Séduire. – Passionner.

captivité, *subst. f.* État d'un prisonnier.

capture, *subst. f.* Action de capturer. – Ce qui est capturé.

capturer, *verbe trans.* S'emparer de.

capuche, *subst. f.* Petit capuchon.

capuchon, *subst. m.* Partie supérieure d'un vêtement, formant un bonnet. – Bouchon d'objet effilé (tube, stylo, etc.).

capucin, ine, *subst.* Religieux réformé de l'ordre franciscain. – *Masc.* Singe d'Amérique.

capucine, *subst. f.* Plante ornementale aux fleurs orangées.

caquet, *subst. m.* Gloussement de la poule. – *Fig. Rabattre le* **caquet** *à qqn* : remettre qqn à sa place.

caqueter, *verbe intrans.* Glousser (pour la poule). – *Fig.* Bavarder sans retenue.

car(i), *conj.* Conjonction de coordination introduisant la cause : *Je ne sors pas,* **car** *il pleut.*

car(ii), *subst. m.* Autocar.

carabine, *subst. f.* Fusil léger, à canon rayé.

carabiné, ée, *adj.* Puissant, violent (*fam.*).

carabinier, *subst. m.* Gendarme italien. – Douanier espagnol.

caracoler, *verbe intrans.* Bouger, évoluer librement, avec vivacité et légèreté.

caractère, *subst. m.* Signe d'écriture. – Signe d'imprimerie. – Marque, trait distinctif : *Le* **caractère** *officiel d'une lettre.* – Manière d'être, tempérament : *Avoir un* **caractère** *affable.* – Personnalité, force d'âme : *Avoir du* **caractère.**

caractériel, ielle, *adj. et subst.* Qui présente des troubles du caractère.

caractériser, *verbe trans.* Indiquer le caractère distinctif de. – Constituer le trait dominant de. – *Pronom.* Avoir pour signe distinctif.

caractéristique, *adj. et subst. f.* Se dit d'un trait particulier.

carafe, *subst. f.* Bouteille bombée à col étroit. – Son contenu.

carambolage, *subst. m.* Série de collisions.

caramel, *subst. m.* Substance obtenue en cuisant du sucre. – Bonbon au **caramel.**

carapace, *subst. f.* Tégument épais protégeant certains animaux. – *Fig.* Protection.

carat, *subst. m.* Unité de masse utilisée en joaillerie. – Mesure d'or fin dans un alliage.

caravane, *subst. f.* Groupe de voyageurs traversant de grandes étendues désertiques. – Groupe de personnes cheminant ensemble. – Roulotte tirée par une voiture.

caravansérail, *subst. m.* En Orient, vaste abri pour les voyageurs et les bêtes de somme.

caravelle, *subst. f.* Bateau de faible tonnage, utilisé aux xve et xvie s.

carbone, *subst. m.* Corps simple non métallique, qui est l'élément fondamental de la matière vivante.

carbonique, *adj.* Qui combine le carbone et l'oxygène : *Gaz* **carbonique.**

carboniser, *verbe trans.* Réduire en charbon. – Brûler complètement.

carburant, *subst. m.* Combustible utilisé dans les moteurs à combustion interne.

carburateur, *subst. m.* Organe d'un moteur à explosion, qui mélange le carburant et l'air.

carcan, *subst. m.* Collier de fer des condamnés attachés au pilori. – *Fig.* Contrainte.

carcasse, *subst. f.* Ossements décharnés d'un animal. – Armature.

carcéral, ale, *adj.* Qui concerne la prison.

carder, *verbe trans.* Démêler (des fibres textiles).

cardiaque, *adj. et subst. Adj.* Relatif au cœur. – *Subst.* Personne atteinte d'une maladie du cœur.

cardigan, *subst. m.* Veste de tricot.

cardinal(i), ale, aux, *adj. et subst. m.* Se dit d'un nombre entier désignant une quantité. – *Adj.* Essentiel. – *Géogr. Les quatre points* **cardinaux** : nord, est, sud, ouest.

cardinal(ii), aux, *subst. m.* Prélat membre du Sacré Collège, électeur du pape.

cardiologie, *subst. f.* Partie de la médecine qui étudie le cœur et ses maladies.

carême, *subst. m.* Pour les chrétiens, période d'abstinence allant du mercredi des Cendres au jour de Pâques.

carence, *subst. f.* Absence. – Insuffisance.

carène, *subst. f.* Partie immergée de la coque d'un navire.

caréner, *verbe trans.* Réparer, nettoyer la carène (d'un navire). – Donner un profil aérodynamique à.

caresse, *subst. f.* Attouchement tendre ou sensuel.

caresser, *verbe trans.* Faire des caresses à. – *Fig.* **Caresser** *un projet* : l'entretenir complaisamment.

cargaison, *subst. f.* Chargement de marchandises.

cargo, *subst. m.* Navire destiné au transport de marchandises.

cariatide, *voir* **caryatide caribou**, *subst. m.* Renne du Canada.

caricature, *subst. f.* Dessin ou description satirique d'une personne, d'une société. – *Fig.* Déformation de la réalité.

cari, *voir* **curry carie**, *subst. f.* Lésion de la dent, qui se creuse.

carié, ée, *adj. Dent cariée* : attaquée par une carie.

carillon, *subst. m.* Ensemble de cloches de tons différents ; sonnerie de ces cloches. – Espèce d'horloge ; sa sonnerie.

carillonner, *verbe intrans.* Sonner le carillon. – Sonner bruyamment à une porte.

caritatif, ive, *adj.* Qui a pour objet d'assister les plus démunis.

carlingue, *subst. f.* Partie habitable du fuselage d'un avion.

carme, élite, *subst.* Religieux du Carmel.

carmin, *subst. m.* Substance colorante d'un rouge éclatant. – *Empl. adj. inv.* Rouge vif.

carnage, *subst. m.* Tuerie, hécatombe.

carnassier, ière, *adj. et subst.* Qui se nourrit de viande crue, de proies vivante. – *Subst. fém.* Sac dans lequel on porte le gibier.

carnation, *subst. f.* Teinte de la peau.

carnaval, als, *subst. m.* Période de réjouissances qui précède le mercredi des Cendres.

carnet, *subst. m.* Cahier de poche. – Assemblage de tickets, de chèques, etc., détachables.

carnivore, *adj. et subst.* Qui mange de la viande. – *Subst. masc. plur.* Ordre de mammifères carnassiers.

carotide, *subst. f.* Artère conduisant le sang oxygéné vers la tête.

carotte, *subst. f.* Plante potagère cultivée pour sa racine. – *Empl. adj. inv.* Rouge tirant vers le roux.

carpe, *subst. f.* Poisson d'eau douce.

carpette, *subst. f.* Petit tapis.

carquois, *subst. m.* Étui à flèches.

carré, ée, *adj. et subst. m. Subst.* Quadrilatère plan à côtés égaux et à angles droits. – Produit de deux facteurs égaux. – Objet ou espace qui a la forme d'un **carré.** – Salle à manger des officiers d'un bateau. – *Jeux.* Réunion de quatre cartes de même valeur. – *Adj.* De la forme d'un **carré.** – *Mètre* **carré** (m^2) : surface **carrée** dont le côté mesure 1 m. – *Fig.* Dont les angles sont marqués : *Épaules* **carrées.** – Catégorique.

carreau, *subst. m.* Petite plaque, en *gén.* de céramique, servant à paver les sols, à revêtir des murs ; sol ainsi pavé. – Vitre. – Dessin de forme carrée : *Une chemise à* **carreaux.** – Une des quatre couleurs du jeu de cartes. – *Sur le* **carreau** : mort ; mal en point (*fam.*).

carrefour, *subst. m.* Endroit où se croisent plusieurs routes ou rues.

carreler, *verbe trans.* Quadriller. – Paver de carreaux.

carrément, *adv.* Sans ambages ni hésitation.

carrière (i), *subst. f.* Parcours professionnel. – Manège d'équitation en terrain découvert.

carrière (ii), *subst. f.* Terrain d'où l'on extrait des matériaux (pierre, sable, etc.).

carriole, *subst. f.* Charrette à deux roues.

carrossable, *adj.* Praticable pour une voiture.

carrosse, *subst. m.* Voiture à quatre roues, tirée par des chevaux.

carrosserie, *subst. f.* Caisse d'un véhicule.

carrossier, *subst. m.* Artisan tôlier spécialisé dans la carrosserie.

carrousel, *subst. m.* Parade de cavaliers ; lieu où se déroule cette fête. – *Fig.* Succession rapide d'objets ou de personnes en un lieu.

carrure, *subst. f.* Largeur d'épaules. – *Fig.* Envergure nécessaire pour assumer une tâche.

cartable, *subst. m.* Serviette d'écolier.

carte, *subst. f.* Petite feuille de carton léger, destinée à plusieurs usages : **Carte** *à jouer* ; **Carte** *de visite.* – Document officiel permettant d'identifier *qqn* ou d'exercer des droits. – Matériel d'accès à un équipement informatique : **Carte** *bancaire.* – Liste des mets proposés dans un restaurant. – Représentation conventionnelle d'un espace géographique.

cartel, *subst. m.* Alliance entre des entreprises ou des forces politiques.

cartésien, ienne, *adj.* De Descartes. – Rationnel.

cartilage, *subst. m. Anat.* Tissu conjonctif élastique et résistant.

cartilagineux, euse, *adj.* Composé de cartilage.

carton, *subst. m.* Feuille de pâte à papier épaisse et rigide. – Emballage, boîte de **carton**.

cartonné, ée, *adj.* Relié, garni avec du carton.

carton-pâte, *subst. m.* Carton malléable, utilisé pour des moulages.

cartouche, *subst. f.* Munition d'une arme à feu. – Recharge d'un stylo, d'un briquet, etc. – Emballage contenant plusieurs paquets de cigarettes, d'allumettes, etc.

cartouchière, *subst. f.* Sac ou ceinture permettant de porter des cartouches.

caryatide, *subst. f. Archit.* Statue féminine servant de colonne.

cas, *subst. m.* Circonstance, situation, fait. – Manifestation d'une maladie ; le malade. – *Loc. conj.* Au **cas** *où* : en supposant que.

casanier, ière, *adj.* Qui aime rester chez soi.

casaque, *subst. f.* Blouson de jockey.

cascade, *subst. f.* Chute d'eau. – Acrobatie.

cascadeur, euse, *subst.* Acrobate, comédien jouant les scènes dangereuses au cinéma.

case, *subst. f.* Habitation rudimentaire des pays chauds. – Division d'un damier, d'un échiquier. – Compartiment d'un meuble.

caser, *verbe trans.* Placer, loger.

caserne, *subst. f.* Bâtiment où logent des troupes.

cash, *subst. m. sing. et adv. Fam. Adv.* Comptant : *Payer* **cash**. – *Subst.* Argent liquide, espèces.

casier, *subst. m.* Meuble composé de compartiments. – **Casier** *judiciaire* : fichier des condamnations prononcées contre *qqn*. – Nasse utilisée pour pêcher des crustacés.

casino, *subst. m.* Établissement public où se pratiquent des jeux d'argent.

casque, *subst. m.* Coiffure rigide destinée à protéger la tête. – Appareil d'audition.

casquette, *subst. f.* Coiffure souple à visière.

cassant, ante, *adj.* Qui se casse facilement. – *Fig.* Qui manifeste de la raideur ; sec.

casse, *subst. f.* Action de casser. – Ce qui en résulte : *Payer la* **casse**.

casse-cou, *adj. inv. et subst. m. inv.* Qui s'expose aux dangers.

casse-croûte, *subst. m. inv.* Repas frugal.

casse-noix, *subst. m. inv.* Pince servant à casser les noix.

casser, *verbe Trans.* Briser ; endommager. – Annuler (un jugement, un décret, etc.). – *Fig.* Interrompre. – *Intrans.* Se rompre.

casserole, *subst. f.* Ustensile de cuisine, cylindrique, à fond plat et doté d'un manche.

casse-tête, *subst. m. inv.* Massue. – Bruit assourdissant. – Problème difficile à résoudre.

cassette, *subst. f.* Petit coffre pour objets précieux. – Bande magnétique de magnétophone ou de magnétoscope, dans son étui.

cassis (i), *subst. m.* Arbrisseau qui produit des baies noires comestibles. – Sa baie.

cassis (ii), *subst. m.* Dénivelé brutal sur une route.

cassolette, *subst. f.* Petit récipient utilisé pour la cuisson et le service de certains mets.

cassonade, *subst. f.* Sucre roux n'ayant été raffiné qu'une fois.

cassoulet, *subst. m.* Ragoût de viande confite et de haricots blancs.

cassure, *subst. f.* Endroit où *qqch.* est cassé. – Rupture.

castagnettes, *subst. f. plur.* Instrument fait de petites pièces de bois, jointes par un cordon, que l'on fait claquer l'une contre l'autre.

caste, *subst. f.* Groupe héréditaire de la société hindoue. – Groupe social très fermé.

casting, *subst. m.* Sélection des acteurs d'un film.

castor, *subst. m.* Mammifère rongeur à la queue large et plate, qui vit près des rivières. – Fourrure de cet animal.

castrat, *subst. m.* Chanteur que l'on a castré pour qu'il conserve le registre aigu de sa voix.

castrer, *verbe trans.* Enlever les organes de la reproduction à, châtrer.

cataclysme, *subst. m.* Bouleversement dû à une catastrophe naturelle.

catacombe, *subst. f.* Cimetière, ossuaire souterrain (*gén.* au *plur.*).

catafalque, *subst. m.* Estrade où l'on dépose le cercueil durant une cérémonie funéraire.

catalepsie, *subst. f.* Perte momentanée de la motricité volontaire.

catalogue, *subst. m.* Répertoire d'articles proposés à la vente. – Liste énumérative.

catalyseur, *subst. m.* Substance qui induit par sa présence une réaction chimique.

catamaran, *subst. m.* Voilier muni de deux coques parallèles.

cataplasme, *subst. m.* Onguent mis entre deux linges et appliqué sur une partie enflammée du corps.

catapulte, *subst. f.* Ancien engin de guerre servant à lancer de gros projectiles. – Dispositif de lancement des avions, sur un porte-avions.

cataracte (i), *subst. f.* Chute sur le cours d'un fleuve.

cataracte (ii), *subst. f.* Opacification du cristallin de l'œil, pouvant entraîner la cécité.

catastrophe, *subst. f.* Événement désastreux ; grand malheur. – *En* **catastrophe** : en hâte.

catch, *subst. m. sing.* Sorte de lutte libre où presque toutes les prises sont admises.

catéchisme, *subst. m.* Enseignement des principes chrétiens ; livre qui contient cet enseignement. – Résumé des principes d'une doctrine.

catégorie, *subst. f.* Ensemble d'êtres ou de choses de même nature.

catégorique, *adj.* Définitif, net, sans appel.

cathare, *adj. et subst.* Adepte d'une secte religieuse répandue dans le midi de la France, au Moyen Âge.

cathédrale, *subst. f.* Grande église épiscopale.

cathode, *subst. f.* Électrode reliée au pôle négatif d'un générateur de courant continu.

catholicisme, *subst. m.* Religion des chrétiens reconnaissant l'autorité suprême du pape, évêque de Rome.

catholique, *adj. et subst.* Qui professe le catholicisme. – *Adj.* Relatif au catholicisme. – *Pas* **catholique** : louche (*fam.*).

catimini (en), *loc. adv.* En se dissimulant.

cation, *subst. m.* Ion de charge électrique positive (*oppos. anion*).

catogan, *subst. m.* Nœud qui retient les cheveux sur la nuque. – Coiffure ainsi obtenue.

cauchemar, *subst. m.* Rêve effrayant. – *Fig.* Ce qui tourmente, obsède, est insupportable.

caudal, **ale**, **aux**, *adj.* De la queue.

cause, *subst. f.* Ce qui occasionne *qqch.*, origine, raison, motif. – Intérêts, parti à soutenir. – *Loc. prép. A* **cause** *de* : par l'action de.

causer (i), *verbe trans.* Être la cause de ; déclencher.

causer (ii), *verbe Intrans.* Deviser familièrement. – *Trans. indir.* Parler de (*qqch.*).

causerie, *subst. f.* Conférence sans prétention.

caustique, *adj.* Qui corrode les tissus organiques. – *Fig.* Qui manie l'ironie et le sarcasme.

cautériser, *verbe trans.* Brûler un tissu malade, une plaie, pour l'aseptiser ou pour stopper une hémorragie.

caution, *subst. f.* Garantie d'un engagement. – Somme d'argent servant de garantie. – Personne garante.

cavalcade, *subst. f.* Défilé de cavaliers. – Course pleine d'entrain et de bruit (*fam.*).

cavalerie, *subst. f.* Ensemble des formations militaires montées, de nos jours blindées.

cavalier, **ière**, *adj. et subst.* *Subst.* Personne qui monte à cheval. – Personne avec qui on forme un couple dans un bal. – *Adj.* Impertinent, désinvolte.

cave, *subst. f.* Partie souterraine d'une maison. – Réserve de bons vins.

caveau, *subst. m.* Sépulture, tombeau.

caverne, *subst. f.* Cavité rocheuse naturelle.

caverneux, **euse**, *adj.* Qui a un son grave et profond, comme sorti d'une caverne.

caviar, *subst. m.* Œufs d'esturgeon.

cavité, *subst. f.* Espace creux, vide.

c.d.-r.o.m., *subst. m. inv.* Sigle de l'anglais *compact disc read only memory*, disque optique compact à grande capacité de mémoire, qui stocke textes, images et sons.

ce (i), **c'**, **ç'**, *pron. dém. inv.* Représente *qqch.* qui vient d'être énoncé, qui va l'être, ou la situation présente : **Ce** *faisant* ; *Sur* **ce** ; **C'est** … ; **Ce** *sont* …

ce (ii), **cet**, **cette**, **ces**, *adj. dém.* Détermine *qqch.* ou *qqn* dont on parle ou que l'on désigne : **Ce** *livre* ; **Cet** *enfant* ; **Cette** *nuit*.

ceci, *pron. dém. inv.* Désigne un objet proche, ou ce qui va suivre.

cécité, *subst. f.* État d'une personne aveugle.

céder, *verbe Trans.* Abandonner. – Vendre. – *Intrans.* Ne pas résister, se soumettre. – Se rompre.

cédille, *subst. f.* Signe graphique qui, en français, placé sous la lettre *c* (*ç*), lui donne le son *s* [s] devant *a*, *o*, *u*.

cèdre, *subst. m.* Grand conifère d'Afrique et d'Asie, célèbre pour sa longévité.

ceindre, *verbe trans.* Entourer (une partie du corps). – Mettre autour (d'une partie du corps).

ceinture, *subst. f.* Bande qui serre un vêtement autour de la taille ; la taille elle-même. – **Ceinture** *de sécurité* : sangle de protection. – Ce qui entoure un lieu.

ceinturer, *verbe trans.* Entourer d'une ceinture. – Immobiliser.

ceinturon, *subst. m.* Large ceinture très solide.

cela, *pron. dém. inv.* Désigne un objet lointain (ou plus éloigné que l'objet désigné par « ceci »), ou ce qui vient d'être évoqué.

célèbre, *adj.* Fameux, de grand renom.

célébrer, *verbe trans.* Accomplir un office liturgique : **Célébrer** *la messe.* – Fêter le souvenir d'un événement. – Louer publiquement.

célébrité, *subst. f.* Grande renommée. – Personne illustre.

céleri, *subst. m.* Plante potagère cultivée pour sa racine ou ses tiges.

célérité, *subst. f.* Promptitude, rapidité.

céleste, *adj.* Relatif au ciel.

célibat, *subst. m.* État d'un célibataire.

célibataire, *adj. et subst.* Qui n'est pas marié.

celle, *voir* **celui cellier**, *subst. m.* Local frais où l'on conserve le vin et les vivres.

cellophane, *subst. f.* Pellicule transparente servant à emballer.

cellule, *subst. f.* Petite chambre où l'on vit isolé, en *partic.* dans un monastère, une prison. – Alvéole d'une ruche. – Élément constitutif fondamental de la matière vivante.

cellulite, *subst. f.* Inflammation du tissu cellulaire souscutané.

celluloïd, *subst. m.* Matière plastique souple et inflammable : *Un film en* **Celluloïd**.

cellulose, *subst. f.* Principale substance de la membrane des cellules végétales.

celui, **celle**, **ceux**, *pron. dém.* Renvoie à la personne ou à la chose évoquée : *C'est* **celui** (*parmi tous*) *que je préfère.* – **Celui-ci** : le plus proche ; **Celui-là** : le plus lointain.

cénacle, *subst. m.* Salle où s'est déroulée la Cène, dernier repas du Christ. – Cercle d'intellectuels ou d'artistes.

cendre, *subst. f.* Poudre résiduelle d'une matière consumée. – *Plur.* Restes d'un mort.

cendrier, *subst. m.* Récipient destiné à recevoir des cendres de tabac.

censé, ée, *adj.* Qui est présumé, supposé.

censeur, *subst. m.* Personne chargée de la censure. – Dans un lycée, responsable de la discipline générale. – Critique intransigeant.

censure, *subst. f.* Action de censurer. – Contrôle exercé par un gouvernement sur la production intellectuelle ou artistique. – Sanction contre un gouvernement, votée par une assemblée.

censurer, *verbe trans.* Interdire ; appliquer la censure contre. – Voter la censure.

cent, *adj. num. et subst. m.* Adj. Dix fois dix. – Centième : *Page* **100**. – *Subst.* Le nombre **cent**, le numéro **100**. – Ensemble de cent unités.

centaine, *subst. f.* Cent unités, ou environ.

centenaire, *adj. et subst.* Qui a au moins 100 ans. – *Subst. masc.* Centième anniversaire.

centième, *adj. num. ord. et subst.* Adj. Qui succède au quatre-vingt-dix-neuvième. – Qui se trouve 100 fois dans un tout. – *Subst. masc.* Partie d'un tout obtenue en le divisant par 100.

centime, *subst. m.* Centième partie du franc.

central, ale, aux, *adj. et subst.* Adj. Qui est situé au centre ; au *fig.*, qui constitue l'essentiel. – *Subst. fém.* Usine productrice d'électricité : **Centrale** *nucléaire*. – Groupement, confédération : **Centrale** *d'achats*. – *Subst. masc.* **Central** *téléphonique*.

centraliser, *verbe trans.* Regrouper en un même centre, sous une même autorité.

centre, *subst. m.* Point équidistant de chaque point d'un cercle ou d'une sphère. – Milieu d'un espace donné. – Pôle où se concentrent des activités : **Centre** *industriel, touristique*. – Point principal : *Le* **centre** *de la question*.

centrer, *verbe trans.* Placer au centre. – *Fig.* Orienter : **Centrer** *son discours sur l'économie*.

centrifuge, *adj.* Qui tend à éloigner du centre.

centripète, *adj.* Qui tend à rapprocher du centre : *Une force* **centripète**.

centuple, *adj. et subst. m.* Qui est multiplié par 100.

cep, *subst. m.* Pied de vigne.

cépage, *subst. m.* Variété de vigne.

cèpe, *subst. m.* Bolet comestible.

cependant, *adv.* Exprime la simultanéité (pendant ce temps, tandis que). – Exprime l'opposition (néanmoins).

céphalopode, *subst. m.* Mollusque marin dont la tête est entourée de bras (tentacules) munis de ventouses (pieuvre, seiche, calmar, nautile). – *Plur.* La classe correspondante.

céramique, *subst. f.* Art de fabriquer des objets en terre cuite (faïence, porcelaine). – Produit de cet *art*.

cerceau, *subst. m.* Armature ronde de bois, de métal ou de plastique. – Jouet d'enfant.

cercle, *subst. m.* Ligne courbe fermée dont tous les points sont équidistants du centre. – *Fig.* Assemblée de personnes, association.

cercler, *verbe trans.* Entourer, enserrer d'un ou de plusieurs cercles.

cercueil, *subst. m.* Long coffre dans lequel on enferme le corps d'un mort pour l'ensevelir (*synon. bière*).

céréale, *subst. f.* Plante produisant des graines alimentaires (blé, avoine, orge, etc.). – La graine elle-même.

cérébral, ale, aux, *adj.* Relatif au cerveau, à l'intellect.

cérémonial, als, *subst. m.* Ensemble de règles que l'on observe lors de cérémonies.

cérémonie, *subst. f.* Forme extérieure qui règle une solennité. – Témoignage de déférence ; excès de politesse.

cérémonieux, ieuse, *adj.* Qui observe fidèlement les règles de bienséance. – Affecté.

cerf, *subst. m.* Ruminant vivant en troupe dans les forêts, dont le mâle porte des bois ramifiés qui croissent avec l'âge.

cerfeuil, *subst. m.* Plante aromatique utilisée comme condiment.

cerf-volant, *subst. m.* Armature légère tendue de tissu ou de papier que l'on fait voler dans le vent au bout d'une longue cordelette. – Coléoptère également appelé lucane.

cerise, *subst. f.* Petit fruit rouge du cerisier, à noyau.

cerne, *subst. m.* Marque circulaire sombre entourant qqch. : **Cernes** *autour des yeux*.

cerner, *verbe trans.* Entourer, encercler. – *Fig.* Préciser les limites de : **Cerner** *un problème*.

certain, aine, *adj. et pron. indéf. plur.* Adj. Sûr, indubitable. – Qui n'a aucun doute ; qui a la certitude (de). – *Adj. indéf.* Traduit une indétermination : *Une* **certaine** *somme* ; **Certain** *compositeur*. – *Pron.* Plusieurs, quelques-uns : **Certains** *pensent que* . . .

certainement, *adv.* De façon certaine. – Absolument, certes.

certes, *adv.* Assurément.

certificat, *subst. m.* Document écrit officiel authentifiant un fait, un droit.

certifier, *verbe trans.* Confirmer l'existence, l'authenticité de (*qqch.*).

certitude, *subst. f.* Qualité de ce qui est certain. – Conviction.

cérumen, *subst. m.* Substance grasse et jaunâtre, sécrétée dans le conduit auditif externe.

cerveau, *subst. m.* Partie la plus volumineuse de l'encéphale ; l'encéphale. – Siège des facultés mentales. – *Fig.* Centre de direction. – Concepteur (d'une entreprise, d'un crime). – Personne très intelligente (*fam.*).

cervelet, *subst. m.* Partie de l'encéphale qui est située en dessous et en arrière des hémisphères cérébraux.

cervelle, *subst. f.* Substance nerveuse du cerveau. – Ensemble des facultés mentales.

cervical, ale, aux, *adj.* Qui se rapporte au cou.

cervidé, *subst. m.* Ruminant porteur de bois ramifiés. – *Plur.* La famille correspondante.

cervoise, *subst. f.* Bière d'orge ou de blé consommée dans l'Antiquité et au Moyen Âge.

ces, *voir* **ce** (ii) **césar**, *subst. m.* Titre attribué aux empereurs romains. – Récompense cinématographique, en France.

césarienne, *subst. f.* Opération consistant à inciser l'abdomen et l'utérus pour extraire l'enfant vivant, en cas d'accouchement impossible par les voies ordinaires.

cessation, *subst. f.* Fait de cesser, interruption, fin.

cesse, *subst. f. N'avoir de cesse que* : ne pas s'arrêter avant que. – *Sans* **cesse** : sans relâche.

cesser, *verbe Trans.* Arrêter, interrompre : **Cesser** *un travail.* – *Intrans.* S'interrompre, prendre fin : *La pluie* **a cessé.**

cessez-le-feu, *subst. m. inv.* Suspension des hostilités.

cession, *subst. f.* Action de céder un bien, un droit, etc.

c'est-à-dire, *adv.* À savoir, en d'autres termes : *Le substantif,* **c'est-à-dire** *le nom.* – *Loc. conj.* **C'est-à dire** *que* : cela veut dire que.

césure, *subst. f.* Coupe rythmique et tonique à l'intérieur d'un vers, en poésie.

cet, cette, *voir* ce (ii) **cétacé**, *subst. m.* Mammifère marin tel que la baleine, le dauphin, le cachalot, le marsouin, le narval. – *Plur.* L'ordre correspondant.

ceux, *voir* celui **chacal, als**, *subst. m.* Mammifère carnivore qui se nourrit surtout de charognes.

chacun, une, *pron. indéf.* Désigne les éléments d'un ensemble ou d'un tout pris un par un. – Toute personne.

chagrin, ine, *adj. et subst. m. Subst.* Douleur morale, peine. – *Adj.* Triste, morose : *Humeur* **chagrine.**

chagriner, *verbe trans.* Attrister, faire éprouver du chagrin à (*qqn*).

chahut, *subst. m.* Tumulte, vacarme.

chahuter, *verbe Intrans.* Faire du chahut. – *Trans.* Taquiner ; bousculer.

chai, *subst. m.* Lieu où l'on entrepose le vin en fûts.

chaîne, *subst. f.* Suite d'anneaux, de maillons métalliques entrelacés. – Suite d'éléments semblables : **Chaîne** *de montagnes.*

chaînon, *subst. m.* Maillon, élément d'une chaîne.

chair, *subst. f.* Tissu souple, musculaire et fibreux, situé entre la peau et les os. – La peau. – Viande. – Pulpe des fruits. – Le corps, par *oppos.* à l'âme. – Instinct sexuel. – *Empl. adj. inv.* De couleur blanc rosé.

chaire, *subst. f.* Tribune d'où un orateur s'adresse au public. – Poste de professeur de l'enseignement supérieur.

chaise, *subst. f.* Siège à dossier, sans bras.

chaland (i), *subst. m.* Sorte de bateau à fond plat transportant des marchandises.

chaland (ii), ande, *subst. m.* Client.

châle, *subst. m.* Grande pièce de tissu dont on s'enveloppe les épaules.

chalet, *subst. m.* Maison de montagne, en bois, au toit pentu et saillant.

chaleur, *subst. f.* Température élevée. – Qualité de ce qui est chaud. – Sensation produite par un corps chaud. – *Fig.* Ardeur, véhémence. – Cordialité.

chaleureux, euse, *adj.* Qui manifeste de la chaleur, de la cordialité.

challenge, *subst. m.* Compétition sportive où un titre est remis en jeu.

chaloupe, *subst. f.* Embarcation non pontée, canot de sauvetage.

chalumeau, *subst. m.* Appareil produisant une flamme, servant à fondre ou à souder des métaux.

chalut, *subst. m.* Grand filet de pêche de forme conique traîné par un bateau.

chalutier, *subst. m.* Bateau équipé d'un chalut.

chamade, *subst. f. Cœur qui bat la* **chamade** : dont le rythme s'accélère, s'affole.

chamailler (se), *verbe pronom.* Se disputer pour des broutilles.

chamarré, ée, *adj.* Enrichi d'ornements luxueux. – Trop décoré. – Bariolé.

chambardement, *subst. m.* Bouleversement, grand désordre (*fam.*).

chambellan, *subst. m.* Dignitaire attaché au service de la chambre d'un prince, d'un souverain.

chambouler, *verbe trans.* Semer le désordre dans, bouleverser (*fam.*).

chambranle, *subst. m.* Encadrement d'une porte, d'une cheminée, d'une fenêtre.

chambre, *subst. f.* Pièce où l'on dort. – Local aménagé spécialement : **Chambre** *froide.* – Assemblée professionnelle, politique. – Enceinte, cavité close, dans un appareil, un moteur, etc. : **Chambre** *de combustion.*

chambrer, *verbe trans.* **Chambrer** *un vin* : le mettre à température ambiante, avant de le servir.

chameau, elle, *subst.* Ruminant d'Asie à deux bosses dorsales. – Dromadaire (abusivement).

chamelier, *subst. m.* Celui qui conduit et qui soigne chameaux et dromadaires.

chamois, *subst. m.* Ruminant des montagnes d'Europe. – *Empl. adj. inv.* Jaune clair.

champ, *subst. m.* Terrain propre à la culture. – Domaine d'activité. – Portion d'espace.

champagne, *subst. m.* Vin blanc pétillant produit en Champagne.

champêtre, *adj.* Relatif aux champs, à la vie à la campagne.

champignon, *subst. m.* Végétal sans chlorophylle, dont le pied est en *gén.* surmonté d'un chapeau.

champion, ionne, *subst.* Vainqueur d'un championnat. – Personne qui se distingue dans une activité donnée. – Défenseur d'une cause.

championnat, *subst. m.* Compétition sportive.

chance, *subst. f.* Possibilité, éventualité, probabilité. – Bonne fortune, sort favorable.

chanceler, *verbe intrans.* Pencher en menaçant de tomber, vaciller.

chancelier, *subst. m.* En Allemagne et en Autriche, chef du gouvernement.

chanceux, euse, *adj. et subst.* Qui a de la chance.

chandail, *subst. m.* Tricot de laine couvrant le torse.

chandelier, *subst. m.* Support de cierges, de bougies, à une ou plusieurs branches.

chandelle, *subst. f.* Mèche enrobée de suif, qui servait à éclairer. – Bougie. – Montée à la verticale (pour un avion, un ballon, etc.).

change, *subst. m.* Action de vendre, d'échanger (des valeurs). – Taux auquel se fait cet échange.

changement, *subst. m.* Action, fait de changer. – Modification, transformation.

changer, *verbe Trans.* Rendre autre, transformer. – Remplacer (par). – Convertir une monnaie en

une autre monnaie. – *Intrans.* Devenir différent. – *Pronom.* Mettre d'autres vêtements.

chanoine, *subst. m.* Dignitaire ecclésiastique.

chanson, *subst. f.* Petite composition chantée
formée de couplets et parfois d'un refrain.

chant, *subst. m.* Action, art de chanter. – Chanson
ou genre de musique vocale. – Ramage des
oiseaux. – Chaque partie d'un poème épique.

chantage, *subst. m.* Manœuvre visant à extorquer
de l'argent sous la menace de révélations. –
Pression morale.

chanter, *verbe* Émettre une succession de sons
musicaux en modulant la voix. – Interpréter (un
chant, une chanson).

chanteur, euse, *adj. et subst.* Qui chante.

chantier, *subst. m.* Lieu où sont entrepris de gros
travaux de construction, de démolition, etc. –
Lieu en désordre (*fam.*).

chantre, *subst. m.* Personne dont la fonction est de
chanter lors des offices religieux. – *Fig.* Poète
épique ou lyrique. – Personne qui loue, qui
glorifie.

chanvre, *subst. m.* Plante cultivée pour la fibre
textile que fournit sa tige. – Textile obtenu à
partir de cette plante.

chaos, *subst. m.* Profond désordre, grande confusion. – *Géol.* Entassement de blocs rocheux,
dû à l'érosion.

chaotique, *adj.* Qui évoque un chaos.

chaparder, *verbe trans.* Dérober, voler (des objets
de peu de valeur).

chape, *subst. f.* Couche de ciment ou d'asphalte
appliquée sur un sol. – Ce qui couvre *qqch.* –
Chape *de plomb* : contrainte paralysante.

chapeau, *subst. m.* Coiffure, de matière et de
forme variables, portée surtout pour sortir. –
Partie supérieure de certains champignons.

chapeauter, *verbe trans.* Coiffer d'un chapeau. –
Contrôler, diriger (un groupe, une action).

chapelet, *subst. m.* Objet de dévotion formé de
grains enfilés, servant à compter les prières ;
ensemble des prières récitées. – Série d'éléments semblables.

chapelier, ière, *adj. et subst.* *Subst.* Fabricant ou
marchand de chapeaux. – *Adj.* Relatif aux chapeaux.

chapelle, *subst. f.* Petite église n'ayant pas rang
d'église paroissiale. – Partie d'église pourvue
d'un autel secondaire.

chapelure, *subst. f.* Miettes de pain, réduites en
poudre, servant à paner des aliments.

chaperon, *subst. m.* Capuchon. – *Fig.* Personne
chargée d'accompagner une jeune fille.

chapiteau, *subst. m.* Sommet d'une colonne. –
Corniche d'un meuble. – Tente d'un cirque.

chapitre, *subst. m.* Division d'un écrit. – Sujet dont
il est question : *Le* **chapitre** *de l'argent.* –
Assemblée de chanoines ou de religieux ; lieu
où ils se réunissent.

chapon, *subst. m.* Jeune coq châtré que l'on en-
graisse pour la table.

chaque, *adj. indéf.* Détermine isolément, d'une
manière distributive, tous les éléments d'un
ensemble : **Chaque** *membre du groupe.*

char, *subst. m.* Voiture à deux roues, tirée par des
chevaux, autrefois utilisée pour les combats, les
courses, etc. – Véhicule rural tiré par un animal,

charrette. – Voiture ornée pour le carnaval. –
Véhicule blindé, armé, monté sur des chenilles.
– *Can.* Wagon, voiture.

charabia, *subst. m.* Langage inintelligible (*fam.*).

charade, *subst. f.* Jeu consistant à faire deviner un
mot décomposé en plusieurs syllabes dont chacune forme elle-même un mot.

charançon, *subst. m.* Insecte nuisible qui ronge les
végétaux.

charbon, *subst. m.* Combustible solide, noir, contenant une forte proportion de carbone. – Résidu solide de la combustion incomplète du bois.

charbonnage, *subst. m.* Ensemble de mines de
houille (*gén.* au *plur.*).

charbonneux, euse, *adj.* Qui a l'aspect du charbon.

charcuterie, *subst. f.* Boutique de charcutier. –
Activité de charcutier. – Produit à base de
viande de porc (jambon, boudin, etc.).

charcutier, ière, *subst.* Personne qui prépare et
qui vend de la charcuterie.

chardon, *subst. m.* Plante aux feuilles et aux tiges
épineuses.

chardonneret, *subst. m.* Petit oiseau au plumage
coloré.

charge, *subst. f.* Ce qui pèse matériellement ou
moralement. – Tout ce qui impose une dépense
d'argent ; cette dépense. – Ce que porte ou peut
porter *qqn, qqch.* – Quantité d'explosif. – Fonction ; responsabilité ; mission. – Assaut : attaque impétueuse : *La* **charge** *d'un sanglier* ;
Une **charge** *de cavalerie.*

chargement, *subst. m.* Action de charger ; son
résultat. – Ensemble des marchandises chargées.

charger, *verbe trans.* Placer (*qqch.*) sur. – Approvisionner (une arme). – Munir (un appareil)
de ce qui est nécessaire à son fonctionnement. –
Attaquer. – Confier (*qqch.* à *qqn*). – *Pronom.*
Prendre la responsabilité de.

chargeur, *subst. m.* Dispositif qui alimente en
cartouches une arme à feu.

chariot, *subst. m.* Véhicule à quatre roues servant
au transport.

charisme, *subst. m.* Prestige, ascendance particulière d'un chef, d'une personne.

charitable, *adj.* Qui manifeste de la charité. –
Bienveillant, indulgent.

charité, *subst. f.* Amour de Dieu et du prochain. –
Comportement secourable, bienfaisant. – Indulgence.

charivari, *subst. m.* Tapage, huées, chahut.

charlatan, *subst. m.* Personne qui abuse de la
crédulité d'autrui, imposteur.

charlotte, *subst. f.* Gâteau à base de biscuits
trempés dans un sirop, de crème et de fruits.

charme (i), *subst. m.* Arbre au bois blanc et dur.

charme (ii), *subst. m.* Envoûtement (vieilli). –
Qualité d'une personne gracieuse. – Caractère
poétique, plaisant de *qqch.* – *Faire du* **charme** *à
qqn* : essayer de séduire *qqn.*

charmer, *verbe trans.* Ensorceler (vieilli). – Plaire
par son charme. – Séduire.

charmeur, euse, *adj. et subst.* Qui enjôle, séducteur.

charnel, elle, *adj.* Qui relève de la chair.

charnier, *subst. m.* Fosse dans laquelle sont entassés des cadavres.

charnière, *subst. f.* Ferrure composée de deux lames articulées sur un axe de rotation. – *Fig.* Transition, point de jonction.

charnu, ue, *adj.* Formé de chair. – Qui a beaucoup de chair. – Pulpeux.

charognard, *subst. m.* Animal qui se nourrit de charognes. – Personne qui profite du malheur d'autrui (*fam.*).

charogne, *subst. f.* Cadavre en putréfaction.

charpente, *subst. f.* Armature d'une construction. – Structure, plan d'un écrit.

charpentier, *subst. m.* Artisan qui exécute des travaux de charpente.

charpie, *subst. f.* Mettre en **charpie** : déchiqueter.

charretier, ière, *subst.* Conducteur de charrette.

charrette, *subst. f.* Véhicule à deux roues et à brancards servant à transporter des fardeaux.

charrier, *verbe trans.* Transporter (dans un chariot, une charrette). – Entraîner dans son cours.

charrue, *subst. f.* Engin agricole servant à labourer.

charte, *subst. f.* Texte des lois, des règles fondamentales d'une institution.

charter, *subst. m.* Avion affrété collectivement en vue d'abaisser le prix des billets.

chas, *subst. m.* Fente à l'extrémité d'une aiguille, par laquelle on passe le fil.

chasse, *subst. f.* Action de chasser. – Domaine réservé où l'on chasse. – Poursuite.

châsse, *subst. f.* Coffre où l'on conserve les reliques d'un saint. – Monture, cadre.

chassé-croisé, *subst. m.* Pas de danse. – Échange simultané et réciproque de situation.

chasser, *verbe Trans.* Poursuivre un animal pour le capturer ou l'abattre. – Congédier, mettre à la porte. – Repousser, écarter : **Chasser** *un mauvais souvenir.* – *Intrans.* Déraper.

chasseur, euse, *subst.* Personne qui chasse. – *Masc.* Groom en livrée, dans les hôtels, les restaurants.

châssis, *subst. m.* Cadre servant à fixer ou à supporter un objet, un vitrage. – Assemblage qui supporte le moteur et la carrosserie d'un véhicule.

chaste, *adj.* Qui pratique la chasteté. – Conforme à la chasteté. – Pudique.

chasteté, *subst. f.* Abstention de tout plaisir charnel. – Pureté ; innocence.

chasuble, *subst. f.* Vêtement sacerdotal. – Vêtement sans manches.

chat, chatte, *subst.* Petit félin dont l'espèce la plus connue est le **chat** domestique.

châtaigne, *subst. f.* Fruit du châtaignier, renfermé dans une bogue.

châtain, aine, *adj. et subst. m.* Couleur brun clair de la châtaigne : *Cheveux* **châtains** ; *Le* **châtain** *d'une chevelure.*

château, *subst. m.* Forteresse. – Résidence royale ou seigneuriale. – Grande et belle demeure de campagne. – Superstructure qui domine le pont d'un navire.

châtelain, aine, *subst.* Habitant d'un château.

châtier, *verbe trans.* Punir, corriger. – **Châtier** *son langage* : le rendre plus pur.

châtiment, *subst. m.* Action de châtier. – Peine sévère, punition.

chatoiement, *subst. m.* Reflet brillant et mouvant.

chaton (i), *subst. m.* Jeune chat.

chaton (ii), *subst. m.* Tête d'une bague.

chatouillement, *subst. m.* Action de chatouiller ; son effet. – Léger picotement.

chatouiller, *verbe trans.* Provoquer le rire ou l'agacement en caressant légèrement une partie sensible de la peau.

chatouilleux, euse, *adj.* Qui réagit vivement aux chatouillements. – *Fig.* Susceptible.

chatoyer, *verbe intrans.* Briller d'un éclat changeant, miroiter.

châtrer, *verbe trans.* Castrer. – *Fig.* Affaiblir, mutiler.

chaud, chaude, *adj., subst. m. et adv. Adj.* Qui a une température plus élevée que celle du corps humain. – *Fig.* Récent. – Passionné, enthousiaste. – *Subst.* Chaleur. – *Adv. Manger* **chaud.** – *À* **chaud** : sans attendre.

chaudière, *subst. f.* Appareil qui chauffe l'eau ou la transforme en vapeur, servant au chauffage ou à la production d'énergie.

chaudron, *subst. m.* Marmite à anse mobile, utilisée pour cuisiner.

chauffage, *subst. m.* Action de chauffer ; son résultat. – Appareil ou installation destinés à procurer de la chaleur.

chauffard, *subst. m.* Automobiliste imprudent et dangereux (*péj.*).

chauffe-eau, *subst. m. inv.* Appareil servant à la production domestique d'eau chaude.

chauffer, *verbe* Devenir ou rendre chaud.

chauffeur, *subst. m.* Celui qui entretient le feu d'une chaudière. – Conducteur d'un véhicule automobile.

chauffeuse, *subst. f.* Chaise basse, que l'on utilise pour s'installer devant la cheminée. – Chaise confortable.

chaume, *subst. m.* Tige des Graminées. – Partie de la tige restant sur pied après la moisson. – Paille dont on couvre les toits.

chaumière, *subst. f.* Maison couverte de chaume.

chaussée, *subst. f.* Partie de la route ou de la rue utilisée par les véhicules.

chausse-pied, *subst. m.* Ustensile servant à se chausser.

chausser, *verbe trans.* Mettre des chaussures à. – **Chausser** *du 39* : avoir cette pointure.

chausse-trap(p)e, *subst. f.* Fosse dissimulant un piège pour les animaux. – *Fig.* Piège tendu à *qqn.*

chaussette, *subst. f.* Bas court qui couvre le pied, la cheville et parfois le mollet.

chausson, *subst. m.* Chaussure d'intérieur souple. – Chaussure de danse. – Pâtisserie de pâte feuilletée fourrée.

chaussure, *subst. f.* Article d'habillement qui recouvre et protège le pied.

chauve, *adj. et subst.* Qui n'a plus ou presque plus de cheveux. – *Adj.* Dépourvu de végétation ou de feuillage.

chauve-souris, *subst. f.* Mammifère insectivore volant, vivant dans l'obscurité.

chauvin, ine, *adj. et subst.* Qui professe un patriotisme étroit. – Qui admire exagérément sa région, sa ville, etc.

chaux, *subst. f.* Oxyde de calcium produit par la calcination d'une pierre calcaire.

chavirer, *verbe Intrans.* Se renverser, en parlant d'un bateau ; basculer, être déséquilibré. – *Trans.* Renverser (*qqch.*). – *Fig.* Émouvoir vivement.

check-up, *subst. m. inv.* Bilan de santé.

chef, *subst. m.* Tête (vieilli). – Personne qui dirige, qui commande. – Responsable de la cuisine, dans un restaurant. – **Chef** *d'accusation* : point sur lequel porte une accusation.

chef-d'œuvre, *subst. m.* Œuvre d'art de premier plan.

chef-lieu, *subst. m.* Siège de l'administration d'une collectivité locale.

cheik(h), *subst. m.* Chef de tribu arabe. – Titre honorifique donné à certains musulmans.

chélonien, *subst. m.* Reptile terrestre ou aquatique à carapace, communément appelé tortue. – *Plur.* L'ordre correspondant.

chemin, *subst. m.* Petite voie rurale. – Direction à prendre, itinéraire. – Distance à parcourir, trajet. – Voie menant à un but : *Le* **chemin** *de la gloire.*

chemin de fer, *subst. m.* Voie ferrée. – Moyen de transport utilisant la voie ferrée. – Entreprise de transport sur voie ferrée (*gén.* au *plur.*).

cheminée, *subst. f.* Ouvrage de maçonnerie composé d'un foyer et d'un conduit d'évacuation de la fumée. – Ce conduit ; sa partie saillante sur le toit. – L'encadrement du foyer : **Cheminée** *de marbre.*

cheminer, *verbe intrans.* Faire du chemin, aller à pied.

cheminot, *subst. m.* Employé des chemins de fer.

chemise, *subst. f.* Vêtement de tissu léger, à manches, couvrant le haut du corps.

chemisier, *subst. m.* Blouse féminine à manches longues.

chenal, *aux*, *subst. m.* Étroite voie de navigation.

chenapan, *subst. m.* Garnement, vaurien (*fam.*).

chêne, *subst. m.* Arbre forestier à bois dur, dont le fruit est le gland.

chenet, *subst. m.* Chacune des deux pièces en métal placées dans l'âtre d'une cheminée sur lesquelles on pose les bûches.

chenil, *subst. m.* Établissement où l'on héberge, où l'on élève des chiens.

chenille, *subst. f.* Larve de papillon, au corps allongé. – Bande sans fin, métallique et articulée, de certains véhicules tout terrain.

cheptel, *subst. m.* L'ensemble du bétail d'une ferme, d'une contrée, d'un pays.

chèque, *subst. m.* Formulaire à remplir et à signer, utilisé comme moyen de paiement par le titulaire d'un compte bancaire.

chéquier, *subst. m.* Carnet de chèques détachables.

cher, **chère**, *adj. et adv. Adj.* Pour qui l'on ressent de la tendresse. – Coûteux, onéreux. – *Adv.* À haut prix.

chercher, *verbe trans.* Essayer de trouver, de découvrir. – Essayer de se procurer. – **Chercher** *à* : tenter de. – *Aller* **chercher** : aller prendre, quérir.

chercheur, **euse**, *adj. et subst. Adj.* Qui cherche. – *Subst.* Personne qui se consacre à la recherche scientifique.

chère, *subst. f.* Nourriture : *Amateur de bonne* **chère** ; *Faire bonne* **chère**, bien manger.

chéri, **ie**, *adj. et subst.* Qu'on aime particulièrement.

chérir, *verbe trans.* Aimer avec tendresse. – Éprouver un profond attachement pour.

cherté, *subst. f.* Caractère de ce qui coûte cher. – Prix élevé.

chérubin, *subst. m.* Ange. – Jeune enfant beau et gracieux.

chétif, **ive**, *adj.* Dont l'aspect dénote la faiblesse et la fragilité.

cheval, **aux**, *subst. m.* Mammifère ongulé domestiqué comme animal de trait et comme monture.

chevaleresque, *adj.* Relatif à la chevalerie. – Généreux, courageux.

chevalerie, *subst. f.* Institution militaire du Moyen Âge, dont les membres étaient issus de la noblesse.

chevalet, *subst. m.* Support en bois sur lequel le peintre pose sa toile.

chevalier, *subst. m.* Membre de la chevalerie. – Noble au titre inférieur à celui de baron. – Personne qui a le grade le moins élevé de certains ordres honorifiques.

chevalière, *subst. f.* Bague à grand chaton orné d'armoiries ou d'initiales.

chevalin, **ine**, *adj.* Relatif au cheval. – *Fig.* Qui évoque le cheval.

chevauchée, *subst. f.* Course, promenade à cheval. – Cavalcade.

chevaucher, *verbe Intrans.* Se déplacer à cheval. – *Trans.* Être à cheval, à califourchon sur. – *Pronom.* Se croiser, déborder l'un sur l'autre (en parlant de choses).

chevelu, **ue**, *adj. et subst.* Qui porte une chevelure longue et fournie. – *Adj.* Qui est pourvu de cheveux.

chevelure, *subst. f.* Ensemble des cheveux.

chevet, *subst. m.* Partie du lit où repose la tête. – Partie postérieure, externe, d'une église.

cheveu, **eux**, *subst. m.* Poil poussant sur la tête de l'homme.

cheville, *subst. f.* Élément en bois ou en métal, servant à assembler des pièces. – Articulation du tibia et du péroné avec l'astragale, entre la jambe et le pied.

chèvre, *subst. f.* Mammifère ruminant à cornes, dont le mâle est le bouc et le petit, le chevreau.

chèvrefeuille, *subst. m.* Plante ornementale aux fleurs odorantes.

chevreuil, *subst. m.* Mammifère ruminant sauvage, à robe fauve, dont la femelle est la chevrette.

chevron, *subst. m.* Longue pièce de bois équarrie soutenant les lattes d'un toit. – Motif décoratif en zigzag : *Tissu à* **chevrons**, dont les côtes forment des zigzags.

chevronné, **ée**, *adj.* Ancien et expérimenté dans une activité.

chevroter, *verbe intrans.* En parlant de la chèvre, crier, bêler. – Parler, chanter d'une voix tremblotante.

chevrotine, *subst. f.* Gros plomb utilisé pour chasser le gros gibier.

chewing-gum, *subst. m.* Gomme à mâcher.

chez, *prép.* Dans le domicile de : **Chez** *moi.* – Parmi : **Chez** *les animaux.* – Dans l'œuvre de : **Chez** *Descartes.*

chic, *adj. inv. et subst. m. Subst.* Habileté. – Distinction, prestance. – *Adj.* Élégant. – Sympathique.

chicane, *subst. f. Dr.* Incident provoqué, artifice procédurier, dans un procès. – Querelle mesquine, tracasserie. – Passage en zigzag.

chicaner, *verbe Intrans.* Se livrer à des chicanes. – *Trans.* Chercher querelle à.

chiche (i), *adj.* Avare. – Rare, peu abondant.

chiche (ii), *subst. m.* Plante à fleurs blanches, également appelée pois **chiche.** – La graine de cette plante.

chiche (iii), *interj.* Exclamation exprimant le défi.

chicorée, *subst. f.* Plante herbacée, dont on mange les feuilles en salade. – Sa racine torréfiée, dont on tire une boisson.

chien, chienne, *subst.* Canidé domestique ou sauvage, dont il existe de nombreuses races.

chiendent, *subst. m.* Herbe vivace à longues racines, nuisible aux cultures.

chienlit, *subst. f.* Mascarade carnavalesque. – *Fig.* Désordre, pagaille généralisée.

chiffe, *subst. f.* Morceau d'étoffe usagée. – *Fig.* Personne au caractère faible.

chiffon, *subst. m.* Lambeau d'étoffe, de linge.

chiffonner, *verbe trans.* Froisser une étoffe, du papier. – *Fig.* Inquiéter, contrarier.

chiffonnier, ière, *subst.* Personne qui ramasse les chiffons ou des vieux objets pour les vendre.

chiffre, *subst. m.* Chacun des signes graphiques servant à représenter les nombres. – Montant, somme. – *Fig.* Écriture secrète. – Entrelacs d'initiales.

chiffrer, *verbe trans.* Évaluer à l'aide de chiffres. – Numéroter. – Coder.

chignole, *subst. f.* Perceuse à main ou électrique.

chignon, *subst. m.* Coiffure féminine rassemblant les cheveux au-dessus de la nuque.

chimère, *subst. f.* Monstre fabuleux à tête de lion, à corps de chèvre et à queue de dragon. – *Fig.* Vaine rêverie, projet inconsistant, utopie.

chimie, *subst. f.* Science qui étudie la constitution, la nature, les propriétés des corps, ainsi que leurs transformations et réactions.

chimique, *adj.* Relatif à la chimie.

chimiste, *subst.* Personne qui travaille dans le domaine de la chimie.

chimpanzé, *subst. m.* Singe anthropoïde d'Afrique, sociable, qui s'apprivoise facilement.

chiné, ée, *adj.* Dont le fil est de couleurs mélangées : *Un tapis* **chiné.**

chiner, *verbe trans.* Chercher des occasions chez les antiquaires, les brocanteurs. – Railler (*qqn*).

chinois, *subst. m.* Langue parlée en Chine, aux nombreuses formes dialectales, qui s'écrit au moyen d'idéogrammes.

chinoiserie, *subst. f.* Bibelot ou élément décoratif d'inspiration chinoise. – Chicane, complication inutile (*gén.* au *plur.*).

chiper, *verbe trans.* Voler un objet sans valeur (*fam.*).

chipie, *subst. f.* Femme acariâtre, mégère. – Fillette gâtée, insupportable.

chipoter, *verbe intrans.* Manger peu et sans plaisir. – *Fig.* Ergoter, lésiner sur des détails (*fam.*).

chique, *subst. f.* Morceau de tabac à mâcher.

chiquenaude, *subst. f.* Petit coup donné par la brusque détente d'un doigt, pichenette. – Faible impulsion.

chiromancie, *subst. f.* Divination d'après les lignes de la main.

chiropracteur, *subst. m.* Praticien qui soigne par des manipulations vertébrales.

chirurgical, ale, aux, *adj.* Relatif à la chirurgie.

chirurgie, *subst. f.* Thérapeutique médicale consistant à pratiquer des interventions manuelles ou instrumentales sur l'organisme et ses parties internes.

chirurgien, ienne, *subst.* Spécialiste de la chirurgie.

chlore, *subst. m.* Gaz toxique de couleur jaune verdâtre.

chloroforme, *subst. m.* Liquide incolore, à l'odeur éthérée, que l'on utilisait autrefois comme anesthésique.

chlorophylle, *subst. f.* Pigment végétal vert indispensable à la photosynthèse.

choc, *subst. m.* Heurt. – Affrontement. – *Fig.* Émotion brutale. – *Empl. adj. inv.* Qui surprend : *Des photos* **choc.**

chocolat, *subst. m.* Préparation de cacao sucrée et durcie. – Boisson au **chocolat.** – *Empl. adj. inv.* De couleur brun-rouge foncé.

chœur, *subst. m.* Groupe de chanteurs. – *En* **chœur** : tous ensemble. – Partie d'une église où se tient le clergé, devant le maître-autel.

choir, *verbe intrans.* Tomber (*littér.*).

choisi, ie, *adj.* Recherché, raffiné.

choisir, *verbe trans.* Opter pour, prendre parmi plusieurs, sélectionner : **Choisir** *un gâteau.*

choix, *subst. m.* Action de choisir ; résultat de cette action. – Sélection, assortiment. – Pouvoir, possibilité de choisir : *Avoir le* **choix.**

choléra, *subst. m.* Infection intestinale épidémique, très contagieuse, caractérisée par des troubles digestifs graves et pouvant entraîner la mort.

cholestérol, *subst. m.* Substance grasse présente dans les cellules, dont l'excès est nocif.

chômage, *subst. m.* Inactivité professionnelle forcée. – Situation qui se caractérise par le manque d'emplois.

chômer, *verbe Trans.* Célébrer (une fête) en arrêtant le travail : **Chômer** *le 8 mai.* – *Intrans.* Ne pas avoir de travail. – Être inactif.

chômeur, euse, *subst.* Personne privée d'emploi. – Demandeur d'emploi.

chope, *subst. f.* Récipient, verre muni d'une anse, dans lequel on boit de la bière.

choquer, *verbe trans.* Heurter. – Offusquer par ses paroles, sa conduite. – Traumatiser.

chorale, *subst. f.* Formation de chanteurs.

chorégraphie, *subst. f.* Art de composer un ballet.

choriste, *subst.* Personne qui chante dans un chœur, une chorale.

chorizo, *subst. m.* Saucisson espagnol.

chorus, *subst. m. Faire* **chorus** : joindre son approbation à celle des autres ; approuver bruyamment.

chose, *subst. f.* Objet concret. – Objet inanimé. – Ceci ; cela. – Événement, action. – Entité abstraite ; énoncé. – *Plur.* La réalité : *Regarder les* **choses** *en face.* – Ce qui a lieu : *Le cours des* **choses.** – La situation, la conjoncture : *Les* **choses** *tournent mal.* – Ce qui ressortit à un domaine : *Les* **choses** *de la politique.*

chou, choux, *subst. m.* Plante potagère. – Pâtisserie soufflée, fourrée de crème.

chouchou, oute, *subst.* Personne préférée (*fam.*).

choucroute, *subst. f.* Préparation de chou émincé et fermenté dans une saumure.

chouette (i), *subst. f.* Rapace nocturne.

chouette (ii), *adj. èt interj. Adj.* Qui plaît, sympathique. – *Interj.* **Chouette** *alors !*

chou-fleur, *subst. m.* Variété de chou potager.

choyer, *verbe trans.* Combler d'attentions, dorloter.

chrétien, ienne, *adj. et subst.* Qui appartient aux diverses religions issues de l'enseignement du Christ (catholique, protestante, orthodoxe).

chrétienté, *subst. f.* Ensemble des chrétiens.

christianisme, *subst. m.* Religion monothéiste fondée sur l'enseignement de Jésus-Christ.

chrome, *subst. m.* Métal dur, brillant et inoxydable. – Pièce de carrosserie recouverte de ce métal.

chromosome, *subst. m.* Chacun des éléments du noyau d'une cellule, qui contient les gènes.

chronique (i), *subst. f.* Récit de faits historiques. – *Journ.* Rubrique spécialisée.

chronique (ii), *adj.* Qui dure longtemps, en évoluant lentement. – Qui persiste.

chroniqueur, euse, *subst.* Journaliste spécialisé.

chronologie, *subst. f.* Science de l'établissement des dates et de la succession des événements historiques. – Succession des événements dans le temps.

chronologique, *adj.* Qui se déroule dans l'ordre du temps.

chronomètre, *subst. m.* Montre de précision.

chronométrer, *verbe trans.* Mesurer avec précision (la durée d'une action).

chrysalide, *subst. f.* État de la chenille lors de la métamorphose en papillon.

chrysanthème, *subst. m.* Plante ornementale fleurissant à la fin de l'automne.

chuchotement, *subst. m.* Action de parler à voix basse. – Bruit qui en résulte.

chuchoter, *verbe* Parler, dire (*qqch.*) à voix basse.

chuintement, *subst. m.* Cri d'un oiseau nocturne. – Sifflement sourd.

chut, *interj.* Onomatopée servant à réclamer le silence.

chute, *subst. f.* Action de tomber. – Baisse considérable. – *Fig.* Effondrement. – Masse d'eau tombant d'une grande hauteur. – Reste inutilisé d'un matériau après découpe.

ci, *adv.* Marque le lieu, la proximité : **Ci**-*gît* ; **Ci**-*joint* ; **Ci**-*après* ; **Ci**-*dessus* ; *De*-**ci**, *de-là*, ici et là. – Marque l'insistance : *Cet homme*-**ci** ; *Celui*-**ci** ; *Ce temps*-**ci**.

cible, *subst. f.* But que l'on vise avec une arme. – *Fig.* Personne visée par une critique.

ciboire, *subst. m.* Vase sacré où sont conservées les hosties consacrées.

ciboulette, *subst. f.* Plante dont les feuilles sont employées comme condiment.

cicatrice, *subst. f.* Trace laissée par une blessure ou une lésion après guérison. – *Fig.* Marque laissée par un événement douloureux.

cicatriser, *verbe Trans.* Guérir, fermer (une plaie). – Calmer, apaiser (une douleur). – *Intrans.* Se fermer, en parlant d'une plaie.

cidre, *subst. m.* Boisson alcoolique faite de jus de pomme fermenté.

ciel, cieux, ciels, *subst. m.* Espace visible au-dessus de nos têtes, et limité par l'horizon. – L'espace infini dans lequel évoluent les corps célestes. – Séjour de la divinité : *Monter aux* **cieux.** – Aspect visuel ou représentation du **ciel** (*plur.* **ciels**) : *Des* **ciels** *bleus.*

cierge, *subst. m.* Grande bougie à usage religieux. – Cactus géant d'Amérique.

cigale, *subst. f.* Insecte abondant dans le Midi, qui produit un bruit strident.

cigare, *subst. m.* Rouleau de feuilles de tabac, que l'on fume.

cigarette, *subst. f.* Petit cylindre de tabac haché menu et entouré d'une feuille de papier fin, que l'on fume.

cigogne, *subst. f.* Grand oiseau échassier migrateur doté d'un long bec.

ciguë, *subst. f.* Plante vénéneuse. – Poison extrait de cette plante.

cil, *subst. m.* Poil raide et court qui pousse sur le bord des paupières.

ciller, *verbe intrans.* Battre des paupières.

cime, *subst. f.* Sommet, extrémité supérieure.

ciment, *subst. m.* Matière poudreuse que l'on mélange à l'eau pour obtenir une pâte liante qui durcit en séchant. – *Fig.* Ce qui unit ou rapproche.

cimenter, *verbe trans.* Recouvrir ou fixer avec du ciment. – *Fig.* Affermir (des liens).

cimeterre, *subst. m.* Sabre oriental courbe et large.

cimetière, *subst. m.* Terrain dans lequel sont inhumés les morts.

cinéma, *subst. m.* Technique d'enregistrement et de projection de vues photographiques animées. – Art de réaliser des films. – Salle où l'on projette des films. – Industrie cinématographique. – *C'est du* **cinéma** : c'est de la comédie, du bluff (*fam.*).

cinématographique, *adj.* Relatif au cinéma.

cinéphile, *subst.* Amateur de cinéma.

cinétique, *adj.* Qui a trait au mouvement.

cinglant, ante, *adj.* Mordant, blessant.

cinglé, ée, *adj. et subst.* Fou (*fam.*).

cingler, *verbe trans.* Fouetter violemment. – *Fig.* Blesser la sensibilité (de *qqn*) par un ton mordant.

cinq, *adj. num. inv. et subst. m. inv. Adj.* Quatre plus un. – Cinquième : *Le roi Charles V.* – *Subst.* Le nombre **cinq**, le chiffre **5**.

cinquante, *adj. num. inv. et subst. m. inv. Adj.* Quarante plus dix. – Cinquantième : *La page* **50**. – *Subst.* Le nombre **cinquante**.

cinquième, *adj. num. ord. et subst. Adj.* Situé après le quatrième. – *Subst.* Celui ou celle qui est en

cinquième position. – *Masc.* L'une des parties d'un tout divisé en cinq parties égales.

cintre, *subst. m.* Courbure intérieure d'un arc ou d'une voûte. – Support à crochet utilisé pour suspendre un vêtement. – *Plur.* Espace situé au-dessus de la scène d'un théâtre, où l'on remonte les décors.

cintrer, *verbe trans.* Donner la forme d'un cintre à. – Serrer (un vêtement) à la taille.

cirage, *subst. m.* Action de cirer. – Produit servant à faire briller les cuirs.

circoncision, *subst. f.* Excision du prépuce.

circonférence, *subst. f.* Cercle ; ligne courbe fermée qui le limite. – Périmètre d'un cercle.

circonflexe, *adj. Accent* **circonflexe** : signe graphique (^) placé sur certaines voyelles.

circonscription, *subst. f.* Division d'un territoire.

circonscrire, *verbe trans.* Entourer d'une ligne. – Empêcher de s'étendre. – Cerner, délimiter : **Circonscrire** *son sujet.*

circonspect, ecte, *adj.* Prudent, réservé.

circonspection, *subst. f.* Attitude prudente.

circonstance, *subst. f.* Ce qui accompagne un événement, un fait, une situation. – Conjoncture. – *De* **circonstance** : fait pour l'occasion ; adapté à la situation.

circonstanciel, ielle, *adj.* Relatif aux circonstances. – *Ling.* Qui indique les circonstances d'une action.

circonvenir, *verbe trans.* Agir sur *qqn* pour en obtenir ce que l'on souhaite.

circonvolution, *subst. f.* Enroulement autour d'un axe, d'un point.

circuit, *subst. m.* Chemin que l'on parcourt en revenant au point de départ.

circulaire, *adj. et subst. f.* *Adj.* Qui a la forme d'un cercle. – *Subst.* Lettre d'information adressée à plusieurs personnes.

circulation, *subst. f.* Mouvement de ce qui circule. – Ensemble de véhicules qui circulent.

circuler, *verbe intrans.* Se mouvoir dans un circuit fermé. – Se déplacer. – Passer de main en main.

cire, *subst. f.* Matière molle, jaunâtre, produite par les abeilles. – Produit à base de **cire**.

ciré, *subst. m.* Caban imperméabilisé.

cirer, *verbe trans.* Enduire de cire ou de cirage.

cireuse, *subst. f.* Appareil utilisé pour cirer les parquets.

cirque, *subst. m.* Piste, en *gén.* sous chapiteau, entourée de gradins, où l'on présente des numéros d'adresse, de clowns. – Entreprise qui organise ces numéros. – Espace circulaire entouré de parois abruptes.

cirrhose, *subst. f.* Maladie grave du foie, souvent due à l'abus d'alcool.

cisaille, *subst. f.* Gros ciseaux servant à couper la tôle ou à tailler les branches des arbustes (*gén.* au *plur.*).

cisailler, *verbe trans.* Couper avec des cisailles.

ciseau, *subst. m.* Instrument à lame tranchante servant à sculpter. – *Plur.* Outil à deux branches mobiles et croisées, formant lames, servant à découper.

ciseler, *verbe trans.* Sculpter minutieusement avec un ciseau.

citadelle, *subst. f.* Forteresse protégeant une ville.

citadin, ine, *adj. et subst. Adj.* De la ville. – *Subst.* Habitant de la ville.

citation, *subst. f.* Passage rapporté d'un auteur, d'un texte. – *Milit.* Mise à l'ordre du jour, récompense pour une action d'éclat.

cité, *subst. f.* Ville importante. – Partie ancienne d'une ville. – Groupe d'immeubles.

citer, *verbe trans.* Nommer de façon précise. – Rapporter (des paroles ou un texte). – Assigner en justice. – *Milit.* Décerner une citation à.

citerne, *subst. f.* Réservoir d'eaux de pluie. – Cuve où l'on conserve des liquides.

cithare, *subst. f. Mus.* Instrument à cordes pincées.

citoyen, enne, *subst.* Ressortissant d'un État, considéré sous l'angle de ses droits et de ses devoirs civils et politiques.

citron, *subst. m.* Fruit du citronnier, agrume à la saveur acide. – *Empl. adj. inv.* De couleur jaune clair.

citrouille, *subst. f.* Grosse courge à la chair orangée.

civet, *subst. m.* Ragoût de gibier à poil.

civette, *subst. f.* Ciboulette.

civière, *subst. f.* Toile tendue sur des brancards, servant à transporter des blessés.

civil, ile, *adj. et subst. m.* Qui n'est ni militaire ni religieux. – *Adj.* Qui a trait aux citoyens.

civilisation, *subst. f.* Ensemble des valeurs culturelles, morales, sociales propres à un peuple.

civilisé, ée, *adj. et subst.* Qui possède un développement social et culturel complexe.

civilité, *subst. f.* Savoir-vivre, politesse.

civique, *adj.* Qui a trait au citoyen.

clafoutis, *subst. m.* Flan aux fruits.

claie, *subst. f.* Treillis de bois ou d'osier, à claire-voie, formant plateau.

clair, claire, *adj., subst. m. et adv. Adj.* Qui répand la lumière : *Une flamme* **claire**. – Qui favorise la luminosité par sa transparence : *Une eau* **claire**. – Peu épais : *Une forêt* **claire**. – Facile à comprendre. – Net, distinct : *Une voix* **claire**. – *Adv.* D'une manière nette : *Voir* **clair**. – *Subst.* Clarté : *Le* **clair** *de lune.*

claire-voie, *subst. f.* Assemblage (de lattes, de fils, etc.) qui laisse des jours par où passe la lumière.

clairière, *subst. f.* Espace sans arbres, dans un bois, une forêt.

clair-obscur, *subst. m.* Procédé de peinture fondé sur le contraste entre la lumière et l'ombre, employé pour suggérer le relief. – Éclairage atténué, diffus.

clairon, *subst. m.* Espèce de trompette militaire. – Celui qui en joue.

claironner, *verbe trans.* Annoncer avec éclat.

clairsemé, ée, *adj.* Éparpillé, rare. – Peu dense.

clairvoyant, ante, *adj.* Qui voit clair. – Lucide.

clamer, *verbe trans.* Exprimer par des cris.

clameur, *subst. f.* Ensemble de cris tumultueux.

clan, *subst. m.* Tribu, en Écosse ou en Irlande. – Petit groupe fermé.

clandestin, ine, *adj. et subst. Adj.* Qui se fait en cachette, secrètement. – *Subst.* Personne qui est en situation irrégulière.

clandestinité, *subst. f.* Caractère de ce qui est secret, clandestin.

clapet, *subst. m.* Couvercle de soupape.

clapier, *subst. m.* Cabane à lapins.

clapoter, *verbe intrans*. Être agité de clapotis.

clapotis, *subst. m.* Bruit léger et mouvement de l'eau agitée de petites vagues.

claquage, *subst. m.* Élongation d'un ligament ou d'un muscle.

claque, *subst. f.* Coup administré avec le plat de la main.

claquement, *subst. m.* Action, fait de claquer. – Bruit de ce qui claque.

claquemurer, *verbe trans.* Enfermer dans un lieu étroit. – *Pronom.* S'enfermer chez soi.

claquer, *verbe Intrans.* Produire un bruit sec et retentissant. – *Trans.* Donner une claque. – Fermer violemment. – *Fam.* Épuiser. – Mourir. – Dépenser (de l'argent).

claquettes, *subst. f. plur.* Danse rythmée où l'on fait claquer le talon et la pointe de la chaussure.

clarifier, *verbe trans.* Rendre clair. – Éclaircir.

clarinette, *subst. f. Mus.* Instrument à vent, muni de clefs et d'une anche simple.

clarté, *subst. f.* Lumière. – Limpidité. – *Fig.* Qualité de ce qui est net et précis.

clash, *subst. m.* Conflit brusque et violent (*fam.*).

classe, *subst. f.* Ensemble d'êtres ou de choses qui ont des caractères communs : Catégorie hiérarchique. – Valeur, qualité : *Un écrivain de grande* **classe**. – Chacune des étapes de la scolarité ; groupe d'un certain nombre d'élèves ; salle de cours. – Ensemble de jeunes du même âge appelés au service militaire.

classement, *subst. m.* Action de classer ; ordre qui en résulte. – Rang auquel *qqn* est classé.

classer, *verbe trans.* Répartir par classes. – Ranger, mettre en ordre.

classeur, *subst. m.* Portefeuille ou meuble à compartiments où l'on classe des papiers.

classicisme, *subst. m.* Caractère de ce qui est classique, en *partic.* en matière d'œuvres littéraires et artistiques. – Doctrine littéraire et artistique se signalant par sa recherche de la mesure, de l'équilibre et de la clarté.

classification, *subst. f.* Classement méthodique.

classique, *adj.* Qui a trait à l'Antiquité gréco-romaine. – Qui appartient culturellement au XVIIᵉ s. français. – Conforme à la tradition. – Qui fait autorité ; qui est devenu un modèle.

claudiquer, *verbe intrans.* Boiter (*littér.*).

clause, *subst. f.* Disposition d'un acte juridique, d'un contrat.

claustration, *subst. f.* Isolement dans un lieu clos.

claustrophobie, *subst. f.* Peur maladive d'être enfermé dans un lieu clos.

clavecin, *subst. m.* Instrument de musique à cordes pincées et à un ou plusieurs claviers.

clavicule, *subst. f.* Os long qui forme, avec l'omoplate, le squelette de l'épaule.

clavier, *subst. m.* Ensemble des touches de certains instruments de musique (piano, orgue, etc.), d'une machine à écrire, d'un ordinateur.

clef ou clé, *subst. f.* Objet métallique servant à ouvrir ou à fermer une serrure, à établir un contact, etc. – Outil utilisé pour serrer ou desserrer des écrous. – *Mus.* Signe au début d'une portée musicale. – Pièce mobile qui commande l'ouverture des trous d'un instument à vent. – Solution : *La* **clef** *de l'énigme.*

clématite, *subst. f.* Plante grimpante.

clémence, *subst. f.* Indulgence. – *Fig.* Douceur agréable du climat.

clément, ente, *adj.* Qui fait preuve de clémence. – *Fig.* Empreint de douceur.

clémentine, *subst. f.* Fruit proche de la mandarine.

clenche, *subst. f.* Tige mobile d'un loquet.

clepsydre, *subst. f.* Horloge à eau.

cleptomane, *voir* **kleptomane clerc**, *subst. m.* Ecclésiastique. – Employé d'une étude de notaire, d'avoué, d'huissier.

clergé, *subst. m.* Ensemble des ecclésiastiques.

clérical, ale, aux, *adj. et subst.* Se dit d'une personne favorable à l'intervention du clergé dans les affaires publiques. – *Adj.* Qui a trait au clergé.

cliché, *subst. m.* Plaque reproduisant une page composée, une gravure. – *Photographie.* – *Fig.* Expression toute faite, lieu commun.

client, cliente, *subst.* Personne qui achète un produit ou un service.

clientèle, *subst. f.* Ensemble des clients.

cligner, *verbe Trans. dir.* Plisser les paupières, fermer à demi les yeux pour mieux voir. – *Trans. indir.* **Cligner** *de l'œil* : faire un clin d'œil, un signe. – *Intrans.* Se fermer et s'ouvrir rapidement, en parlant des yeux.

clignotant, *adj. et subst. m. Adj.* Qui clignote. – *Subst.* Signal lumineux intermittent indiquant la direction que va prendre un véhicule. – Indice dont l'apparition signale une évolution dangereuse ; indicateur économique.

clignoter, *verbe intrans.* S'allumer et s'éteindre par intermittence.

climat, *subst. m.* Ensemble des différents états atmosphériques en une région donnée de la Terre. – *Fig.* Atmosphère morale.

climatiser, *verbe trans.* Maintenir l'air à une température et à un taux d'humidité définis.

clin d'œil, *subst. m.* Battement de la paupière. – *En un* **clin d'œil** : promptement.

clinique, *adj. et subst. f. Adj.* Qui se fait au lit du malade, en examen direct. – *Subst.* Hôpital privé.

clinquant, ante, *adj.* D'un éclat trompeur. – Très voyant, vulgaire et sans valeur.

clip (i), *subst. m.* Petit bijou monté sur pince.

clip (ii), *subst. m.* Bande vidéo qui fait la promotion d'une chanson, d'un album.

clique, *subst. f.* Groupe d'individus peu honorables (*fam.*). – Groupe musical militaire.

cliquetis, *subst. m.* Série de petits bruits métalliques.

clitoris, *subst. m.* Organe érectile de l'appareil génital féminin.

clivage, *subst. m.* Séparation, division.

cloaque, *subst. m.* Égout ; masse d'eau croupie. – Lieu malpropre, répugnant.

clochard, arde, *subst.* Personne sans domicile fixe et sans travail.

cloche, *subst. f.* Instrument sonore en forme de coupe renversée, en bronze, qui résonne sous l'effet d'un battant intérieur ou d'un marteau extérieur. – Objet en forme de coupe renversée, de **cloche**. – *Fig.* Idiot, incapable.

cloche-pied (à), *loc. adv.* En se tenant sur un seul pied.

clocher, *subst. m.* Ouvrage, bâtiment d'une église, où sont suspendues les cloches.

cloison, *subst. f.* Mur de séparation peu épais, dans une habitation.

cloisonner, *verbe trans.* Scinder, compartimenter par une ou plusieurs cloisons.

cloître, *subst. m.* Enceinte d'un monastère interdite aux profanes. – Galerie couverte entourant un jardin, dans un monastère, une cathédrale, etc.

cloîtrer, *verbe trans.* Enfermer.

clone, *subst. m.* Ensemble de cellules identiques provenant d'une cellule initiale.

clopin-clopant, *loc. adv.* En boitillant.

clopiner, *verbe intrans.* Marcher en boitant.

cloque, *subst. f.* Dilatation à la surface de la peau, remplie de liquide.

clore, *verbe trans.* Murer, obturer. – Encercler, renfermer. – *Fig.* Mettre fin à (une cérémonie, un débat, etc.).

clos, close, *adj.* Entouré d'une clôture. – Fermé. – Terminé. – *En vase* **clos** : sans contact avec l'extérieur.

clôture, *subst. f.* Ce qui enclôt un espace. – Action de terminer, achèvement.

clôturer, *verbe trans.* Entourer d'une clôture. – Achever, mettre fin à.

clou, *subst. m.* Pointe métallique que l'on enfonce pour fixer *qqch.* – *Fig. Le* **clou** *du spectacle* : l'attraction principale.

clouer, *verbe trans.* Fixer à l'aide de clous. – *Fig.* Immobiliser.

clouté, ée, *adj.* Garni de clous.

clown, *subst. m.* Artiste comique de cirque, accoutré et grimé. – *Fig.* Pitre, farceur.

club (i), *subst. m.* Cercle mondain. – Association de gens ayant un intérêt commun.

club (ii), *subst. m.* Canne de golf.

co-, *préfixe* Exprime l'idée de réunion ou de simultanéité.

coaguler, *verbe Trans.* Faire passer un liquide organique à un état plus ou moins solide. – *Intrans.* Former un caillot, se figer.

coaliser, *verbe trans.* Allier, rassembler. – *Pronom.* Se liguer.

coalition, *subst. f.* Regroupement, alliance contre un adversaire commun.

coasser, *verbe intrans.* Émettre son cri (coassement), en parlant d'un batracien.

cobaye, *subst. m.* Petit rongeur également appelé cochon d'Inde. – *Fig.* Sujet d'expérience.

cobra, *subst. m.* Serpent très venimeux.

cocagne, *subst. f. Pays de* **cocagne** : pays d'abondance. – *Mât de* **cocagne** : mât enduit de savon, auquel on essaie de grimper pour en décrocher des objets.

cocaïne, *subst. f.* Stupéfiant extrait des feuilles de coca.

cocarde, *subst. f.* Insigne circulaire aux couleurs d'un pays.

cocasse, *adj.* Qui fait rire, saugrenu.

coccinelle, *subst. f.* Insecte rouge à points noirs.

coccyx, *subst. m.* Petit os à l'extrémité du sacrum.

coche, *subst. m.* Voiture couverte tirée par des chevaux, servant au transport des voyageurs.

cocher (i), *subst. m.* Conducteur d'une voiture menée par des chevaux.

cocher (ii), *verbe trans.* Faire une marque de repérage sur.

cochère, *adj. f. Porte* **cochère** : porte livrant passage aux voitures.

cochon, onne, *adj. et subst. Subst. masc.* Mammifère omnivore, également appelé porc. – *Adj. et subst. Fam.* Qui est sale, grossier. – Qui est sensuel, indécent.

cochonnerie, *subst. f. Fam.* Chose sale, de mauvaise qualité, sans valeur. – Comportement ou propos grossier, obscène.

cochonnet, *subst. m.* Jeune cochon. – Petite boule en bois servant de but au jeu de boules.

cockpit, *subst. m.* Dans un avion, poste de pilotage. – À bord de certains bateaux de plaisance, creux situé à l'arrière, où se tient l'homme de barre.

cocktail, *subst. m.* Mélange de boissons. – Réception mondaine. – *Fig.* Combinaison d'éléments, mélange. – **Cocktail** *Molotov* : bouteille remplie d'un mélange explosif.

cocon, *subst. m.* Enveloppe filée par certaines chenilles. – *Fig. S'enfermer dans son* **cocon** : se retirer, se fermer sur soi.

cocorico, *subst. m.* Cri du coq. – *Fig. Chanter* **cocorico** : crier victoire.

cocotier, *subst. m.* Palmier tropical dont le fruit est la noix de coco.

cocotte, *subst. f.* Petite marmite en fonte, à anses et à couvercle. – Poule (*fam.*).

cocu, ue, *adj. et subst.* Victime d'un adultère (*fam.*).

code, *subst. m.* Recueil de lois : **Code** *pénal.* – Ensemble de règles : **Code** *de l'honneur.* – Système de symboles. – *Plur.* Feux de croisement d'un véhicule.

coder, *verbe trans.* Transformer (un texte, une information) en symboles.

codifier, *verbe trans.* Recueillir (des lois, des règles). – Soumettre à des règles.

coefficient, *subst. m.* Nombre qui multiplie une grandeur. – Facteur appliqué à une valeur. – Pourcentage. – Lors d'un examen, nombre qui détermine la valeur relative de chaque épreuve.

coéquipier, ière, *subst.* Chacune des personnes qui font partie de la même équipe.

coercitif, ive, *adj.* Qui contraint.

cœur, *subst. m.* Organe moteur de la circulation sanguine. – Poitrine ; estomac. – Centre. – Siège de l'affectivité, des sentiments. – Une des couleurs rouges d'un jeu de cartes.

coexistence, *subst. f.* Existence simultanée.

coffre, *subst. m.* Meuble de rangement en forme de caisse, dont la face supérieure est un couvercle. – Partie d'une voiture où l'on range les bagages, (en *gén.* à l'arrière). – Poitrine ; poumons. – Puissance vocale.

coffre-fort, *subst. m.* Coffre métallique blindé, à ouverture protégée.

coffret, *subst. m.* Petit coffre. – Emballage cartonné contenant un ensemble de disques, de livres, etc.

cogiter, *verbe Fam. Intrans.* Réfléchir. – *Trans.* Penser, concevoir.

cognac, *subst. m.* Eau-de-vie de raisin de la région de Cognac.

cognée, *subst. f.* Grande hache à fer étroit.

cogner, *verbe* Heurter. – Frapper avec force.

cohabiter, *verbe intrans.* Habiter, vivre ensemble.

cohérence, *subst. f.* Rapport logique entre des idées, sans contradiction.

cohérent, ente, *adj.* Harmonieux. – Logique.

cohésion, *subst. f.* Union étroite.

cohorte, *subst. f.* Corps militaire romain. – Groupe (*fam.*).

cohue, *subst. f.* Foule nombreuse, bruyante et agitée. – Désordre, bousculade.

coi, coite, *adj.* Silencieux et tranquille.

coiffe, *subst. f.* Coiffure féminine traditionnelle.

coiffer, *verbe trans.* Couvrir la tête de. – Arranger une chevelure, la peigner. – *Fig.* Être à la tête de, contrôler.

coiffeur, euse, *subst.* Personne dont la profession est de couper et de peigner les cheveux.

coiffure, *subst. f.* Ce qui couvre ou orne la tête. – Disposition des cheveux.

coin, *subst. m.* Pièce de métal triangulaire servant à fendre des troncs d'arbre ; cale. – Pièce d'acier servant à frapper les monnaies et les médailles. – Espace formé par un angle. – Espace restreint. – Lieu retiré.

coincer, *verbe trans.* Fixer ; immobiliser ; serrer. – *Fig.* Mettre dans l'embarras.

coïncidence, *subst. f.* Superposition exacte de deux éléments. – Simultanéité fortuite.

coïncider, *verbe intrans.* S'ajuster parfaitement. – Avoir lieu en même temps.

coing, *subst. m.* Fruit du cognassier, astringent, que l'on consomme cuit.

col, *subst. m.* Partie resserrée d'un récipient. – Partie rétrécie d'un organe. – Partie du vêtement qui entoure le cou. – Passage entre deux crêtes montagneuses.

colchique, *subst. m.* Plante mauve vénéneuse qui fleurit en automne.

coléoptère, *subst. m.* Insecte à élytres, tel que le hanneton, le scarabée, la coccinelle. – *Plur.* L'ordre correspondant.

colère, *subst. f.* Profond mécontentement qui s'exprime violemment.

coléreux, euse, *adj.* Qui est enclin à la colère.

colibri, *subst. m.* Très petit oiseau des régions tropicales, appelé aussi oiseau-mouche.

colifichet, *subst. m.* Petit objet de parure.

colimaçon, *subst. m.* Escargot (vieilli). – *Escalier en colimaçon* : en spirale.

colin, *subst. m.* Poisson marin, commun dans l'Atlantique et la Manche.

colin-maillard, *subst. m.* Jeu dans lequel un joueur aux yeux bandés doit attraper et identifier celui qui le remplacera.

colique, *subst. f.* Douleur abdominale, vive et spasmodique. – Diarrhée.

colis, *subst. m.* Paquet que l'on expédie ou que l'on reçoit.

collaborateur, trice, *subst.* Personne associée à une autre dans un travail.

collaboration, *subst. f.* Travail en commun. – Participation à une tâche.

collaborer, *verbe trans. indir.* Concourir à (une réalisation) : **Collaborer** *à un projet.*

collage, *subst. m.* Action de coller. – Son résultat.

collant, ante, *adj. et subst. m. Adj.* Qui colle. – Qui épouse les lignes du corps. – *Fig.* Importun.

– *Subst.* Maillot ou pantalon épousant la forme du corps. – Sous-vêtement féminin.

collation, *subst. f.* Repas léger.

colle, *subst. f.* Substance adhésive. – *Fam.* Question difficile. – Punition.

collecte, *subst. f.* Action de réunir des dons au profit d'une œuvre. – Ramassage.

collecter, *verbe trans.* Réunir par collecte. – Ramasser.

collectif, ive, *adj.* Qui concerne un ensemble de personnes.

collection, *subst. f.* Ensemble d'objets ayant un caractère commun.

collectionner, *verbe trans.* Réunir en une collection. – Accumuler (*fam.*).

collectionneur, euse, *subst.* Personne qui collectionne : **Collectionneur** *de timbres.*

collectivité, *subst. f.* Ensemble d'individus réunis par des fins ou par une organisation communes.

collège, *subst. m.* Ensemble de personnes ayant la même fonction. – Établissement d'enseignement secondaire (de la 6e à la 3e).

collègue, *subst.* Personne qui a la même fonction ou qui travaille dans la même entreprise qu'une autre.

coller, *verbe trans.* Fixer avec de la colle ; appliquer contre. – *Fig.* Punir ; recaler à un examen (*fam.*). – *Intrans.* Adhérer. – *Fig.* Convenir.

collet, *subst. m.* Nœud coulant servant à piéger le gibier. – Partie de la dent située entre la couronne et la racine.

collier, *subst. m.* Bijou porté autour du cou. – Lien de cuir ou chaîne qui enserre le cou d'un animal.

collimateur, *subst. m.* Appareil de visée.

colline, *subst. f. Géogr.* Relief de faible hauteur, au sommet arrondi.

collision, *subst. f.* Choc violent de deux corps en mouvement.

colloque, *subst. m.* Rencontre, débat de spécialistes.

collyre, *subst. m.* Liquide médicamenteux que l'on instille dans l'œil.

colmater, *verbe trans.* Boucher, refermer (un trou, une brèche). – Combler.

colombe, *subst. f.* Nom de certains pigeons et tourterelles.

colon, *subst. m.* Habitant d'une colonie.

côlon, *subst. m.* Partie du gros intestin.

colonel, *subst. m.* Officier supérieur du grade le plus élevé, dans les armées de terre et de l'air.

colonial, ale, aux, *adj.* Relatif aux colonies.

colonialisme, *subst. m.* Politique qui prône l'expansion coloniale.

colonie, *subst. f.* Territoire occupé et administré par une puissance étrangère, qui le tient sous sa dépendance. – Groupe de personnes de même origine établies à l'étranger. – Groupe d'animaux de même espèce. – **Colonie** *de vacances* : lieu où des enfants passent des vacances collectives.

colonisation, *subst. f.* Action de coloniser.

coloniser, *verbe trans.* Réduire (un pays) à l'état de colonie. – Peupler de colons.

colonne, *subst. f.* Longue file de personnes ou de véhicules. – Support d'édifice, vertical et *gén.* cylindrique ; monument de cette forme. – Bloc de texte vertical sur une page. – **Colonne**

vertébrale : ensemble des vertèbres, qui forme un axe osseux.

colorant, ante, *adj. et subst. m.* Se dit d'une substance naturelle ou synthétique utilisée pour colorer.

coloration, *subst. f.* Action de colorer. – État de ce qui est coloré.

colorer, *verbe trans.* Donner une couleur à.

coloriage, *subst. m.* Action de colorier ; son résultat. – Dessin à colorier.

colorier, *verbe trans.* Appliquer des couleurs sur.

coloris, *subst. m.* Effet issu de la combinaison de couleurs. – Éclat et teinte naturels du visage, des fruits, etc.

colossal, ale, aux, *adj.* Exceptionnellement grand, gigantesque.

colosse, *subst. m.* Statue colossale. – Homme de forte stature, robuste.

colporter, *verbe trans.* Vendre (des marchandises), en se déplaçant. – *Fig.* Diffuser (des nouvelles).

colporteur, euse, *subst.* Marchand ambulant. – *Fig.* Personne qui propage des nouvelles.

colt, *subst. m.* Revolver.

colvert, *subst. m.* Canard sauvage au cou vert.

coma, *subst. m.* État caractérisé par la perte de la conscience, de la mobilité et de la sensibilité, avec conservation des fonctions respiratoire et circulatoire.

combat, *subst. m.* Lutte. – Engagement militaire. – Rencontre de deux adversaires, dans un sport de lutte. – *Fig.* Action par laquelle on soutient une idée.

combatif, ive, *adj.* Agressif, bagarreur.

combattant, ante, *subst.* Personne qui prend part à un combat, qui combat.

combattre, *verbe Trans.* Se battre contre, s'opposer à (*qqn* ou *qqch.*). – *Intrans.* Livrer un combat.

combien, *subst. m. inv. et adv. Adv.* Sert à interroger sur la quantité, le nombre : **Combien** *pèses-tu ?* – Marque l'intensité : **Combien** *sa joie fut immense.* – *Subst. Le* **combien** *viens-tu ?* (*fam.*).

combinaison, *subst. f.* Assemblage de plusieurs éléments dans un ordre défini. – Calculs, mesures prises en vue de réussir. – Sous-vêtement féminin. – Vêtement de travail.

combine, *subst. f.* Moyen détourné, procédé habile, tricherie (*fam.*).

combiné, *subst. m.* Partie du téléphone comprenant l'écouteur et le microphone.

combiner, *verbe trans.* Assembler (des éléments) de façon déterminée. – Élaborer, organiser. – Manigancer.

comble (i), *subst. m.* Charpente supportant le toit. – Espace situé sous la toiture. – *Fig. Le* **comble** *de* : l'apogée de, le degré extrême de.

comble (ii), *adj.* Rempli de monde. – Plein.

combler, *verbe trans.* Remplir (une cavité). – *Fig.* Faire disparaître (un manque) ; satisfaire, exaucer (des vœux).

combustible, *adj. et subst. m. Adj.* Qui peut brûler. – *Subst.* Substance dont la combustion produit de l'énergie calorifique.

combustion, *subst. f.* Fait de brûler.

comédie, *subst. f.* Pièce de théâtre ou film divertissant. – *Fig.* Caprice. – Simulation.

comédien, ienne, *subst.* Acteur de théâtre, de cinéma. – *Fig.* Personne qui simule une attitude, un sentiment, etc.

comestible, *adj. et subst. m. plur. Adj.* Que l'homme peut manger. – *Subst.* Produits alimentaires.

comète, *subst. f.* Astre suivi d'une traînée lumineuse de gaz et de poussières.

comique, *adj. et subst. m. Adj.* Relatif à la comédie. – Drôle. – *Subst.* Ce qui fait rire. – Acteur de rôles **comiques.**

comité, *subst. m.* Réunion de personnes choisies pour statuer sur une question précise.

commandant, *subst. m.* Officier supérieur dont le grade est compris entre ceux de capitaine et de lieutenant-colonel. – Officier commandant un bâtiment de la marine de guerre. – **Commandant** *de bord* : chef de l'équipage d'un avion.

commande, *subst. f.* Ordre par lequel on demande une marchandise ou un service ; cette marchandise, ce service. – Mécanisme servant à déclencher et à assurer le fonctionnement d'un appareil.

commandement, *subst. m.* Action de donner un ordre ; l'ordre donné. – Précepte divin. – Autorité qui commande.

commander, *verbe Trans. dir.* Donner l'ordre de. – Avoir sous son autorité. – Passer commande de. – Faire fonctionner. – *Trans. indir.* Exercer une action sur. – *Intrans.* Exercer son autorité.

commanditer, *verbe trans.* Financer.

commando, *subst. m.* Petite formation militaire, très entraînée, chargée de missions spéciales.

comme, *adv. et conj. Adv.* Indique une comparaison (tel que), la manière (ainsi que), la qualité (en tant que). – *Conj.* Indique le temps (alors que) ou la cause (parce que, puisque).

commémoration, *subst. f.* Action de commémorer. – Cérémonie organisée à la mémoire de (*qqn* ou *qqch.*).

commémorer, *verbe trans.* Rappeler le souvenir (d'une personne, d'un événement).

commencement, *subst. m.* Début, point de départ.

commencer, *verbe Trans.* Entamer, entreprendre (*qqch.*, une action). – **Commencer à, de** : se mettre à. – *Intrans.* Débuter.

comment, *subst. m. inv., adv. et interj. Adv.* Indique la manière : **Comment** *allez-vous ?* ; *Je ne sais* **comment** *faire.* – *Interj. Et* **comment !** – *Subst.* Manière.

commentaire, *subst. m.* Remarque ou ensemble de remarques qui éclairent le sens d'un texte. – Opinion.

commenter, *verbe trans.* Faire des commentaires sur.

commérage, *subst. m.* Potin, propos malveillant, cancan (*fam.*).

commerçant, ante, *adj. et subst. Subst.* Personne qui fait du commerce. – *Adj.* Où se trouvent de nombreux commerces.

commerce, *subst. m.* Fréquentation : *Il est d'un* **commerce** *agréable.* – Achat et vente, échange de marchandises. – Magasin.

commercial, ale, aux, *adj.* Relatif au commerce. – Qui tend vers une large diffusion, sans souci de qualité (*péj.*).

commercialiser, *verbe trans.* Diffuser dans un circuit de distribution commerciale.

commère, *subst. f.* Femme bavarde, qui colporte des potins.

commettre, *verbe trans.* Désigner (*qqn*) pour une tâche précise. – Faire (une chose répréhensible). – *Pronom.* Se compromettre.

comminatoire, *adj.* Qui renferme une menace.

commis, *subst. m.* Employé subalterne.

commisération, *subst. f.* Compassion pour les malheurs d'autrui.

commissaire, *subst. m.* Personne à qui l'on confie une mission temporaire. – Titre de fonctionnaire titulaire d'une charge.

commissaire-priseur, *subst. m.* Personne chargée de l'estimation d'objets et de leur vente aux enchères.

commissariat, *subst. m.* Ensemble des services, des locaux dépendant du commissaire. **commission**, *subst. f.* Message ou objet que l'on confie à *qqn* pour qu'il le transmette. – Somme d'argent qu'on laisse à un intermédiaire. – Assemblée de personnes chargées d'une mission. – *Plur.* Emplettes.

commissionnaire, *subst.* Personne qui agit pour le compte d'un client.

commissure, *subst. f.* Point de jonction de parties anatomiques : **Commissure** *des lèvres.*

commode (i), *adj.* Pratique, approprié. – Facile ; d'un caractère agréable.

commode (ii), *subst. f.* Meuble plus large que haut, muni de grands tiroirs de rangement.

commodité, *subst. f.* Caractère de ce qui est commode. – *Plur.* Ce qui rend les choses, la vie plus agréables.

commotion, *subst. f.* Traumatisme nerveux provoqué par un choc. – Choc émotionnel.

commotionner, *verbe trans.* Frapper d'une commotion. – Bouleverser (*qqn*).

commuer, *verbe trans. Dr.* Changer (une peine) en une autre moins importante.

commun, une, *adj.* Qui appartient à plusieurs, à tous ; relatif au plus grand nombre, à tout le monde. – Qui est fait par plusieurs. – Ordinaire. – Sans élégance, vulgaire.

communal, ale, aux, *adj.* Relatif à une commune.

communautaire, *adj.* Relatif à un communauté.

communauté, *subst. f.* Caractère de ce qui est partagé. – Ensemble organisé de personnes ayant des caractères ou des intérêts communs.

commune, *subst. f.* Circonscription administrative placée sous l'autorité d'un maire.

communicatif, ive, *adj.* Qui se communique aisément. – Loquace, démonstratif.

communication, *subst. f.* Action de communiquer. – Message ; conversation. – Ce qui permet de faire communiquer deux choses.

communier, *verbe intrans.* Être en accord total d'idées. – *Relig.* Recevoir l'eucharistie. – Être uni spirituellement (à d'autres personnes).

communion, *subst. f.* Accord total d'idées. – *Relig.* Action de communier. – Union dans une même foi.

communiqué, *subst. m.* Annonce officielle.

communiquer, *verbe Trans.* Faire part de ; transmettre. – *Intrans.* Être, entrer en rapport avec.

communisme, *subst. m.* Doctrine prônant la propriété collective des moyens de production.

commutateur, *subst. m.* Appareil servant à établir ou à interrompre le courant électrique.

compact, acte, *adj.* Dont les parties sont étroitement liées, formant une masse dense.

compagnon, compagne, *subst.* Celui ou celle qui partage la vie ou une des activités de *qqn*.

compagnie, *subst. f.* Présence auprès de *qqn*. – Association de personnes réunies par un objectif ou des statuts communs. – Unité militaire placée sous les ordres d'un capitaine.

comparaison, *subst. f.* Action de comparer.

comparaître, *verbe intrans.* Se présenter sur demande officielle devant un juge, un tribunal.

comparatif, ive, *adj. et subst. m.* Qui établit une comparaison. – *Subst. Ling.* Degré de comparaison d'un adjectif ou d'un adverbe.

comparer, *verbe trans.* Observer (plusieurs choses) sous l'angle de leurs différences ou de leurs ressemblances. – Faire ressortir une analogie (entre deux choses, deux personnes).

comparse, *subst.* Personnage de second plan.

compartiment, *subst. m.* Division d'une surface, d'une pièce, d'un meuble, etc.

compas, *subst. m.* Instrument à deux branches servant à tracer des cercles. – Instrument de navigation servant à se diriger et à se repérer.

compassé, ée, *adj.* Raide, affecté et solennel.

compassion, *subst. f.* Pitié, sympathie que l'on éprouve pour une personne qui souffre.

compatible, *adj.* Qui peut s'accorder avec.

compatir, *verbe trans. indir.* Compatir *à la souffrance de qqn* : y prendre part, en avoir pitié.

compatriote, *subst.* Personne qui est originaire du même pays, de la même région qu'une autre.

compensation, *subst. f.* Action de compenser. – Dédommagement.

compenser, *verbe trans.* Contrebalancer, équilibrer (un effet par un autre).

compère, *subst. m.* Complice (dans une supercherie, une farce). – Compagnon (vieilli).

compétence, *subst. f.* Aptitude légale d'une autorité à effectuer certains actes dans un domaine particulier. – Expérience acquise dans un domaine, connaissance reconnue.

compétent, ente, *adj.* Qui a une compétence dans un domaine donné.

compétitif, ive, *adj.* Apte à affronter la concurrence du marché.

compétition, *subst. f.* Rivalité entre des personnes ayant un même but. – Épreuve sportive.

compilation, *subst. f.* Action de compiler. – Recueil de morceaux choisis.

compiler, *verbe trans.* Réunir (des documents d'origines diverses) en un seul ouvrage.

complainte, *subst. f.* Chanson plaintive retraçant un événement triste.

complaire, *verbe trans. indir.* **Complaire** *à qqn* : lui être agréable par son comportement. – *Pronom.* Se délecter à.

complaisance, *subst. f.* Propension à faire plaisir, amabilité. – Trop grande indulgence. – Satisfaction de soi.

complément, *subst. m.* Ce qu'on ajoute à un ensemble. – *Ling.* Mot ou groupe de mots qui complète un autre mot ou groupe de mots, ou en précise le sens.

complémentaire, *adj.* Qui complète.

complet (i), **ète**, *adj.* Qui contient tous les éléments utiles. – Plein ; achevé. – Qui n'a plus de place disponible. – Qui a toutes les qualités : *Un athlète* **complet**.

complet (ii), *subst. m.* Costume masculin fait de deux ou trois pièces assorties.

compléter, *verbe trans.* Rendre complet. – *Pronom.* S'associer de manière harmonieuse à.

complexe, *adj. et subst. m.* Qui est composé d'éléments différents. – *Subst.* Ensemble d'industries complémentaires groupées dans une même région. – *Psychan.* Ensemble d'idées et de souvenirs chargés de valeur affective et influençant le comportement. – *Psychol.* Sentiment d'infériorité (*gén.* au *plur.*).

complexé, **ée**, *adj. et subst.* Se dit d'une personne qui manque de confiance en elle.

complexion, *subst. f.* Constitution physique d'une personne. – Tempérament.

complexité, *subst. f.* État de ce qui est complexe.

complication, *subst. f.* État de ce qui est compliqué. – Aggravation due à un nouvel élément.

complice, *adj. et subst.* Qui prend part à une action ou à l'accomplissement d'une chose (louable ou blâmable). – *Adj.* Qui manifeste la connivence : *Regard* **complice**.

complicité, *subst. f.* Contribution effective à un délit. – Entente entre les personnes.

compliment, *subst. m.* Paroles exprimant des félicitations, des louanges.

complimenter, *verbe trans.* Faire des compliments à.

compliquer, *verbe trans.* Rendre (*qqch.*) plus difficile à comprendre. – *Pronom.* Devenir confus. – Empirer.

complot, *subst. m.* Plan concerté en vue de nuire.

comploter, *verbe* Mettre au point un complot, manigancer.

componction, *subst. f.* Gravité affectée.

comportement, *subst. m.* Façon de se conduire.

comporter, *verbe trans.* Contenir, porter en soi. – *Pronom.* Se conduire, agir d'une certaine façon.

composant, **ante**, *adj. et subst.* **Adj.** Qui entre dans la composition de *qqch.* – *Subst.* Élément constitutif.

composé, **ée**, *adj. et subst. m.* **Adj.** Formé d'éléments divers. – *Ling. Temps* **composé** : formé d'un auxiliaire et d'un participe passé. – *Subst.* Ensemble de plusieurs éléments.

composée, *subst. f.* Plante herbacée aux petites fleurs serrées (pâquerette, pissenlit, dahlia...). – *Plur.* La famille correspondante.

composer, *verbe Trans.* Constituer un tout en agençant divers éléments. – Faire partie (d'un tout). – Créer (une œuvre). – *Intrans.* Chercher à s'entendre (avec *qqn*).

composite, *adj.* Formé d'éléments disparates.

compositeur, **trice**, *subst.* Auteur d'une œuvre, en *partic.* d'une œuvre musicale.

composition, *subst. f.* Action de constituer un tout en agençant des éléments ; son résultat. – Action de créer une œuvre ; son résultat.

compost, *subst. m.* Engrais composé de matières organiques et minérales fermentées.

composter, *verbe trans.* . Perforer, tamponner (un ticket, une facture) pour valider.

compote, *subst. f.* Purée de fruits cuits.

compotier, *subst. m.* Coupe à fruits ou à compote.

compréhensible, *adj.* Qui est clair à l'esprit. – Que l'on peut excuser.

compréhensif, **ive**, *adj.* Qui comprend, indulgent.

compréhension, *subst. f.* Faculté de comprendre. – Tolérance, bienveillance. – Caractère de ce qui peut être compris.

comprendre, *verbe trans.* Saisir le sens de. – Se montrer tolérant envers. – Contenir.

compresse, *subst. f.* Pièce de gaze servant à panser une plaie.

compression, *subst. f.* Action de comprimer. – Restriction ; réduction.

comprimé, *subst. m.* Pastille médicamenteuse.

comprimer, *verbe trans.* Faire subir une pression à (*qqch*). – *Fig.* Réduire, diminuer. – Refréner.

compromettre, *verbe trans.* Mettre dans une position dangereuse ou embarrassante.

compromis, *subst. m.* Accord reposant sur des concessions mutuelles.

comptabilité, *subst. f.* Technique de l'établissement des comptes. – Liste détaillée des recettes et des dépenses d'une personne, d'une entreprise. – Service qui tient les comptes, dans une entreprise.

comptable, *adj. et subst.* **Adj.** Relatif à la comptabilité. – *Subst.* Professionnel qui tient la comptabilité.

comptant, *adj. m.*, *subst. m. et adv.* **Adj.** et *subst.* Que l'on donne sur l'heure et en espèces : *Payer en argent* **comptant**. – *Adv.* Payer **comptant**.

compte, *subst. m.* Dénombrement, calcul. – État des recettes et des dépenses. – Rapport détaillé : *Rendre* **compte** *de*. – *Se rendre* **compte** *de* : s'apercevoir de.

compte-gouttes, *subst. m. inv.* Tube servant à verser un liquide goutte à goutte. – *Fig. Au* **compte-gouttes** : avec parcimonie.

compter, *verbe Trans.* Calculer, déterminer le nombre, la quantité de. – Comporter. – Envisager de : *Je* **compte** *partir*. – *Intrans.* Entrer dans un calcul. – Faire un calcul. – Avoir de l'importance.

compte(-)rendu, *subst. m.* Rapport détaillé d'un événement.

compteur, *subst. m.* Appareil qui sert à compter, à dénombrer, à mesurer.

comptine, *subst. f.* Chanson enfantine déterminant les rôles dans un jeu.

comptoir, *subst. m.* Table sur laquelle on expose des marchandises. – Établissement commercial installé à l'étranger.

compulser, *verbe trans.* Examiner, consulter (des écrits, des ouvrages).

comte, **comtesse**, *subst.* Titre de noblesse, entre marquis et vicomte.

concasser, *verbe trans.* Broyer en menus fragments.

concave, *adj.* Dont la surface forme un creux.

concéder, *verbe trans.* Accorder à titre de faveur. – *Fig.* Admettre.

concentration, *subst. f.* Action de concentrer, de se concentrer. – Son résultat. – *Camp de* **concentration** : où sont regroupés, dans des conditions extrêmement pénibles, des prisonniers de guerre, des déportés, etc.

concentrer, *verbe trans.* Réunir en un seul point (des éléments dispersés). – Fixer sur un seul objet. – *Pronom.* Réfléchir intensément.

concentrique, *adj.* Qui présente le même centre de courbure.

concept, *subst. m.* Représentation intellectuelle générale et abstraite.

conception, *subst. f.* Action de concevoir un enfant. – Élaboration mentale d'une idée. – Idée.

concerner, *verbe trans.* Avoir rapport à. – Intéresser.

concert, *subst. m.* Exécution d'une œuvre musicale. – Ensemble de bruits. – *De* **concert** : en accord.

concertation, *subst. f.* Action de se concerter.

concerter, *verbe trans.* Préparer (un projet) avec d'autres personnes. – *Pronom.* S'entendre pour mener une action commune.

concerto, *subst. m.* Morceau dans lequel un ou plusieurs instruments solistes dialoguent avec l'orchestre.

concession, *subst. f.* Action de concéder un droit, un privilège. – Terrain concédé. – Avantage accordé à un adversaire dans une discussion.

concessionnaire, *adj. et subst.* Représentant commercial exclusif d'un producteur.

concevoir, *verbe trans.* Créer dans son esprit ; former un concept. – Comprendre. – Ressentir. – **Concevoir** *un enfant* : le créer par un acte sexuel fécond.

concierge, *subst.* Gardien d'un immeuble.

concile, *subst. m.* Assemblée d'évêques qui statuent en matière de doctrine, de discipline.

conciliabule, *subst. m.* Entretien discret ou secret.

conciliant, ante, *adj.* Qui consent à des concessions. – Qui concilie.

conciliation, *subst. f.* Action de concilier. – Résultat de cette action.

concilier, *verbe trans.* Accorder (des personnes ou des exigences opposées). – *Pronom.* Disposer en sa faveur.

concis, ise, *adj.* Bref et précis.

concitoyen, enne, *subst.* Personne qui est originaire de la même ville ou du même pays qu'une autre, compatriote.

concluant, ante, *adj.* Qui établit une conclusion définitive, convaincant.

conclure, *verbe trans.* Achever. – Mener à son terme par un accord : **Conclure** *un marché*. – **Conclure** *que, à* : tirer comme conséquence (que).

conclusion, *subst. f.* Action de conclure. – Arrangement final, dénouement. – Constatation, conséquence.

concombre, *subst. m.* Légume oblong, *gén.* consommé en salade.

concomitant, ante, *adj.* Qui a lieu en même temps.

concordance, *subst. f.* Accord, conformité. – *Ling.* **Concordance** *des temps* : règles régissant l'accord du temps du verbe d'une proposition subordonnée avec celui du verbe principal.

concorde, *subst. f.* État d'harmonie, d'entente entre les personnes ou les peuples.

concorder, *verbe intrans.* Être en accord, correspondre.

concourir, *verbe Trans. indir.* **Concourir** *à* : contribuer, aider à (un résultat commun). – *Intrans.* Être en compétition.

concours, *subst. m.* Coïncidence d'événements : *Un* **concours** *de circonstances*. – Examen sélectionnant les meilleurs candidats. – Contribution.

concret, ète, *adj.* Réel, palpable.

concrétion, *subst. f.* Agglomération d'éléments, qui forment un corps solide.

concrétiser, *verbe trans.* Rendre concret, matérialiser.

concubinage, *subst. m.* Situation d'un homme et d'une femme qui vivent ensemble sans être mariés.

concupiscence, *subst. f.* Désir des plaisirs sensuels.

concurrence, *subst. f.* Rivalité d'intérêts, en *partic.* économiques. – *A* **concurrence** *de* : jusqu'à la limite de.

concurrencer, *verbe trans.* Être en concurrence avec.

concurrent, ente, *adj. et subst.* Qui est en concurrence avec. – Qui participe à une compétition, à un concours.

condamnation, *subst. f.* Sentence judiciaire infligeant une peine à l'auteur d'un délit ; la peine. – Action de désapprouver.

condamner, *verbe trans.* Frapper d'une peine par jugement. – Désapprouver. – Interdire l'usage (d'une voie d'accès, d'un lieu). – Obliger (à *qqch.* de pénible).

condensation, *subst. f.* Action de condenser, de se condenser ; son résultat. – Passage d'un gaz à l'état liquide.

condenser, *verbe trans.* Rendre plus dense en réduisant le volume. – Faire passer un corps de l'état gazeux à l'état liquide. – *Fig.* Résumer. – *Pronom.* Passer à l'état liquide, en parlant d'un gaz.

condescendance, *subst. f.* Bienveillance dédaigneuse.

condiment, *subst. m.* Substance dont le parfum prononcé sert à relever la saveur des aliments.

condisciple, *subst.* Compagnon d'études.

condition, *subst. f. et loc. conj.* État, situation sociale ; situation physique ou morale. – Circonstance dont dépend la réalisation d'un fait ; **Condition** *sine qua non*, indispensable. – *Loc.* **condition** *que + subj.* : si, pourvu que. – *Plur.* Circonstances extérieures dont dépend *qqch.* : *Les* **conditions** *météorologiques*.

conditionné, ée, *adj.* Qui dépend de conditions. – *Air* **conditionné** : qui a une température et un degré d'hygrométrie définis.

conditionnel, elle, *adj. et subst. m. Adj.* Subordonné à certaines conditions. – *Subst.* Mode verbal liant l'action à une condition.

conditionnement, *subst. m.* Action de conditionner. – Fait d'être conditionné. – Emballage d'un produit.

conditionner, *verbe trans.* Être la condition de. – Déterminer les comportements de (*qqn*). – Emballer (un produit).

condoléances, *subst. f. plur.* Marque de sympathie devant la douleur d'autrui.

condor, *subst. m.* Grand vautour des Andes.

conducteur, trice, *adj. et subst. Adj.* Qui conduit, dirige. – *Subst.* Personne qui conduit un véhicule. – *Masc.* Tout corps qui transmet de la chaleur ou de l'électricité.

conduire, *verbe trans.* Mener (vers un lieu précis). – Amener à. – Manœuvrer, piloter (un véhicule). – Commander (une armée, une entreprise), diriger (une affaire). – *Pronom.* Se comporter.

conduit, *subst. m.* Tuyau, canal d'écoulement.

conduite, *subst. f.* Action de conduire, de diriger. – Manière d'agir. – Action de conduire un véhicule. – Tuyau, canalisation.

cône, *subst. m.* Solide dont la base est un cercle et le sommet une pointe.

confection, *subst. f.* Action de confectionner *qqch.*, en *partic.* des vêtements en série.

confectionner, *verbe trans.* Fabriquer intégralement.

confédération, *subst. f.* Association d'États souverains qui délèguent certaines compétences à un pouvoir central. – Groupement d'associations, de fédérations.

confédéré, ée, *adj. et subst.* Qui est uni par confédération.

conférence, *subst. f.* Réunion, entretien. – Exposé public sur un sujet donné, prononcé par un spécialiste.

conférencier, ière, *subst.* Personne qui donne une conférence.

conférer, *verbe Intrans.* Discuter. – *Trans.* Accorder (*qqch.* à *qqn*).

confesser, *verbe trans.* Dire (ses péchés) à un prêtre. – Entendre (*qqn*) en confession. – Avouer.

confession, *subst. f.* Action de confesser. – Aveu. – Religion.

confessionnal, aux, *subst. m.* Isoloir où l'on se confesse à un prêtre.

confiance, *subst. f.* État d'esprit qui porte à se fier aux êtres ou aux choses.

confiant, ante, *adj.* Animé par la confiance.

confidence, *subst. f.* Aveu d'un secret. – *Loc. adv. En confidence* : sous le sceau du secret.

confident, ente, *subst.* Personne à qui l'on confie ses secrets.

confidentiel, ielle, *adj.* Qui se dit, se fait en confidence. – Qui vise un nombre réduit de personnes.

confier, *verbe trans.* Remettre aux soins de (*qqn*). – *Pronom.* Faire des confidences.

configuration, *subst. f.* Aspect général et extérieur d'un ensemble.

confiner, *verbe trans. Trans. dir.* Enfermer dans une limite. – *Trans. indir.* **Confiner** *à* : toucher aux limites de.

confins, *subst. m. plur.* Frontières, extrémité.

confire, *verbe trans.* Imbiber (un aliment) d'une substance qui conserve.

confirmation, *subst. f.* Action de confirmer ; son résultat. – Sacrement de l'Église catholique, qui confirme le baptême.

confirmer, *verbe trans.* Conforter (*qqn*). – Affirmer l'exactitude, l'existence de ; prouver. – Donner le sacrement de la confirmation.

confiserie, *subst. f.* Friandise à base de sucre. – Atelier, magasin du confiseur.

confiseur, euse, *subst.* Personne qui produit ou vend des confiseries.

confisquer, *verbe trans.* Saisir (des biens).

confit, ite, *adj. et subst. m. Adj.* Conservé dans la graisse, le vinaigre, etc. – *Fig.* **Confit** *en dévotion* : totalement adonné à la religion. – *Subst.* Viande cuite conservée dans sa graisse.

confiture, *subst. f.* Préparation de fruits cuits avec du sucre.

conflictuel, elle, *adj.* Qui est source de conflit. – Qui constitue un conflit.

conflit, *subst. m.* Désaccord ou lutte résultant d'une opposition d'intérêts ou de points de vue.

confluent, *subst. m.* Lieu où deux cours d'eau se rencontrent.

confondre, *verbe trans.* Réunir en un tout. – Prendre une chose, une personne pour une autre. – Troubler, étonner ; démasquer. – *Pronom.* Se **confondre** *en excuses* : s'excuser longuement.

conforme, *adj.* Semblable à un modèle. – En accord avec une règle.

conformer, *verbe trans.* Rendre conforme. – *Pronom.* Se soumettre à.

conformisme, *subst. m.* Attitude consistant à faire et à penser ce qui est généralement admis.

conformité, *subst. f.* État de ce qui est conforme.

confort, *subst. m.* Ce qui assure le bien-être matériel ou psychologique.

confortable, *adj.* Qui offre du confort.

confrère, consœur, *subst.* Chacun des membres d'une même profession (*gén.* libérale).

confrérie, *subst. f.* Association pieuse de laïques.

confrontation, *subst. f.* Action de confronter.

confronter, *verbe trans.* Mettre des personnes face à face pour comparer leurs dires. – Comparer. – *Pronom.* Se **confronter** *à un problème* : l'affronter.

confus, use, *adj.* Embrouillé, vague. – Gêné.

confusion, *subst. f.* Action de prendre une chose ou une personne pour une autre ; méprise, erreur. – Désordre. – Embarras.

congé, *subst. m.* Permission donnée à *qqn* de se retirer. – Période de repos, vacances.

congédier, *verbe trans.* Demander (à une personne) de s'en aller.

congélateur, *subst. m.* Appareil frigorifique servant à la congélation des aliments.

congélation, *subst. f.* Action de congeler. – Résultat de cette action.

congeler, *verbe trans.* Solidifier un liquide en abaissant sa température. – Soumettre au froid pour conserver.

congénère, *adj. et subst.* Qui est de la même espèce.

congénital, ale, aux, *adj.* Qui existe à la naissance, inné.

congère, *subst. f.* Amas de neige formé par le vent.

congestion, *subst. f.* Accumulation excessive de sang dans les vaisseaux d'un organe. – *Fig.* Encombrement.

congestionné, ée, *adj.* Dans un état de congestion.

conglomérat, *subst. m.* Agglomération de fragments de roches. – Regroupement d'entreprises aux activités variées.

congratuler, *verbe trans.* Complimenter vivement.

congre, *subst. m.* Poisson de mer dépourvu d'écailles, également appelé anguille de mer.

congrégation, *subst. f.* Association de religieux.

congrès, *subst. m.* Rencontre de personnes qui échangent leurs idées sur un thème particulier.

congru, ue, *adj. Portion* **congrue** : à peine suffisante pour permettre de subsister.

conifère, *subst. m.* Arbre à feuillage *gén.* persistant, dont le fruit a la forme d'un cône.

conique, *adj.* Qui a la forme d'un cône.

conjecture, *subst. f.* Hypothèse qui n'a pas encore été démontrée.

conjoint, ointe, *subst.* L'époux ou l'épouse, considérés l'un par rapport à l'autre.

conjonctif, ive, *adj.* Qui sert à unir.

conjonction, *subst. f.* Union, rencontre. – *Ling.* Mot invariable qui relie des éléments du discours.

conjoncture, *subst. f.* État de choses né de la combinaison de circonstances concomitantes. – Situation économique, sociale, etc., à un moment donné.

conjoncturel, elle, *adj.* Lié à la conjoncture.

conjugaison, *subst. f.* Combinaison. – Action de conjuguer un verbe. – Ensemble des formes d'un verbe.

conjugal, ale, aux, *adj.* Relatif à l'union maritale.

conjuguer, *verbe trans.* Combiner (divers éléments), unir. – Décliner les formes d'un verbe.

conjuration, *subst. f.* Complot contre l'État.

conjurer, *verbe trans.* Chasser (l'esprit du mal). – Éloigner (une menace). – Implorer *(qqn)*.

connaissance, *subst. f.* Faculté de connaître. – Savoir, instruction. – Personne que l'on connaît. – *Perdre* **connaissance** : s'évanouir.

connaisseur, euse, *adj. et subst.* Expert dans un domaine.

connaître, *verbe trans.* Savoir, posséder des informations sur. – Avoir l'expérience de. – Avoir des rapports avec *(qqn)* ; savoir l'identité de *(qqn)*.

connecter, *verbe trans.* Joindre. – Brancher.

connexion, *subst. f.* Action de relier. – Liaison, branchement.

connivence, *subst. f.* Accord tacite ou secret : *Agir de* **connivence**.

connotation, *subst. f.* Signification particulière d'un terme, qui s'ajoute à sa signification première.

connu, ue, *adj.* Que l'on connaît. – Célèbre.

conquérant, ante, *adj. et subst.* Qui soumet ou veut soumettre par les armes. – *Fig.* Qui séduit.

conquérir, *verbe trans.* Assujettir par les armes, par la force. – *Fig.* Séduire.

conquête, *subst. f.* Action de conquérir. – Ce qui est conquis. – *Fig.* Personne séduite.

conquistador, *subst. m.* Conquérant espagnol de l'Amérique, au xvi⁰ s.

consacrer, *verbe trans.* Donner un caractère sacré à, dédier à Dieu. – Employer (son temps) à.

consanguin, ine, *adj.* De même filiation paternelle. – *Union* **consanguine** : de deux parents proches.

conscience, *subst. f.* Perception, connaissance que l'homme a de lui-même et du monde. – Système de valeurs morales qui permet de juger.

consciencieux, ieuse, *adj.* Qui obéit aux exigences de la conscience morale : *Un employé* **cons-**

ciencieux. – Fait avec soin : *Un travail* **consciencieux**.

conscient, iente, *adj.* Qui a conscience.

conscrit, *subst. m.* Jeune homme appelé sous les drapeaux.

consécration, *subst. f.* Action par laquelle le pain et le vin sont consacrés, lors d'une messe. – *Fig.* Reconnaissance publique.

consécutif, ive, *adj.* **Consécutif** *à* : qui est la conséquence de. – *Plur.* Qui se succèdent immédiatement.

conseil, *subst. m.* Suggestion, avis. – Personne dont on demande l'avis. – Corps chargé de donner son avis, de statuer sur certaines affaires.

conseiller (i), *verbe trans.* Donner un avis à *(qqn)*. – Recommander *(qqn* ou *qqch.)*.

conseiller (ii), ère, *subst.* Personne qui prodigue des conseils. – Membre d'un conseil.

consensus, *subst. m.* Accord entre des personnes.

consentement, *subst. m.* Action de donner son accord. – Accord, décision de ne pas s'opposer à *qqch.*

consentir, *verbe trans.* Accorder, autoriser. – **Consentir** *à* : ne pas s'opposer à, accepter.

conséquence, *subst. f.* Événement entraîné par un autre en vertu d'un lien de causalité.

conséquent, ente, *adj.* Qui obéit à la logique. – *Loc. adv. Par* **conséquent** : ainsi, donc.

conservateur, trice, *adj. et subst.* Qui est hostile au changement politique et social. – *Adj. et subst. masc.* Qui, ajouté aux aliments, en permet la conservation. – *Subst.* **Conservateur** *d'un musée* : celui qui en a la responsabilité.

conservation, *subst. f.* Action de conserver. – État de ce qui est conservé.

conservatoire, *adj. et subst. m. Adj.* Qui préserve des biens, des droits. – *Subst.* Établissement où l'on enseigne la danse, la musique, l'art dramatique.

conserve, *subst. f.* Produit alimentaire conservé dans un récipient fermé hermétiquement.

conserver, *verbe trans.* Maintenir en bon état, préserver de l'altération. – Garder.

conserverie, *subst. f.* Usine de conserves.

considérable, *adj.* Remarquable, imposant.

considération, *subst. f.* Action d'étudier en détail, avec attention. – Motif d'une action. – Estime que l'on a pour *qqn*.

considérer, *verbe trans.* Regarder longtemps et avec attention. – Étudier avec un sens critique. – **Considérer** *que* : estimer que.

consigne, *subst. f.* Ordre donné à *qqn* sur la conduite à tenir. – Interdiction faite à un soldat ou à un élève. – Service où l'on dépose temporairement ses bagages. – Somme d'argent garantissant la restitution d'un emballage.

consigner, *verbe trans.* Priver de sortie. – Mettre (un bagage) à la consigne. – Facturer un emballage. – Rapporter par écrit.

consistance, *subst. f.* État d'un corps du point de vue de sa solidité, de sa cohésion. – *Fig.* Fermeté, sérieux.

consistant, ante, *adj.* Ferme. – Copieux. – Sérieux.

consister, *verbe trans. indir.* **Consister** en, dans : se composer de ; résider en. – Consister *à* + *inf.* : avoir pour caractère essentiel de.

consœur, *voir* **confrère consolation**, *subst. f.* Action de consoler. – Réconfort apporté à *qqn.*

console, *subst. f.* Table étroite que l'on pose contre un mur. – Périphérique d'ordinateur permettant le dialogue avec l'unité centrale.

consoler, *verbe trans.* Apporter du réconfort à.

consolidation, *subst. f.* Action de consolider. – Fait d'être consolidé.

consolider, *verbe trans.* Rendre plus solide, affermir.

consommateur, trice, *subst.* Personne qui achète pour consommer. – Personne qui prend une consommation dans un café. – *Empl. adj. Pays* **consommateur** *de pétrole.*

consommation, *subst. f.* Accomplissement, achèvement (*littér.*). – Action de consommer. – Boisson, dans un café.

consommer, *verbe trans.* Achever (*littér.*). – Utiliser un bien ou un service. – User comme source d'énergie. – Se restaurer de. – *Empl. intrans.* Prendre une consommation.

consonance, *subst. f.* Ressemblance entre les sons finaux de deux ou de plusieurs mots. – Succession de sons.

consonne, *subst. f.* Phonème qui, avec une ou plusieurs voyelles, forme une syllabe.

consortium, *subst. m.* Groupement d'entreprises en vue de réaliser des opérations financières.

conspiration, *subst. f.* Complot, conjuration.

conspirer, *verbe Intrans.* Ourdir un complot. – *Trans. indir.* **Conspirer** *à* : concourir à.

conspuer, *verbe trans.* Huer, vilipender publiquement.

constance, *subst. f.* Stabilité, persévérance. – Qualité de ce qui ne varie pas.

constat, *subst. m.* Procès-verbal d'huissier. – **Constat** *amiable* : déclaration d'accident. – Bilan.

constatation, *subst. f.* Action de constater pour attester. – Fait constaté.

constater, *verbe trans.* Établir, reconnaître la réalité (d'un fait). – Attester, consigner officiellement (*qqch.*).

constellation, *subst. f.* Groupe apparent d'étoiles.

consternation, *subst. f.* Abattement provoqué par un événement pénible.

consterner, *verbe trans.* Plonger (*qqn*) dans la consternation.

constipation, *subst. f.* Difficulté à évacuer les matières fécales.

constituant, ante, *adj. et subst.* Qui entre dans la composition d'un tout. – *L'Assemblée* **constituante** ou *la* **Constituante** : qui établit ou modifie la Constitution d'un État.

constituer, *verbe trans.* Composer (un tout) en réunissant divers éléments. – Composer (un tout) en association avec d'autres éléments. – Être. – Fonder, organiser. – *Pronom. Se* **constituer** *prisonnier* : se livrer.

constitution, *subst. f.* Composition, organisation. – Création, fondation. – État physique d'une personne. – *La* **Constitution** : ensemble des lois fondamentales d'un État.

constitutionnel, elle, *adj.* Relatif à la Constitution. – Conforme à la Constitution.

constructif, ive, *adj.* Qui a le pouvoir de créer, de construire. – Positif, efficace.

construction, *subst. f.* Action de construire ; son résultat. – Édifice construit.

construire, *verbe trans.* Bâtir. – *Fig.* Élaborer.

consul, *subst. m.* Diplomate chargé, à l'étranger, de protéger les ressortissants d'un pays. – *Le Premier* **consul** : Napoléon Bonaparte.

consulat, *subst. m.* Fonction, résidence du consul.

consultation, *subst. f.* Action de consulter. – Examen d'un malade par un médecin.

consulter, *verbe Trans.* Prendre avis auprès de. – Chercher un renseignement dans (un ouvrage). – *Intrans.* Donner des consultations, pour un médecin.

consumer, *verbe trans.* Détruire par le feu. – *Pronom.* Brûler. – *Fig.* Dépérir, s'épuiser.

contact, *subst. m.* Situation dans laquelle deux corps se touchent. – Relation avec autrui.

contacter, *verbe trans.* Entrer en contact avec (*qqn*).

contagieux, ieuse, *adj.* Transmissible par contagion : *Maladie* **contagieuse** ; au *fig.*, qui se communique facilement. – Susceptible de transmettre par contagion : *Un malade* **contagieux.**

contagion, *subst. f.* Transmission d'une maladie par contact. – *Fig.* Propagation.

contamination, *subst. f.* Infection par des germes pathogènes ou par des polluants.

contaminer, *verbe trans.* Altérer la santé (de *qqn*) en transmettant un mal, infecter.

conte, *subst. m.* Récit imaginaire. – Propos peu crédible.

contemplation, *subst. f.* Action de contempler. – Méditation, vision.

contempler, *verbe trans.* Regarder longuement, avec admiration et attention.

contemporain, aine, *adj. et subst.* Qui est de la même époque. – Qui est de notre époque.

contenance, *subst. f.* Quantité qu'un récipient peut recevoir. – Manière de se tenir.

contenant, *subst. m.* Ce qui contient *qqch.*

contenir, *verbe trans.* Avoir une capacité de. – Renfermer ; être composé de. – Retenir : **Contenir** *la foule.* – *Pronom.* Se maîtriser.

content, ente, *adj.* Satisfait, heureux.

contentement, *subst. m.* Action de contenter. – État qui en résulte.

contenter, *verbe trans.* Donner satisfaction à. – *Pronom.* Se satisfaire de ; se borner à.

contentieux, *subst. m.* Litige, contestation.

contenu, *subst. m.* Ce que contient *qqch.* : *Le* **contenu** *d'un récipient, d'un discours.*

conter, *verbe trans.* Narrer, raconter.

contestataire, *adj. et subst.* Qui conteste, remet en cause.

contester, *verbe trans.* Refuser d'admettre. – Nier. – *Empl. abs.* Discuter, chicaner.

contexte, *subst. m.* Environnement, situation.

contigu, uë, *adj.* Qui est proche de, attenant à.

continent, *subst. m.* Grande étendue de terre émergée : *Le* **continent** *africain.*

continental, ale, aux, *adj.* Relatif à un continent.

contingent, ente, *adj. et subst. m. Adj.* Qui peut se produire ou non. – *Subst.* Ensemble des appelés au service militaire pour une même période. – Part. – Quantité limitée.

continu, ue, *adj.* Qui est ininterrompu, dans le temps ou dans l'espace.

continuation, *subst. f.* Action de continuer. – Suite.

continuel, elle, *adj.* Qui ne s'interrompt pas. – Qui revient constamment.

continuer, *verbe Trans.* Donner une suite à, ne pas interrompre. – **Continuer** *de, à* : persister à. – *Intrans.* Durer.

continuité, *subst. f.* Caractère de ce qui est continu. – *Solution de* **continuité** : discontinuité.

contondant, ante, *adj.* Qui provoque des contusions, sans couper : *Arme* **contondante**.

contorsion, *subst. f.* Distorsion des membres ou du corps, mouvement acrobatique.

contour, *subst. m.* Pourtour, limite d'une chose. – Courbe sinueuse. – Aspect général.

contourner, *verbe trans.* Tourner autour de, passer à côté de, pour éviter. – *Fig.* **Contourner** *la loi*.

contraceptif, ive, *adj. et subst. m.* Qui permet, qui concerne la contraception.

contraception, *subst. f.* Ensemble des méthodes qui empêchent la fécondation.

contracter (i), *verbe trans.* Diminuer le volume, la longueur de (*qqch.*). – Crisper, serrer.

contracter (ii), *verbe trans.* S'engager par un contrat. – *Fig.* Attraper : **Contracter** *une maladie*.

contraction, *subst. f.* Action de contracter (I) ; fait d'être contracté. – Crispation.

contractuel, elle, *adj. et subst.* *Adj.* Stipulé par un contrat. – *Subst.* Agent public non fonctionnaire ; auxiliaire de police.

contradiction, *subst. f.* Action de contredire. – Fait de se contredire.

contradictoire, *adj.* Qui contredit. – *Plur.* Qui se contredisent, en parlant de plusieurs choses.

contraindre, *verbe trans.* Forcer à agir contre son gré.

contrainte, *subst. f.* Pression, menace exercée sur *qqn*. – Obligation.

contraire, *adj. et subst. m.* Opposé, inverse. – *Adj.* Qui est nuisible à.

contrarier, *verbe trans.* Gêner (*qqch.* ou *qqn*) en s'y opposant. – Fâcher, irriter.

contrariété, *subst. f.* Déplaisir, dépit.

contraste, *subst. m.* Opposition de deux choses. – Juxtaposition qui met en valeur.

contraster, *verbe Intrans.* Former un contraste (avec *qqch.*). – *Trans.* Faire ressortir par contraste.

contrat, *subst. m.* Engagement liant plusieurs personnes. – Le document qui l'atteste.

contravention, *subst. f.* Infraction à une loi ; la sanction pécuniaire qui en résulte. – Procès-verbal dressé pour cette infraction.

contre, *prép.* Au contact de. – Opposé à. – Dans le sens contraire de. – En échange de.

contre-attaque, *subst. f.* Action des troupes attaquées qui passent à l'offensive.

contrebande, *subst. f.* Commerce illégal de certaines marchandises. – Ces marchandises.

contrebandier, ière, *subst.* Personne qui se livre à la contrebande.

contrebas (en), *loc. adv.* À un niveau inférieur.

contrebasse, *subst. f.* Instrument de musique à cordes, le plus grave de la famille des violons.

contrecarrer, *verbe trans.* Gêner, s'opposer à (*qqn*) ; enrayer (un processus).

contrecœur (à), *loc. adv.* Avec réticence.

contrecoup, *subst. m.* Conséquence indirecte d'une action, d'un événement.

contre-courant, *subst. m.* Courant qui va en sens inverse du courant principal. – *Fig. Être à* **contre-courant** : à l'opposé des habitudes, de la mode.

contredire, *verbe trans.* Affirmer le contraire de ce que dit qqn. – Être en contradiction avec.

contrée, *subst. f.* Région, unité géographique.

contrefaçon, *subst. f.* Faux, copie.

contrefaire, *verbe trans.* Copier, imiter. – Simuler. – Déguiser, modifier pour tromper.

contrefort, *subst. m.* Pilier en saillie servant à renforcer un mur. – Chaîne de montagnes de moindre altitude bordant un massif principal.

contre-indication, *subst. f.* Circonstance qui interdit un traitement médical.

contre-jour, *subst. m.* Éclairage d'un objet qui reçoit la lumière du côté opposé à celui du regard.

contremaître, esse, *subst.* Personne responsable d'une équipe d'ouvriers.

contrepartie, *subst. f.* Ce qui compense, contrebalance. – Sentiment, opinion contraire.

contrepèterie, *subst. f.* Permutation comique de lettres ou de syllabes dans une phrase.

contre-pied, *subst. m.* Position, avis contraire.

contreplaqué, *subst. m.* Matériau formé de minces plaques de bois collées ensemble.

contrepoids, *subst. m.* Poids qui fait équilibre à un autre poids, à une force.

contrer, *verbe trans.* S'opposer à.

contresens, *subst. m.* Interprétation d'un mot, d'un texte, contraire à son sens véritable. – *À* **contresens** : dans le sens contraire au sens normal.

contretemps, *subst. m.* Incident inopiné qui vient contrarier l'exécution d'un projet.

contrevenir, *verbe trans. indir.* **Contrevenir** *à une loi, à une règle* : y désobéir, y déroger.

contrevérité, *subst. f.* Affirmation qui est en contradiction avec la vérité.

contribuable, *subst.* Personne soumise à l'impôt.

contribuer, *verbe trans. indir.* **Contribuer** *à l'exécution d'une œuvre, d'un projet* : y prendre part. – Participer financièrement à.

contribution, *subst. f.* Participation à une dépense, à une œuvre. – Impôt.

contrit, ite, *adj.* Qui se repent de ses fautes.

contrition, *subst. f.* Repentir sincère d'avoir péché.

contrôle, *subst. m.* Vérification, surveillance. – Lieu ou service de surveillance. – Domination, maîtrise.

contrôler, *verbe trans.* Vérifier, examiner. – Exercer une emprise sur, dominer.

contrôleur, euse, *subst.* Personne chargée d'effectuer un contrôle.

contrordre, *subst. m.* Ordre annulant celui donné précédemment.

controverse, *subst. f.* Débat de fond nourri d'arguments contradictoires.

contumace, *subst. f.* Absence du prévenu lors de son procès.

contusion, *subst. f.* Ecchymose, lésion sans déchirure de la peau, produite par un choc.

convaincant, ante, *adj.* Apte à convaincre.

convaincre, *verbe trans.* Faire admettre (à *qqn*) la vérité ou la nécessité de *qqch.*, persuader. – **Convaincre** *qqn d'un crime* : donner des preuves de sa culpabilité.

convalescence, *subst. f.* Rétablissement progressif à la suite d'une maladie.

convalescent, ente, *adj. et subst.* Qui est en convalescence.

convecteur, *subst. m.* Appareil électrique de chauffage dans lequel la chaleur est transportée par un fluide.

convenable, *adj.* Approprié. – Conforme aux convenances sociales.

convenance, *subst. f.* État de ce qui est approprié. – Commodité ; gré. – *Plur.* Bienséance.

convenir, *verbe trans. indir.* **Convenir à** (*auxil.* « avoir ») : être en accord, être compatible avec. – **Convenir de** (*auxil.* « être ») : s'accorder sur. – Admettre la vérité de. – *Impers. Il* **convient** *de* : il est utile de.

convention, *subst. f.* Accord, protocole, pacte. – Ce qui résulte d'un accord, d'un consensus.

conventionnel, elle, *adj.* Qui découle d'une convention. – Conforme, fidèle aux normes.

convenu, ue, *adj.* Qui a fait l'objet d'un accord.

convergence, *subst. f.* Action, fait de converger.

convergent, ente, *adj.* Qui converge.

converger, *verbe intrans.* Aller dans une même direction. – *Fig.* Tendre vers un même résultat.

conversation, *subst. f.* Entretien où l'on échange des propos sur des sujets variés.

converser, *verbe intrans.* S'entretenir.

conversion, *subst. f.* Action de convertir (*qqn* ou *qqch.*), de se convertir. – Changement, transformation.

convertible, *adj.* Dont on peut modifier l'usage ou la nature.

convertir, *verbe trans.* Amener (*qqn*) à changer de religion, d'opinion. – Transformer une chose en une autre ; mettre sous une autre forme.

convexe, *adj.* Bombé vers l'extérieur.

conviction, *subst. f.* Opinion intime, certitude.

convier, *verbe trans.* Inviter. – *Fig.* Engager à.

convive, *subst.* Personne invitée à un repas.

convivialité, *subst. f.* Ensemble de rapports chaleureux entre des personnes.

convocation, *subst. f.* Action de convoquer. – Avis par lequel on convoque.

convoi, *subst. m.* Suite de véhicules se déplaçant en colonne vers une même destination.

convoiter, *verbe trans.* Désirer avidement.

convoitise, *subst. f.* Désir intense de possession.

convoquer, *verbe trans.* Appeler à une réunion. – Faire venir de manière impérative.

convoyer, *verbe trans.* Accompagner pour protéger. – Transporter.

convulsif, ive, *adj.* Qui se manifeste par des convulsions.

convulsion, *subst. f.* Contraction spasmodique et involontaire des muscles.

coopérant, ante, *subst.* Personne qui vit et travaille à l'étranger dans le cadre de la coopération. – *Masc.* Jeune homme qui effectue son service militaire en travaillant à l'étranger.

coopératif, ive, *adj.* Soucieux de s'associer à un effort commun. – Qui est fondé sur la coopération, la solidarité.

coopération, *subst. f.* Action de joindre ses efforts à une cause commune. – Politique d'aide aux pays en voie de développement.

coopérative, *subst. f.* Entreprise dont les membres sont associés à part égale à la gestion et au partage des profits.

coopérer, *verbe trans. indir.* Agir, travailler en coopération avec d'autres personnes. – Participer à.

cooptation, *subst. f.* Nomination par les membres d'une assemblée d'un nouveau membre.

coordination, *subst. f.* Action de coordonner. – Mise en ordre des parties d'un tout.

coordonnée, *subst. f. Géom.* Chacun des paramètres déterminant la position d'un point dans l'espace. – *Plur.* Renseignements (adresse, téléphone) permettant de joindre *qqn* (*fam.*).

coordonner, *verbe trans.* Agencer des éléments afin d'en assurer la cohérence.

copain, ine, *subst.* Ami, camarade (*fam.*).

copeau, *subst. m.* Déchet de bois ou de métal produit par un instrument tranchant.

copie, *subst. f.* Reproduction d'un document, d'une œuvre ; imitation. – Devoir rédigé par un élève.

copier, *verbe trans.* Reproduire, faire une copie. – Imiter ; plagier. – **Copier** (*sur qqn*) : tricher en regardant sa copie, en s'inspirant de ses notes.

copieux, ieuse, *adj.* Consistant, abondant.

copropriété, *subst. f.* Propriété dont plusieurs personnes détiennent chacune une partie.

copuler, *verbe intrans.* S'unir sexuellement (*fam.*).

coq, *subst. m.* Mâle de la poule et de différentes autres espèces d'oiseaux.

coque, *subst. f.* Enveloppe externe rigide d'un œuf, de certaines graines. – Coquillage bivalve comestible. – Ensemble de la membrure et du revêtement d'un navire.

coquelicot, *subst. m.* Fleur rouge qui pousse dans les champs.

coqueluche, *subst. f.* Maladie infectieuse provoquant de violentes quintes de toux. – *Fig. Être la* **coqueluche** *de* : susciter l'engouement de.

coquet, ette, *adj. et subst.* Qui est soucieux de sa mise, élégant. – *Adj.* Qui a un aspect soigné, agréable : *Appartement* **coquet**.

coquetier, *subst. m.* Petite coupe dans laquelle on sert un œuf cuit dans sa coque.

coquetterie, *subst. f.* Désir de plaire. – Caractère de ce qui est coquet.

coquillage, *subst. m.* Mollusque pourvu d'une coquille. – La coquille elle-même.

coquille, *subst. f.* Enveloppe calcaire d'un œuf, de certains mollusques. – Enveloppe ligneuse de certains fruits (noix, noisette).

coquin, ine, *adj. et subst.* Qui est grivois, espiègle.

cor (i), *subst. m.* Instrument de musique à vent. – *Plur.* Ramifications des bois du cerf.

cor (ii), *subst. m.* Induration douloureuse sur les orteils, due au frottement de l'épiderme.

corail, aux, *subst. m.* Animal marin dont le squelette calcaire, appelé polypier, peut être blanc ou rouge.

corallien, ienne, *adj.* Formé de coraux.

corbeau, *subst. m.* Oiseau passereau noir ou gris.

corbeille, *subst. f.* Sorte de panier léger et ouvert, *gén.* sans anse. – Son contenu.

corbillard, *subst. m.* Voiture mortuaire.

corde, *subst. f.* Assemblage de fils textiles tordus ou tressés, servant à lier, à tendre, à suspendre, à tirer. – Fil d'acier ou de boyau : *Instruments à cordes*. – *Anat.* **Cordes** *vocales* : replis membraneux situés de chaque côté du larynx, qui vibrent lors de l'émission d'un son.

cordeau, *subst. m.* Petite corde que l'on tend pour obtenir un tracé rectiligne.

cordée, *subst. f.* Chaîne formée par des alpinistes pendant une ascension.

cordial, ale, aux, *adj.* Qui fait preuve de cordialité.

cordialité, *subst. f.* Comportement chaleureux, bienveillance amicale.

cordon, *subst. m.* Petite corde. – Série d'éléments, de personnes alignés : **Cordon** *de police*. – *Anat.* **Cordon** *ombilical* : reliant le fœtus au placenta.

cordon-bleu, *subst. m.* Cuisinière très habile.

cordonnier, ière, *subst.* Artisan qui répare et entretien les chaussures.

coriace, *adj.* Dur à mâcher. – *Fig.* Obstiné, tenace.

coriandre, *subst. f.* Plante méditerranéenne aromatique utilisée comme condiment.

corinthien, ienne, *adj. et subst. m.* Se dit d'un ordre architectural grec caractérisé par des chapiteaux ornés de feuilles d'acanthe.

cormoran, *subst. m.* Oiseau palmipède côtier, excellent pêcheur.

cornac, *subst. m.* Personne chargée de soigner et de conduire un éléphant.

corne, *subst. f.* Excroissance dure et pointue située sur la tête de certains mammifères. – Substance faite de kératine, qui forme les parties dures de l'épiderme (les ongles, par *ex.*). – Instrument sonore fait avec une **corne** d'animal.

cornée, *subst. f.* Partie antérieure transparente du globe oculaire.

corneille, *subst. f.* Oiseau proche du corbeau, mais plus petit et au plumage terne.

cornélien, ienne, *adj.* De Corneille. – Qui oppose devoir et sentiment.

cornemuse, *subst. f.* Instrument de musique à vent formé d'une outre d'où sortent plusieurs tuyaux.

corner, *verbe Intrans.* Sonner d'une corne. – *Trans.* Plier un coin : **Corner** *une page*.

cornet, *subst. m.* Récipient, emballage en forme de cône : **Cornet** *de frites, de glace*.

corniche, *subst. f.* Partie supérieure saillante d'un édifice, d'une armoire. – Escarpement.

cornichon, *subst. m.* Petit concombre cueilli avant maturité pour être confit dans le vinaigre.

corollaire, *subst. m.* Conséquence.

corolle, *subst. f.* Ensemble des pétales d'une fleur.

coron, *subst. m.* Groupe de maisons de mineurs, en France et en Belgique.

coronaire, *adj. et subst. f.* Se dit de chacune des deux artères qui irriguent le cœur.

corporation, *subst. f.* Ensemble de personnes exerçant une même profession.

corporatisme, *subst. m.* Manière d'agir ou de penser fondée sur la défense des intérêts d'une corporation.

corporel, elle, *adj.* Relatif au corps.

corps, *subst. m.* Partie physique d'un homme, d'un animal ; le tronc (par *oppos.* aux membres). – Partie principale d'une chose : **Corps** *d'un bâtiment*. – Ensemble de personnes appartenant à une même profession : *Le* **corps** *médical*. – Matière, objet matériel : **Corps** *céleste* ; **Corps** *solide, liquide*. – *Prendre* **corps** : prendre forme.

corpulence, *subst. f.* Ampleur du corps humain.

correct, ecte, *adj.* Sans faute, juste. – Convenable. – Honnête.

correcteur, trice, *adj. et subst. Subst.* Personne qui corrige des épreuves d'imprimerie, des copies d'examen. – *Adj.* Qui corrige.

correctif, ive, *adj. et subst. m.* Qui corrige, sanctionne ou améliore. – Qui rectifie.

correction, *subst. f.* Action de corriger. – Sanction. – Qualité de ce qui est correct.

correctionnel, elle, *adj. et subst. f. Adj.* Relatif aux délits (et non aux crimes). – *Subst.* Tribunal qui juge les délits.

corrélation, *subst. f.* Relation d'interdépendance entre deux objets, deux événements.

correspondance, *subst. f.* Rapport de conformité, d'analogie. – Relation épistolaire ; les lettres écrites. – Liaison entre deux moyens de transport ; le véhicule assurant cette liaison.

correspondre, *verbe Trans. indir.* **Correspondre** *à* : Être en rapport de conformité avec. – *Intrans.* Être en relation épistolaire.

corrida, *subst. f.* Spectacle opposant, dans une arène, un matador à un taureau.

corridor, *subst. m.* Couloir. – Passage étroit.

corriger, *verbe trans.* Relever les fautes (dans un travail écrit). – Rectifier pour améliorer. – Sanctionner.

corroborer, *verbe trans.* Étayer, confirmer, servir de preuve à.

corrompre, *verbe trans.* Altérer, décomposer. – Dépraver, dévergonder. – Soudoyer.

corrosif, ive, *adj.* Qui attaque, qui use.

corrosion, *subst. f.* Dégradation, usure progressive par effet chimique.

corruption, *subst. f.* Action de corrompre. – Fait d'être corrompu.

corsage, *subst. m.* Vêtement féminin enserrant le buste.

corsaire, *subst. m.* Navire qui capturait les navires marchands ennemis avec l'accord de son gouvernement. – Capitaine, marin d'un tel navire.

corsé, ée, *adj.* Relevé, fort. – *Fig.* Ardu. – Grivois.

corser, *verbe trans.* Donner du corps à, renforcer, relever. – *Pronom.* Se compliquer (*fam.*).

corset, *subst. m.* Dessous féminin. – Appareil corrigeant les déviations vertébrales.

cortège, *subst. m.* Rassemblement autour d'une personne pour lui faire escorte.

cortex, *subst. m.* Partie externe de certains organes ; écorce. – Substance grise du cerveau.

cortisone, *subst. f.* Hormone du cortex surrénal ayant une action anti-inflammatoire.

corvée, *subst. f.* Travail ennuyeux ou pénible auquel on ne peut échapper.

coryza, *subst. m.* Inflammation des fosses nasales, également appelée rhume de cerveau.

cosaque, *subst. m.* Cavalier de l'armée russe.

cosinus, *subst. m.* Rapport trigonométrique.

cosmétique, *adj. et subst. m.* Se dit de tout produit de soins du corps.

cosmique, *adj.* Relatif au cosmos, à l'Univers.

cosmologie, *subst. f.* Science de l'Univers et des lois qui le régissent.

cosmonaute, *subst.* Personne qui voyage à bord d'un véhicule spatial russe.

cosmopolite, *adj.* Composé de personnes issues de pays différents.

cosmos, *subst. m.* L'Univers, considéré comme une totalité.

cosse, *subst. f.* Enveloppe de certains légumes (petits pois, haricots, etc.).

cossu, ue, *adj.* Fortuné. – Qui laisse apparaître des signes de richesse.

costaud, aude, *adj. et subst.* Fort (*fam.*).

costume, *subst. m.* Vêtement typique d'un pays, d'une région. – Vêtement de ville masculin. – Habillement de théâtre.

costumé, ée, *adj.* Vêtu. – Déguisé.

cote, *subst. f.* Valeur numérique servant à déterminer, à caractériser un élément dans un ensemble. – Estimation.

côte, *subst. f.* Chacun des os courbes et allongés situés entre la colonne vertébrale et le sternum. – Partie allongée et saillante. – Pente d'une colline ; route en pente. – Partie de terre bordant la mer.

côté, *subst. m.* Partie latérale. – Limite extérieure. – Aspect, manière dont se présente *qqch*. – *Loc. adv. À* **côté** : auprès (de), tout près ; *De* **côté** : à l'écart ; en réserve.

coteau, *subst. m.* Petite butte. – Côte plantée de vigne.

côtelé, ée, *adj.* Qui dessine des côtes, des saillies rectilignes : *Velours* **côtelé**.

côtelette, *subst. f.* Côte d'un animal de taille moyenne (mouton, porc), vendue en boucherie.

coter, *verbe trans.* Evaluer, fixer la cote de.

côtier, ière, *adj.* Relatif aux côtes, au littoral.

cotisation, *subst. f.* Part que paie chaque membre d'un groupe à une caisse commune.

cotiser, *verbe intrans.* Payer sa part ; verser régulièrement une somme à un organisme. – *Pronom.* Se mettre à plusieurs pour réunir une somme d'argent.

coton, *subst. m.* Duvet entourant les graines du cotonnier, qui fournit une matière textile.

cotonnade, *subst. f.* Étoffe de coton.

cotonneux, euse, *adj.* Qui a les caractéristiques du coton. – Qui évoque le coton.

côtoyer, *verbe trans.* Longer. – Être en contact avec.

cottage, *subst. m.* Petite demeure typique des campagnes britanniques.

cotte, *subst. f.* **Cotte** de maille : armure souple à mailles métalliques, portée au Moyen Âge.

cou, *subst. m.* Partie du corps de certains vertébrés qui unit la tête au tronc.

couac, *subst. m.* Son discordant.

couardise, *subst. f.* Manque de hardiesse, lâcheté.

couchage, *subst. m.* Action de coucher, de se coucher. – Matériel utilisé pour se coucher.

couchant, ante, *adj. et subst. m. Adj.* Qui se couche. – *Subst.* Endroit, moment où le soleil se couche.

couche, *subst. f.* Lit. – Protection absorbante pour les bébés. – Matière qui recouvre une surface. – Strate. – Catégorie, classe sociale.

coucher (i), *verbe Trans.* Allonger. – Incliner. – Mettre au lit. – *Intrans.* Passer la nuit (quelque part).

coucher (ii), *subst. m.* Action de se mettre au lit ; hébergement pour la nuit. – Moment où un astre disparaît à l'horizon.

couchette, *subst. f.* Lit, dans un train, sur un bateau.

couci-couça, *loc. adv.* Comme ci, comme ça, à peu près (*fam.*).

coucou, *subst. m. et interj. Subst.* Oiseau grimpeur. – Horloge dont la sonnerie imite le cri du **coucou**. – *Interj.* Cri par lequel on signale son arrivée.

coude, *subst. m.* Articulation entre le bras et l'avant-bras. – Tournant, angle.

coudé, ée, *adj.* Qui a la forme d'un coude.

cou-de-pied, *subst. m.* Partie supérieure du pied.

coudre, *verbe trans.* Relier, fixer par des points au moyen d'un fil et d'une aiguille.

couenne, *subst. f.* Peau du porc utilisée dans certaines préparations culinaires.

couette (i), *subst. f.* Grand édredon utilisé comme couverture.

couette (ii), *subst. f.* Touffe de cheveux retenue par un lien sur le côté de la tête.

couffin, *subst. m.* Grand panier servant de berceau.

couiner, *verbe intrans.* Pousser son cri (couinement), en parlant du lièvre, du lapin. – Pousser de petits cris. – *Fig.* Grincer.

coulée, *subst. f.* Action de fondre une matière dans un moule ; son résultat. – Masse de matière liquide ou en fusion qui s'écoule.

couler, *verbe Intrans.* Se déplacer, pour un liquide. – S'échapper, s'épancher. – Se noyer. – *Trans.* Verser (une matière liquide) dans un moule. – Faire sombrer ; au *fig.*, ruiner. – *Pronom.* Se glisser.

couleur, *subst. f.* Impression produite sur la rétine par la lumière ; ce qui n'est ni noir, ni blanc, ni gris. – Chaque série de cartes (trèfle, carreau, cœur et pique). – *Plur.* Signe distinctif d'un groupe ; drapeau.

couleuvre, *subst. f.* Serpent non venimeux très répandu, notamment en France.

coulis, *subst. m.* Sauce obtenue par concentration d'aliments cuits et passés.

coulisse, *subst. f.* Glissière, rainure dans laquelle circule une pièce mobile. – L'arrière-scène d'un théâtre (*gén.* au *plur.*).

coulisser, *verbe Trans.* Garnir de coulisses. – *Intrans.* Glisser le long d'une coulisse.

couloir, *subst. m.* Passage long et étroit qui mène d'un endroit à un autre. – *Géogr.* Dépression, ravin.

coup, *subst. m.* Choc brutal subi au contact d'un corps en mouvement ; sa trace ; le bruit qui accompagne ce choc. – *Fig.* Choc moral. – Détonation d'une arme à feu : **Coup** *de pistolet.* – Manifestation de la nature : **Coup** *de tonnerre, de soleil.* – Mouvement vif : **Coup** *de coude.* – Action rapide et subite : **Coup** *de tête.*

coupable, *adj. et subst.* Qui a commis une faute, un délit, un crime.

coupe (i), *subst. f.* Récipient large et peu profond, avec ou sans pied ; verre. – Trophée d'une compétition sportive. – Compétition sportive.

coupe (ii), *subst. f.* Action de couper ; son résultat. – Façon dont *qqch.* est coupé. – Dessin d'un plan coupé.

coupé, *subst. m.* Voiture à deux portes.

coupe-circuit, *subst. m.* Dispositif d'un circuit électrique qui coupe le courant quand survient une anomalie.

coupe-feu, *subst. m. inv.* Espace, obstacle empêchant un incendie de se propager.

coupe-gorge, *subst. m. inv.* Lieu mal famé, dangereux.

coupe-papier, *subst. m.* Instrument effilé servant à couper le papier.

couper, *verbe Trans.* Séparer avec un instrument tranchant ; tailler. – Blesser, entailler. – Interrompre : **Couper** le gaz. – Censurer. – Traverser, croiser. – Ajouter de l'eau à : **Couper** *du vin.* – *Intrans.* Être tranchant. – Prendre un raccourci. – *Pronom.* Se blesser. – Se contredire. – S'isoler.

couperet, *subst. m.* Couteau à viande. – Lame de la guillotine.

couperose, *subst. f.* Rougeur sur le visage.

coupe-vent, *subst. m. inv.* Vêtement qui ne laisse pas passer le vent.

couple, *subst. m.* Union de deux êtres.

couplet, *subst. m.* Strophe d'une chanson.

coupole, *subst. f.* Voûte d'un dôme.

coupon, *subst. m.* Reste d'un métrage d'étoffe. – Ticket qui atteste un paiement.

coupure, *subst. f.* Action de se couper, de couper ; entaille. – Suppression ; interruption.

cour, *subst. f.* Espace découvert ceint de bâtiments ou de murs. – Résidence et entourage d'un souverain. – *Faire la* **cour** : chercher à plaire. – Tribunal où l'on rend la justice ; ses magistrats.

courage, *subst. m.* Force morale face au danger, aux difficultés.

couramment, *adv.* Avec aisance. – Fréquemment, habituellement.

courant (i), *ante, adj.* Dont on a l'habitude. – *Eau* **courante** : distribuée à l'intérieur d'une habitation. – En cours : *Le mois* **courant**.

courant (ii), *subst. m.* Mouvement d'un fluide dans une direction. – Déplacement d'électricité. – *Fig.* Tendance générale. – *Être au* **courant** : être informé.

courbature, *subst. f.* Douleur musculaire suivant un effort ou annonçant la fièvre.

courbe, *adj. et subst. f. Adj.* Arrondi, arqué. – *Subst.* Ligne, mouvement arrondis. – Graphique représentant les variations d'un phénomène : **Courbe** *de température.*

courber, *verbe trans.* Rendre courbe. – Pencher.

courbette, *subst. f.* Révérence obséquieuse.

courbure, *subst. f.* Forme courbe d'une ligne, d'un objet.

coureur, *euse, subst.* Personne qui pratique la course. – Amateur d'aventures galantes.

courge, *subst. f.* Plante potagère aux fruits volumineux (citrouille, courgette, etc.).

courgette, *subst. f.* Courge à fruit allongé. – Ce fruit, consommé comme légume.

courir, *verbe Intrans.* Se mouvoir à une allure beaucoup plus rapide que le pas. – Se dépêcher. – Se propager ; s'écouler. – *Sp.* Participer à une course. – *Trans. Sp.* Disputer (une épreuve de vitesse). – *Fig.* Fréquenter habituellement :

Courir *les magasins.* – Rechercher : **Courir** *les honneurs.* – **Courir** *un risque* : s'y exposer.

couronne, *subst. f.* Coiffe ronde, richement ornée, des souverains ; guirlande végétale ceignant la tête en signe de distinction. – Objet circulaire. – Prothèse dentaire.

couronnement, *subst. m.* Action de couronner. – Cérémonie au cours de laquelle on couronne un souverain. – *Fig.* Achèvement.

couronner, *verbe trans.* Coiffer d'une couronne. – Surmonter. – *Fig.* Parfaire, achever.

courrier, *subst. m.* Ensemble des lettres et des paquets acheminés par la poste. – Correspondance.

courroie, *subst. f.* Bande de matière souple servant à lier ou à transmettre un mouvement.

courroucer, *verbe trans.* Fâcher profondément.

courroux, *subst. m.* Fureur d'une personne offensée.

cours, *subst. m.* Mouvement d'une eau à partir de sa source ; longueur d'un fleuve, d'une rivière, d'un ruisseau. – Écoulement du temps. – Enseignement d'une matière ; établissement scolaire. – Prix de négociation d'une valeur. – Large avenue.

course, *subst. f.* Action de courir. – Compétition sportive de vitesse. – Sortie dans un but précis ; au *plur.*, emplettes. – *Fig.* Lutte pour atteindre un objectif. – *Plur.* Compétitions hippiques.

coursier, *ière, subst.* Employé transportant du courrier en ville, *spéc.* pour des entreprises.

coursive, *subst. f.* Couloir étroit, dans un navire.

court (i), *courte, adj. et adv.* De petite longueur. – De durée brève. – *Être à* **court** *de* : être dépourvu de.

court (ii), *subst. m.* Terrain de tennis.

court-bouillon, *subst. m.* Bouillon dans lequel on cuit du poisson ou de la viande.

court-circuit, *subst. m.* Incident sur un circuit électrique entraînant une rupture de courant.

courtier, *ière, subst.* Agent servant d'intermédiaire dans des transactions commerciales.

courtisan, *subst. m.* Homme attaché à la cour d'un monarque. – Homme qui cherche à plaire par intérêt.

courtisane, *subst. f.* Mondaine entretenue.

courtiser, *verbe trans.* Flatter par intérêt. – Faire la cour à (une femme).

court(-)métrage, *subst. m.* Film qui dure *gén.* moins d'une demi-heure.

courtois, *oise, adj.* D'une politesse raffinée.

courtoisie, *subst. f.* Civilité raffinée.

couscous, *subst. m.* Plat complet d'Afrique du Nord, à base de semoule de blé et de ragoût.

cousin (i), *ine, subst.* Descendant, ou son conjoint, d'un oncle, d'une tante.

cousin (ii), *subst. m.* Variété de moustique.

coussin, *subst. m.* Enveloppe de tissu garnie de bourre, servant de siège ou d'ornement.

coût, *subst. m.* Valeur d'une chose. – Prix de revient d'un produit.

coûtant, *adj. m. Prix* **coûtant** : prix équivalent au coût de fabrication.

couteau, *subst. m.* Instrument tranchant formé d'une lame et d'un manche. – Mollusque bivalve des sables côtiers.

coutellerie, *subst. f.* Fabrication des couteaux. – Lieu où ils sont fabriqués ou vendus.

coûter, *verbe Intrans.* Représenter une certaine dépense. – *Fig.* Être pénible. – *Trans.* Occasionner (*qqch.* de pénible).

coutume, *subst. f.* Manière de vivre fixée par l'usage, la tradition. – Habitude.

coutumier, ière, *adj.* Qui relève de l'habitude.

couture, *subst. f.* Action, art de coudre. – Assemblage de tissus cousus. – *Haute* **couture** : ensemble des grands couturiers.

couturier, ière, *subst.* Ouvrier dont le métier est de coudre. – *Masc.* Créateur dirigeant une maison de couture.

couvée, *subst. f.* Ensemble des œufs couvés par un oiseau. – Nichée.

couvent, *subst. m.* Maison religieuse.

couver, *verbe Trans.* Pour un oiseau, maintenir ses œufs au chaud jusqu'à éclosion. – *Fig.* Protéger à l'excès. – Porter en germe : **Couver** *une maladie.* – *Intrans.* Être latent.

couvercle, *subst. m.* Pièce fermant un récipient.

couvert (i), erte, *adj.* Pourvu d'un couvercle, d'un toit. – Vêtu. – *Ciel* **couvert** : nuageux.

couvert (ii), *subst. m.* Ce qui couvre : *À* **couvert**, à l'abri. – Ce dont on couvre la table pour le repas ; au *plur.*, cuillères, fourchettes, couteaux.

couverture, *subst. f.* Pièce d'étoffe, *gén.* de laine, destinée à tenir chaud. – Surface extérieure d'un toit. – Ce qui entoure et protège un livre, un cahier. – *Fig.* Protection : **Couverture** *sociale.*

couveuse, *subst. f.* Femelle d'oiseau qui couve. – Appareil à couver les œufs. – Appareil où sont placés les nouveau-nés prématurés.

couvre-feu, *subst. m.* Interdiction de sortir en dehors de certaines heures.

couvreur, *subst. m.* Artisan spécialiste des toitures.

couvrir, *verbe trans.* Mettre sur, pour protéger, fermer, cacher. – Vêtir. – Être répandu sur. – Parcourir. – Dominer, étouffer : **Couvrir** *un bruit.* – Garantir, protéger (*qqn*). – *Pronom.* S'habiller chaudement. – Se remplir (de).

cow-boy, *subst. m.* Gardien de troupeaux de bovins, dans les ranchs américains.

coyote, *subst. m.* Mammifère carnivore d'Amérique du Nord, proche du chacal.

crabe, *subst. m.* Crustacé portant *gén.* une paire de grosses pinces.

crachat, *subst. m.* Mucosité rejetée par la bouche.

cracher, *verbe Intrans.* Expectorer des crachats ; éclabousser. – *Trans.* Rejeter (*qqch.*) par la bouche.

crachin, *subst. m.* Pluie fine et persistante.

crack, *subst. m.* Champion (*fam.*).

craie, *subst. f.* Roche calcaire blanche, friable. – Bâton fait de cette roche, servant à écrire au tableau, sur un tissu, etc.

craindre, *verbe trans.* Éprouver de la crainte devant (*qqch.* ou *qqn*). – Risquer d'être affecté par : **Craindre** *le gel.*

crainte, *subst. f.* Sentiment d'inquiétude, de peur.

craintif, ive, *adj.* Porté à la crainte.

cramoisi, ie, *adj.* De couleur rouge sombre.

crampe, *subst. f.* Contraction musculaire subite et douloureuse.

crampon, *subst. m.* Crochet métallique. – Élément fixé sous la chaussure pour en améliorer l'adhérence.

cramponner, *verbe trans.* Fixer par un crampon. – *Pronom.* S'accrocher avec force.

cran, *subst. m.* Entaille faite dans un corps dur pour qu'un élément vienne y buter. – Ondulation des cheveux. – *Fam.* Courage. – *Être à* **cran** : être exaspéré.

crâne, *subst. m.* Boîte osseuse contenant le cerveau. – La tête.

crâner, *verbe intrans. Fam.* Se donner un air brave. – Manifester de la vanité.

crapaud, *subst. m.* Amphibien insectivore, à peau pustuleuse. – Défaut à l'intérieur d'un diamant.

crapule, *subst. f.* Individu malhonnête.

craqueler, *verbe trans.* Faire des craquelures sur. – *Pronom.* Se fendiller.

craquelure, *subst. f.* Fendillement d'une surface.

craquement, *subst. m.* Bruit sec de *qqch.* qui craque.

craquer, *verbe Intrans.* Produire un bruit sec. – Se rompre. – *Fig.* S'effondrer moralement ; ne pas résister. – *Trans.* Faire céder (*qqch.*).

crash, *subst. m.* Écrasement au sol d'un avion.

crasse, *subst. f.* Couche de saleté. – Mauvais tour (*fam.*).

crasseux, euse, *adj. et subst.* Qui est couvert de crasse.

cratère, *subst. m.* Orifice d'un volcan. – Dépression due à l'impact d'une bombe, d'une météorite.

cravache, *subst. f.* Baguette souple des cavaliers.

cravacher, *verbe Trans.* Frapper avec une cravache. – *Intrans.* Travailler dur (*fam.*).

cravate, *subst. f.* Bande d'étoffe nouée autour du col d'une chemise d'homme.

crawl, *subst. m.* Nage ventrale rapide à mouvements alternés des bras et des jambes.

crayeux, euse, *adj.* Qui contient de la craie. – Qui a l'aspect de la craie.

crayon, *subst. m.* Mine gainée de bois servant à écrire ou à dessiner.

crayonner, *verbe trans.* Dessiner à la hâte au crayon.

créance, *subst. f.* Confiance accordée. – Droit d'exiger le paiement d'une dette ; document qui prouve ce droit.

créancier, ière, *adj. et subst.* Qui détient une créance ; à qui l'on doit de l'argent.

créateur, trice, *subst.* Personne qui crée, qui innove, dans le domaine artistique, intellectuel, etc. – Personne qui interprète pour la première fois un rôle, une chanson, etc. – *Empl. adj. Esprit* **créateur.**

créatif, ive, *adj.* Qui a des dons pour créer.

création, *subst. f.* Action de créer, de tirer du néant. – Ce qui est créé.

créativité, *subst. f.* Faculté de créer, d'innover.

créature, *subst. f.* Être humain. – *Relig.* Tout être créé par Dieu. – *Fig.* Personne soumise, dépendante d'une autre (*péj.*).

crécelle, *subst. f.* Moulinet en bois tournant bruyamment. – *Fig. Voix de* **crécelle** : criarde.

crèche, *subst. f.* Décor figurant la Nativité. – Lieu de garderie des tout-petits.

crédibilité, *subst. f.* Caractère de ce ou de celui qui peut être cru.

crédit, *subst. m.* Confice, estime accordée à *qqn.* – Délai de paiement. – Prêt bancaire. – Organisme de prêt.

créditer, *verbe trans.* Affecter une somme au crédit de *qqn*, d'un compte.

créditeur, trice, *adj. et subst.* Qui possède un crédit, un solde positif.

credo, *subst. m.* Prière affirmant la foi chrétienne. – Fondement d'une opinion.

crédule, *adj.* Prompt à tout croire.

crédulité, *subst. f.* Propension à tout croire.

créer, *verbe trans.* Faire exister à partir du néant. – Réaliser, inventer. – Fonder, construire. – Incarner pour la première fois (un rôle). – Occasionner : **Créer** *un besoin.*

crémaillère, *subst. f.* Tige de fer crantée à laquelle on suspend une marmite dans l'âtre.

crématorium, *subst. m.* Bâtiment où l'on incinère les défunts.

crème, *subst. f.* Matière grasse du lait. – Entremets, potage ou liqueur. – Onguent pour la peau. – *Fig.* Le meilleur du genre (*fam.*).

crémerie, *subst. f.* Petit commerce de produits laitiers et d'œufs.

crémeux, euse, *adj.* Qui contient beaucoup de crème. – Qui a l'aspect de la crème.

crémier, ière, *subst.* Personne qui tient un commerce de produits laitiers et d'œufs.

crémone, *subst. f.* Système de verrouillage vertical d'une fenêtre, d'une porte.

créneau, *subst. m.* Découpe dentelée dans le haut d'un mur. – Espace ou temps disponible. – Secteur à exploiter.

créneler, *verbe trans.* Munir de créneaux. – Tailler en créneau.

créole, *adj. et subst.* Personne de souche européenne née aux Antilles ou à la Réunion. – La langue parlée dans ces îles.

crêpe (i), *subst. m.* Étoffe légère et gaufrée. – Latex de caoutchouc gaufré : *Semelles de* **crêpe.**

crêpe (ii), *subst. f.* Fine galette à base d'œufs, de lait et de farine de blé ou de sarrasin.

crêperie, *subst. f.* Lieu où l'on vend et où l'on consomme des crêpes (II).

crépi, *subst. m.* Enduit non lissé que l'on projette sur un mur.

crépitement, *subst. m.* Succession de bruits secs.

crépiter, *verbe intrans.* Émettre un bruit sec et répété.

crépon, *subst. m.* Tissu de crêpe épais. – *Papier* **crépon** : papier gaufré.

crépu, ue, *adj.* Frisé en boucles très serrées.

crépuscule, *subst. m.* Aube (vx). – Tombée du jour. – *Fig.* Déclin.

crescendo, *subst. m. et adv. Adv.* En s'intensifiant peu à peu. – *Subst.* Augmentation progressive.

cresson, *subst. m.* Plante dont les feuilles, à saveur piquante, sont comestibles.

crête, *subst. f.* Saillie charnue sur la tête de certains oiseaux. – Ligne de faîte, sommet.

crétin, ine, *adj. et subst.* Niais, idiot (*fam.*).

creuser, *verbe trans.* Faire un creux dans ; évider. – Donner une forme incurvée à : **Creuser** *les reins.* – *Fig.* Approfondir.

creuset, *subst. m.* Récipient utilisé pour fondre des substances. – Partie d'un haut fourneau où coule le métal en fusion.

creux, creuse, *adj. et subst. m. Adj.* Vide ; évidé. – Présentant une cavité. – *Fig.* Vide de sens, d'intérêt. – *Subst.* Cavité, partie concave.

crevaison, *subst. f.* Fait de crever (pour un pneu). – Son résultat.

crevasse, *subst. f.* Fissure profonde dans une surface. – Fissure de la peau irritée.

crève-cœur, *subst. m. inv.* Ce qui fend le cœur.

crever, *verbe Trans.* Faire éclater. – *Fig. Cela* **crève** *les yeux* : c'est évident. – *Intrans.* Se rompre sous la tension. – *Fam.* Ressentir intensément : **Crever** *de faim.* – Mourir.

crevette, *subst. f.* Petit crustacé décapode marin, *gén.* comestible.

cri, *subst. m.* Son inarticulé et perçant traduisant un sentiment, une sensation : **Cri** *de peur, de joie.* – Appel, manifestation d'une opinion à voix haute. – Son émis par un animal, caractéristique de son espèce.

criant, ante, *adj.* D'un caractère évident.

criard, arde, *adj.* Qui crie souvent. – *Fig.* Qui heurte la vue.

crible, *subst. m.* Objet à fond plat percé de trous, qui sert à tamiser.

cribler, *verbe trans.* Passer au crible. – Percer de nombreux trous. – *Fig.* Assaillir : **Cribler** *de coups.*

cric, *subst. m.* Instrument à crémaillère servant à soulever des charges pesantes.

cricket, *subst. m.* Jeu anglais qui se pratique avec une balle et des battes de bois.

criée, *subst. f.* Vente publique aux enchères.

crier, *verbe trans.* Lancer un cri ou des cris. – Hausser le ton, sous l'effet de la colère. – Pousser son cri (pour un animal). – Dénoncer : **Crier** *à l'injustice.* – *Trans.* Énoncer à voix forte. – Proclamer.

crime, *subst. m.* Violation grave des lois ; meurtre. – Action répréhensible.

criminalité, *subst. f.* Ensemble des actes criminels dans une société donnée, à une époque déterminée.

criminel, elle, *adj. et subst.* Qui enfreint les lois sociales, morales ou religieuses. – Qui a commis un crime.

crin, *subst. m.* Poil long de la queue ou du cou de certains animaux, en *partic.* du cheval. – **Crin** *végétal* : fibre végétale.

crinière, *subst. f.* Ensemble des crins poussant à l'encolure d'un lion, d'un cheval.

crinoline, *subst. f.* Ample jupon à armature métallique faisant bouffer la robe.

crique, *subst. f.* *Géogr.* Petite baie.

criquet, *subst. m.* Insecte migrateur, herbivore, volant et sauteur, très vorace.

crise, *subst. f.* Altération rapide, brève et intense de la santé : **Crise** *cardiaque.* – Réaction émotionnelle subite : **Crise** *de larmes.* – Accès d'ardeur. – *Fig.* Période difficile de la vie d'un individu ou d'une société.

crispation, *subst. f.* Contraction involontaire, musculaire ou nerveuse.

crisper, *verbe trans.* Contracter. – *Fig.* Irriter.

crisser, *verbe intrans.* Émettre un grincement aigu.

cristal, aux, *subst. m.* Solide dont les atomes sont répartis avec une régularité géométrique : **Cristaux** *de glace* ; **Cristal** *de roche,* quartz. – Verre très limpide, rendant un son très pur ; objet de **cristal.**

cristallin, ine, *adj. et subst. m. Adj.* Propre au cristal. – Pur. – *Subst. Anat.* Lentille biconvexe transparente située dans l'œil.

cristalliser, *verbe Trans.* Amener à l'état de cristal. – *Fig.* Concrétiser. – *Intrans.* Passer à l'état de cristal.

critère, *subst. m.* Ce qui sert de référence à un jugement.

critique (i), *adj.* Propre à une crise ; qui détermine l'issue d'une maladie. – Décisif, grave.

critique (ii), *adj. et subst. Subst.* Écrivain, journaliste qui pratique l'art de la **critique.** – *Fém.* Jugement de valeur. – Art de juger une œuvre littéraire ou artistique. – Ensemble des journalistes qui pratiquent cet art ; leur verdict. – Jugement sévère. – *Adj.* Qui fait la **critique** de. – *Esprit* **critique** : qui n'admet rien sans examen préalable ou (*péj.*) qui dénigre.

critiquer, *verbe trans.* Juger. – Émettre un jugement négatif, malveillant sur (*qqn ou qqch.*).

croasser, *verbe intrans.* Pousser son cri (croassement), en parlant d'un corbeau, d'une corneille.

croc, *subst. m.* Canine des carnassiers.

croc-en-jambe, *subst. m.* Action de faire tomber *qqn* en glissant un pied entre ses jambes.

croche, *subst. f.* Note de musique dont la durée vaut la moitié de celle d'une noire.

crochet, *subst. m.* Instrument métallique recourbé servant à accrocher ou à tirer à soi. – Aiguille servant à tricoter ou à faire de la dentelle. – Dent de serpent venimeux. – Signe de ponctuation indiquant une incise. – *Fig.* Détour. – Coup de poing.

crocheter, *verbe trans.* Déverrouiller (une serrure) avec un crochet. – Faire un ouvrage au crochet (tricot, dentelle).

crochu, ue, *adj.* Recourbé en forme de crochet.

crocodile, *subst. m.* Grand reptile aux mâchoires puissantes, qui vit dans les cours d'eau et les marécages des régions chaudes.

croire, *verbe Trans.* Admettre comme vrai. – Considérer comme probable ; supposer. – **Croire** *à, en* : tenir pour certaine l'existence de (*qqn ou qqch.*). – Se fier à. – *Intrans.* Avoir la foi.

croisade, *subst. f. Hist.* Expédition des chrétiens d'Occident contre les musulmans de Terre sainte. – *Fig.* Action visant à mobiliser l'opinion publique.

croisé, *subst. m.* Celui qui partait en croisade.

croisée, *subst. f.* Point d'intersection de plusieurs voies. – Partie vitrée d'une fenêtre ; la fenêtre elle-même.

croisement, *subst. m.* Action d'entrecroiser, de se croiser. – Reproduction par union de deux individus d'espèce, de variété voisines.

croiser, *verbe Trans.* Former une intersection avec (*qqch.*). – Disposer en croix. – Rencontrer. – *Intrans.* Aller et venir dans un même secteur, pour un navire.

croiseur, *subst. m.* Navire de guerre.

croisière, *subst. f.* Voyage touristique en bateau.

croissance, *subst. f.* Fait de croître, d'augmenter, de grandir : **Croissance** *d'un enfant* ; **Croissance** *économique,* essor.

croissant, *subst. m.* Forme évoquant celle de la Lune avant son premier ou après son dernier quartier. – Pâtisserie de pâte feuilletée.

croître, *verbe intrans.* Grandir, pousser. – Augmenter.

croix, *subst. f.* Instrument de supplice fait de deux pièces de bois croisées. – Symbole chrétien. – Signe ou objet fait de deux traits, de deux branches qui se croisent. – Décoration.

croque-mitaine, *subst. m.* Monstre des contes de fées.

croque-mort, *subst. m.* Employé des pompes funèbres.

croquer, *verbe Intrans.* Produire un bruit sec sous les dents. – *Trans.* Mordre (dans *qqch.*) : **Croquer** *un fruit.* – Faire une esquisse rapide.

croquet, *subst. m.* Jeu consistant à pousser des boules avec un maillet sous des arceaux.

croquette, *subst. f.* Boulette panée et frite.

croquis, *subst. m.* Dessin à grands traits constituant une représentation simplifiée.

cross, *subst. m. inv.* Course à pied en terrain difficile.

crosse, *subst. f.* Long bâton à l'extrémité incurvée. – Partie d'une arme par laquelle on la tient ou on l'épaule.

crotale, *subst. m.* Serpent venimeux d'Amérique, également appelé serpent à sonnette.

crotte, *subst. f.* Excrément solide.

crotté, ée, *adj.* Maculé de boue.

crottin, *subst. m.* Excrément de cheval. – Petit fromage de chèvre rond.

crouler, *verbe intrans.* S'affaisser, s'effondrer.

croupe, *subst. f.* Partie postérieure de certains animaux, en *partic.* du cheval.

croupier, *subst. m.* Responsable d'une table de jeu au casino.

croupion, *subst. m.* Saillie postérieure du corps des oiseaux, qui porte les plumes de la queue.

croupir, *verbe intrans.* Stagner et pourrir, en parlant d'un liquide. – Demeurer dans un état dégradant.

croustiller, *verbe intrans.* Craquer sous la dent.

croûte, *subst. f.* Enveloppe dure de la mie du pain, du fromage. – Couche durcie ; sang séché. – Mauvais tableau (*fam.*).

croûton, *subst. m.* Chacune des deux extrémités d'un pain.

croyable, *adj.* Qui peut être cru.

croyance, *subst. f.* Fait de croire. – Ce à quoi l'on croit.

croyant, ante, *adj. et subst.* Qui a la foi.

c.r.s., *subst. m.* Policier membre d'une compagnie républicaine de sécurité.

cru (i), *subst. m.* Vignoble d'une région. – Son vin.

cru (ii), ue, *adj.* Qui n'est pas cuit. – À l'état brut. – *Fig.* Violent : *Lumière* **crue.** – Direct ; choquant.

cruauté, *subst. f.* Tendance à faire du mal. – Acte cruel. – Dureté : *La* **cruauté** *du sort.*

cruche, *subst. f.* Pot renflé doté d'une anse et d'un bec. – *Fig.* Personne sotte (*fam.*).

crucial, ale, aux, *adj.* Décisif, essentiel.

crucifier, *verbe trans.* Infliger le supplice de la croix.

crucifix, *subst. m.* Objet religieux en forme de croix, qui représente le Christ crucifié.

cruciforme, *adj.* Qui a la forme d'une croix.

cruciverbiste, *subst.* Amateur de mots croisés.

crudité, *subst. f.* Qualité de ce qui est cru. – *Plur.* Légumes servis crus en salade.

crue, *subst. f.* Montée des eaux d'une rivière.

cruel, elle, *adj.* Qui éprouve du plaisir à faire souffrir. – Qui provoque une souffrance.

crûment, *adv.* D'une manière directe, sans précaution.

crustacé, *subst. m.* Animal aquatique à carapace (crevette, homard, etc.). – *Plur.* La classe correspondante.

cryo-, *préfixe* Préfixe signifiant « froid » : **Cryo**gène, qui produit du froid.

crypte, *subst. f.* Chapelle, caveau souterrains.

crypto-, *préfixe* Préfixe signifiant « caché » : **Crypto**graphie, technique de chiffrement des écritures.

cube, *subst. m.* Solide à six faces carrées égales. – **Cube** *d'un nombre* : produit d'un nombre multiplié trois fois par lui-même.

cubisme, *subst. m.* Mouvement artistique né en 1907 qui décompose les objets représentés en éléments géométriques.

cubitus, *subst. m.* L'un des deux os de l'avant-bras (l'autre étant le radius).

cucurbitacée, *subst. f.* Plante à tige rampante et à fruit volumineux, telle que la citrouille, le melon, la courgette. – *Plur.* La famille correspondante.

cueillette, *subst. f.* Action de cueillir. – Récolte.

cueillir, *verbe trans.* Détacher (une fleur, un fruit) de la tige, de la branche. – Ramasser, prendre.

cuillère, *subst. f.* Ustensile de table formé d'un manche et d'une partie creuse. – Cuillerée.

cuillerée, *subst. f.* Contenu d'une cuillère.

cuir, *subst. m.* Peau d'animal. – Peau tannée. – **Cuir** *chevelu* : peau du crâne, chez l'homme.

cuirasse, *subst. f.* Armure recouvrant la poitrine.

cuirassé, ée, *adj. et subst. m.* *Adj.* Qui a revêtu une cuirasse. – Blindé. – *Fig.* Endurci, indifférent. – *Subst.* Navire de guerre.

cuirassier, *subst. m.* Soldat de cavalerie lourde.

cuire, *verbe* Exposer ou être exposé au feu, à la chaleur, en vue d'une transformation.

cuisant, ante, *adj.* Douloureux, vif : *Blessure* **cuisante**. – *Fig.* *Échec* **cuisant**.

cuisine, *subst. f.* Art, action d'accommoder les aliments ; aliments préparés. – Pièce où l'on prépare les aliments.

cuisiner, *verbe Trans.* Apprêter (la nourriture). – *Intrans.* Faire la cuisine.

cuisinière, *subst. f.* Appareil de cuisine, composé d'un four et de plaques de cuisson.

cuisse, *subst. f.* Partie du corps comprise entre la hanche et le genou.

cuisson, *subst. f.* Action, façon de faire cuire.

cuistre, *subst. m.* Personne pédante et prétentieuse.

cuivre, *subst. m.* Métal ocre rouge malléable et conducteur. – Objet ou instrument en **cuivre**.

cul, *subst. m.* Postérieur d'une personne, d'un animal (*fam.*) – Fond d'un objet : **Cul** *de bouteille*.

culasse, *subst. f.* Partie supérieure amovible de la chambre de combustion d'un moteur. – Pièce articulée qui obture l'arrière du canon d'une arme à feu.

culbute, *subst. f.* Cabriole. – Chute brutale la tête la première, ou à la renverse.

culbuter, *verbe Intrans.* Faire une chute. – *Trans.* Renverser, causer la chute de.

cul-de-jatte, *subst. m.* Infirme privé de jambes.

cul-de-sac, *subst. m.* Passage sans issue, impasse.

culinaire, *adj.* Qui concerne la cuisine.

culminer, *verbe intrans.* Atteindre son point le plus haut. – *Fig.* Être à son comble.

culot, *subst. m.* Extrémité inférieure, fond d'un objet creux. – Résidu, reste. – Audace effrontée (*fam.*).

culotte, *subst. f.* Pantalon allant de la taille aux genoux. – Sous-vêtement féminin, slip.)

culotté, ée, *adj.* Qui a de l'audace (*fam.*).

culpabiliser, *verbe Trans.* Engendrer un sentiment de culpabilité. – *Intrans.* Ressentir de la culpabilité.

culpabilité, *subst. f.* État d'une personne qui est ou se sent coupable de qqch.

culte, *subst. m.* Ensemble de pratiques religieuses. – *Fig.* Vénération extrême.

cultivateur, trice, *subst.* Personne qui cultive la terre, qui dirige une exploitation agricole.

cultiver, *verbe trans.* Faire fructifier (le sol). – Faire pousser, entretenir (des plantes). – *Fig.* Développer (ses capacités). – *Pronom.* Approfondir ses connaissances, sa culture.

culture, *subst. f.* Action de cultiver le sol. – Ensemble des connaissances. – Ensemble des modes de vie, des traditions d'une société.

culturel, elle, *adj.* Qui a trait à la culture de l'esprit, à l'héritage d'une société.

culturisme, *subst. m.* Exercice physique développant la musculature.

cumin, *subst. m.* Plante originaire du Moyen-Orient, dont la graine sert de condiment.

cumul, *subst. m.* Action de cumuler.

cumuler, *verbe trans.* Exercer simultanément (plusieurs fonctions).

cumulus, *subst. m.* Nuage blanc arrondi, qui se forme par beau temps.

cunéiforme, *adj.* En forme de coin. – *Écriture* **cunéiforme** : ancienne écriture perse à signes triangulaires.

cupidité, *subst. f.* Désir excessif d'argent.

cuprifère, *adj.* Qui renferme du cuivre.

cupule, *subst. f.* Petite pièce ou organe en forme de coupe.

curable, *adj.* Qui peut être guéri.

curare, *subst. m.* Poison végétal mortel.

curatif, ive, *adj.* Qui guérit les maladies.

cure (i), *subst. f.* Traitement de certaines affections. – *N'avoir* **cure** *de* : ne pas se soucier de.

cure (ii), *subst. f.* Fonction du curé. – Presbytère.

curé, *subst. m.* Prêtre catholique.

cure-dent(s), *subst. m.* Bâtonnet pointu servant à se curer les dents.

curée, *subst. f.* Partie de l'animal qu'on donne aux chiens après la chasse. – Le moment où on le fait. – *Fig.* Lutte acharnée.

curer, *verbe trans.* Nettoyer en grattant, en raclant.

curieux, ieuse, *adj. et subst.* Qui fait preuve de curiosité. – *Adj.* Bizarre.

curiosité, *subst. f.* Désir d'apprendre des choses nouvelles. – Désir indiscret de savoir. – Objet bizarre.

curiste, *subst.* Personne qui fait une cure dans une station thermale.

curriculum vitae, *subst. m. inv.* Récapitulatif de l'état civil, de la formation et du parcours professionnel d'un postulant (*abrév. C.V.*).

curry, *subst. m.* Épice indienne. – Mets préparé avec cette épice.

curseur, *subst. m.* Repère coulissant sur un support gradué.

cursif, ive, *adj.* Se dit d'un tracé délié et rapide. – *Fig.* Bref, rapide.

cursus, *subst. m.* Cycle universitaire complet.

curviligne, *adj.* Qui est formé de lignes courbes.

cutané, ée, *adj.* Qui a trait à la peau.

cutter, *subst. m.* Instrument à lame coulissante servant à couper le papier, la moquette.

cuve, *subst. f.* Réservoir, grand récipient.

cuvée, *subst. f.* Contenu d'une cuve. – Produit de toute une vigne : **Cuvée** *1982.*

cuvette, *subst. f.* Récipient à usage domestique. – Partie creuse d'un lavabo, d'un W.-C. – *Géogr.* Dépression.

cyanure, *subst. m.* Poison violent.

cybernétique, *subst. f.* Science des procédures de commande et de communication.

cyclable, *adj.* Réservé aux cyclistes.

cyclamen, *subst. m.* Plante ornementale à fleurs roses ou blanches.

cycle (i), *subst. m.* Suite de phénomènes ou d'événements se répétant toujours dans le même ordre.

cycle (ii), *subst. m.* Véhicule à deux ou à trois roues.

cyclique, *adj.* Qui se répète périodiquement.

cyclisme, *subst. m.* Sport de la bicyclette.

cycliste, *adj. et subst. Adj.* Relatif au cyclisme. – *Subst.* Personne qui se déplace à vélo, qui pratique le cyclisme.

cyclomoteur, *subst. m.* Vélo à moteur.

cyclone, *subst. m.* Violente perturbation atmosphérique, tourbillon de vents.

cyclope, *subst. m. Myth.* Géant n'ayant qu'un œil, au milieu du front.

cyclotron, *subst. m.* Accélérateur de particules chargées électriquement et formant un faisceau de haute énergie, capable de provoquer des désintégrations nucléaires.

cygne, *subst. m.* Oiseau palmipède au long cou souple, vivant sur les eaux douces.

cylindre, *subst. m.* Solide de la forme d'un tube, d'un rouleau. – *Mécan.* Tube dans lequel se meut le piston d'un moteur à explosion.

cylindrée, *subst. f.* Volume de gaz que peut contenir le ou les cylindres d'un moteur.

cylindrique, *adj.* En forme de cylindre.

cymbale, *subst. f. Mus.* Instrument à percussion fait de disques de cuivre ou de bronze.

cynique, *adj. et subst.* Qui brave, par ses propos et par ses comportements, les règles morales.

cynisme, *subst. m.* Attitude cynique.

cyprès, *subst. m.* Conifère élancé des régions méditerranéennes.

cyrillique, *adj. et subst. m.* Se dit de l'alphabet slave.

D

d, d, *subst. m. inv.* Quatrième lettre et troisième consonne de l'alphabet français.

dactylographie, *subst. f.* Technique de l'écriture à la machine.

dada, *subst. m.* Idée favorite, manie (*fam.*).

dadais, *subst. m.* Jeune homme niais et gauche.

dague, *subst. f.* Arme de main, intermédiaire entre le poignard et l'épée.

dahlia, *subst. m.* Plante à fleurs ornementales.

daigner, *verbe trans.* Condescendre à, vouloir bien.

daim, daine, *subst.* Cervidé sauvage à bois palmés. – *Masc.* Peau du daim, ou son imitation.

dais, *subst. m.* Ouvrage en bois, en tissu, dressé au-dessus d'un trône, d'un lit, d'une statue, etc. ; baldaquin.

dallage, *subst. m.* Revêtement de dalles.

dalle, *subst. f.* Plaque de pierre, de marbre, de béton, etc., servant à revêtir le sol. – Sol de béton. – Pierre tombale. – Gosier, gorge : *Avoir la* **dalle**, avoir grand faim (*fam.*).

daller, *verbe trans.* Couvrir de dalles.

daltonien, ienne, *adj. et subst.* Qui ne perçoit pas toutes les couleurs et en confond certaines (vert et rouge, en *partic.*).

dam, *subst. m. Au grand dam** de* : au préjudice de ; au grand regret de.

dame, *subst. f.* Femme de haut rang. – Femme mariée. – Femme (par courtoisie). – Carte à jouer ou pièce de jeu d'échecs figurant une reine. – *Jeu de* **dames** : qui se joue avec des pions sur un damier. – Outil employé pour damer le sol.

damer, *verbe trans.* Tasser (le sol, la neige). – *Fig.* **Damer** *le pion à qqn* : l'emporter sur lui.

damier, *subst. m.* Plateau quadrillé, à cases alternativement noires et blanches, utilisé au jeu de dames.

damnation, *subst. f.* Condamnation aux peines éternelles de l'enfer.

damné, ée, *adj. et subst.* Condamné aux peines de l'enfer. – *Adj.* Qui cause de la contrariété, détestable : *Ce* **damné** *brouillard* (*fam.*). – *Être l'âme* **damnée** *de qqn* : lui être entièrement dévoué pour la réalisation de ses mauvais desseins.

dan, *subst. m.* Chacun des grades de la ceinture noire dans les arts martiaux japonais.

dandiner (se), *verbe pronom.* Se balancer gauchement d'un pied sur l'autre.

dandy, *subst. m.* Homme d'une élégance très recherchée.

danger, *subst. m.* Menace pour la sécurité, l'existence de qqn ou qqch. – Situation périlleuse. –

Risque : *Il n'y a pas de* **danger** *que*, il est improbable que.

dangereux, euse, *adj.* Qui constitue un danger.

danois, *subst. m.* Langue germanique parlée au Danemark.

dans, *prép.* Marque le lieu : *Le lit est* **dans** *la chambre, à l'intérieur de* ; *Être* **dans** *la foule*, parmi. – Marque le temps : *Je reviens* **dans** *cinq minutes*, après un intervalle de ; **Dans** *ma jeunesse, j'ai voyagé*, au cours de, pendant. – Marque la manière : *Agir* **dans** *les règles*, selon ; **Dans** *l'espoir de vous revoir*, avec. – **Dans** *les* : à peu près.

danse, *subst. f.* Action de danser. – Succession de mouvements rythmés du corps, en *gén.* sur une musique.

danser, *verbe Intrans.* Exécuter une danse. – *Trans.* Danser *le tango.*

danseur, euse, *subst.* Personne dont le métier est de danser. – Personne qui danse.

dard, *subst. m.* Organe piquant et venimeux de certains insectes.

dare-dare, *loc. adv.* En toute hâte (*fam.*).

darne, *subst. f.* Tranche de gros poisson.

dartre, *subst. f.* Plaque sèche et rougeâtre de la peau, en *gén.* sur le visage.

date, *subst. f.* Mention du jour, du mois, de l'année. – Repère chronologique d'un fait, d'une action. – Événement historique important ; *Faire* **date** : marquer son époque.

dater, *verbe Trans.* Inscrire une date sur. – Déterminer le moment précis d'un événement, l'âge d'un objet. – *Intrans.* Remonter à : *Cet objet* **date** *du* X^e *s.* – *Abs.* Être démodé : *Ce film* **date.**

datte, *subst. f.* Fruit charnu et sucré du dattier.

dauphin(i), *subst. m.* Mammifère cétacé vivant en groupe et réputé intelligent.

dauphin(ii), *subst. m.* Héritier de la couronne de France. – *Fig.* Successeur présumé ou désigné de *qqn.*

daurade, *subst. f.* Poisson marin à reflets dorés ou argentés.

davantage, *adv.* Bien plus : *Elle sourit* **davantage.** – Plus longtemps : *Il devra attendre* **davantage.**

de(i), *prép.* Indique le lieu, la provenance : *Il revient de Chine* ; l'origine : *Vin* **de** *Bourgogne* ; l'appartenance : *La veste* **de** *Paul* ; la cause : *Rouge* **de** *honte* ; la manière : *Prendre* **de** *force* ; le moyen : *Montrer* **du** *doigt*. – *Ling.* Introduit un complément : *Se souvenir* **de** *qqch.*

de(ii), **du**, **de la**, **des**, *art.* Article partitif précédant des noms de choses qu'on ne peut pas compter, concrètes ou abstraites : *Du pain*, **de** *l'eau* ; *Avoir* **du** *courage* ; *Faire* **de la** *musique.*

dé(i), *subst. m. Jeux.* Petit cube aux faces marquées de 1 à 6. – *Cuis.* Aliment qui a la forme d'un petit cube : *Légumes coupés en* **dés.**

dé(ii), *subst. m.* En couture, petit fourreau de métal protégeant le doigt qui pousse l'aiguille. – *Fig.* **Dé** *à coudre* : infime quantité (*fam.*).

déambulatoire, *subst. m.* Galerie qui entoure le chœur d'une église.

déambuler, *verbe intrans.* Aller au hasard, flâner.

débâcle, *subst. f.* Rupture des glaces d'un cours d'eau gelé. – *Fig.* Faillite ; déroute.

déballage, *subst. m.* Action de déballer. – Amas d'objets hétéroclites disposés en vrac. – Étalage de secrets ; confession sans retenue.

déballer, *verbe trans.* Retirer de son emballage. – Étaler, exposer (des marchandises). – Dévoiler, confesser sans retenue (*fam.*).

débandade, *subst. f.* Fait de se disperser en désordre, déroute.

débaptiser, *verbe trans.* Changer le nom de.

débarbouiller, *verbe trans.* Laver, en *partic.* le visage. – *Pronom.* Faire une toilette sommaire.

débarcadère, *subst. m.* Quai de débarquement des marchandises et des occupants des bateaux.

débardeur, *subst. m.* Homme qui charge ou décharge des marchandises. – Maillot échancré dépourvu de manches.

débarquement, *subst. m.* Action de débarquer. – *Milit.* Opération consistant à débarquer des troupes sur un littoral.

débarquer, *verbe Trans.* Faire descendre (des passagers) à terre. – Enlever (des marchandises) d'un moyen de transport. – *Intrans.* Quitter un moyen de transport, aller à terre. – *Fam.* Arriver inopinément en un lieu. – Ne pas être au courant.

débarras, *subst. m.* Délivrance d'une chose qui gênait (*fam.*) : *Bon* **débarras** ! – Lieu où sont rangés des objets inutiles, encombrants.

débarrasser, *verbe trans.* Enlever ce qui encombre, gêne ou embarrasse. – *Pronom.* Se défaire de (*qqch.* ou *qqn*).

débat, *subst. m.* Discussion contradictoire.

débattre, *verbe trans.* Discuter, délibérer. – *Pronom.* S'efforcer de se libérer par des mouvements désordonnés.

débauche, *subst. f.* Recherche exagérée des plaisirs sensuels. – *Fig.* Surabondance.

débaucher, *verbe trans.* Inciter (*qqn*) à quitter son entreprise pour travailler dans une autre. – Licencier. – Entraîner à la débauche. – Distraire.

débile, *adj. et subst. Adj.* Malingre, chétif. – Idiot, stupide (*fam.*). – *Subst.* Faible d'esprit. – Imbécile (*fam.*).

débit (i), *subst. m.* Écoulement d'une marchandise. – Lieu de vente au détail de boissons, de tabac. – Manière de parler : *Un* **débit** *rapide.* – Quantité d'un fluide qui s'écoule en un temps donné.

débit (ii), *subst. m.* Compte des sommes dues par *qqn* (*contr. crédit*). – Partie d'un compte où est inscrite cette somme due.

débiter (i), *verbe trans.* Écouler, vendre au détail. – Couper en morceaux. – Discourir de façon monotone ; raconter.

débiter (ii), *verbe trans.* Inscrire une somme au débit de : **Débiter** *un compte, une personne.*

déblayer, *verbe trans.* Dégager de ce qui encombre, faire place nette. – *Fig.* **Déblayer** *le terrain* : éliminer les obstacles avant d'agir.

débloquer, *verbe Trans.* Remettre en marche, en circulation. – *Intrans.* Divaguer (*fam.*).

déboires, *subst. m. plur.* Ennuis, déconvenues.

déboiser, *verbe trans.* Dégarnir (un terrain) de ses arbres, de ses bois.

déboîter, *verbe Trans.* Séparer (deux objets qui étaient emboîtés). – Faire sortir (un os) de l'articulation. – *Intrans.* Sortir d'une file de véhicules.

débonnaire, *adj.* Plein de bonhomie, pacifique.

débordement, *subst. m.* Fait de déborder. – *Fig.* Profusion, excès : Débordement *d'affection.*

déborder, *verbe Intrans.* Couler par-dessus le bord. – Ne plus pouvoir contenir. – Dépasser une limite. – *Fig.* S'épancher, se manifester à profusion. – *Trans.* S'étendre au-delà de ; sortir des limites de. – Submerger.

débouché, *subst. m.* Lieu où un passage, une voie débouche. – Possibilité offerte par une qualification. – Perspective de vente ; marché.

déboucher (i), *verbe trans.* Retirer ce qui bouche. – Enlever le bouchon (d'une bouteille).

déboucher (ii), *verbe intrans.* Apparaître brusquement ; arriver en un lieu dégagé. – *Fig.* Avoir pour issue.

débouler, *verbe intrans.* S'enfuir soudainement devant le chasseur. – Dégringoler, dévaler ; *empl. trans.* : **Débouler** *l'escalier.*

débourser, *verbe trans.* Dépenser, payer.

déboussolé, ée, *adj.* Désorienté, déconcerté, désemparé *(fam.).*

debout, *adv.* À la verticale ; sur ses pieds : *Un homme* **debout**. – *Être* **debout** : réveillé et hors de son lit. – *Fig. Tenir* **debout** : être cohérent.

débouter, *verbe trans.* Rejeter une demande en justice : **Débouter** *un plaideur.*

déboutonner, *verbe trans.* Ouvrir (un vêtement) en défaisant les boutons.

débraillé, ée, *adj. et subst. m. Adj.* Dont les vêtements sont en désordre ; négligé. – *Subst.* Tenue négligée ; laisseraller.

débrancher, *verbe trans.* Supprimer le branchement de : **Débrancher** *une lampe.*

débrayer, *verbe Trans.* Désolidariser deux arbres mécaniques. – *Intrans.* Cesser le travail, faire grève.

débridé, ée, *adj.* Libre de toute contrainte ; sans retenue.

débris, *subst. m.* Fragment, reste de ce qui est brisé ou détruit.

débrouillard, arde, *adj. et subst.* Qui sait se tirer d'embarras, se débrouiller *(fam.).*

débrouiller, *verbe trans.* Démêler, remettre en ordre. – *Fig.* Élucider, rendre clair. – *Pronom.* Se tirer d'embarras *(fam.).*

débroussailler, *verbe trans.* Enlever les broussailles (d'un lieu). – *Fig.* Commencer à étudier, éclaircir (un sujet complexe).

débusquer, *verbe trans.* Faire sortir de sa cachette, de son abri.

début, *subst. m.* Point de départ, commencement. – *Plur.* Premiers pas dans une carrière, une activité.

débuter, *verbe intrans.* Commencer. – Faire ses premiers pas dans une activité.

deçà, *adv.* Deçà *delà* : ici et là. – *Loc. prép.* En **deçà** *de* : en dessous de ; de ce côté-ci de.

décacheter, *verbe trans.* Ouvrir (ce qui est cacheté).

décade, *subst. f.* Période de dix jours.

décadence, *subst. f.* État de ce qui tend vers sa fin en se dégradant ; déclin : *La* **décadence** *de l'Empire romain.*

décaféiné, ée, *adj. et subst. m. Adj.* Sans caféine. – *Subst.* Café décaféiné.

décalage, *subst. m.* Déplacement dans le temps ou dans l'espace ; écart ainsi créé. – *Fig.* Défaut de concordance.

décalcification, *subst. f.* Baisse du taux de calcium dans l'organisme.

décalcomanie, *subst. f.* Transfert d'une image sur un support à décorer. – L'image obtenue de cette façon.

décaler, *verbe trans.* Déplacer légèrement (dans le temps ou dans l'espace). – Ôter les cales de.

décalquer, *verbe trans.* Reproduire en utilisant un papier-calque.

décamper, *verbe intrans.* S'enfuir à toute allure *(fam.).*

décan, *subst. m.* Division d'un signe astrologique.

décanter, *verbe trans.* Purifier (un liquide) en laissant se déposer les impuretés. – *Fig.* Éclaircir.

décaper, *verbe trans.* Débarrasser une surface de la couche d'impuretés ou d'enduit qui la recouvre.

décapiter, *verbe trans.* Trancher la tête de (qqn). – Abattre la partie supérieure de (qqch.). – *Fig.* Supprimer (les éléments essentiels d'un groupe).

décapode, *subst. m.* Crustacé, en *gén.* marin, possédant cinq paires de pattes thoraciques, tel que le homard, le crabe, etc. – *Plur.* L'ordre correspondant.

décapotable, *adj. et subst. f.* Se dit d'une voiture dont on peut replier ou ôter la capote.

décapsuler, *verbe trans.* Enlever la capsule de.

décapsuleur, *subst. m.* Instrument permettant de décapsuler.

décarcasser (se), *verbe pronom.* Se donner du mal *(fam.).*

décathlon, *subst. m.* Compétition masculine d'athlétisme, qui comprend dix épreuves (courses, sauts et lancers).

décati, ie, *adj.* Usé par l'âge, flétri *(fam.).*

décéder, *verbe intrans.* Mourir.

déceler, *verbe trans.* Découvrir, mettre en évidence (ce qui était caché). – Être le signe de (qqch.) ; révéler.

décélérer, *verbe intrans.* Diminuer de vitesse, ralentir (en parlant d'un corps en mouvement).

décembre, *subst. m.* Douzième et dernier mois de l'année.

décence, *subst. f.* Respect des convenances ; pudeur. – Discrétion, retenue.

décennie, *subst. f.* Période de dix ans.

décent, ente, *adj.* Qui fait preuve de décence. – Convenable, suffisant.

décentraliser, *verbe trans.* Déléguer, en *gén.* à des collectivités locales (une partie d'un pouvoir central). – Disperser, en tout ou en partie (des organismes, des industries, etc.), qui étaient groupés en un même lieu).

déception, *subst. f.* Sentiment provoqué par la non-satisfaction d'une attente, d'un désir.

décerner, *verbe trans.* Attribuer, remettre officiellement (une récompense).

décès, *subst. m.* Mort d'une personne.

décevoir, *verbe trans.* Causer une déception à.

déchaîner, *verbe trans.* Ôter les chaînes de. – Entraîner, provoquer, déclencher. – *Pronom.* S'emporter avec violence. – Commencer avec violence ; faire rage.

déchanter, *verbe intrans.* Perdre ses illusions.

décharge, *subst. f.* Tir d'une ou de plusieurs armes à feu ; salve. – Brusque perte de charge électrique. – Lieu où l'on décharge les détritus. – *Dr.* Témoignage favorable ; acte de quittance d'une dette, d'une obligation.

décharger, *verbe trans.* Enlever ou déposer (un chargement). – Soulager (*qqn*) d'une charge morale, d'une responsabilité. – Libérer (*qqn*) de sa fonction. – Vider (le chargeur d'une arme à feu). – Annuler (une charge électrique). – *Pronom.* Se libérer de sa charge. – Laisser aux autres le soin de faire *qqch.*

décharné, ée, *adj.* Très maigre, squelettique.

déchausser, *verbe trans.* Enlever les chaussures de. – Ôter le pied, la base de (*qqch.*).

déchéance, *subst. f.* Fait de déchoir ; dégradation, décadence. – Perte d'un droit, d'une fonction, à titre de sanction.

déchet, *subst. m.* Débris, partie inutilisée d'une marchandise, d'une substance, à jeter ou à recycler (*gén.* au *plur.*).

déchiffrer, *verbe trans.* Lire, comprendre (un texte difficile, une écriture inconnue). – Décoder, décrypter (un message). – Lire la musique à première vue : **Déchiffrer** *une partition*. – *Fig.* Démêler, éclaircir.

déchiqueter, *verbe trans.* Mettre en pièces, en lambeaux ; déchirer.

déchirement, *subst. m.* Action de déchirer ; son résultat. – Violente douleur morale. – Trouble, division dans une communauté.

déchirer, *verbe trans.* Mettre en morceaux ; faire un accroc à. – Faire une déchirure à. – *Fig.* Diviser par des troubles, désunir. – Causer une douleur à.

déchirure, *subst. f.* Trace, accroc fait en déchirant. – **Déchirure** *musculaire* : rupture de fibres musculaires.

déchoir, *verbe intrans.* Tomber à un rang inférieur. – *Être* **déchu** *de ses droits* : en être dépossédé.

décider, *verbe trans. Trans. dir.* Déterminer, décréter : **Décider** *la grève.* – Pousser (*qqn*) à, persuader (*qqn*) de. – *Trans. indir.* Prendre la décision de, la résolution de : **Décider** *de partir.* – Statuer sur, décréter sur : **Décider** *de l'avenir.*

décimal, ale, aux, *adj. et subst. f. Adj.* Qui a pour base le nombre dix : *Système* **décimal.** – *Nombre* **décimal** : composé d'une partie entière et d'une partie **décimale**, séparées par une virgule. – *Subst.* Tout chiffre situé à droite de la virgule d'un nombre écrit dans la numération **décimale.**

décimer, *verbe trans.* Faire mourir en grand nombre (des personnes).

décisif, ive, *adj.* Qui conduit à une solution. – Déterminant, capital.

décision, *subst. f.* Action de décider, de se décider à ; chose décidée. – Qualité de *qqn* qui ne tergiverse pas ; fermeté, résolution.

déclamer, *verbe trans.* Parler, réciter avec emphase : **Déclamer** *une tirade.*

déclaration, *subst. f.* Action de déclarer ; discours, écrit par lequel on déclare. – Aveu qu'une personne fait à une autre de son amour.

déclarer, *verbe trans.* Annoncer, dire ouvertement. – Porter à la connaissance de : **Déclarer** *ses revenus.* – *Pronom.* Se reconnaître, s'affirmer comme. – Se déclencher.

déclasser, *verbe trans.* Faire reculer dans un classement, rétrograder.

déclencher, *verbe trans.* Mettre en route (un mécanisme). – *Fig.* Provoquer soudainement (un événement, un processus).

déclic, *subst. m.* Pièce qui déclenche un mécanisme. – Bruit sec. – *Fig.* Inspiration soudaine.

déclin, *subst. m.* État de ce qui décline ou décroît.

déclinaison, *subst. f. Ling.* Dans certaines langues, ensemble des formes que prennent les noms, pronoms et adjectifs, selon leur fonction, leur genre et leur nombre.

décliner (i), *verbe intrans.* S'abaisser vers l'horizon. – S'affaiblir, décroître.

décliner (ii), *verbe trans.* Rejeter ; repousser courtoisement (une proposition, une attribution). – Énumérer, dire. – Présenter les variantes d'un même produit. – *Ling.* Énoncer une déclinaison.

déclivité, *subst. f.* Qualité de ce qui est incliné ; pente.

décloisonner, *verbe trans.* Enlever les cloisons, les séparations qui entravent la communication.

décocher, *verbe trans.* Lancer d'une brusque détente. – *Fig.* Envoyer, adresser avec hostilité : **Décocher** *une insulte.*

décoction, *subst. f.* Liquide obtenu en faisant bouillir une substance pour en extraire les principes solubles.

décoder, *verbe trans.* Déchiffrer (un message codé).

décoiffer, *verbe trans.* Déranger la coiffure de.

décoincer, *verbe trans.* Dégager, débloquer (ce qui est coincé).

décolérer, *verbe intrans. Ne pas* **décolérer** : ne pas cesser d'être en colère.

décollage, *subst. m.* Action de décoller. – Envol.

décoller, *verbe Trans.* Séparer (ce qui était collé) ; détacher, écarter. – *Intrans.* Quitter le sol, s'envoler (pour un avion, une fusée).

décolleté, ée, *adj. et subst. m. Adj.* Qui laisse le cou, la gorge découverts. – *Subst.* Partie échancrée de l'encolure d'un vêtement. – Haut du buste dénudé d'une femme.

décoloniser, *verbe trans.* Affranchir (un pays, un peuple) du régime colonial.

décolorer, *verbe trans.* Faire perdre ses couleurs à.

décombres, *subst. m. plur.* Gravats, ruines.

décommander, *verbe trans.* Annuler (une commande, une invitation). – *Pronom.* Annuler un rendez-vous.

décomposer, *verbe trans.* Diviser un tout en ses divers éléments. – *Pronom.* Pourrir.

décomposition, *subst. f.* Séparation des divers éléments d'un tout ; analyse. – Altération d'un organisme, putréfaction.

décompresser, *verbe intrans.* Relâcher sa tension nerveuse, se détendre (*fam.*).

décompression, *subst. f.* Diminution ou suppression de la pression.

décompte, *subst. m.* Décomposition d'une somme en ses divers éléments de détail. – Déduction sur une somme.

déconcentrer, *verbe trans.* Décentraliser. – Diminuer la concentration de. – Troubler la concentration de, l'attention de. – *Pronom.* Relâcher son attention.

déconcerter, *verbe trans.* Plonger dans l'embarras ou la perplexité.

déconfiture, *subst. f.* Ruine complète. – *Fig.* Déroute, faillite morale.

décongeler, *verbe trans.* Ramener (un produit congelé) à une température supérieure à 0 °C.

déconnecter, *verbe trans.* Débrancher. – Séparer. – *Fig.* Faire perdre (à *qqn*) le sentiment de la réalité (*fam.*).

déconseiller, *verbe trans.* Recommander de ne pas faire.

déconsidérer, *verbe trans.* Défaire la réputation de, discréditer. – *Pronom.* Se comporter d'une façon qui fait perdre l'estime dont on jouissait.

décontenancer, *verbe trans.* Jeter le trouble dans l'esprit de (*qqn*) ; embarrasser.

décontracter, *verbe trans.* Faire cesser la contraction, détendre, relâcher (des muscles). – Soulager, apaiser psychiquement.

décontraction, *subst. f.* Détente. – Naturel, désinvolture, insouciance.

déconvenue, *subst. f.* Déception, dépit.

décor, *subst. m.* Ensemble d'éléments donnant, au théâtre ou au cinéma, l'illusion d'un lieu où se situerait l'action. – Paysage ; environnement.

décoratif, ive, *adj.* Qui est conçu pour décorer. – Qui décore, qui rehausse.

décoration, *subst. f.* Insigne d'un ordre ou d'une distinction honorifiques. – Action, art de décorer ; ensemble des éléments qui décorent (un endroit).

décorer, *verbe trans.* Embellir, orner. – Remettre une décoration à.

décortiquer, *verbe trans.* Dépouiller de son écorce ou de son enveloppe. – *Fig.* Examiner dans les moindres détails.

décorum, *subst. m.* Protocole, cérémonial.

découdre, *verbe trans.* Défaire (ce qui est cousu). – *Empl. intrans. En découdre avec qqn* : se battre.

découler, *verbe intrans.* **Découler** *de* : émaner de, provenir de.

découper, *verbe trans.* Couper en morceaux ou en tranches. – Couper avec des ciseaux, selon un tracé. – *Pronom.* Apparaître nettement sur un fond.

découragement, *subst. m.* Perte de courage, démoralisation, abattement.

décourager, *verbe trans.* Démoraliser, ôter son courage à. – Dissuader, ôter (à *qqn*) l'envie de (faire *qqch.*).

décousu, ue, *adj.* Dont la couture est défaite. – *Fig.* Irrégulier, incohérent : *Propos* **décousus**.

découvert, erte, *adj. et subst. m. Adj.* Qui n'est pas couvert. – *Terrain* **découvert** : peu ou pas boisé. – *Subst.* Avance consentie par une banque ; solde débiteur d'un compte.

découvert (à), *loc. adv.* En terrain découvert ; dans une position qui n'est pas protégée. – Ouvertement, sans dissimulation. – *Fin. Être* **à découvert** : avoir un compte débiteur.

découverte, *subst. f.* Action de découvrir ce qui était inconnu. – Ce qui est découvert.

découvrir, *verbe trans.* Dégarnir *qqch.* de ce qui le couvre, le protège. – Révéler, faire apparaître (ce qui était caché). – Trouver (ce qui était inconnu). – *Pronom.* Ôter un vêtement, un chapeau. – S'éclaircir, en parlant du temps.

décrasser, *verbe trans.* Éliminer la crasse en lavant.

décrépitude, *subst. f.* Diminution des facultés physiques due à la vieillesse. – Délabrement.

décret, *subst. m.* Écrit notifiant une décision du pouvoir exécutif.

décréter, *verbe trans.* Ordonner par décret. – Déclarer de manière autoritaire.

décrier, *verbe trans.* Dire du mal de, critiquer.

décrire, *verbe trans.* Représenter, oralement ou par écrit ; dépeindre. – Parcourir, tracer (une ligne courbe).

décrocher, *verbe Trans.* Détacher (ce qui était accroché). – *Fig.* Obtenir (*fam.*) : **Décrocher** *un emploi*. – *Intrans.* Cesser une activité. – Ne plus être attentif (*fam.*).

décroître, *verbe intrans.* Diminuer progressivement.

décrotter, *verbe trans.* Enlever la boue de.

décrue, *subst. f.* Baisse du niveau d'un cours d'eau après une crue.

décrypter, *verbe trans.* Déchiffrer (un message codé).

déçu, ue, *adj.* Qui a éprouvé une déception. – Qui ne s'est pas réalisé, en parlant d'un événement.

déculotter, *verbe trans.* Retirer, baisser la culotte, le pantalon de.

décupler, *verbe* Multiplier ou se multiplier par 10. – Accroître ou s'accroître considérablement.

dédaigner, *verbe trans.* Ne pas juger digne d'estime. – Traiter par le mépris ; ignorer.

dédaigneux, euse, *adj. et subst.* Qui montre du dédain.

dédain, *subst. m.* Ignorance hautaine, mépris.

dédale, *subst. m.* Labyrinthe.

dedans, *adv. et subst. m. Adv.* À l'intérieur. – *Subst.* Intérieur (de *qqch.*) : *Le* **dedans** *du corps.*

dédicace, *subst. f.* Formule écrite par laquelle un auteur dédie une de ses œuvres à *qqn*.

dédier, *verbe trans.* Offrir, vouer (à *qqn*, à *qqch.*) : **Dédier** *sa vie à la science.*

dédire (se), *verbe pronom.* Se rétracter. – Ne pas tenir sa parole.

dédommagement, *subst. m.* Réparation des dommages causés à *qqn*. – Somme versée à cet effet.

dédommager, *verbe trans.* Donner un dédommagement, une compensation matérielle ou morale à (*qqn*) ; indemniser.

dédouaner, *verbe trans.* Faire sortir (*qqch.*) de la douane en payant les droits requis. – *Fig.* Lever la suspicion qui pèse sur (*qqn*).

dédoubler, *verbe trans.* Diviser en deux. – *Pronom.* Perdre l'unité de sa personnalité.

dédramatiser, *verbe trans.* Ôter son caractère dramatique à (une situation, un événement) ; minimiser.

déduction, *subst. f.* Soustraction, action de retrancher une quantité d'une autre. – Raisonnement qui, à partir de propositions, aboutit à une conclusion.

déduire, *verbe trans.* Retrancher d'une somme. – Tirer comme conséquence logique ; aboutir à une conclusion.

déesse, *subst. f.* Divinité féminine.

défaillance, *subst. f.* Faiblesse, fait de manquer à son rôle : **Défaillance** *de la mémoire.* – Défaut de fonctionnement. – Évanouissement, syncope.

défaillir, *verbe intrans.* Être l'objet d'une défaillance.

défaire, *verbe trans.* Réduire à l'état initial (ce que l'on a fait). – Détruire l'ordre, l'arrangement de (*qqch.*) ; déballer, dénouer. – **Défaire** *l'ennemi* : le vaincre. – *Pronom.* Se **défaire** *de* : se débarrasser de.

défaite, *subst. f.* Perte d'un combat, d'une guerre. – Échec.

défaitisme, *subst. m.* Attitude de ceux qui ne croient pas à la victoire. – Pessimisme.

défalquer, *verbe trans.* Soustraire, retrancher.

défausser (se), *verbe pronom. Jeux.* Se débarrasser d'une carte inutile ou dangereuse. – *Fig.* Se décharger (sur *qqn*) d'une responsabilité, d'un devoir, d'une corvée.

défaut, *subst. m.* Carence, pénurie. – Imperfection. – Faiblesse morale. – *Loc. prép. À* **défaut** *de* : en l'absence de, faute de.

défavorable, *adj.* Qui n'est pas favorable. – Qui est hostile.

défavoriser, *verbe trans.* Priver (*qqn*) d'un avantage. – Désavantager.

défectif, ive, *adj. et subst. m.* Se dit d'un verbe qui ne se conjugue pas à toutes les formes.

défection, *subst. f.* Désertion. – Abandon d'une cause, d'un parti, etc. – Fait de ne pas être présent dans le lieu où l'on était attendu.

défectueux, euse, *adj.* Qui présente des défauts.

défendre, *verbe trans.* Protéger contre une attaque : **Défendre** *ses alliés contre l'envahisseur.* – Interdire l'accès à, garder : *La marine* **défend** *nos côtes.* – Prendre parti (pour une cause, pour *qqn*) ; plaider pour. – Interdire : *Je te* **défends** *de sortir.* – *Pronom.* Résister à une agression. – Faire preuve d'aptitudes (*fam.*).

défenestrer, *verbe trans.* Jeter (*qqn*) par la fenêtre.

défense, *subst. f.* Action de se protéger, de se défendre. – Dispositif mis en place pour se défendre. – Action de défendre en justice. – Interdiction. – Grande dent dépassant de la bouche de certains mammifères : *Une* **défense** *d'éléphant.*

défenseur, *subst. m.* Celui qui protège, qui défend. – Celui qui soutient une cause, des idées.

défensif, ive, *adj. et subst. f. Adj.* Propre à la défense. – *Subst.* Attitude de défense.

déférence, *subst. f.* Attitude respectueuse.

déferler, *verbe intrans.* Rouler et se briser en écume, en parlant d'une vague. – *Fig.* Submerger, se répandre avec impétuosité.

défi, *subst. m.* Action de défier *qqn* en combat singulier ou à un jeu, une compétition. – Bravade, provocation.

défiance, *subst. f.* Méfiance envers *qqn, qqch.*

déficient, iente, *adj.* Qui présente une carence.

déficit, *subst. m.* Carence, insuffisance. – Somme d'argent qui manque pour équilibrer un compte.

déficitaire, *adj.* Insuffisant. – Qui est en déficit : *Entreprise* **déficitaire.**

défier, *verbe trans.* Provoquer au combat. – Tenir tête à, braver. – Mettre (*qqn*) au défi (de faire *qqch.*). – *Pronom.* Se **défier** *de* : nourrir un doute au sujet de, se méfier de.

défigurer, *verbe trans.* Rendre méconnaissable un visage. – Enlaidir, abîmer. – *Fig.* Dénaturer, altérer (une vérité).

défilé, *subst. m.* Couloir profond et étroit entre deux montagnes. – Manœuvre d'une troupe qui défile. – File de personnes ou de véhicules en marche. – Suite, succession de personnes ou de choses.

défiler, *verbe intrans.* Avancer en file, en rang, en colonne. – Se suivre, se dérouler régulièrement.

définir, *verbe trans.* Indiquer clairement la signification (d'un mot, d'un concept). – Préciser, fixer : **Définir** *une tâche.*

définitif, ive, *adj.* Qui est établi et ne variera pas ; irrévocable. – *Loc. adv. En* **définitive** : en fin de compte.

définition, *subst. f.* Proposition qui explique les caractéristiques, la signification d'une chose, d'un concept.

déflagration, *subst. f.* Explosion violente.

déflation, *subst. f.* Diminution ou suppression de l'inflation ; baisse des prix.

déflecteur, *subst. m.* Volet orientable d'une vitre d'automobile.

déflorer, *verbe trans.* Faire perdre sa virginité à. – Faire perdre sa qualité de nouveauté à : **Déflorer** *un sujet.*

défoliant, ante, *adj. et subst. m.* Se dit d'un produit qui détruit la végétation, en *partic.* les feuilles.

défoncer, *verbe trans.* Briser par enfoncement. – *Pronom.* Ne pas ménager sa peine. (*fam.*).

déformer, *verbe trans.* Altérer la forme, l'apparence extérieure de. – *Fig.* Dénaturer : **Déformer** *une pensée.*

défoulement, *subst. m.* Fait de se défouler.

défouler (se), *verbe pronom.* Laisser s'exprimer ses instincts. – Se libérer, dans son comportement ou ses activités, des tensions, des entraves.

défraîchi, ie, *adj.* Qui a perdu son éclat primitif ; que le temps a flétri, abîmé.

défrayer, *verbe trans.* Rembourser les dépenses, les frais de (*qqn*). – *Fig.* **Défrayer** *la chronique* : être l'objet de toutes les conversations.

défricher, *verbe trans.* Détruire la végétation spontanée d'un terrain pour le rendre cultivable. – *Fig.* **Défricher** *un sujet* : aborder les principaux aspects d'un sujet, sans les approfondir.

défriser, *verbe trans.* Défaire la frisure de. – *Fig.* Vexer, déplaire à (*fam.*).

défroque, *subst. f.* Vêtement très usé. – Accoutrement bizarre.

défroqué, ée, *adj. et subst. m. Adj.* Qui a abandonné l'état ecclésiastique. – *Subst.* Prêtre **défroqué.**

défunt, unte, *adj. et subst.* Trépassé, mort.

dégagement, *subst. m.* Action de dégager. – Fait de se dégager, émanation. – Partie d'un appartement qui sert de passage ou de rangement. – Espace libre.

dégager, *verbe trans.* Délivrer (ce qui était retenu). – Débarrasser de (ce qui bloque ou encombre). – Exhaler, répandre (une émanation). – *Fig.* Mettre en évidence. – *Sp.* Lancer le ballon au loin. – *Pronom.* Se libérer.

dégainer, *verbe trans.* Tirer (une arme) de son fourreau ou de son étui.

dégarnir, *verbe trans.* Ôter (ce qui garnit). – *Pronom.* Devenir moins touffu. – Perdre ses cheveux. – Se vider, en parlant d'une salle.

dégât, *subst. m.* Destruction, dommage.

dégel, *subst. m.* Fonte des neiges et des glaces. – *Fig.* Déblocage d'une situation.

dégeler, *verbe Trans.* Faire fondre ou ramener à une température normale (ce qui était gelé). – Détendre (une ambiance, une personne, une situation). – *Intrans.* Cesser d'être gelé.

dégénérer, *verbe intrans.* Perdre ses qualités spécifiques ; s'abâtardir. – S'aggraver, empirer.

dégénérescence, *subst. f.* Fait de dégénérer.

dégingandé, ée, *adj.* Qui est grand et qui semble disloqué dans sa démarche.

dégivrer, *verbe trans.* Faire disparaître le givre de.

déglutir, *verbe trans.* Faire passer de la bouche à l'œsophage, avaler.

dégonfler, *verbe trans.* Réduire ou supprimer le gonflement de. – Réduire le volume de. – *Fig.* Ramener une situation à sa juste mesure. – *Pronom.* Manquer de courage au moment d'agir (*fam.*).

dégorger, *verbe Trans.* Expulser un liquide ; déverser un trop-plein. – Débarrasser de ce qui engorge, déboucher (un tuyau, un conduit d'évacuation). – *Intrans.* Déborder, s'écouler. – *Faire* **dégorger** : faire rendre des impuretés, de l'eau à.

dégouliner, *verbe intrans.* S'écouler lentement, en filet ou goutte à goutte.

dégourdir, *verbe trans.* Tirer de l'engourdissement. – Faire perdre (à *qqn*) sa gaucherie.

dégoût, *subst. m.* Manque de goût pour un aliment ; écœurement. – Vive répugnance. – Aversion, désintérêt.

dégoûter, *verbe trans.* Inspirer du dégoût à.

dégradation, *subst. f.* Destitution d'un grade, d'une fonction, d'un droit. – Détérioration. – *Fig.* Avilissement. – Altération progressive.

dégradé, *subst. m.* Affaiblissement progressif d'une couleur.

dégrader (i), *verbe trans.* Destituer (*qqn*) de son grade. – Détériorer (*qqch.*). – *Fig.* Avilir.

dégrader (ii), *verbe trans.* Affaiblir graduellement une couleur, une lumière.

dégrafer, *verbe trans.* Détacher (une chose agrafée).

dégraisser, *verbe trans.* Enlever la graisse de. – Supprimer les taches de graisse de.

degré, *subst. m.* Marche d'escalier. – Niveau, échelon dans un processus, une hiérarchie. – Unité de mesure d'angle, de température.

dégressif, ive, *adj.* Qui diminue par degrés.

dégringolade, *subst. f. Fam.* Action de dégringoler. – Son résultat.

dégringoler, *verbe Trans.* Descendre avec précipitation, dévaler. – *Intrans.* Tomber.

dégriser, *verbe trans.* Tirer (*qqn*) de l'ivresse. – *Fig.* Détruire les illusions de.

dégrossir, *verbe trans.* Rendre moins grossier (une matière brute, une personne). – Commencer à éclaircir, à débrouiller (un problème, un sujet, etc.).

déguenillé, ée, *adj.* Vêtu de guenilles.

déguerpir, *verbe intrans.* Partir précipitamment.

déguisement, *subst. m.* Action de déguiser, de se déguiser. – Ce qui sert à déguiser, à se déguiser.

déguiser, *verbe trans.* Vêtir (*qqn*) de manière à le rendre méconnaissable. – *Fig.* Contrefaire : **Déguiser** *sa voix.*

dégustation, *subst. f.* Action de déguster.

déguster, *verbe trans.* Goûter en s'appliquant à déceler une saveur. – Manger avec plaisir.

déhancher (se), *verbe pronom.* Faire porter le poids du corps sur une seule jambe. – Marcher en balançant les hanches.

dehors, *subst. m. et adv. Adv.* Hors du lieu. – *Subst.* Partie extérieure de *qqch.* – *Plur.* Apparence.

déifier, *verbe trans.* Diviniser. – *Fig.* Idéaliser.

déjà, *adv.* Dès à présent. – Auparavant : *Je vous l'ai* **déjà** *expliqué.*

déjection, *subst. f.* Expulsion des matières fécales. – *Plur.* Excréments.

déjeuner (i), *verbe intrans.* Prendre le petit déjeuner ou le repas de midi.

déjeuner (ii), *subst. m.* Repas de milieu de journée. – *Petit* **déjeuner** : collation matinale.

déjouer, *verbe trans.* Faire échouer (un complot, des manœuvres). – Tromper : **Déjouer** *la surveillance de qqn.*

delà, *prép. et adv. Loc. prép. Par-delà ; Au-delà de* : de l'autre côté de ; plus loin que. – *Loc. adv.* **Au-delà** : de l'autre côté ; plus loin ; au fig., davantage.

délabré, ée, *adj.* En mauvais état.

délabrement, *subst. m.* État de ce qui est en ruine.

délacer, *verbe trans.* Dénouer les lacets de.

délai, *subst. m.* Durée octroyée pour réaliser *qqch.* – Sursis : *Sans* **délai**, immédiatement.

délaisser, *verbe trans.* Abandonner. – Se désintéresser de, négliger.

délassement, *subst. m.* Action de se délasser. – Occupation qui délasse ; distraction.

délasser, *verbe trans.* Détendre, reposer ; distraire.

délation, *subst. f.* Dénonciation inspirée par des motifs méprisables.

délavé, ée, *adj.* Décoloré, pâli. – Imbibé d'eau.

délayer, *verbe trans.* Mélanger ou faire fondre (une substance) dans un liquide. – *Fig.* Exposer, exprimer (une idée, une pensée, etc.) trop longuement.

délectation, *subst. f.* Plaisir intense que l'on savoure pleinement.

délecter (se), *verbe pronom.* Prendre un plaisir intense à (*qqch.*). – Savourer, se régaler de (*qqch.*).

délégation, *subst. f.* Action de déléguer. – Groupe de personnes mandatées par une autorité.

déléguer, *verbe trans.* Envoyer (*qqn*) en qualité de représentant. – Transmettre, confier (un pouvoir, des responsabilités).

délester, *verbe trans.* Décharger de son lest.

délétère, *adj.* Qui nuit à la santé ; toxique. – *Fig.* Qui corrompt ; néfaste, nuisible.

délibération, *subst. f.* Action de délibérer. – Résultat de cette action ; décision prise.

délibérément, *adv.* Volontairement.

délibérer, *verbe intrans.* Discuter tous les aspects d'une question pour aboutir à une décision.

délicat, ate, *adj.* Fin, subtil, gracieux. – Prévenant. – Fragile. – Difficile, embarrassant.

délicatesse, *subst. f.* Caractère de ce qui est délicat.

délice, *subst. m.* Plaisir voluptueux. – Ce qui est délicieux.

délicieux, ieuse, *adj.* Qui ravit les sens ou l'esprit.

délictueux, euse, *adj.* Qui a le caractère du délit.

délié, ée, *adj.* Qui est mince, menu, souple. – Fin, subtil.

délier, *verbe trans.* Défaire (un lien). – Libérer (*qqn*) d'une obligation.

délimiter, *verbe trans.* Définir les limites de.

délinquance, *subst. f.* Ensemble des infractions, considéré sur le plan social.

délinquant, ante, *adj. et subst.* Qui a commis un délit.

déliquescence, *subst. f.* Propriété de certaines substances solides de se liquéfier en absorbant l'humidité de l'air. – *Fig.* Décadence totale ; décrépitude.

délire, *subst. m.* Désordre mental caractérisé par une fausse perception de la réalité et une extrême agitation. – Excitation, exaltation de l'imagination. – Enthousiasme effréné.

délirer, *verbe intrans.* Être atteint de délire. – Divaguer. – Être en proie à une exaltation qui trouble l'esprit.

délit, *subst. m.* Acte illicite puni par la loi. – *En flagrant* **délit** : sur le fait.

délivrance, *subst. f.* Action de délivrer ; son résultat. – Accouchement.

délivrer, *verbe trans.* Libérer. – *Fig.* Soulager, débarrasser (*qqn*) de. – Livrer, remettre (*qqch.*).

déloger, *verbe trans.* Forcer (*qqn*) à quitter une place, un lieu.

déloyal, ale, aux, *adj.* Qui manque de loyauté.

delta, *subst. m.* Zone triangulaire formée par les alluvions accumulées à l'embouchure d'un fleuve.

delta-plane, *subst. m.* Aile de toile tendue sur une armature tubulaire, avec laquelle on peut voler et planer. – Le sport pratiqué avec cet engin.

déluge, *subst. m. Le* **Déluge** : selon la Bible, inondation universelle. – Pluie torrentielle. – *Fig.* Abondance : *Un* **déluge** *de paroles.*

déluré, ée, *adj.* Vif, dégourdi. – Effronté.

démagogie, *subst. f.* Recherche de la faveur, de l'adhésion populaire par des mesures ou des paroles flatteuses.

demain, *adv.* Le jour venant aussitôt après celui où l'on est. – Dans un futur proche.

demande, *subst. f.* Action de demander ; ce que l'on demande. – Question, interrogation.

demander, *verbe trans.* Exprimer à autrui ce que l'on veut, ce que l'on désire obtenir ; réclamer. – Interroger, questionner. – Nécessiter. – *Pronom.* S'interroger.

démangeaison, *subst. f.* Picotement de la peau, qui donne envie de se gratter. – *Fig.* Envie intense (*fam.*).

démanger, *verbe trans.* Causer une démangeaison à. – *Fig.* Causer une forte envie à (*fam.*).

démanteler, *verbe trans.* Détruire, démolir (une muraille, une construction). – *Fig.* Désorganiser, mettre hors d'état d'agir, de fonctionner ; réduire à néant.

démantibuler, *verbe trans.* Désarticuler, démolir, mettre en pièces (*fam.*).

démaquiller, *verbe trans.* Ôter le maquillage de.

démarcation, *subst. f.* Action de marquer une frontière ; cette frontière. – *Fig.* Nette distinction entre deux ou plusieurs choses.

démarche, *subst. f.* Façon de marcher ; au fig., manière de raisonner. – Tentative faite auprès de *qqn* pour obtenir *qqch.*

démarquer, *verbe trans.* Enlever la marque de. – Solder. – *Pronom.* Marquer sa différence. – *Sp.* Se libérer du contrôle de l'adversaire.

démarrage, *subst. m.* Action, fait de démarrer.

démarrer, *verbe Trans.* Mettre en mouvement. – Commencer, mettre en train. – *Intrans.* Se mettre en mouvement. – *Fig.* Commencer à fonctionner, à réussir : *Ce commerce* **démarre** *bien.*

démarreur, *subst. m.* Dispositif servant à mettre en marche un moteur.

démasquer, *verbe trans.* Enlever son masque à. – *Fig.* Montrer sous son vrai jour, dévoiler.

démêlé, *subst. m.* Querelle, désaccord.

démêler, *verbe trans.* Séparer (ce qui est emmêlé). – *Fig.* Clarifier : **Démêler** *une affaire.*

démembrement, *subst. m.* Action, fait de démembrer. – Résultat de cette action.

démembrer, *verbe trans.* Morceler, diviser (un ensemble) en plusieurs parties.

déménagement, *subst. m.* Action, fait de déménager.

déménager, *verbe Trans.* Transporter (ses meubles, ses objets personnels) d'un endroit à un autre. – *Intrans.* Changer de logement. – Divaguer (*fam.*).

démence, *subst. f.* Grave diminution des facultés mentales. – Conduite insensée.

démener (se), *verbe pronom.* S'agiter vivement. – *Fig.* S'affairer pour obtenir un résultat.

dément, ente, *adj. et subst.* Se dit d'une personne atteinte de démence.

démenti, *subst. m.* Annonce par laquelle on dément une information.

démentir, *verbe trans.* Contredire (*qqn*). – Nier l'existence de (*qqch.*), la vérité d'un propos.

démériter, *verbe intrans.* Agir de façon à perdre l'estime d'autrui ; encourir la désapprobation.

démesuré, ée, *adj.* Dont les mesures excèdent la normale. – Extrême, excessif.

démettre (i), *verbe trans.* Déplacer (un os, une articulation) de sa position normale.

démettre (ii), *verbe trans.* Destituer, révoquer. – *Pronom.* Démissionner.

demeurant (au), *loc. adv.* Somme toute, du reste.

demeure, *subst. f.* Lieu où l'on vit, domicile. – Grande maison : *Une belle* **demeure** *entourée d'un parc.* – *À* **demeure** : de manière stable ; *Mettre en* **demeure** *de* : obliger à, sommer de.

demeuré, ée, *adj. et subst.* Se dit d'une personne arriérée, simple d'esprit.

demeurer, *verbe intrans.* Habiter. – Rester à un endroit. – Continuer à être : Demeurer *silencieux.*

demi-, *élément inv.* Placé devant un mot, divise la valeur par 2 ou indique l'approximation.

demi, ie, *adj. et subst. Adj.* Qui équivaut à la moitié d'un tout : Une demi-*douzaine* ; Une demi-*baguette.* – Une semaine et demie : et la moitié (d'une autre). – Incomplet : *C'est une* demi-*victoire.* – *À* demi : à moitié. – *Subst.* Moitié d'unité. – *Masc.* Verre de bière. – Au rugby et au football, joueur de milieu de terrain.

demi-finale, *subst. f.* Épreuve sportive destinée à déterminer les participants à la finale.

demi-frère, *subst. m.* Frère par un seul des deux parents.

demi-heure, *subst. f.* Moitié d'une heure.

démilitariser, *verbe trans.* Supprimer ou limiter l'activité ou la présence de la force armée dans (une zone).

demi-mesure, *subst. f.* Moyen insuffisant.

demi-mot (à), *loc. adv.* Sans qu'il soit nécessaire de tout dire.

déminer, *verbe trans.* Retirer (d'une zone) les engins explosifs.

demi-pension, *subst. f.* Forfait hôtelier incluant un repas. – Régime scolaire des élèves qui déjeunent le midi à l'école.

demi-sœur, *subst. f.* Sœur par un seul des deux parents.

démission, *subst. f.* Acte par lequel on renonce à sa fonction, à son emploi. – Refus d'assumer ses responsabilités.

démissionner, *verbe intrans.* Donner sa démission. – *Fig.* Capituler, renoncer devant des difficultés (*fam.*).

demi-teinte, *subst. f.* Teinte qui n'est ni claire ni foncée. – *Fig. En* demi-teinte : atténué, tout en nuances.

demi-tour, *subst. m.* Moitié d'un tour fait en pivotant sur soi-même. – *Faire* demi-tour : revenir sur ses pas.

démobiliser, *verbe trans.* Rendre (un soldat mobilisé) à la vie civile. – Affaiblir la motivation combative de.

démocrate, *adj. et subst.* Partisan de la démocratie.

démocratie, *subst. f.* Régime politique dans lequel la souveraineté appartient à l'ensemble des citoyens. – État vivant sous ce régime.

démocratiser, *verbe trans.* Rendre conforme aux principes de la démocratie. – Populariser.

démodé, ée, *adj.* Qui ne correspond plus aux tendances de la mode ; désuet.

démographie, *subst. f.* Science statistique des populations humaines.

demoiselle, *subst. f.* Jeune fille ; femme non mariée. – Libellule.

démolir, *verbe trans.* Détruire, en abattant ou en cassant. – *Fig.* Ruiner la réputation de ; détruire la santé de.

démolition, *subst. f.* Action de démolir.

démon, *subst. m.* Ange déchu, esprit du mal. – Personne méchante, néfaste. – Enfant très espiègle, turbulent (*fam.*).

démoniaque, *adj.* Digne du démon ; pervers.

démonstratif, ive, *adj.* Qui démontre. – Qui manifeste ses sentiments. – *Ling.* Qualifie un adjectif ou un pronom qui désigne le nom auquel il se rapporte.

démonstration, *subst. f.* Action de démontrer. – Action de montrer le fonctionnement (de *qqch.*) ou la manière d'utiliser (*qqch.*). – Manifestation de sentiments.

démonter, *verbe trans.* Séparer les pièces, les parties d'un objet, d'un mécanisme, etc. – *Fig.* Déconcerter, troubler (*qqn*).

démontrer, *verbe trans.* Prouver la vérité (de *qqch.*) par un raisonnement, par des faits rigoureux. – Révéler, indiquer : *Cela* démontre *bien sa lâcheté.*

démoraliser, *verbe trans.* Conduire (*qqn*) au découragement, abattre.

démordre, *verbe trans. indir. Ne pas* démordre *de* : s'entêter, s'obstiner à.

démotiver, *verbe trans.* Ôter (à *qqn*) toute espèce de motivation.

démouler, *verbe trans.* Retirer du moule.

démunir, *verbe trans.* Priver d'une chose essentielle. – *Pronom.* Se dessaisir de.

démystifier, *verbe trans.* Détromper (*qqn*). – Dissiper le mystère qui entoure (*qqn* ou *qqch.*).

démythifier, *verbe trans.* Ôter (à *qqch.* ou à *qqn*) son caractère mythique.

dénaturer, *verbe trans.* Altérer la nature, le goût de. – Fausser le sens, déformer.

dénégation, *subst. f.* Action de nier, de dénier.

dénicher, *verbe trans.* Enlever du nid. – *Fig.* Découvrir, trouver.

denier, *subst. m.* Ancienne monnaie romaine, puis française. – Somme versée à titre de contribution : *Le* denier *du culte.*

dénier, *verbe trans.* Refuser de reconnaître comme sien : Dénier *toute responsabilité.* – Refuser d'accorder : Dénier *un droit à qqn.*

dénigrer, *verbe trans.* S'efforcer de nuire à la réputation de (*qqn*) ou la qualité de (*qqch.*).

déniveler, *verbe trans.* Produire une différence de niveau. – Donner de la pente à.

dénivellation, *subst. f.* Action de déniveler. – Variation de niveau.

dénombrer, *verbe trans.* Faire le compte de. – Recenser.

dénominateur, *subst. m.* Terme d'une fraction qui indique en combien de parties égales l'unité a été divisée. – *Fig.* Dénominateur *commun* : caractère commun.

dénomination, *subst. f.* Appellation.

dénommé, ée, *adj.* Qui a pour nom.

dénoncer, *verbe trans.* Signaler (*qqn*) comme coupable, (*qqch.*) comme condamnable. – Indiquer (*qqch.*). – Signifier la cessation de : Dénoncer *un contrat.*

dénonciation, *subst. f.* Action de dénoncer.

dénoter, *verbe trans.* Révéler, être le signe de.

dénouement, *subst. m.* Résolution d'une situation, d'une affaire. – Issue d'une intrigue.

dénouer, *verbe trans.* Défaire un nœud ; détacher (ce qui était noué). – *Fig.* Résoudre, démêler.

dénoyauter, *verbe trans.* Ôter le noyau de.

denrée, *subst. f.* Produit alimentaire. – *Une* denrée *rare* : une qualité, une chose précieuse.

dense, *adj.* Compact, épais ; abondant et serré. – *Fig.* Concis, condensé. – *Phys.* Qualifie la masse volumique d'un corps par rapport à un autre.

densité, *subst. f.* Qualité de ce qui est dense.

dent, *subst. f.* Organe dur et blanchâtre implanté sur les maxillaires, qui sert à déchirer et à broyer les aliments.

dentaire, *adj.* Qui a trait aux dents.

dentelé, ée, *adj.* Découpé en forme de dents.

dentelle, *subst. f.* Étoffe ajourée, sans trame ni chaîne, formant un motif.

dentier, *subst. m.* Prothèse dentaire amovible.

dentifrice, *subst. m.* Pâte que l'on utilise pour se nettoyer les dents.

dentiste, *subst.* Praticien diplômé, spécialiste de la chirurgie et des soins dentaires.

dentition, *subst. f.* Apparition et croissance des dents. – Denture (abusivement).

denture, *subst. f.* Ensemble des dents.

dénuder, *verbe trans.* Mettre à nu.

dénué, ée, *adj.* Démuni, dépourvu (de).

dénuement, *subst. m.* Manque du nécessaire ; indigence, misère.

déodorant, *subst. m.* Produit qui combat les odeurs corporelles.

déontologie, *subst. f.* Ensemble des règles et des devoirs attachés à l'exercice d'une profession.

dépanner, *verbe trans.* Réparer (un véhicule, un appareil tombé en panne). – *Fig.* Tirer d'embarras (*fam.*).

dépanneuse, *subst. f.* Voiture permettant de remorquer les véhicules en panne.

dépareillé, ée, *adj.* Séparé de l'objet ou des objets avec lesquels il formait une série, une paire : *Une vaisselle* **dépareillée**. – Incomplet, disparate, en parlant d'un ensemble.

déparer, *verbe trans.* Nuire à la beauté, à l'harmonie (d'un ensemble) ; enlaidir.

départ, *subst. m.* Action de partir. – Moment, endroit où a lieu cette action.

départager, *verbe trans.* Prendre des mesures pour établir le classement de deux partis, de deux concurrents, etc., malgré leur égalité.

département, *subst. m.* Division territoriale française. – Branche spécialisée d'une administration, d'un organisme : **Département** *des manuscrits, dans une bibliothèque.*

départemental, ale, aux, *adj.* Relatif au département.

départir, *verbe trans.* Distribuer, attribuer en partage. – *Pronom.* Se défaire de ; abandonner (un comportement).

dépassé, ée, *adj.* Démodé, périmé.

dépasser, *verbe trans.* Aller au-delà de. – Devancer. – Doubler (un véhicule). – Outrepasser en valeur, en dimensions, en durée, etc. ; *empl. abs.*, déborder. – *Fig.* Outrepasser (une limite). – *Pronom.* Donner le meilleur de soi.

dépaysement, *subst. m.* Fait d'être dépaysé.

dépayser, *verbe trans.* Changer le cadre de vie, les habitudes de. – *Fig.* Désorienter, troubler.

dépecer, *verbe trans. et* Mettre en pièces, découper (un animal).

dépêche, *subst. f.* Information brève transmise par des moyens techniques rapides.

dépêcher, *verbe trans.* Expédier avec diligence auprès de (*qqn*). – *Pronom.* Se hâter, faire vite.

dépeigner, *verbe trans.* Décoiffer.

dépeindre, *verbe trans.* Décrire.

dépenaillé, ée, *adj.* Vêtu de hardes, sans soin.

dépendance, *subst. f.* Fait de dépendre de. – *Plur.* Annexes d'un bâtiment.

dépendre, *verbe trans. indir.* Être sous l'autorité, l'emprise, la juridiction de. – Être fonction de.

dépens de (aux), *loc. prép.* Au désavantage de (*qqch.* ou *qqn*). – À la charge de (*qqn*).

dépense, *subst. f.* Action de dépenser. – Ce qui est dépensé.

dépenser, *verbe trans.* Utiliser de l'argent (pour acheter, payer). – Consommer. – Employer (son temps, son énergie) à.

dépensier, ière, *adj. et subst.* Qui dépense beaucoup.

déperdition, *subst. f.* Perte progressive, diminution : **Déperdition** *de chaleur.*

dépérir, *verbe intrans.* S'affaiblir, aller vers sa fin.

dépêtrer, *verbe trans.* Débarrasser une personne, un animal de ce qui l'entrave. – *Fig.* Dégager, tirer d'une situation fâcheuse. – *Pronom.* Se débarrasser de, échapper à.

dépeupler, *verbe trans.* Vider (un pays, une région) de sa population.

dépister, *verbe trans.* Trouver la trace, la piste de. – Faire perdre la trace, la piste de ; mettre en défaut. – *Fig.* Déceler.

dépit, *subst. m.* Sentiment de tristesse et de rancœur dû à une déception. – *Loc. prép.* En **dépit** *de* : malgré.

dépité, ée, *adj.* Qui ressent du dépit.

déplacé, ée, *adj.* Qui choque, inconvenant.

déplacement, *subst. m.* Action de déplacer, de se déplacer. – Voyage professionnel.

déplacer, *verbe trans.* Changer (*qqn, qqch.*) de place. – Muter. – Changer la date, l'heure (d'un rendezvous). – *Pronom.* Bouger, se mouvoir ; voyager.

déplaire, *verbe trans. indir.* Ne pas plaire à. – Contrarier.

déplaisant, ante, *adj.* Qui déplaît, désagréable.

dépliant, *subst. m.* Imprimé plié, prospectus.

déplier, *verbe trans.* Déployer, mettre à plat (ce qui était plié).

déploiement, *subst. m.* Action de déployer. – Fait d'être déployé.

déplorer, *verbe trans.* Manifester sa douleur devant un malheur ; compatir à. – Regretter vivement, désapprouver.

déployer, *verbe trans.* Étendre, ouvrir, développer (ce qui était plié). – Disposer, répartir sur un grand espace. – *Fig.* Montrer.

dépolir, *verbe trans.* Faire perdre son éclat, son poli à (*qqch.*).

déportation, *subst. f.* Autrefois, peine d'exil d'un condamné politique. – Internement dans un camp de concentration.

déporter, *verbe trans.* Condamner à la déportation. – Envoyer en déportation. – Faire dévier.

déposer, *verbe Trans.* Poser ce que l'on porte. – Laisser (*qqch., qqn*) en un lieu précis. – Mettre en dépôt. – *Fig.* Remettre : **Déposer** *un dossier.* – Faire enregistrer pour protéger (une œuvre, un brevet). – Destituer. – *Intrans. Dr.* Témoigner en justice. – *Pronom.* Former un dépôt.

dépositaire, *subst.* Personne qui a la garde d'un dépôt. – *Fig.* Personne à qui l'on confie *qqch.* : *Être le* **dépositaire** *d'un secret.* – Concessionnaire.

déposition, *subst. f.* Action de déposer devant la justice. – Le témoignage recueilli.

déposséder, *verbe trans.* Priver d'une possession.

dépôt, *subst. m.* Action de déposer *qqch.* en un lieu précis. – Action de confier en garde un objet, en échange d'un reçu. – L'objet que l'on a déposé. – Lieu où l'on entrepose des marchandises. – Couche de substances solides qui se forme au fond d'un récipient contenant un liquide au repos.

dépoter, *verbe trans.* Retirer une plante de son pot.

dépotoir, *subst. m.* Endroit où l'on entasse les détritus, les ordures.

dépouille, *subst. f.* Peau d'un animal mort. – **Dépouille** *mortelle* : corps d'une personne décédée (*littér.*).

dépouillement, *subst. m.* Action de dépouiller. – État de sobriété ou de dénuement.

dépouiller, *verbe trans.* Retirer la peau (d'un animal). – Dénuder, dégarnir. – Déposséder (*qqn*) de ses biens. – Analyser soigneusement (un texte, une œuvre). – **Dépouiller** *un scrutin* : faire le compte des suffrages.

dépourvu, ue, *adj.* Qui manque de (*qqch.*). – *Loc. adv. Au* **dépourvu** : à l'improviste.

dépoussiérer, *verbe trans.* Enlever la poussière de. – *Fig.* Moderniser, mettre à jour.

dépravé, ée, *adj. et subst.* Perverti, débauché.

déprécier, *verbe trans.* Diminuer la valeur de, dévaloriser. – *Fig.* Critiquer, dénigrer.

déprédation, *subst. f.* Vol accompagné de détérioration. – Dégât causé aux biens d'autrui.

dépression, *subst. f.* Affaissement, creux sur une surface. – Crise économique. – Zone de basse pression atmosphérique. – *Psychol.* Abattement, découragement pathologique.

déprimer, *verbe Trans.* Abaisser, enfoncer. – Abattre moralement. – *Intrans.* Être démoralisé (*fam.*).

depuis, *prép. et adv. Prép.* À partir de (dans le temps, l'espace). – *Adv.* À partir de (ce moment). – *Loc. conj.* **Depuis** *que* : à partir du moment où.

député, *subst. m.* Personne chargée d'une mission par une autorité qu'elle représente. – Membre élu d'une assemblée délibérante.

déraciner, *verbe trans.* Arracher avec ses racines (un arbre, une plante). – *Fig.* Faire quitter (à *qqn*) son pays, son milieu d'origine.

dérailler, *verbe intrans.* Sortir des rails. – *Fig.* Fonctionner mal. – Divaguer, déraisonner (*fam.*).

dérailleur, *subst. m.* Dispositif permettant de faire passer la chaîne d'une bicyclette d'un pignon sur un autre.

déraisonnable, *adj.* Qui n'est pas raisonnable. – Qui manque de modération.

déranger, *verbe trans.* Troubler l'ordre, la disposition de (ce qui était rangé). – Perturber le fonctionnement, l'activité de. – Obliger (*qqn*) à se déplacer. – Importuner, gêner.

dérapage, *subst. m.* Action, fait de déraper. – Résultat de cette action.

déraper, *verbe intrans.* Glisser, perdre son adhérence, en parlant d'un véhicule ou de *qqn.* – *Fig.* Évoluer de façon incontrôlée.

dératé, ée, *subst. Courir comme un* **dératé** : aussi vite que possible (*fam.*).

dératiser, *verbe trans.* Débarrasser (un lieu) des rats.

derechef, *adv.* De nouveau (*littér.*).

dérégler, *verbe trans.* Déranger le réglage de.

dérider, *verbe trans.* Supprimer les rides de. – Rendre (*qqn*) moins soucieux ; amuser.

dérision, *subst. f.* Plaisanterie méprisante.

dérisoire, *adj.* Qui suscite la dérision. – Insignifiant, minime.

dérivatif, ive, *adj. et subst. m.* Qui permet d'oublier ses préoccupations.

dérivation, *subst. f.* Action de dériver (I). – Connexion de deux points d'un circuit électrique au moyen d'un second conducteur. – *Ling.* Formation d'un nouveau mot sur la base d'un radical.

dérive, *subst. f.* Fait de dériver (II) ; son résultat. – *À la* **dérive** : sans pouvoir se diriger, à vau-l'eau. – Fait de s'écarter de la norme ; dérapage.

dériver (i), *verbe trans.* Détourner (l'eau) de son cours. – **Dériver** *de* : être issu de.

dériver (ii), *verbe intrans.* S'écarter de sa direction sous l'action du vent, d'un courant, en parlant d'un avion, d'un bateau. – Aller à la dérive.

dermatologie, *subst. f. Méd.* Spécialité qui traite des maladies de la peau.

derme, *subst. m.* Couche profonde de la peau.

dernier, ière, *adj. et subst.* Qui vient après tous les autres. – *Adj.* Ultime, extrême : *Au* **dernier** *moment.* – Le plus récent : *Le mois* **dernier.**

dernièrement, *adv.* Il y a peu de temps.

dérobade, *subst. f.* Action de se dérober.

dérobée (à la), *loc. adv.* Furtivement, en cachette.

dérober, *verbe trans.* Subtiliser, voler adroitement. – Dissimuler. – *Pronom. Se* **dérober** *à une obligation* : s'y soustraire. – Refuser de franchir l'obstacle, en parlant d'un cheval.

dérogation, *subst. f.* Action de déroger à une règle, à une loi, à un accord. – Son résultat.

déroger, *verbe trans. indir.* Manquer à : **Déroger** *à ses devoirs, à son son rang.* – Contrevenir à (une loi, un usage).

déroulement, *subst. m.* Action de dérouler ; fait d'être déroulé. – Progression dans le temps.

dérouler, *verbe trans.* Étaler (ce qui était enroulé). – *Pronom.* Se passer, avoir lieu.

déroute, *subst. f.* Repli désordonné d'une armée vaincue. – *Fig.* Effondrement ; débâcle.

dérouter, *verbe trans.* Faire changer d'itinéraire, de destination. – Déconcerter.

derrière (i), *prép. et adv. Prép.* En arrière de. – Au-delà de ; sous l'apparence de : *Cacher sa peine* **derrière** *un sourire.* – À la suite de. – *Adv.* Du côté opposé au devant, à l'endroit.

derrière (ii), *subst. m.* Partie postérieure de *qqch.* – Arrière-train, fesses.

des, *voir de et un* **dès**, *prép.* À partir de, aussitôt après (un moment ou un lieu). – *Loc. adv.* **Dès** *lors* : à partir de ce moment ; en conséquence. – *Loc. conj.* **Dès** *que* : sitôt que.

désabusé, ée, *adj. et subst.* Qui a perdu ses illusions ; qui est déçu, blasé.

désaccord, *subst. m.* Absence d'accord, différence d'opinion sur un point donné.

désaffecté, ée, *adj.* Qui n'a plus d'affectation ou dont l'affectation a été modifiée (en parlant d'un lieu, d'un édifice).

désagréable, *adj.* Qui se comporte de façon peu agréable, qui choque, qui irrite. – Qui déplaît : *Une impression* **désagréable**.

désagréger, *verbe trans.* Décomposer, effriter.

désagrément, *subst. m.* Déplaisir d'ordre matériel, souci. – Ce qui est désagréable.

désaltérer, *verbe trans.* Donner à boire. – Apaiser la soif de. – *Pronom.* Étancher sa soif.

désamorcer, *verbe trans.* Retirer l'amorce de. – Interrompre le fonctionnement de : **Désamorcer** *une pompe.* – *Fig.* Empêcher l'explosion (d'une crise).

désappointer, *verbe trans.* Décevoir l'attente de (*qqn*).

désapprouver, *verbe trans.* Porter un jugement négatif sur, refuser sa caution à, contester.

désarçonner, *verbe trans.* Jeter (un cavalier) à bas de la selle. – *Fig.* Ébranler l'assurance (de *qqn*) par un effet de surprise.

désarmant, ante, *adj.* Qui interdit toute sévérité par sa naïveté ; qui est touchant : *Un sourire* **désarmant**.

désarmement, *subst. m.* Suppression ou limitation du potentiel militaire d'une nation.

désarmer, *verbe trans.* Priver d'armes, de son arme. – Supprimer ou réduire l'armement (d'un pays). – Ôter (à un navire) son matériel et son équipage. – *Fig.* Faire tomber l'agressivité de (*qqn*).

désarroi, *subst. m.* Trouble moral, détresse.

désarticulé, ée, *adj.* Souple à l'excès ; disloqué. – *Fig.* Privé de cohérence, d'unité.

désastre, *subst. m.* Événement catastrophique. – *Fig.* Très grave échec.

désastreux, euse, *adj.* Catastrophique.

désavantage, *subst. m.* Ce qui constitue un inconvénient, qui entraîne une infériorité. – Ce qui porte préjudice.

désavantager, *verbe trans.* Placer en situation défavorable ou préjudiciable. – Léser.

désaveu, eux, *subst. m.* Reniement. – Refus d'apporter sa caution.

désavouer, *verbe trans.* Ne pas admettre comme sien. – Revenir sur (*qqch.* qu'on a dit ou fait). – Refuser de cautionner.

desceller, *verbe trans.* Ouvrir (ce qui était scellé). – Détacher (ce qui était fixé par un scellement).

descendance, *subst. f.* Ensemble de personnes ayant un ancêtre commun.

descendant, ante, *adj. et subst. Adj.* Qui va vers le bas. – *Subst.* Personne, considérée en tant qu'issue d'un ancêtre.

descendre, *verbe Intrans.* Aller du haut vers le bas ; être en pente ; baisser de niveau. – Séjourner. – Faire irruption. – Être issu de. – *Trans.* Parcourir de haut en bas. – Déposer. – Tuer ; abattre (*fam.*).

descente, *subst. f.* Action d'aller du haut vers le bas. – Pente. – Irruption de la police dans un lieu. – Action de déposer.

descriptif, ive, *adj. et subst. m. Adj.* Qui décrit. – *Subst.* Document technique détaillé.

description, *subst. f.* Action de décrire, oralement ou par écrit. – Ce qui est décrit.

désemparé, ée, *adj.* Privé de ses moyens. – Désorienté, sans défense.

désenchanté, ée, *adj.* Qui a perdu ses illusions.

désenclaver, *verbe trans.* Rompre la situation d'isolement (d'un site).

désenfler, *verbe Intrans.* Cesser d'être enflé. – *Trans.* Réduire l'enflure de.

désensibiliser, *verbe trans.* Rendre moins sensible. – *Méd.* Faire subir un traitement en vue de supprimer les réactions allergiques.

déséquilibre, *subst. m.* Instabilité physique ou psychique. – Disparité.

déséquilibré, ée, *adj. et subst. Adj.* Qui manque d'équilibre ; qui a perdu l'équilibre. – *Subst.* Fou.

déséquilibrer, *verbe trans.* Rompre l'équilibre physique ou psychique de (*qqn* ou *qqch.*).

désert (i), erte, *adj.* Inhabité. – Peu fréquenté.

désert (ii), *subst. m.* Lieu inhabité ou très peu habité. – *Géogr.* Étendue très aride.

déserter, *verbe trans.* Quitter, cesser de fréquenter (un lieu). – Abandonner, renier (un poste, une cause). – *Empl. abs.* Quitter l'armée illégalement.

déserteur, *subst. m.* Soldat qui déserte l'armée.

désertification, *subst. f.* Transformation progressive d'une région en désert.

désertion, *subst. f.* Action de déserter.

désertique, *adj.* Propre au désert. – Aride.

désespéré, ée, *adj. et subst.* Qui s'abandonne au désespoir. – *Adj.* Sans aucun espoir. – Qui exprime le désespoir.

désespérer, *verbe Trans. dir.* Faire perdre tout espoir à (*qqn*), décourager. – *Trans. indir.* Ne plus croire que : **Désespérer** *que.* – Ne plus croire en : **Désespérer** *de réussir, de qqn.* – *Intrans.* Cesser d'espérer.

désespoir, *subst. m.* Perte de l'espoir. – Détresse profonde de qui a perdu l'espoir.

déshabiller, *verbe trans.* Dévêtir (*qqn*). – *Fig.* Mettre (*qqch.*) à nu. – *Pronom.* Ôter ses habits.

déshabituer, *verbe trans.* Faire perdre une habitude à.

désherbant, ante, *adj. et subst. m.* Se dit d'un produit qui détruit les mauvaises herbes.

désherber, *verbe trans.* Ôter les mauvaises herbes de.

déshériter, *verbe trans.* Déposséder (un héritier) de ses droits.

déshonorer, *verbe trans.* Salir l'honneur de (*qqn*). – Faire du tort à (*qqn*) ; enlaidir (*qqch.*).

déshydrater, *verbe trans.* Retirer d'un corps tout ou partie de l'eau qui le compose. – *Pronom.* Perdre l'eau nécessaire à l'organisme.

design, *subst. m.* Recherche esthétique et technologique axée sur la production industrielle d'objets et de meubles aux formes nouvelles et fonctionnelles.

désigner, *verbe trans.* Signaler, montrer. – Représenter. – Nommer (à un poste) ; choisir (pour une tâche).

désillusion, *subst. f.* Perte d'une illusion.

désinence, *subst. f. Ling.* Élément qui se place à la fin d'un mot pour indiquer sa nature, son genre, etc.

désinfectant, ante, *adj. et subst. m.* Se dit d'un produit qui détruit les germes infectieux.

désinfecter, *verbe trans.* Nettoyer (un local, une plaie) en détruisant les germes infectieux.

désinfection, *subst. f.* Action de désinfecter.

désinformer, *verbe trans.* Utiliser les médias pour diffuser de fausses informations.

désintégrer, *verbe trans.* Détruire par éclatement. – *Pronom.* Être détruit ; perdre sa cohésion.

désintéressement, *subst. m.* Détachement de tout profit personnel. – Indemnisation.

désintéresser, *verbe trans.* Dédommager. – *Pronom.* Perdre son intérêt, sa curiosité pour.

désintoxiquer, *verbe trans.* Guérir (*qqn*) d'une dépendance à l'égard d'un toxique. – Éliminer les toxines de (*qqn*). – Combattre l'intoxication psychologique, intellectuelle.

désinvolte, *adj.* D'une liberté, d'une légèreté qui frise l'insolence, la négligence.

désinvolture, *subst. f.* Attitude désinvolte.

désir, *subst. m.* Aspiration profonde à combler un manque. – Attirance sexuelle. – L'objet désiré.

désirable, *adj.* Qui suscite le désir sexuel. – Souhaitable.

désirer, *verbe trans.* Avoir envie de (*qqch.*). – Éprouver du désir sexuel pour (*qqn*).

désistement, *subst. m.* Action, fait de se désister.

désister (se), *verbe pronom.* Renoncer (à un droit). – Retirer sa candidature (à une élection).

désobéir, *verbe trans. indir.* Ne pas obéir à (*qqn*). – Refuser de se plier à (une autorité).

désobéissance, *subst. f.* Tendance à désobéir. – Action de désobéir.

désobligeant, ante, *adj.* Peu aimable, qui froisse.

désobliger, *verbe trans.* Porter atteinte à l'amour-propre de (*qqn*).

désodorisant, ante, *adj. et subst. m.* Se dit d'un produit qui élimine les mauvaises odeurs d'un lieu.

désodoriser, *verbe trans.* Supprimer les odeurs désagréables (d'un lieu).

désœuvré, ée, *adj. et subst.* Qui n'a pas d'activité ; qui ne sait pas comment s'occuper.

désœuvrement, *subst. m.* État d'une personne désœuvrée, inoccupée.

désolant, ante, *adj.* Qui attriste profondément. – Qui contrarie.

désolation, *subst. f.* Grande peine. – Cause de contrariété. – État d'un lieu dévasté, désert.

désoler, *verbe trans.* Donner du chagrin à (*qqn*). – Navrer (*qqn*).

désopilant, ante, *adj.* Qui fait beaucoup rire.

désordonné, ée, *adj.* Qui est en désordre. – Qui manque d'ordre. – Déréglé.

désordre, *subst. m.* Fouillis. – Manque d'organisation ; confusion. – Agitation collective.

désorganiser, *verbe trans.* Détruire l'organisation de.

désorienter, *verbe trans.* Faire perdre l'orientation à. – *Fig.* Déconcerter, faire hésiter.

désormais, *adv.* À partir de maintenant.

désosser, *verbe trans.* Ôter les os (d'une viande), les arêtes (d'un poisson). – Démonter pièce par pièce.

despote, *adj. et subst. m.* Se dit d'une personne tyrannique. – *Subst.* Souverain qui gouverne en maître absolu.

desquamer, *verbe intrans.* Perdre ses écailles, pour certains animaux. – Se détacher en lamelles, en parlant de la peau.

desquels, *voir* **duquel dessaisir**, *verbe trans.* Enlever à (*qqn*) un bien, une responsabilité. – Retirer à une juridiction une affaire dont elle était saisie.

dessaler, *verbe Trans.* Ôter le sel (d'un produit). – *Intrans.* Chavirer, en parlant d'un voilier ou de son équipage (*fam.*).

dessèchement, *subst. m.* Action de dessécher. – État de ce qui est desséché.

dessécher, *verbe trans.* Rendre sec. – *Fig.* Rendre dur, insensible.

dessein, *subst. m.* Projet ; intention. – *Loc. adv.* À dessein : exprès.

desseller, *verbe trans.* Ôter sa selle à (une monture).

desserrer, *verbe trans.* Relâcher (ce qui était serré).

dessert, *subst. m.* Mets sucré servi à la fin du repas.

desserte (i), *subst. f.* Action de desservir (I). – Moyen d'accès.

desserte (ii), *subst. f.* Meuble où l'on pose les plats à servir, la vaisselle desservie.

desservir (i), *verbe trans.* Assurer un service de transport pour ; permettre l'accès à. – Assurer le service religieux (d'une paroisse).

desservir (ii), *verbe trans.* Débarrasser (la table) à la fin du repas. – Discréditer.

dessin, *subst. m.* Représentation graphique. – Art et technique de ce genre de représentation. – Motif. – Contour. – **Dessin** animé : film réalisé à partir de **dessins**, dans lequel la succession rapide de ces derniers crée l'illusion du mouvement.

dessinateur, trice, *subst.* Personne qui dessine.

dessiner, *verbe trans.* Représenter par un dessin. – *Pronom.* Apparaître. – Prendre tournure.

dessoûler, *verbe Sortir* de l'état d'ivresse.

dessous (i), *prép. et adv. Prép.* Marque une position inférieure à une autre : *Au-*dessous *de*, plus bas que ; *Par-*dessous. – *Adv.* Dans la partie, sur la face inférieure : *Lire ci-*dessous. – *Agir en* dessous : hypocritement.

dessous (ii), *subst. m.* Partie inférieure ; envers. – Ce qui est plus bas. – *Avoir le* dessous : perdre. – **Dessous**-*de*-*table* : somme versée de manière occulte à un vendeur. – *Plur.* Lingerie féminine. – Ce qui est dissimulé au public.

dessus (i), *prép. et adv. Prép.* Marque une position supérieure à une autre ; *Au-*dessus *de*, plus haut que ; *Par-*dessus *tout*, principalement. – *Adv.* Dans la partie, sur la face supérieure. – *Là-*dessus : sur ce ; sur cela.

dessus (ii), *subst. m.* Partie supérieure ; endroit. – Ce qui est plus haut. – *Avoir le* dessus : gagner. – *Le* dessus *du panier* : l'élite.

déstabiliser, *verbe trans.* Rendre instable. – Faire perdre son assurance à (*qqn*).

destin, *subst. m.* Loi supérieure qui semble régir l'existence. – Fatalité. – Avenir, sort.

destinataire, *subst.* Personne à qui l'on fait parvenir une lettre, un colis.

destination, *subst. f.* Utilisation, rôle fixé d'avance. – Lieu où l'on se rend, où l'on adresse *qqch.* ou *qqn.*

destinée, *subst. f.* Destin. – Existence irrévocablement déterminée par le destin.

destiner, *verbe trans.* Déterminer par avance l'emploi de (*qqch.*), l'avenir de (*qqn*).

destituer, *verbe trans.* Démettre (*qqn*) de sa charge.

destrier, *subst. m. Hist.* Cheval de bataille, au Moyen Âge.

destruction, *subst. f.* Action de détruire. – Le résultat de cette action.

désuet, ète, *adj.* Qui n'est plus guère en usage. – Démodé.

désuétude, *subst. f.* Caractère de ce qui est désuet.

désunir, *verbe trans.* Séparer (ce qui était uni).

détachant, ante, *adj. et subst. m.* Se dit d'un produit qui nettoie les taches.

détachement, *subst. m.* Désaffection ; éloignement à l'égard des valeurs matérielles. – Troupe de soldats envoyée en mission. – Affectation d'un fonctionnaire à un autre service que le sien.

détacher (I), *verbe trans.* Défaire les liens de ; dégager. – Séparer d'un ensemble. – Envoyer en mission. – Affecter à un autre poste. – *Pronom.* Se dégager. – Apparaître nettement. – *Fig.* Rompre des attaches affectives.

détacher (II), *verbe trans.* Enlever les taches de.

détail, *subst. m.* Élément secondaire d'un tout. – *Vente au* **détail** : en petites quantités.

détaillant, ante, *adj. et subst.* Qui vend au détail.

détailler, *verbe trans.* Vendre au détail. – Raconter par le menu. – Examiner point par point.

détaler, *verbe intrans.* Partir en courant (*fam.*).

détartrer, *verbe trans.* Dissoudre, ôter le tartre de.

détaxer, *verbe trans.* Réduire, supprimer la taxe de.

détecter, *verbe trans.* Découvrir (ce qui n'est pas évident), déceler.

détective, *subst. m.* Enquêteur privé.

déteindre, *verbe Trans.* Décolorer. – *Intrans.* Se décolorer. – *Fig.* Influencer : **Déteindre** *sur qqn.*

dételer, *verbe Trans.* Détacher (un animal ou une voiture) de son attelage. – *Intrans.* Renoncer à une occupation (*fam.*).

détendre, *verbe trans.* Relâcher la tension de. – *Pronom.* Se reposer agréablement.

détenir, *verbe trans.* Avoir, retenir en sa possession. – Garder dans une prison.

détente, *subst. f.* Relâchement de ce qui est tendu. – Extension musculaire. – Pièce qui actionne une arme à feu. – *Fig.* Amélioration des relations entre les États. – Repos, délassement.

détenteur, trice, *subst.* Personne qui détient *qqch.*

détention, *subst. f.* Action de détenir. – Fait d'être incarcéré ; séjour en prison.

détenu, ue, *adj. et subst.* Qui est retenu prisonnier.

détergent, ente, *adj. et subst. m.* Se dit d'un produit qui nettoie en dissolvant la saleté.

détériorer, *verbe trans.* Faire subir des dégradations à. – *Pronom.* Empirer.

déterminant, ante, *adj. et subst. m. Adj.* Qui détermine. – Dont l'influence est décisive. – *Subst. Ling.* Élément grammatical qui en détermine un autre ; mot introduisant un substantif.

détermination, *subst. f.* Action de déterminer. – Décision ferme et pesée. – Caractère d'une personne décidée.

déterminer, *verbe trans.* Définir, caractériser, mesurer. – Être la cause décisive de. – Amener à : *Cela nous* **a déterminés** *à partir.*

déterrer, *verbe trans.* Extraire de la terre. – *Fig.* Mettre au jour (ce qui était caché, oublié).

détester, *verbe trans.* Éprouver de l'aversion pour.

détonateur, *subst. m.* Amorce qui déclenche une explosion. – *Fig.* Ce qui fait éclater une situation explosive.

détonation, *subst. f.* Bruit sec et violent produit par une explosion.

détour, *subst. m.* Boucle, écart d'un tracé. – Trajet qui s'écarte du chemin direct. – *Fig.* Moyen indirect.

détournement, *subst. m.* Action de détourner. – Appropriation frauduleuse.

détourner, *verbe trans.* Changer la direction de : **Détourner** *un avion,* le contraindre à changer de direction. – Tourner vers un autre côté. – Diriger vers un autre centre d'intérêt. – Éloigner, détacher. – S'approprier illégalement (*qqch.*).

détracteur, trice, *subst.* Personne qui critique violemment, qui dénigre.

détraqué, ée, *adj. et subst.* Se dit d'une personne déséquilibrée, folle (*fam.*).

détraquer, *verbe trans.* Perturber le bon fonctionnement (d'un mécanisme).

détresse, *subst. f.* Sentiment d'angoisse causé par un besoin, un danger, une souffrance. – Misère. – Situation périlleuse, pour un navire, un avion.

détriment, *subst. m.* Préjudice. – *Loc. prép. Au* **détriment** *de* : aux dépens de.

détritus, *subst. m.* Ordures (*gén.* au *plur.*).

détroit, *subst. m.* Passage étroit entre deux côtes par où communiquent deux étendues marines.

détromper, *verbe trans.* Aviser (*qqn*) de son erreur.

détrôner, *verbe trans.* Retirer son trône, sa suprématie à (*qqn*). – *Fig.* Supplanter.

détrousser, *verbe trans.* Dépouiller (*qqn*) de ses effets personnels, dévaliser.

détruire, *verbe trans.* Démolir. – Réduire à néant. – Éliminer, supprimer.

dette, *subst. f.* Somme d'argent due. – Devoir moral envers *qqn.*

deuil, *subst. m.* Mort d'un proche. – Affliction due à cette mort.

deux, *adj. num. inv. et subst. m. inv. Adj.* Un plus un. – Deuxième : *Louis II de Bavière.* – *Subst.* Le nombre **deux,** le chiffre **2,** le numéro **2.**

deux-pièces, *subst. m. inv.* Tailleur féminin. – Maillot de bain composé d'un slip et d'un soutien-gorge. – Appartement de deux pièces.

deux-points, *subst. m. inv.* Signe de ponctuation formé de deux points superposés (:).

deux-roues, *subst. m. inv.* Véhicule à deux roues.

dévaler, *verbe* Descendre à vive allure.

dévaliser, *verbe trans.* Voler, cambrioler (*qqn,* une maison). – *Fig.* Vider de son contenu.

dévaloriser, *verbe trans.* Abaisser la valeur marchande de. – Déprécier.

dévaluation, *subst. f.* Diminution d'une valeur monétaire par rapport aux autres et à l'or.

dévaluer, *verbe trans.* Réaliser la dévaluation (d'une monnaie). – Déprécier.

devancer, *verbe trans.* Se situer devant. – Passer devant. – Anticiper.

devant (i), *prép. et adv. Prép.* En avant de, en face de : *Regarder* **devant** *soi*. – En présence de : *Parler* **devant** *témoin*. – *Adv.* En avant, du côté où porte le regard, de la partie antérieure de *qqch.* : *Aller* **devant**.

devant (ii), *subst. m.* Ce qui est situé en avant, le plus près du regard : *Les pattes de* **devant**. – *Fig.* *Prendre les* **devants** : devancer. – *Loc. prép. Au* **devant** *de* : à la rencontre de.

devanture, *subst. f.* Façade d'un magasin. – Étalage, dans une vitrine.

dévaster, *verbe trans.* Causer d'énormes dégâts à.

déveine, *subst. f.* Manque de chance (*fam.*).

développement, *subst. m.* Essor, croissance. – Énonciation détaillée. – Révélation des images à partir d'une pellicule photographique.

développer, *verbe trans.* Augmenter l'importance de. – Analyser point par point. – Faire apparaître (une photographie) en appliquant un traitement chimique à la pellicule.

devenir, *verbe intrans.* Se transformer, évoluer vers un nouvel état. – Avoir un sort, un résultat.

dévergondé, ée, *adj. et subst.* Qui se moque de la morale sexuelle traditionnelle ; débauché.

déverser, *verbe trans.* Faire couler en abondance. – *Fig.* Décharger, épancher.

dévêtir, *verbe trans.* Ôter les vêtements de.

déviation, *subst. f.* Écart par rapport à une direction donnée ou à une norme.

dévider, *verbe trans.* Mettre du fil en écheveau, en pelote. – Dérouler. – *Fig.* Raconter avec prolixité (*fam.*).

dévier, verbe Écarter ou s'écarter de la direction normale, du droit chemin.

devin, ineresse, *subst.* Personne qui prétend connaître ce qui est caché, en *partic.* l'avenir.

deviner, *verbe trans.* Découvrir par l'intuition, la supposition (ce qu'on ne sait pas).

devinette, *subst. f.* Jeu où l'on doit deviner la réponse à la question posée.

devis, *subst. m.* Estimation précise et détaillée du coût d'un travail.

dévisager, *verbe trans.* **Dévisager** *qqn* : regarder son visage de manière insistante.

devise, *subst. f.* Sentence. – Monnaie étrangère.

deviser, *verbe intrans.* Parler de choses et d'autres (avec *qqn*), converser.

dévisser, verbe *Trans.* Desserrer, enlever, ouvrir (ce qui est vissé). – *Intrans.* Tomber dans le vide au cours d'une escalade.

de visu, *loc. adv.* Après avoir vu ; pour avoir vu.

dévitaliser, *verbe trans.* **Dévitaliser** *une dent* : ôter sa pulpe, son nerf.

dévoiler, *verbe trans.* Enlever le voile de. – Mettre au jour (ce qui était tenu secret), révéler.

devoir (i), *verbe trans.* Avoir à payer. – Avoir pour obligation morale. – Être redevable de. – **Devoir** + *inf.* Être probable, éventuel ou fatal : *Cela* **devait** *finir mal*.

devoir (ii), *subst. m.* Obligation morale ou légale. – Exercice scolaire écrit.

dévolu, ue, *adj. et subst. m. Adj.* Acquis, échu par droit ; réservé. – *Subst.* Jeter son **dévolu** *sur* : fixer son choix sur.

dévorer, *verbe trans.* Manger sa proie en la déchiquetant, pour un animal. – Manger avec avidité, pour une personne. – *Fig.* Lire avidement. – **Dévorer** *des yeux* : regarder avec passion. – Consumer, détruire.

dévot, ote, *adj. et subst.* Qui est très attaché à la religion, et surtout à sa pratique.

dévotion, *subst. f.* Ferveur, piété. – Vénération.

dévouement, *subst. m.* Action de se dévouer. – Disposition à aider autrui.

dévouer (se), *verbe pronom.* Mettre sa vie au service de *qqn*, d'une cause. – Se sacrifier.

dévoyé, ée, *adj. et subst.* Qui a quitté le droit chemin.

dextérité, *subst. f.* Habileté manuelle. – Adresse dans la manière d'agir.

diabète, *subst. m.* Maladie caractérisée par la présence de sucre dans le sang et les urines.

diable, *subst. m. et interj. Subst.* Incarnation suprême du mal, Satan. – Enfant espiègle. – Chariot à deux roues. – *Au* **diable** : très loin. – *En* **diable** : extrêmement. – *Interj.* Cri exprimant la surprise.

diabolique, *adj.* Inspiré par le diable. – Digne du diable.

diacre, *subst. m.* Clerc appartenant à l'ordre immédiatement inférieur à celui de prêtre. – Laïque protestant chargé de l'aide aux pauvres.

diadème, *subst. m.* Bandeau royal. – Parure féminine en demi-couronne, ceignant le haut du front.

diagnostic, *subst. m.* Identification d'une maladie par l'observation de ses symptômes. – Évaluation d'une situation.

diagonale, *subst. f.* Droite joignant deux sommets non consécutifs d'un polygone. – *Lire en* **diagonale** : en sautant des passages.

diagramme, *subst. m.* Représentation graphique de données variables.

dialecte, *subst. m.* Forme d'une langue particulière à une région.

dialectique, *adj. et subst. f. Subst.* Art de la discussion, du raisonnement. – Méthode de raisonnement qui analyse les contradictions pour les dépasser et aboutir à une synthèse. – *Adj.* Qui relève de la **dialectique**.

dialogue, *subst. m.* Échange de paroles entre deux personnes. – Concertation. – Ensemble des répliques, dans une pièce de théâtre, un film, un récit.

diamant, *subst. m.* Carbone pur cristallisé. – Pierre précieuse taillée dans ce minéral.

diamètre, *subst. m.* Droite passant par le centre d'un cercle ou d'une sphère.

diapason, *subst. m. Mus.* Petit instrument acoustique dont la vibration donne le *la*. – *Fig. Être au* **diapason** : être dans le ton.

diaphane, *adj.* Qui laisse filtrer la lumière sans être transparent. – Pâle et délicat.

diaphragme, *subst. m.* Muscle situé entre le thorax et l'abdomen. – Préservatif féminin. – Mécanisme servant à régler la quantité de lumière dans un appareil photographique.

diapositive, *subst. f.* Photographie sur support transparent, que l'on projette sur un écran.

diarrhée, *subst. f.* Évacuation fréquente de selles liquides.

diaspora, *subst. f.* Dispersion d'un peuple, d'une communauté à travers le monde.

diatribe, *subst. f.* Critique féroce, injurieuse.

dichotomie, *subst. f.* Séparation en deux. – Opposition entre deux choses.

dictateur, *subst. m.* Détenteur du pouvoir absolu, qui l'exerce de façon arbitraire.

dictature, *subst. f.* Régime politique autoritaire, dans lequel le pouvoir est aux mains d'un dictateur.

dictée, *subst. f.* Action de dicter un texte, une conduite. – Exercice d'orthographe.

dicter, *verbe trans.* Dire (un texte) lentement et distinctement (à *qqn* qui l'écrit). – Inspirer (une conduite, des propos). – Prescrire, imposer.

diction, *subst. f.* Manière, art de prononcer.

dictionnaire, *subst. m.* Ouvrage dans lequel sont classés par ordre alphabétique des mots que l'on définit ou traduit.

dicton, *subst. m.* Courte maxime de sagesse populaire, adage.

didactique, *adj. et subst. f. Adj.* Qui a pour objet d'instruire ; qui tend à instruire. – *Subst.* Science de l'enseignement.

dièdre, *subst. m. Géom.* Ensemble formé par deux demiplans réunis par une arête.

dièse, *subst. m. Mus.* Signe d'altération élevant les notes d'un demi-ton chromatique.

diesel, *subst. m.* Moteur à combustion interne fonctionnant au gazole : *Moteur* **Diesel** (ou **diesel**).

diète, *subst. f.* Suppression, totale ou non, de certains aliments, en vue de recouvrer la santé.

diététique, *adj. et subst. f. Adj.* Propre, relatif à un régime alimentaire. – *Subst.* Étude de l'hygiène alimentaire.

dieu, **dieux**, *subst. m.* Divinité : *Un dieu.* – *Sing.* L'Être suprême : *Prier* **Dieu**.

diffamation, *subst. f.* Propos ou écrit calomnieux et préjudiciable.

diffamer, *verbe trans.* Tenir ou publier des propos nuisant à la réputation de (*qqn*).

différence, *subst. f.* Caractère distinctif. – État des êtres, des choses dissemblables. – Résultat d'une soustraction.

différencier, *verbe trans.* Rendre différent. – Reconnaître une différence entre (des choses, des êtres).

différend, *subst. m.* Désaccord dû à une divergence d'opinion.

différent, **ente**, *adj.* Qui présente une différence. – *Plur.* Divers ; plusieurs.

différer (i), *verbe intrans.* Être distinct, différent. – Diverger, en parlant d'opinions. – Varier.

différer (ii), *verbe trans.* Reporter à un autre moment.

difficile, *adj.* Dont l'exécution ou la compréhension nécessite un effort. – Pénible. – Exigeant.

difficulté, *subst. f.* Caractère de ce qui est difficile. – Élément qui pose problème ; obstacle.

difforme, *adj.* Qui n'a pas une forme normale.

diffuser, *verbe trans.* Répandre en tous sens. – Propager, transmettre. – *Empl. intrans. Chim.* Se répandre en tous sens.

diffusion, *subst. f.* Fait de se diffuser. – Transmission par les médias ; distribution d'une publication ; propagation d'un savoir.

digérer, *verbe trans.* Assimiler par la digestion. – *Fig.* Assimiler par la pensée. – Admettre, surmonter (*fam.*).

digeste, *adj.* Que l'on peut digérer facilement, léger.

digestif, **ive**, *adj. et subst. m. Adj.* De la digestion. – Qui facilite la digestion. – *Subst.* Alcool fort que l'on boit après le repas.

digestion, *subst. f.* Transformation physico-chimique des aliments dans l'appareil digestif.

digital, **ale**, **aux**, *adj.* Qui appartient aux doigts. – *Informat.* Numérique.

digitale, *subst. f.* Plante dont les fleurs, en forme de doigts de gant, sont extrêmement toxiques.

digne, *adj.* Qui fait preuve de dignité. – **Digne** de : qui mérite (*qqch.*) ; qui est en conformité avec (*qqn* ou *qqch.*).

dignitaire, *subst. m.* Personnage éminent.

dignité, *subst. f.* Respect que l'on doit à autrui ou à soimême. – Maintien grave, retenu. – Haute fonction.

digression, *subst. f.* Fait de s'écarter momentanément du sujet dont on parle.

digue, *subst. f.* Ouvrage servant à retenir les eaux de la mer ou d'une rivière.

dilapider, *verbe trans.* Gaspiller, dépenser à tort et à travers.

dilatation, *subst. f.* Action de dilater ou de se dilater. – Fait d'être dilaté.

dilater, *verbe trans.* Augmenter le volume d'un corps en le chauffant. – Augmenter le calibre d'un conduit ; agrandir une ouverture.

dilatoire, *adj.* Qui permet de gagner du temps, de temporiser.

dilemme, *subst. m.* Situation dans laquelle on doit choisir entre deux partis présentant tous deux des inconvénients.

dilettante, *subst.* Personne qui agit en amateur, sans s'investir.

diligence (i), *subst. f.* Soin et promptitude dans l'exécution d'une tâche.

diligence (ii), *subst. f.* Grande voiture tirée par des chevaux, qui transportait jadis des voyageurs.

diluer, *verbe trans.* Mélanger (*qqch.*) avec un liquide.

diluvien, **ienne**, *adj.* Relatif au Déluge biblique. – Qui évoque le Déluge.

dimanche, *subst. m.* Septième jour de la semaine, institué jour de repos.

dîme, *subst. f.* Sous l'Ancien Régime, partie de la récolte prélevée à titre d'impôt par le clergé.

dimension, *subst. f.* Chacune des mesures qui permettent d'évaluer la grandeur d'un corps, d'une figure. – *Fig.* Ampleur, importance.

diminuer, *verbe Trans.* Rendre moindre. – *Fig.* Rabaisser. – *Intrans.* Décroître peu à peu.

diminutif, *subst. m.* Surnom familier qui dérive du nom ou du prénom.

diminution, *subst. f.* Action, fait de diminuer. – Résultat de cette action.

dinde, *subst. f.* Femelle du dindon. – *Fig.* Femme prétentieuse, sotte (*fam.*).

dindon, *subst. m.* Oiseau de basse-cour. – *Fam.* Homme stupide. – *Être le* **dindon** *de la farce* : être la dupe.

dîner (i), *verbe intrans.* Prendre le repas du soir.

dîner (ii), *subst. m.* Repas que l'on prend le soir.

dingue, *adj. et subst.* Fou, aliéné (*fam.*).

dinosaure, *subst. m.* Nom donné à certains grands reptiles terrestres qui vivaient à l'ère secondaire.

diocèse, *subst. m.* Circonscription ecclésiastique relevant d'un évêque.

diphtérie, *subst. f.* Maladie très contagieuse (la vaccination est obligatoire).

diplodocus, *subst. m.* Reptile fossile du crétacé.

diplomate, *adj. et subst.* Qui fait preuve de tact. – *Subst.* Personne qui travaille dans la diplomatie.

diplomatie, *subst. f.* Pratique, science des relations internationales. – Ensemble des diplomates ; carrière de diplomate. – Tact, habileté.

diplôme, *subst. m.* Acte par lequel une université, une école confère un titre, un grade.

dire, *verbe trans.* Exprimer par le langage parlé ou écrit. – Prononcer. – Affirmer, assurer, prétendre. – Inviter à, ordonner. – Indiquer. – Plaire, convenir : *Ce travail ne me* **dit** *rien.* – *On* **dirait** *que* : il semble que. – *Cela veut* **dire** *que* : cela signifie que.

direct, ecte, *adj. et subst. m. Adj.* Rectiligne. – Sans déviation. – Sans intermédiaire. – *Subst.* Train qui ne s'arrête qu'aux gares principales. – Coup de poing. – Émission diffusée dans l'instant même (*contr. différé*).

directeur, trice, *adj. et subst. Subst.* Personne qui dirige (une société, une école, etc.). – *Adj.* Qui dirige : *Bureau* **directeur** ; *Aile* **directrice**.

direction, *subst. f.* Action de diriger ; exercice d'une responsabilité ou d'un pouvoir. – Service placé sous l'autorité d'un directeur ; ensemble des membres dirigeants d'une entreprise. – Orientation vers un point donné. – Mécanisme servant à diriger un véhicule. – *Fig.* Ligne de conduite.

directive, *subst. f.* Instruction impérative, ordre. – Conseil sur une marche à suivre.

dirigeable, *subst. m.* Ballon, aérostat pourvu d'un moteur et d'un système de direction.

dirigeant, ante, *adj. et subst.* Qui dirige. – Qui détient un pouvoir.

diriger, *verbe trans.* Donner une certaine direction. – Conduire, commander.

discernement, *subst. m.* Capacité de comprendre et de juger sainement.

discerner, *verbe trans.* Distinguer par les sens, percevoir clairement. – Reconnaître, identifier. – Juger, apprécier, deviner.

disciple, *subst.* Personne qui suit l'enseignement d'un maître.

disciplinaire, *adj.* Qui a trait à la discipline, et en partic. aux sanctions.

discipline, *subst. f.* Science, domaine d'étude ; matière d'enseignement : **Disciplines** *scientifiques*. – Règle de conduite, obligations communes à un groupe ; soumission à ces règles, à ces obligations.

discipliné, ée, *adj.* Soumis à une règle. – Obéissant. – *Fig.* En ordre.

disc-jockey, *subst. m.* Animateur qui choisit la musique passée à la radio ou dans une discothèque (*abrév. D.J.*).

discontinu, ue, *adj.* Qui présente des interruptions, des ruptures.

discontinuer, *verbe intrans. Sans* **discontinuer** : sans s'arrêter, de façon continue.

disconvenir, *verbe trans. indir. Ne pas* **disconvenir** *de qqch.* : le reconnaître pour vrai, pour valable.

discordant, ante, *adj.* Qui ne s'accorde pas ; qui n'est pas en harmonie.

discorde, *subst. f.* Désaccord, dissension grave pouvant déboucher sur un conflit.

discothèque, *subst. f.* Organisme de prêt de disques. – Boîte de nuit.

discount, *subst. m.* Ristourne. – Magasin qui pratique des prix bas en réduisant ses charges.

discourir, *verbe intrans.* Tenir un long discours.

discours, *subst. m.* Propos, paroles. – Exposé oral sur un sujet. – Écrit didactique.

discourtois, oise, *adj.* Qui n'est pas courtois.

discrédit, *subst. m.* Diminution, perte de son crédit, de son prestige, pour *qqn* ou *qqch.*

discréditer, *verbe trans.* Porter atteinte à la réputation de (*qqn* ou *qqch.*).

discret, ète, *adj.* Qui fait preuve de retenue, de modération. – Qui ne se fait pas remarquer. – Qui sait garder un secret.

discrétion, *subst. f.* Réserve, retenue ; modération ; sobriété. – Aptitude à garder un secret.

discrimination, *subst. f.* Action de distinguer entre plusieurs choses. – Action de mettre à part : **Discrimination** *raciale*.

disculper, *verbe trans.* Prouver l'innocence de (*qqn*).

discussion, *subst. f.* Action de discuter, seul ou avec une autre personne. – Conversation.

discutable, *adj.* Contestable. – Douteux.

discuter, *verbe Trans.* Débattre, examiner tous les aspects (d'une question). – Contester. – *Intrans.* Échanger des vues sur un sujet.

disert, erte, *adj.* Qui a la parole facile (*littér.*).

disette, *subst. f.* Pénurie de nourriture.

disgrâce, *subst. f.* Perte des bonnes grâces dont on jouissait.

disgracieux, ieuse, *adj.* D'aspect physique ingrat. – Désagréable.

disjoindre, *verbe trans.* Séparer (deux éléments qui étaient joints), désunir.

disjoncteur, *subst. m.* Interrupteur qui coupe automatiquement le courant si l'intensité électrique dépasse une certaine limite.

dislocation, *subst. f.* Fait de se disloquer) ; état de ce qui est disloqué. – *Fig.* Dispersion.

disloquer, *verbe trans.* Défaire violemment (un ensemble organisé). – Désarticuler, déboîter. – *Pronom.* Se disperser.

disparaître, *verbe intrans.* Ne plus être visible. – S'en aller, s'absenter soudainement. – Mourir.

disparate, *adj.* Dont la combinaison choque par le contraste qu'elle présente.

disparité, *subst. f.* Grande différence. – Absence d'harmonie.

disparition, *subst. f.* Fait de disparaître. – Décès.

dispendieux, ieuse, *adj.* Qui occasionne des dépenses importantes.

dispensaire, *subst. m.* Antenne médicale dispensant les soins courants.

dispense, *subst. f.* Autorisation donnée à *qqn* de ne pas se soumettre à un devoir.

dispenser, *verbe trans.* Libérer (*qqn*) d'une obligation. – Prodiguer, distribuer.

disperser, *verbe trans.* Répandre de tous côtés. – Disséminer, répartir.

dispersion, *subst. f.* Action de disperser, de se disperser. – Son résultat.

disponible, *adj.* Dont on peut disposer.

dispos, ose, *adj.* Reposé : *Être frais et* **dispos.**

disposé, ée, *adj.* Arrangé, placé. – *Être* **disposé** *à* : être prêt à.

disposer, *verbe trans.* Arranger. – Préparer (*qqn*) à. – **Disposer** *de* : avoir à sa disposition. – *Pronom.* S'apprêter à.

dispositif, *subst. m.* Ensemble de pièces formant un mécanisme. – Ensemble de moyens déployés en vue d'une action précise.

disposition, *subst. f.* Arrangement, agencement. – **Disposition** *à* : propension à. – *Avoir des* **dispositions** *pour* : des aptitudes. – *Être à la* **disposition** *de* : au service de.

disproportion, *subst. f.* Déséquilibre des proportions. – Inégalité importante.

disproportionné, ée, *adj.* Déséquilibré (par rapport aux normes). – Démesuré.

dispute, *subst. f.* Querelle.

disputer, *verbe trans.* Lutter pour obtenir ou conserver. – Participer à (une compétition). – Réprimander (*fam.*) – *Pronom.* Se quereller.

disquaire, *subst.* Marchand de disques.

disqualification, *subst. f.* Action de disqualifier. – Son résultat.

disqualifier, *verbe trans.* Exclure (*qqn*) d'une compétition pour non-respect du règlement. – *Fig.* Discréditer.

disque, *subst. m.* Objet plat, de forme circulaire : **Disque** *d'athlétisme.* – Support d'enregistrements sonores et/ou visuels, ou de données numériques : **Disque** *dur* ; **Disque** *microsillon.*

disquette, *subst. f.* Disque flexible qui contient des données informatiques codées.

dissection, *subst. f.* Action de disséquer.

dissemblable, *adj.* Différent) ; disparate.

disséminer, *verbe trans.* Répandre çà et là.

dissension, *subst. f.* Profond désaccord, grave divergence d'intérêts ou de sentiments.

disséquer, *verbe trans.* Découper un corps pour en faire l'analyse anatomique. – *Fig.* Étudier minutieusement.

dissertation, *subst. f.* Exercice scolaire écrit, sur un sujet littéraire, historique ou philosophique.

dissidence, *subst. f.* Fait de ne plus reconnaître l'autorité établie ou l'opinion générale.

dissident, ente, *adj. et subst.* Qui est en dissidence.

dissimulation, *subst. f.* Action de dissimuler (*qqch.*). – Hypocrisie.

dissimuler, *verbe trans.* Cacher. – Donner une fausse apparence à, pour tromper.

dissipation, *subst. f.* Dispersion : **Dissipation** *du brouillard matinal.* – Inattention. – Mauvaise conduite.

dissiper, *verbe trans.* Mettre fin à ; disperser. – Dépenser sans compter. – Distraire, pousser (*qqn*) à l'indiscipline. – *Pronom.* Se montrer turbulent.

dissocier, *verbe trans.* Séparer, disjoindre.

dissolu, ue, *adj.* Se dit d'une personne sans moralité, aux mœurs relâchées.

dissolution, *subst. f.* Décomposition par séparation des constituants d'un tout. – *Chim.* Dispersion des molécules d'un corps, formant une solution liquide.

dissolvant, ante, *adj. et subst. m.* Se dit d'un produit qui a la propriété de dissoudre.

dissonant, ante, *adj.* Discordant, disharmonieux.

dissoudre, *verbe trans.* Provoquer la dissolution de. – Faire disparaître ; mettre fin à : **Dissoudre** *un mariage.*

dissuader, *verbe trans.* Convaincre (*qqn*) de renoncer à, détourner de.

dissuasion, *subst. f.* Action de dissuader.

dissymétrique, *adj.* Qui n'est pas symétrique.

distance, *subst. f.* Espace, intervalle entre deux choses, deux lieux. – Intervalle de temps.

distancer, *verbe trans.* Dépasser, prendre de l'avance sur (*qqn*).

distant, ante, *adj.* Éloigné, lointain. – Réservé, peu chaleureux.

distendu, ue, *adj.* Étiré, agrandi d'une manière excessive. – Relâché.

distillation, *subst. f.* Action de transformer en vapeur un liquide afin de le séparer d'un corps moins volatil.

distiller, *verbe trans.* Procéder à la distillation de. – Répandre goutte à goutte.

distinct, incte, *adj.* Séparé, différent. – Qui se perçoit parfaitement bien.

distinction, *subst. f.* Action de distinguer. – Noblesse, élégance. – *Une* **distinction** *honorifique* : une décoration.

distingué, ée, *adj.* Remarquable. – Élégant et très bien élevé.

distinguer, *verbe trans.* Permettre de reconnaître (une personne ou une chose d'une autre). – Percevoir nettement. – *Pronom.* Se faire remarquer.

distorsion, *subst. f.* Action de déformer par une torsion ; son résultat. – *Fig.* Déformation.

distraction, *subst. f.* Manque d'attention. – Activité divertissante.

distraire, *verbe trans.* Soustraire (de *qqch.*). – Détourner (*qqn*) de ses occupations. – Divertir.

distribuer, *verbe trans.* Attribuer en répartissant. – Fournir, dispenser.

distributeur, trice, *adj. et subst.* Qui distribue. – *Subst.* Personne chargée de diffuser des produits commerciaux. – **Distributeur** *automatique* : appareil délivrant de l'argent, des timbres, etc., après introduction de monnaie ou d'une carte de crédit.

distribution, *subst. f.* Action de distribuer ; son résultat. – Répartition des rôles dans un film, une pièce de théâtre.

district, *subst. m.* Subdivision territoriale. – **District** *urbain* : groupement de communes.

dithyrambique, *adj.* Qui loue avec un enthousiasme excessif.

diurétique, *adj. et subst. m.* Se dit d'une substance qui augmente la sécrétion d'urine.

diurne, *adj.* Qui se fait, qui est actif pendant le jour (*oppos.* nocturne).

divaguer, *verbe intrans.* Délirer.

divan, *subst. m.* Banquette sans dossier ni bras.

diverger, *verbe intrans.* S'écarter de plus en plus. – *Fig.* Être en désaccord.

divers, erse, *adj.* Varié. – *Plur.* Différents, plusieurs : **Divers** *auteurs* ; *À* **diverses** *époques*.

diversifier, *verbe trans.* Varier.

diversion, *subst. f.* Manœuvre destinée à détourner l'attention.

diversité, *subst. f.* État de ce qui présente un caractère varié, hétérogène.

divertir, *verbe trans.* Procurer une distraction, un amusement à.

divertissement, *subst. m.* Occupation ou spectacle qui délasse, qui amuse.

dividende, *subst. m.* Part des bénéfices versée aux associés ou aux actionnaires d'une société. – *Math.* Le nombre qui est divisé.

divin, ine, *adj. et subst. m. Adj.* De Dieu, d'un dieu. – *Fig.* Sublime, délicieux. – *Subst.* Ce qui émane de Dieu, ce qui est d'essence **divine**.

divination, *subst. f.* Art de deviner l'avenir par des présages. – Intuition.

divinité, *subst. f.* Caractère divin. – Dieu, déesse.

diviser, *verbe trans.* Partager. – Désunir : **Diviser** *pour régner*. – *Math.* Faire une division.

diviseur, *subst. m. Math.* Le nombre qui divise un dividende.

division, *subst. f.* Action de séparer en plusieurs parties. – Partie d'un tout. – Grande unité militaire. – Opposition, dissension. – *Math.* Opération visant à partager un nombre en parties égales.

divorce, *subst. m.* Annulation légale du mariage civil. – *Fig.* Divergence.

divorcer, *verbe intrans.* Mettre légalement fin à son mariage.

divulgation, *subst. f.* Action de divulguer.

divulguer, *verbe trans.* Rendre publique une information restée secrète jusque-là.

dix, *adj. num. inv. et subst. m. inv. Adj.* Neuf plus un. – Dixième : *Louis* X. – *Subst.* Le nombre **dix**, le numéro **10**.

dixième, *adj. num. ord. et subst.* Qui occupe le rang n° 10. – *Adj. et subst. masc.* Qui, est contenu dix fois dans un tout.

dizaine, *subst. f.* Ensemble de dix ou d'env. dix unités.

do, *subst. m. inv. Mus.* Première note de la gamme.

docile, *adj.* Qui se soumet facilement à la volonté d'autrui, obéissant.

docker, *subst. m.* Ouvrier qui charge et décharge les navires à quai.

docte, *adj.* Érudit, savant (*littér.*).

docteur, oresse, *subst.* Titulaire d'un doctorat. – Médecin.

doctorat, *subst. m.* Le plus haut grade conféré par une université ou une faculté.

doctrine, *subst. f.* Ensemble des idées, des croyances, des principes d'un groupe ou d'un homme.

document, *subst. m.* Écrit ou objet qui renseigne, témoigne, prouve.

documentaire, *adj. et subst. m.* Se dit d'un film didactique. – *Adj.* Relatif aux documents.

documentation, *subst. f.* Action de rassembler des documents sur un sujet ; ensemble de documents. – Gestion, organisation et difffusion d'un ensemble de documents.

documenter, *verbe trans.* Renseigner, informer par des documents.

dodeliner, *verbe intrans.* Remuer doucement en balançant : **Dodeliner** *de la tête*.

dodu, ue, *adj.* Potelé, bien en chair.

doge, dogaresse, *subst. Masc.* Magistrat suprême des anciennes républiques de Gênes et de Venise. – *Fém.* Femme du doge.

dogmatique, *adj.* Relatif aux dogmes. – Entêté dans ses opinions, ses principes (*péj.*).

dogme, *subst. m.* Principe établi et indiscutable. – Ensemble des articles de foi d'une religion.

dogue, *subst. m.* Chien de garde puissant, à grosse tête.

doigt, *subst. m.* Chacun des prolongements articulés qui terminent la main ou le pied ; organe du toucher. – *Fig.* Petite quantité : *Un* **doigt** *de porto*.

doigté, *subst. m.* Dextérité. – Finesse, tact. – *Mus.* Manière de placer les doigts sur un instrument.

doléance, *subst. f.* Plainte (*littér* ; *gén.* au *plur.*).

dolmen, *subst. m.* Monument mégalithique fait d'une dalle en pierre reposant sur des pierres dressées.

domaine, *subst. m.* Propriété foncière. – Champ d'une connaissance ou d'une activité intellectuelle, matière. – Secteur de compétence d'une personne.

domanial, ale, aux, *adj.* Relatif à un domaine, en *partic.* au domaine de l'État.

dôme, *subst. m.* Toit hémisphérique d'un édifice. – Ce qui en a la forme : **Dôme** *de verdure*.

domestique, *adj. et subst. Adj.* De la maison. – Apprivoisé (*contr.* sauvage). – *Subst.* Employé de maison.

domestiquer, *verbe trans.* Apprivoiser, dompter. – Maîtriser, dominer.

domicile, *subst. m.* Lieu d'habitation habituel.

dominant, ante, *adj. et subst. f.* Se dit de ce qui domine, de ce qui est prépondérant dans un ensemble : *Une couleur* **dominante** ; *Une tapisserie à* **dominante** *bleue*.

dominateur, trice, *adj. et subst.* Qui domine ou se complaît à dominer.

domination, *subst. f.* Action de dominer. – Autorité, emprise.

dominer, *verbe Trans.* Régner sur, surpasser. – Dompter, maîtriser. – Surplomber. – *Intrans.* Être prépondérant.

dominical, ale, aux, *adj.* Qui a trait au Seigneur. – Relatif au dimanche, jour du Seigneur.

domino, *subst. m.* Déguisement de bal masqué. – Pièce de jeu blanche et noire, marquée de points ; le jeu lui-même.

dommage, *subst. m.* Tort, préjudice, dégât matériel. – *C'est* **dommage** : c'est regrettable.

dompter, *verbe trans.* Apprendre l'obéissance à (un animal). – Soumettre. – *Fig.* Maîtriser.

d.o.m.-t.o.m., *subst. m. plur.* Départements et territoires français d'outremer.

don, *subst. m.* Action de donner. – Grâce, bienfait, faveur. – Faculté innée, talent.

donation, *subst. f.* Contrat par lequel une personne (le donateur) se dépossède d'un bien en faveur d'une autre (le donataire), qui y consent.

donc, *conj.* Exprime la conséquence : *Il pleut,* **donc** *je ne sors pas.* – Reprend un récit : *Tu sais* **donc** *que...* – Exprime l'incrédulité, le soulagement, l'étonnement : *C'est* **donc** *ça !*

donjon, *subst. m.* Haute tour d'un château fort.

donné, ée, *adj. et subst. f. Adj.* Fixé. – *Étatnt* **donné** *que* : puisque. – *Subst.* Élément connu sur lequel on bâtit un raisonnement, une étude.

donner, *verbe trans.* Transmettre gratuitement en toute propriété – Remettre, confier. – Fournir. – Produire. – Pronom. S'abandonner (à un homme).

dont, *pron. rel.* Complément du verbe exprimant l'origine, la cause, la matière : *La dynastie* **dont** *il est issu* ; *Le bois* **dont** *est fait ce meuble.* – Complément de nom, de pronom, d'adjectif : *La fenêtre* **dont** *les vitres sont brisées.*

dopage, *subst. m.* Action de se doper afin d'améliorer ses capacités.

doper, *verbe trans.* Faire absorber à *qqn*, à un animal une substance chimique pour améliorer ses performances physiques ou intellectuelles.

dorade, *voir* **daurade**

doré, ée, *adj.* Enduit d'une fine couche d'or ou d'une substance imitant l'or. – Qui a la couleur ou l'éclat de l'or.

dorénavant, *adv.* À partir de maintenant.

dorer, *verbe trans.* Revêtir d'une fine couche d'or. – Donner une couleur dorée à.

dorique, *adj. et subst. m.* Se dit du plus ancien et du plus simple des trois ordres d'architecture grecque.

dorloter, *verbe trans.* Être aux petits soins avec (*qqn*), câliner.

dormir, *verbe intrans.* Être en état de sommeil. – *Fig.* Être lent ou inactif. – Stagner.

dorsal, ale, aux, *adj.* Propre au dos. – Qui est sur la face postérieure, au revers de.

dortoir, *subst. m.* Grande pièce où plusieurs personnes peuvent dormir en même temps.

dorure, *subst. f.* Art, action de dorer. – Fine garniture d'or plaquée sur un objet.

dos, *subst. m.* Partie arrière du corps comprise entre les épaules et les fesses. – Partie postérieure d'un vêtement, d'un objet.

dosage, *subst. m.* Action de doser. – Proportion.

dos(-)d'âne, *subst. m. inv.* Bosse à deux pentes sur une chaussée.

dose, *subst. f.* Quantité de médicament à absorber en une seule fois. – Quantité quelconque. – *Forcer la* **dose** : exagérer (*fam.*).

doser, *verbe trans.* Indiquer la dose de. – Combiner dans des proportions convenables.

dossard, *subst. m.* Pièce de tissu numérotée que les concurrents d'une compétition portent sur le dos.

dossier, *subst. m.* Partie d'un siège contre laquelle on appuie son dos. – Ensemble de documents sur un même sujet. – Sujet de réflexion.

dot, *subst. f.* Ensemble des biens apportés par une femme lorsqu'elle se marie.

doter, *verbe trans.* Allouer une somme d'argent à. – Fournir en matériel. – *Fig.* Gratifier.

douane, *subst. f.* Administration chargée de percevoir des droits sur les marchandises importées ou exportées. – Le lieu où elle se tient. – Les droits perçus.

douanier, ière, *adj. et subst. Adj.* Qui concerne la douane. – *Subst.* Agent de la douane.

doublage, *subst. m.* Action de doubler. – La bande sonore d'un film, traduite dans une autre langue.

double, *adj. et subst. m. Adj.* Qui est multiplié par 2, ou reproduit deux fois ; qui a deux aspects, dont un seul est visible : *Jouer un* **double** *jeu.* – *Empl. adv. Voir* **double**. – *Subst.* Quantité équivalente à deux fois la quantité initiale. – Copie ; autre exemplaire d'un élément.

doubler, *verbe Trans.* Augmenter de la même quantité. – Dépasser, devancer. – Poser une doublure à. – *Cin.* Traduire (la bande sonore d'un film) dans une autre langue ; remplacer (un acteur). – *Intrans.* Être multiplié par 2.

doublon, *subst. m.* Deuxième exemplaire ou répétition d'une chose ; ce qui fait double emploi. – En imprimerie, répétition fautive d'une phrase ou d'un passage dans la composition.

doublure, *subst. f.* Étoffe, matière renforçant l'intérieur d'un vêtement, d'un objet. – Acteur qui en remplace un autre pour certaines scènes.

doucereux, euse, *adj.* D'une douceur fade. – *Fig.* Qui est mielleux, mièvre.

douceur, *subst. f.* Qualité de ce qui est doux. – *Plur.* Friandises.

douche, *subst. f.* Jet d'eau dirigé sur le corps. – Instrument ou lieu permettant de prendre une **douche**.

doucher, *verbe trans.* Asperger d'eau, dans un but hygiénique ou thérapeutique.

doué, ée, *adj.* Pourvu, doté. – Qui a des aptitudes, des dons.

douille, *subst. f.* Tube renfermant la poudre d'une cartouche. – Pièce métallique où l'on insère le culot d'une ampoule électrique.

douillet, ette, *adj.* Doux et confortable. – *Fig.* Très sensible à la douleur.

douleur, *subst. f.* Sensation physique ou morale pénible.

douloureux, euse, *adj. et subst. f.* Qui provoque ou exprime une douleur. – *La* **douloureuse** : la note, au restaurant (*fam.*).

doute, *subst. m.* Incertitude. – Défiance, soupçon. – *Sans* **doute** : certainement (vieilli) ; probablement.

douter, *verbe trans. indir.* **Douter** *que, de* : ne pas être assuré que, ne pas avoir confiance en. – *Pronom.* Pressentir, soupçonner.

douteux, euse, *adj.* Incertain, discutable. – Peu net, malpropre. – Équivoque, peu digne de confiance, suspect.

douve, *subst. f.* Fossé empli d'eau entourant un château ou une fortification.

doux, douce, *adj. et adv. Adj.* Qui procure des sensations délicates et agréables. – Peu pénible, modéré, clément : *Temps* **doux**. – Gentil, obéissant. – *Fig.* Calme, reposant, paisible. – *Adv.* Doucement. – *Filer* **doux** : obéir sans discuter (*fam.*).

douze, *adj. num. inv. et subst. m. inv. Adj.* Onze plus un. – Douzième : *Pie XII.* – *Subst.* Le nombre **douze**, le numéro **12**.

doyen, enne, *subst.* Personne la plus âgée d'un groupe, ou la plus ancienne. – Dignitaire ecclésiastique ou universitaire.

draconien, ienne, *adj.* Qui est d'une rigueur, d'une sévérité extrême, impitoyable.

dragée, *subst. f.* Bonbon fait d'une amande enrobée de sucre durci.

dragon, *subst. m.* Monstre légendaire, ailé et griffu, qui crachait du feu. – Femme autoritaire (*fam.*).

dragonne, *subst. f.* Lanière fixée à un objet, qu'on passe autour du poignet.

drague, *subst. f.* Grosse nasse raclant les fonds, utilisée pour pêcher des coquillages. – Machine servant à curer le fond d'une étendue d'eau. – Action de chercher à séduire (*fam.*).

draguer, *verbe trans.* Nettoyer avec une drague. – Chercher à séduire (*fam.*).

drain, *subst. m.* Conduit servant à évacuer l'eau d'un terrain trop humide. – *Méd.* Tube utilisé pour évacuer du liquide organique.

drainer, *verbe trans.* Évacuer à l'aide d'un drain. – *Fig.* Amener, attirer à soi.

drakkar, *subst. m.* Navire qu'utilisaient les Vikings.

dramatique, *adj. et subst. f. Adj.* Relatif au théâtre. – *Fig.* Grave, tragique. – *Subst.* Pièce de théâtre télévisée.

dramatiser, *verbe trans.* Donner un tour tragique à. – Exagérer la gravité de.

dramaturge, *subst.* Auteur d'œuvres de théâtre.

drame, *subst. m.* Pièce de théâtre romantique. – Pièce, film dont l'action est tragique. – *Fig.* Événement, situation tragique.

drap, *subst. m.* Étoffe de laine. – Élément d'une parure de lit.

drapeau, *subst. m.* Pièce d'étoffe attachée à une hampe, emblème d'un pays, d'un parti.

draper, *verbe trans.* Couvrir de drap, d'un drap. – Habiller en formant des plis harmonieux.

draperie, *subst. f.* Tissu ornemental à plis amples.

drastique, *adj.* Très actif, énergique. – *Fig.* Rigoureux, draconien.

dressage, *subst. m.* Action de mettre droit. – Action de dresser un animal.

dresser, *verbe trans.* Lever, faire tenir debout. – Élever verticalement, construire. – Installer, établir. – Apprendre l'obéissance à (un animal). – *Pronom.* S'opposer à : *Se* **dresser** *contre l'injustice.*

drogue, *subst. f.* Substance médicamenteuse. – Stupéfiant.

droguer, *verbe trans.* Faire prendre de la drogue à. – *Pronom.* Prendre de la drogue.

droguerie, *subst. f.* Commerce et boutique de produits d'hygiène.

droguiste, *subst.* Fabricant ou vendeur de produits ménagers.

droit (i), droite, *adj. et subst. f. Adj.* Du côté opposé à celui du cœur : *Côté* **droit** ; *Main* **droite**. – *Subst.* Le côté **droit**. – *Géom.* Ligne **droite**. – *Pol.* Ensemble des partis conservateurs.

droit (ii), droite, *adj. et adv. Adj.* Qui n'est ni courbe ni anguleux ; rectiligne, vertical. – *Fig.*

Moral, honnête. – *Adv.* De manière rectiligne, directe, verticale.

droit (iii), *subst. m.* Permission, autorisation. – Ensemble des lois. – Étude, science des lois. – Impôt, taxe.

droitier, ière, *adj. et subst.* Qui se sert habituellement et plus facilement de sa main droite.

droiture, *subst. f.* Qualité morale d'une âme droite, loyale.

drôle, *adj.* Qui porte à rire. – Étrange.

drôlerie, *subst. f.* Caractère de ce qui est drôle, amusant. – Propos ou acte drôle.

dromadaire, *subst. m.* Ruminant domestique à une bosse, adapté à la vie dans le désert.

dru, drue, *adj. et adv. Adj.* Touffu, serré. – Abondant. – *Adv.* La pluie tombe **dru**.

druide, esse, *subst.* Prêtre celte.

drupe, *subst. f.* Fruit charnu dont le noyau contient une amande (cerise, prune, etc.).

du, *voir de*

dû, due, *adj. et subst. m. Adj.* Dont on est redevable. – **Dû à :** qui provient de. – *Subst.* Ce dont on doit s'acquitter. – Ce que l'on est en droit d'exiger.

dualité, *subst. f.* Qualité de ce qui est double. – Coexistence ou opposition de deux éléments.

dubitatif, ive, *adj.* Qui exprime le doute, l'incertitude, l'incrédulité. – Qui est sceptique.

duc, duchesse, *subst.* Titre de noblesse le plus élevé après celui de prince. – *Masc.* Hibou.

ducal, ale, aux, *adj.* Relatif au duc, au duché.

duché, *subst. m.* Seigneurie appartenant à un duc.

duel, *subst. m.* Combat singulier par lequel une personne demande à une autre réparation d'un tort. – *Fig.* Rivalité, compétition entre deux personnes.

dulcinée, *subst. f.* Femme passionnément aimée (*littér.*). – Fiancée, maîtresse (*fam.*).

dune, *subst. f.* Colline de sable typique de certains littoraux ou de certains déserts.

duo, *subst. m. Mus.* Composition écrite pour deux voix ou pour deux instruments.

duodénum, *subst. m.* Partie de l'intestin qui fait suite à l'estomac.

dupe, *adj. et subst. f.* Se dit d'une personne abusée ou escroquée.

duper, *verbe trans.* Berner, tromper.

duplex, *subst. m.* Appartement sur deux niveaux. – Système de communication simultanée.

duplicata, *subst. m.* Deuxième exemplaire d'un document, conforme à l'original.

duplicité, *subst. f.* Hypocrisie, fausseté.

duquel, desquels, desquelles, *pron. rel. et interr. Pron. rel.* De qui, de quoi, dont (*littér.*). – *Pron. interr.* De qui (choix entre plusieurs personnes ou objets) : *Les Dupont ?* **Duquel** *s'agit-il ?*

dur, dure, *adj., subst. m. et adv. Adj.* Solide, résistant, difficile à entamer. – Qui manque de douceur. – Difficile, pénible. – *Fig.* Strict, sévère. – *Adv.* Durement. – *Subst.* Homme viril, qui n'a peur de rien (*fam.*).

durant, *prép.* Pendant, tout au long de.

durcir, *verbe Intrans.* Devenir dur. – *Trans.* Rendre dur, solide ; raidir. – *Fig.* Endurcir ; fortifier.

durcissement, *subst. m.* Action de durcir, de se durcir.

dure, *subst. f.* Élever des enfants à la **dure** : les élever avec rigueur, sans les gâter.

durée, *subst. f.* Intervalle de temps déterminé, mesurable.

durer, *verbe intrans.* Occuper une certaine durée. – Se prolonger dans le temps.

dureté, *subst. f.* Qualité de ce qui est dur.

durillon, *subst. m.* Petite callosité produite par frottement, aux mains ou aux pieds.

duvet, *subst. m.* Ensemble des petites plumes très légères des oiseaux. – Sac de couchage.

dynamique, *adj. et subst. f. Adj.* Relatif au mouvement (*contr. statique*). – Plein d'énergie, de vitalité. – *Subst.* Étude des forces et des mouvements.

dynamisme, *subst. m.* Ressort, vigueur, énergie.

dynamite, *subst. f.* Explosif constitué pour l'essentiel de nitroglycérine.

dynamiter, *verbe trans.* Faire exploser à la dynamite.

dynamo, *subst. f.* Machine transformant l'énergie mécanique en courant électrique.

dynastie, *subst. f.* Succession de souverains issus d'une même famille. – Lignée d'hommes célèbres.

dysenterie, *subst. f.* Maladie infectieuse provoquant de violentes diarrhées.

dysfonctionnement, *subst. m.* Trouble, anomalie du fonctionnement.

dyslexie, *subst. f. Méd.* Trouble de l'apprentissage de la lecture et de l'écriture, en *gén.* chez l'enfant.

dytique, *subst. m.* Coléoptère carnivore à pattes postérieures nageuses vivant en eau douce.

E

e, e, *subst. m. inv.* Cinquième lettre et deuxième voyelle de l'alphabet français.

eau, *subst. f.* Liquide incolore, transparent, inodore et sans saveur à l'état pur, dont les molécules sont composées d'oxygène et d'hydrogène (H2O). – Limpidité ; transparence : *L'eau d'un diamant.* – Transpiration : *Suer sang et* **eau**. – Salive : *Avoir l'eau à la bouche.* – *Plur.* Liquide amniotique : *Perdre les* **eaux**.

eau-de-vie, *subst. f.* Liqueur alcoolique extraite par distillation de substances végétales.

eau-forte, *subst. f.* Mélange d'acide nitrique et d'eau, utilisé en gravure. – La gravure elle-même.

ébahir, *verbe trans.* Causer un étonnement extrême à (*qqn*).

ébats, *subst. m. plur.* Mouvements d'une personne ou d'un animal qui s'ébat.

ébattre (s'), *verbe pronom.* Se détendre, manifester sa joie de vivre par des mouvements folâtres.

ébauche, *subst. f.* Première forme donnée à une œuvre. – Esquisse, amorce de *qqch.*

ébaucher, *verbe trans.* Donner une première forme à (une œuvre). – Esquisser, amorcer (*qqch.*).

ébène, *subst. f.* Bois précieux dur et noir. – *Empl. adj. inv.* D'un noir profond et brillant.

ébéniste, *subst.* Artisan qui fabrique ou restaure des meubles de valeur.

ébénisterie, *subst. f.* Métier, travail de l'ébéniste.

éberlué, ée, *adj.* Très étonné, médusé.

éblouir, *verbe trans.* Troubler la vue par une brillance trop forte. – *Fig.* Séduire, enthousiasmer.

éblouissement, *subst. m.* Trouble de la vue causé par une lumière trop vive. – *Fig.* Émerveillement.

éborgner, *verbe trans.* Rendre borgne.

éboueur, *subst. m.* Ouvrier chargé de la collecte des ordures ménagères.

ébouillanter, *verbe trans.* Passer à l'eau bouillante. – *Pronom.* Se brûler avec un liquide bouillant.

éboulement, *subst. m.* Chute de pierres, de terre ; effondrement d'une construction. – Matériaux éboulés.

ébouler (s'), *verbe pronom.* S'effondrer, s'affaisser en se désagrégeant.

éboulis, *subst. m.* Amas de matériaux éboulés.

ébouriffer, *verbe trans.* Décoiffer, relever en désordre (les cheveux). – Surprendre, stupéfier (*fam.*).

ébranler, *verbe trans.* Faire trembler, osciller ; secouer (*qqch.*). – *Fig.* Rendre incertain, faire douter (*qqn*). – *Pronom.* Se mettre en mouvement.

ébrécher, *verbe trans.* Abîmer en faisant une brèche. – *Fig.* Diminuer, entamer.

ébriété, *subst. f.* État d'une personne enivrée.

ébrouer (s'), *verbe pronom.* Expirer bruyamment en secouant la tête, en *partic.* pour un cheval. – Se secouer fortement, pour se débarrasser de ce qui gêne, se sécher.

ébruiter, *verbe trans.* Divulguer (*qqch.*).

ébullition, *subst. f.* État d'un liquide qui bout, qui forme des bulles. – *Fig.* Effervescence.

écaille, *subst. f.* Chacune des plaques qui recouvrent le corps des poissons et des reptiles. – Chacune des valves d'un coquillage. – Lamelle.

écailler, *verbe trans.* Débarrasser (un poisson) de ses écailles ; ouvrir (des huîtres). – *Pronom.* Se détacher par petites plaques.

écarlate, *adj. et subst. f. Subst.* Colorant d'un rouge vif. – *Adj.* Rouge éclatant.

écarquiller, *verbe trans.* Ouvrir tout grand (les yeux).

écart, *subst. m.* Distance, différence entre des grandeurs, des choses, des personnes. – Fait de s'écarter d'une direction ou d'une norme. – *Loc. adv. À l'*écart : à distance ; isolé.

écarteler, *verbe trans.* Arracher les membres d'un condamné à mort en les faisant tirer par quatre chevaux. – *Fig. Être* **écartelé** : être tiraillé entre plusieurs sentiments ; être sollicité dans des directions opposées.

écartement, *subst. m.* Action d'écarter, de s'écarter. – Distance comprise entre deux ou plusieurs choses.

écarter, *verbe trans.* Repousser de côté. – Séparer, disjoindre. – Évincer, éliminer. – *Pronom.* S'éloigner ; se détourner de.

ecchymose, *subst. f.* Tache cutanée bleuâtre qui apparaît à la suite d'un coup (*synon.* bleu).

ecclésiastique, *adj. et subst. m. Adj.* Relatif à l'Église ou au clergé. – *Subst.* Membre du clergé.

écervelé, ée, *adj. et subst.* Se dit d'une personne qui manque de jugement ; étourdi.

échafaud, *subst. m.* Plate-forme, estrade sur laquelle on exécutait les condamnés à mort. – Peine de mort.

échafaudage, *subst. m.* Construction provisoire permettant d'effectuer des travaux en hauteur.

échafauder, *verbe Intrans.* Dresser un échafaudage. – *Trans.* Construire intellectuellement, élaborer : **Échafauder** *un plan.*

échalas, *subst. m.* Piquet servant de tuteur à la vigne et à certaines plantes. – *Fig.* Personne grande et maigre.

échalote, *subst. f.* Plante potagère proche de l'ail, de l'oignon.

échancré, ée, *adj.* Creusé vers l'intérieur, entaillé sur le bord.

échancrure, *subst. f.* Partie échancrée.

échange, *subst. m.* Action d'échanger. – Communication réciproque. – Commerce ; transaction commerciale. – *Loc. adv. En* **échange** : en contrepartie.

échanger, *verbe trans.* Donner une chose et en recevoir une autre en contrepartie. – *Fig.* Adresser et recevoir en retour.

échantillon, *subst. m.* Petite quantité d'une marchandise permettant d'en apprécier les caractéristiques. – *Stat.* Ensemble d'individus représentatifs d'une population.

échappatoire, *subst. f.* Moyen détourné qui permet d'échapper à une situation difficile.

échappée, *subst. f.* Espace resserré, mais par lequel la vue peut plonger au loin. – *Sp.* Action de distancer des concurrents.

échappement, *subst. m.* Évacuation des gaz brûlés dans un moteur thermique : *Pot d'***échappement***. – Mécanisme régulateur d'horlogerie : *Montre à* **échappement***.

échapper, *verbe intrans.* Se soustraire à, se dérober à ; éviter. – N'être plus tenu, retenu. – N'être pas compris, perçu. – Être dit ou fait par mégarde. – N'être plus sous le contrôle de ; se détacher de. – N'être plus présent à l'esprit. – *Pronom.* S'enfuir ; s'éclipser. – S'évacuer : *La fumée s'***échappe***.

écharde, *subst. f.* Petit éclat pointu (en *gén.* de bois) ayant pénétré sous la peau.

écharpe, *subst. f.* Bande d'étoffe marquant certaines dignités, certaines fonctions : **Écharpe** *de maire.* – Bande d'étoffe qui se porte autour du cou. – Bandage servant à soutenir un bras cassé.

écharper, *verbe trans.* Blesser grièvement ; mutiler. – Massacrer.

échasse, *subst. f.* Chacun des deux longs bâtons munis d'un étrier utilisés pour marcher au-dessus du sol.

échassier, *subst. m.* Oiseau à longues pattes, *souv.* à long cou, vivant ou chassant dans les marais, tel que flamant, cigogne, etc.

échauder, *verbe trans.* Tremper dans l'eau chaude ou bouillante. – Brûler avec un liquide chaud. – *Fig. Être* **échaudé** : avoir tiré la leçon d'une mésaventure.

échauffement, *subst. m.* Action d'échauffer, fait de s'échauffer ; l'état qui en résulte. – *Sp.* Exercice de mise en condition.

échauffer, *verbe trans.* Chauffer, élever la température de. – *Fig.* Stimuler, exciter. – *Pronom. Sp.* Se mettre en condition.

échauffourée, *subst. f.* Affrontement bref et confus.

échéance, *subst. f.* Date à laquelle un engagement doit être tenu ; terme d'un délai. – Délai.

échéant, ante, *adj.* Parvenu à échéance. – *Le cas* **échéant** : si le cas se présente, à l'occasion.

échec, *subst. m.* Défaite, insuccès. – *Plur.* Jeu où deux adversaires font manœuvrer différentes pièces sur un échiquier.

échelle, *subst. f.* Dispositif formé de barreaux fixés sur deux montants parallèles, servant à monter et à descendre. – *Fig.* Hiérarchie. – Système de graduation. – *Géogr.* Rapport entre les distances figurées sur une carte et la réalité.

échelon, *subst. m.* Barreau d'une échelle. – Degré, grade, niveau au sein d'une hiérarchie.

échelonner, *verbe trans.* Disposer à intervalles réguliers dans l'espace ou dans le temps.

écheveau, *subst. m.* Assemblage de fils enroulés qu'un fil de liage empêche de s'emmêler. – *Fig.* Enchevêtrement.

échevelé, ée, *adj.* Dont les cheveux sont en désordre. – *Fig.* Frénétique, outrancier.

échine, *subst. f.* Colonne vertébrale. – *Bouch.* Partie de la longe du porc (haut du dos).

échiner (s'), *verbe pronom.* Se fatiguer à un dur labeur.

échiquier, *subst. m.* Plateau quadrillé servant au jeu d'échecs, comprenant 64 cases alternativement blanches et noires.

écho, *subst. m.* Répercussion d'une onde sonore ou électromagnétique. – Fait rapporté ; nouvelle. – Accueil, résonance.

échographie, *subst. f. Méd.* Exploration des organes à l'aide des ultrasons. – L'image produite.

échoir, *verbe Trans. indir.* Être attribué par le sort, le hasard à. – *Intrans.* Arriver à échéance : *Bail qui* **échoit***.

échoppe, *subst. f.* Petite boutique, *souv.* faite de planches, adossée à un bâtiment ou à un mur.

échouer, *verbe Intrans.* Toucher un haut-fond ou un rocher et s'immobiliser, en parlant d'un bateau ; être poussé à la côte. – S'arrêter en un lieu par lassitude. – Ne pas réussir. – *Trans.* **Échouer** *un navire. – Pronom. Une baleine s'***est** échouée** *sur la plage.*

éclabousser, *verbe trans.* Faire rejaillir (de la boue, un liquide) sur. – *Fig.* Salir moralement.

éclaboussure, *subst. f.* Goutte d'un liquide qui éclabousse, salit. – *Fig.* Contrecoup fâcheux d'un événement.

éclair, *subst. m.* Brève lueur provoquée par une décharge électrique, lors d'un orage. – Lueur vive et brève ; éclat. – Brusque manifestation, bref instant. – Gâteau fourré. – *Empl. adj. inv.* Très rapide : *Voyage* **éclair**.

éclairage, *subst. m.* Action d'éclairer. – Manière d'éclairer ou d'être éclairé. – Dispositif servant à éclairer. – *Fig.* Approche que l'on a d'une chose ; point de vue.

éclaircie, *subst. f.* Interruption du temps pluvieux ; luminosité passagère ; au *fig.*, amélioration soudaine d'une situation. – Coupe d'arbres.

éclaircir, *verbe trans.* Rendre plus clair ; au *fig.* : **Éclaircir** *la situation.* – Rendre moins touffu, moins dense.

éclaircissement, *subst. m.* Action d'éclaircir. – *Fig.* Explication, clarification (*gén.* au *plur.*).

éclairé, ée, *adj.* Cultivé, instruit : *Esprit* **éclairé**.

éclairer, *verbe trans.* Diffuser de la lumière, de la clarté sur. – Fournir de la lumière à (*qqn*). – *Fig.* Fournir des explications à. – *Pronom.* Devenir lumineux. – *Fig.* Devenir compréhensible. – *Son visage* **s'éclaire** : il s'épanouit, exprime la joie.

éclaireur, *subst. m.* Soldat que l'on envoie en reconnaissance.

éclat, *subst. m.* Fragment d'un objet brisé ou éclaté. – Bruit violent et soudain. – Scandale. – Vive lumière. – Qualité d'une couleur vive. – Caractère de ce qui est magnifique ; grandeur. – *Action d'*éclat : action remarquable, exploit.

éclatement, *subst. m.* Action, fait d'éclater.

éclater, *verbe intrans.* Se briser violemment ; exploser. – Se diviser. – Manifester brusquement un sentiment ; émettre un bruit soudain : **Éclater** *de rire.* – Se manifester soudainement : *Sa colère* **éclata** ; *L'orage* **éclate**.

éclectisme, *subst. m.* Diversité de goûts et d'intérêts, sans exclusion.

éclipse, *subst. f.* Disparition temporaire d'un astre, caché par un autre astre ou par l'ombre d'un autre astre.

éclipser, *verbe trans.* Rendre invisible (un astre). – *Fig.* Surpasser considérablement (*qqn*). – *Pronom.* S'esquiver.

éclisse, *subst. f.* Pièce de bois formant le pourtour d'une caisse de résonance. – Claie. – *Chir.* Attelle. – *Tech.* Pièce reliant deux rails.

éclopé, ée, *adj. et subst.* Qui boite à cause d'une blessure, d'un choc accidentel.

éclore, *verbe intrans.* Sortir de l'œuf ; s'ouvrir, en parlant d'un œuf. – S'ouvrir, en parlant d'une fleur. – *Fig.* Apparaître, naître.

éclosion, *subst. f.* Fait d'éclore. – *Fig.* Naissance.

écluse, *subst. f.* Sas équipé de portes étanches permettant à un bateau de passer d'un bief à un autre.

écœurant, ante, *adj.* Qui écœure. – *Fig.* Révoltant, démoralisant.

écœurer, *verbe trans.* Dégoûter jusqu'à donner la nausée. – *Fig.* Indigner ; démoraliser.

école, *subst. f.* Établissement où est dispensé un enseignement collectif. – Ensemble des adeptes d'une même doctrine ; groupe d'artistes ayant des tendances, une origine communes.

écolier, ière, *subst.* Enfant qui fréquente une école primaire.

écologie, *subst. f.* Science des relations entre un organisme et le milieu dans lequel il vit.

écologiste, *subst.* Partisan de la sauvegarde de l'environnement, des équilibres naturels.

éconduire, *verbe trans.* Repousser avec plus ou moins d'égards.

économe, *adj. et subst.* Subst. Personne qui gère les finances d'un établissement, d'une communauté. – *Adj.* Qui dépense avec mesure, parcimonieux.

économie, *subst. f.* Ensemble des activités concernant la production, la circulation et la consommation des biens et des richesses. – Science qui étudie ces activités. – Action d'économiser ; son résultat. – Distribution des parties d'un tout : *L'*économie *d'un roman.*

économique, *adj.* Relatif à l'économie (activités et science). – Qui est peu coûteux.

économiser, *verbe trans.* Faire un usage modéré, voire parcimonieux, de (*qqch.*). – Épargner.

écoper, *verbe trans.* Évacuer (l'eau d'une embarcation) avec une pelle creuse (écope). – *Fam.* Subir (une sanction) : **Écoper** *(d')une amende.*

écorce, *subst. f.* Partie externe du tronc et des branches d'un arbre. – Enveloppe, peau épaisse de certains fruits, comme l'orange. – Partie superficielle de la Terre.

écorcher, *verbe trans.* Dépouiller (un animal). – Supplicier *qqn* en lui arrachant la peau. – Égratigner. – Prononcer incorrectement. – *Fig.* Heurter, blesser.

écorchure, *subst. f.* Légère éraflure de la peau.

écorner, *verbe trans.* Amputer, briser les cornes (d'un animal). – Abîmer le bord de (*qqch.*). – *Fig.* Entamer.

écosser, *verbe trans.* Retirer la cosse d'un légume.

écosystème, *subst. m.* Ensemble constitué par un milieu naturel et les organismes qui y vivent.

écot, *subst. m.* Quote-part, contribution à une dépense.

écoulement, *subst. m.* Fait de s'écouler ; mouvement d'un fluide qui s'écoule. – Vente possible d'une marchandise.

écouler, *verbe trans.* Débiter, vendre (une marchandise) jusqu'à liquidation. – Mettre en circulation. – *Pronom.* Couler hors de, s'évacuer en coulant. – Disparaître progressivement, passer : *Le temps s'*écoule.

écourter, *verbe trans.* Rendre plus court, en *partic.* dans le temps.

écoute (i), *subst. f.* Action d'écouter : *Être à l'*écoute.

écoute (ii), *subst. f.* Cordage fixé au bas d'une voile.

écouter, *verbe trans.* Prêter l'oreille à. – Prêter attention à un avis, à un conseil ; en tenir compte.

écouteur, *subst. m.* Élément d'un casque radiophonique, d'un récepteur téléphonique, que l'on place contre son oreille pour écouter.

écoutille, *subst. f.* Ouverture rectangulaire pratiquée dans le pont d'un navire, permettant d'accéder à l'intérieur.

écran, *subst. m.* Objet destiné à protéger ou à cacher. – Surface sur laquelle on projette des images. – Le cinéma.

écrasant, ante, *adj.* Qui écrase, accable.

écrasement, *subst. m.* Action d'écraser. – Fait d'être écrasé.

écraser, *verbe trans.* Déformer, aplatir ou broyer par une forte compression. – Passer sur le corps de, renverser, en parlant d'un véhicule. – *Fig.* Dominer, vaincre totalement. – Accabler, surcharger.

écrémer, *verbe trans.* Enlever la crème (du lait). – *Fig.* Sélectionner la meilleure part (d'un ensemble).

écrevisse, *subst. f.* Crustacé d'eau douce, qui devient très rouge à la cuisson.

écrier (s'), *verbe pronom.* Dire en criant, s'exclamer.

écrin, *subst. m.* Petite boîte élégante, destinée à recevoir des bijoux, de l'argenterie, etc.

écrire, *verbe trans.* Tracer, imprimer ou graver des signes sur. – Orthographier. – Rédiger.

écrit, ite, *adj. et subst. m.* Adj. Rédigé, composé. – Chargé de signes. – Noté, enregistré. – *Subst.* Document rédigé. – Ouvrage littéraire. – Épreuve d'examen au cours de laquelle on rédige (*oppos. oral*).

écriteau, *subst. m.* Tableau portant une inscription destinée à l'information du public.

écritoire, *subst. f.* Coffret ou étui contenant ce qui est nécessaire pour écrire.

écriture, *subst. f.* Représentation graphique de la pensée, du langage. – Système graphique. – Manière de former les lettres. – Style rédactionnel. – *Plur.* Ensemble des livres de comptes, des registres.

écrivain, *subst. m.* Personne qui rédige des ouvrages littéraires, scientifiques, etc.

écrou (i), *subst. m.* Petite pièce trouée et filetée afin de recevoir un boulon ou une vis.

écrou (ii), *subst. m.* Acte administratif par lequel on enregistre un nouveau prisonnier.

écrouer, *verbe trans.* Emprisonner.

écroulement, *subst. m.* Action de s'écrouler ; son résultat. – *Fig.* Anéantissement subit.

écrouler (s'), *verbe pronom.* Tomber en s'affaissant. – *Fig.* Tomber en ruine, en décadence ; être anéanti. – Avoir une défaillance brutale.

écru, ue, *adj.* Qui n'a pas été traité, en parlant du tissu, du fil. – Beige clair.

ectoplasme, *subst. m.* Apparition fantomatique. – *Biol.* Zone transparente du cytoplasme de certains protozoaires.

écu, *subst. m.* Bouclier des hommes d'armes du Moyen Âge. – Corps du blason, en forme de bouclier. – Ancienne monnaie d'or ou d'argent.

écueil, *subst. m.* Récif ou banc de sable à fleur d'eau. – *Fig.* Difficulté, obstacle.

écuelle, *subst. f.* Sorte d'assiette creuse, large et sans rebord. – Son contenu.

éculé, ée, *adj.* Dont le talon est usé : *Des bottes* **éculées.** – *Fig.* Usé, qui a trop servi.

écume, *subst. f.* Mousse blanchâtre que produit un liquide agité ou en ébullition. – Bave mousseuse. – Sueur du cheval.

écumer, *verbe Intrans.* Former de l'écume. – *Fig.* Être furieux. – *Trans.* Ôter l'écume de. – *Fig.* Piller : **Écumer** *les mers*, y pratiquer la piraterie.

écumoire, *subst. f. Cuis.* Ustensile en forme de louche percée de trous, servant à écumer.

écureuil, *subst. m.* Petit rongeur arboricole au pelage roux et à la queue en panache.

écurie, *subst. f.* Local destiné aux chevaux. – Ensemble des chevaux de course d'un propriétaire ; au *fig.* : **Écurie** *de coureurs cyclistes*.

écusson, *subst. m.* Petite pièce d'étoffe cousue sur un uniforme, indiquant l'appartenance à une unité, à une arme, etc.

écuyer, ère, *subst.* Maître d'équitation. – Personne réalisant des exercices équestres dans un cirque. – *Masc. Hist.* Gentilhomme au service d'un chevalier.

eczéma, *subst. m.* Maladie de la peau.

edelweiss, *subst. m.* Plante de montagne, couverte d'un duvet cotonneux et blanc.

éden, *subst. m. L'*Éden : le paradis terrestre, selon la Bible. – *Fig. Un* **éden** : lieu paradisiaque.

édenté, ée, *adj.* Qui n'a pas ou plus de dents.

édicter, *verbe trans.* Prescrire par une loi, par un règlement, etc.

édicule, *subst. m.* Petite construction sur la voie publique.

édifiant, ante, *adj.* Qui porte à la vertu, à la piété. – Instructif.

édification, *subst. f.* Action d'édifier.

édifice, *subst. m.* Bâtiment de grandes dimensions. – *Fig.* Important ensemble organisé.

édifier, *verbe trans.* Bâtir (un édifice, une ville). – Créer, constituer : **Édifier** *une théorie*. – *Fig.* Inciter à la vertu, à la piété. – Renseigner sur : *Nous voilà* **édifiés** *sur son compte !*

édile, *subst. m.* Magistrat municipal. – *Antiq.* Magistrat romain chargé des services publics.

édit, *subst. m.* Loi promulguée par le roi, sous l'Ancien Régime.

éditer, *verbe trans.* Publier et mettre en vente (une œuvre littéraire, musicale ou artistique).

éditeur, trice, *subst.* Personne ou société qui édite des ouvrages.

édition, *subst. f.* Action d'éditer. – Ensemble des exemplaires d'un ouvrage appartenant au même tirage. – Industrie et commerce du livre.

éditorial, ale, aux, *adj. et subst. m.* Adj. De l'édition. – *Subst. Journ.* Article de fond reflétant l'opinion de la direction d'un journal.

édredon, *subst. m.* Couvre-pied garni de duvet ou de fibre synthétique.

éducateur, trice, *adj. et subst. Subst.* Personne chargée d'éduquer. – *Adj.* Qui éduque.

éducatif, ive, *adj.* Relatif à l'éducation.

éducation, *subst. f.* Mise en œuvre des moyens assurant le développement des facultés physiques, morales et intellectuelles d'un être humain ; les connaissances ainsi acquises. – Connaissance des usages de la société.

édulcorer, *verbe trans.* Adoucir en ajoutant du sucre. – *Fig.* Atténuer : **Édulcorer** *ses propos*.

éduquer, *verbe trans.* Former par l'éducation.

effacement, *subst. m.* Action d'effacer ou de s'effacer.

effacer, *verbe trans.* Faire disparaître (ce qui est écrit, enregistré). – *Fig.* Faire oublier. – *Pronom.* Se mettre en retrait.

effarement, *subst. m.* Sentiment d'effroi accompagné de stupeur.

effarer, *verbe trans.* Provoquer une grande frayeur mêlée de stupeur.

effaroucher, *verbe trans.* Effrayer. – Choquer, rendre défiant ; intimider.

effectif, ive, *adj. et subst. m. Adj.* Réel. – Qui a pris effet. – *Subst.* Nombre des individus constituant un ensemble : *L'effectif d'une armée.*

effectuer, *verbe trans.* Faire, accomplir.

efféminé, ée, *adj. et subst. m.* Qui a des manières féminines.

effervescence, *subst. f.* Bouillonnement dû à un dégagement de bulles gazeuses dans un liquide. – *Fig.* Agitation.

effervescent, ente, *adj.* Qui est en effervescence ou peut entrer en effervescence.

effet, *subst. m.* Ce qui résulte d'une cause ; conséquence. – *A cet effet* : à cette fin. – *Sous l'effet de* : sous l'influence de. – Impression produite sur *qqn* : *Une tenue négligée fait mauvais effet.* – Impression résultant d'un procédé : **Effets spéciaux**, truquages. – Mouvement de rotation imprimé à une bille, à un ballon pour modifier sa trajectoire normale. – *Phys.* et *biol.* Phénomène particulier : **Effet** *Joule*. – *Plur.* Vêtements. – *Loc. adv. et conj.* **En effet** : effectivement ; car.

effeuiller, *verbe trans.* Ôter les feuilles (d'une plante). – Détacher les pétales (d'une fleur).

efficace, *adj.* Qui produit le résultat attendu.

efficacité, *subst. f.* Qualité de ce qui est efficace, d'une personne efficace.

effigie, *subst. f.* Représentation d'un personnage, en *partic.* sur une médaille, une pièce.

effilé, ée, *adj.* Mince et allongé. – Acéré.

effilocher, *verbe trans.* Défaire un tissu fil à fil pour le réduire en ouate, en bourre. – *Pronom.* Se défaire par usure, en parlant d'un tissu.

efflanqué, ée, *adj.* Qui est très maigre.

effleurer, *verbe trans.* Toucher légèrement, frôler. – *Fig.* Examiner superficiellement.

effluve, *subst. m.* Ce qui s'exhale d'un corps, parfum, odeur.

effondrement, *subst. m.* Fait de s'effondrer ; son résultat. – *Fig.* Destruction, déchéance.

effondrer (s'), *verbe pronom.* S'écrouler sous un poids excessif. – *Fig.* Être anéanti.

efforcer (s'), *verbe pronom.* **S'efforcer** *de + inf.* Mobiliser son énergie, sa volonté pour atteindre un but : **S'efforcer** *d'être clair.*

effort, *subst. m.* Mise en œuvre énergique de forces intellectuelles ou physiques pour atteindre un but : *Faire un effort pour réussir.*

effraction, *subst. f.* Bris de clôture ou de serrure.

effrayant, ante, *adj.* Qui provoque la frayeur, l'effroi. – Énorme, excessif (*fam.*).

effrayer, *verbe trans.* Remplir (*qqn*) de frayeur, saisir d'effroi. – *Pronom.* Avoir peur, craindre.

effréné, ée, *adj.* Qui ne connaît pas de mesure.

effritement, *subst. m.* Fait de s'effriter.

effriter, *verbe trans.* Réduire en petits fragments, en miettes ; désagréger.

effroi, *subst. m.* Peur extrême, épouvante.

effronté, ée, *adj. et subst.* Impudent, insolent.

effronterie, *subst. f.* Impudence, insolence.

effroyable, *adj.* Qui fait naître l'effroi. – Considérable : *Une effroyable bêtise.*

effusion, *subst. f.* **Effusion** *de sang* : action de faire couler le sang, de blesser. – *Fig.* Action d'épancher vivement un sentiment.

égailler (s'), *verbe pronom.* Se disperser, s'éparpiller.

égal, ale, aux, *adj. et subst. Adj.* Qui est identique, en qualité, en quantité, en valeur ou en droit. – Qui est constant, régulier. – Indifférent : *Ça m'est égal.* – *Subst.* Personne qui est de même rang et qui jouit des mêmes droits qu'une autre.

égaler, *verbe trans.* Être égal à. – Parvenir au niveau de, atteindre.

égalisation, *subst. f.* Action d'égaliser. – Résultat de cette action.

égaliser, *verbe trans.* Rendre égal. – Aplanir. – *Empl. intrans. Sp.* Revenir à la marque.

égalitaire, *adj.* Qui tend à l'égalité sociale et politique.

égalité, *subst. f.* Rapport entre des choses égales. – Régularité, constance. – Fait, pour les hommes, d'être égaux en droits.

égard, *subst. m.* Considération. – *Loc. prép. À l'égard de* : en ce qui concerne, vis-à-vis de. – *Eu égard à* : en tenant compte de. – *Plur.* Marques d'attention, d'estime, de respect.

égarement, *subst. m.* Dérèglement moral. – Écart de conduite.

égarer, *verbe trans.* Détourner du bon chemin, fourvoyer. – *Fig.* Mettre dans l'erreur. – Perdre momentanément (*qqch.*). – *Pronom.* Se tromper. – Se perdre.

égayer, *verbe trans.* Rendre gai (*qqn*). – Rendre plus plaisant, plus gai (*qqch.*).

égérie, *subst. f.* Inspiratrice d'un artiste. – Conseillère d'un homme public.

égide, *subst. f.* Sauvegarde, protection (*littér.*).

églantine, *subst. f.* Fleur rose d'un rosier sauvage (églantier).

églefin, *subst. m.* Poisson de mer proche de la morue ; fumé, il fournit le haddock.

église, *subst. f.* Communauté de chrétiens adhérant aux mêmes dogmes. – *L'*Église : L'Église catholique. – *Une* église : tout bâtiment où se réunissent les fidèles d'une Église.

ego, *subst. m. inv. Philos.* Le sujet en tant qu'il est pensant et conscient. – *Psychan.* Le moi.

égocentrisme, *subst. m.* Propension à tout faire partir de soi et à tout ramener à soi.

égoïsme, *subst. m.* État de celui qui ne se préoccupe que de lui-même.

égoïste, *adj. et subst.* Qui fait preuve d'égoisme.

égorger, *verbe trans.* Tuer en tranchant la gorge.

égosiller (s'), *verbe pronom.* S'épuiser à crier.

égout, *subst. m.* Canalisation souterraine par où se fait la collecte et l'évacuation des eaux usées.

égoutier, *subst. m.* Ouvrier chargé de l'entretien des égouts.

égoutter, *verbe trans.* Débarrasser (*qqch.*) d'un liquide en laissant ce dernier s'écouler peu à peu. – *Pronom.* Perdre son eau goutte à goutte.

égouttoir, *subst. m.* Ustensile servant à égoutter.

égratigner, *verbe trans.* Entailler légèrement la peau. – Abîmer *qqch.* en l'éraflant. – *Fig.* Railler, blesser par un trait ironique.

égratignure, *subst. f.* Légère écorchure de la peau. – Éraflure. – *Fig.* Blessure d'amour-propre.

égrener, *verbe trans.* Séparer les grains (d'un épi, d'une grappe, etc.). – **Égrener** *un chapelet* : en faire passer tous les grains entre les doigts, pour compter les prières. – *Pronom. Les minutes s'*égrènent : passent une à une.

égrillard, arde, *adj. et subst.* Qui est grivois, licencieux.

eh, *interj.* Sert à interpeller : **Eh**, *vous !* – Renforce l'expression de la surprise, de l'admiration : **Eh** *bien, quel talent !*

éhonté, ée, *adj.* Qui n'a aucune honte. – Qui est scandaleux.

éjaculation, *subst. f.* Émission de sperme.

éjecter, *verbe trans.* Projeter au-dehors.

élaboration, *subst. f.* Production d'une substance dans un organisme vivant. – Transformation que subissent les aliments pour être assimilés par l'organisme. – *Fig.* Action d'élaborer par un travail de réflexion.

élaborer, *verbe trans.* Rendre assimilable par l'organisme. – *Fig.* Concevoir, réaliser progressivement, avec réflexion.

élaguer, *verbe trans.* Couper (des branches d'un arbre). – *Fig.* Retrancher (ce qui est superflu).

élan (i), *subst. m.* Mouvement par lequel on s'élance. – *Fig.* Impulsion, essor.

élan (ii), *subst. m.* Grand cerf des pays nordiques.

élancé, ée, *adj.* Grand et svelte.

élancer, *verbe* Provoquer une vive douleur intermittente. – *Pronom.* Se précipiter.

élargir, *verbe trans.* Rendre plus large, plus vaste. – *Fig.* **Élargir** le débat.

élargissement, *subst. m.* Action d'élargir. – Résultat de cette action.

élasticité, *subst. f.* Propriété d'un corps qui peut être étiré et rétracté, de ce qui retrouve sa forme après avoir été déformé. – *Fig.* Souplesse d'esprit, capacité d'adaptation.

élastique, *adj. et subst. m.* Adj. Qui a de l'élasticité. – *Subst.* Ruban de caoutchouc.

électeur, trice, *subst.* Personne qui a la capacité de voter aux élections.

élection, *subst. f.* Choix, désignation d'une ou de plusieurs personnes au moyen du vote. – Fait d'être élu.

électoral, ale, aux, *adj.* Propre ou relatif aux élections, aux électeurs.

électorat, *subst. m.* Ensemble des électeurs. – Capacité de voter.

électricien, ienne, *subst.* Artisan qui pose ou répare des appareils, des installations électriques. – Personne qui vend du matériel électrique. – Ingénieur spécialiste de l'électricité.

électricité, *subst. f.* Énergie fournie par le mouvement des électrons. – Cette énergie considérée dans son usage domestique ou industriel ; courant électrique.

électrifier, *verbe trans.* Munir d'installations électriques. – Faire fonctionner à l'électricité.

électrique, *adj.* Relatif à l'électricité. – Qui fonctionne à l'électricité ou qui en produit.

électriser, *verbe trans.* Charger d'électricité. – *Fig.* Insuffler la passion, exciter.

électrocardiogramme, *subst. m.* Traduction graphique de l'activité électrique du cœur.

électrochoc, *subst. m.* Psych. Traitement consistant à provoquer des convulsions en faisant passer un courant électrique à travers le cerveau. – *Fig.* Choc psychologique.

électrocuter, *verbe trans.* Tuer par le passage d'un courant électrique dans l'organisme.

électrode, *subst. f.* Extrémité de conducteur positif ou négatif d'un courant électrique.

électrogène, *adj.* Qui produit de l'électricité.

électroménager, ère, *adj. et subst. m.* Se dit des appareils ménagers fonctionnant à l'électricité. – *Subst.* Industrie, commerce de ces appareils.

électron, *subst. m.* Particule constitutive de l'atome chargée d'électricité négative.

électronique, *adj. et subst. f.* Subst. Science qui étudie les phénomènes où sont mis en jeu des électrons à l'état libre. – Ensemble des techniques dérivées de cette science. – *Adj.* Qui concerne l'électron ou l'**électronique**.

électrophone, *subst. m.* Appareil électrique qui reproduit des sons enregistrés sur des disques.

élégance, *subst. f.* Sobriété et bon goût dans la présentation, les manières. – Courtoisie, tact.

élégant, ante, *adj. et subst.* Adj. Qui a de l'élégance. – *Subst.* Personne vêtue avec élégance.

élégie, *subst. f.* Poème qui exalte la mélancolie.

élément, *subst. m.* Partie constitutive d'un ensemble. – Milieu dans lequel vit un être : *L'eau est l'***élément** *des poissons.* – *Être dans son* **élément** : dans un milieu où l'on est à l'aise. – *Les quatre* **éléments** : la terre, l'eau, l'air et le feu. – *Plur.* Les forces de la nature. – Notions de base.

élémentaire, *adj.* Qualifie les principes de base. – Simple, non composé.

éléphant, *subst. m.* Gros mammifère ongulé d'Afrique ou d'Asie, doté d'une trompe et de défenses.

élevage, *subst. m.* Activité consistant à élever des animaux. – Ensemble des animaux de même espèce élevés dans une exploitation ; cette exploitation : *Un* **élevage** *de chevaux.*

élévateur, trice, *adj. et subst. m.* Qui sert à élever (I).

élévation, *subst. f.* Action d'élever (I), de s'élever ; fait d'être élevé. – Terrain élevé, hauteur, éminence. – *Fig.* Relèvement du niveau social, intellectuel ou moral.

élève, *subst.* Personne qui reçoit un enseignement ; écolier, étudiant.

élever (i), *verbe trans.* Porter vers le haut. – Construire, ériger, dresser. – *Fig.* Porter à un niveau supérieur ; augmenter. – *Pronom.* Prendre de l'altitude, monter. – Augmenter : *La température s'***élève**. – Se faire entendre : *Un chant s'***élève**. – *S'***élever** *à* : se monter à, atteindre.

élever (ii), *verbe trans.* Entretenir, éduquer (un enfant). – Veiller à l'entretien, au développement, à la reproduction (d'animaux).

éleveur, euse, *subst.* Personne qui pratique l'élevage : *Un* **éleveur** *de chevaux.*

elfe, *subst. m.* Génie de la mythologie scandinave.

éligible, *adj.* Qui a le droit d'être élu.

élimé, ée, *adj.* Se dit d'un tissu râpé, usé.

éliminatoire, *adj. et subst. f.* Adj. Qui élimine. – *Subst.* Sp. Épreuve préalable de sélection (*gén.* au *plur.*).

éliminer, *verbe trans.* Exclure, écarter, après un choix ou une sélection. – Supprimer. – Tuer.

élire, *verbe trans.* Donner la préférence à. – Choisir par vote.

élision, *subst. f.* Suppression de la voyelle finale d'un mot, lorsque le mot suivant commence par une voyelle ou un *h* muet.

élite, *subst. f.* Petit groupe de personnes considérées comme supérieures, comme les meilleurs d'une communauté.

élixir, *subst. m.* Sirop médicamenteux à base d'alcool. – Philtre magique.

elle, elles, *pron. pers. f.* Représente la 3e personne du singulier ou du pluriel : **Elle** *vient* ; **Elles** *vont.*

ellipse, *subst. f.* Géom. Courbe plane fermée. – Ling. Raccourci qui consiste à omettre un ou plusieurs mots, qui sont sous-entendus.

elliptique, *adj.* Géom. Qui a la forme d'une ellipse. – Ling. Qui comporte une ellipse.

élocution, *subst. f.* Manière de parler, d'articuler les mots.

éloge, *subst. m.* Propos, écrit qui célèbre les louanges de *qqn*, de *qqch.*

élogieux, ieuse, *adj.* Qui comporte des éloges.

éloignement, *subst. m.* Action d'éloigner, de s'éloigner. – Fait d'être éloigné. – Distance qui sépare deux choses, deux lieux.

éloigner, *verbe trans.* Mettre loin ou plus loin. – Fig. Détacher ; détourner. – Pronom. S'écarter ; devenir lointain.

élongation, *subst. f.* Étirement accidentel d'un muscle, d'un ligament.

éloquence, *subst. f.* Talent de persuader, d'émouvoir en parlant. – Caractère de ce qui est significatif, expressif.

élu, ue, *adj. et subst.* Vainqueur d'une élection. – Que le cœur a choisi.

élucider, *verbe trans.* Expliquer, rendre clair.

élucubration, *subst. f.* Œuvre ou théorie laborieuse et incohérente ; divagation.

éluder, *verbe trans.* Éviter avec adresse.

élytre, *subst. m.* Aile antérieure dure de certains insectes, servant d'étui protecteur.

émacié, ée, *adj.* Extrêmement amaigri.

émail, aux, *subst. m.* Sorte de vernis dur et inaltérable. – Substance qui recouvre l'ivoire des dents. – Objet en **émail**, recouvert d'**émail**. – Hérald. Couleur du blason.

émailler, *verbe trans.* Recouvrir d'émail. – Fig. Parsemer (un texte, un discours) d'ornements.

émanation, *subst. f.* Action d'émaner. – Ce qui émane de *qqch.*, de *qqn* : *Des* **émanations** *de gaz,* l'odeur qui s'en dégage.

émanciper, *verbe trans.* Rendre majeur avant l'âge. – Fig. Libérer d'une dépendance.

émaner, *verbe intrans.* S'exhaler, se dégager. – Fig. Découler, avoir pour origine.

émarger, *verbe trans.* Trans. dir. Rogner la marge de. – Signer pour attestation. – Trans. indir. **Émarger** *à* : recevoir le traitement affecté à un emploi.

émasculer, *verbe trans.* Priver un mâle de ses organes génitaux.

emballage, *subst. m.* Action d'emballer. – Ce qui sert à emballer (caisse, carton, sac, flacon . . .).

emballement, *subst. m.* Fait de s'emballer, pour un cheval, un moteur. – Fig. Enthousiasme.

emballer, *verbe trans.* Mettre sous emballage, empaqueter. – Pronom. S'emporter, en parlant d'un cheval, d'un moteur. – Fig. Se laisser emporter par l'enthousiasme, la colère, etc.

embarcadère, *subst. m.* Quai, jetée d'embarquement.

embarcation, *subst. f.* Petit bateau, frêle esquif.

embardée, *subst. f.* Brutal et bref écart que fait un véhicule.

embargo, *subst. m.* Mesure visant à interdire l'exportation ou la libre circulation d'un objet.

embarquement, *subst. m.* Action d'embarquer, de s'embarquer : *L'*embarquement *des passagers.*

embarquer, *verbe Trans.* Faire monter, charger à bord d'un bateau, d'un véhicule. – Fig. Entraîner dans une affaire risquée (*fam.*). – Intrans. et pronom. Monter à bord de.

embarras, *subst. m.* Obstacle qui gêne une action, la réalisation de *qqch.* – Situation difficile, gênante. – Trouble, malaise.

embarrasser, *verbe trans.* Encombrer. – Mettre dans l'embarras, dans une position gênante. – Pronom. Se soucier de.

embauche, *subst. f.* Action d'embaucher. – Possibilité de travail : *Il y a de l'*embauche.

embaucher, *verbe trans.* Engager (*qqn*) pour un emploi. – Mettre (*qqn*) à contribution (*fam.*).

embaumer, *verbe Trans.* Traiter un cadavre pour le conserver. – Parfumer agréablement. – Intrans. Sentir bon.

embellie, *subst. f.* Amélioration du temps. – Fig. Amélioration momentanée d'une situation.

embellir, *verbe* Rendre ou devenir plus beau.

embêter, *verbe trans.* Fam. Ennuyer ou agacer. – Causer une contrariété à.

emblée (d'), *loc. adv.* Aussitôt, du premier coup.

emblème, *subst. m.* Figure symbolique, *gén.* associée à une devise. – Objet symbolisant un concept.

embobiner, *verbe trans.* Enrouler autour d'une bobine. – Fig. Tromper en séduisant (*fam.*).

emboîter, *verbe trans.* Ajuster, faire entrer un élément dans un autre. – **Emboîter** *le pas à qqn* : le suivre de près.

embolie, *subst. f. Méd.* Obstruction soudaine d'un vaisseau sanguin par un corps étranger.

embonpoint, *subst. m.* État d'un corps bien en chair.

embouchure, *subst. f.* Endroit où un fleuve se jette dans la mer. – Bout d'un instrument à vent que l'on porte à la bouche.

embourber, *verbe trans.* Enfoncer (*qqch.*) dans la boue. – Pronom. S'enfoncer dans la boue. – Fig. S'empêtrer dans une situation très pénible.

embourgeoiser (s'), *verbe pronom.* Acquérir les caractéristiques de la bourgeoisie.

embout, *subst. m.* Garniture placée au bout d'une canne, d'un parapluie, etc. – Élément situé au bout d'une pièce, permettant de l'assembler à une autre.

embouteillage, *subst. m.* Mise en bouteilles. – Encombrement d'une voie de circulation.

embouteiller, *verbe trans.* Mettre en bouteilles. – Créer un embouteillage dans.

emboutir, *verbe trans.* Mettre en forme une pièce de métal en la comprimant ou en la martelant. – Endommager par un choc ; défoncer.

embranchement, *subst. m.* Ramification ; point de jonction de plusieurs voies. – Chacune des divisions principales des règnes animal et végétal.

embraser, *verbe trans.* Mettre le feu à. – Illuminer de lueurs rouges. – *Fig.* Emplir d'une passion ardente.

embrassade, *subst. f.* Action de deux personnes qui s'embrassent.

embrasser, *verbe trans.* Prendre et serrer dans ses bras. – Donner des baisers à. – Saisir par la vue, par la pensée dans toute son étendue. – *Fig.* Adopter, choisir (une cause).

embrasure, *subst. f.* Ouverture pratiquée dans l'épaisseur d'un mur pour recevoir une fenêtre, une porte.

embrayage, *subst. m.* Action d'embrayer. – Mécanisme permettant d'embrayer.

embrayer, *verbe intrans.* Mettre une pièce, un mécanisme en communication avec le moteur qui doit l'entraîner.

embrigader, *verbe trans.* Enrôler dans une formation politique, une association.

embrocher, *verbe trans.* Enfiler sur une broche. – Transpercer (*qqn*) avec une arme blanche.

embrouiller, *verbe trans.* Emmêler. – *Fig.* Rendre confus.

embrun, *subst. m.* Fine pluie d'eau de mer arrachée aux vagues par le vent (*gén.* au *plur.*).

embryon, *subst. m.* Œuf fécondé, organisme dans les premiers stades de son développement. – *Fig.* Germe d'une création, d'une situation.

embûche, *subst. f.* Difficulté, obstacle.

embuer, *verbe trans.* Couvrir de buée. – *Des yeux* **embués** *de larmes* : voilés par les larmes.

embuscade, *subst. f.* Stratagème consistant à se cacher pour attaquer l'adversaire par surprise.

embusquer (s'), *verbe pronom.* Se mettre en embuscade. – Se faire affecter loin des combats, à l'abri du danger, pour un soldat.

éméché, ée, *adj.* Un peu ivre.

émeraude, *subst. f.* Pierre précieuse verte. – *Empl. adj. inv.* De la couleur de l'**émeraude**.

émergence, *subst. f.* Fait d'apparaître à la surface. – *Fig.* **Émergence** *d'une idée, d'un fait.*

émerger, *verbe intrans.* Sortir d'un milieu liquide dans lequel on était plongé ; apparaître à la surface. – *Fig.* Apparaître, se manifester. – Sortir du sommeil ou d'une situation difficile (*fam.*).

émérite, *adj.* D'une compétence rare.

émerveiller, *verbe trans.* Éveiller une admiration et un étonnement très vifs chez (*qqn*).

émetteur, trice, *adj. et subst. m. Adj.* Qui émet. – *Subst.* Dispositif, appareil qui émet des signaux électromagnétiques porteurs de messages.

émettre, *verbe trans.* Produire hors de soi, par rayonnement. – Faire entendre ; formuler : **Émettre** *un souhait.* – Mettre en circulation (de l'argent). – Transmettre (des messages) sur les ondes.

émeute, *subst. f.* Soulèvement populaire.

émietter, *verbe trans.* Transformer en miettes ; morceler. – *Fig.* Disperser, éparpiller : **Émietter** *ses efforts.*

émigration, *subst. f.* Action d'émigrer. – L'ensemble des émigrés.

émigré, ée, *adj. et subst.* Qui s'est expatrié.

émigrer, *verbe intrans.* Partir s'installer à l'étranger. – *Zool.* Migrer.

émincé, *adj. et subst. m. Adj.* Finement coupé. – *Subst.* Mets à base d'aliments ainsi tranchés.

éminence, *subst. f.* Élévation de terrain, monticule. – *Anat.* Protubérance. – Titre d'honneur d'un cardinal.

éminent, ente, *adj.* Qui est au-dessus du niveau commun ; distingué, remarquable.

émir, *subst. m.* Prince, gouverneur, dans certains pays musulmans.

émirat, *subst. m.* Dignité d'émir. – État gouverné par un émir.

émissaire, *subst. m.* Personne envoyée pour accomplir une mission plus ou moins secrète.

émission, *subst. f.* Action d'émettre ; son résultat. – Unité d'un programme de radio, de télévision.

emmagasiner, *verbe trans.* Mettre en réserve, stocker. – Faire provision de, accumuler.

emmailloter, *verbe trans.* Enrouler (un bébé) dans un lange (veilli). – Envelopper complètement dans une pièce de tissu.

emmancher, *verbe trans.* Fixer à un manche.

emmanchure, *subst. f.* Ouverture faite dans un vêtement pour y coudre une manche ou pour laisser passer le bras.

emmêler, *verbe trans.* Mêler ensemble, en enchevêtrant. – *Fig.* Rendre confus.

emménagement, *subst. m.* Action d'emménager.

emménager, *verbe intrans.* S'installer dans une nouvelle demeure.

emmener, *verbe trans.* Mener (*qqn*) avec soi d'un lieu à un autre.

emmitoufler, *verbe trans.* Couvrir chaudement, entièrement. – *Pronom.* S'**emmitoufler** *dans un gros manteau.*

emmurer, *verbe trans.* Enfermer en murant. – Enfermer en bloquant les issues.

émoi, *subst. m.* Trouble affectif ou sensuel. – Agitation.

émoluments, *subst. m. plur.* Revenus variables d'un officier ministériel. – Salaire, traitement.

émonder, *verbe trans.* Couper les branches inutiles (d'un arbre). – Ôter l'enveloppe (de certaines graines).

émotif, ive, *adj. et subst.* Qui éprouve facilement des émotions. – *Adj.* Relatif à l'émotion.

émotion, *subst. f.* Trouble, agitation passagère causée par un sentiment intense.

émotivité, *subst. f.* Caractère d'une personne émotive, sensibilité.

émoulu, ue, *adj.* Frais **émoulu** : récemment sorti (d'une école).

émousser, *verbe trans.* Rendre moins tranchant, moins pointu. – *Fig.* Atténuer.

émoustiller, *verbe trans.* Porter à la gaieté ; mettre de bonne humeur. – Exciter le désir de.

émouvant, ante, *adj.* Qui émeut.

émouvoir, *verbe trans.* Agir sur la sensibilité de ; troubler, attendrir. – *Pronom.* Être touché, troublé. – S'inquiéter.

empaillé, ée, *adj.* Garni de paille : *Chaise* **empaillée**. – Naturalisé, en parlant d'un animal mort que l'on veut conserver.

empaler, *verbe trans.* Transpercer d'un pal, d'un pieu. – *Pronom.* Tomber sur une pointe qui s'enfonce dans le corps.

empaqueter, *verbe trans.* Emballer pour faire un paquet.

emparer (s'), *verbe pronom.* Prendre par la force ou indûment : *L'armée* **s'est emparée** *du pouvoir.* – Saisir vivement. – *Fig. Un fou rire* **s'est emparé** *de moi.*

empâter, *verbe trans.* Enduire de pâte. – Rendre pâteux. – Bouffir, gonfler, épaissir. – *Pronom.* S'épaissir ; grossir.

empêchement, *subst. m.* Ce qui empêche une action.

empêcher, *verbe trans.* Entraver, faire obstacle à ; rendre impossible. – *Pronom.* S'**empêcher** *de* : s'abstenir, se retenir de.

empereur, *subst. m.* Chef souverain d'un empire.

empesé, ée, *adj.* Amidonné. – *Fig.* Raide, affecté.

empester, *verbe Trans.* Répandre une odeur infecte dans. – *Intrans.* Sentir mauvais.

empêtrer (s'), *verbe pronom.* S'**empêtrer** *dans* : se prendre les pieds dans, s'entraver dans, être gêné dans ses mouvements par. – S'embrouiller.

emphase, *subst. f.* Exagération, pédantisme de parole, de comportement.

empiéter, *verbe intrans.* **Empiéter** *sur qqch.* : l'usurper partiellement. – Déborder sur.

empiler, *verbe trans.* Mettre en pile ; entasser.

empire, *subst. m.* Régime dans lequel l'autorité politique est détenue par un empereur. – État soumis à l'autorité d'un empereur. – Ensemble d'États, de territoires soumis à un gouvernement unique. – Autorité, ascendant moral. – *Sous l'empire de la colère* : sous son influence.

empirer, *verbe intrans.* Devenir pire, se dégrader.

empirique, *adj.* Fondé sur la seule expérience.

emplacement, *subst. m.* Place destinée à recevoir *qqch.*, ou occupée par *qqch.*

emplâtre, *subst. m. Pharm.* Substance gélatineuse qui adhère sur la partie du corps à soigner. – Personne sans énergie, incapable (*fam.*).

emplette, *subst. f.* Achat d'objets courants. – La marchandise achetée.

emploi, *subst. m.* Action et manière d'employer *qqch.* ; fonction, destination : *Mode* **d'emploi**, notice d'utilisation ; **Emploi** *du temps*, organisation dans le temps des occupations. – Travail rémunéré, charge.

employé, ée, *subst.* Personne qui travaille sous les ordres de *qqn* d'autre, moyennant salaire.

employer, *verbe trans.* Se servir de, utiliser. – Fournir une activité rémunérée à (*qqn*). – *Pronom.* S'**employer** *à* : s'appliquer à.

employeur, euse, *subst.* Personne qui emploie un ou plusieurs salariés.

empocher, *verbe trans.* Mettre dans sa poche. – Toucher, percevoir (de l'argent).

empoignade, *subst. f.* Vif affrontement, physique ou verbal.

empoigner, *verbe trans.* Saisir fermement avec le poing. – *Fig.* Émouvoir fortement. – *Pronom.* Se battre ; se quereller.

empoisonnement, *subst. m.* Action d'empoisonner. – Intoxication.

empoisonner, *verbe trans.* Provoquer la mort ou intoxiquer avec du poison. – Mettre du poison (dans, sur). – Empuantir. – Ennuyer, agacer (*fam.*).

emportement, *subst. m.* Violent accès de colère.

emporte-pièce, *subst. m.* Outil servant à découper des pièces par pression sur une surface. – *Loc. adj. A l'***emporte-pièce** : mordant, incisif.

emporter, *verbe trans.* Porter avec soi d'un lieu dans un autre. – Arracher ; entraîner dans son mouvement. – *L'***emporter** *sur* : prendre l'avantage sur. – *Pronom.* Se mettre en colère.

empoté, ée, *adj. et subst.* Qui est lent et gauche (*fam.*).

empourprer, *verbe trans.* Teinter de pourpre, de rouge.

empreint, einte, *adj.* Marqué : *Un visage* **empreint** *de chagrin.*

empreinte, *subst. f.* Marque en creux ou en relief laissée par pression sur une surface. – *Fig.* Marque distinctive ou durable.

empressement, *subst. m.* Ardeur, zèle. – Hâte.

empresser (s'), *verbe pronom.* **S'empresser** *auprès de qqn* : déployer du zèle pour lui plaire ou le servir. – **S'empresser** *de* : se hâter de.

emprise, *subst. f.* Influence, domination (morale et intellectuelle).

emprisonnement, *subst. m.* Action d'emprisonner. – Peine de prison.

emprisonner, *verbe trans.* Mettre en prison. – Tenir enfermé, à l'étroit.

emprunt, *subst. m.* Action d'emprunter ; ce qui est emprunté. – *Loc. adj.* D'**emprunt** : qui n'appartient pas en propre.

emprunté, ée, *adj.* Qui manque d'aisance, de naturel : *Avoir un air* **emprunté.**

emprunter, *verbe trans.* Se faire prêter (*qqch.*). – Prendre *qqch.* à *qqn* et le faire sien ; imiter. – **Emprunter** *une route* : la suivre.

ému, ue, *adj.* Qui éprouve ou témoigne de l'émotion.

émulation, *subst. f.* Sentiment qui porte à être l'émule de *qqn.*

émule, *subst.* Personne qui cherche à en égaler ou à en surpasser une autre.

émulsion, *subst. f. Chim.* Interpénétration par agitation de deux liquides qui ne peuvent pas se mélanger.

en, *prép., pron. et adv. Prép.* Introduit un complément de lieu, de temps, de manière, d'état, etc. : *Habiter* **en** *France* ; *Être* **en** *colère.* – *Pron.* Représente un antécédent exprimé ou sous-entendu : *C'est ma valise, j'***en** *possède la clef.* – *Adv.* De là : *J'***en** *sors.*

enamouré, ée, *adj.* Amoureux (*littér.*).

encadrement, *subst. m.* Action d'encadrer. – Ce qui encadre.

encadrer, *verbe trans.* Garnir d'un cadre. – Entourer à la manière d'un cadre. – Flanquer. – Assurer un rôle de direction, d'organisation, de contrôle auprès de (*qqn*). – Placer (*qqn*) sous la responsabilité de cadres.

encaisser, *verbe trans.* Percevoir (de l'argent). – Resserrer (un lieu) en bordant de près. – *Fig.* Recevoir (des coups) ; supporter (*fam.*).

en-cas, *subst. m. inv.* Léger repas préparé en cas de besoin.

encastrer, *verbe trans.* Introduire dans une cavité aux dimensions ajustées ; emboîter.

encaustique, *subst. f.* Mélange de cire et d'essence de térébenthine utilisé pour entretenir et faire briller le bois.

enceinte (i), *subst. f.* Ce qui entoure un espace et en défend l'accès ; rempart. – *Dans l'enceinte de* : à l'intérieur de. – Élément qui, dans une chaîne haute fidélité, contient les hautparleurs.

enceinte (ii), *adj. f.* Se dit d'une femme qui attend un enfant.

encens, *subst. m.* Résine qui, en brûlant, répand un arôme pénétrant.

encenser, *verbe trans.* Brûler de l'encens en faveur de. – *Fig.* Flatter avec excès.

encéphale, *subst. m.* Ensemble des centres nerveux contenus dans la boîte crânienne.

encercler, *verbe trans.* Entourer d'un cercle. – *Fig.* Cerner, investir, entourer de toutes parts.

enchaînement, *subst. m.* Action d'enchaîner ; son résultat. – Succession.

enchaîner, *verbe trans.* Attacher avec une chaîne. – *Fig.* Assujettir. – Lier, poursuivre selon un processus logique : **Enchaîner** *des phrases.*

enchantement, *subst. m.* Action d'enchanter ; son résultat. – Ce qui enchante.

enchanter, *verbe trans.* Soumettre à un sortilège. – Combler, ravir.

enchanteur, eresse, *adj. et subst. Adj.* Se dit de ce ou de celui qui enchante. – *Subst.* Magicien.

enchâsser, *verbe trans.* Placer dans une châsse. – Fixer dans un support ; sertir.

enchère, *subst. f.* Offre d'un prix d'achat supérieur à ceux des offres précédentes.

enchevêtrer, *verbe trans.* Entremêler, embrouiller.

enclave, *subst. f.* Terrain ou territoire entouré de tous côtés par un autre.

enclencher, *verbe trans.* Mettre en route (un mécanisme). – *Fig.* Faire démarrer, mettre en action ; commencer.

enclin, ine, *adj.* **Enclin** *à* : porté, prédisposé à.

enclos, *subst. m.* Surface entourée par une clôture. – Cette clôture.

enclume, *subst. f.* Masse métallique sur laquelle on martèle des métaux.

encoche, *subst. f.* Petite entaille.

encoignure, *subst. f.* Angle intérieur où se rencontrent deux murs.

encolure, *subst. f.* Partie du corps du cheval comprise entre la tête, le garrot et le poitrail. – Mesure du tour de cou. – Partie du vêtement qui entoure le cou.

encombre (sans), *loc. adv.* Sans rencontrer d'obstacle.

encombrement, *subst. m.* Action d'encombrer ; état de ce qui est encombré. – Volume qu'occupe un objet. – Embouteillage.

encombrer, *verbe trans.* Embarrasser, obstruer par une quantité ou un volume excessifs.

encontre de (à l'), *loc. prép. Aller* **à l'encontre de** *qqch.* : s'y opposer.

encorbellement, *subst. m.* Construction en saillie sur un mur : *Balcon en* **encorbellement.**

encorder (s'), *verbe pronom.* S'attacher, se relier à une même corde, en parlant des alpinistes.

encore, *adv.* Toujours : *Il est* **encore** *là.* – De nouveau : *Essaie* **encore** *une fois.* – Renforce un comparatif : *Il pleut* **encore** *plus fort.* – **Encore** *que* : quoique, bien que.

encouragement, *subst. m.* Action d'encourager. – Acte ou parole qui encourage.

encourager, *verbe trans.* Donner du courage à. – Pousser à agir ; inciter. – Favoriser : **Encourager** *les arts.*

encourir, *verbe trans.* S'exposer à (un châtiment).

encrasser, *verbe trans.* Couvrir de crasse.

encre, *subst. f.* Substance liquide colorée utilisée pour écrire, dessiner ou imprimer.

encrier, *subst. m.* Petit récipient destiné à contenir de l'encre.

encyclique, *subst. f.* Lettre du pape aux évêques, intéressant l'ensemble de l'Église.

encyclopédie, *subst. f.* Ouvrage qui expose les connaissances humaines dans leur ensemble ou dans un domaine particulier.

endémique, *adj.* Qui sévit en permanence dans un pays, un milieu : *Famine* **endémique.**

endetter, *verbe trans.* Charger de dettes.

endeuiller, *verbe trans.* Plonger dans le deuil, dans la tristesse, en parlant d'un décès.

endiablé, ée, *adj.* D'une vivacité extrême.

endiguer, *verbe trans.* Contenir (des eaux) par des digues. – *Fig.* **Endiguer** *une révolte.*

endimanché, ée, *adj.* Habillé comme pour un dimanche, de façon plus soignée que d'habitude.

endive, *subst. f.* Bourgeon hypertrophié d'une variété de chicorée, consommé comme légume.

endoctriner, *verbe trans.* Faire la leçon à *qqn*, chercher à lui faire adopter une doctrine.

endolori, ie, *adj.* Douloureux, meurtri.

endommager, *verbe trans.* Causer des dommages à ; détériorer, abîmer.

endormir, *verbe trans.* Faire dormir. – Calmer (une douleur). – Ennuyer profondément. – *Pronom.* Commencer à dormir. – Ralentir son activité ; perdre sa vigilance.

endosser, *verbe trans.* Mettre (un vêtement) sur son dos. – Assumer la responsabilité de. – Inscrire au dos d'une traite, d'un chèque l'ordre de les payer.

endroit, *subst. m.* Lieu, portion définie d'un espace. – Côté sous lequel une chose à deux faces se présente habituellement, ou doit se présenter, à la vue : *À l'***endroit***, du bon côté, dans le bon sens.* – *Loc. prép. À l'***endroit** *de* : à l'égard de (*littér.*).

enduire, *verbe trans.* Recouvrir d'enduit.

enduit, *subst. m.* Couche de matière liquide ou pâteuse dont on recouvre certains objets pour les protéger ou les préparer à un usage.

endurance, *subst. f.* Capacité de résister à la fatigue, à la souffrance, aux épreuves physiques ou morales.

endurcir, *verbe trans.* Rendre plus dur, plus résistant aux souffrances physiques ou morales.

endurer, *verbe trans.* Supporter en faisant preuve de résistance (une douleur, une épreuve).

en effet, *loc. adv. et loc. conj. Loc. adv.* Souligne une affirmation : **En effet,** *vous avez raison,* assurément. – *Loc. conj.* Introduit une explication : *Ce chien est très méchant :* **en effet,** *il m'a mordu.*

énergétique, *adj.* Relatif à l'énergie.

énergie, *subst. f.* Principe d'action, force qui permet d'agir ou de réagir, puissance : *Combattre avec* **énergie**, avec vigueur. – *Phys.* Grandeur exprimant l'aptitude d'un corps, d'un système à accomplir un travail, à élever une température, etc.

énergumène, *subst.* Personne agitée, bruyante, au comportement excessif.

énervement, *subst. m.* État d'une personne énervée.

énerver, *verbe trans.* Rendre nerveux. – *Pronom.* S'impatienter, perdre son sang-froid.

enfance, *subst. f.* Période de la vie qui va de la naissance à l'adolescence. – Les enfants. – *Fig.* Le commencement, le début.

enfant, *subst.* Garçon ou fille qui se trouve dans l'âge de l'enfance. – Fils ou fille.

enfanter, *verbe trans.* Mettre au monde un enfant. – *Fig.* Donner le jour à ; provoquer.

enfantillage, *subst. m.* Manières, comportement enfantin. – Chose futile.

enfantin, ine, *adj.* Qui se rapporte à l'enfance. – Aisé, élémentaire.

enfer, *subst. m. Relig.* Lieu de souffrance éternelle réservé aux pécheurs non repentis. – *Fig.* Tout ce qui rend la vie insupportable.

enfermer, *verbe trans.* Placer et maintenir en un lieu clos. – Mettre en lieu sûr. – Enclore, enserrer.

enferrer (s'), *verbe pronom.* Se prendre à ses propres pièges, mensonges ou erreurs.

enfilade, *subst. f.* Série d'éléments disposés les uns à la suite des autres.

enfiler, *verbe trans.* Faire passer (un fil ou un objet filiforme) à travers *qqch.* – S'engager dans (une voie d'accès). – Mettre (un vêtement).

enfin, *adv.* Finalement, en dernier lieu : *Il rentra* **enfin** *à l'hôtel.* – Renforce l'expression d'un sentiment : **Enfin** *seuls !*

enflammer, *verbe trans.* Mettre en flammes. – Affecter d'une inflammation. – *Fig.* Exalter.

enfler, *verbe Trans.* Augmenter le volume de. – *Intrans.* Augmenter anormalement de volume. – *Fig.* S'amplifier.

enflure, *subst. f.* État de ce qui est enflé ; gonflement. – *Fig.* Emphase, exagération.

enfoncer, *verbe trans.* Faire pénétrer profondément. – Faire céder ; briser. – Vaincre. – *Pronom.* Aller vers le fond de ; s'enliser ; couler.

enfouir, *verbe trans.* Mettre en terre, sous terre. – Faire disparaître sous, dans ; cacher.

enfourcher, *verbe trans.* S'asseoir à califourchon sur : **Enfourcher** *un âne, une bicyclette.*

enfourner, *verbe trans.* Introduire dans un four. – Avaler gloutonnement (*fam.*).

enfreindre, *verbe trans.* Ne pas observer, ne pas respecter (une loi, une règle, une convention).

enfuir(s'), *verbe pronom.* Fuir ; quitter un lieu avec précipitation. – *Fig.* Disparaître, se dissiper.

enfumer, *verbe trans.* Remplir (un lieu) de fumée.

engageant, ante, *adj.* Qui invite, attire.

engagement, *subst. m.* Action d'engager, de s'engager ; son résultat : *Tenir ses* **engagements**. – *Milit.* Combat bref et localisé.

engager, *verbe trans.* Mettre, donner en gage. – Lier par une promesse, une convention. – Embaucher ; enrôler. – Faire pénétrer, introduire : **Engager** *la clef dans la serrure.* – Entamer, commencer, mettre en train. – Entraîner, faire entrer (dans une entreprise, une situation) : **Engager** *le pays dans une politique de rigueur.* – Inviter,

exhorter. – *Pronom.* S'**engager** *à* : promettre que. – Contracter un engagement militaire ou professionnel. – Commencer, débuter : *Le débat s'*engage. – Prendre publiquement position sur des problèmes politiques ou sociaux : *Un artiste qui s'*engage.

engeance, *subst. f.* Catégorie de gens méprisables.

engelure, *subst. f.* Lésion inflammatoire de la peau causée par le froid.

engendrer, *verbe trans.* Concevoir (un enfant). – *Fig.* Produire, occasionner.

engin, *subst. m.* Machine, véhicule, instrument destinés à remplir une fonction.

englober, *verbe trans.* Rassembler en un tout, inclure.

engloutir, *verbe trans.* Avaler d'un trait, goulûment. – Provoquer la disparition totale de (*qqch.*) : **Engloutir** *une fortune au jeu.*

engoncer, *verbe trans.* Donner (à *qqn*) l'air d'avoir le cou enfoncé dans les épaules, en parlant d'un vêtement.

engorger, *verbe trans.* Obstruer un conduit, par une accumulation de matière. – Saturer.

engouement, *subst. m.* Enthousiasme vif et soudain.

engouffrer, *verbe trans.* Engloutir (la nourriture). – *Pronom.* Pénétrer avec force ou en hâte (dans).

engourdir, *verbe trans.* Rendre raide, insensible (le corps, un membre) : *Le froid* **engourdit**.

engrais, *subst. m.* Produit que l'on mêle à la terre pour la rendre plus fertile.

engraisser, *verbe Trans.* Rendre gras (un animal). – *Intrans.* et *pronom.* Devenir gras, gros.

engranger, *verbe trans.* Mettre en réserve dans une grange. – *Fig.* **Engranger** *des informations.*

engrenage, *subst. m.* Dispositif constitué de roues dentées qui, en s'emboîtant l'une dans l'autre, se transmettent un mouvement rotatif. – *Fig.* Enchaînement de circonstances dont on ne peut se dégager.

enhardir (s'), *verbe pronom.* Prendre de l'assurance.

énigmatique, *adj.* Qui constitue ou contient une énigme ; obscur. – Étrange, mystérieux : *Un individu* **énigmatique**.

énigme, *subst. f.* Jeu consistant à deviner la chose qui se cache derrière un énoncé obscur. – Tout ce qui est difficile à comprendre, à résoudre.

enivrer, *verbe trans.* Rendre ivre. – *Fig.* Exalter.

enjambée, *subst. f.* Action d'enjamber. – Extension maximale des jambes dans un pas.

enjamber, *verbe trans.* Passer la jambe par-dessus un obstacle pour le franchir. – Franchir en prenant appui de chaque côté de : *Le pont* **enjambe** *la vallée.*

enjeu, eux, *subst. m.* Mise que l'on engage dans un jeu et qui revient au gagnant. – Ce que l'on peut perdre ou gagner dans une compétition, une entreprise.

enjôler, *verbe trans.* Amadouer, appâter par des paroles flatteuses, des promesses.

enjoliver, *verbe trans.* Rendre plus joli en parant d'éléments agréables ou d'artifices.

enjoliveur, *subst. m.* Plaque circulaire qui cache les moyeux des roues d'une automobile.

enjoué, ée, *adj.* Gai, amène, jovial.

enlacer, *verbe trans.* Entrecroiser ; faire passer une chose autour d'une autre. – S'enrouler étroitement autour de : *Une glycine* **enlace** *la grille du jardin.* – Prendre, serrer fortement dans ses bras ; étreindre.

enlaidir, *verbe Trans.* Rendre laid. – *Intrans.* Devenir laid.

enlèvement, *subst. m.* Action d'enlever. – Rapt.

enlever, *verbe trans.* Porter en soulevant. – Déplacer. – Ôter, retirer. – Supprimer, faire disparaître : **Enlever** *une tache de graisse.* – Prendre de force ; kidnapper. – **Enlever** *un morceau de musique* : l'exécuter avec brio.

enliser, *verbe trans.* Engager dans du sable mouvant, embourber. – *Fig.* Bloquer tout progrès. – *Pronom.* S'**enliser** *dans des complications.*

enluminure, *subst. f.* Art d'illustrer et de décorer des manuscrits, des livres par des lettrines peintes, des miniatures, etc. – Décoration ainsi réalisée.

enneigement, *subst. m.* État d'un lieu couvert de neige. – Épaisseur de la neige.

ennemi, ie, *adj. et subst.* Se dit d'une personne qui hait *qqn* ou qui cherche à lui nuire : – Adversaire ; personne, nation, armée que l'on combat. – *Être l'*ennemi *de qqch.* : s'y opposer.

ennui, *subst. m.* Apathie, impression de vide due à l'absence d'intérêt ou d'occupation. – Contrariété, problème.

ennuyer, *verbe trans.* Plonger dans l'ennui, lasser. – Causer des ennuis, contrarier.

énoncé, *subst. m.* Action d'énoncer (oralement ou par écrit). – Ce que l'on énonce.

énoncer, *verbe trans.* Exprimer sa pensée, la formuler.

enorgueillir, *verbe trans.* Rendre orgueilleux. – *Pronom.* Tirer orgueil de.

énorme, *adj.* Qui excède la norme, très grand, très gros. – *Fig.* Extraordinaire (*fam.*).

énormément, *adv.* Considérablement.

énormité, *subst. f.* Caractère de ce qui est énorme. – Propos extravagant (*fam.*).

enquérir (s'), *verbe pronom.* S'**enquérir** *de* : demander des nouvelles de, se renseigner sur.

enquête, *subst. f.* Ensemble des recherches visant à recueillir des témoignages, des documents, afin d'élucider une question, de faire une étude.

enquêter, *verbe intrans.* Mener une enquête.

enraciner, *verbe trans.* Faire prendre racine. – *Fig.* Fixer profondément dans l'esprit, le cœur.

enragé, ée, *adj.* Qui est atteint du rage : *Bête* **enragée.** – *Fig.* Plein d'ardeur, passionné. – Furieux, violent, acharné.

enrager, *verbe intrans.* Ressentir un dépit amer ; être furieux. – *Faire* **enrager** *qqn* : le mettre en colère.

enrayer, *verbe trans.* Juguler, freiner l'évolution de. – *Pronom. Son fusil s'*est enrayé : son mécanisme s'est bloqué accidentellement.

enregistrer, *verbe trans.* Inscrire un acte sur un registre officiel pour l'authentifier. – Consigner par écrit. – Prendre note d'un dépôt. – Fixer dans sa mémoire. – Fixer, grâce à un instrument, un son, une image qui pourront être reproduits.

enrhumer, *verbe trans.* Causer un rhume à. – *Pronom.* Contracter un rhume.

enrichir, *verbe trans.* Rendre riche, plus riche. – Augmenter l'intérêt, la valeur de *qqch.* en y ajoutant des éléments ; embellir.

enrober, *verbe trans.* Entourer, recouvrir d'une couche de matière qui protège ou qui améliore le goût. – *Fig.* Envelopper pour atténuer, diminuer.

enrôler, *verbe trans.* Recruter (*qqn*) dans l'armée. – Faire entrer dans un parti, dans un groupe.

enroué, ée, *adj. Voix* **enrouée** : rauque, éraillée.

enrouler, *verbe trans.* Rouler une chose sur elle-même ou autour d'une autre.

enrubanné, ée, *adj.* Orné de rubans.

ensabler, *verbe trans.* Couvrir, remplir de sable. – Engager dans le sable (un bateau, une voiture, etc.). – *Pronom.* S'enfoncer, s'échouer dans le sable. – Se combler, s'engorger de sable.

ensanglanter, *verbe trans.* Couvrir, tacher de sang. – Souiller en faisant couler le sang : *De nombreux meurtres* **ont ensanglanté** *le règne de ce prince.*

enseignant, ante, *subst.* Personne dont la profession consiste à enseigner.

enseigne, *subst. Fém.* Étendard (*littér.*). – Emblème d'un établissement commercial, public. – *Masc.* **Enseigne** *de vaisseau* : officier de marine de grade équivalent à ceux de sous-lieutenant ou de lieutenant.

enseignement, *subst. m.* Action, art de transmettre des connaissances. – Les connaissances transmises. – Précepte, leçon tirés des faits, de l'expérience. – L'ensemble des institutions qui dispensent les connaissances ; le métier d'enseignant.

enseigner, *verbe trans.* Dispenser un enseignement.

ensemble (i), *adv.* L'un avec l'autre, les uns avec les autres : *Allons-y* **ensemble.** – En même temps : *Ne parlez pas tous* **ensemble.**

ensemble (ii), *subst. m.* Groupement d'éléments possédant une certaine unité. – Unité harmonieuse. – Vêtement composé de plusieurs pièces assorties. – *L'*ensemble *de* : la totalité de. – *Vue d'*ensemble : générale.

ensemencer, *verbe trans.* Semer des graines dans (la terre). – Introduire des germes microbiens dans un milieu, un bouillon de culture.

enserrer, *verbe trans.* Entourer étroitement.

ensevelir, *verbe trans.* Enterrer (un cadavre). – Faire disparaître sous un amoncellement. – *Fig.* Dissimuler, cacher.

ensoleillé, ée, *adj.* Exposé à la lumière solaire.

ensommeillé, ée, *adj.* Somnolent, mal réveillé.

ensorceler, *verbe trans.* Jeter un sort à. – *Fig.* Séduire.

ensuite, *adv.* Puis, après : *Fais ceci et* **ensuite** *cela.* – Plus loin, derrière.

ensuivre (s'), *verbe pronom.* Résulter, découler.

entacher, *verbe trans.* Ternir, compromettre.

entaille, *subst. f.* Coupure qui enlève une partie de la matière. – Blessure, incision profonde causée par un instrument tranchant.

entailler, *verbe trans.* Faire une entaille à.

entamer, *verbe trans.* Enlever le premier morceau de (*qqch.*). – Entailler, couper, blesser ; éroder, attaquer. – Entreprendre.

entartrer, *verbe trans.* Recouvrir de tartre.

entasser, *verbe trans.* Mettre en tas. – Réunir en nombre, tasser dans un espace étroit. – *Fig.* Accumuler, multiplier.

entendement, *subst. m.* Faculté de comprendre. – Bon sens, jugement.

entendre, *verbe trans.* Percevoir par l'ouïe. – Écouter attentivement : **Entendre** *un témoin*. – Connaître : *S'y* **entendre** *en.* – Comprendre, interpréter : *Que faut-il* **entendre** *là ? –* Vouloir, être résolu à : *Il* **entend** *être obéi.* – *Pronom.* Sympathiser. – Tomber d'accord.

entendu, ue, *adj.* Qui manifeste une connivence : *Regards* **entendus**. – Convenu, décidé : *Une affaire* **entendue**. *– Loc. adv. Bien* **entendu** : bien sûr.

entente, *subst. f.* Situation de personnes, de partis qui s'entendent ; harmonie, accord.

entériner, *verbe trans.* Ratifier un acte de manière à le valider. – Admettre la valeur, la justesse de.

enterrement, *subst. m.* Action d'enterrer. – Cérémonie funèbre qui accompagne la mise en terre.

enterrer, *verbe trans.* Mettre (un cadavre) en terre. – Enfouir (*qqch.*) sous terre, sous un amoncellement. – *Fig.* Renoncer définitivement à.

en-tête, *subst. m.* Brève inscription placée en haut d'une feuille, identifiant l'expéditeur.

entêtement, *subst. m.* Action de s'entêter, opiniâtreté.

entêter, *verbe trans.* Porter à la tête, griser, étourdir. – *Pronom.* S'obstiner.

enthousiasme, *subst. m.* Admiration passionnée. – Excitation mêlée d'allégresse ; ardeur joyeuse.

enthousiasmer, *verbe trans.* Remplir d'enthousiasme. – *Pronom.* S'**enthousiasmer** *de, pour qqch.*

enticher (s'), *verbe pronom.* Éprouver une vive passion, souvent irraisonnée et passagère, pour.

entier, ière, *adj. et subst. m. Math.* Se dit d'un nombre sans fraction décimale. – *Adj.* Auquel il ne manque rien, complet. – Intact : *Cheval* **entier**, non castré. – Qui n'accepte pas la compromission ; catégorique, tranchant. – *Loc. adv. En* **entier** : dans sa totalité.

entité, *subst. f.* Réalité abstraite, qui n'est constituée que par une opération de l'esprit.

entomologie, *subst. f.* Science qui étudie les insectes.

entonner, *verbe trans.* Commencer à chanter.

entonnoir, *subst. m.* Ustensile en forme de cône prolongé par un tube, servant à transvaser des liquides. – Cavité qui va en se rétrécissant ; cratère.

entorse, *subst. f.* Distorsion ou élongation des ligaments d'une articulation. – *Fig. Faire une* **entorse** *au règlement* : le transgresser.

entortiller, *verbe trans.* Enrouler, envelopper en tortillant. – *Fig.* Tromper, abuser.

entourage, *subst. m.* Ce qui entoure ; bordure. – *Fig. L'*entourage *de qqn* : ses proches.

entourer, *verbe trans.* Disposer, ou être disposé, autour de ; encercler. – *Fig.* Se montrer attentif, bienveillant envers (*qqn*).

entracte, *subst. m.* Interruption ménagée entre les parties d'un spectacle. – *Fig.* Pause, répit.

entraide, *subst. f.* Aide mutuelle.

entraider (s'), *verbe pronom.* S'aider mutuellement.

entrailles, *subst. f. plur.* Viscères et boyaux. – Le ventre de la mère. – *Fig.* La partie la plus profonde de *qqch.*

entrain, *subst. m.* Vivacité, gaieté, ardeur communicatives.

entraînement, *subst. m.* Action d'entraîner. – Préparation par des exercices (à une compétition, au combat, etc.).

entraîner, *verbe trans.* Traîner avec soi, derrière soi ; emmener à sa suite. – Pousser, décider (*qqn* à faire *qqch.*). – Actionner, communiquer un mouvement à. – Provoquer, être cause de. – Préparer par des exercices à (un sport, un combat, etc.).

entrave, *subst. f.* Attache que l'on met aux jambes d'un animal pour gêner sa marche. – *Fig.* Obstacle.

entraver, *verbe trans.* Mettre des entraves à. – *Fig.* Gêner les mouvements de ; mettre des obstacles à.

entre, *prép.* Dans l'espace qui sépare (des choses, des lieux, des personnes). – Dans le temps qui sépare (deux événements, deux faits, etc.). – Dans un état intermédiaire. – Parmi. – Exprime un rapport de réciprocité ou de comparaison.

entrebâiller, *verbe trans.* Ouvrir à peine.

entrechoquer, *verbe trans.* Heurter l'un contre l'autre. – *Pronom.* Se heurter réciproquement.

entrecouper, *verbe trans.* Interrompre par intervalles.

entrecroiser, *verbe trans.* Croiser (des éléments entre eux) à plusieurs reprises.

entrée, *subst. f.* Action d'entrer. – Accès à *qqch.* : *Billet d'*entrée. – Admission : *Concours d'*entrée *à une grande école.* – Commencement : *Entrée en fonction.* – Endroit par lequel on entre. – Vestibule. – Mets servi avant le plat principal.

entrefaites (sur ces), *loc. adv.* À ce moment-là.

entrefilet, *subst. m. Journ.* Court article.

entrelacer, *verbe trans.* Enlacer des choses entre elles.

entremêler, *verbe trans.* Mêler (plusieurs choses). – Entrecouper.

entremets, *subst. m.* Mets sucré servi aujourd'hui après le fromage.

entremise, *subst. f. Par l'*entremise *de* : par l'intermédiaire de.

entreposer, *verbe trans.* Stocker dans un entrepôt. – Mettre en dépôt, confier provisoirement.

entrepôt, *subst. m.* Lieu, bâtiment destiné au stockage provisoire de marchandises.

entreprenant, ante, *adj.* Qui n'hésite pas à s'engager, à agir. – Hardi auprès d'une personne appartenant au sexe opposé.

entreprendre, *verbe trans.* Se mettre à faire (*qqch.*). – **Entreprendre** *qqn* : chercher à le convaincre.

entrepreneur, euse, *subst.* Chef d'entreprise, en *gén.* dans le bâtiment et les travaux publics.

entreprise, *subst. f.* Ce que l'on entreprend. – Mise en œuvre d'un projet ou d'une action. – Unité économique de production (de biens ou de services).

entrer, *verbe Intrans.* Aller du dehors au dedans ; pénétrer – Se mettre dans (un état, une position sociale, une situation) : **Entrer** *dans la carrière militaire.* – Commencer à faire partie (d'un

ensemble, d'une communauté, etc.) : **Entrer** *dans un parti politique*. – Commencer à participer, à prendre part à : **Entrer** *dans une affaire*. – Être au début de : **Entrer** *dans la vieillesse*. – Commencer à éprouver. – Commencer à étudier, à traiter (un sujet). – Être compris dans : *Cela* **entre** *dans vos attributions* ; *Les ingrédients qui* **entrent** *dans cette recette*. – *Trans.* Faire pénétrer, introduire : **Entrer** *des données dans un ordinateur*.

entresol, *subst. m.* Étage se trouvant entre le rez-de-chaussée et le premier étage.

entre-temps, *loc. adv.* Dans cet intervalle de temps.

entretenir (i), *verbe trans.* Maintenir dans le même état. – Conserver en bon état. – **Entretenir** *qqn* : assurer sa subsistance.

entretenir (ii), *verbe trans.* Parler à (*qqn de qqch.*). – *Pronom.* S'**entretenir** *avec qqn*.

entretien (i), *subst. m.* Action d'entretenir : *Produits d'*entretien*, produits ménagers.

entretien (ii), *subst. m.* Échange de propos.

entre-tuer (s'), *verbe pronom.* Se tuer l'un l'autre, les uns les autres.

entrevoir, *verbe trans.* Voir très vite, sans bien distinguer. – *Fig.* Avoir l'intuition de.

entrevue, *subst. f.* Rencontre concertée.

entrouvrir, *verbe trans.* Ouvrir en disjoignant. – Ouvrir à demi.

énumération, *subst. f.* Action d'énumérer. – Liste de ce que l'on énumère.

énumérer, *verbe trans.* Énoncer l'un après l'autre les éléments d'un ensemble.

envahir, *verbe trans.* Pénétrer par force et en nombre dans un lieu, un pays, et l'occuper. – Se répandre dans, remplir. – *Fig.* Accaparer.

envahissement, *subst. m.* Action d'envahir. – Résultat de cette action.

enveloppe, *subst. f.* Ce qui enveloppe, protège *qqch.* – Pochette en papier dans laquelle on glisse un document, une lettre. – *Fig.* Montant des crédits affectés à un budget.

envelopper, *verbe trans.* Entourer, couvrir complètement de papier, de tissu, etc. ; emballer. – Environner de toutes parts ; cerner : **Envelopper** *l'ennemi*. – Dissimuler ; déguiser.

envenimer, *verbe trans.* Aviver un mal ; infecter. – *Fig.* Attiser ; aggraver.

envergure, *subst. f.* Distance entre les pointes des ailes déployées d'un oiseau. – Distance entre les extrémités des ailes d'un avion. – *Fig.* Ampleur, extension, importance (d'une action, d'une entreprise, etc.). – Valeur, capacité : *Un homme de grande* **envergure**.

envers (i), *prép.* À l'égard de. – **Envers** *et contre tous* : malgré l'opposition des autres.

envers (ii), *subst. m.* Côté opposé à celui qui s'offre à la vue : *À l'*envers*, du mauvais côté, dans le mauvais sens. – *Fig.* Aspect caché d'une chose.

envie, *subst. f.* Sentiment de convoitise, de jalousie, à la vue des biens ou des privilèges d'autrui. – Désir de posséder ou de faire *qqch.* – Besoin plus ou moins intense.

envier, *verbe trans.* Nourrir de l'envie (envers *qqn*). – Désirer (ce qu'un autre possède).

environ, *adv.* Approximativement ; à peu près.

environnement, *subst. m.* Ensemble de ce qui entoure, de ce qui constitue le voisinage. – Ensemble des éléments naturels et artificiels dans lesquels évolue un être vivant, une espèce. – Cadre de vie, milieu.

environner, *verbe trans.* Entourer. – Être dans les environs de.

environs, *subst. m. plur.* Les alentours. – *Loc. prép.* **Aux environs** *de* : à proximité de, près de ; vers, à peu près à.

envisager, *verbe trans.* Considérer, examiner. – Prévoir, songer à, projeter de.

envoi, *subst. m.* Action d'envoyer ; ce qui est envoyé. – *Donner le coup d'*envoi : engager la partie ; déclencher une action.

envol, *subst. m.* Action de s'envoler.

envoler (s'), *verbe pronom.* Prendre son vol. – Décoller. – *Fig.* Être soulevé, emporté par le vent. – Disparaître, s'enfuir.

envoûtement, *subst. m.* Action d'envoûter. – L'état qui en résulte.

envoûter, *verbe trans.* Exercer une influence maléfique à distance sur. – *Fig.* Fasciner, captiver.

envoyé, ée, *subst.* Personne que l'on envoie en un lieu pour accomplir une mission.

envoyer, *verbe trans.* Faire partir (*qqn*) quelque part. – Expédier (une lettre, un paquet). – Lancer, jeter : **Envoyer** *un ballon*.

éolienne, *subst. f.* Machine actionnée par le vent.

épagneul, eule, *subst.* Chien d'arrêt à poil long et aux oreilles pendantes.

épais, épaisse, *adj.* Qui a du volume, gros. – Dense, compact, consistant : *Fumée* **épaisse**. – Serré, touffu : *Forêt* **épaisse**. – Lourd, massif : *Taille, traits* **épais**. – *Fig.* Grossier.

épaisseur, *subst. f.* Une des trois dimensions d'un solide, les deux autres étant la longueur et la largeur. – Nature, état de ce qui est épais.

épaissir, *verbe* Rendre ou devenir plus épais.

épanchement, *subst. m.* Action d'exprimer sans retenue ses pensées intimes, ses émotions. – *Méd.* Accumulation pathologique de liquide dans une cavité, un tissu.

épancher, *verbe trans.* Exprimer, donner libre cours à (des sentiments, des émotions). – *Pronom.* Se confier sans retenue. – Se manifester sans retenue (pour un sentiment).

épanouir, *verbe trans.* Ouvrir, faire ouvrir (une fleur). – *Pronom.* Rendre heureux. – *Pronom.* Déplier ses pétales, éclore. – *Fig.* S'illuminer de joie. – Atteindre la plénitude.

épanouissement, *subst. m.* Fait de s'épanouir. – État de plénitude.

épargne, *subst. f.* Action d'épargner de l'argent ; somme épargnée. – Part du revenu qui n'est pas affectée à la consommation. – *Caisse d'*épargne : établissement financier public qui recueille l'**épargne** des particuliers et qui la rémunère.

épargner, *verbe trans.* Mettre de côté. – Consommer avec modération, afin de garder une réserve ; au *fig.* : **Épargner** *ses efforts*. – **Épargner** *qqch. à qqn* : le lui éviter. – Ne pas détruire ; ne pas endommager. – Traiter avec ménagement ; laisser la vie sauve à.

éparpiller, *verbe trans.* Disperser, répandre çà et là. – *Pronom.* Se répandre de-ci de-là. – *Fig.* Se laisser distraire, se disperser.

épars, éparse, *adj.* Dispersé çà et là.

épater, *verbe trans.* Écraser, évaser la base de. – *Fig.* Renverser d'étonnement, stupéfier (*fam.*).

épaulard, *subst. m.* Cétacé à la peau noire et blanche, très vorace (*synon. orque*).

épaule, *subst. f.* Articulation du membre supérieur et du thorax : *Hausser les* **épaules**.

épauler, *verbe trans.* Mettre, soulever à hauteur d'épaule. – *Fig.* Aider, renforcer.

épaulette, *subst. f.* Bretelle d'un vêtement féminin. – Rembourrage des épaules d'un vêtement. – Ornement fixé sur les épaules de certains uniformes, indiquant un grade.

épave, *subst. f.* Navire naufragé, abandonné. – Objet rejeté par la mer. – Tout objet mobilier égaré ou abandonné. – Véhicule irréparable. – Personne tombée dans un état de déchéance, de misère extrêmes.

épée, *subst. f.* Arme composée d'une lame emmanchée dans une poignée et munie d'une garde.

épeler, *verbe trans.* Nommer une à une les lettres d'un mot.

éperdu, ue, *adj.* Égaré par une émotion, un sentiment. – Désordonné, rapide, affolé : *Fuite* **éperdue**.

éperon, *subst. m.* Pièce de métal attachée au talon du cavalier, servant à piquer le flanc du cheval pour le faire accélérer.

éperonner, *verbe trans.* Donner des coups d'éperons. – *Fig.* Exciter (*littér.*).

épervier, *subst. m.* Oiseau rapace diurne.

éphémère, *adj. et subst. m. Adj.* Qui ne dure que peu de temps. – *Subst.* Insecte ailé qui ne vit qu'une journée.

éphéméride, *subst. f.* Calendrier dont on arrache chaque jour une feuille. – *Plur.* Tables indiquant la position des astres jour par jour.

épi, *subst. m.* Extrémité de la tige de certaines graminées, où sont regroupées les graines. – Mèche de cheveux rebelle.

épice, *subst. f.* Substance aromatique végétale qui augmente la saveur d'un mets.

épicé, ée, *adj.* Rehaussé par des épices, fort, piquant. – *Fig.* Corsé, grivois.

épicéa, *subst. m.* Conifère commun en Europe, *souv.* appelé (improprement) sapin.

épicentre, *subst. m.* Point de la surface terrestre où une secousse tellurique atteint son intensité maximale.

épicerie, *subst. f.* L'ensemble des produits de consommation courante, en *partic.* alimentaires. – Magasin où l'on vend ces produits.

épicier, ière, *subst.* Personne qui fait le commerce des produits d'épicerie.

épidémie, *subst. f.* Développement rapide d'une maladie, qui frappe simultanément de nombreux sujets dans un territoire donné.

épiderme, *subst. m.* Couche superficielle de la peau.

épier, *verbe trans.* Guetter, observer en secret.

épieu, épieux, *subst. m.* Arme faite d'un long bâton et d'un fer large, plat et pointu, qui servait à la guerre et à la chasse.

épilepsie, *subst. f.* Maladie chronique caractérisée par des crises de convulsions avec perte de connaissance.

épiler, *verbe trans.* Ôter, arracher les poils superflus.

épilogue, *subst. m.* Conclusion d'une œuvre littéraire. – Dénouement d'une affaire.

épiloguer, *verbe trans. indir.* Faire de longs commentaires, *souv.* inutiles.

épinard, *subst. m.* Plante potagère aux longues feuilles vert foncé.

épine, *subst. f.* Piquant de certains végétaux. – *L'*épine *dorsale* : la colonne vertébrale. – *Fig.* Embarras, difficulté.

épineux, euse, *adj.* Qui porte des épines. – *Fig.* Hérissé de difficultés.

épingle, *subst. f.* Fine tige métallique pointue d'un côté, garnie d'une tête de l'autre, servant à fixer *qqch.* – **Épingle** *à cheveux* : petite tige repliée, servant à fixer les cheveux. – *Virage en* **épingle** : très serré.

épingler, *verbe trans.* Fixer à l'aide d'épingles. – *Fig.* **Épingler** *qqn* : l'arrêter, l'appréhender (*fam.*).

épique, *adj.* Qui relève de l'épopée. – *Fig.* Mémorable, grandiose, mouvementé.

épiscopat, *subst. m.* Dignité d'évêque?; temps pendant lequel un évêque occupe sa charge. – Ensemble des évêques.

épisode, *subst. m.* Circonstance particulière dans un ensemble d'événements. – Action secondaire rattachée au thème principal d'une œuvre. – Division d'une œuvre : *Film à* **épisodes**.

épisodique, *adj.* Intermittent, secondaire.

épistolaire, *adj.* Relatif à la correspondance, aux lettres.

épitaphe, *subst. f.* Inscription tombale.

épithète, *adj. et subst. f. Ling.* Se dit de l'adjectif lorsqu'il est directement relié au nom qu'il qualifie (*oppos. attribut*). – *Subst.* Mot ou expression qui qualifie.

épître, *subst. f.* Poème en forme de lettre. – Lettre en prose, écrite par un apôtre.

éploré, ée, *adj.* En larmes, en proie à l'affliction.

éplucher, *verbe trans.* Retirer (d'un légume, d'un fruit) ce que l'on ne souhaite pas consommer. – *Fig.* Examiner avec soin et sens critique.

épluchure, *subst. f.* Déchet d'un aliment épluché.

éponge, *subst. f.* Animal marin qui vit fixé au fond de l'eau. – Squelette de cet animal, léger, poreux et souple, utilisé pour son aptitude à absorber les liquides. – Objet fabriqué pour le même usage. – *Fig. Passer l'*éponge : pardonner, oublier. – *Jeter l'*éponge : abandonner le combat, renoncer.

éponger, *verbe trans.* Sécher avec une éponge, un tissu absorbant. – *Fig.* Résorber (une dette).

épopée, *subst. f.* Long poème relatant les exploits légendaires d'un héros. – Suite d'événements réels, mais empreints d'héroïsme ou de sublime.

époque, *subst. f.* Période de l'histoire marquée par certains caractères propres, certains faits. – Moment déterminé du temps, d'une vie, etc. : **Époque** *des moissons* ; **Époque** *des premières dents.* – *Meuble d'*époque : fabriqué à l'époque qui correspond à son style.

époumoner (s'), *verbe pronom.* Parler, crier très fort, au point de perdre le souffle.

épouser, *verbe trans.* Se marier avec. – *Fig.* Soutenir, rallier (une cause). – S'adapter à, suivre.

épousseter, *verbe trans.* Enlever, chasser la poussière de.

époustouflant, ante, *adj.* Stupéfiant, épatant (*fam.*).

épouvantable, *adj.* Qui épouvante ; atroce. – Très désagréable, pénible, inquiétant.

épouvantail, *subst. m.* Mannequin sommaire que l'on place dans les champs pour effrayer les oiseaux.

épouvante, *subst. f.* Terreur violente, soudaine.

épouvanter, *verbe trans.* Emplir d'épouvante.

époux, épouse, *subst.* Personne que les liens du mariage unissent à une autre.

éprendre (s'), *verbe pronom.* **S'éprendre** *de* : se mettre à aimer (*qqch., qqn*).

épreuve, *subst. f.* Expérience, exercices auxquels on soumet *qqn* ou *qqch.* pour évaluer ses qualités : *A toute* **épreuve**, qui résiste à tout ; **Épreuve** *sportive*, compétition. – Situation, événement provoquant une souffrance ; malheur. – *Impr.* Page imprimée servant aux corrections. – *Photo.* Image positive, tirée en *gén.* sur papier.

éprouver, *verbe trans.* Ressentir : **Éprouver** *de la tristesse.* – Mettre à l'épreuve *qqch.* ou *qqn* pour s'assurer de sa valeur, de ses qualités : **Éprouver** *une arme* ; **Éprouver** *un ami.* – Faire souffrir. – Subir : *Le régiment* **a éprouvé** *des pertes.*

éprouvette, *subst. f.* Tube de verre fermé à une extrémité, utilisé pour des expériences chimiques.

épuisement, *subst. m.* Action d'épuiser. – L'état qui en résulte. – *Fig.* Très grande fatigue.

épuiser, *verbe trans.* Vider de son contenu, de sa substance ; utiliser complètement. – *Fig.* **Épuiser** *un sujet.* – Fatiguer, mettre à bout de forces.

épuisette, *subst. f.* Filet monté sur un long manche, qui sert à capturer les poissons.

épuration, *subst. f.* Action d'épurer. – Le résultat de cette action.

épurer, *verbe trans.* Rendre plus pur en éliminant les éléments étrangers, polluants. – *Fig.* **Épurer** *son langage, une administration.*

équarrir, *verbe trans.* Tailler pour rendre carré. – Couper en quartiers (un animal mort).

équateur, *subst. m.* Grand cercle imaginaire, situé à égale distance des deux pôles, qui divise la Terre en deux hémisphères.

équation, *subst. f.* *Math.* Égalité contenant des grandeurs inconnues, vérifiable ou non pour une ou plusieurs valeurs de ces inconnues.

équatorial, ale, aux, *adj.* Qui se rapporte à l'équateur.

équerre, *subst. f.* Instrument (en T ou en triangle) utilisé pour tracer des angles droits. – *D'*équerre ou *A l'*équerre : à angle droit.

équestre, *adj.* Qui représente un personnage à cheval : *Statue* **équestre.** – Qui concerne l'équitation.

équidé, *subst. m.* Mammifère ongulé tel que le cheval, l'âne ou le zèbre. – *Plur.* La famille correspondante.

équidistant, ante, *adj.* À égale distance de *qqch.*

équilatéral, ale, aux, *adj.* Dont tous les côtés sont égaux entre eux : *Triangle* **équilatéral.**

équilibre, *subst. m.* Position stable du corps. – Stabilité résultant de l'action de forces égales et contraires qui s'annulent. – *Fig.* Rapport harmonieux entre plusieurs éléments. – État mental stable, égal.

équilibrer, *verbe trans.* Mettre en équilibre. – *Pronom.* Se contrebalancer, se compléter.

équilibriste, *subst.* Artiste qui fait des tours d'équilibre, des acrobaties.

équinoxe, *subst. m.* Moment qui revient deux fois par an, où la durée du jour et celle de la nuit sont égales.

équipage, *subst. m.* Ensemble du personnel employé à bord d'un navire, d'un avion.

équipe, *subst. f.* Groupe de personnes ayant une activité, un travail commun. – *Sp.* Groupe de joueurs constitué pour disputer un match.

équipée, *subst. f.* Promenade aventureuse, virée.

équipement, *subst. m.* Action d'équiper. – Ensemble des fournitures et des accessoires propres à une activité. – Infrastructure, installations nécessaires à une collectivité humaine (*gén.* au *plur.*).

équiper, *verbe trans.* Fournir en matériel nécessaire.

équipier, ière, *subst.* Membre d'une équipe.

équitable, *adj.* Qui respecte l'équité, juste.

équitation, *subst. f.* Art, action de monter à cheval.

équité, *subst. f.* Règle morale commandant de traiter chacun avec justice.

équivalent, ente, *adj. et subst. m.* Qui a la même valeur.

équivaloir, *verbe trans. indir.* Avoir la même valeur que : *Deux croches* **équivalent** *à une noire.*

équivoque, *adj. et subst. f. Adj.* Ambigu, à double sens. – Suspect, louche. – *Subst.* Ambiguïté, malentendu. – Incertitude.

érable, *subst. m.* Grand arbre au bois recherché ; l'**érable** du Canada produit une sève sucrée dont on fait du sirop.

érafler, *verbe trans.* Blesser ou endommager superficiellement.

éraflure, *subst. f.* Griffure, écorchure peu profonde. – Rayure.

éraillé, ée, *adj. Voix* **éraillée** : rauque, enrouée.

ère, *subst. f.* Période historique. – Division du temps, en géologie.

érectile, *adj.* Capable de se redresser.

érection, *subst. f.* Action d'ériger, de dresser. – Raidissement, gonflement de certains organes, en *partic.* du pénis.

éreinter, *verbe trans.* Épuiser. – *Fig.* Critiquer avec virulence.

ergot, *subst. m.* Protubérance cornée située à l'arrière des pattes de certains animaux (coqs, chiens). – *Bot.* Maladie des céréales (blé, seigle).

ergoter, *verbe intrans.* Discuter sur des riens, chicaner.

ériger, *verbe trans.* Élever, dresser (un édifice). – *Fig.* Mettre sur pied, instituer. – Élever à une dignité supérieure. – *Pronom.* Se poser en : *S'*ériger *en arbitre.*

ermitage, *subst. m.* Lieu solitaire. – Maison isolée.

ermite, *subst. m.* Moine retiré dans la solitude. – Personne qui vit en solitaire.

éroder, *verbe trans.* User, ronger lentement.

érogène, *adj.* Susceptible de produire une excitation érotique.

érosion, *subst. f.* Action d'éroder ; son résultat. – *Géol.* Usure lente de la surface terrestre sous l'effet des agents naturels. – *Fig.* **Érosion** *monétaire.*

érotique, *adj.* Relatif à l'amour sensuel.

errata, *subst. m. plur.* Erreurs d'impression.

errer, *verbe intrans.* Aller au hasard, sans but.

erreur, *subst. f.* Action de se tromper. – Opinion fausse, jugement erroné. – Action maladroite.

erroné, ée, *adj.* Qui contient une ou des erreurs. – Inexact.

ersatz, *subst. m.* Produit de remplacement. – Produit de moins bonne qualité.

éructer, *verbe Intrans.* Roter. – *Trans. Fig.* Proférer avec virulence.

érudit, ite, *adj. et subst.* Qui a une grande érudition.

érudition, *subst. f.* Somme de connaissances approfondies dans un domaine déterminé.

éruption, *subst. f.* Apparition soudaine de boutons ou de marques sur la peau. – Jaillissement de matières volcaniques.

ès, *prép.* Dans les, en matière de : *Docteur* **ès** *lettres.*

escabeau, *subst. m.* Petit escalier transportable, utilisé comme échelle.

escadre, *subst. f.* Groupe important de navires de guerre ou d'avions militaires.

escadrille, *subst. f.* Petite escadre d'aviation.

escadron, *subst. m.* Subdivision d'un régiment de cavalerie, de gendarmerie.

escalade, *subst. f.* Action d'escalader. – Ascension sportive d'un sommet. – *Fig.* Augmentation, aggravation.

escalader, *verbe trans.* Franchir (un obstacle). – Grimper à, faire l'ascension de.

escale, *subst. f.* Arrêt, pause d'un navire ou d'un avion, dans un port ou un aérodrome.

escalier, *subst. m.* Succession de marches que l'on monte ou descend.

escalope, *subst. f.* Mince tranche de viande blanche, de poisson.

escamoter, *verbe trans.* Soustraire à la vue du public. – Dérober. – *Fig.* Esquiver, éluder.

escampette, *subst. f. Prendre la poudre d'***escampette** : s'enfuir (*fam.*).

escapade, *subst. f.* Action de s'évader pour un temps de son cadre habituel de vie.

escarbille, *subst. f.* Petit fragment de charbon incandescent.

escarcelle, *subst. f.* Grande bourse portée à la ceinture (vieilli).

escargot, *subst. m.* Mollusque gastéropode à coquille, qui se meut très lentement.

escarmouche, *subst. f.* Combat bref et localisé. – *Fig.* Échange de propos hostiles.

escarpé, ée, *adj.* Pentu, raide : *Sentiers* **escarpés.**

escarpin, *subst. m.* Chaussure découverte, à fine semelle, avec ou sans talon.

escient, *subst. m.* À bon **escient** : avec raison.

esclaffer (s'), *verbe pronom.* Éclater, pouffer de rire.

esclandre, *subst. m.* Éclat, scandale public.

esclavage, *subst. m.* Condition d'une personne ou d'un peuple esclave. – *Fig.* Dépendance.

esclave, *adj. et subst.* Se dit d'une personne privée de sa liberté, de ses droits civiques et qui fait l'objet d'un commerce. – *Adj.* Qui dépend totalement de (*qqn* ou *qqch.*).

escogriffe, *subst. m. Grand* **escogriffe** : personnage dégingandé (*fam.*).

escompte, *subst. m. Fin.* Opération consistant à racheter une traite non échue, déduction faite d'un intérêt ; cet intérêt. – *Comm.* Rabais, ristourne.

escompter, *verbe trans.* Espérer, prévoir (*qqch.*). – *Fin.* Faire l'escompte de.

escorte, *subst. f.* Groupe de personnes escortant une personnalité. – *Milit.* Avion, navire escortant une force navale ou aérienne.

escorter, *verbe trans.* Accompagner pour protéger, surveiller ou faire honneur.

escouade, *subst. f.* Petite troupe.

escrime, *subst. f.* Art de manier l'épée, le fleuret ou le sabre.

escrimer (s'), *verbe pronom.* S'évertuer à.

escroc, *subst. m.* Personne qui escroque.

escroquer, *verbe trans.* Tromper (*qqn*) pour lui extorquer *qqch.*

ésotérique, *adj.* Hermétique, incompréhensible pour les non-initiés.

espace, *subst. m.* Étendue infinie. – Univers. – Volume en trois dimensions. – Intervalle, écart entre deux points : *Un* **espace** *de 100 m.* – Intervalle de temps : *Dans l'***espace** *de une heure.*

espacement, *subst. m.* Action d'espacer. – Intervalle.

espacer, *verbe trans.* Séparer par des intervalles.

espadon, *subst. m.* Gros poisson des mers chaudes, à la mâchoire allongée et pointue.

espadrille, *subst. f.* Chaussure en toile à semelle de corde.

espagnol, *subst. m.* Langue parlée principalement en Espagne et en Amérique latine.

espagnolette, *subst. f.* Système de fermeture d'une fenêtre, à poignée pivotante.

espalier, *subst. m.* Alignement d'arbres fruitiers le long d'un mur ou d'une palissade. – Échelle verticale utilisée pour des exercices de gymnastique.

espar, *subst. m. Mar.* Pièce de bois, ou de métal, utilisée comme gréement.

espèce, *subst. f.* Catégorie, groupe d'êtres ayant des caractères fondamentaux communs : *L'***espèce** *humaine.* – *Une* **espèce** *de* : *qqn* ou *qqch.* qui ressemble à. – *Plur.* Monnaie, argent liquide.

espérance, *subst. f.* Sentiment qui porte à croire à la réalisation future de ce que l'on désire. – Personne ou chose sur laquelle porte ce sentiment. – **Espérance** *de vie* : estimation de la durée de vie d'un individu.

espérer, *verbe trans. Trans. dir.* Avoir l'espoir de voir se réaliser (*qqch.*) : **Espérer** *une promotion.* – *Trans. indir.* Avoir foi en : **Espérer** *en Dieu.*

espiègle, *adj. et subst.* Malicieux sans méchanceté.

espièglerie, *subst. f.* Façon malicieuse de se conduire. – Gaminerie, facétie.

espion, ionne, *subst.* Personne qui espionne.

espionner, *verbe trans.* Observer secrètement, pour son profit ou celui d'un tiers.

esplanade, *subst. f.* Vaste place aménagée devant un monument.

espoir, *subst. m.* Attente confiante, espérance. – Ce qui est espéré.

esprit, *subst. m.* Principe immatériel de l'homme : *Le corps et l'***esprit**. – Être incorporel, fantôme. – Intelligence, activité de la pensée humaine : **Esprit** *fin*. – Humour, ironie : *Faire de l'***esprit**. – Idée directrice de *qqch.* : *L'***esprit** *d'un texte*. – *Le Saint-***Esprit** : la troisième Personne de la Trinité chrétienne.

esquif, *subst. m.* Canot léger (*littér.*).

esquimau, *subst. m.* Crème glacée sur un bâtonnet.

esquisse, *subst. f.* Dessin rapide, à grands traits. – Plan sommaire d'une œuvre. – *Fig.* Ébauche : *L'***esquisse** *d'un sourire*.

esquisser, *verbe trans.* Faire l'esquisse de. – *Fig.* Ébaucher, amorcer.

esquiver, *verbe trans.* Éviter avec habileté (un obstacle, un coup). – *Fig.* **Esquiver** *une question*. – *Pronom.* Se retirer discrètement.

essai, *subst. m.* Action d'essayer. – Expérience. – Tentative. – *Litt.* Ouvrage en prose abordant librement une question. – *Sp. Marquer un* **essai** : au rugby, fait de plaquer le ballon derrière la ligne de but adverse.

essaim, *subst. m.* Groupe d'abeilles qui migre. – *Fig.* Foule en mouvement (*littér.*).

essaimer, *verbe intrans.* Se déplacer en essaim. – Se disperser, se répandre.

essayer, *verbe trans.* Expérimenter *qqch.* pour en contrôler les qualités. – Enfiler un vêtement pour s'assurer qu'il convient. – **Essayer** *de* : tenter de.

essence, *subst. f.* Nature intime, caractère propre et permanent d'une chose, d'un être : *L'***essence** *de l'existence*. – Espèce d'arbre. – Concentré de parfum. – Carburant tiré du pétrole : *Pompe à* **essence**.

essentiel, ielle, *adj. et subst. m. Adj.* Qui se rapporte à l'essence de *qqn* ou de *qqch*. – Nécessaire, indispensable. – *Subst.* Ce qu'il y a de plus important. – *L'***essentiel** *de* : la plus grande partie de.

essieu, ieux, *subst. m.* Axe commun à deux roues parallèles.

essor, *subst. m.* Envol. – *Fig.* Développement, progrès régulier et soutenu.

essorer, *verbe trans.* Évacuer l'eau de (*qqch.*).

essouffler, *verbe trans.* Faire perdre haleine à. – *Pronom.* Perdre haleine. – Se fatiguer. – *Fig.* Perdre son attrait de nouveauté.

essuie-glace, *subst. m.* Lame caoutchoutée qui balaie un pare-brise pour en évacuer la pluie.

essuie-mains, *subst. m. inv.* Linge avec lequel on s'essuie les mains.

essuyer, *verbe trans.* Enlever un liquide en l'absorbant. – Sécher (un objet). – Nettoyer (*qqch.*). – *Fig.* Subir : **Essuyer** *un échec*.

est, *adj. inv. et subst. m. inv. Subst.* L'un des points cardinaux, correspondant au côté où le soleil se lève. – *Aller vers l'***est** : dans la direction de ce point. – Partie orientale d'une région, d'un pays. – *Adj.* Situé à l'est.

establishment, *subst. m.* Petit groupe de privilégiés défendant l'ordre établi.

estafette, *subst. f.* Soldat porteur de messages.

estafilade, *subst. f.* Balafre, longue coupure. –

estampe, *subst. f.* Image imprimée à partir d'une matrice gravée en creux ou en relief.

estampille, *subst. f.* Marque d'authenticité.

esthète, *subst.* Personne qui considère le Beau comme la valeur suprême.

esthéticien, ienne, *subst.* Personne dont le métier est de prodiguer des soins de beauté.

esthétique, *adj. et subst. f. Adj.* Qui concerne la beauté : *Jugement* **esthétique**. – Soigné, agréable à voir. – *Subst.* Théorie philosophique du Beau. – Forme particulière de beauté : **Esthétique** *romantique, industrielle*.

estimable, *adj.* Qui mérite le respect. – Qu'on peut évaluer.

estime, *subst. f.* Jugement favorable, considération envers *qqn*.

estimer, *verbe trans.* Apprécier le prix, la valeur de (*qqch.*). – Évaluer (une quantité). – *Fig.* Considérer, juger. – Avoir de la considération, du respect pour (*qqn*).

estival, ale, aux, *adj.* Propre à l'été.

estivant, ante, *subst.* Vacancier de l'été.

estocade, *subst. f.* Coup d'épée de mise à mort : *Donner l'***estocade** *au taureau*.

estomac, *subst. m. Anat.* Poche du tube digestif où se transforment les aliments. – *Fig. Avoir de l'***estomac** : de l'audace, du culot (*fam.*).

estomper, *verbe trans.* Voiler. – *Fig.* Adoucir, atténuer.

estrade, *subst. f.* Plate-forme surélevée.

estragon, *subst. m.* Plante aromatique, utilisée comme condiment.

estropier, *verbe trans.* Priver de l'usage d'un membre. – Endommager. – *Fig.* Altérer le sens de.

estuaire, *subst. m.* Embouchure évasée d'un fleuve.

esturgeon, *subst. m.* Gros poisson dont les œufs, traités, donnent le caviar.

et, *conj.* Conjonction de coordination exprimant le rapprochement entre deux mots, l'addition, l'opposition ou la conséquence : *Deux chevaux* **et** *un âne* ; *La nuit tombe,* **et** *la ville s'endort*.

étable, *subst. f.* Bâtiment où logent les bestiaux.

établi, *subst. m.* Table de travail d'un artisan.

établir, *verbe trans.* Fonder, édifier. – Instaurer, fixer. – Répertorier : **Établir** *une liste*. – Indiquer, démontrer : **Établir** *une responsabilité*. – *Pronom.* S'installer.

établissement, *subst. m.* Action d'établir. – Implantation, installation. – Lieu d'enseignement, de production, de commerce ou de soins.

étage, *subst. m.* Espace compris entre deux planchers d'un édifice. – Chacun des niveaux d'un ensemble formé de parties superposées. – *Géol.* Âge.

étagère, *subst. f.* Planche fixée sur un mur.

étai, *subst. m.* Poutre de renfort.

étain, *subst. m.* Métal malléable servant à réaliser divers objets. – Objet fait avec ce métal.

étal, étals ou étaux, *subst. m.* Tréteau d'exposition de marchandises. – Table de boucherie.

étalage, *subst. f.* Action d'étaler des marchandises ; les marchandises étalées. – *Fig.* Démonstration ostentatoire : *Faire* **étalage** *de son savoir*. – Profusion, débauche de *qqch*.

étaler, *verbe trans.* Exposer (des marchandises). – Éparpiller ; déployer. – Étendre (une fine couche de *qqch.*) sur. – Répartir dans le temps. – Exhiber, faire étalage de. – *Pronom. Fam.* S'avachir. – Choir.

étalon (i), *subst. m.* Cheval reproducteur.

étalon (ii), *subst. m.* Modèle matériel légal d'une unité de mesure : *Mètre* **étalon**. – *Fig.* Valeur de référence.

étamine (i), *subst. f.* Tissu fin et lâche.

étamine (ii), *subst. f.* Organe mâle des plantes à fleurs, qui contient le pollen.

étanche, *adj.* Imperméable, hermétique.

étanchéité, *subst. f.* Imperméabilité.

étancher, *verbe trans.* Arrêter un écoulement. – Apaiser (*littér.*) : **Étancher** *sa soif*.

étang, *subst. m.* Petite étendue d'eau stagnante.

étape, *subst. f.* Arrêt au cours d'un voyage. – Distance entre deux arrêts. – Phase, période.

état, *subst. m.* Manière d'être d'une personne : **État** *de santé, d'esprit ; Être hors d'*état *de,* incapable de. – Condition sociale, profession : *L'*état *militaire.* – Consistance d'une chose : **État** *solide, liquide.* – Liste : **État** *des lieux, des dépenses* ; **État** *civil,* registre des naissances, des mariages et des décès. – Situation d'une collectivité : **État** *de guerre.* – Forme de gouvernement : *L'*état *monarchique.* – Ordre de la société d'Ancien Régime : *Les trois* **états** ; assemblées de cette époque : **États** *généraux, provinciaux.* – Entité politique assise sur un territoire déterminé, pourvue des institutions nécessaires à son fonctionnement ; l'ensemble des pouvoirs publics : *Homme d'*État, haut dirigeant politique ; *Coup d'*État, renversement d'un gouvernement légal.

état-major, *subst. m.* Groupe d'officiers conseillant un officier supérieur. – Les collaborateurs directs d'un dirigeant.

étau, **étaux**, *subst. m.* Instrument à deux mâchoires, servant à serrer un objet que l'on travaille.

étayer, *verbe trans.* Soutenir au moyen d'étais. – *Fig.* Soutenir par des arguments, des preuves.

et cætera, *loc. adv.* Et ainsi de suite, et tout le reste (*abrév.* etc.).

été, *subst. m.* Saison chaude allant, dans l'hémisphère Nord, du solstice de juin à l'équinoxe de septembre.

éteindre, *verbe trans.* Faire cesser de brûler, interrompre la combustion de. – Faire cesser d'éclairer. – Arrêter le fonctionnement de : **Éteindre** *la radio.* – *Fig.* Affaiblir, atténuer ; effacer, abolir. – *Pronom.* Mourir (*littér.*).

étendard, *subst. m.* Drapeau. – Signe de ralliement.

étendre, *verbe trans.* Déployer complètement. – Étaler. – Allonger, coucher (*qqn*). – Accroître, développer. – *Pronom.* Avoir une certaine étendue. – *Fig.* S'accroître. – *S'*étendre *sur* : parler longuement de.

étendue, *subst. f.* Espace, surface. – Espace de temps, durée. – *Fig.* Importance.

éternel, **elle**, *adj.* Qui est sans origine ni fin ; hors du temps. – Interminable ; qui se répète sans cesse. – *Empl. subst. L'*Éternel : Dieu.

éterniser, *verbe trans.* Prolonger indéfiniment. – *Pronom.* S'attarder à l'excès.

éternité, *subst. f.* Dimension de ce qui est éternel. – *De toute* **éternité** : depuis toujours.

éternuer, *verbe intrans.* Expirer spasmodiquement et de façon sonore, par le nez et la bouche.

éther, *subst. m.* Liquide volatil, anesthésiant et désinfectant, à l'odeur très forte.

éthique, *adj. et subst. f. Adj.* Qui concerne la morale. – *Subst.* Philosophie morale.

ethnie, *subst. f.* Communauté humaine soudée par des liens de langue et de culture.

ethnologie, *subst. f.* Science qui étudie les ethnies.

étiage, *subst. m.* Le plus bas niveau moyen d'un cours d'eau.

étinceler, *verbe intrans.* Briller vivement.

étincelle, *subst. f.* Particule enflammée. – *Fig.* Éclat vif, mais fugitif. – *Faire des* **étincelles** : réussir brillamment (*fam.*).

étioler (s'), *verbe pronom.* S'affaiblir, devenir pâle et chétif.

étiqueter, *verbe trans.* Mettre une étiquette sur (*qqch.* ou *qqn*).

étiquette, *subst. f.* Marque de papier ou de carton que l'on fixe à un objet ; au *fig.,* ce qui classe (*qqn*), en *gén.* politiquement. – Cérémonial en usage dans une cour ou chez un grand personnage.

étirer, *verbe trans.* Allonger par traction. – *Pronom.* Étendre bras et jambes.

étoffe, *subst. f.* Tissu. – *Fig.* Fond, matière de *qqch.* : *Avoir de l'*étoffe, de la personnalité.

étoffer, *verbe trans.* Enrichir, développer. – *Pronom.* Devenir plus robuste.

étoile, *subst. f.* Astre qui brille la nuit. – Ornement rappelant une **étoile**. – Rond-point d'où rayonnent des voies. – Grade militaire. – Indice de classement attribué à des sites, à des hôtels, etc. – Artiste célèbre. – Danseur de grande classe. – *Bonne* **étoile** : chance. – **Étoile** *de mer* : animal marin en forme d'**étoile** à cinq branches.

étoilé, **ée**, *adj.* Semé d'étoiles. – Disposé en rayons issus d'un même centre.

étole, *subst. f.* Bande d'étoffe portée par le célébrant d'une messe. – Écharpe de fourrure.

étonnement, *subst. m.* Surprise, stupeur.

étonner, *verbe trans.* Causer de l'étonnement à (*qqn*). – *Pronom.* Trouver étrange, surprenant.

étouffer, *verbe Trans.* Tuer en empêchant de respirer. – Rendre la respiration difficile. – Atténuer : **Étouffer** *un son.* – *Fig.* Empêcher le développement de. – *Intrans.* Mourir par asphyxie. – Respirer difficilement. – *Fig.* Se sentir à l'étroit.

étourderie, *subst. f.* Caractère d'une personne irréfléchie, distraite. – Acte ou parole d'étourdi ; faute légère, oubli.

étourdi, **ie**, *adj. et subst.* Écervelé, distrait.

étourdir, *verbe trans.* Faire presque perdre connaissance. – Assommer de bruit, abasourdir. – Enivrer. – *Pronom.* Se dissiper, pour oublier la réalité.

étourneau, *subst. m.* Petit oiseau brun, également nommé sansonnet. – *Fig.* Personne irréfléchie, étourdie (vieilli).

étrange, *adj.* Qui sort de l'ordinaire, bizarre.

étranger, ère, *adj. et subst.* Qui ressortit à un pays, à une région ou à un groupe différents. – *Adj.* Qui n'est pas connu de, pas familier à : *Milieu* **étranger**. – Qui est sans rapport avec : *Considération* **étrangère** *au débat.* – *Subst. masc.* Ensemble des pays différents de celui où l'on vit.

étrangler, *verbe trans.* Serrer la gorge de *qqn* au point de l'asphyxier. – Comprimer les voies respiratoires de : *L'émotion l'***étrangle**. – Rétrécir en un point. – *Fig.* Empêcher de se manifester ; opprimer.

étrave, *subst. f.* Pièce massive formant la proue d'un navire.

être (i), *verbe intrans.* Exister, avoir une réalité : *Je pense, donc je* **suis**. – Sert à relier un sujet à son attribut : *Le ciel* **est** *bleu* ; *C'était très simple.* – Sert à introduire un complément circonstanciel : *La clef* **est** *sur la porte.* – *Empl. impers. Il* **est** *minuit.* – **Être à** : se trouver à ; appartenir à. – **Être de** : provenir de ; faire partie de. – **Être sans** : manquer de. – **Être pour, contre** : approuver, désapprouver. – Substitut du verbe « aller » dans les temps composés : *J'ai été, je* **suis** *allé.* – *Auxil.* Sert à former les temps composés des verbes passifs, pronominaux et de certains verbes intransitifs : *Je* **suis** *vaincu* ; *Nous nous* **sommes** *promenés.*

être (ii), *subst. m.* Le fait d'exister : *L'***être** *et le néant.* – Toute réalité vivante et animée.

étreindre, *verbe trans.* Presser dans ses bras ; entourer en serrant fortement. – *Fig.* Oppresser, tenailler.

étrenner, *verbe trans.* Être le premier à employer. – Employer pour la première fois.

étrennes, *subst. f. plur.* Gratification de nouvel an.

étrier, *subst. m.* Chacun des deux anneaux suspendus de part et d'autre de la selle et servant de points d'appui pour les pieds du cavalier.

étriller, *verbe trans.* Brosser (un cheval). – *Fig.* Critiquer sévèrement. – Escroquer (*fam.*).

étriqué, ée, *adj.* Qui n'a pas l'ampleur souhaitable. – *Fig.* Qui manque de largeur d'esprit.

étroit, oite, *adj.* De faible largeur, de peu d'ampleur. – Qui est intime : *Des liens* **étroits**. – Qui est strict : *Respect* **étroit**. – Qui manque de largeur de vues : *Esprit* **étroit**.

étroitesse, *subst. f.* Caractère de ce qui est étroit.

étude, *subst. f.* Application à comprendre, à connaître et à apprendre. – Ensemble des opérations de conception et de mise au point d'un projet : *Bureau d'***études**. – Ouvrage résultant d'une recherche. – Salle réservée au travail personnel des élèves. – Bureau d'un officier ministériel : **Étude** *de notaire.* – *Plur.* Ensemble des cours et des travaux concourant à l'instruction de *qqn.*

étudiant, ante, *subst.* Personne qui fait des études supérieures.

étudier, *verbe Trans.* S'appliquer à connaître (*qqch.*) ; apprendre. – Analyser, examiner avec soin. – *Intrans.* Faire des études.

étui, *subst. m.* Enveloppe parfaitement adaptée à l'objet qu'elle doit protéger.

étuve, *subst. f.* Espace clos où l'on maintient une humidité et une température élevées, pour favoriser la sudation. – *Fig.* Lieu où il fait très chaud.

étymologie, *subst. f.* Origine ou filiation d'un mot.

eucalyptus, *subst. m.* Grand arbre d'Australie, au feuillage très odorant.

eucharistie, *subst. f.* Pour les catholiques, sacrement qui transforme le pain et le vin en corps et sang de Jésus-Christ.

euphémisme, *subst. m.* Atténuation d'une expression.

euphorie, *subst. f.* Sensation de joie intense.

euthanasie, *subst f.* Mort provoquée pour abréger les souffrances d'un malade incurable.

eux, *voir* **lui**

évacuer, *verbe trans.* Expulser, rejeter. – *Fig.* Quitter ou faire quitter un lieu.

évader (s'), *verbe pronom.* S'échapper d'un lieu de détention. – Quitter subrepticement un lieu. – *Fig.* Soustraire son esprit à la réalité.

évaluer, *verbe trans.* Déterminer la valeur de. – Définir approximativement (une qualité, une quantité).

évanescent, ente, *adj.* Qui s'efface peu à peu.

évangéliser, *verbe trans.* Convertir au christianisme en prêchant l'Évangile.

évangile, *subst. m. L'***Évangile** : l'enseignement de Jésus-Christ. – *Un* **Évangile** : l'un des quatre livres saints relatant la vie de Jésus-Christ. – *Fig. Un* **évangile** : texte servant de fondement à une croyance, à une doctrine.

évanouir (s'), *verbe pronom.* Tomber en syncope. – *Fig.* Disparaître, se dissiper (*littér.*).

évaporer (s'), *verbe pronom.* Passer à l'état de vapeur. – *Fig.* Disparaître.

évasé, ée, *adj.* Qui s'élargit progressivement.

évasif, ive, *adj.* Imprécis, vague à dessein.

évasion, *subst. f.* Action de s'évader.

évêché, *subst. m.* Circonscription placée sous la juridiction d'un évêque (*synon. diocèse*). – Lieu de résidence d'un évêque.

éveil, *subst. m.* Action d'éveiller ou de s'éveiller. – *En* **éveil** : aux aguets.

éveiller, *verbe trans.* Tirer du sommeil (*littér.*). – Faire se manifester, révéler. – Faire naître, susciter.

événement, *subst. m.* Tout ce qui survient. – Fait d'importance, ou perçu comme tel. – *Plur.* Faits de l'actualité présente ou passée.

éventail, *subst. m.* Instrument servant à s'éventer. – *Fig.* Ensemble d'éléments de même nature.

éventaire, *subst. m.* Étalage de marchandises en plein air.

éventer, *verbe trans.* Rafraîchir en agitant l'air ; exposer à l'air. – *Fig.* Dévoiler, divulguer. – *Pronom.* Se rafraîchir. – Perdre son goût, son parfum.

éventrer, *verbe trans.* Entailler le ventre de, étriper. – *Fig.* Ouvrir de force, défoncer.

éventualité, *subst. f.* Caractère de ce qui est éventuel. – Fait qui est susceptible de se produire.

éventuel, elle, *adj.* Qui peut se produire ou non.

évêque, *subst. m.* Dignitaire ecclésiastique de haut rang, qui dirige un diocèse (ou évêché).

évertuer (s'), *verbe pronom.* Faire de grands efforts.

éviction, *subst. f.* Action d'évincer.

évidence, *subst. f.* Ce qui est évident. – Vérité certaine. – *Être en* **évidence** : être exposé au regard ; attirer l'attention. – *Mettre en* **évidence** : exhiber ; souligner ; prouver.

évident, ente, *adj.* Que l'on peut constater. – Qui va de soi, incontestable.

évider, *verbe trans.* Creuser l'intérieur de.

évier, *subst. m.* Grande cuve de cuisine, alimentée en eau et dotée d'un orifice pour l'évacuation des liquides.

évincer, *verbe trans.* Éloigner, exclure par intrigue.

éviter, *verbe trans.* S'écarter du chemin de *qqch.* ou de *qqn* que l'on ne veut pas rencontrer. – Chercher à échapper à (une situation). – S'abstenir de : **Éviter** de trop manger.

évoluer, *verbe intrans.* Se déplacer en accomplissant des mouvements variés. – Progresser, se transformer par étapes.

évoquer, *verbe trans.* Rappeler par des propos. – Faire apparaître à l'esprit. – Aborder, mentionner. – Suggérer : *Un bleu qui* **évoque** *la mer*.

ex-, *préfixe* Placé devant un terme désignant une personne ou une chose, exprime ce qu'elle n'est plus : *Un* **ex**-*ministre*.

exacerber, *verbe trans.* Rendre plus aigu, plus vif.

exact, exacte, *adj.* Vrai, conforme à la réalité. – Juste, conforme à la règle. – Ponctuel.

exaction, *subst. f.* Action d'exiger une somme qui n'est pas due. – *Plur.* Actes de violence.

exactitude, *subst. f.* Qualité de ce qui est exact.

ex æquo, *adj. inv., subst. inv. et loc. adv. Adj. et loc.* À égalité. – *Subst.* Personne ayant le même rang qu'une autre dans un classement.

exagérer, *verbe Trans.* Attribuer à (*qqch.*) une trop grande importance. – Rendre excessif. – *Intrans.* Dépasser la mesure, abuser.

exalter, *verbe trans.* Provoquer l'enthousiasme de. – Louer avec éclat (*littér.*). – *Pronom.* S'enthousiasmer.

examen, *subst. m.* Action d'inspecter, d'étudier soigneusement. – Épreuve contrôlant les connaissances et/ou les aptitudes de *qqn*. – *Dr.* Procédure d'instruction judiciaire.

examinateur, trice, *subst.* Personne qui fait passer un examen à des candidats.

examiner, *verbe trans.* Procéder à l'examen de.

exaspérer, *verbe trans.* Irriter, agacer fortement.

exaucer, *verbe trans.* Satisfaire, accéder à la demande de (*qqn*).

excédent, *subst. m.* Ce qui est en excès, en surplus. – *Fin.* Écart positif entre les recettes et les dépenses.

excédentaire, *adj.* Qui est en excédent.

excéder, *verbe trans.* Dépasser (une valeur déterminée). – *Fig.* Dépasser (une capacité physique ou psychique). – Outrepasser (une limite). – Fatiguer, exaspérer.

excellence, *subst. f.* Degré éminent de perfection. – Titre honorifique donné aux évêques, aux ministres et aux ambassadeurs.

excellent, ente, *adj.* Qui est parfait en son domaine. – Très bon.

exceller, *verbe intrans.* Se montrer excellent.

excentré, ée, *adj.* Loin du centre.

excentrique, *adj. et subst. Adj.* Loin du centre. – *Fig.* Insolite, extravagant, qui sort de l'ordinaire. – *Subst.* Personne extravagante.

excepté, *prép.* Hormis, à l'exclusion de.

exception, *subst. f.* Ce qui se démarque de la règle, qui est inhabituel.

exceptionnel, elle, *adj.* Qui constitue une exception. – Hors pair, remarquable.

excès, *subst. m.* Trop grande quantité, excédent. – Abus, outrance.

excessif, ive, *adj.* Qui dépasse la mesure.

excipient, *subst. m.* Substance neutre ajoutée à un médicament pour en faciliter l'absorption.

excision, *subst. f.* Ablation du clitoris, pratiquée de façon rituelle chez certains peuples.

exciter, *verbe trans.* Stimuler, énerver. – Susciter, provoquer, éveiller.

exclamation, *subst. f.* Cri traduisant une émotion ou une surprise. – *Point d'*exclamation : signe de ponctuation (!) placé à la fin d'une phrase exclamative ou après une interjection.

exclamer (s'), *verbe pronom.* Pousser des exclamations.

exclure, *verbe trans.* Chasser, écarter. – Tenir à l'écart, ne pas admettre. – Être incompatible avec.

exclusif, ive, *adj.* Qui n'appartient qu'à un seul : *Modèle* **exclusif**. – Qui n'admet aucun partage : *Passion* **exclusive**.

exclusion, *subst. f.* Action d'exclure, rejet, renvoi.

exclusivité, *subst. f.* Qualité de ce qui est exclusif.

excommunication, *subst. f.* Condamnation ecclésiastique excluant de l'Église un de ses membres. – Exclusion d'un parti, d'un groupe.

excommunier, *verbe trans.* Frapper (*qqn*) d'excommunication, exclure.

excréments, *subst. m. plur.* Matières fécales évacuées du corps par les voies naturelles.

excroissance, *subst. f.* Proéminence parasitaire de la peau, d'une muqueuse, etc.

excursion, *subst. f.* Longue promenade touristique à travers une région.

excuse, *subst. f.* Raison invoquée pour se décharger d'une faute, justification. – Prétexte présenté pour éviter une obligation. – *Plur.* Demande de pardon, d'indulgence pour une faute commise.

excuser, *verbe trans.* Trouver des arguments pour justifier une faute. – Ne pas tenir rigueur, pardonner. – *Pronom.* Présenter des excuses pour une faute commise. – Présenter une excuse pour éviter une obligation.

exécrable, *adj.* Très mauvais. – Odieux.

exécuter, *verbe trans.* Accomplir, faire, confectionner. – Faire périr en vertu d'un jugement. – *Mus.* Jouer, interpréter. – *Pronom.* Obéir.

exécutif, ive, *adj. et subst. m.* Se dit du pouvoir qui a la charge de gouverner, d'administrer, d'appliquer les lois.

exécution, *subst. f.* Action d'exécuter, réalisation. – Mise à mort d'un condamné.

exemplaire (i), *adj.* Qui constitue un modèle. – Qui fait figure d'avertissement.

exemplaire (ii), *subst. m.* Chacune des copies d'un texte. – Chose identique à de nombreuses autres. – Échantillon, spécimen.

exemple, *subst. m.* Modèle à imiter. – Action servant d'avertissement : *Punir pour l'*exemple. – Illustration d'une idée.

exempt, exempte, *adj.* Déchargé (d'une obligation). – Dépourvu, préservé.

exempter, *verbe trans.* Dispenser d'une obligation. – Préserver.

exercer, *verbe trans.* Pratiquer (une discipline, une profession) ; faire usage (d'un pouvoir, d'une aptitude). – Faire fonctionner (*qqch.*), former (*qqn*) à : **Exercer** *sa mémoire* ; **Exercer** *un soldat au maniement des armes*.

exercice, *subst. m.* Activité visant à développer, à mettre en pratique une aptitude. – Pratique d'une fonction, d'une profession : **Exercice** *du pouvoir, de la médecine*. – *Écon.* Période de référence comptable. – *Milit.* Entraînement.

exhaler, *verbe trans.* Émettre, dégager, répandre. – Donner libre cours à (*littér.*).

exhiber, *verbe trans.* Montrer, présenter. – Étaler, arborer avec ostentation.

exhorter, *verbe trans.* Encourager par des paroles.

exhumer, *verbe trans.* Déterrer. – Tirer de l'oubli.

exigence, *subst. f.* Action d'exiger. – Caractère d'une personne exigeante. – Besoin, nécessité. – Revendication (*gén.* au *plur.*). – Contrainte, discipline.

exiger, *verbe trans.* Réclamer avec autorité. – Requérir, imposer, nécessiter.

exigu, uë, *adj.* Très étroit. – Minuscule.

exil, *subst. m.* Condamnation à quitter son pays. – Éloignement de son pays, ou du lieu auquel on est attaché. – Lieu où l'on est exilé.

exiler, *verbe trans.* Frapper (*qqn*) d'exil, bannir. – *Pronom.* S'expatrier.

existence, *subst. f.* Le fait d'être, de vivre. – Vie, en tant que durée ou manière de vivre.

exister, *verbe intrans.* Vivre. – Avoir une existence, une réalité objective. – Avoir de l'importance, compter.

exode, *subst. m.* Départ massif de population.

exonérer, *verbe trans.* Dispenser d'une charge.

exorbitant, ante, *adj.* Excessif, démesuré.

exorbité, ée, *adj.* Qui paraît sortir de son orbite.

exorciser, *verbe trans.* Chasser (le démon) d'un corps, d'un lieu. – Délivrer (un corps, un lieu) d'un démon.

exotique, *adj.* Qui vient d'un pays lointain.

expansif, ive, *adj.* Communicatif, volubile.

expansion, *subst. f.* Augmentation de la surface, du volume d'un corps. – Progression, développement.

expatrier (s'), *verbe pronom.* Quitter sa patrie, s'exiler.

expectative, *subst. f.* Attente prudente.

expédient, *subst. m.* Moyen ingénieux de résoudre une difficulté. – Subterfuge permettant de se tirer d'embarras. – *Plur.* Moyens d'existence, licites ou illicites.

expédier, *verbe trans.* Envoyer (*qqn* ou *qqch.*). – Se débarrasser de (*qqn*). – Exécuter trop vite, bâcler.

expéditeur, trice, *subst.* Personne qui expédie.

expédition, *subst. f.* Action d'expédier. – Important déplacement militaire, scientifique ou touristique.

expérience, *subst. f.* Connaissance, aptitude acquise par la pratique. – Essai, test : *Faire une* **expérience**.

expérimental, ale, aux, *adj.* Qui se fonde sur l'expérience scientifique.

expérimenté, ée, *adj.* Instruit par l'expérience.

expérimenter, *verbe trans.* Soumettre (*qqch.*) à des expériences.

expert, erte, *adj. et subst. m.* Qui maîtrise un domaine, grâce à expérience acquise. – *Subst.* Spécialiste chargé d'évaluer, de vérifier.

expertise, *subst. f.* Examen fait par un expert. – *Fig.* Examen attentif et minutieux.

expier, *verbe trans.* Réparer (une faute) en subissant un châtiment.

expirer, *verbe Trans.* Rejeter (l'air) hors des poumons en soufflant. – *Intrans.* Mourir. – *Fig.* S'achever, disparaître.

explication, *subst. f.* Action d'expliquer. – Ce qui explique qqch. – Discussion conflictuelle.

explicite, *adj.* Clair. – Nettement exprimé.

expliciter, *verbe trans.* Exprimer clairement.

expliquer, *verbe trans.* Rendre clair et compréhensible par une argumentation. – Constituer l'origine, la cause de (*qqch.*). – *Pronom.* Formuler clairement sa pensée. – Régler un litige avec *qqn*.

exploit, *subst. m.* Acte héroïque ou remarquable.

exploitation, *subst. f.* Action d'exploiter, de valoriser, de faire fructifier. – Bien, lieu que l'on exploite. – Utilisation abusive que l'on fait des autres.

exploiter, *verbe trans.* Mettre en valeur, faire fructifier. – Tirer parti (d'un événement). – Abuser de (*qqn*).

explorateur, trice, *subst.* Personne qui part à la découverte de régions inconnues.

explorer, *verbe trans.* Aller à la découverte d'une région peu connue. – Inspecter minutieusement un lieu. – *Fig.* Étudier un domaine peu connu.

exploser, *verbe intrans.* Éclater, entrer en déflagration. – *Fig.* Se produire brusquement, avec force. – Se répandre soudainement. – S'accroître brusquement (*fam.*).

explosif, ive, *adj. et subst. m. Adj.* Qui peut exploser, dangereux. – *Subst.* Produit apte à exploser.

explosion, *subst. f.* Déflagration brutale et bruyante, qui produit des dégâts. – *Fig.* Manifestation brusque. – Accroissement très rapide.

exportateur, trice, *adj. et subst.* Qui exporte.

exportation, *subst. f.* Action d'exporter. – Marchandise exportée.

exporter, *verbe trans.* Transporter et vendre à l'étranger (des produits nationaux). – *Fig.* Diffuser à l'étranger (des idées, des modes, etc.).

exposant, ante, *subst.* Personne qui expose *qqch.* – *Masc. Math.* Nombre indiquant l'élévation à une puissance : $2^2 = 2 \times 2$.

exposé, *subst. m.* Compte rendu, rapport oral.

exposer, *verbe trans.* Présenter (des faits, des idées). – Présenter, montrer (des objets). – Soumettre à l'action de : **Exposer** *une plante à la lumière*. – Mettre en danger.

exposition, *subst. f.* Action d'exposer ; son résultat. – Lieu où l'on expose des produits. – Orientation : **Exposition** *au sud*.

exprès (i), esse, *adj.* Explicite, formel. – *Empl. adj. inv. et subst. m. inv.* Livré sans délai au destinataire : *Colis, lettre* **exprès** ; *Un* **exprès**.

exprès (ii), adv. Délibérément, à dessein.

express, adj. inv. et subst. m. Adj. Qui permet de se déplacer rapidement. – Subst. Train rapide.

expressif, ive, adj. Qui manifeste bien ce qu'on veut exprimer. – Qui a de l'expression.

expression, subst. f. Action d'exprimer sa pensée, par le langage, le comportement ou l'art. – Signe extérieur d'un sentiment. – Ling. Mot ou groupe de mots énonçant une idée.

expressionnisme, subst. m. Forme d'art qui privilégie l'intensité de l'expression.

exprimer, verbe trans. Faire sortir, extraire. – Faire connaître (qqch.) par des paroles, des écrits ou d'autres moyens. – Pronom. Faire connaître sa pensée, ses sentiments.

exproprier, verbe trans. Dépouiller d'un bien, légalement et contre une indemnité.

expulser, verbe trans. Chasser, faire sortir d'un lieu.

expurger, verbe trans. Ôter (d'un texte) les passages jugés non conformes à la morale, au dogme ou à la religion.

exquis, ise, adj. Recherché, raffiné, délicieux.

exsangue, adj. Vidé, ou presque, de son sang. – Très pâle. – Fig. Sans vigueur.

extase, subst. f. État mystique d'une personne qui se sent en présence de Dieu. – Fig. Joie intense, admiration.

extasier (s'), verbe pronom. Manifester, exprimer son émerveillement.

extensible, adj. Qui peut être étiré, allongé.

extension, subst. f. Action d'étendre. – Augmentation. – Prolongement.

exténuer, verbe trans. Fatiguer énormément, épuiser.

extérieur, ieure, adj. et subst. m. Adj. Qui se situe en dehors. – Visible du dehors. – Qui a lieu en dehors. – Qui concerne le commerce, les relations internationales. – Subst. Le dehors. – Plur. Cin. Prises de vues réalisées en dehors des studios.

extérioriser, verbe trans. Manifester, exprimer : **Extérioriser** ses sentiments.

exterminer, verbe trans. Tuer en masse, détruire jusqu'au dernier.

externe, adj. et subst. Adj. Qui est situé au-dehors. – Qui a trait à ce qui est au-dehors. – Subst. Élève d'un établissement qui prend ses repas et dort chez lui. – Étudiant en médecine qui assiste un interne.

extincteur, subst. m. Appareil servant à combattre un incendie.

extinction, subst. f. Action d'éteindre. – Perte progressive de vigueur. – Fig. Disparition.

extirper, verbe trans. Arracher, extraire complètement. – Tirer (qqn ou qqch.) avec difficulté hors d'un lieu. – Fig. Faire disparaître (qqch.) en s'attaquant à son origine.

extorquer, verbe trans. Soutirer par force ou par ruse.

extorsion, subst. f. Action d'extorquer.

extra-, préfixe Exprime l'idée de « en dehors » : **Extra**ordinaire. – Augmentatif : **Extra**fin.

extra, adj. inv. et subst. m. Adj. De qualité supérieure. – Exceptionnel. – Subst. Chose extraordinaire. – Service occasionnel ; personne effectuant ce service.

extraction, subst. f. Action d'extraire. – Origine sociale (littér.).

extradition, subst. f. Livraison d'une personne à un État étranger qui doit la juger.

extraire, verbe trans. Tirer hors de, faire sortir. – Séparer une substance du corps auquel elle appartient. – Fig. Dégager, faire apparaître.

extrait, subst. m. Concentré d'une substance. – Partie choisie d'un texte, d'une œuvre. – **Extrait** de naissance : copie conforme de l'acte d'état civil.

extraordinaire, adj. Qui sort de l'ordinaire. – Qui frappe par sa singularité. – Remarquable, exceptionnel.

extrapoler, verbe intrans. Généraliser à partir d'éléments fragmentaires, d'hypothèses.

extravagant, ante, adj. Bizarre, délirant. – Qui dépasse la mesure.

extrême, adj. et subst. m. Adj. Qui est à la limite (d'un espace ou d'une durée). – Porté au plus haut point. – Excessif. – Subst. Les **extrêmes** : les contraires. – Loc. adv. À l'**extrême** : au plus haut point.

extrême-onction, subst. f. Sacrement catholique administré aux personnes proches de la mort.

extrémiste, adj. et subst. Partisan d'une attitude radicale, poussant à l'extrême l'affirmation de ses idées.

extrémité, subst. f. Partie extrême d'une chose. – Conduite, situation critique. – Plur. Anat. Les mains et les pieds. – Actes violents.

exubérant, ante, adj. Qui croît abondamment, qui est surabondant. – Fig. Qui est plein de vitalité ; expansif.

exulter, verbe intrans. Manifester une joie immense.

exutoire, subst. m. Conduit d'évacuation des eaux. – Fig. Dérivatif.

ex-voto, subst. m. inv. Objet, plaque de remerciement à un saint, que l'on place dans une église.

F

f, f, subst. m. inv. Sixième lettre et quatrième consonne de l'alphabet français.

fa, subst. m. inv. Mus. Quatrième note de la gamme : La clef de **fa**.

fable, subst. f. Récit allégorique assorti d'une vérité morale. – Propos mensonger (littér.).

fabricant, ante, subst. Personne qui fabrique ou fait fabriquer des produits commerciaux.

fabrication, subst. f. Action, manière de fabriquer. – Ce qui en résulte.

fabrique, subst. f. Établissement où l'on fabrique des produits de consommation.

fabriquer, *verbe trans.* Produire, élaborer (un objet). – Faire (*fam.*) : *Mais qu'est-ce que tu fabriques ?*

fabuler, *verbe intrans.* Présenter comme vrai un récit imaginaire.

fabuleux, euse, *adj.* Qui appartient à la légende, mythique : *Un héros fabuleux.* – Étonnant, extraordinaire ; colossal.

façade, *subst. f.* Mur dans lequel s'ouvre l'entrée principale d'un bâtiment. – *Fig.* Apparence trompeuse. – *Géogr.* Zone littorale.

face, *subst. f.* Partie antérieure de la tête humaine, visage. – Côté d'une pièce de monnaie qui présente une figure. – *Fig.* Aspect sous lequel se présente une chose, une idée. – *Perdre la* **face** : sa dignité. – *Loc. prép. En* **face** *de* : devant.

face-à-face, *subst. m. inv.* Débat contradictoire public entre deux personnes.

facétie, *subst. f.* Plaisanterie, farce.

facétieux, ieuse, *adj. et subst.* Qui dit ou fait des facéties.

facette, *subst. f.* Chacune des petites faces d'un objet. – *Fig. À* **facettes** : qui présente de nombreux aspects différents.

fâcher, *verbe trans.* Désobliger, peiner, provoquer la colère de (*qqn*). – *Pronom.* Se mettre en colère. – Se brouiller : *Se* **fâcher** *avec sa femme.*

fâcheux, euse, *adj. et subst. Adj.* Pénible, désagréable. – Regrettable. – *Subst.* Personne importune.

faciès, *subst. m.* Aspect du visage.

facile, *adj.* Qui s'effectue aisément. – Qui se comprend sans effort ; qui s'acquiert sans peine. – Conciliant : **Facile** *à vivre.* – *Fille* **facile** : aux mœurs légères.

facilité, *subst. f.* Aisance, caractère de ce qui se fait sans effort. – Aptitude à réussir. – Manque d'exigence (*péj.*).

faciliter, *verbe trans.* Rendre plus aisé.

façon, *subst. f.* Fabrication, mode de réalisation. – Forme affectée à un objet. – Manière d'agir, de se comporter. – *Loc. prép. et conj. De* **façon** *à, que* : de manière à, que.

faconde, *subst. f.* Volubilité, facilité de parole.

façonner, *verbe trans.* Fabriquer, imprimer une forme à. – *Fig.* Former, éduquer.

fac-similé, *subst. m.* Reproduction à l'identique d'un objet, d'un dessin.

facteur, trice, *subst.* Agent des postes qui distribue le courrier. – *Masc. Fig.* Élément qui concourt à un résultat. – *Math.* Élément constitutif d'un produit.

factice, *adj.* Artificiel, contrefait. – *Fig.* Simulé, forcé, faux : *Un sourire* **factice**.

faction, *subst. f.* Groupe provoquant une scission à l'intérieur d'une communauté. – Tour de garde ; longue attente.

facture (i), *subst. f.* Technique de réalisation d'une œuvre d'art. – Fabrication des instruments de musique.

facture (ii), *subst. f.* Bordereau détaillant le prix de marchandises ou de services fournis. – Ce qui doit être payé.

facturer, *verbe trans.* Porter sur une facture (II).

facultatif, ive, *adj.* Qu'on peut faire ou non.

faculté (i), *subst. f.* Possibilité, capacité (de faire qqch.) : *La* **faculté** *de parler.* – *Plur.* Aptitudes, capacités d'une personne.

faculté (ii), *subst. f.* Lieu où est dispensé un enseignement universitaire. – *La* **Faculté** : les médecins.

fadaise, *subst. f.* Propos insignifiant ou stupide (*gén.* au *plur.*).

fade, *adj.* Sans saveur. – *Fig.* Sans vigueur, ennuyeux.

fadeur, *subst. f.* Caractère de ce qui est fade.

fagot, *subst. m.* Assemblage de petites branches de bois.

fagoter, *verbe trans.* Vêtir sans goût (*fam.*).

faible, *adj. et subst.* Qui manque de force de caractère, d'autorité. – Dénué de ressources, de défenses. – *Adj.* Qui manque de robustesse, de résistance. – Qui manque d'intensité. – De peu d'importance : **Faible** *distance.* – Insuffisant, médiocre : *Élève* **faible**. – *Subst. masc.* Inclination, penchant.

faiblesse, *subst. f.* Caractère d'une personne ou d'une chose faible. – Inclination, préférence. – Indulgence excessive.

faiblir, *verbe intrans.* Devenir faible.

faïence, *subst. f.* Poterie émaillée ou vernissée.

faignant, *voir* **feignant**

faille, *subst. f. Géol.* Fissure dans une couche de l'écorce terrestre. – *Fig.* Manque, carence. – *Sans* **faille** : sûr.

faillible, *adj.* Qui peut commettre une faute, sujet à l'erreur.

faillir, *verbe Trans. indir.* Faire défaut, manquer à : **Faillir** *à sa parole.* – *Intrans.* Commettre une faute. – **Faillir** *+inf.* Être sur le point de, éviter de peu de : *Elle* **faillit** *crier.*

faillite, *subst. f.* État d'un débiteur qui ne peut plus payer ses créanciers. – *Fig.* Échec total.

faim, *subst. f.* Sensation par laquelle se manifeste le besoin ou l'envie de manger. – Manque aigu de nourriture. – *Fig.* Vive aspiration.

fainéant, ante, *adj. et subst.* Paresseux de nature.

fainéantise, *subst. f.* Paresse.

faire, *verbe trans.* Être l'auteur de, produire, créer : **Faire** *un tableau.* – Ramasser, gagner : **Faire** *des provisions* ; **Faire** *des bénéfices.* – Constituer, égaler : *Deux et deux* **font** *quatre.* – Préparer, arranger : **Faire** *son lit, ses valises.* – Exécuter (un mouvement, une action). – Jouer un rôle, paraître : *Qui veut* **faire** *l'ange* **fait** *la bête* ; *Un costume qui* **fait** *sport.* – Être cause de, provoquer : **Faire** *peur.* – Employé comme substitut d'un autre verbe déjà cité : *Je ne pourrais pas courir comme vous le* **faites**. – *Pronom.* Devenir : *Il se* **fait** *vieux.* – *S'en* **faire** : se **faire** du souci, s'inquiéter. – *Empl. impers. Il* **fait** *chaud* ; *Il* **fait** *jour.*

faire-part, *subst. m. inv.* Lettre annonçant un événement (naissance, décès, etc.).

faire-valoir, *subst. m. inv.* Personne qui met en valeur une autre personne.

faisable, *adj.* Qui peut être fait, réalisable.

faisan, ane, *subst.* Oiseau gallinacé, gibier à la chair appréciée.

faisandé, ée, *adj.* Se dit d'un gibier qui commence à se décomposer et qui prend un fumet de plus en plus prononcé.

faisceau, *subst. m.* Assemblage d'objets allong és tenus par un lien. – Ensemble de rayons lumineux. – *Fig.* Ensemble d'éléments convergents : **Faisceau** *de preuves*.

fait, *subst. m.* Action. – Ce qui est arrivé, événement : *Résumé des* **faits**. – Réalité : *C'est un* **fait**, *non une supposition*. – *Au* **fait** : à ce sujet. – *En* **fait** *de* : en matière de. – *Tout à* **fait** : absolument.

fait(-)divers, *subst. m.* Événement anecdotique. – *Plur.* Rubrique de journal qui traite des événements de la vie quotidienne (accidents, délits, crimes).

faîte, *subst. m.* Partie la plus haute de *qqch.*, sommet. – *Fig.* Paroxysme (*littér.*).

falaise, *subst. f.* Escarpement en bord de mer.

falbalas, *subst. m. plur.* Ornements (*gén.* en surcharge) d'un vêtement.

fallacieux, ieuse, *adj.* Trompeur.

falloir, *verbe impers.* Faire l'objet d'une nécessité. – *Pronom.* Manquer : *Il s'en* **est fallu** *de peu*.

falot, ote, *adj.* Insignifiant, effacé.

falsifier, *verbe trans.* Contrefaire, truquer.

famé, ée, *adj. Mal* **famé** : mal fréquenté.

famélique, *adj.* Amaigri par le manque de nourriture. – Qui semble avoir faim.

fameux, euse, *adj.* Célèbre, réputé. – Remarquable, excellent ; mémorable.

familial, ale, aux, *adj.* Qui concerne la famille. – Intime et chaleureux comme une famille.

familiariser, *verbe trans.* Rendre familier à (*qqn*). – *Pronom. Se* **familiariser** *avec qqch.* : s'y accoutumer par la pratique.

familiarité, *subst. f.* Intimité. – Expérience, habitude. – Désinvolture, conduite inconvenante (*gén.* au *plur.*).

familier, ière, *adj. et subst. m. Adj.* Que l'on connaît bien. – Désinvolte, impoli. – *Mot* **familier** : qui appartient au langage courant. – *Subst.* Ami, habitué.

famille, *subst. f.* Ensemble composé par le père, la mère et les enfants. – Ensemble de personnes ayant des liens de parenté. – Ensemble d'éléments ou de personnes ayant des caractéristiques communes. – Catégorie botanique ou zoologique.

famine, *subst. f.* Manque de nourriture touchant la population d'une région.

fanal, aux, *subst. m.* Lanterne ou feu servant de balise ou de signal, sur un véhicule, un navire.

fanatique, *adj. et subst.* Qui est atteint de fanatisme.

fanatisme, *subst. m.* Exaltation excessive pour une cause, une doctrine, etc. – Enthousiasme débordant, passionné.

faner, *verbe trans.* Remuer l'herbe coupée pour en faire du foin. – Défraîchir (une fleur). – *Fig.* Ternir (le teint, une couleur). – *Pronom.* Se flétrir.

fanfare, *subst. f.* Air vif et entraînant. – Orchestre de cuivres et de percussions. – *Fig.* Vacarme.

fanfaron, onne, *adj. et subst.* Vantard, hâbleur.

fanfreluche, *subst. f.* Ornement de peu de valeur.

fange, *subst. f.* Boue (*littér.*). – *Fig.* Souillure morale, débauche.

fanion, *subst. m.* Petit drapeau.

fanon, *subst. m.* Chacune des lames cornées garnissant la mâchoire des baleines.

fantaisie, *subst. f.* Pouvoir créatif de l'imagination. – Lubie, caprice. – *Bijou* **fantaisie** : factice, sans vraie valeur.

fantaisiste, *adj. et subst. Subst.* Individu qui agit selon ses caprices. – Artiste comique. – *Adj.* Qui fait preuve de fantaisie. – Imaginaire, inventé.

fantasme, *subst. m.* Rêve, construction due au travail de l'imagination.

fantasque, *adj.* Capricieux, lunatique. – Bizarre, extravagant.

fantassin, *subst. m.* Soldat d'infanterie.

fantastique, *adj. et subst. m.* Se dit d'un genre littéraire qui fait appel au surnaturel : *Conte* **fantastique**. – *Adj.* Irréel, imaginaire. – Extraordinaire, inouï.

fantoche, *subst. m.* Personne dépourvue de volonté propre, pantin.

fantôme, *subst. m.* Apparition surnaturelle d'un défunt ; revenant. – Souvenir qui hante la mémoire. – *Fig.* Personne, chose peu réelle. – Personne *souv.* absente.

faon, *subst. m.* Petit d'un cervidé.

faramineux, euse, *adj.* Prodigieux, extraordinaire (*fam.*) : *Un score* **faramineux**.

farandole, *subst. f.* Danse provençale exécutée par une file alternée d'hommes et de femmes.

farce (i), *subst. f.* Pièce de théâtre où domine le burlesque. – Bon tour joué à *qqn*.

farce (ii), *subst. f.* Hachis de viande ou d'autres ingrédients, dont on fourre certains mets.

farceur, euse, *subst.* Auteur de bons tours.

farcir, *verbe trans.* Garnir de farce. – *Fig.* Encombrer, surcharger de : **Farcir** *un texte de calembours*.

fard, *subst. m.* Produit cosmétique qui masque les défauts de la peau ou rehausse le teint.

fardeau, *subst. m.* Charge pesante. – *Fig.* Charge morale difficile à supporter.

farder, *verbe trans.* Enduire de fard. – *Fig.* Présenter sous un jour trompeur.

farfadet, *subst. m.* Lutin espiègle des contes.

farfelu, ue, *adj. et subst. Adj.* Loufoque. – *Subst.* Personne excentrique.

farfouiller, *verbe intrans.* Fouiller, fureter au hasard en mettant du désordre (*fam.*).

faribole, *subst. f.* Parole frivole et sans intérêt (*gén.* au *plur.*).

farine, *subst. f.* Poudre issue de la mouture de grains de céréales.

farineux, euse, *adj.* Qui contient de la farine ou de la fécule. – Qui évoque la farine par sa consistance ou son goût.

farniente, *subst. m.* Oisiveté (*fam.*).

farouche, *adj.* Sauvage, indompté. – Qui répugne aux contacts humains. – Acharné.

fart, *subst. m.* Substance cireuse appliquée sur les semelles des skis pour en améliorer la glisse.

fascicule, *subst. m.* Chacune des parties d'un ouvrage publié en plusieurs fois.

fascination, *subst. f.* Action de fasciner. – Attrait irrésistible exercé par *qqn* ou *qqch.*

fasciner, *verbe trans.* Exercer une forte attraction par le seul regard. – *Fig.* Séduire, captiver.

fascisme, *subst. m.* Doctrine politique de Mussolini, fondée sur le nationalisme, le parti unique et le gouvernement par un seul homme. – Idéologie s'inspirant de cette doctrine, totalitarisme.

faste (i), *adj.* Favorable, heureux.

faste (ii), *subst. m.* Pompe, exhibition de luxe.

fast-food, *subst. m.* Établissement de restauration rapide et bon marché.

fastidieux, ieuse, *adj.* Ennuyeux, lassant.

fat, *adj. m. et subst. m.* Poseur, vaniteux (*littér.*).

fatal, ale, als, *adj.* Déterminé par le destin. – Qui engendre le malheur ou la mort, néfaste. – Inévitable.

fataliste, *adj. et subst.* Qui s'abandonne au destin.

fatalité, *subst. f.* Caractère fatal de *qqch.* – Malédiction ; sort contraire.

fatidique, *adj.* Déterminé par le destin.

fatigue, *subst. f.* Diminution des forces physiques, sentiment de lassitude.

fatiguer, *verbe Trans.* Causer de la fatigue à. – Lasser, ennuyer. – *Intrans.* Éprouver de la fatigue. – Peiner : *Moteur qui* **fatigue**.

fatras, *subst. m.* Fouillis, assemblage disparate. – *Fig.* Un **fatras** *d'idées.*

fatuité, *subst. f.* Vanité, suffisance.

faubourg, *subst. m.* Quartier excentré d'une ville.

faucher, *verbe trans.* Couper à la faux (l'herbe, le foin, le blé, etc.). – Abattre en grand nombre. – Dérober (*fam.*).

faucille, *subst. f.* Outil formé d'une lame incurvée fixée à une poignée en bois, utilisé pour couper l'herbe ou les céréales.

faucon, *subst. m.* Oiseau rapace diurne, qui peut être dressé pour la chasse.

faufiler, *verbe trans.* Assembler provisoirement à grands points (les pièces d'un vêtement). – *Pronom.* Se glisser adroitement.

faune, *subst. f.* Ensemble des animaux d'une région. – *Fig.* Population louche d'un lieu.

faussaire, *subst.* Personne coupable d'un délit de contrefaçon.

fausser, *verbe trans.* Rendre faux, altérer. – Déformer, gauchir : **Fausser** *une serrure.*

fausset, *subst. m. Voix de* **fausset** : très aiguë.

faute, *subst. f.* Manquement à un devoir, à une loi. – Manquement à une norme, erreur : **Faute** *d'orthographe.* – Responsabilité : *Rejeter la* **faute** *sur qqn.* – **Faute** *de* : par manque de. – *Sans* **faute** : à coup sûr.

fauteuil, *subst. m.* Siège muni de bras et d'un dossier. – *Fig.* Place attribuée à un membre d'une assemblée.

fautif, ive, *adj. et subst.* Coupable. – *Adj.* Qui contient des fautes ; erroné.

fauve, *adj. et subst. m.* Couleur ocre ou jaune-roux. – Se dit d'un grand félin sauvage : *Le lion est un* **fauve**. – *Subst.* Adepte du fauvisme.

fauvette, *subst. f.* Petit oiseau passereau insectivore.

fauvisme, *subst. m.* Mouvement pictural du début du xxᵉ s. caractérisé par la juxtaposition de couleurs contrastées.

faux (i), fausse, *adj., subst. m. et adv. Adj.* Contraire à la vérité, à l'exactitude. – Artificiel. – Trompeur. – Qui n'est pas fondé. – *Mus.* Qui n'est pas dans le ton. – *Adv.* De manière fausse : *Chanter* **faux**. – *Subst.* Ce qui n'est pas vrai. – Contrefaçon ; imitation d'un objet authentique.

faux (ii), *subst. f.* Instrument à long manche muni d'une lame recourbée, utilisé pour faucher.

faux-fuyant, *subst. m.* Moyen détourné de se tirer d'une situation embarrassante.

faux-semblant, *subst. m.* Hypocrisie, ruse.

faveur, *subst. f.* Bienveillance, préférence, appui accordé à *qqn.* – Crédit, estime dont on jouit auprès de *qqn.* – *Loc. prép. En* **faveur** *de* : au profit de. – *A la* **faveur** *de* : grâce à.

favorable, *adj.* Favorable *à* : bien disposé à l'égard de. – Opportun, propice.

favori, ite, *adj. et subst.* Qui a la préférence de *qqn.* – Qui a les meilleures chances de gagner.

favoriser, *verbe trans.* Avantager. – Faciliter.

favoritisme, *subst. m.* Tendance à accorder à *qqn* des avantages par pure faveur.

fax, *subst. m.* Système ou appareil de télécopie. – La copie elle-même.

fébrile, *adj.* Qui manifeste de la fièvre. – *Fig.* Nerveux, agité.

fébrilité, *subst. f.* Agitation désordonnée.

fécal, ale, aux, *adj.* Qui a trait aux excréments.

fécond, onde, *adj.* Capable de procréer. – *Fig.* Qui produit beaucoup.

féconder, *verbe trans.* Transformer (un ovule ou un œuf) en embryon. – Rendre fécond.

fécondité, *subst. f.* Capacité d'une femme à procréer. – Capacité de la terre à produire. – *Fig.* Faculté de produire beaucoup d'œuvres.

fécule, *subst. f.* Substance blanche et farineuse à base d'amidon, extraite de certains végétaux.

féculent, ente, *adj. et subst. m. Adj.* Qui est riche en fécule. – *Subst.* Graine, légume riche en amidon.

fédéral, ale, aux, *adj.* Qui a trait à une fédération.

fédération, *subst. f.* Union de plusieurs collectivités territoriales en un État unique. – Union de divers clubs, sociétés, etc., en une structure commune.

fédérer, *verbe trans.* Réunir en fédération. – Rassembler sous une autorité commune.

fée, *subst. f.* Être imaginaire féminin aux pouvoirs magiques, dans les contes pour enfants. – *Doigts de* **fée** : très adroits.

féerie, *subst. f.* Spectacle enchanteur.

feignant, ante, *adj. et subst.* Très paresseux (*fam.*).

feindre, *verbe trans.* Simuler. – **Feindre** *de* : faire semblant de.

feinte, *subst. f.* Mouvement par lequel on trompe son adversaire, on surprend. – Ruse (*fam.*).

feinter, *verbe Intrans.* Faire une feinte. – *Trans.* Tromper par une feinte.

fêler, *verbe trans.* Fissurer (un objet).

félicitation, *subst. f.* Action de féliciter. – Compliment, approbation (*gén.* au *plur.*).

félicité, *subst. f.* Bonheur absolu, béatitude, joie sans mélange (*littér.*).

féliciter, *verbe trans.* Congratuler, assurer *qqn* de la part que l'on prend à sa joie. – Complimenter (*qqn*).

félidé, *subst. m.* Mammifère carnivore aux griffes rétractiles, tel que le chat, le lion, etc. – *Plur.* La famille correspondante.

félin, ine, *adj. et subst. m. Adj.* Qui se rapporte au chat ; au fig., souple et gracieux comme le chat. – *Subst.* Animal de la famille du chat.

félon, onne, *adj. et subst.* Traître (*littér.*).

félonie, *subst. f.* Traîtrise, acte déloyal (*littér.*).

fêlure, *subst. f.* Fissure, petite fente.

femelle, *adj. et subst. f. Subst.* Animal du sexe qui met les enfants au monde. – *Adj.* Qui appartient au sexe féminin. – *Tech.* Se dit d'une pièce d'assemblage destinée à recevoir la partie saillante d'une autre pièce (mâle).

féminin, ine, *adj. et subst. m. Adj.* Qui concerne la femme, qui lui est propre. – *Subst. Ling.* Genre grammatical qui s'applique en *partic.* aux noms de femmes (*oppos. masculin*).

féminité, *subst. f.* Caractère ou aspect féminin d'une personne.

femme, *subst. f.* Être humain du sexe qui met les enfants au monde. – Adulte de ce sexe. – Épouse.

fémur, *subst. m.* Os de la cuisse.

fendiller, *verbe trans.* Faire de petites fentes dans.

fendre, *verbe trans.* Disjoindre en coupant dans le sens de la longueur. – Provoquer des fissures dans. – S'ouvrir un chemin à travers (*qqch.*) : **Fendre** *les flots, la foule.* – *Pronom. Se* **fendre** *de* : accorder (*fam.*).

fenêtre, *subst. f.* Ouverture pratiquée dans un mur pour permettre à l'air et à la lumière de pénétrer. – Le châssis vitré qui permet de fermer cette ouverture.

fenil, *subst. m.* Grenier à foin.

fennec, *subst. m.* Petit renard du désert.

fenouil, *subst. m.* Plante aromatique au goût d'anis.

fente, *subst. f.* Ouverture étroite et allongée. – Longue entaille à la surface de *qqch.*

féodal, ale, aux, *adj.* Qui relève d'un fief. – Qui se rapporte à la féodalité.

féodalité, *subst. f.* Système politique médiéval fondé sur l'émiettement du pouvoir et l'importance du lien direct entre suzerain et vassal.

fer, *subst. m.* Métal lourd et grisâtre. – Instrument en fer ou en acier : **Fer** *à souder, à repasser* ; **Fer** *à cheval*, pour protéger les sabots. – Lame d'une arme blanche ; épée, fleuret.

férié, ée, *adj. Jour* **férié** : jour de fête civile ou religieuse, en *gén.* chômé.

férir, *verbe trans. Sans coup* **férir** : sans difficulté.

ferme, *adj. et adv. Adj.* Dont la texture est dense et compacte, sans être dure. – Sur quoi l'on peut s'appuyer, sûr, stable. – *Fig.* Inflexible, inébranlable. – Définitif, immuable : *Prix* **fermes**. – *Adv.* Avec vigueur : *Ça discute* **ferme**.

ferme (ii), *subst. f.* Exploitation agricole. – Les bâtiments qui s'y rattachent.

ferment, *subst. m.* Substance qui provoque la fermentation des matières organiques. – Enzyme (vieilli). – Ce qui suscite et entretient un sentiment violent (*littér.*).

fermentation, *subst. f.* Transformation moléculaire d'une matière organique, qui se produit spontanément en présence d'enzymes. – *Fig.* Agitation des esprits (*littér.*).

fermenter, verbe Être en fermentation.

fermer, *verbe Trans.* Appliquer un élément mobile contre une ouverture pour l'obstruer : **Fermer** *la porte*. – Empêcher l'accès à (un lieu) : **Fermer** *une pièce*. – Joindre les parties ou les bords écartés (d'un ensemble) : **Fermer** *un livre*. – Interrompre le fonctionnement de : **Fermer** *la*

radio, le robinet. – *Fig.* Faire cesser l'activité de : **Fermer** *une école*. – *Intrans.* Être bien clos : *La porte* **ferme** *bien*. – Interrompre son activité : *Le magasin* **ferme**.

fermeté, *subst. f.* État, qualité de ce qui est ferme, solide. – Vigueur. – Assurance, autorité ; constance.

fermeture, *subst. f.* Action de fermer *qqch.* – Arrêt d'une activité. – Dispositif servant à fermer.

fermier, ière, *adj. et subst. Subst.* Exploitant agricole. – *Adj.* Qui est produit à la ferme.

fermoir, *subst. m.* Attache de fermeture d'un objet : *Le* **fermoir** *d'un collier*.

féroce, *adj.* Cruel. – Brutal.

férocité, *subst. f.* Caractère de ce qui est féroce.

ferraille, *subst. f.* Rebut de déchets métalliques. – Menue monnaie (*fam.*).

ferrailleur, *subst. m.* Marchand de ferraille.

ferré, ée, *adj.* Qui est revêtu, garni de fer : *Soulier* **ferré** ; *Cheval* **ferré**. – *Voie* **ferrée** : voie de circulation des trains.

ferroviaire, *adj.* Relatif aux chemins de fer.

ferrure, *subst. f.* Élément en fer renforçant ou ornant un ouvrage en bois.

fertile, *adj.* Fécond. – Qui produit en abondance. – *Fig.* Productif, riche.

fertiliser, *verbe trans.* Rendre fécond, fructueux.

fertilité, *subst. f.* Qualité de ce qui est fertile. – *Fig.* Créativité.

féru, ue, *adj.* Passionné : **Féru** *de littérature*.

férule, *subst. f.* Baguette. – *Fig.* Autorité : *Sous la* **férule** *de qqn*.

fervent, ente, *adj. et subst. Adj.* Ardent. – Passionné, zélé. – *Subst.* Adepte, admirateur.

ferveur, *subst. f.* Piété ardente. – Passion, enthousiasme.

fesse, *subst. f.* Chacune des deux parties charnues de l'homme ou d'un animal situées à l'arrière du bassin. – *Plur.* Postérieur.

festin, *subst. m.* Repas de fête, banquet.

festival, als, *subst. m.* Ensemble de représentations artistiques se déroulant en un lieu et à une période donnés. – Enchaînement particulièrement remarquable d'éléments : *Un* **festival** *de bons mots*.

festivité, *subst. f.* Fête, cérémonie, réjouissance (*gén.* au *plur.*).

feston, *subst. m.* Guirlande florale décorative. – Broderie en forme d'arcs utilisée pour border un tissu.

festoyer, *verbe intrans.* Prendre part à un festin.

fête, *subst. f.* Cérémonie solennelle célébrant une personne ou un événement. – Réjouissance organisée par un groupe ou un particulier. – Jour affecté à un saint et à ceux qui en portent le nom.

fêter, *verbe trans.* Célébrer par une fête.

fétiche, *subst. m.* Objet porte-bonheur.

fétide, *adj.* Qui dégage une puanteur.

fétu, *subst. m.* Brin (de paille).

feu (i), feux, *subst. m.* Combustion vive de certains corps, qui se manifeste par la chaleur, la lumière et les flammes. – Incendie. – Source de lumière : *Le* **feu** *des projecteurs*. – Signal lumineux : *Feu rouge, vert*. – Foyer, âtre ; brûleur d'une cuisinière. – Décharge, détonation : *Coup de* **feu** ; *Faire* **feu**, tirer.

feu (ii), feue, feus, *adj.* Mort récemment (*littér.*) : **Feu** *mon oncle* ; *Mes* **feus** *parents*.

feuillage, *subst. m.* Ensemble des feuilles d'un arbre. – Branches coupées qui portent des feuilles.

feuille, *subst. f.* Excroissance plate, *gén.* de couleur verte, qui naît de la tige latérale d'une plante. – Morceau de papier destiné à l'écriture ou à l'impression. – Imprimé. – Mince plaque d'une matière quelconque.

feuillet, *subst. m.* Feuille de papier pliée sur elle-même. – Page amovible.

feuilleté, ée, *adj. et subst. m. Adj.* Pâte **feuilletée** : qui se divise en minces feuilles à la cuisson. – *Subst.* Mets à base de pâte **feuilletée** garnie.

feuilleter, *verbe trans.* Lire rapidement et au hasard en tournant les pages.

feuilleton, *subst. m.* Récit à épisodes, dans un journal, à la radio ou à la télévision.

feuillu, ue, *adj. et subst. m. Adj.* Plein de feuilles. – *Subst.* Arbre à feuilles caduques.

feuler, *verbe intrans.* Pousser son cri (feulement), en parlant du tigre ou du chat en colère.

feutre, *subst. m.* Étoffe non tissée, faite en agglutinant du poil ou de la laine. – Chapeau de feutre. – Stylo dont la pointe est en matière synthétique.

feutré, ée, *adj.* Garni de feutre ou présentant l'aspect du feutre. – Qui est assourdi, discret : *Marcher à pas* **feutrés**.

feutrine, *subst. f.* Épais tissu de feutre.

fève, *subst. f.* Plante légumineuse cultivée pour ses graines comestibles. – Graine de cette plante. – Figurine placée dans la galette des Rois.

février, *subst. m.* Deuxième mois de l'année.

fi, *interj.* Exprime le dégoût, le mépris. – *Faire* **fi** *de* : rejeter avec mépris.

fiable, *adj.* À qui, à quoi l'on peut se fier.

fiacre, *subst. m.* Voiture à cheval que l'on louait.

fiançailles, *subst. f. plur.* Engagement mutuel de mariage. – Période comprise entre cet engagement et le mariage.

fiancé, ée, *subst.* Personne promise en mariage.

fiasco, *subst. m.* Échec total et notoire.

fibre, *subst. f.* Filament mince et allongé, constitué de plusieurs cellules. – Tout élément filamenteux pouvant constituer du fil : *Fibre de laine, de coton.* – *Fig.* Sensibilité émotive.

fibreux, euse, *adj.* Constitué de fibres.

fibrome, *subst. m.* Tumeur bénigne constituée de tissu fibreux.

ficeler, *verbe trans.* Lier (*qqch.*) avec de la ficelle ; ligoter (*qqn*). – *Fig.* Échafauder (un projet) de façon ingénieuse.

ficelle, *subst. f.* Corde mince. – *Fig.* Ruse, procédé astucieux.

fiche, *subst. f.* Petite pièce destinée à être enfoncée et à fixer *qqch.* – Petite feuille cartonnée aisément classable portant des données.

ficher (i), *verbe trans. Fam.* Flanquer : **Fiche** *ça à la poubelle.* – Faire : *Il ne* **fiche** *rien.* – *Pronom.* Se moquer de.

ficher (ii), *verbe trans.* Inscrire sur une fiche, dans un fichier. – Enfoncer (*qqch.*) par la pointe.

fichier, *subst. m.* Collection de fiches. – *Informat.* Ensemble de données organisées en unité.

fichtre, *interj.* Exprime l'étonnement ou l'admiration (*fam.*).

fichu, ue, *adj. et subst. m. Adj. Fam.* Qui est dans un certain état : *Bien* **fichu** ; *Mal* **fichu**, patraque. – Vilain, sale : **Fichu** *caractère.* – Condamné, près de sa fin : *Il est* **fichu**. – **Fichu** *de* : capable de. – *Subst.* Pièce de tissu pliée en triangle, portée sur les épaules ou sur la tête.

fictif, ive, *adj.* Imaginaire, irréel. – Qui n'existe qu'en vertu d'une convention : *Valeur* **fictive** *du papier-monnaie.*

fiction, *subst. f.* Élaboration de choses imaginaires. – Œuvre résultant de cette élaboration.

fidèle, *adj. et subst. Adj.* Qui respecte la foi donnée, ses engagements. – Qui témoigne d'un attachement constant. – *Fig.* Qui ne s'écarte pas de la réalité. – *Subst.* Personne liée par sa foi à une religion. – Personne qui ne varie pas dans son attachement à *qqn.*

fidélité, *subst. f.* Qualité d'une personne ou d'une chose fidèle. – Exactitude.

fief, *subst. m.* Au Moyen Âge, terre concédée par un seigneur à un vassal en échange de diverses obligations. – *Fig.* Domaine où s'exerce l'influence de *qqn.*

fieffé, ée, *adj.* Qui possède un vice ou un défaut au dernier degré : *Un* **fieffé** *coquin.*

fiel, *subst. m.* Bile. – Amertume (*littér.*).

fiente, *subst. f.* Excrément de certains animaux.

fier (i) (se), *verbe pronom.* Accorder sa confiance à : **Se fier** *à un inconnu.*

fier (ii), fière, *adj. et subst.* Qui est habité par des sentiments nobles. – Orgueilleux, hautain (*péj.*). – Qui tire une vive satisfaction de.

fierté, *subst. f.* Caractère d'une personne fière. – Le fait d'être fier de *qqch.*

fièvre, *subst. f.* Élévation anormale de la température du corps humain, d'un animal. – *Fig.* État de grande agitation.

fiévreux, euse, *adj.* Qui a de la fièvre. – *Fig.* Qui manifeste une grande agitation.

figer, *verbe trans.* Coaguler (le sang). – Condenser, solidifier. – Rendre immobile, pétrifier.

fignoler, *verbe trans.* Parachever, parfaire (*qqch.*) avec un soin méticuleux (*fam.*).

figue, *subst. f.* Fruit du figuier, réceptacle charnu contenant des grains rosés comestibles. – *Mi-***figue**, *mi-raisin* : mitigé.

figurant, ante, *subst.* Acteur de second plan, dans un spectacle. – Personne sans rôle actif dans une affaire.

figuratif, ive, *adj. et subst. m. Adj.* Qui représente la réalité des choses : *Art* **figuratif**. – *Subst.* Artiste produisant des œuvres **figuratives**.

figuration, *subst. f.* Action de représenter *qqch.* – Rôle du figurant ; ensemble des figurants.

figure, *subst. f.* Visage. – Aspect extérieur, mine : *Faire triste* **figure**. – Personnalité marquante. – Représentation visuelle : **Figure** *géométrique* ; **Figure** *de danse*, ensemble de pas.

figuré, ée, *adj. Ling.* Sens **figuré** : qui exprime par une image concrète une réalité abstraite (*oppos. sens propre*).

figurer, *verbe Trans.* Représenter par la peinture, la sculpture, etc. ; décrire. – Être l'image, le symbole de : *Le lion* **figure** *Venise*. – *Intrans.*

Être, se trouver : **Figurer** *sur une photo.* – *Pronom.* Se représenter, s'imaginer.

figurine, *subst. f.* Statuette.

fil, *subst. m.* Brin long et fin d'une matière textile. – **Fil** *de fer* : métal étiré. – **Fil** *d'une épée* : son tranchant. – **Fil** *électrique* : conducteur électrique filiforme. – *Passer un coup de* **fil** : téléphoner. – **Fil** *de l'eau* : sens du courant. – *Fig.* Enchaînement, succession dans le temps : *Au* **fil** *des heures.*

filament, *subst. m.* Fil très fin.

filandreux, euse, *adj.* Qui contient de longues fibres coriaces. – *Fig.* Confus, embrouillé.

filasse, *subst. f.* Ensemble de filaments provenant du chanvre ou du lin. – *Empl. adj. inv.* Blond pâle : *Des cheveux* **filasse.**

filature, *subst. f.* Transformation des matières textiles en fils. – Usine où l'on file. – Action de filer *qqn*, de le suivre.

file, *subst. f.* Rangée de personnes ou de choses. – *Loc. adv.* En, *à la* **file** : à la suite.

filer, *verbe Trans.* Transformer en fil. – Sécréter (un fil) : *Araignée qui* **file** *une toile.* – Épier, suivre discrètement (*qqn*). – *Intrans.* Couler en filet. – Se défaire : *Collant qui* **file.** – Disparaître très rapidement (*fam.*) : **Filer** *à l'anglaise.*

filet, *subst. m.* Ce qui évoque un fil par sa finesse : **Filet** *d'eau, de lumière.* – Ouvrage en mailles : **Filet** *de pêche, à provisions* ; **Filet** *de tennis.* – *Bouch.* Morceau de viande prélevé dans la région lombaire. – *Tech.* Saillie en hélice d'une vis ou d'un écrou.

filial, ale, aux, *adj.* Qui a trait à l'attitude d'un enfant vis-à-vis de ses parents.

filiale, *subst. f.* Société juridiquement distincte d'une société mère, mais contrôlée par elle.

filiation, *subst. f.* Lien de parenté unissant un enfant à ses parents. – Descendance directe ; lignée. – *Fig.* Enchaînement d'idées, de faits, etc., qui découlent les uns des autres.

filière, *subst. f.* Succession d'étapes à franchir pour parvenir à un but. – Ensemble d'intermédiaires unis dans une même activité.

filiforme, *adj.* Mince comme un fil.

filigrane, *subst. m.* Empreinte visible par transparence dans le papier. – *Loc. adv.* En **filigrane** : de manière implicite.

filin, *subst. m.* Câble, corde.

fille, *subst. f.* Enfant de sexe féminin, considérée par rapport à ses parents. – Personne de sexe féminin, de la naissance à l'âge adulte.

fillette, *subst. f.* Petite fille.

filleul, eule, *subst.* Personne baptisée, par rapport à son parrain et à sa marraine.

film, *subst. m.* Pellicule photosensible sur laquelle on peut enregistrer des images. – Œuvre cinématographique. – Fine couche couvrant en surface.

filmer, *verbe trans.* Enregistrer (des images) sur un film cinématographique.

filon, *subst. m.* Couche de minerai longue et étroite imbriquée dans d'autres couches : *Un* **filon** *d'étain.* – *Fig.* Ce dont on peut tirer quelque avantage (*fam.*).

filou, *subst. m.* Voleur, tricheur adroit (vieilli). – Personne malhonnête et sans scrupule (*fam.*) : *Cet homme d'affaires est un* **filou.**

fils, *subst. m.* Enfant de sexe masculin, considéré par rapport à ses parents. – Descendant, originaire : **Fils** *de la Bourgogne.*

filtrage, *subst. m.* Action de filtrer. – *Fig.* Contrôle.

filtre, *subst. m.* Appareil ou matière qui permet d'épurer le fluide qui le ou la traverse. – Appareil ou écran qui intercepte certaines radiations.

filtrer, *verbe Trans.* Faire passer à travers un filtre. – *Fig.* Contrôler. – *Intrans.* Traverser un filtre. – Se répandre, transpirer.

fin(i), *subst. f.* Terme, achèvement. – Mort, décès. – But.

fin(ii), fine, *adj.* Très pur : *Or* **fin.** – D'excellente qualité : *Vins* **fins.** – Mince, ténu. – D'une grande sensibilité : *Ouïe* **fine.** – Raffiné, habile. – Perspicace : *Un* **fin** *limier.*

final, ale, als ou **aux**, *adj. et subst. f. Adj.* Qui se trouve à la fin ; qui marque la fin. – *Subst.* Dernière lettre ou dernière syllabe d'un mot. – *La* **finale** *d'une compétition* : la dernière épreuve.

finaliser, *verbe trans.* Fixer un objectif, donner un but à (*qqch.*). – Mettre au point (*qqch.*) dans les détails.

finaliste, *subst.* Personne ou équipe sélectionnée pour une finale sportive.

finalité, *subst. f.* Caractère de ce qui tend vers un but. – Fait de tendre à un but.

finance, *subst. f.* Secteur des activités qui touchent au domaine de l'argent. – *Plur.* Ressources monétaires de l'État ; l'administration qui les gère. – Ressources d'une société ou d'un particulier.

financer, *verbe trans.* Fournir l'argent nécessaire à.

financier, ière, *adj. et subst. m. Adj.* Relatif aux finances ou à la finance, à l'argent. – *Subst.* Professionnel de la finance.

finasser, *verbe intrans.* User de subterfuges.

finaud, aude, *adj. et subst.* Qui est rusé sans en avoir l'air.

finesse, *subst. f.* Propriété de ce qui est fin. – Acuité des sens ; subtilité.

fini, ie, *adj. et subst. m. Adj.* Terminé, résolu. – Achevé, accompli. – Borné, pourvu de limites. – *Subst.* Qualité de ce qui est achevé ; perfection. – Ce qui est limité (*contr. infini*).

finir, *verbe Trans.* Achever, conduire à sa fin, à son achèvement. – Cesser. – *Intrans.* Arriver à son terme. – Mourir.

finition, *subst. f.* Ultime étape de la fabrication, consistant à soigner les détails.

finnois, *subst. m.* Langue d'origine ouralienne parlée en Finlande.

fiole, *subst. f.* Petite bouteille au col étroit.

fioriture, *subst. f.* Ornement, souv. maniéré.

fioul, *subst. m.* Combustible brun et visqueux dérivé du pétrole, mazout.

firmament, *subst. m.* Voûte céleste (*littér.*).

firme, *subst. f.* Établissement, groupe commercial ou industriel.

fisc, *subst. m.* Administration publique responsable du recouvrement des impôts.

fiscal, ale, aux, *adj.* Relatif au fisc, à la fiscalité.

fiscalité, *subst. f.* Ensemble de la législation relative aux impôts.

fission, *subst. f.* Division d'un noyau atomique, qui dégage l'énergie appelée nucléaire.

fissure, *subst. f.* Fente peu profonde ; fêlure.

fissurer, *verbe trans.* Diviser par des fissures.

f.i.v., *subst. f. inv.* Sigle de « fécondation in vitro », technique permettant de lutter contre la stérilité.

fixateur, trice, *adj. et subst. m.* *Adj.* Qui a la faculté de fixer. – *Subst.* Substance qui permet de fixer une image photographique.

fixation, *subst. f.* Action de fixer. – Dispositif servant à fixer. – *Fig. Faire une* **fixation** *sur* : attacher une importance excessive à.

fixe, *adj. et subst. m.* *Adj.* Qui ne bouge pas : *Image fixe.* – Qui ne varie pas : *Idée fixe*, obsession. – Déterminé : *A heure fixe.* – *Subst.* Appointement déterminé et stable.

fixer, *verbe trans.* Rendre fixe. – Rendre stable : **Fixer** *un prix.* – Établir, déterminer. – Regarder fixement.

fjord, *subst. m.* Avancée de la mer très étroite et profonde, sur les côtes nordiques.

flacon, *subst. m.* Petite bouteille à bouchon.

flageller, *verbe trans.* Battre à coups de fouet.

flageoler, *verbe intrans.* Trembler, en parlant des membres inférieurs.

flageolet(i), *subst. m.* Flûte à bec percée de six trous.

flageolet (ii), *subst. m.* Variété de haricot dont on consomme les graines.

flagrant, ante, *adj.* Évident, indubitable.

flair, *subst. m.* Odorat de certains animaux. – *Fig.* Perspicacité.

flairer, *verbe trans.* Pour un animal, sentir, suivre à l'odeur. – *Fig.* Soupçonner.

flamant, *subst. m.* Grand oiseau échassier palmipède au plumage blanc et rose.

flambeau, *subst. m.* Torche enduite de résine ou de cire. – Chandelier, candélabre.

flambée, *subst. f.* Feu vif et clair de courte durée. – *Fig.* Hausse brusque, poussée subite.

flamber, *verbe Intrans.* Se consumer en jetant des flammes. – Augmenter brusquement : *Les prix* **flambent**. – *Trans.* Passer à la flamme. – Arroser d'alcool, que l'on enflamme. – *Fig.* Dépenser (de l'argent) follement.

flamboyer, *verbe intrans.* Brûler en jetant des flammes. – Briller avec l'éclat du feu (*littér.*).

flamenco, *subst. m.* Musique populaire andalouse, assortie de chant et de danse.

flamme, *subst. f.* Dégagement de chaleur et de lumière résultant de la combustion de *qqch.* – Luminosité, éclat, chaleur. – *Fig.* Exaltation ; passion amoureuse.

flan, *subst. m.* Entremets à base d'œufs et de lait, cuit au four.

flanc, *subst. m.* Partie latérale du corps qui va des côtes aux hanches. – Partie latérale de *qqch.*

flancher, *verbe intrans.* *Fam.* Céder. – Abandonner.

flanelle, *subst. f.* Tissu de laine léger et souple.

flâner, *verbe intrans.* Marcher sans but précis, pour le plaisir. – Paresser, traîner.

flânerie, *subst. f.* Action, fait de flâner.

flâneur, euse, *adj. et subst.* Se dit de *qqn* qui flâne.

flanquer (i), *verbe trans.* Adjoindre une construction au flanc (d'un bâtiment). – Être placé à côté de. – Accompagner.

flanquer (ii), *verbe trans.* *Fam.* Envoyer, appliquer (un coup) avec rudesse. – Donner : *Il lui* **flanqua** *la frousse.* – **Flanquer** *qqn à la porte* : le congédier brutalement.

flaque, *subst. f.* Petite mare d'eau stagnante.

flash, *subst. m.* Dispositif d'un appareil photographique émettant un éclair de lumière. – Rapide bulletin diffusant des informations importantes.

flash-back, *subst. m. inv.* Séquence d'un film évoquant un retour dans le passé.

flasque (i), *adj.* Dépourvu de fermeté, mou.

flasque (ii), *subst. f.* Petit flacon plat.

flatter, *verbe trans.* Louer avec excès et par intérêt. – Caresser de la main ; au *fig.* : *Cette belle musique* **flatte** *l'ouïe.* – Embellir. – *Être* **flatté** : être touché ; être fier. – *Pronom.* *Se* **flatter** *de* : se vanter de.

flatterie, *subst. f.* Action de flatter. – Louange excessive : *Une basse* **flatterie**.

fléau, aux, *subst. m.* Instrument utilisé pour battre les céréales. – **Fléau** *d'une balance* : barre horizontale qui soutient les plateaux. – *Fig.* Calamité, désastre.

flèche, *subst. f.* Projectile constitué d'une tige pointue, que l'on lance avec un arc, une arbalète. – Symbole en forme de **flèche** indiquant une direction. – Sommet pointu : **Flèche** *d'une cathédrale.* – Raillerie. – *En* **flèche** : rapidement.

flécher, *verbe trans.* Baliser (un parcours) de flèches d'orientation.

fléchette, *subst. f.* *Jeux.* Petite flèche qu'on lance à la main en visant une cible.

fléchir, *verbe Trans.* Plier, courber : **Fléchir** *les genoux.* – *Fig.* Faire perdre son intransigeance à (*qqn*). – *Intrans.* Ployer sous une charge. – Faiblir, diminuer.

fléchissement, *subst. m.* Action de fléchir.

flegmatique, *adj.* Qui a du flegme.

flegme, *subst. m.* Caractère d'une personne sereine, pleine de sang-froid, impassible.

flétrir, *verbe trans.* Faner. – Ôter l'éclat de.

flétrissure, *subst. f.* Perte de la fraîcheur. – Infamie, déshonneur.

fleur, *subst. f.* Partie de certains végétaux qui contient les organes sexuels. – Plante cultivée pour ses **fleurs**. – La meilleure partie de *qqch.* – *A fleur de* : presque au niveau de.

fleurer, *verbe trans.* Répandre une odeur (*littér.*).

fleuret, *subst. m.* Fine épée d'escrime, dont la pointe est neutralisée par un bouton.

fleurir, *verbe Intrans.* Éclore, donner des fleurs. – Se développer, prospérer. – *Trans.* Orner de fleurs.

fleuriste, *subst.* Marchand de fleurs.

fleuron, *subst. m.* Décoration en forme de fleur. – *Fig.* Ce qui constitue le joyau de.

fleuve, *subst. m.* Grand cours d'eau qui se jette en *gén.* dans la mer. – *Fig.* Ce qui se répand, s'écoule en masse : **Fleuve** *de boue.*

flexible, *adj.* Que l'on peut fléchir, souple.

flexion, *subst. f.* Action de fléchir ; état de ce qui est fléchi. – *Ling.* Désinence ; ensemble d'une conjugaison, d'une déclinaison.

flibustier, *subst. m.* Pirate qui écumait les mers américaines aux xviiᵉ et xviiiᵉ s.

flipper (i), *verbe intrans.* Être angoissé (*fam.*).

flipper (ii), *subst. m.* Billard électrique.

flirt, *subst. m.* Jeu amoureux fondé sur des sentiments peu profonds. – Amoureux.

flirter, *verbe intrans.* Avoir un flirt avec (*qqn*). – *Fig.* **Flirter** *avec la politique.*

flocon, *subst. m.* Légère touffe de laine, de coton. – Petit amas de neige très léger. – Fine lamelle de céréales.

flonflons, *subst. m. plur.* Résonances bruyantes de musique populaire.

floraison, *subst. f.* Épanouissement des fleurs ; l'époque où il a lieu. – *Fig.* Naissance, apparition simultanée d'un grand nombre de personnes ou de choses remarquables.

floral, **ale**, **aux**, *adj.* Qui se rapporte aux fleurs.

flore, *subst. f.* Ensemble des végétaux d'une région déterminée. – **Flore** *intestinale* : les bactéries qui vivent dans l'intestin.

floréal, *subst. m.* Huitième mois du calendrier républicain, s'étalant du 20-21 avril au 19-20 mai.

florilège, *subst. m.* Recueil de textes choisis. – Sélection de choses remarquables.

florissant, **ante**, *adj.* Prospère, épanoui.

flot, *subst. m.* Marée montante. – Masse d'eau, ou d'un autre liquide, qui s'écoule. – Grande quantité : *À* **flots**, à foison. – *Plur.* La mer (*littér.*).

flottaison, *subst. f.* Intersection entre les parties émergée et immergée d'un corps flottant : *Ligne de* **flottaison** *d'un navire.*

flotte (i), *subst. f.* Ensemble de bateaux naviguant groupés. – Ensemble de navires, ou d'avions, d'un pays, d'une armée, d'une compagnie de transport.

flotte (ii), *subst. f. Fam.* Eau. – Pluie.

flottement, *subst. m.* Action de flotter ; son résultat. – *Fig.* Hésitation, indécision.

flotter, *verbe intrans.* Être porté sur une masse liquide. – Être en suspension dans les airs. – Onduler au gré du vent : *Drapeau qui* **flotte**. – **Flotter** *dans un vêtement* : y être au large. – Hésiter ; fluctuer.

flotteur, *subst. m.* Objet léger servant à maintenir en surface un corps submersible.

flottille, *subst. f.* Flotte de petits bateaux.

flou, **floue**, *adj. et subst. m.* Qui manque de netteté ; dont les contours sont estompés : *Un* **flou** *artistique.* – *Fig.* Qui manque de clarté, de précision : *Idées* **floues**.

flouer, *verbe trans.* Escroquer, duper (*fam.*).

fluctuation, *subst. f.* Mouvement alternatif. – *Fig.* Variations successives (*gén.* au *plur.*).

fluctuer, *verbe intrans.* Être soumis à des fluctuations.

fluet, **ette**, *adj.* D'apparence délicate, mince. – Grêle : *Voix* **fluette**.

fluide, *adj. et subst. m. Adj.* Qui coule facilement ; au *fig.* : *Style, circulation* **fluide**. – *Subst.* Corps liquide ou gazeux. – Magnétisme de certaines personnes ou choses.

fluidifier, *verbe trans.* Rendre fluide.

fluidité, *subst. f.* État de ce qui est fluide.

fluorescent, **ente**, *adj.* Se dit d'un corps qui émet de la lumière lorsqu'il reçoit un rayonnement.

flûte, *subst. f.* Instrument de musique à vent formé d'un tube percé de trous. – Pain mince et allongé. – Verre à champagne étroit et effilé.

fluvial, **ale**, **aux**, *adj.* Relatif à un cours d'eau.

flux, *subst. m.* Écoulement d'un liquide. – Marée montante. – *Fig.* Grande quantité.

f.m., *subst. f. inv.* Sigle employé pour « modulation de fréquence ».

foc, *subst. m.* Voile triangulaire située à l'avant d'un navire.

focal, **ale**, **aux**, *adj.* Relatif au foyer d'un instrument d'optique.

focaliser, *verbe trans.* Concentrer (un faisceau de particules) en un point. – *Fig.* **Focaliser** *son attention sur.*

fœtus, *subst. m.* Embryon humain ou animal, dès qu'il présente les formes de l'espèce.

foi, *subst. f.* Confiance. – Croyance en Dieu, en une religion : *Avoir la* **foi**. – Fidélité à ses engagements. – *Être de bonne, de mauvaise* **foi** : sincère, hypocrite.

foie, *subst. m.* Viscère volumineux qui joue un rôle essentiel dans la digestion, en sécrétant la bile.

foin, *subst. m.* Herbe fauchée et séchée qui sert à nourrir le bétail.

foire, *subst. f.* Grand marché qui se tient toujours au même endroit, à date fixe. – Fête foraine. – Exposition commerciale. – *Fig.* Grand désordre. – Fête (*fam.*).

fois, *subst. f.* Terme exprimant la temporalité d'un fait : *Une* **fois** *pour toutes*, définitivement ; *À la* **fois**, en même temps. – Joint à un nombre, exprime la répétition, la multiplication : *Trois* **fois**, à trois reprises ; *Trois* **fois** *deux*, 3 multiplié par 2.

foison (à), *loc. adv.* En abondance.

foisonner, *verbe intrans.* Être à foison. – **Foisonner** *de, en* : avoir à foison.

fol, *voir* **fou**

folâtre, *adj.* Qui est d'une humeur joyeuse, d'une fantaisie un peu folle.

folâtrer, *verbe intrans.* Jouer avec une gaieté insouciante, un peu folle.

folie, *subst. f.* Altération des facultés mentales d'un sujet. – Pensée, conduite irrationnelle, extravagante. – *À la* **folie** : éperdument. – Demeure de plaisance, aux xviiᵉ et xviiiᵉ s.

folklore, *subst. m.* Ensemble des éléments traditionnels d'une culture populaire. – *C'est du* **folklore** : ce n'est pas sérieux (*fam.*).

folklorique, *adj.* Relatif au folklore. – Pittoresque et amusant (*fam.*).

folle, *voir* **fou**

fomenter, *verbe trans.* Faire naître ou entretenir, *souv.* en secret : **Fomenter** *des troubles.*

foncer, *verbe Trans.* Assombrir (une couleur). – *Intrans.* Devenir plus sombre. – Attaquer en se jetant violemment sur. – Se déplacer à toute allure (*fam.*).

foncier, **ière**, *adj.* Qui constitue un fonds lié à la propriété d'un sol : *Domaine* **foncier**. – Qui possède un bien **foncier** : *Propriétaire* **foncier**. – Qui a trait aux propriétés, bâties ou non : *Impôt* **foncier**. – *Fig.* Qui appartient à la nature profonde de *qqn*.

foncièrement, *adv.* Profondément.

fonction, *subst. f.* Exercice d'une charge; cette charge elle-même. – **Fonction** *publique* : ensemble des fonctionnaires. – Rôle d'un élément au sein de l'ensemble auquel il appartient. – *En* **fonction** *de* : selon.

fonctionnaire, *subst.* Agent titulaire, dans une administration publique.

fonctionnel, elle, *adj.* En rapport avec une fonction. – Adapté à une fonction déterminée.

fonctionnement, *subst. m.* Action de fonctionner. – Manière de fonctionner.

fonctionner, *verbe intrans.* Remplir une fonction particulière. – Être en état de marche.

fond, *subst. m.* Partie la plus basse d'un objet creux. – Ce qui reste au **fond** d'un récipient. – Partie solide où reposent les eaux de la mer, d'un cours d'eau. – Degré extrême : *Le* **fond** *du désespoir*. – Partie la plus éloignée d'un lieu : *Au* **fond** *du couloir*. – Arrière-plan de *qqch.* ; base sonore. – Ce qui est essentiel : *Le* **fond** *des choses*.

fondamental, ale, aux, *adj.* Qui sert de base, de fondement. – Essentiel.

fondateur, trice, *subst.* Personne qui a fondé une œuvre lui survivant.

fondation, *subst. f.* Action de fonder ; œuvre fondée. – Création d'une institution d'intérêt public ; l'institution créée. – Apport de capitaux à une œuvre d'intérêt public. – *Plur.* Maçonnerie qui constitue les soubassements d'une construction.

fondé, ée, *adj. et subst. Adj.* Légitime. – **Fondé** *sur* : qui repose sur. – *Subst.* **Fondé** *de pouvoir* : mandataire.

fondement, *subst. m.* Principe formant la base d'un système. – Légitimité : *Sans* **fondement**, sans motif. – Anus ; fesses (*fam.*).

fonder, *verbe trans.* Bâtir (une ville). – Mettre en place, créer (une institution). – Financer (une fondation). – Donner un fondement légitime à.

fonderie, *subst. f.* Fabrication d'objets par moulage de métal fondu. – Usine où l'on fond les métaux.

fondre, *verbe Trans.* Rendre liquide. – Mouler (un objet) avec du métal fondu. – Dissoudre. – *Intrans.* Se liquéfier ; se dissoudre. – *Fig.* Diminuer. – S'attendrir. – **Fondre** *sur* : s'abattre soudainement sur. – *Pronom.* Se combiner.

fondrière, *subst. f.* Partie effondrée d'un sol, en *gén.* remplie d'eau et de boue.

fonds, *subst. m.* Domaine terrien exploité ou bâti ; bien immeuble. – Capital immobilisé. – **Fonds** *de commerce* : les biens corporels et incorporels d'un commerçant. – *Plur.* Argent disponible.

fondue, *subst. f.* **Fondue** *savoyarde* : fromage fondu où l'on trempe des morceaux de pain. – **Fondue** *bourguignonne* : morceaux de viande de bœuf que l'on trempe dans l'huile bouillante.

fongique, *adj.* Relatif aux champignons.

fontaine, *subst. f.* Source d'eau vive. – Édifice public, vasque distribuant de l'eau.

fontanelle, *subst. f.* Espace cartilagineux compris entre les os du crâne, chez le nouveau-né.

fonte, *subst. f.* Action de fondre. – Fait de fondre. – Alliage de fer et de carbone.

fonts, *subst. m. plur.* **Fonts** *baptismaux* : bassin contenant l'eau utilisée pour le baptême.

football, *subst. m.* Sport opposant 2 équipes de 11 joueurs qui tentent d'envoyer, au pied, un ballon dans les buts adverses.

footing, *subst. m.* Course à pied de mise en train ou d'entretien physique.

for, *subst. m. En son* **for** *intérieur* : au fond de soi-même.

forage, *subst. m.* Action de forer. – Son résultat.

forain, aine, *adj. et subst. Subst.* Marchand ou entrepreneur qui parcourt les foires. – *Adj.* Relatif aux foires, aux **forains** : *Fête* **foraine**.

forban, *subst. m.* Pirate qui écumait les mers pour son compte personnel. – *Fig.* Individu sans scrupule.

forçat, *subst. m.* Condamné aux travaux forcés.

force, *subst. f.* Vigueur physique, musculaire. – Ressource morale et intellectuelle. – Moyen d'action d'un groupe : *Les* **forces** *armées*. – Contrainte. – Robustesse, intensité ou solidité de *qqch.* – *Phys.* Cause susceptible de déformer un corps, de modifier son mouvement.

forcené, ée, *adj. et subst.* Rendu violent par une forte émotion, voire par la folie. – *Adj.* Acharné.

forceps, *subst. m.* Pinces utilisées pour saisir la tête du fœtus au moment de l'accouchement.

forcer, *verbe Trans.* Enfoncer, pénétrer de force, avec violence. – *Fig.* Contraindre (*qqn*). – Porter au-delà des limites, de l'activité normale : **Forcer** *une dose, sa voix*. – *Intrans.* Fournir un trop grand effort.

forcir, *verbe intrans.* Grossir. – Devenir plus robuste.

forer, *verbe trans.* Percer. – Creuser (le sol).

forestier, ière, *adj. et subst. m. Adj.* Relatif aux forêts. – *Subst.* Agent chargé de la surveillance et de l'entretien des forêts : *Un garde* **forestier**.

foret, *subst. m.* Outil utilisé pour forer.

forêt, *subst. f.* Vaste étendue boisée. – *Fig. Une* **forêt** *de* : une profusion de.

forfait (i), *subst. m.* Crime monstrueux, faute atroce.

forfait (ii), *subst. m.* Prix d'un service, fixé par avance.

forfait (iii), *subst. m.* Somme que doit payer *qqn* qui retire son cheval d'une course. – *Fig. Déclarer* **forfait** : renoncer.

forfaitaire, *adj.* Fixé par forfait (II).

forfaiture, *subst. f.* Infraction criminelle commise par un fonctionnaire.

forfanterie, *subst. f.* Vantardise, bravade.

forge, *subst. f.* Atelier où l'on travaille les métaux. – Fourneau de la **forge**.

forger, *verbe trans.* Marteler un métal, en *gén.* à chaud, pour lui donner une forme. – *Fig.* Inventer : **Forger** *une excuse*.

forgeron, *subst. m.* Artisan qui travaille au marteau le métal chauffé.

formaliser, *verbe trans.* Mettre en forme (un problème, une théorie). – *Pronom.* S'offusquer : *Elle se* **formalisait** *de leurs plaisanteries*.

formaliste, *adj. et subst.* Attaché aux formes, aux usages, aux convenances.

formalité, *subst. f.* Démarche exigée pour la réalisation de certains actes. – Règle dictée par l'étiquette. – Acte que l'on accomplit sans difficulté : *Une simple* **formalité**.

format, *subst. m.* Dimension particulière d'un ouvrage, d'un objet quelconque.

formateur, **trice**, *adj. et subst.* Qui forme, développe *qqch.* – *Fig.* Qui éduque.

formation, *subst. f.* Action de former, de se former. – Action d'instruire ; son résultat : *Une bonne* **formation** *scientifique.* – Groupe formé pour une activité (politique, syndicale ou militaire).

forme, *subst. f.* Ensemble des traits d'un être ou d'une chose. – Structure, aspect. – Condition physique ou morale : *Être en* **forme.** – *Plur.* Règles de la politesse : *Mettre les* **formes.**

formel, **elle**, *adj.* Qui respecte les règles de forme. – Clair, qui écarte toute discussion.

former, *verbe trans.* Faire exister, créer. – Concevoir par la pensée. – Façonner, éduquer. – Avoir l'apparence de ; constituer. – *Pronom.* Se développer. – S'instruire.

formidable, *adj.* Extraordinaire, impressionnant. – Qui étonne, qui suscite une grande admiration (*fam.*).

formol, *subst. m.* Solution aqueuse antiseptique.

formulaire, *subst. m.* Recueil de formules. – Imprimé comportant des questions.

formulation, *subst. f.* Action de formuler. – Manière de formuler.

formule, *subst. f.* Forme consacrée pour exprimer une idée, un fait. – Méthode, façon de faire : *Trouver la bonne* **formule.** – Expression symbolique d'une composition, d'un procédé de calcul : **Formule** *chimique, algébrique.*

formuler, *verbe trans.* Énoncer d'après une formule. – Exprimer, émettre.

fornication, *subst. f.* Péché de la chair (vieilli).

fort, **forte**, *adj., subst. m. et adv.* Adj. Vigoureux, solide. – Intelligent, habile. – Considérable. – Qui a beaucoup de goût ou d'odeur. – *Subst.* Personne d'une grande force. – *Fig.* Le moment le plus intense : *Au plus* **fort** *de.* – Ce en quoi excelle une personne. – Ouvrage fortifié. – *Adv.* Avec vigueur : *Aimer* **fort.** – Très : *C'est* **fort** *bon* (*littér.*).

forteresse, *subst. f.* Lieu, édifice fortifié.

fortifiant, **ante** *adj. et subst. m.* Se dit d'un médicament qui donne des forces.

fortification, *subst. f.* Action d'élever des constructions défensives. – Une de ces constructions (*gén.* au *plur.*).

fortifier, *verbe trans.* Rendre plus fort. – Pourvoir (un lieu) de fortifications.

fortin, *subst. m.* Petit fort défensif.

fortuit, **uite**, *adj.* Dû au hasard ; imprévu.

fortune, *subst. f.* Ensemble des biens matériels de *qqn*, richesse. – Hasard, heureux ou malheureux : *Connaître une bonne* **fortune.** – *Abri de* **fortune** : improvisé.

fortuné, **ée**, *adj.* Qui est riche.

forum, *subst. m. Antiq.* Place publique, chez les Romains. – Réunion pour un débat public, colloque.

fosse, *subst. f.* Grand trou creusé dans le sol. – Puits de mine.

fossé, *subst. m.* Petite tranchée creusée de chaque côté d'une route. – Large fosse remplie d'eau bordant un château. – *Fig.* Mésentente : *Le* **fossé** *des générations.*

fossette, *subst. f.* Petit creux au menton ou sur la joue.

fossile, *adj. et subst. m.* Qui a existé avant l'époque historique et dont les sédiments ont conservé l'empreinte ou les restes. – *Fig.* Vieux réactionnaire (*péj.*).

fossoyeur, *subst. m.* Employé qui creuse les tombes, dans un cimetière.

fou, **fol**, **folle**, *adj. et subst.* Qui n'a plus, ou ne semble plus avoir, sa raison. – *Adj.* Qui est excessif, incontrôlable. – Passionné. – *Subst.* Bouffon. – Pièce du jeu d'échecs.

foudre, *subst. f.* Décharge électrique aérienne, qui produit éclairs et tonnerre. – *Fig. Coup de* **foudre** : amour brusque et passionné.

foudroyer, *verbe trans.* Tuer, en parlant de la foudre. – Tuer brutalement, anéantir.

fouet, *subst. m.* Instrument constitué d'une lanière de cuir au bout d'un manche. – Ustensile de cuisine servant à battre les œufs. – *De plein* **fouet** : violemment.

fouetter, *verbe trans.* Battre avec un fouet.

fougère, *subst. f.* Plante des bois à feuilles très découpées, qui n'a ni fleurs ni fruits.

fougue, *subst. f.* Vive ardeur.

fougueux, **euse**, *adj.* Très vif et ardent.

fouille, *subst. f.* Recherche de ce qui est enfoui. – *Plur.* Travaux d'archéologie.

fouiller, *verbe* Inspecter de fond en comble (pour chercher *qqch.* ou *qqn*). – *Fig.* Approfondir.

fouillis, *subst. m.* Amas d'objets hétéroclites.

fouine, *subst. f.* Petit mammifère vivant dans les bois, au museau pointu, amateur de poules. – *Fig.* Personne indiscrète.

fouiner, *verbe intrans.* Fouiller avec indiscrétion (*fam.*).

foulard, *subst. m.* Carré de tissu que l'on porte sur la tête ou autour du cou.

foule, *subst. f.* Grand nombre de personnes ou grande quantité d'objets.

foulée, *subst. f.* Enjambée. – *Fig. Dans la* **foulée** : du même coup.

fouler, *verbe trans.* Marcher sur. – *Pronom.* Se faire une foulure à.

foulure, *subst. f.* Distension légère des ligaments articulaires ; entorse sans gravité.

four, *subst. m.* Appareil fournissant de la chaleur pour la cuisson des aliments ou la transformation des matériaux. – Échec d'un spectacle (*fam.*).

fourbe, *adj. et subst.* Qui trompe autrui en feignant la bienveillance.

fourberie, *subst. f.* Attitude d'un fourbe.

fourbir, *verbe trans.* Astiquer pour faire briller. – *Fig.* Préparer minutieusement, mettre au point : **Fourbir** *ses arguments.*

fourbu, **ue**, *adj.* Harassé, très fatigué.

fourche, *subst. f.* Instrument constitué d'un long manche pourvu de deux ou plusieurs dents. – Ce qui se divise en deux branches.

fourchette, *subst. f.* Couvert garni de dents servant à piquer les aliments. – *Fig.* Écart entre deux valeurs.

fourchu, **ue**, *adj.* Qui se divise en deux branches.

fourgon, *subst. m.* Long véhicule ou wagon affecté à des transports particuliers.

fourmi, *subst. f.* Petit insecte hyménoptère vivant en sociétés denses.

fourmilier, *subst. m.* Mammifère mangeur de fourmis, à la langue longue et gluante.

fourmilière, *subst. f.* Monticule ou nid souterrain abritant une colonie de fourmis.

fourmillement, *subst. m.* Va-et-vient évoquant l'agitation d'une fourmilière. – *Fig.* Picotement.

fourmiller, *verbe Intrans.* Pulluler, grouiller. – *Trans. indir.* **Fourmiller** *de* : être plein de.

fournaise, *subst. f.* Endroit où règne une chaleur intense. – Cette chaleur.

fourneau, *subst. m.* Grand four industriel. – *Être aux* **fourneaux** : faire la cuisine.

fournée, *subst. f.* Ensemble de choses cuites en même temps dans un four. – *Fig.* Ensemble de personnes traitées de la même façon.

fournil, *subst. m.* Local d'une boulangerie où se trouvent le four et le pétrin.

fournir, *verbe trans.* Ravitailler, approvisionner : **Fournir** *en vins.* – Procurer. – Produire.

fournisseur, euse, *subst.* Commerçant qui fournit un client en marchandises.

fourniture, *subst. f.* Action de fournir. – *Plur.* Les marchandises fournies.

fourrage, *subst. m.* Alimentation végétale du bétail, à l'exception des grains.

fourré, *subst. m.* Ensemble dense et touffu de végétaux à branches basses.

fourreau, *subst. m.* Enveloppe d'un objet allongé. – Robe étroite et moulante.

fourrer, *verbe trans.* Doubler, garnir de fourrure (un vêtement). – Garnir, farcir. – Mettre, entasser à l'intérieur d'un contenant (*fam.*).

fourre-tout, *adj. inv. et subst. m. inv.* *Subst.* Sac de voyage souple. – *Adj.* Qui est constitué ou rempli de choses hétéroclites.

fourreur, *subst. m.* Marchand de fourrures. – Fabricant de vêtements de fourrure.

fourrière, *subst. f.* Lieu de dépôt des animaux abandonnés ou des véhicules en infraction.

fourrure, *subst. f.* Peau garnie de poils de certains mammifères. – Vêtement fait de cette peau apprêtée.

fourvoyer (se), *verbe pronom.* Faire fausse route.

foyer, *subst. m.* Endroit où l'on fait du feu ; point où un incendie se déclare. – Point d'origine : **Foyer** *de révolte.* – Lieu de vie d'une famille ; la famille elle-même. – Local de réunion ou d'habitation.

fracas, *subst. m.* Grand bruit, choc violent.

fracassant, ante, *adj.* Qui fait grand bruit, qui est sensationnel.

fracasser, *verbe trans.* Casser en morceaux, briser avec violence.

fraction, *subst. m.* Partie d'un tout partageable. – Couple de nombres entiers, numérateur et dominateur, séparés par une barre.

fractionner, *verbe trans.* Partager en fractions.

fracture, *subst. f.* Cassure, en *partic.* d'un os.

fracturer, *verbe trans.* Briser par force.

fragile, *adj.* Qui manque de résistance. – Précaire, mal assuré.

fragilité, *subst. f.* Caractère de ce qui est fragile, vulnérable.

fragment, *subst. m.* Petit morceau d'un tout. – Court extrait d'un texte.

fragmentaire, *adj.* Qui est incomplet.

fragmenter, *verbe trans.* Diviser en petits morceaux.

fragrance, *subst. f.* Odeur exquise (*littér.*).

fraîcheur, *subst. f.* Froid léger. – Qualité de ce qui s'est bien conservé : **Fraîcheur** *d'un coloris, d'un produit.*

fraîchir, *verbe intrans.* Devenir plus frais.

frais (i), **fraîche**, *adj., subst. m. et adv. Subst.* Air frais. – *Adj.* Un peu froid. – Nouveau, récent. – Non altéré : *Teint* **frais**. – *Adv.* Récemment : *Des œufs* **frais** *pondus.*

frais (ii), *subst. m. plur.* Dépense d'argent. – *Fig.* Effort, énergie. – *Faire les* **frais** *de qqch.* : en subir le désagrément. – *Se mettre en* **frais** : se donner de la peine.

fraise (i), *subst. f.* Petit fruit rouge et charnu du fraisier. – Lésion de la peau (*fam.*).

fraise (ii), *subst. f.* Collerette rigide et plissée portée aux xvie et xviie s. – Excroissance charnue sur le cou du dindon. – Outil utilisé par le dentiste pour creuser une dent cariée.

framboise, *subst. f.* Fruit rouge du framboisier, au goût délicat.

franc (i), **franche**, *adj.* Non taxé : *Zone* **franche**. – Qui ne dissimule rien de sa pensée, sincère. – Pur, sans mélange.

franc (ii), **franque**, *adj. et subst.* De l'ancien peuple germanique des **Francs**.

français, *subst. m.* Langue romane parlée en France, en Belgique, en Suisse, au Canada et dans certains pays d'Afrique.

franchir, *verbe trans.* Aller au-delà (d'un obstacle, d'une difficulté), traverser.

franchise, *subst. f.* Exemption d'une taxe. – Droiture, sincérité.

franciser, *verbe trans.* Conférer un caractère français à.

franc-maçon, onne, *subst.* Membre d'une association secrète (francmaçonnerie) œuvrant pour la fraternité et le progrès social.

franco, *adv.* Sans frais d'acheminement : **Franco** *de port*, port payé par l'expéditeur.

francophone, *adj. et subst.* Qui est de langue française. – Se dit d'un lieu où l'usage du français est répandu.

franc-parler, *subst. m.* Franchise, liberté de langage.

franc-tireur, *subst. m.* Combattant qui n'appartient pas à une armée régulière. – *Fig.* Personne qui agit de façon indépendante.

frange, *subst. f.* Bord d'un tissu effilé. – Cheveux retombant sur le front. – *Fig.* Minorité marginale : **Frange** *extrémiste.*

frangipane, *subst. f.* Crème aux amandes servant à fourrer des pâtisseries.

franquette (à la bonne), *loc. adv.* En toute simplicité (*fam.*).

frapper, *verbe Trans.* Donner un coup violent à. – *Fig.* Atteindre, marquer. – Impressionner vivement. – *Intrans.* Donner des coups sonores : **Frapper** *à la vitre.* – *Pronom.* S'inquiéter (*fam.*).

frasque, *subst. f.* Acte s'écartant des convenances (*gén.* au *plur.*).

fraternel, elle, *adj.* Propre à la relation entre frères et sœurs. – Qui évoque cette relation.

fraterniser, *verbe intrans.* Engager des relations de fraternité : *Les soldats ennemis* **fraternisent**.

fraternité, *subst. f.* Lien qui unit frères et sœurs. – Solidarité animée d'un élan vers autrui.

fratricide, *adj. et subst. Subst.* Personne qui tue son frère ou sa sœur. – *Masc.* Meurtre d'un frère ou d'une sœur. – *Adj.* Qui oppose des membres d'une même communauté jusqu'à la mort.

fraude, *subst. f.* Action d'enfreindre un règlement, une loi. – Tromperie.

frauder, *verbe Trans.* Tromper par une fausse déclaration. – *Intrans.* Commettre une fraude, tricher.

fraudeur, euse, *adj. et subst.* Qui se livre à la fraude.

frauduleux, euse, *adj.* Qui résulte d'une fraude.

frayer, *verbe Trans. dir.* Ouvrir, tracer (un chemin). – *Trans. indir.* **Frayer** *avec qqn* : le fréquenter (*littér.*). – *Intrans.* Pour un poisson, déposer ses œufs ou les féconder : *Les saumons* **frayent** *en eau douce.*

frayeur, *subst. f.* Grande peur soudaine.

fredaine, *subst. f.* Excès ne portant pas à conséquence (*gén.* au *plur.*).

fredonner, *verbe trans.* Chanter doucement, en ouvrant à peine la bouche.

frégate, *subst. f.* Bateau de guerre à trois mâts. – Oiseau palmipède des mers tropicales.

frein, *subst. m.* Dispositif permettant d'arrêter ou de ralentir un mécanisme en mouvement. – *Fig.* Entrave.

freinage, *subst. m.* Action de ralentir, de freiner. – Son résultat.

freiner, *verbe Trans.* Ralentir, entraver, interrompre (un mouvement, un processus, un élan). – *Intrans.* Ralentir, *souv.* jusqu'à l'arrêt.

frelaté, ée, *adj.* Altéré frauduleusement.

frêle, *adj.* Fragile et fin.

frelon, *subst. m.* Grosse guêpe dont la piqûre provoque une vive douleur.

freluquet, *subst. m.* Homme chétif. – Jeune homme prétentieux.

frémir, *verbe intrans.* Être agité d'un léger frisson. – Trembler d'émotion : **Frémir** *d'horreur.*

frémissement, *subst. m.* Légère agitation. – Tremblement d'émotion.

frêne, *subst. m.* Arbre à bois clair, souple et résistant des forêts tempérées.

frénésie, *subst. f.* Agitation intense et délirante.

frénétique, *adj. et subst.* D'un enthousiasme immodéré.

fréquence, *subst. f.* Caractère fréquent. – Nombre de fois où *qqch.* a lieu dans une période déterminée. – *Phys.* Nombre (exprimé en hertz) de vibrations identiques dans un phénomène par unité de temps.

fréquent, ente, *adj.* Qui se répète, habituel.

fréquentation, *subst. f.* Action de fréquenter. – Personne que l'on fréquente.

fréquenter, *verbe trans.* Aller souvent (dans un même lieu). – Avoir des relations suivies avec (*qqn*).

frère, *subst. m.* Personne de sexe masculin née des mêmes parents. – Membre d'un ordre religieux.

fresque, *subst. f.* Peinture à l'eau sur l'enduit frais d'un mur. – Grande œuvre romanesque.

fret, *subst. m.* Somme due pour le transport de marchandises. – Cargaison, chargement.

frétiller, *verbe intrans.* S'agiter avec de petits mouvements vifs.

fretin, *subst. m.* Poisson trop petit pour être pêché. – *Fig. Menu* **fretin** : ce qui présente peu d'intérêt.

friable, *adj.* Qui s'effrite facilement.

friand, friande, *adj. et subst. m.* Gourmand : **Friand** *de confiture, de ragots.* – *Subst.* Pâte feuilletée farcie.

friandise, *subst. f.* Petite confiserie ou pâtisserie que l'on mange avec les doigts.

fricassée, *subst. f.* Ragoût de viande sautée à la poêle, puis cuite en sauce.

friche, *subst. f.* Sol non cultivé.

friction, *subst. f.* Frottement d'une partie du corps. – *Fig.* Léger conflit.

frictionner, *verbe trans.* Frotter énergiquement.

frigorifique, *adj.* Qui produit du froid.

frileux, euse, *adj. et subst.* Sensible au froid. – *Fig.* Timoré, prudent à l'extrême.

frimaire, *subst. m.* Troisième mois du calendrier républicain, allant du 21-23 novembre au 20-22 décembre.

frimas, *subst. m.* Brouillard givrant (*littér.*).

frime, *subst. f.* Comportement destiné à duper ou à impressionner (*fam.*).

frimer, *verbe intrans.* Adopter une attitude fanfaronne pour éblouir son entourage (*fam.*).

frimousse, *subst. f.* Visage jeune et agréable (*fam.*).

fringale, *subst. f.* Appétit foudroyant (*fam.*).

fringant, ante, *adj.* Vif et de belle allure.

friper, *verbe trans.* Chiffonner, froisser. – Rider.

friperie, *subst. f.* Linge usagé. – Commerce de vêtements d'occasion.

fripon, onne, *adj. et subst.* Qui est espiègle et déluré.

fripouille, *subst. f.* Individu sans scrupule (*fam.*).

frire, *verbe* Cuire dans l'huile bouillante.

frise, *subst. f. Archit.* Bandeau décoratif.

friser, *verbe* Faire ou se faire des boucles, des ondulations. – *Trans.* Passer au ras de (*qqch.*). – *Fig.* Frôler : **Friser** *l'apoplexie.*

frisquet, ette, *adj.* Un peu froid (*fam.*).

frisson, *subst. m.* Légère vibration involontaire, provoquant une sensation pénible ou agréable.

frissonner, *verbe intrans.* Être saisi de frissons : **Frissonner** *de froid, de plaisir.*

frite, *subst. f.* Bâtonnet de pomme de terre frit.

friteuse, *subst. f.* Ustensile de cuisine dans lequel on fait frire des aliments.

friture, *subst. f.* Action de frire. – Aliment frit, en *partic.* menus poissons. – Grésillement, à la radio ou au téléphone.

frivole, *adj.* Qui manque de sérieux. – Qui s'attache à des futilités.

frivolité, *subst. f.* Caractère d'une personne frivole. – Propos, occupation frivole.

froid, froide, *adj. et subst. m. Subst.* Basse température ; au fig., indifférence, distance affective. – *Adj.* Dont la température est très peu élevée. – Qui donne une impression de **froid** : *Couleur* **froide** ; au fig., qui semble dénué de sensibilité.

froidement, *adv.* Avec froideur.

froideur, *subst. f.* Manque de sensibilité.

froidure, *subst. f.* Atmosphère froide, température hivernale (*littér.*).

froissement, *subst. m.* Action de froisser. – Résultat de cette action.

froisser, *verbe trans.* Meurtrir : **Froisser** *un muscle.* – Marquer de faux plis (une étoffe) ; rouler en boule (du papier). – *Fig.* Atteindre légèrement l'amour-propre de.

frôlement, *subst. m.* Action de toucher légèrement. – Son résultat.

frôler, *verbe trans.* Toucher à peine en passant. – Passer très près de.

fromage, *subst. m.* Pâte molle ou dure résultant de la coagulation du lait, éventuellement suivie de fermentation.

froment, *subst. m.* Blé tendre.

fronce, *subst. f.* Chacun des petits plis en relief que fait un tissu.

froncer, *verbe trans.* Resserrer une étoffe en faisant des fronces. – Contracter (la peau du visage).

frondaison, *subst. f.* Feuillage des arbres (*littér.*).

fronde, *subst. f.* Arme servant à lancer un projectile ; lancepierres. – Révolte.

frondeur, euse, *adj. et subst.* Se dit d'une personne qui est encline à braver l'autorité.

front, *subst. m.* Partie supérieure du visage, au-dessus des sourcils. – Zone où le combat fait rage. – *Fig.* Effronterie.

frontalier, ière, *adj. et subst. Adj.* Relatif à la frontière. – *Subst.* Personne qui habite près d'une frontière ou qui va travailler chaque jour dans un pays limitrophe.

frontière, *subst. f.* Limite séparant deux pays. – *Fig.* Limite entre deux choses.

fronton, *subst. m. Archit.* Ornement triangulaire surmontant une colonnade.

frottement, *subst. m.* Action de frotter. – Contact entre deux surfaces dont l'une au moins est en mouvement.

frotter, *verbe* Exercer simultanément une pression et un glissement. – Astiquer. – *Pronom. Se* **frotter** *à la pègre* : la fréquenter.

frousse, *subst. f.* Peur (*fam.*).

fructidor, *subst. m.* Douzième et dernier mois du calendrier républicain, allant du 18-19 août au 16-17 septembre.

fructifier, *verbe intrans.* Produire des fruits, des récoltes. – *Fig.* Rapporter des intérêts.

fructueux, euse, *adj.* Qui produit des résultats positifs. – Utile, bénéfique.

frugal, ale, aux, *adj.* Qui se contente d'aliments sobres. – *Repas* **frugal** : léger.

fruit, *subst. m.* Organe issu de la fleur d'un végétal, *souv.* comestible et de saveur sucrée. – **Fruits** *de mer* : coquillages et crustacés comestibles. – *Fig.* Produit, bénéfice.

fruité, ée, *adj.* Qui a un goût de fruit frais.

fruitier, ière, *adj. et subst. Subst.* Commerçant qui vend des fruits. – *Adj.* Qui produit des fruits.

frusques, *subst. f. plur.* Vieux vêtements (*fam.*).

fruste, *adj.* Mal dégrossi.

frustration, *subst. f. Psychol.* Tension résultant d'un manque.

frustrer, *verbe trans.* Placer (*qqn*) dans une situation de frustration. – Tromper, décevoir.

fuel, *voir* **fioul**

fugace, *adj.* Qui s'estompe rapidement.

fugitif, ive, *adj. et subst.* Qui est en fuite. – *Adj.* Qui dure peu.

fugue, *subst. f.* Abandon temporaire de son domicile : *Adolescent en* **fugue**. – *Mus.* Composition dont les motifs mélodiques semblent se poursuivre.

fugueur, euse, *adj. et subst.* Qui fait des fugues.

fuir, *verbe intrans.* S'éloigner vivement pour échapper à *qqn* ou à *qqch.* – S'écouler accidentellement. – *Trans.* Refuser d'affronter.

fuite, *subst. f.* Action de quitter en grande hâte un lieu pour éviter *qqch.* ou *qqn*. – Écoulement accidentel d'un liquide ou d'un gaz. – *Fig.* Divulgation d'un secret.

fulgurant, ante, *adj.* Rapide comme l'éclair. – Intense et bref : *Une douleur* **fulgurante**.

fulminer, *verbe intrans.* Éclater en invectives (*littér.*).

fumé, ée, *adj.* Exposé à la fumée pour être conservé : *Jambon* **fumé**. – *Verres* **fumés** : teintés de sombre.

fumée, *subst. f.* Combinaison de gaz, de vapeur d'eau et de microparticules dégagée par un corps en combustion et qui se répand dans l'air.

fumer, *verbe intrans.* Produire, dégager de la fumée, de la vapeur. – *Trans.* Consommer (du tabac). – Exposer (un aliment) à la fumée : **Fumer** *du jambon.* – Répandre du fumier sur (une terre).

fumet, *subst. m.* Odeur appétissante de certaines viandes cuites.

fumeur, euse, *subst.* Personne qui fume du tabac.

fumier, *subst. m.* Engrais formé d'excréments de bestiaux mélangés avec de la paille.

fumigation, *subst. f.* Diffusion de fumées désinfectantes. – Pulvérisation d'insecticides.

fumiste, *adj. et subst.* Se dit d'une personne qui ne fait rien sérieusement (*fam.*).

funambule, *subst.* Équilibriste qui marche sur une corde tendue dans le vide.

funèbre, *adj.* Qui se rapporte à la mort.

funérailles, *subst. f. plur.* Obsèques, enterrement.

funéraire, *adj.* Qui concerne les funérailles, les tombes : *Une urne* **funéraire**.

funeste, *adj.* Qui apporte du malheur.

funiculaire, *adj. et subst.* Chemin de fer gravissant de fortes pentes, et actionné par un câble.

fur et à mesure (au), *loc. adv.* En même temps, progressivement et proportionnellement.

furet, *subst. m.* Petit mammifère carnivore au corps allongé, qu'on peut dresser pour la chasse.

fureter, *verbe intrans.* Chasser au furet. – *Fig.* Fouiller partout.

fureur, *subst. f.* Colère violente, sans mesure. – Sentiment passionné.

furibond, onde, *adj.* Qui s'emporte exagérément. – Qui exprime une colère excessive.

furie, *subst. f.* Rage intense. – Femme qui donne libre cours à sa colère.

furieux, ieuse, *adj.* En proie à une colère intense. – D'une extrême violence.

furoncle, *subst. m.* Infection localisée de la peau.

furtif, ive, *adj.* Discret et rapide.

fusain, *subst. m.* Arbrisseau dont le bois carbonisé sert à dessiner. – Dessin au **fusain**.

fuseau, *subst. m.* Bobine, pointue à chaque bout, utilisée pour filer à la quenouille. – Pantalon de ski. – **Fuseau** *horaire* : chacune des vingt-quatre divisions de la surface terrestre où l'heure légale est identique.

fusée, *subst. f.* Engin à réaction ; véhicule spatial. – Pièce de feu d'artifice.

fuselage, *subst. m.* Partie principale d'un avion, à laquelle se fixent les ailes.

fuser, *verbe intrans.* Jaillir. – Retentir : *Les rires* **fusent**.

fusible, *adj. et subst. m. Subst.* Fil de plomb qui fond en cas de court-circuit. – *Adj.* Qui a la propriété de fondre sous l'effet de la chaleur.

fusil, *subst. m.* Arme à feu individuelle et portative, à canon long. – Celui qui tire au **fusil**.

fusilier, *subst. m.* **Fusilier** *marin* : membre du corps de la marine de guerre, combattant en *gén.* à terre.

fusillade, *subst. f.* Décharge simultanée de plusieurs armes à feu.

fusiller, *verbe trans.* Tuer à coups de fusil.

fusion, *subst. f.* Passage de l'état solide à l'état liquide sous l'action de la chaleur. – *Fig.* Réunion en un seul ensemble.

fusionner, *verbe Trans.* Réunir en un seul ensemble. – *Intrans.* S'unir en un tout.

fustiger, *verbe trans.* Condamner avec véhémence.

fût, *subst. m.* Tronc d'arbre. – Tige de colonne. – Tonneau.

futaie, *subst. f.* Plantation d'arbres au tronc élevé.

futé, ée, *adj. et subst.* Qui est astucieux, malin.

futile, *adj.* Dénué d'importance. – Qui s'attache à des choses insignifiantes.

futilité, *subst. f.* Manque de profondeur, de valeur. – Ce qui est futile.

futur, ure, *adj. et subst. m. Adj.* Qui est à venir. – *Subst.* Temps qui succédera au présent. – *Ling.* Temps verbal qui situe l'action dans l'avenir.

futuriste, *adj.* Qui évoque le futur.

fuyard, arde, *adj. et subst.* Qui prend la fuite ; qui s'enfuit devant l'ennemi.

G

g, g, *subst. m. inv.* Septième lettre et cinquième consonne de l'alphabet français, qui transcrit le son [g] sauf devant les voyelles *e, i, y*, où elle transcrit le son .

gabardine, *subst. f.* Manteau imperméable.

gabarit, *subst. m.* Modèle servant à vérifier le respect des normes de fabrication. – Dimension réglementée d'un objet. – Stature.

gâcher, *verbe trans.* Délayer (du plâtre, du ciment). – *Fig.* Gâter, saboter ; gaspiller.

gâchette, *subst. f.* Cran d'arrêt du pêne d'une serrure. – Pièce d'une arme à feu, actionnée par la détente ; la détente (*empl.* abusif).

gâchis, *subst. m.* Plâtre, ciment délayé avec de l'eau. – *Fig.* Gaspillage ; dégât. – Situation désolante, regrettable.

gadget, *subst. m.* Objet, dispositif qui plaît par sa nouveauté, mais qui est *souv.* inutile.

gaffe, *subst. f.* Perche munie d'un croc en fer, servant à accrocher, à attraper *qqch.* – Impair, bévue (*fam.*) : *Faire une* **gaffe**.

gaffeur, euse, *adj. et subst.* Qui commet des impairs.

gag, *subst. m.* Situation comique.

gage, *subst. m.* Objet servant à garantir un paiement. – *Fig.* Preuve, promesse. – *Jeux.* Punition infligée au perdant. – *Plur.* Salaire d'un domestique.

gager, *verbe trans.* Garantir par un gage : **Gager** *un emprunt.* – Parier (*littér.*).

gageure, *subst. f.* Action ou entreprise si délicate, si singulière qu'elle a l'air d'un défi.

gagner, *verbe Trans.* Acquérir (*qqch.*) par ses efforts ou par l'effet du hasard. – Être vainqueur dans (une épreuve, une lutte), remporter. – Parvenir (en un lieu). – S'étendre ; progresser. – *Intrans.* Vaincre. – Mériter : *Il* **gagne** *à être connu* ; s'améliorer.

gai, gaie, *adj.* Souriant, enjoué. – Divertissant.

gaieté, *subst. f.* Humeur joyeuse. – *De* **gaieté** *de cœur* : sans réticence.

gaillard, arde, *adj. et subst.* Se dit d'une personne robuste, pleine d'entrain.

gain, *subst. m.* Rémunération ; profit. – Succès, victoire : *Obtenir* **gain** *de cause*, l'emporter.

gaine, *subst. f.* Fourreau. – Sous-vêtement féminin comprimant la taille. – Conduit.

gainer, *verbe trans.* Revêtir d'une enveloppe protectrice. – Enserrer, mouler.

gala, *subst. m.* Somptueuse réception officielle.

galant, ante, *adj. et subst. Adj.* Délicat, prévenant à l'égard des femmes. – Propre aux liens amoureux : *Rendezvous* **galant**. – *Subst.* Amoureux, soupirant (vieilli).

galanterie, *subst. f.* Comportement social galant.

galaxie, *subst. f.* Unité cosmique constituée d'étoiles et de matière interstellaire. – *La* **Galaxie** : celle à laquelle appartient le Soleil.

galbe, *subst. m.* Modelé, courbure.

gale, *subst. f.* Affection cutanée contagieuse, due à un acarien.

galéjade, *subst. f.* Mystification mêlant l'humour et l'exagération.

galère, *subst. f.* Ancien navire à rames et à voiles. – *Fig.* Travail pénible ; mésaventure (*fam.*).

galerie, *subst. f.* Passage couvert d'un édifice. – Lieu d'exposition et de vente d'œuvres d'art. – Couloir souterrain de mine. – Conduit creusé dans la terre par certains animaux.

galérien, *subst. m.* Homme condamné à ramer sur les galères.

galet, *subst. m.* Pierre polie par les eaux.

galette, *subst. f.* Gâteau rond et plat.

galeux, euse, *adj.* Atteint de la gale : *Un chien* **galeux**. – *Fig. Brebis* **galeuse** : personne asociale, rejetée de son groupe.

galimatias, *subst. m.* Propos incompréhensible.

galion, *subst. m.* Grand voilier armé qu'utilisaient les Espagnols pour rapporter les richesses de leurs colonies.

galipette, *subst. f.* Culbute, gambade.

gallicisme, *subst. m.* Tournure, expression propre à la langue française.

gallinacé, *subst. m.* Oiseau terrestre domestique ou sauvage, tel que la poule, le faisan, la dinde, etc. – *Plur.* L'ordre correspondant.

gallo-romain, aine, *adj.* Qui se rapporte à la civilisation née de la conquête de la Gaule par les Romains.

galon, *subst. m.* Ruban utilisé pour border ou orner une étoffe. – Signe distinctif d'un grade militaire.

galop, *subst. m.* Allure la plus rapide de certains équidés, en *partic.* du cheval.

galoper, *verbe intrans.* Aller au galop. – Marcher, courir à vive allure.

galopin, *subst. m.* Garnement, chenapan (*fam.*).

galvaniser, *verbe trans.* Recouvrir (un métal) de zinc. – Communiquer une vive ardeur à.

galvauder, *verbe trans.* Gâcher, déprécier (*qqch.*) par un mauvais usage.

gambader, *verbe intrans.* Sautiller joyeusement.

gamelle, *subst. f.* Récipient individuel utilisé pour transporter un repas ; écuelle. – Son contenu. – Chute (*fam.*).

gamète, *subst. m.* Cellule reproductrice, animale ou végétale, mâle ou femelle.

gamin, ine, *subst.* Jeune garçon ou fille (*fam.*).

gamme, *subst. f. Mus.* Série de notes, de sons ascendants ou descendants, séparés par des intervalles conventionnels. – Ensemble des nuances d'une même couleur. – *Fig.* Série complète d'éléments de même nature.

gang, *subst. m.* Groupe organisé de malfaiteurs.

ganglion, *subst. m.* Renflement sous-cutané situé sur un nerf ou un vaisseau lymphatique.

gangrène, *subst. f.* Putréfaction d'un tissu organique vivant. – *Fig.* Agent de corruption.

gangrené, ée, *adj.* Attaqué par la gangrène. – *Fig.* Rongé par un mal insidieux.

gangster, *subst. m.* Membre d'un gang ; bandit.

gangue, *subst. f.* Substance qui enveloppe un minerai ou une pierre précieuse.

gant, *subst. m.* Accessoire vestimentaire qui recouvre la main en séparant chaque doigt.

garage, *subst. m.* Endroit couvert où l'on gare un véhicule. – Établissement d'entretien et de réparation des voitures.

garant, ante, *adj. et subst.* Qui valide, certifie *qqch.* – Qui répond de *qqn* ; responsable.

garantie, *subst. f.* Contrat assurant la réparation gratuite d'un produit, l'indemnisation de dommages, etc., pendant une période donnée. – Assurance : **Garantie** *de qualité.*

garantir, *verbe trans.* Se porter garant, répondre de. – Affirmer. – Préserver, mettre à l'abri.

garce, *subst. f. Fam.* Femme ou fille méchante. – Ce qui est désagréable, difficile : **Garce** *de vie !*

garçon, *subst. m.* Enfant de sexe masculin ; jeune homme. – Serveur dans un café.

garçonnière, *subst. f.* Logis d'homme célibataire, pouvant abriter des rencontres galantes.

garde (i), *subst. f.* Action de surveiller *qqn* ou *qqch.* pour protéger, défendre ou empêcher de s'en fuir. – Service de surveillance : *Médecin de* **garde** ; escorte : *La* **garde** *nationale.* – Attitude de défense, en boxe, en escrime, etc. – *Fig.* Attitude de méfiance, de prudence : *Être sur ses* **gardes.**

garde (ii), *subst. m.* Surveillant, gardien. – **Garde** *des Sceaux* : ministre de la Justice, en France.

garde-à-vous, *subst. m. inv.* Position réglementaire (corps immobile, talons joints) adoptée par les militaires dans certaines circonstances.

garde-barrière, *subst.* Personne chargée du fonctionnement d'un passage à niveau.

garde-boue, *subst. m. inv.* Pièce placée sur la roue d'un véhicule et protégeant des éclaboussures.

garde-chasse, *subst. m.* Personne responsable d'un domaine de chasse.

garde-fou, *subst. m.* Parapet, barrière qui empêche de tomber dans le vide.

garde-malade, *subst.* Personne qui prend soin des malades.

garde-manger, *subst. m. inv.* Petite armoire finement grillagée où l'on conserve les aliments.

garder, *verbe trans.* Prendre soin de. – Surveiller *qqn* pour l'empêcher de fuir. – Conserver ; maintenir. – *Pronom.* **Se garder** *de* : se préserver, se méfier de ; s'abstenir de.

garde-robe, *subst. f.* Penderie. – Ensemble des vêtements que possède *qqn.*

gardien, ienne, *subst.* Personne qui a la garde de *qqch.* ou de *qqn.* – Concierge.

gardon, *subst. m.* Petit poisson d'eau douce.

gare (i), *subst. f.* Construction longeant une voie ferrée, où s'effectuent les départs et les arrivées de voyageurs ou de marchandises.

gare (ii), *interj.* Cri d'avertissement : **Gare** *à toi !* – *Arriver sans crier* **gare** : à l'improviste.

garenne, *subst. f.* Étendue boisée envahie par les lapins sauvages : *Un lapin de* **garenne.**

garer, *verbe trans.* Ranger (un véhicule) dans un lieu de stationnement. – *Pronom.* **Se garer** *de* : faire en sorte d'éviter.

gargariser (se), *verbe pronom.* Se rincer la gorge avec un liquide. – *Fig.* Se délecter de (*fam.*).

gargote, *subst. f.* Petit restaurant médiocre (*péj.*).

gargouille, *subst. f.* Gouttière en saillie *souv.* ornée d'un monstre sculpté. – Cette sculpture.

gargouillement, *subst. m.* Bruit qui évoque celui de l'eau s'écoulant d'une gargouille.

gargouiller, *verbe intrans.* Émettre un gargouillement.

garnement, *subst. m.* Garçon agité, insupportable.

garni, ie, *adj. et subst. m. Adj.* Plat **garni** : servi avec un accompagnement. – *Subst.* Logement qui se loue meublé.

garnir, *verbe trans.* Équiper, munir d'un accessoire ou d'un ornement. – Remplir.

garnison, *subst. f.* Force armée assurant la défense d'une place. – Ensemble des troupes en caserne dans une ville.

garniture, *subst. f.* Ce qui embellit, complète ou protège *qqch.* – *Cuis.* Accompagnement d'un plat : *Une* **garniture** *de crudités.*

garrigue, *subst. f.* Végétation méditerranéenne, composée d'arbustes et de buissons.

garrot (i), *subst. m.* Partie du corps des grands quadrupèdes située au-dessus de l'épaule.

garrot (ii), *subst. m.* Lien servant à comprimer les vaisseaux pour stopper une hémorragie. – Collier de fer que l'on serrait avec une vis pour étrangler un supplicié.

garrotter, *verbe trans.* Immobiliser fortement par un lien. – *Fig.* **Garrotter** *l'opposition politique.*

gars, *subst. m. Fam.* Garçon. – Homme, type.

gas-oil, *voir* **gazole**

gaspillage, *subst. m.* Action, fait de gaspiller.

gaspiller, *verbe trans.* Utiliser à mauvais escient, sans bénéfice. – Dilapider.

gast(é)ropode, *subst. m.* Mollusque rampant tel que l'escargot, la limace, le buccin, etc. – *Plur.* La classe correspondante.

gastrique, *adj.* Relatif à l'estomac.

gastronome, *subst.* Amateur de bonne cuisine.

gastronomie, *subst. f.* Art de la bonne cuisine, de sa préparation et de sa dégustation.

gâteau, *subst. m.* Pâtisserie, en *gén.* à base de farine, de sucre et d'œufs.

gâter, *verbe trans.* Pourrir, abîmer. – Gâcher ; nuire à : **Gâter** *le paysage.* – Combler de bienfaits ; traiter (un enfant) avec trop de clémence. – *Pronom.* Se détériorer.

gâterie, *subst. f.* Attention affectueuse. – Petit cadeau, friandise.

gâteux, euse, *adj. et subst.* Dont les facultés mentales et physiques sont altérées par l'âge.

gauche (i), *adj. et subst. Adj. et subst. fém.* Qui est du côté du cœur du sujet. – *Subst. fém.* Côté d'une assemblée politique où siègent les tenants d'opinions avancées ; ensemble des partis progressistes. – *Subst. masc. Sp.* Poing ou pied **gauche.**

gauche (ii), *adj.* Malhabile, emprunté.

gaucher, ère, *adj. et subst.* Qui utilise naturellement sa main gauche.

gaucherie, *subst. f.* Manque d'habileté, d'aisance. – Geste maladroit.

gauchir, *verbe Intrans.* Se déformer. – *Trans.* Tordre, fausser (un objet). – *Fig.* Déformer (un fait).

gaufre, *subst. f.* Gâteau de cire fabriqué par les abeilles. – Pâtisserie légère au relief alvéolé.

gaufré, ée, *adj.* Imprimé de motifs en creux et en relief : *Cuir, tissu* **gaufré.**

gaule, *subst. f.* Longue perche. – Canne à pêche.

gauler, *verbe trans.* Frapper un arbre avec une gaule pour faire tomber ses fruits. – *Se faire* **gauler** : se faire prendre (*fam.*).

gaulois, oise, *adj. Adj.* De la Gaule. – D'une franchise un peu leste : *Une histoire* **gauloise**, égrillarde.

gausser (se), *verbe pronom.* Se moquer.

gaver, *verbe trans.* Nourrir de force ou avec excès.

gaz, *subst. m.* État de la matière où cette dernière occupe tout le volume dont elle dispose ; corps compressible, expansible et dilatable. – **Gaz** *naturel* : combustible. – *Plur.* Mélange d'air et d'essence utilisé dans les moteurs à explosion. – Substance gazeuse qui se forme dans le tube digestif.

gaze, *subst. f.* Étoffe légère. – Tissu de coton aéré utilisé pour faire des pansements.

gazéifier, *verbe trans.* Faire passer à l'état gazeux. – Rendre (un liquide) gazeux, pétillant.

gazelle, *subst. f.* Antilope à longues pattes, rapide, des steppes d'Asie ou d'Afrique.

gazer, *verbe Trans.* Soumettre à l'action d'un gaz toxique. – *Intrans. Fam.* Se dépêcher. – *Ça* **gaze** : tout va bien.

gazette, *subst. f.* Journal, revue (vieilli).

gazeux, euse, *adj.* De la nature du gaz. – Qui renferme du gaz carbonique en dissolution : *Boisson* **gazeuse.**

gazole, *subst. m.* Carburant ou combustible issu du pétrole.

gazon, *subst. m.* Herbe courte, fine et dense.

gazouiller, *verbe intrans.* Émettre des sons légers et plaisants, pour un oiseau ou un bébé.

gazouillis, *subst. m.* Bruit agréable et léger.

geai, *subst. m.* Oiseau forestier au plumage brun clair et aux ailes tachetées de bleu.

géant, géante, *adj. et subst.* De très grande taille.

geignard, arde, *adj. et subst.* Qui se plaint toujours, pleurnicheur (*fam.*).

geindre, *verbe intrans.* Gémir, se plaindre. – Se lamenter sans réel motif (*fam.*).

gel, *subst. m.* Congélation de l'eau. – Produit cosmétique à base d'huile ou d'eau. – *Fig.* Suspension d'un processus : *Le* **gel** *des salaires.*

gélatine, *subst. f.* Sorte de gelée obtenue par ébullition du collagène de tissus animaux.

gélatineux, euse, *adj.* Qui a l'aspect, la consistance de la gélatine.

gelée, *subst. f.* Diminution de la température en dessous de 0 °C, transformant l'eau en glace. – Jus de viande solidifié par le froid. – Jus de fruits cuits avec du sucre : **Gelée** *de framboise.*

geler, *verbe Trans.* Transformer en glace ; durcir. – Abîmer, détruire, en parlant du froid. – *Fig.* Suspendre : **Geler** *les négociations.* – *Intrans.* Se changer en glace. – Souffrir du froid.

gélule, *subst. f.* Capsule oblongue contenant un produit médicamenteux, que l'on ingère.

gémeaux, *subst. m. plur.* Constellation. – Troisième signe du zodiaque.

gémellité, *subst. f.* État des jumeaux. – Caractère de deux choses identiques.

gémir, *verbe intrans.* Émettre des gémissements.

gémissement, *subst. m.* Plainte sourde et inarticulée.

gemme, *subst. f.* Pierre précieuse ou pierre fine transparente. – Résine de pin.

gencive, *subst. f.* Partie de la muqueuse buccale qui recouvre la base des dents.

gendarme, *subst. m.* Militaire appartenant à un corps de gendarmerie.

gendarmerie, *subst. f.* Corps militaire chargé de la sûreté publique et du respect des lois. – Caserne et bureaux des gendarmes.

gendre, *subst. m.* Le mari de la fille, pour les parents de cette dernière (*synon.* beau-fils).

gène, *subst. m.* Fragment d'A.D.N., porteur et transmetteur des caractères héréditaires.

gêne, *subst. f.* Léger trouble physique. – Désagrément, embarras. – *Être dans la* **gêne** : manquer d'argent.

généalogie, *subst. f.* Ensemble des ascendants d'un individu. – Science des filiations.

gêner, *verbe trans.* Incommoder. – Entraver.

général (i), ale, aux, *adj.* Qui concerne tous les éléments d'un ensemble ; global. – Indéterminé, vague. – Qui est à un échelon élevé : *La direction* **générale**. – *Loc. adv.* En **général** : d'un point de vue commun, habituellement.

général (ii), aux, *subst. m.* Officier du grade le plus élevé dans les armées de terre et de l'air.

généraliser, *verbe trans.* Élargir à un ensemble. – *Empl. abs.* Extrapoler. – *Pronom.* Se répandre.

généraliste, *adj. et subst.* Se dit d'un médecin qui s'occupe de l'ensemble de l'organisme (*oppos.* *spécialiste*).

généralité, *subst. f.* Qualité de ce qui est général. – *Plur.* Propos vagues, banals.

générateur, trice, *adj. et subst. Adj.* Qui engendre, au sens biologique. – *Fig.* Qui déclenche un processus. – *Subst. masc.* Appareil qui transforme une énergie mécanique en énergie électrique. – *Subst. fém.* Machine qui produit un courant continu.

génération, *subst. f.* Reproduction ; action d'engendrer. – Ensemble des descendants appartenant à un même degré de filiation. – Ensemble d'individus du même âge.

généreux, euse, *adj.* Doué de sentiments nobles. – Qui donne avec largesse. – Fécond ; abondant ; épanoui : *Des formes* **généreuses**, plantureuses.

générique, *adj. et subst. m. Adj.* Propre à un genre dans son entier : *Terme* **générique**. – *Subst.* Liste des auteurs d'un film et de leurs collaborateurs, qui défile à l'écran.

générosité, *subst. f.* Qualité d'une personne, d'une action généreuse.

genèse, *subst. f. La* **Genèse** : premier livre de la Bible, qui conte la création du monde. – Processus d'élaboration d'une œuvre, d'un phénomène : *La* **genèse** *d'une théorie*.

genêt, *subst. m.* Arbrisseau, parfois épineux, à fleurs jaunes très odorantes.

génétique, *adj. et subst. f. Adj.* Relatif aux gènes, à la transmission héréditaire. – *Subst.* Science de l'hérédité.

génial, ale, aux, *adj.* Qui porte la marque du génie ; qui a du génie. – Extraordinaire (*fam.*).

génie, *subst. m.* Être surnaturel doté de pouvoirs magiques. – Aptitude exceptionnelle de l'esprit humain à comprendre, à créer ; personne qui est dotée de cette aptitude. – Ensemble des techniques visant à la réalisation de certains travaux : *Le* **génie** *civil*.

génisse, *subst. f.* Jeune vache n'ayant pas encore eu de veau.

génital, ale, aux, *adj.* Relatif à la reproduction sexuée.

géniteur, trice, *subst.* Personne ayant engendré.

génitif, *subst. m.* Cas du complément de nom, dans les langues à déclinaison.

génocide, *subst. m.* Extermination systématique d'un groupe humain, ethnique ou religieux.

genou, oux, *subst. m.* Articulation de la jambe et de la cuisse. – *Loc. adv. À* **genoux** : les **genoux** à terre.

genre, *subst. m. Le* **genre** *humain* : l'humanité. – *Biol.* Subdivision d'une famille, regroupant plusieurs espèces. – *Ling.* Catégorie indiquant l'appartenance au masculin, au féminin ou au neutre : *Accorder un mot en* **genre** *et en nombre*. – Type d'œuvre artistique : **Genre** *poétique*. – Sorte, espèce. – Allure.

gens, *subst. m. plur. ou f. plur.* Personnes : *Des* **gens** *méchants*. – Classe déterminée de personnes : *Les* **gens** *de mer* ; *Les bonnes* **gens**.

gent, *subst. f. sing.* Espèce : *La* **gent** *ailée*, les oiseaux.

gentil, ille, *adj.* Plaisant, charmant. – Attentionné. – Assez important (*fam.*) : *Une* **gentille** *somme*.

gentilhomme, *subst. m. Hist.* Homme de famille noble.

gentillesse, *subst. f.* Conduite, disposition d'une personne gentille. – Parole, geste bienveillant.

gentleman, *subst. m.* Homme distingué, de bonne éducation.

géographie, *subst. f.* Science qui décrit les aspects physiques naturels de la surface terrestre ainsi que son utilisation par l'homme.

geôle, *subst. f.* Prison (*littér.*).

géologie, *subst. f.* Science qui étudie la Terre, sa structure, son histoire et son évolution.

géomètre, *subst.* Spécialiste de la géométrie. – Technicien qui établit des plans.

géométrie, *subst. f.* Branche des mathématiques qui traite des propriétés de l'espace.

géranium, *subst. m.* Plante aux fleurs mauves, rouges ou roses, qui orne *souv.* les balcons.

gérant, ante, *subst.* Personne qui administre des biens ou qui dirige une entreprise pour le compte d'autrui.

gerbe, *subst. f.* Botte de céréales ou de grandes fleurs coupées. – *Une* **gerbe** *d'écume* : écume qui jaillit en faisceau.

gercer, *verbe Trans.* Marquer de gerçures. – *Intrans. Ses lèvres* **ont gercé**.

gerçure, *subst. f.* Petite crevasse de la peau, due au froid ou à la sécheresse.

gérer, *verbe trans.* Administrer (les intérêts de *qqn* ou ses propres affaires).

germanique, *adj. et subst.* Qui appartient au monde des Germains : *Une langue* **germanique**. – Allemand.

germe, *subst. m.* Premier état d'un être vivant. – Première pousse issue d'une graine. – *Fig.* Source, cause initiale : *Les* **germes** *du succès*. – *Méd.* Agent microbien.

germer, *verbe intrans.* Développer un germe, en parlant d'une plante. – *Fig.* Naître, se former.

germinal, *subst. m.* Septième mois du calendrier républicain, allant du 21-22 mars au 18-19 avril.

gérondif, *subst. m.* Forme invariable du participe présent précédé de « en », équivalant à un complément circonstanciel.

gérontologie, *subst. f.* Étude des phénomènes du vieillissement.

gésier, *subst. m.* Poche digestive de l'estomac d'un oiseau.

gésir, *verbe intrans.* Être étendu.

gestation, *subst. f.* Grossesse. – *Fig.* Période nécessaire à l'élaboration d'une œuvre.

geste (i), *subst. m.* Mouvement d'une partie du corps : *Un* **geste** *de la main*. – *Fig.* Acte : *Un* **geste** *héroïque*.

geste (ii), *subst. f.* Épopée du Moyen Âge.

gesticuler, *verbe intrans.* Faire de grands gestes.

gestion, *subst. f.* Action de gérer.

geyser, *subst. m.* Source d'eau chaude d'origine volcanique, qui jaillit de façon intermittente.

ghetto, *subst. m.* Quartier de certaines villes où les Juifs étaient relégués. – Lieu où se regroupe une minorité défavorisée.

gibecière, *subst. f.* Sac utilisé pour porter le gibier, les poissons.

gibet, *subst. m.* Potence à laquelle on pendait les criminels.

gibier, *subst. m.* Tout animal que l'on chasse.

giboulée, *subst. f.* Averse de pluie ou de grêle caractéristique du mois de mars.

giboyeux, euse, *adj.* Riche en gibier.

gicler, *verbe intrans.* Jaillir, être projeté avec force et en éclaboussant.

gifle, *subst. f.* Coup sur la joue administré du plat de la main. – *Fig.* Humiliation.

gifler, *verbe trans.* Donner une gifle à.

gigantesque, *adj.* Qui a des proportions géantes. – *Fig.* D'une ampleur prodigieuse.

gigogne, *adj.* Se dit d'éléments similaires, de taille décroissante, qui s'emboîtent les uns dans les autres : *Des poupées* **gigognes**.

gigolo, *subst. m.* Jeune homme qui se fait entretenir par une femme plus âgée que lui (*fam.*).

gigot, *subst. m.* Cuisse d'agneau, de mouton ou de chevreuil coupée pour la consommation.

gigoter, *verbe intrans. Fam.* Agiter les jambes. – Se trémousser : *Arrête de* **gigoter** !

gilet, *subst. m.* Vêtement masculin, court, sans manches et à boutons, porté sous un veston. – Tricot à manches, ouvert sur le devant. – Gilet *de sauvetage* : permettant de flotter.

gingembre, *subst. m.* Plante dont le rhizome sert de condiment.

gingivite, *subst. f.* Inflammation de la gencive.

girafe, *subst. f.* Grand ruminant d'Afrique au très long cou, au pelage roux tacheté de brun.

giratoire, *adj.* Qui pivote sur lui-même. – Qui décrit un cercle : *Sens* **giratoire**.

girofle, *subst. m.* Clou de **girofle** : bouton d'une fleur exotique, utilisé comme épice.

girolle, *subst. f.* Champignon savoureux, jaune orangé, également appelé chanterelle.

giron, *subst. m.* Partie du corps comprise entre la taille et les genoux d'une personne assise. – *Fig.* Sein : *Le* **giron** *de l'Église*.

girond, onde, *adj.* Bien bâti, agréable (*fam.*). – Bien en chair (*gén.* pour une femme).

girouette, *subst. f.* Plaque de métal mobile, située en haut d'un édifice, indiquant la direction du vent. – *Fig.* Personne inconstante, versatile.

gisant, ante, *adj. et subst. m. Adj.* Qui gît, qui repose immobile. – *Subst.* Sculpture d'un tombeau représentant un défunt allongé.

gisement, *subst. m.* Amas, couche contenant des richesses minérales.

gitan, ane, *adj. et subst.* Nomade d'Espagne originaire de l'Inde. – *Adj.* Relatif aux Gitans.

gîte, *subst. m.* Lieu où l'on peut loger, dormir. – **Gîte** *d'un animal* : son refuge.

gîter, *verbe intrans.* S'incliner latéralement, en parlant d'un bateau.

givre, *subst. m.* Poudre de glace blanche.

givré, ée, *adj.* Revêtu de givre : *Une vitre* **givrée** ; *Une orange* **givrée**. – Fou (*fam.*).

glabre, *adj.* Qui est dépourvu de poils.

glace, *subst. f.* Eau durcie par le gel. – *Fig. Rester de* **glace** : insensible. – Crème aromatisée et congelée. – Miroir ; vitre d'un véhicule.

glacer, *verbe trans.* Transformer en glace ; durcir sous l'effet du froid. – Pénétrer de froid. – *Fig.* Intimider, pétrifier.

glaciaire, *adj.* Relatif aux glaciers.

glacial, ale, als *ou* **aux**, *adj.* Froid comme la glace. – Où règne un froid très vif. – *Fig.* Sévère, hostile. – Qui manque de chaleur.

glaciation, *subst. f.* Épisode de l'histoire de la Terre où les glaces polaires se sont étendues sur une large partie des continents.

glacier, *subst. m.* Épaisse étendue de neige transformée en glace. – Fabricant ou marchand de glaces.

glacière, *subst. f.* Récipient rempli de glace dans lequel on conserve des aliments.

glaçon, *subst. m.* Petit cube de glace.

gladiateur, *subst. m.* Combattant des arènes romaines, dans les jeux du cirque.

glaïeul, *subst. m.* Plante ornementale aux fleurs en épi et aux longues feuilles pointues.

glaire, *subst. f.* Substance visqueuse sécrétée par des muqueuses. – Blanc d'œuf cru.

glaise, *subst. f.* Marne argileuse, imperméable et compacte, employée en poterie. – *Empl. adj. Terre* glaise.

glaive, *subst. m.* Courte épée à double tranchant.

gland, *subst. m.* Fruit du chêne. – Extrémité antérieure du pénis.

glande, *subst. f. Anat.* Organe de sécrétion.

glaner, *verbe trans.* Ramasser les épis qui sont restés après la moisson. – *Fig.* Collecter çà et là.

glapir, *verbe intrans.* Pousser son cri, en parlant de certains animaux tels que le lapin, le renard, l'aigle, le petit chien.

glas, *subst. m.* Tintement lent d'une cloche, qui annonce une mort ou un enterrement.

glauque, *adj.* Verdâtre : *Une mer* **glauque**. – Blafard. – *Fig.* Sordide (*fam.*).

glissade, *subst. f.* Action de glisser. – Mouvement effectué en glissant.

glissement, *subst. m.* Mouvement de ce qui glisse. – **Glissement** *de terrain* : affaissement. – *Fig.* Évolution : **Glissement** *de sens d'un mot*.

glisser, *verbe Intrans.* Se mouvoir de façon continue sur une surface lisse. – Trébucher, déraper. – Avancer sans bruit. – *Fig.* Ne pas insister, passer outre. – *Trans.* Introduire subrepticement, insinuer (*qqch.*).

glissière, *subst. f.* Pièce métallique fixe guidant le mouvement d'une autre pièce. – **Glissière** *de sécurité* : barrière métallique de protection placée le long d'une route.

global, ale, aux, *adj.* Pris dans son ensemble.

globe, *subst. m.* Élément sphérique : *Le* **globe** *oculaire*. – *Abs. Le* **globe** : la Terre. – Verre creux et sphérique, protégeant qqch.

globule, *subst. m.* Cellule en suspension dans les liquides de l'organisme : **Globules** *rouges, blancs*, éléments du sang.

globuleux, euse, *adj.* Qui a la forme d'un petit globe. – *Œil* **globuleux** : saillant.

gloire, *subst. f.* Prestige, renom éclatant. – Mérite, honneur : *Cette* **gloire** *vous revient*. – Personne célèbre : *Les* **gloires** *de notre pays*.

glorieux, ieuse, *adj.* Qui connaît la gloire, ou qui la procure : *Champion* **glorieux**.

glorifier, *verbe trans.* Célébrer, rendre gloire à ; exalter. – *Pronom.* S'enorgueillir.

glose, *subst. f.* Annotation, explication d'un mot semblant obscur. – Commentaire d'un texte. – Critique oiseuse ou malveillante.

glossaire, *subst. m.* Lexique d'une langue ou d'un domaine spécialisé de connaissances.

glotte, *subst. f.* Orifice du larynx.

glousser, *verbe intrans.* Pousser son cri (gloussement), en parlant de la poule. – Rire de façon saccadée et étouffée (*fam.*).

glouton, onne, *adj. et subst.* Qui mange goulûment.

glu, *subst. f.* Matière visqueuse très adhésive.

gluant, ante, *adj.* Qui est visqueux, poisseux.

glucide, *subst. m.* Composé naturel, également appelé sucre, présent dans certains aliments (fruits, pain, féculents, etc.).

glycine, *subst. f.* Plante grimpante à grappes de fleurs odorantes mauves, blanches ou roses.

gnome, *subst. m.* Nain monstrueux.

goal, *subst. m. Sp.* Gardien de but.

gobelet, *subst. m.* Récipient sans anse ni pied utilisé pour boire ou pour lancer les dés.

gober, *verbe trans.* Avaler rapidement en aspirant. – *Fig.* Croire naïvement (*fam.*).

godelureau, *subst. m.* Jeune homme frivole et fat.

godet, *subst. m.* Petit gobelet.

godille, *subst. f.* Aviron unique placé à l'arrière d'une embarcation. – Au ski, succession rapide de virages courts.

goéland, *subst. m.* Grand oiseau marin palmipède.

goélette, *subst. f.* Petit navire à deux mâts.

goémon, *subst. m.* Varech, ensemble des algues de mer récoltées pour servir d'engrais.

goguenard, arde, *adj.* Narquois, moqueur.

goguette (en), *loc. adj. Fam.* Un peu ivre, émoustillé. – Désireux de s'amuser (*fam.*).

goinfre, *adj. et subst.* Qui mange avec voracité et salement.

goinfrer (se), *verbe pronom.* Manger comme un goinfre, se gaver (*fam.*).

goitre, *subst. m.* Grosseur anormale située au cou, due à une hypertrophie de la glande thyroïde.

golf, *subst. m.* Sport où le joueur envoie, au moyen de cannes (clubs), une balle dans divers trous répartis sur un terrain étendu.

golfe, *subst. m.* Étendue de mer qui pénètre loin à l'intérieur des terres : *Le* **golfe** *Persique*.

gomme, *subst. f.* Liquide visqueux qui s'écoule de certains arbres : **Gomme** *de l'hévéa*, latex. – Colle sèche : **Gomme** *d'un timbre*. – Petit bloc de caoutchouc servant à effacer.

gommer, *verbe trans.* Enduire de gomme ou de colle. – Effacer avec une gomme. – *Fig.* Atténuer, éliminer.

gond, *subst. m.* Pièce de métal servant de pivot à une porte ou à une fenêtre.

gondole, *subst. f.* Longue barque vénitienne. – Présentoir de marchandises.

gondoler, *verbe intrans.* Se déformer en ondulant. – *Pronom. Fig.* Se tordre de rire (*fam.*).

gonfler, *verbe Trans.* Insuffler de l'air ou un gaz dans : **Gonfler** *un pneu.* – Dilater ; accroître le volume de : *La pluie* **gonfle** *le ruisseau*. – *Fig.*

Amplifier, majorer : **Gonfler** *l'addition*. – *Intrans.* Augmenter de volume.

gong, *subst. m.* Disque métallique que l'on frappe avec un maillet.

goret, *subst. m.* Jeune cochon.

gorge, *subst. f.* Partie du corps située à l'avant du cou. – Gosier : *Mal de* **gorge**. – Poitrine. – *Géogr.* Vallée encaissée.

gorgée, *subst. f.* Quantité de liquide ou d'air absorbée en une seule fois.

gorger, *verbe trans.* Faire manger ou boire exagérément ; gaver. – Saturer. – *Fig.* Combler.

gorille, *subst. m.* Le plus grand des singes (anthropomorphe vivant en Afrique équatoriale). – *Fig.* Garde du corps (*fam.*).

gosier, *subst. m.* Partie interne du cou.

gosse, *subst.* Enfant, gamin (*fam.*).

gothique, *adj. et subst.* Se dit du style architectural et décoratif né au XIIe s. en Europe. – Se dit de l'écriture angulaire utilisée jusqu'au XXe s. par les Allemands. – *Adj.* Relatif au peuple germanique des Goths.

gouache, *subst. f.* Peinture à l'eau.

gouaille, *subst. f.* Verve populaire et railleuse.

goudron, *subst. m.* Substance visqueuse et noirâtre issue de la distillation de diverses matières (bois, houille, mazout, etc.).

goudronner, *verbe trans.* Revêtir de goudron.

gouffre, *subst. m.* Trou large, profond et abrupt. – *Fig.* Ce qui est insondable. – Chose ruineuse.

goujat, *subst. m.* Homme indélicat dans ses propos ou ses manières, malotru.

goujon, *subst. m.* Petit poisson d'eau douce.

goulet, *subst. m.* Couloir étroit, passage resserré.

gouleyant, ante, *adj.* Se dit d'un vin frais et léger.

goulot, *subst. m.* Col étroit d'un récipient.

goulu, ue, *adj.* Qui mange avec avidité.

goulûment, *adv.* De manière goulue.

goupille, *subst. f.* Cheville métallique servant à assembler deux pièces.

goupillon, *subst. m.* Brosse cylindrique à long manche, servant à nettoyer des bouteilles. – *Relig.* Petit bâton terminé par une boule percée de trous, utilisé pour l'aspersion d'eau bénite.

gourd, gourde, *adj.* Engourdi par le froid.

gourde, *subst. f.* Bouteille ou bidon servant à conserver et à transporter des boissons. – *Fig.* Personne maladroite, empruntée (*fam.*).

gourdin, *subst. m.* Gros bâton court servant à frapper, massue.

gourmand, ande, *adj. et subst.* Qui prend plaisir à manger. – *Fig.* Avide.

gourmander, *verbe trans.* Réprimander vivement.

gourmandise, *subst. f.* Faiblesse du gourmand. – Mets qui flatte le palais ; friandise (*gén.* au *plur.*). – *Fig.* Convoitise.

gourmet, *subst. m.* Personne qui apprécie le raffinement d'un vin ou d'une bonne cuisine.

gourmette, *subst. f.* Bracelet fait d'anneaux aplatis.

gourou, *subst. m.* En Inde, maître spirituel. – Maître à penser.

gousse, *subst. f.* Fruit des légumineuses ; capsule bivalve contenant des graines. – Tête de l'ail, de l'échalote.

gousset, *subst. m.* Pochette où se range une montre : *Montre à* **gousset**.

goût, *subst. m.* L'un de nos cinq sens, dont l'organe est la langue. – Saveur des aliments. – Aptitude à percevoir ce qui est beau, ce qui convient. – Penchant, attirance.

goûter (i), *verbe Trans. dir.* Connaître par le sens du goût ; apprécier, savourer. – *Trans. indir.* **Goûter** *à, de* : consommer pour la première fois, en petites quantités ; faire l'essai de ; au fig., tâter de. – *Intrans.* Prendre une collation.

goûter (ii), *subst. m.* Collation prise dans l'après-midi.

goutte, *subst. f.* Petite quantité de liquide de forme arrondie.

goutter, *verbe intrans.* Laisser échapper des gouttes. – Couler goutte à goutte.

gouttière, *subst. f.* Conduit qui recueille, canalise et évacue l'eau de pluie.

gouvernail, *subst. m.* Appareil servant à diriger un navire ou toute autre embarcation.

gouvernant, ante, *adj. et subst.* Se dit des personnes ou des classes qui dirigent un pays. – *Subst. fém.* Femme qui est chargée de l'éducation d'un ou de plusieurs enfants ; femme qui s'occupe d'une personne seule.

gouverne, *subst. f.* Dispositif servant à piloter un avion (*gén.* au *plur.*). – *Pour votre* **gouverne** : pour votre information (*littér.*).

gouvernement, *subst. m.* Action de gouverner. – Organe détenteur du pouvoir exécutif, constitué par les ministres. – Structure politique d'un État.

gouverner, *verbe trans.* Diriger (un navire). – Conduire politiquement (un peuple, un pays) ; *empl. abs.*, détenir le pouvoir politique, en *partic.* exécutif.

gouverneur, *subst. m.* Aux États-Unis, détenteur du pouvoir exécutif dans un État fédéré. – Directeur d'une institution financière : *Le gouverneur de la Banque de France.* – *Hist.* Commandant d'une place forte, d'une région militaire ; représentant de l'autorité centrale, dans une colonie, un territoire, etc.

grabataire, *adj. et subst.* Se dit d'une personne malade qui ne peut plus quitter son lit.

grabuge, *subst. m.* Dispute, querelle bruyante.

grâce, *subst. f.* Faveur gratuite ; bienfait ; indulgence. – Charme, douce élégance émanant de *qqn* ou de *qqch.* – *Loc. prép.* **Grâce** à : avec l'aide de. – *Rendre* **grâce** *à* : remercier. – *Demander* **grâce** : supplier d'être épargné ; *Coup de* **grâce** : coup fatal. – Remise de peine : *La* **grâce** *présidentielle.*

gracier, *verbe trans.* Remettre ou diminuer la peine d'un condamné.

gracieux, ieuse, *adj.* Empreint de grâce, de finesse. – *A titre* **gracieux** : gratuitement.

gracile, *adj.* Élancé, frêle, délicat (*littér.*).

gradation, *subst. f.* Augmentation ou diminution par degrés successifs.

grade, *subst. m.* Degré hiérarchique.

gradé, ée, *adj. et subst.* Se dit d'un militaire qui a un grade sans toutefois être officier.

gradin, *subst. m.* Chacun des bancs fixes qui s'étagent dans un théâtre, un stade, etc.

graduation, *subst. f.* Action de graduer. – Les divisions obtenues.

graduel, elle, *adj.* Qui progresse par degrés.

graduer, *verbe trans.* Accroître progressivement. – **Graduer** *une règle, un baromètre* : les diviser en degrés, en intervalles égaux.

graffiti, *subst. m.* Inscription, dessin tracés sur un mur, un monument, etc.

grain, *subst. m.* Fruit (et semence) des graminées et des légumineuses. – Fruit d'une grappe. – Petit élément sphérique : **Grain** *de sel.* – Aspect d'une surface granuleuse. – **Grain** *de beauté* : petite tache sur la peau. – Vent fort et soudain ; averse.

graine, *subst. f.* Semence des plantes à fleurs. – *En prendre de la* **graine** : en tirer la leçon.

grainetier, ière, *subst.* Commerçant en grains.

graissage, *subst. m.* Action de graisser, de lubrifier.

graisse, *subst. f.* Substance molle et visqueuse présente dans les tissus cellulaires animaux ou végétaux. – Corps gras.

graisser, *verbe trans.* Enduire de graisse ou d'une matière grasse : **Graisser** *un engrenage.*

graminée, *subst. f.* Plante à tige creuse, non ramifiée et qui se termine en épi, telle l'avoine. – *Plur.* La famille correspondante.

grammaire, *subst. f.* Ensemble des règles qui permettent le bon usage d'une langue.

grammatical, ale, aux, *adj.* Relatif à la grammaire.

grand, grande, *adj. et subst. Adj.* Qui, par l'une de ses dimensions, dépasse la norme habituelle. – *Subst.* Personne plus âgée (par rapport à *qqn*). – *Les* **grands** *de ce monde* : les personnes les plus influentes.

grandeur, *subst. f.* Qualité de ce qui est grand. – Taille, dimension ; valeur mesurable. – **Grandeur** *nature* : à l'échelle de la réalité. – Importance. – Dignité, noblesse morale : **Grandeur** *d'âme.*

grandiloquence, *subst. f.* Emphase dans l'expression ou dans le style.

grandiose, *adj.* Dont l'ampleur matérielle ou morale impressionne.

grandir, *verbe Intrans.* Devenir plus grand, physiquement ou moralement. – *Trans.* Rendre ou faire paraître plus grand. – Élever moralement.

grand-mère, *subst. f.* Mère du père ou de la mère. – Femme âgée (*fam.*).

grand-messe, *subst. f.* Messe chantée. – Rassemblement solennel.

grand-peine (à), *loc. adv.* Très difficilement, en faisant des efforts pénibles.

grand-père, *subst. m.* Père du père ou de la mère. – Homme âgé (*fam.*).

grands-parents, *subst. m. plur.* Grand-père et grand-mère paternels ou maternels.

grange, *subst. f.* Bâtiment de ferme qui sert à abriter les récoltes.

granit(e), *subst. m.* Roche dure, à forte teneur en quartz, utilisée en architecture et en décoration.

granulé, *subst. m.* Petit grain de sucre contenant une substance médicamenteuse.

granuleux, euse, *adj.* Dont la surface présente des aspérités en forme de petits grains.

graphique, *adj. et subst. m. Adj.* Qui fait apparaître par des traits, des lignes. – *Subst.* Tracé, ligne représentant un phénomène, une évolution ; tracé, courbe.

graphisme, *subst. m.* Ensemble des caractéristiques de ce qui est tracé, dessiné.

graphologie, *subst. f.* Étude des rapports entre l'écriture d'une personne et son caractère.

grappe, *subst. f.* Ensemble de fleurs ou de fruits s'étageant sur une tige.

grappiller, *verbe trans.* Prendre, glaner de-ci de-là.

grappin, *subst. m.* Petite ancre munie de crochets. – *Fig.* Mettre le **grappin** sur : s'emparer de.

gras, grasse, *adj., subst. m. et adv. Adj.* Riche en graisses, en lipides. – Épais, charnu. – Enduit ou souillé de graisse. – *Fig.* Grossier, obscène. – *Adv. Manger* **gras**. – *Subst.* Partie **grasse** de la viande.

grassouillet, ette, *adj.* Dodu, potelé.

gratification, *subst. f.* Somme d'argent accordée à *qqn* à titre de récompense ; pourboire. – Valorisation.

gratifier, *verbe trans.* Doter d'un agrément, d'une faveur. – *Fig. Il* **fut gratifié** *d'un blâme* (*iron.*).

gratin, *subst. m.* Mets cuit au four et doté d'une croûte grillée. – *Fig.* Élite mondaine (*fam.*).

gratiner, *verbe Intrans.* Se couvrir d'une croûte dorée en cuisant. – *Trans.* **Gratiner** *un chou-fleur.*

gratis, *adj. inv. et adv. Adv.* Gratuitement. – *Adj.* Qui ne coûte rien.

gratitude, *subst. f.* Sentiment de reconnaissance envers *qqn* pour son aide, ses bienfaits.

gratte-ciel, *subst. m. inv.* Immeuble de très grande hauteur (*synon. tour*).

grattement, *subst. m.* Action de gratter. – Le bruit qui en résulte.

gratte-papier, *subst. m. inv. Péj.* Petit employé aux écritures. – Piètre écrivain.

gratter, *verbe Trans.* Frotter (une surface) avec les ongles ou avec un instrument. – Racler pour faire disparaître. – Irriter, démanger. – *Fig.* Récupérer, pour un menu profit (*fam.*) : **Gratter** *les fonds de tiroir*. – *Intrans.* Faire entendre un grattement.

grattoir, *subst. m.* Outil utilisé pour gratter une surface.

gratuit, uite, *adj.* Qu'il n'est pas nécessaire de payer : *Spectacle* **gratuit**. – Dénué de fondement, arbitraire : *Affirmation* **gratuite**.

gratuité, *subst. f.* Caractère de ce qui est gratuit.

gravats, *subst. m. plur.* Débris issus d'une démolition.

grave, *adj.* Qui exprime le sérieux, la dignité : *Un ton* **grave**. – Important ; lourd de conséquences : *Maladie* **grave**. – *Ling. Accent* **grave** : signe (`) qui, placé sur le *e*, indique la prononciation ouverte [ε], ou qui différencie des homonymes (*à, çà, là, où*). – *Mus.* Qualifie les sons de faible fréquence : *Une voix* **grave**.

graver, *verbe trans.* Tracer, en entaillant une surface dure. – *Fig.* **Graver** *un souvenir dans sa mémoire* : l'y imprimer durablement.

graveur, euse, *subst.* Artiste qui grave.

gravier, *subst. m.* Sable mêlé de petits cailloux.

gravir, *verbe trans.* Faire l'ascension difficile (d'un escalier, d'une côte), escalader. – *Fig.* **Gravir** *les échelons de la hiérarchie*.

gravitation, *subst. f.* Loi de la physique en vertu de laquelle les corps matériels s'attirent réciproquement.

gravité, *subst. f.* Caractère de ce qui est digne. – Caractère de ce qui est important ou lourd de conséquences : *Une blessure d'une grande* **gravité** ; *La* **gravité** *d'une faute*. – *Phys.* Phénomène d'attraction d'un corps vers le centre de la Terre.

graviter, *verbe intrans.* Décrire une trajectoire autour d'un centre d'attraction selon les lois de la gravitation. – *Fig.* Vivre à proximité de *qqn*, de *qqch.* : **Graviter** *autour du pouvoir*.

gravure, *subst. f.* Art, action, manière de graver. – L'œuvre ainsi obtenue.

gré, *subst. m.* Ce qui agrée : *À mon* **gré**, à mon goût ; *Contre mon* **gré**, contre ma volonté ; *Bon* **gré** *mal* **gré**, que cela plaise ou non. – Gratitude : *Savoir* **gré** *à qqn*, lui être reconnaissant.

grec, *subst. m.* Langue parlée en Grèce.

gredin, ine, *subst.* Individu malhonnête.

gréement, *subst. m.* Ensemble de l'équipement (voiles, mâts, cordages, etc.) nécessaire à la marche, à la manœuvre d'un voilier.

gréer, *verbe trans.* Pourvoir d'un gréement (un navire, un mât).

greffe (i), *subst. m.* Service administratif chargé de conserver les minutes des actes judiciaires.

greffe (ii), *subst. f.* Insertion d'une partie vivante d'une plante dans une autre. – Transfert sur un individu d'un tissu ou d'un organe prélevé sur lui-même ou sur un autre sujet.

greffer, *verbe trans.* Pratiquer une greffe (II). – *Fig.* Ajouter. – *Pronom.* Se joindre à.

greffier, ière, *subst.* Officier public chargé du greffe et qui assiste les magistrats, à l'audience.

grégaire, *adj.* Qui vit en groupe. – Qui incite à adopter le comportement du groupe.

grège, *adj. et subst. m. Adj. fém.* Soie **grège** : soie naturelle, écrue, non traitée. – *Subst.* et *adj.* Couleur de cette soie.

grêle (i), *adj.* Mince et allongé, fluet. – *Son* **grêle** : faible et aigu.

grêle (ii), *subst. f.* Pluie de grêlons.

grêler, *verbe impers. Il* **grêle** : il tombe de la grêle.

grêlon, *subst. m.* Petite bille de glace.

grelot, *subst. m.* Petite sphère métallique creuse contenant un morceau de métal, qui produit un son grêle lorsqu'on l'agite.

grelotter, *verbe intrans.* Trembler de froid.

grenade, *subst. f.* Fruit du grenadier, renfermant des graines rouges et charnues. – Projectile muni d'un détonateur, qu'on lance à la main ou au fusil.

grenadine, *subst. f.* Sirop préparé avec du jus de grenade ; sirop de couleur rouge.

grenat, *subst. m.* Pierre fine rouge foncé. – *Empl. adj. inv.* Couleur du **grenat**.

grenier, *subst. m.* Lieu où l'on conserve les grains, le fourrage. – Étage le plus élevé d'une maison, juste sous les combles.

grenouille, *subst. f.* Batracien qui saute et qui nage.

grenu, ue, *adj.* Dont la surface est inégale, comme recouverte de petits grains.

grès, *subst. m.* Roche sédimentaire. – Argile mêlée de silice utilisée en poterie.

grésil, *subst. m.* Fine pluie de neige et de glace.

grésillement, *subst. m.* Crépitement.

grésiller, *verbe intrans.* Crépiter, en parlant d'une substance soumise au feu.

grève (i), *subst. f.* Étendue de sable ou de gravier bordant la mer ou un cours d'eau.

grève (ii), *subst. f.* Interruption du travail décidée par des salariés pour exprimer une revendication, un mécontentement. – **Grève** *de la faim* : refus de s'alimenter, en signe de protestation.

grever, *verbe trans.* Soumettre à une charge financière, à une servitude.

gribouillage, *subst. m.* Dessin ou texte maladroit (*fam.*).

gribouiller, *verbe* Écrire, dessiner de façon maladroite ou précipitée (*fam.*).

grief, *subst. m.* Sujet de plainte. – Reproche.

griffe, *subst. f.* Ongle pointu et crochu des doigts de certains animaux. – *Fig.* Moyen d'attaque ou de défense : *Sortir ses* **griffes**. – Signature, marque : *La* **griffe** *d'un couturier*.

griffer, *verbe trans.* Donner des coups de griffe ou d'ongle à, égratigner.

griffon, *subst. m.* Monstre mythique ailé. – Chien de chasse au poil broussailleux.

griffonner, *verbe trans.* Rédiger, dessiner sans soin ou rapidement.

grignoter, *verbe Trans.* Manger du bout des dents. – *Intrans.* Manger à peine.

gril, *subst. m.* Ustensile de cuisine composé d'une grille métallique, servant à cuire un aliment à feu vif.

grillade, *subst. f.* Tranche de viande grillée.

grillage, *subst. m.* Treillage métallique, utilisé pour clôturer ou protéger.

grille, *subst. f.* Assemblage de barreaux servant de clôture, de protection. – Tableau quadrillé : **Grille** *de mots croisés, d'horaires*.

grille-pain, *subst. m. inv.* Appareil électrique servant à faire griller des tranches de pain.

griller, *verbe Trans.* Faire cuire sur le gril, sur les braises. – Brûler, torréfier. – Abîmer en desséchant. – *Fam.* Dépasser sans s'arrêter : **Griller** *un feu rouge*. – Mettre hors d'usage : **Griller** *une lampe*. – Démasquer (*qqn*). – *Intrans.* Cuire sur le gril.

grillon, *subst. m.* Insecte sauteur, doté d'un organe stridulant, qui peut vivre dans les cheminées.

grimace, *subst. f.* Distorsion passagère du visage, soit réflexe, due à un sentiment, à une douleur, soit volontaire, pour faire rire.

grimacer, *verbe intrans.* Faire une ou des grimaces.

grimer, *verbe trans.* Maquiller (un acteur, un clown, etc.).

grimoire, *subst. m.* Livre de magie. – Ouvrage incompréhensible ou obscur (*péj.*).

grimpant, ante, *adj. Plante* grimpante : qui monte en s'agrippant.

grimper, *verbe Intrans.* Monter à l'aide des mains et des pieds. – S'élever, se hisser jusqu'à un point élevé. – *Fig.* Aller en croissant : *Les prix* **grimpent**. – *Trans.* Gravir.

grincement, *subst. m.* Fait de grincer ; bruit aigu, pénible à l'oreille. – *Fig.* **Grincements** *de dents* : mécontentement, frictions.

grincer, *verbe intrans.* Émettre un bruit de frottement aigu et désagréable.

grincheux, euse, *adj. et subst.* D'humeur chagrine, revêche.

gringalet, *subst. m.* Individu petit et malingre.

griotte, *subst. f.* Cerise acide à queue courte.

grippe, *subst. f.* Maladie virale, épidémique, qui s'accompagne d'une forte fièvre. – *Fig. Prendre en* **grippe** : en aversion.

grippé, ée, *adj.* Qui souffre de la grippe.

gripper, *verbe intrans.* Se bloquer par suite d'un frottement anormal, en parlant d'un mécanisme. – *Fig.* Ne pas aboutir.

grippe-sou, *subst. m.* Personne avare et mesquine (*fam.*).

gris, grise, *adj. et subst. m.* Couleur située entre le blanc et le noir. – *Adj. Fig.* Terne, morne. – À demi ivre (*fam.*).

grisaille, *subst. f.* Temps de pluie et de brume. – *Fig.* Ennui, monotonie.

griser, *verbe trans.* Rendre légèrement ivre. – Étourdir : *Un air vif qui* **grise**. – Exciter psychiquement, exalter.

grisonner, *verbe intrans.* Prendre une teinte grise, en parlant des cheveux.

grisou, *subst. m.* Gaz qui se dégage dans les mines de charbon et qui, mélangé à l'air, est inflammable : *Coup de* **grisou**.

grive, *subst. f.* Oiseau passereau au plumage brun tacheté de gris, friand de raisin.

grivèlerie, *subst. f.* Délit constitué par le défaut de paiement d'une consommation.

grivois, oise, *adj.* Qui parle du sexe légèrement, sans toutefois être obscène.

grizzli, *subst. m.* Grand ours gris-brun d'Amérique du Nord.

grog, *subst. m.* Boisson réconfortante, chaude et sucrée, à base de rhum et de citron.

groggy, *adj. inv.* Ébranlé par un choc physique, par une émotion.

grogne, *subst. f.* Mécontentement, mauvaise humeur collective (*fam.*).

grognement, *subst. m.* Cri du porc, de l'ours, etc. – Paroles inintelligibles.

grogner, *verbe intrans.* Pousser son cri, en parlant du porc, de l'ours, etc. – Manifester son irritation en articulant à peine.

grognon, onne, *adj. et subst.* Qui est de mauvaise humeur, renfrogné (*fam.*).

groin, *subst. m.* Museau du porc et du sanglier.

grommeler, *verbe* Dire son mécontentement sans articuler, d'une voix sourde.

grondement, *subst. m.* Bruit sourd et prolongé, évoquant *souv.* une menace.

gronder, *verbe Intrans.* Émettre un cri sourd et menaçant, en parlant d'un animal ; produire un bruit évoquant ce cri. – *Fig.* Être près d'exploser. – *Trans.* Réprimander.

gros, grosse, *adj., subst. et adv.* *Adj.* Dont le volume, le poids excèdent les proportions normales. – Important. – Sans finesse, ordinaire. – *Subst.* Personne grosse ; au *masc.*, la plus grande partie d'un tout. – *Commerce de* **gros** : qui fournit les détaillants. – *Adv.* En grandes dimensions : *Écrire* **gros** ; beaucoup. – *Loc. adv.* **En gros** : approximativement.

groseille, *subst. f.* Fruit du groseillier, rouge ou blanc, acide, qui pousse en grappes.

grossesse, *subst. f.* État de la femme enceinte. – Les neuf mois de gestation.

grosseur, *subst. f.* Proportion. – Importance. – Manque de finesse. – Tuméfaction.

grossier, ière, *adj.* Fabriqué, élaboré de manière rudimentaire, sommaire. – Rude ; sans finesse. – Qui est mal dégrossi, qui manque d'éducation ; vulgaire.

grossièreté, *subst. f.* Caractère de ce qui est grossier, sans délicatesse. – Propos inconvenant, mot grossier.

grossir, *verbe Intrans.* Augmenter en volume, en importance, en intensité ou en nombre. – *Trans.* Amplifier ; accroître.

grossiste, *subst. m.* Commerçant qui achète au producteur et vend au détaillant.

grosso modo, *loc. adv.* Globalement, en gros.

grotesque, *adj.* Ridicule par son caractère exagéré ; de mauvais goût.

grotte, *subst. f.* Grande cavité, naturelle ou artificielle, dans un rocher.

grouillement, *subst. m.* Agitation de ce qui grouille.

grouiller, *verbe intrans.* S'agiter en grand nombre, dans toutes les directions : **Grouiller** *de monde.* – Être le lieu d'une agitation confuse. – *Pronom.* Se dépêcher (*fam.*).

groupe, *subst. m.* Ensemble de choses, d'êtres vivants réunis en un même lieu ou présentant des caractéristiques communes. – Ensemble de personnes ayant une même activité.

groupement, *subst. m.* Action de grouper ; fait d'être groupé. – Réunion de personnes autour d'un intérêt commun.

grouper, *verbe trans.* Réunir en groupe.

groupie, *subst.* Admirateur inconditionnel d'une vedette, d'un groupe de musique.

groupuscule, *subst. m.* Petit groupe politique marginal (*fam.*).

grue (i), *subst. f.* Grand échassier migrateur au long cou. – Prostituée (*fam.*).

grue (ii), *subst. f.* Appareil de levage et de manutention des charges lourdes.

gruger, *verbe trans.* Voler en dupant.

grumeau, *subst. m.* Petit morceau d'une substance coagulée ou mal délayée.

grumeler (se), *verbe pronom.* Former des grumeaux.

gruyère, *subst. m.* Fromage cuit, à pâte ferme, fabriqué avec du lait de vache.

guano, *subst. m.* Amas de déjections d'oiseaux marins, utilisé comme engrais.

gué, *subst. m.* Partie d'une rivière où le faible niveau de l'eau permet de traverser à pied.

guenille, *subst. f.* Vêtement usé, troué, sale.

guenon, *subst. f.* Femelle du singe.

guépard, *subst. m.* Félidé au pelage tacheté, qui peut courir à la vitesse de 100 km/h.

guêpe, *subst. f.* Insecte social jaune et noir, dont la femelle possède un aiguillon venimeux.

guêpier, *subst. m.* Oiseau passereau qui se nourrit de guêpes et d'abeilles. – Nid de guêpes. – *Fig.* Situation périlleuse ; piège.

guère, *adv. Il ne boit* **guère** : pas beaucoup ; *Il n'est* **guère** *content* : pas très.

guéridon, *subst. m.* Petite table décorative, ronde ou ovale, à pied central.

guérilla, *subst. f.* Guerre de harcèlement, d'embuscades, menée par des partisans.

guérillero, *subst. m.* Soldat de guérilla.

guérir, *verbe Trans.* Faire recouvrer la santé ; débarrasser d'un mal physique ou moral. – *Intrans.* et *pronom.* Recouvrer la santé.

guérison, *subst. f.* Action de guérir *qqn*. – Fait de se rétablir.

guérisseur, euse, *subst.* Personne qui se propose de guérir les autres, en vertu de dons ou par des moyens non reconnus par les autorités.

guérite, *subst. f.* Petite cabane abritant un garde.

guerre, *subst. f.* Conflit armé entre nations. – Hostilité qui perdure entre individus. – Lutte menée pour détruire *qqch.* : *Faire la* **guerre** *aux injustices.*

guerrier, ière, *adj. et subst. Adj.* Relatif à la guerre. – Porté à la guerre. – *Subst.* Personne qui fait la guerre ou qui la recherche.

guerroyer, *verbe intrans.* Batailler (*littér.*).

guet, *subst. m. Faire le* **guet** : guetter.

guet-apens, *subst. m.* Piège tendu en vue de surprendre un adversaire, une victime.

guêtre, *subst. f.* Cuir ou tissu qui gaine le dessus du pied et le bas de la jambe.

guetter, *verbe trans.* Surveiller, attendre attentivement. – *Fig. La ruine le* **guette** : le menace.

gueule, *subst. f.* Bouche de certains animaux : *La* **gueule** *d'un chien.* – Bouche, visage humain (*fam.*). – Ouverture béante.

gueux, gueuse, *subst.* Personne indigente ; mendiant.

gui, *subst. m.* Plante parasite de divers arbres, dont les petites baies blanches donnent la glu.

guichet, *subst. m.* Petite ouverture pratiquée dans une porte, un comptoir et permettant de communiquer avec le public.

guidage, *subst. m.* Action de guider *qqch.*, manuellement ou à l'aide d'un dispositif.

guide, *subst.* Personne qui guide, qui fait visiter. – *Masc.* Ouvrage de renseignements. – *Fém.* Lanière attachée au mors d'un cheval (*gén.* au *plur.*).

guider, *verbe trans.* Accompagner *qqn* pour lui montrer le chemin. – Faire visiter. – *Fig.* Conseiller.

guidon, *subst. m.* Barre munie de deux poignées, servant à diriger un cycle.

guigner, *verbe trans.* Regarder à la dérobée. – *Fig.* Convoiter.

guignol, *subst. m.* Marionnette que l'on anime de l'intérieur, avec la main. – Spectacle de marionnettes. – Pitre (*fam.*).

guillemet, *subst. m.* Signe typographique (« ») servant à isoler un texte ou des paroles cités.

guilleret, ette, *adj.* Vif et joyeux.

guillotiner, *verbe trans.* Trancher la tête (d'un condamné) au moyen d'une guillotine.

guimauve, *subst. f.* Plante herbacée à longue tige, dont la rose trémière est une espèce. – Friandise élastique.

guimbarde, *subst. f. Mus.* Petit instrument à languette vibrante. – Vieille voiture (*fam.*).

guindé, ée, *adj.* Raide, compassé.

guingois (de), *loc. adv.* De travers (*fam.*).

guirlande, *subst. f.* Élément décoratif en forme de couronne ou de cordon.

guise, *subst. f. À ma* **guise** : à mon gré, quand et comme je le veux. – *Loc. prép. En* **guise** *de* : à la place de.

guitare, *subst. f.* Instrument de musique à cordes pincées.

gustatif, ive, *adj.* Propre au sens du goût.

guttural, ale, aux, *adj.* Qui émane du fond de la gorge, en parlant d'un son. – *Anat.* Qui est propre au gosier.

gymnase, *subst. m.* Grande salle équipée pour la pratique de la gymnastique.

gymnastique, *subst. f.* Art d'assouplir et de fortifier le corps par des exercices appropriés.

gynécée, *subst. m.* Appartement des femmes, dans l'Antiquité grecque et romaine. – L'ensemble des femmes qui vivaient dans cet appartement.

gynécologie, *subst. f.* Spécialité médicale consacrée à l'appareil génital féminin.

gypse, *subst. m.* Roche sédimentaire qui, chauffée, donne le plâtre.

gyr(o)-, *préfixe* Préfixe signifiant « cercle » : **Gyro***phare*, phare rotatif placé sur le toit de certains véhicules prioritaires.

H

h, h, *subst. m. inv.* Huitième lettre et sixième consonne de l'alphabet français, qui ne se prononce pas ; devant un mot commençant par un **h** aspiré (noté * dans la phonétique), il n'y a ni élision ni liaison.

habile, *adj.* Qui fait preuve d'adresse.

habileté, *subst. f.* Adresse, compétence.

habiliter, *verbe trans.* Rendre apte juridiquement.

habillement, *subst. m.* Action de vêtir. – Les habits portés. – Industrie et commerce du vêtement.

habiller, *verbe trans.* Mettre, procurer des vêtements à (*qqn*). – Garnir.

habit, *subst. m.* Tenue de circonstance : **Habit** *de chasse*. – *Plur.* Vêtements.

habitacle, *subst. m.* Poste de pilotage. – Lieu abritant les passagers d'un véhicule.

habitant, ante, *subst.* Qui est établi ou qui réside en un lieu : *Un* **habitant** *du quartier*.

habitat, *subst. m.* Milieu naturel qui réunit les conditions propres à la vie d'une espèce.

habitation, *subst. f.* Demeure, résidence.

habiter, *verbe Intrans.* Vivre, résider (en un lieu). – *Trans.* Avoir comme domicile.

habitude, *subst. f.* Manière fréquente, récurrente, d'agir ou de ressentir. – Coutume, usage.

habituel, elle, *adj.* Usuel, coutumier. – Qui survient souvent, régulièrement.

habituer, *verbe trans.* Donner à (*qqn*) l'habitude de.

hache, *subst. f.* Instrument utilisé pour fendre, formé d'un fer fixé au bout d'un manche.

hacher, *verbe trans.* Débiter en menus morceaux. – *Fig.* Briser la continuité de.

hachis, *subst. m. Cuis.* Mélange d'aliments hachés menu.

hachoir, *subst. m.* Ustensile servant à hacher. – Planche sur laquelle on hache des aliments.

hachure, *subst. f.* Chacun des traits parallèles qui, dans un dessin, figurent les ombres.

hagard, arde, *adj.* Dont l'attitude exprime un état d'affolement ou d'épouvante.

haie, *subst. f.* Clôture d'arbres ou d'arbustes. – Rangée, alignement de personnes : **Haie** *d'honneur*. – *Sp.* Barrière disposée pour certaines courses.

haillon, *subst. m.* Vêtement usé, déchiré.

haine, *subst. f.* Profond sentiment d'inimitié, de malveillance, d'hostilité.

haïr, *verbe trans.* Éprouver de la haine pour.

hâle, *subst. m.* Brunissement de la peau dû au soleil et à l'air.

haleine, *subst. f.* Air que l'on rejette en respirant. – *Fig. De longue* **haleine** : qui requiert du temps et des efforts.

haler, *verbe trans.* Tirer sur. – Remorquer.

hâler, *verbe trans.* Donner (à la peau) une teinte plus ou moins dorée ou brune.

haleter, *verbe intrans.* Respirer de façon saccadée.

halle, *subst. f.* Espace couvert occupé par un marché ou un commerce de gros.

hallucination, *subst. f.* Perception imaginaire d'un objet, d'un phénomène.

halluciné, ée, *adj. et subst.* Se dit d'une personne qui souffre d'hallucinations. – *Fig.* Hagard.

hallucinogène, *adj. et subst. m.* Se dit d'une substance qui provoque des hallucinations.

halo, *subst. m.* Couronne de lumière autour d'une source lumineuse.

halte, *subst. f. et interj. Subst.* Arrêt voué au repos : *Faire une courte* **halte**. – Le lieu où l'on s'arrête. – *Interj.* Ordre de s'arrêter.

haltère, *subst. m.* Barre lestée de poids à ses deux extrémités, servant à la musculation.

hamac, *subst. m.* Morceau de toile ou filet suspendu par ses extrémités à deux points fixes, utilisé comme lit.

hameau, *subst. m.* Groupe de quelques maisons isolé dans la campagne.

hameçon, *subst. m.* Petit crochet fixé au bout d'une ligne de pêche. – *Fig.* Piège : *Mordre à l'***hameçon**.

hamster, *subst. m.* Petit rongeur d'Europe.

hanche, *subst. f. Anat.* Chacune des deux régions du corps qui relient les membres inférieurs au tronc : *Une jupe serrée aux* **hanches**.

handball, *subst. m. Sp.* Jeu de ballon se pratiquant à la main, entre 2 équipes de 7 joueurs.

handicap, *subst. m.* Infirmité, désavantage physique ou mental. – *Sp.* Désavantage imposé à un concurrent, dans le dessein d'égaliser les chances de chacun.

handicapé, ée, *adj. et subst.* Se dit d'une personne atteinte d'une infirmité physique ou mentale.

hangar, *subst. m.* Abri, bâtiment sommaire, servant d'entrepôt.

hanneton, *subst. m.* Gros coléoptère brun ou roux, dont la larve est très nuisible.

hanter, *verbe trans.* Fréquenter régulièrement un lieu. – En parlant d'un fantôme, revenir dans un lieu. – *Fig.* Obséder.

hantise, *subst. f.* Obsession : *La* **hantise** *de l'échec.*

happer, *verbe trans.* Saisir rapidement avec la gueule ou le bec. – Saisir brusquement.

harangue, *subst. f.* Discours solennel. – Discours pompeux, lassant.

harasser, *verbe trans.* Fatiguer.

harceler, *verbe trans. Milit.* Mener des assauts brefs et répétés. – *Fig.* Importuner sans répit.

harde, *subst. f.* Troupe de cerfs ou de daims.

hardes, *subst. f. plur.* Vêtements misérables.

hardi, ie, *adj.* Plein d'audace et de courage. – Osé, insolent : *Un livre* **hardi.**

hardiesse, *subst. f.* Qualité de ce qui est hardi.

harem, *subst. m.* Logement des femmes, chez les musulmans. – Ensemble des femmes qui y vivent.

hareng, *subst. m.* Poisson vivant en vastes bancs, de la mer du Nord à la Baltique.

hargne, *subst. f.* Mauvaise humeur agressive.

haricot, *subst. m.* Plante potagère cultivée pour ses pousses (**haricots** verts) ou ses graines (flageolets).

harmonica, *subst. m. Mus.* Instrument composé de petits tuyaux à anche juxtaposés, dans lequel on souffle.

harmonie, *subst. f.* Agrément résultant de la combinaison de sons, de couleurs ou de saveurs. – Équilibre entre les parties d'un ensemble. – Bonne entente.

harmonieux, ieuse, *adj.* Qui flatte l'oreille, ou l'un des autres sens.

harmoniser, *verbe trans.* Mettre en harmonie. – *Pronom.* Être en harmonie.

harmonium, *subst. m. Mus.* Instrument proche de l'orgue, mais dépourvu de tuyaux et à anches libres.

harnachement, *subst. m.* Action de harnacher. – Ensemble des pièces d'un harnais.

harnacher, *verbe trans.* Équiper d'un harnais.

harnais, *subst. m.* Équipement d'un cheval. – Ensemble des sangles entourant le corps d'un parachutiste, d'un alpiniste, etc.

harpe, *subst. f. Mus.* Instrument à cordes tendues verticalement sur un cadre.

harpie, *subst. f.* Femme acariâtre et méchante.

harpon, *subst. m.* Grande flèche emmanchée, utilisée pour la pêche aux gros poissons.

harponner, *verbe trans.* Accrocher avec un harpon. – *Fig.* Attraper, aborder brutalement (*qqn*).

hasard, *subst. m.* Concours de circonstances imprévisible. – Événement fortuit.

hasarder, *verbe trans.* Entreprendre, dire, en courant le risque d'échouer, de se tromper.

hasardeux, euse, *adj.* Risqué, aléatoire.

hase, *subst. f.* Femelle du lièvre.

hâte, *subst. f.* Célérité, empressement à agir. – *Loc. adv.* **En hâte** ; *À la* **hâte** : rapidement.

hâter, *verbe trans.* Avancer, précipiter : **Hâter** *son retour.* – *Pronom.* Se dépêcher.

hâtif, ive, *adj.* Précipité, bâclé : *Une démarche* **hâtive.** – Précoce : *Un cerisier* **hâtif.**

hausse, *subst. f.* Élévation, augmentation : *La* **hausse** *des eaux, des prix.* – Dispositif de pointage d'une arme à feu.

hausser, *verbe trans.* Augmenter la hauteur, la valeur, l'intensité de (*qqch.*). – *Pronom.* Se dresser.

haut, haute, *adj., subst. m. et adv. Adj.* D'une hauteur déterminée : **Haut** *de un mètre* ; plus élevé que la moyenne : *Une* **haute** *montagne.* – Qui est situé en altitude : *Les* **hautes** *branches* ; *Les* **hauts** *plateaux.* – Supérieur, élevé : *Les* **hauts** *salaires* ; *Une* **haute** *intelligence.* – Dressé, qui domine : *La tête* **haute.** – *Les notes* **hautes** : aiguës ; *Parler à voix* **haute** : fort. – Très grave : *Crime de* **haute** *trahison.* – *Subst.* Hauteur : *Deux mètres de* **haut.** – *Partie supérieure : Le* **haut** *de l'armoire.* – *Adv.* En hauteur : *Lever* **haut** *les bras.* – Fortement : *Parler* **haut.**

hautain, aine, *adj.* Arrogant, dédaigneux.

hautbois, *subst. m. Mus.* Instrument à vent, à anche double.

haut-de-forme, *subst. m.* Haut chapeau cylindrique.

hauteur, *subst. f.* Dimension verticale d'une chose. – Niveau : *À la* **hauteur** *de.* – Lieu élevé : *Les* **hauteurs** *de Montmartre.* – *Fig.* Caractère noble : **Hauteur** *d'âme.* – Arrogance. – **Hauteur** *d'un son* : sa fréquence.

haut-fond, *subst. m.* Élévation du fond de la mer ou d'un cours d'eau.

haut-le-cœur, *subst. m. inv.* Nausée. – Sensation de répugnance, dégoût.

haut-parleur, *subst. m.* Appareil qui transforme un courant électrique en sons (vocaux, musicaux).

hâve, *adj.* Maigre et pâle. – Blême.

havre, *subst. m.* Port, en *gén.* à l'embouchure d'un fleuve. – *Fig.* Refuge.

heaume, *subst. m.* Grand casque, au Moyen Âge.

hebdomadaire, *adj. et subst. m. Adj.* De la semaine. – Qui se renouvelle chaque semaine. – *Subst.* Publication qui paraît chaque semaine.

hébergement, *subst. m.* Action de procurer un logement. – Logement.

héberger, *verbe trans.* Loger chez soi. – Offrir un abri provisoire à.

hébétude, *subst. f.* État d'une personne abasourdie, comme paralysée psychiquement.

hébreu, eux, *adj. m. et subst. m. Adj.* Relatif aux Hébreux, peuple sémitique. – *Subst.* Langue d'Israël.

hécatombe, *subst. f.* Tuerie. – *Fig.* Élimination de nombreux candidats.

hédonisme, *subst. m.* Doctrine morale fondée sur la recherche du plaisir.

hégémonie, *subst. f.* Domination militaire et politique d'un État, d'un groupe sur un autre.

hélas, *interj.* Exclamation exprimant le regret.

héler, *verbe trans.* Appeler de loin.

hélice, *subst. f.* Courbe s'enroulant, dans l'espace, autour d'un axe médian. – Organe propulseur d'un navire ou de certains avions, formé de pales perpendiculaires à un axe.

hélicoptère, *subst. m.* Appareil d'aviation, dont la sustentation et la propulsion sont assurées par une voilure tournante.

héliport, *subst. m.* Aéroport pour hélicoptères.

hellénique, *adj.* Qui a trait à la Grèce, antique ou moderne : *La civilisation* **hellénique.**

helvétique, *adj.* Qui concerne la Suisse.

hématologie, *subst. f.* Partie de la biologie et de la médecine qui étudie le sang et ses maladies.

hématome, *subst. m.* Épanchement de sang sous la peau (*synon.* bleu).

hémicycle, *subst. m.* Espace, construction dont le plan est semi-circulaire.

hémiplégie, *subst. f.* Paralysie plus ou moins complète d'une moitié du corps.

hémisphère, *subst. m.* Moitié d'une sphère. – Moitié du globe terrestre, de part et d'autre de l'équateur : **Hémisphère** *boréal*. – Chacune des deux moitiés du cerveau.

hémoglobine, *subst. f.* Protéine des globules rouges du sang, transportant l'oxygène et le gaz carbonique.

hémophilie, *subst. f.* Affection caractérisée par un grand retard de la coagulation sanguine.

hémorragie, *subst. f.* Écoulement de sang hors des vaisseaux sanguins. – *Fig.* Perte massive (de vies humaines, d'argent, etc.).

hémorroïde, *subst. f.* Varice des veines de l'anus ou du rectum.

hennir, *verbe intrans.* Pousser son cri (hennissement), en parlant du cheval.

hépatique, *adj.* Qui concerne le foie.

hépatite, *subst. f.* Inflammation du foie.

héraldique, *adj. et subst. f. Subst.* Science du blason et des armoiries. – *Adj.* Relatif au blason.

herbacé, ée, *adj.* Qualifie une plante qui a la nature de l'herbe.

herbage, *subst. m.* Prairie naturelle où l'on fait paître des troupeaux.

herbe, *subst. f.* Plante fine, verte, non ligneuse, dont les parties aériennes meurent après avoir produit les graines.

herbier, *subst. m.* Collection de plantes séchées.

herbivore, *adj. et subst.* Se dit d'un animal qui se nourrit de végétaux.

herboriste, *subst.* Marchand de plantes médicinales et de préparations à base de plantes.

hère, *subst. m. Un pauvre* **hère** : un miséreux.

héréditaire, *adj.* Qui se transmet par hérédité.

hérédité, *subst. f.* Transmission de *qqch.* par voie de succession légale ou testamentaire. – Transmission des caractères génétiques d'un être vivant à ses descendants. – Ensemble des dispositions, des caractères transmis par les parents aux enfants.

hérésie, *subst. f.* Dans une religion, doctrine contraire aux dogmes. – Ce qui est contraire aux idées admises et aux traditions.

hérétique, *adj. et subst. Adj.* Qui relève de l'hérésie. – *Subst.* Personne qui professe ou qui soutient une hérésie.

hérisser, *verbe trans.* Faire se dresser (les poils, les cheveux, etc.). – Garnir (de choses pointues, d'obstacles dangereux). – *Pronom.* S'irriter ; se mettre sur la défensive.

hérisson, *subst. m.* Petit mammifère insectivore au corps recouvert de piquants.

héritage, *subst. m.* Action d'hériter. – Ce qui est transmis par voie de succession ou par les générations précédentes.

hériter, *verbe trans.* **Hériter** *un bien de qqn* ; **Hériter** *d'un bien* : en devenir propriétaire par voie de succession. – Avoir par hérédité : **Hériter** *d'un talent*.

hermaphrodite, *adj. et subst.* Qui possède les organes reproducteurs des deux sexes.

hermétique, *adj.* Qui se ferme parfaitement, étanche. – *Fig.* Obscur, difficile à interpréter.

hermine, *subst. f.* Mammifère carnivore à fourrure blanche l'hiver. – Cette fourrure.

hernie, *subst. f.* Tuméfaction formée par un organe (ou une partie d'organe) sorti de sa cavité.

héroïne, *subst. f.* Stupéfiant dérivé de la morphine.

héroïque, *adj.* Relatif aux héros de la mythologie antique. – Extrêmement énergique et courageux ; digne d'un héros.

héroïsme, *subst. m.* Courage exceptionnel. – Caractère de ce qui est héroïque.

héron, *subst. m.* Oiseau échassier, au long bec et au long cou.

héros, héroïne, *subst. Myth.* Demi-dieu. – Personne qui se distingue par son courage et ses qualités. – Personnage central d'un événement, d'une histoire.

herpès, *subst. m.* Lésion cutanée due à un virus.

hésitation, *subst. f.* Action d'hésiter, embarras.

hésiter, *verbe intrans.* **Hésiter à** +*inf.* ; **Hésiter** *entre plusieurs choses, sur qqch* : être indécis. – Manifester un doute en marquant un silence.

hétéroclite, *adj.* Qui manque d'unité, qui est fait de choses dissemblables, disparates.

hétérogène, *adj.* Formé d'éléments d'origine et de nature différentes.

hétérosexuel, elle, *adj. et subst.* Se dit de *qqn* qui est attiré par les personnes du sexe opposé au sien.

hêtre, *subst. m.* Grand arbre des forêts tempérées, à l'écorce lisse. – Bois de cet arbre.

heure, *subst. f.* Temps correspondant à la vingt-quatrième partie du jour (1 h = 60 min = 3 600 s). – Moment précis de la journée : *Il est 2 h 10.*

heureux, euse, *adj.* Qui a de la chance. – Qui réussit ce qu'il entreprend. – Qui connaît le bonheur. – Favorable (pour une chose).

heurt, *subst. m.* Choc. – Contraste excessif. – Désaccord, mésentente.

heurter, *verbe Trans.* Entrer brusquement en contact avec, cogner. – Contrarier fortement (*qqn*), froisser, choquer. – *Intrans.* **Heurter** *contre* : entrer en collision avec. – *Pronom.* Buter contre ; au *fig.*, s'opposer à.

hévéa, *subst. m.* Arbre tropical fournissant le latex, dont on tire le caoutchouc.

hexagone, *subst. m.* Polygone présentant 6 angles et 6 côtés. – *L'*Hexagone : la France.

hiatus, *subst. m.* Rencontre de sons vocaliques consécutifs : *Il alla à Amiens*. – Décalage, manque de continuité, de cohérence.

hibernation, *subst. f.* Sommeil accompagné d'une hypothermie dans lequel plongent certains animaux durant la saison froide.

hiberner, *verbe intrans.* Être en état d'hibernation.

hibou, oux, *subst. m.* Rapace nocturne, pourvu d'une aigrette.

hideux, euse, *adj.* Très laid, repoussant.

hier, *subst. m. et adv.* Le jour précédent immédiatement le jour présent. – Le passé récent.

hiérarchie, *subst. f.* Ordre et subordination des fonctions, des pouvoirs. – Ordre de subordination des éléments d'un ensemble.

hiérarchiser, *verbe trans.* Classer par ordre de valeur ou d'importance.

hiéroglyphe, *subst. m.* Signe de l'écriture des anciens Égyptiens. – *Plur.* Écriture illisible.

hilare, *adj.* Qui exprime une gaieté béate, une grande euphorie.

hindi, *subst. m.* Langue officielle de l'Union indienne, parlée surtout dans le nord de l'Inde.

hindouisme, *subst. m.* Religion répandue en Inde, qui est issue du brahmanisme.

hippique, *adj.* Qui concerne le cheval ou l'équitation : *Un concours* **hippique**.

hippocampe, *subst. m.* Petit poisson marin dont la tête évoque celle d'un cheval.

hippodrome, *subst. m.* Champ de courses de chevaux.

hippopotame, *subst. m.* Gros mammifère amphibie des fleuves et des lacs africains.

hirondelle, *subst. f.* Oiseau migrateur au vol rapide, dont le retour sous nos latitudes annonce le printemps.

hirsute, *adj.* Échevelé, ébouriffé.

hispanique, *adj.* Relatif à l'Espagne et aux pays de langue espagnole.

hisser, *verbe trans.* Élever, faire monter : **Hisser** *un mât.* – Tirer vers le haut, *souv.* avec effort : **Hisser** *un drapeau, une charge.*

histoire, *subst. f.* Science des faits humains et des événements passés. – Récit véridique ou imaginaire ; anecdote.

historien, ienne, *subst.* Spécialiste des études historiques. – Auteur d'ouvrages historiques.

historique, *adj. et subst. m. Adj.* Qui relève de l'histoire. – *Subst.* Exposé chronologique d'une question.

hit-parade, *subst. m.* Palmarès.

hiver, *subst. m.* Saison la plus froide de l'année, qui, dans l'hémisphère Nord, s'étend du solstice de décembre à l'équinoxe de mars.

hivernal, ale, aux, *adj.* Propre à l'hiver.

hiverner, *verbe intrans.* Passer l'hiver à l'abri.

h.l.m., *subst. f. ou m. inv.* Sigle de « habitation à loyer modéré », immeuble réservé aux personnes à revenus modestes.

hocher, *verbe trans.* **Hocher** *la tête* : la secouer pour exprimer l'approbation, le doute, etc.

hochet, *subst. m.* Jouet de bébé, léger et sonore.

hockey, *subst. m.* Sport d'équipe qui se pratique avec une crosse, sur gazon ou sur glace.

holà, *subst. m. inv. et interj. Interj.* Exclamation qui sert à appeler *qqn* ou à demander qu'une action soit modérée. – *Subst.* **Mettre** *le* **holà** *à* : mettre fin à.

hold-up, *subst. m. inv.* Vol quali.é, à main armée.

holocauste, *subst. m. Relig.* Sacrifice animal dans lequel la victime était entièrement brûlée. – *L'animal ainsi sacrifié.* – *L'*Holocauste : extermination des Juifs par les nazis.

holographie, *subst. f.* Procédé de photographie en relief utilisant les interférences de deux faisceaux de laser.

homard, *subst. m.* Crustacé décapode marin, à grandes pinces, dont la chair est très recherchée.

homéopathie, *subst. f.* Méthode de traitement des affections par des doses infinitésimales de substances qui provoqueraient une affection analogue chez des individus sains.

homérique, *adj.* Qui concerne Homère. – Digne de ses poèmes. – Fabuleux, grandiose.

homicide, *adj. et subst. m. Adj.* Qui cause la mort de personnes. – *Subst.* Action de tuer un être humain : **Homicide** *volontaire*.

hommage, *subst. m.* Marque de respect profond ; offrande, dédicace. – *Plur. Mes* **hommages**, *madame* : mes respects.

homme, *subst. m.* L'espèce humaine. – Être humain de sexe masculin, par *oppos.* à la femme. – Adulte mâle, par *oppos.* à l'enfant.

homogène, *adj.* Dont toutes les parties sont de même nature.

homologue, *adj. et subst. Adj.* Équivalent. – *Chim.* Se dit de composés organiques de même structure, de même fonction. – *Subst.* Personne qui exerce les mêmes fonctions qu'une autre.

homologuer, *verbe trans.* Ratifier une décision, un record, la conformité d'un objet.

homonyme, *adj. et subst. m.* Se dit de mots de sens différents qui se prononcent ou s'écrivent de la même façon (par *ex. verre, vert, vair*).

homosexuel, elle, *adj. et subst.* Qui est attiré par les personnes de son sexe.

hongrois, *subst. m.* Langue d'origine ouralienne parlée en Hongrie et en Transylvanie.

honnête, *adj.* Probe, de bonnes mœurs. – Conforme aux bonnes manières, correct. – *Un prix* **honnête** : convenable, satisfaisant.

honneur, *subst. m.* Dignité morale liée à certaines vertus. – Marque d'estime.

honnir, *verbe trans.* Vouer au mépris public.

honorabilité, *subst. f.* Fait d'être digne d'estime.

honoraires, *subst. m. plur.* Rétribution des membres des professions libérales.

honorer, *verbe trans.* Traiter avec respect, rendre hommage à. – Rendre digne d'estime : *Sa générosité l'*honore. – Acquitter, payer.

honorifique, *adj.* Qui confère un honneur, mais aucun avantage matériel.

honte, *subst. f.* Sentiment d'être déshonoré. – Confusion, pudeur, timidité. – *Faire* **honte** *à qqn* : lui faire des reproches.

honteux, euse, *adj.* Qui a honte. – Déshonorant, scandaleux.

hôpital, aux, *subst. m.* Établissement où l'on reçoit et où l'on soigne des malades.

hoquet, *subst. m.* Brusque contraction réflexe du diaphragme, accompagnée d'un son bref.

hoqueter, *verbe intrans.* Avoir le hoquet. – Sangloter par à-coups.

horaire, *adj. et subst. m. Adj.* Qui a lieu toutes les heures. – Qui correspond à une durée de une heure. – *Subst.* Tableau des heures de départ et d'arrivée. – Emploi du temps.

horde, *subst. f.* Troupe nomade. – *Fig.* Troupe de personnes indisciplinées, violentes.

horizon, *subst. m.* Limite extrême de la vue, ligne circulaire semblant séparer la mer ou la terre du ciel. – Partie de la terre, de la mer ou du ciel proche de cette ligne. – *Fig.* Perspective d'action, d'avenir.

horizontal, ale, aux, *adj.* Qui est dans le plan de l'horizon. – *Empl. subst. fém. À l'*horizontale.

horloge, *subst. f.* Appareil qui sert à mesurer le temps et qui indique l'heure.

horlogerie, *subst. f.* Industrie et commerce des horloges, des montres, etc. – Ouvrage de cette industrie.

hormis, *prép.* Sauf, excepté, à l'exclusion de.

hormone, *subst. f.* Substance produite par une glande ou par un tissu, et agissant sur les fonctions de l'organisme.

horoscope, *subst. m.* Disposition des astres lors d'un événement, observée en *partic.* à la naissance de *qqn*.

horreur, *subst. f.* Sentiment d'effroi et de répulsion. – Ce qui inspire ce sentiment.

horrible, *adj.* Qui inspire l'horreur.

horrifier, *verbe trans.* Effrayer, frapper d'horreur.

horripiler, *verbe trans.* Exaspérer.

hors, *prép.* En dehors de, à l'extérieur de : **Hors** *sujet.* – Exceptionnel, au-delà de : **Hors** *catégorie.* – *Loc. prép.* **Hors** *de* : en dehors de ; à l'extérieur de.

hors-bord, *adj. inv. et subst. m. inv.* Adj. *Moteur* **hors-bord** : qui est en dehors de la coque d'une embarcation. – *Subst.* Bateau muni d'un tel moteur.

hors-d'œuvre, *subst. m. inv.* Mets servi en début de repas.

hors-la-loi, *subst. m. inv.* Bandit.

hortensia, *subst. m.* Plante ornementale aux fleurs blanches, bleues ou roses.

horticulture, *subst. f.* Culture de plantes potagères et de fleurs.

hospice, *subst. m.* Établissement d'assistance et de soins pour les vieillards indigents.

hospitalier (i), **ière**, *adj.* Relatif aux hôpitaux.

hospitalier (ii), **ière**, *adj.* Qui pratique l'hospitalité. – Se dit d'un lieu où l'on est bien reçu.

hospitaliser, *verbe trans.* Faire admettre (*qqn*) dans un hôpital : **Hospitaliser** *un blessé.*

hospitalité, *subst. f.* Accueil cordial. – Action d'héberger *qqn* : *Offrir l'*hospitalité.

hostie, *subst. f.* Rondelle de pain azyme consacrée pour la communion, chez les catholiques.

hostile, *adj.* Qui se conduit en ennemi. – Opposé à *qqn*, à un projet.

hostilité, *subst. f.* Antipathie, animosité. – *Les* hostilités : les opérations, l'état de guerre.

hôte, **esse**, *subst.* Personne qui accorde l'hospitalité. – *Masc.* Personne qui est accueillie.

hôtel, *subst. m.* Établissement où l'on peut loger moyennant paiement. – Grande maison de qualité. – **Hôtel** *de ville* : mairie.

hôtelier, **ière**, *adj. et subst. Subst.* Personne qui tient un hôtel, une auberge. – *Adj.* Qui a trait à l'hôtellerie.

hôtellerie, *subst. f.* Hôtel. – Le métier d'hôtelier : *Un diplôme d'*hôtellerie.

hotte, *subst. f.* Grand panier porté sur le dos. – **Hotte** *d'une cheminée* : partie recouvrant le conduit de fumée. – Appareil qui aspire la fumée ou les vapeurs grasses.

houblon, *subst. m.* Plante grimpante dont les cônes servent à aromatiser la bière.

houille, *subst. f.* Roche sédimentaire combustible (végétaux fossilisés), très riche en carbone.

houle, *subst. f.* Ondulation de la mer.

houlette, *subst. f.* Bâton de berger. – *Fig.* Protection, tutelle : *Être sous la* **houlette** *de qqn.*

houleux, **euse**, *adj.* Agité par la houle. – *Fig.* Mouvementé : *Une réunion* **houleuse**.

houppe, *subst. f.* Touffe de brins de fils de laine, de soie, etc. – Touffe de cheveux. – Huppe.

hourra, *subst. m. et interj.* Cri d'acclamation ou d'enthousiasme.

houspiller, *verbe trans.* Réprimander, gronder (*qqn*).

housse, *subst. f.* Enveloppe souple recouvrant un objet, dont elle épouse la forme.

houx, *subst. m.* Arbuste à feuilles persistantes épineuses, aux fruits rouges.

hublot, *subst. m.* Petite fenêtre ronde de navire ou d'avion.

huche, *subst. f.* Coffre servant à conserver le pain.

huée, *subst. f.* Cri hostile, railleur, poussé par un groupe de personnes.

huer, *verbe trans.* Conspuer.

huguenot, **ote**, *adj. et subst.* Se disait des calvinistes, au temps des guerres de Religion.

huile, *subst. f.* Nom générique de tous les liquides gras organiques. – **Huile** *minérale* : hydrocarbure liquide ou visqueux.

huiler, *verbe trans.* Imprégner d'huile. – Lubrifier avec une huile minérale.

huileux, **euse**, *adj.* Imprégné d'huile. – Qui ressemble à de l'huile.

huis, *subst. m.* Porte d'une maison, d'une salle. – *À* **huis** *clos* : secrètement, portes fermées.

huissier, *subst. m.* Employé qui annonce les visiteurs. – Officier ministériel.

huit, *adj. num. et subst. m. inv. Adj.* num. Sept plus un. – Huitième : *Henri VIII.* – *Subst.* Le nombre **huit**, le chiffre **8**, le numéro **8** ; la forme d'un **8**.

huître, *subst. f.* Mollusque marin, *gén.* comestible, à deux valves, qui vit fixé aux rochers.

hulotte, *subst. f.* Rapace nocturne, également appelé chat-huant, commun dans les bois.

hululer, *voir* **ululer**

humain, **aine**, *adj. et subst. m. Adj.* Relatif à l'homme, à sa nature. – Compatissant. – *Subst.* Homme ; être **humain**.

humaniser, *verbe trans.* Rendre plus doux, moins cruel.

humanisme, *subst. m.* Doctrine qui accorde une place centrale à la personne humaine.

humanitaire, *adj.* Qui cherche à améliorer le sort des humains.

humanité, *subst. f.* Ensemble des caractères propres à la nature humaine. – Ensemble de tous les êtres humains. – Générosité, indulgence envers autrui.

humble, *adj.* Modeste, obscur ; qui fait preuve d'humilité. – *Empl. subst. Les* **humbles** : les pauvres.

humecter, *verbe trans.* Rendre légèrement humide.

humer, *verbe trans.* Sentir, savourer une odeur.

humérus, *subst. m.* Os du bras qui s'articule avec l'omoplate.

humeur, *subst. f.* Tempérament d'une personne, caractère, état d'esprit : *Bonne* **humeur**.

humide, *adj.* Imprégné de liquide ou de vapeur d'eau.

humidifier, *verbe trans.* Rendre humide.

humidité, *subst. f.* Qualité de ce qui est humide.

humiliation, *subst. f.* Action d'humilier. – État d'une personne humiliée.

humilier, *verbe trans.* Blesser *qqn* moralement en le rabaissant.

humilité, *subst. f.* État de ce qui est humble. – Attitude soumise, modeste.

humoriste, *subst. m.* Qui cultive l'humour, la satire.

humour, *subst. m.* Forme d'esprit qui consiste à souligner avec ironie les aspects drôles ou insolites de la réalité.

humus, *subst. m.* Partie superficielle de certains sols, résultant de la décomposition des déchets animaux et végétaux.

huppe, *subst. f.* Touffe de plumes, sur la tête de certains oiseaux. – Oiseau au plumage roux et noir, porteur d'une **huppe** colorée.

hurrah, *voir* **hourra**

hurlement, *subst. m.* Cri de certains canidés (loup, chien). – Cri humain de terreur, de colère ou de douleur.

hurler, *verbe trans.* Pousser des hurlements. – *Fig. Le vent* **hurle** *dans les arbres.*

hussard, *subst. m.* Militaire d'un corps de cavalerie légère.

hutte, *subst. f.* Habitation sommaire.

hybride, *adj. et subst. m.* Qui résulte du croisement de deux espèces différentes. – *Fig.* Qui est composé d'éléments de nature différente.

hydratation, *subst. f.* Fixation d'eau par un composé chimique. – Introduction d'eau dans l'organisme.

hydrater, *verbe trans.* Fournir de l'eau à un organisme.

hydraulique, *adj. Adj.* Mû par l'eau. – *Énergie* **hydraulique** : fournie par la force de l'eau. – Qui fonctionne grâce à un liquide sous pression : *Vérin* **hydraulique**.

hydravion, *subst. m.* Avion conçu pour décoller sur l'eau et pour s'y poser.

hydre, *subst. f.* Minuscule animal d'eau douce, doté de tentacules. – *Myth.* Monstre à plusieurs têtes.

hydrocarbure, *subst. m.* Corps composé de carbone et d'hydrogène.

hydrocution, *subst. f.* Syncope frappant une personne au contact de l'eau froide.

hydrogène, *subst. m. Chim.* Le plus léger des gaz.

hydrographie, *subst. f.* Partie de la géographie qui étudie les eaux marines et douces.

hydrolyse, *subst. f.* Décomposition de composés chimiques sous l'action de l'eau.

hydrophile, *adj.* Qui peut absorber l'eau.

hyène, *subst. f.* Mammifère carnivore qui se nourrit surtout de charognes.

hygiène, *subst. f.* Ensemble des pratiques visant au maintien de la santé d'un individu.

hygrométrie, *subst. f.* Mesure du taux d'humidité de l'air. – Cette humidité.

hyménoptère, *subst. m.* Insecte à métamorphoses complètes, tel que fourmi, abeille, etc. – *Plur.* L'ordre correspondant.

hymen, *subst. m.* Membrane fermant le vagin, qui se rompt lors du premier rapport sexuel.

hymne, *subst. Fém.* Chant ou poème religieux. – *Masc.* Chant ou poème lyrique. – **Hymne** *national* : **chant ou musique officiels d'un État.**

hyperbole, *subst. f. Litt.* Figure de style consistant à exagérer une expression (*oppos. litote*). – *Math.* Courbe.

hypermétropie, *subst. f.* Anomalie de la vision, qui empêche de voir distinctement de près.

hyperréalisme, *subst. m.* Courant artistique des années 1960, recherchant une reproduction parfaite du réel.

hypertension, *subst. f.* Augmentation anormale de la pression du sang dans les vaisseaux.

hypertrophie, *subst. f.* Augmentation anormale de volume, développement excessif.

hypnose, *subst. f.* Sommeil artificiel provoqué par suggestion. – La technique permettant de provoquer ce sommeil.

hypnotiser, *verbe trans.* Mettre (*qqn*) en état d'hypnose.

hypocrisie, *subst. f.* Attitude qui consiste à paraître différent de ce qu'on est, en affectant des sentiments que l'on n'éprouve pas.

hypocrite, *adj. et subst.* Qui pratique l'hypocrisie.

hypophyse, *subst. f.* Glande endocrine située sous le cerveau, qui produit des hormones.

hypotension, *subst. f.* Tension artérielle inférieure à la normale.

hypoténuse, *subst. f.* Côté opposé à l'angle droit, dans un triangle rectangle.

hypothalamus, *subst. m.* Région située à la base du cerveau, qui joue un rôle important dans le sommeil et la régulation des sécrétions hormonales.

hypothèque, *subst. f.* Droit accordé à un créancier sur un bien immobilier en garantie du remboursement d'une dette. – Entrave à l'accomplissement de *qqch.*

hypothéquer, *verbe trans.* Grever d'une hypothèque.

hypothermie, *subst. f.* Abaissement anormal de la température d'un organisme.

hypothèse, *subst. f.* Point qui sert de départ à un raisonnement. – Proposition devant être vérifiée par l'expérience ou la déduction. – Supposition, conjecture.

hypothétique, *adj.* Qui repose sur une ou plusieurs hypothèses. – Incertain.

hystérie, *subst. f.* Forme de névrose. – Extrême agitation ; frénésie.

I

i, i, *subst. m. inv.* Neuvième lettre et troisième voyelle de l'alphabet français.

ibis, *subst. m.* Échassier au bec long et crochu.

iceberg, *subst. m.* Grand bloc de glace flottant détaché d'un glacier polaire.

ici, *adv.* Dans ce lieu : *Viens* **ici**. – Dans le temps présent : *D'***ici** *à*, de maintenant jusqu'à ; *Jusqu'***ici**, jusqu'à présent.

icône, *subst. f.* Peinture religieuse de l'Église d'Orient, exécutée sur un panneau de bois.

iconoclaste, *adj. et subst.* Qui est partisan de la destruction des images saintes. – *Fig.* Qui est hostile aux traditions.

iconographie, *subst. f.* Ensemble des illustrations incluses dans une publication ou relatives à un sujet.

idéal, ale, als *ou* **aux**, *adj. et subst. m.* Adj. Conçu en esprit, imaginaire. – Parfait en son genre. – *Subst.* Modèle de perfection. – Ce qui donne pleine satisfaction.

idéaliser, *verbe trans.* Prêter un caractère idéal à.

idéalisme, *subst. m.* Comportement d'une personne qui aspire à un idéal.

idéaliste, *adj. et subst.* Adj. Qui relève de l'idéalisme. – *Subst.* Personne qui tend à un idéal.

idée, *subst. f.* Représentation mentale d'une chose, d'un projet. – Opinion, conviction. – Intention, projet. – **Idée fixe** : obsession. – Connaissance sommaire.

idem, *adv.* De même (*abrév. id.*).

identifier, *verbe trans.* Reconnaître et nommer. – *Pronom.* S'imaginer identique à.

identique, *adj.* Qui ne diffère en aucune façon. – Qui est unique, qui ne représente qu'une seule et même chose.

identité, *subst. f.* Caractère de ce qui est identique. – Ensemble des éléments qui confèrent son individualité à qqn.

idéologie, *subst. f.* Ensemble des idées dominantes propres à une époque, à une classe sociale, à un groupe humain. – Système de pensée nébuleux et *souv.* utopique (*péj.*).

idiome, *subst. m.* Langue, dialecte ou patois propre à une communauté.

idiot, idiote, *adj. et subst.* Qui est peu intelligent ; simple d'esprit. – Qui est irréfléchi (*fam.*).

idiotie, *subst. f.* Manque d'intelligence, de bons sens. – Parole, action irréfléchie.

idolâtrer, *verbe trans.* Vouer un culte à, admirer. – Aimer avec passion.

idolâtrie, *subst. f.* Culte rendu à des idoles. – *Fig.* Passion démesurée.

idole, *subst. f.* Objet de culte figurant une divinité. – Personne admirée avec passion.

idylle, *subst. f.* Aventure amoureuse naïve.

idyllique, *adj.* Qui a le caractère d'une idylle. – Idéal ; merveilleux.

if, *subst. m.* Conifère à baies rouges, *souv.* choisi pour orner les jardins.

igloo, *subst. m.* Habitation des Esquimaux, faite de blocs de glace.

igname, *subst. f.* Plante tropicale dont les gros tubercules se consomment cuits.

ignare, *adj.* Totalement ignorant.

ignifuge, *adj. et subst. m.* Qui rend incombustible.

ignoble, *adj.* Infâme, bas. – D'une laideur repoussante ; très sale, très mauvais.

ignominie, *subst. f.* Déshonneur, infamie. – Acte infamant : *Tomber dans l'*ignominie.

ignorance, *subst. f.* État d'une personne qui n'est pas informée. – Manque de connaissances.

ignorer, *verbe trans.* Ne pas savoir. – Faire semblant de ne pas connaître (*qqn*) par mépris. – Ne pas avoir l'expérience de (*qqch.*).

iguane, *subst. m.* Grand lézard d'Amérique.

il, ils, *pron. pers. m.* Sujet de la 3e personne du masculin : Il *mange* ; Ils *dorment.* – Sujet neutre employé avec un verbe impersonnel : Il *pleut.*

ilang-ilang, *voir* **ylang-ylang île**, *subst. f.* Terre complètement entourée d'eau.

illégalité, *subst. f.* Caractère de ce qui est illégal. – Acte illégal : *Commettre une* illégalité.

illégitime, *adj.* Qui n'est pas selon la loi. – *Une enfant* illégitime : née hors du mariage. – *Fig.* Qui n'est pas justi.é, motivé.

illettré, ée, *adj. et subst.* Qui ne sait ni lire ni écrire, analphabète.

illicite, *adj.* Qui n'est pas permis par la morale, l'usage ou la loi.

illico, *adv.* Aussitôt, sur-le-champ (*fam.*).

illimité, ée, *adj.* Qui n'a pas de limites, infini.

illisible, *adj.* Qu'on ne peut pas lire, déchiffrer. – *Fig.* D'une lecture fastidieuse.

illumination, *subst. f.* Action d'illuminer ; son résultat. – *Fig.* Idée brillante et soudaine.

illuminer, *verbe trans.* Répandre une vive lumière sur. – *Fig.* Doter (un visage, des yeux, une âme) d'un rayonnement.

illusion, *subst. f.* Perception erronée. – Interprétation erronée d'une perception. – Croyance fausse, chimère.

illusionniste, *subst.* Artiste qui crée l'illusion par des tours de magie, prestidigitateur.

illusoire, *adj.* Qui procède d'une illusion, qui est vain : *Un espoir* illusoire.

illustration, *subst. f.* Action d'illustrer. – Image accompagnant un texte. – Exemple qui permet d'expliquer.

illustre, *adj.* Renommé, célèbre.

illustré, *subst. m.* Journal pour enfants.

illustrer, *verbe trans.* Rendre plus clair, expliquer par un exemple. – Orner (un ouvrage) d'illustrations. – *Pronom.* Se distinguer.

îlot, *subst. m.* Petite île. – Élément isolé au sein d'un ensemble : **Îlot** *de verdure.*

image, *subst. f.* Représentation graphique de *qqch.* ou de *qqn.* – Représentation mentale de la réalité ou de ce qui est imaginaire. – Ce qui évoque *qqn* ou *qqch.* – Modèle, exemple typique. – Symbole d'une chose abstraite. – Figure de style, métaphore. – Représentation inversée dans un miroir.

imaginaire, *adj. et subst. m.* Adj. Qui n'existe que dans l'imagination, irréel. – Qui n'est tel que dans son imagination : *Malade* imaginaire. – *Subst.* Univers de l'imagination.

imaginatif, ive, *adj. et subst.* Qui a de l'imagination.

imagination, *subst. f.* Faculté d'imaginer.

imaginer, *verbe trans.* Se représenter (une chose, une idée) mentalement. – Supposer. – Inventer (*qqch.*). – *Pronom.* Penser à tort.

imam, *subst. m.* Chef d'une communauté musulmane, d'une école coranique.

imbattable, *adj.* Qui ne peut être vaincu. – *Fig.* Qui est très avantageux : *Prix* imbattables.

imbécile, *adj. et subst.* Qui est peu intelligent. – Sot.

imbécillité, *subst. f.* Défaut d'intelligence, de bon sens. – Action, parole imbéciles.

imberbe, *adj.* Qui n'a pas de barbe.

imbiber, *verbe trans.* Imprégner d'un liquide.

imbriquer, *verbe trans.* Disposer des éléments de manière qu'ils se chevauchent. – *Pronom.* S'emboîter parfaitement.

imbroglio, *subst. m.* Situation confuse et compliquée.

imbu, ue, *adj.* Pénétré de : **Imbu** *de soi-même*, convaincu de sa supériorité.

imbuvable, *adj.* Impossible ou difficile à boire, mauvais. – *Fig.* Insupportable (*fam.*).

imitateur, trice, *adj. et subst.* Qui imite. – *Subst.* Artiste de variétés imitant des personnalités.

imitation, *subst. f.* Action d'imiter, de prendre pour modèle. – Contrefaçon, plagiat.

imiter, *verbe trans.* Copier (les paroles, le comportement de *qqn*). – Prendre pour modèle. – Contrefaire, falsifier.

immaculé, ée, *adj.* Sans aucune tache. – *Fig.* Pur, sans souillure.

immanent, ente, *adj.* Qui réside dans *qqch.*, qui n'en est pas distinct.

immangeable, *adj.* Qui n'est pas bon à manger.

immanquable, *adj.* Qui ne peut manquer de se produire.

immatériel, ielle, *adj.* Qui n'a pas de consistance matérielle.

immatriculation, *subst. f.* Action d'immatriculer. – Numéro d'inscription.

immatriculer, *verbe trans.* Inscrire sous un numéro, dans un registre public appelé matricule.

immature, *adj.* Qui n'est pas encore mûr. – *Fig.* Qui manque de maturité.

immédiat, iate, *adj.* Qui précède ou suit directement : *Successeur* **immédiat**. – Sans intervalle, ni dans le temps ni dans l'espace. – *Empl. subst. masc. Dans l'*immédiat : pour le moment.

immémorial, ale, aux, *adj.* Dont l'origine s'est perdue, du fait de son ancienneté.

immense, *adj.* Très grand, très étendu.

immensité, *subst. f.* Caractère de ce qui est immense. – Étendue très vaste.

immerger, *verbe trans.* Plonger (*qqch.* ou *qqn*) dans un liquide.

immersion, *subst. f.* Action d'immerger. – *Fig.* État d'une personne plongée dans un environnement étranger.

immeuble, *adj. et subst. m. Adj. Dr.* Qui ne peut être déplacé : *Bien* **immeuble**. – *Subst.* Bâtiment urbain de plusieurs étages.

immigration, *subst. f.* Entrée d'étrangers dans un pays, en vue de s'y installer.

imminent, ente, *adj.* Qui est sur le point de se produire : *Un orage* **imminent**.

immiscer (s'), *verbe pronom.* S'introduire, intervenir indûment dans : **S'immiscer** *dans une affaire*.

immobile, *adj.* Qui ne bouge pas, fixe.

immobilier, ière, *adj. et subst. m. Adj.* Relatif aux biens immeubles. – *Subst.* Marché de la construction, de la vente et de la location d'immeubles.

immobilisation, *subst. f.* Action d'immobiliser. – *Plur. Écon.* Biens durables d'une entreprise.

immobiliser, *verbe trans.* Empêcher ou arrêter le mouvement de. – *Fin.* **Immobiliser** *des capitaux* : les investir.

immobilité, *subst. f.* État de ce qui est immobile.

immodéré, ée, *adj.* Sans modération, excessif.

immoler, *verbe trans.* Sacrifier, tuer en l'honneur d'une divinité. – Faire périr, massacrer.

immonde, *adj.* Extrêmement sale, dégoûtant. – *Fig.* Bas, ignoble, odieux.

immondices, *subst. f. plur.* Choses immondes, ordures.

immoral, ale, aux, *adj.* Contraire à la morale.

immortaliser, *verbe trans.* Rendre immortel dans la mémoire des hommes.

immortalité, *subst. f.* État de ce qui est immortel. – *Fig.* Fait de demeurer longtemps dans la mémoire des hommes.

immortel, elle, *adj. et subst. f. Adj.* Qui ne mourra jamais. – Dont on gardera toujours le souvenir. – *Subst.* Plante dont les fleurs coupées et séchées conservent leur aspect.

immuable, *adj.* Qui ne change jamais.

immuniser, *verbe trans.* Protéger (l'organisme) par un vaccin, un sérum. – *Fig.* Préserver (*qqn*) d'un mal.

immunité, *subst. f. Biol.* Résistance d'un organisme à des agressions pathogènes. – *Dr.* Privilège qui protège certaines personnes de poursuites judiciaires, en raison de leur fonction : **Immunité** *parlementaire*.

immunodéficience, *subst. f.* Déficience des défenses immunitaires de l'organisme.

impact, *subst. m.* Choc, heurt. – L'effet produit.

impair, aire, *adj. et subst. m.* Se dit d'un nombre entier qui n'est pas divisible par 2 (*contr. pair*). – *Adj.* Qui porte un numéro **impair** : *Jour* **impair**. – *Subst.* Maladresse, gaffe.

impalpable, *adj.* Qu'on ne sent pas au toucher.

imparable, *adj.* Qu'on ne peut éviter.

impardonnable, *adj.* Inexcusable.

imparfait, aite, *adj. et subst. m. Adj.* Inachevé ; incomplet. – Qui a des défauts. – *Subst. Ling.* Temps du passé qui définit une action habituelle.

impartial, ale, aux, *adj.* Qui est sans parti pris, neutre ; équitable : *Un juge* **impartial**.

impartialité, *subst. f.* Qualité d'une personne, d'une chose impartiale.

impartir, *verbe trans.* Attribuer, accorder.

impasse, *subst. f.* Petite voie sans issue. – *Fig.* Situation sans issue.

impassibilité, *subst. f.* État d'une personne qui ne semble pas éprouver d'émotions.

impassible, *adj.* Qui fait preuve d'impassibilité.

impatience, *subst. f.* Manque de patience.

impatienter, *verbe trans.* Rendre impatient ; exaspérer. – *Pronom.* Perdre patience.

impavide, *adj.* Qui n'éprouve ou ne manifeste aucune peur (*littér.*).

impayable, *adj.* Extrêmement drôle (*fam.*).

impeccable, *adj.* Sans défaut ; irréprochable.

impénétrable, *adj.* Où l'on ne peut pénétrer. – *Fig.* Dont on ne peut rien deviner.

impénitent, ente, *adj.* Qui ne se repent pas. – *Fig.* Qui ne renonce pas à une habitude.

impensable, *adj.* Qui ne peut être conçu, envisagé. – Excessif, incroyable.

impératif, ive, *adj. et subst. m. Adj.* Qui s'impose comme un ordre auquel il faut obéir. – Indispensable, inévitable. – *Subst.* Nécessité absolue. – *Ling.* Mode de la conjugaison exprimant un ordre, une défense, un souhait.

impératrice, *subst. f.* Femme qui règne sur un empire. – Épouse d'un empereur.

imperceptible, *adj.* Qui ne peut être perçu. – Insignifiant, infime.

imperfection, *subst. f.* État de ce qui n'est pas parfait. – Défaut.

impérial, **ale**, **aux**, *adj. et subst. f.* Adj. Relatif à l'empereur, à l'empire. – Digne d'un empereur, majestueux. – *Subst.* Étage supérieur de certains véhicules de transport en commun.

impérialisme, *subst. m.* Tendance d'un État à dominer d'autres États par l'économie, la politique et la culture.

impérieux, **ieuse**, *adj.* Autoritaire, qui n'admet aucune résistance. – Pressant, irrésistible.

impérissable, *adj.* Qui ne peut disparaître. – Qui dure très longtemps.

imperméable, *adj. et subst. m.* Adj. Qui ne laisse pas passer l'eau. – *Fig.* Insensible. – *Subst.* Vêtement de pluie.

impersonnel, **elle**, *adj.* Qui n'appartient pas en propre à un individu. – Sans personnalité. – *Verbe* **impersonnel** : qui ne s'emploie qu'à la 3e personne du singulier et à l'infinitif.

impertinence, *subst. f.* Insolence, effronterie. – Action, parole effrontées.

impertinent, **ente**, *adj. et subst.* Qui fait preuve d'irrespect.

imperturbable, *adj.* Que rien ne peut troubler.

impétueux, **euse**, *adj.* Qui se meut avec fougue, rapidement. – *Fig.* Tempérament vif.

impie, *adj. et subst.* Qui manque de piété. – Athée.

impitoyable, *adj.* Sans pitié, sans indulgence.

implacable, *adj.* D'une grande sévérité.

implantation, *subst. f.* Action d'implanter. – Fait d'être implanté.

implanter, *verbe trans.* Fixer, insérer (une chose dans une autre). – Installer. – *Pronom.* S'établir.

implication, *subst. f.* Action d'impliquer; fait d'être impliqué. – *Plur.* Conséquences.

implicite, *adj.* Qui n'est pas dit expressément, mais qui va de soi.

impliquer, *verbe trans.* Avoir comme conséquence nécessaire, imposer. – Engager la responsabilité de (*qqn*) dans une affaire.

implorer, *verbe trans.* Supplier, demander d'une manière pressante.

implosion, *subst. f.* Écrasement violent d'un corps soumis à une pression extérieure supérieure à sa résistance.

impoli, **ie**, *adj.* Qui ne suit pas les règles et usages de la politesse.

impolitesse, *subst. f.* Manquement à la politesse.

impondérable, *adj. et subst. m.* Adj. Dont l'importance est difficile à évaluer. – *Subst.* Imprévu.

impopulaire, *adj.* Qui n'est pas populaire, qui déplaît au plus grand nombre.

importance, *subst. f.* Caractère de ce qui est important. – Grandeur, en quantité et en intensité. – Autorité, influence.

important, **ante**, *adj. et subst. m.* Adj. Qui suscite beaucoup d'intérêt ; dont les effets ou les conséquences sont grands. – Qui est grand, en nombre. – *Subst.* Ce qui importe, aspect essentiel.

importation, *subst. f.* Action, négoce qui consiste à importer. – Ce qui est importé.

importer (i), *verbe trans.* Introduire dans un pays (des marchandises ou, au fig., des idées, des coutumes provenant de l'étranger).

importer (ii), *verbe trans. indir.* Importer *à* : avoir de l'importance, de l'intérêt pour. – *Empl. impers. Il* importe *de, que* : il est nécessaire de, que. – *Peu* importe : c'est sans importance. – *Loc. pronon. indéf.* N'**importe** qui, quoi : une personne, une chose quelconque. – *Loc. adj. indéf.* N'**importe** quel : qqch., qqn, quel qu'il soit. – *Loc. adv.* N'**importe** où, quand, comment : en un lieu, en un temps, d'une façon quelconque.

importun, **une**, *adj. et subst.* Qui survient mal à propos. – Qui dérange.

importuner, *verbe trans.* Gêner par une présence hors de propos. – Déranger par son insistance.

imposable, *adj.* Qui peut être soumis à l'impôt.

imposant, **ante**, *adj.* Qui inspire respect, admiration ou crainte. – D'une taille peu commune.

imposer, *verbe trans.* Soumettre à un impôt. – **Imposer** qqch. à qqn : l'obliger à faire qqch., lui faire subir qqch. – **Imposer** les mains : les poser sur qqn pour le bénir ou le guérir. – *Pronom.* **Imposer** sa présence. – *Fig.* Être indispensable. – Se forcer à.

impossibilité, *subst. f.* Le fait de n'être pas possible. – Incapacité.

impossible, *adj. et subst. m.* Adj. Qu'on ne peut réaliser. – Insupportable (*fam.*). – *Subst.* Ce qui n'est pas possible.

imposteur, *subst. m.* Personne qui abuse de la confiance, de la crédulité d'autrui en se faisant passer pour qqn d'autre.

imposture, *subst. f.* Acte d'un imposteur ; plagiat, usurpation.

impôt, *subst. m.* Contribution monétaire versée à l'État ou à des collectivités publiques.

impotent, **ente**, *adj. et subst.* Qui se meut avec beaucoup de difficultés.

impraticable, *adj.* Qu'on ne peut mettre en pratique. – Où il est difficile de passer.

imprécation, *subst. f.* Souhait appelant ruine ou malheur sur *qqn*, malédiction (*littér.*).

imprécis, **ise**, *adj.* Qui manque de précision.

imprégner, *verbe trans.* Faire pénétrer (un liquide) dans un corps, dans une substance. – *Fig.* Influencer profondément.

imprésario, *subst. m.* Personne dont le métier est de gérer la vie professionnelle d'un artiste.

imprescriptible, *adj.* Qui ne peut disparaître avec le temps, immuable.

impression, *subst. f.* Empreinte laissée par un corps sur une surface. – Action, art d'imprimer un livre, un tissu. – Effet ; sensation.

impressionner, *verbe trans.* Provoquer un trouble, une vive émotion chez (*qqn*). – Agir sur (une plaque, un film photographiques).

impressionnisme, *subst. m.* Mouvement pictural français de la fin du xixe s., qui cherchait à rendre, au moyen de touches de couleur, l'impression fugitive produite par un paysage, un objet, etc.

imprévisible, *adj.* Qu'on ne peut prévoir.

imprévu, **ue**, *adj. et subst. m.* Qui n'a pas été prévu.

imprimant, **ante**, *adj. et subst. f.* Adj. Qui imprime ; qui sert à imprimer. – *Subst.* Machine connectée à un ordinateur qui imprime sur papier les résultats d'un travail.

imprimé, *subst. m.* Brochure, journal.

imprimer, *verbe trans.* Laisser (une empreinte) sur une surface : **Imprimer** *un tissu*. – Reproduire par un procédé d'imprimerie. – Transmettre (un mouvement).

imprimerie, *subst. f.* Ensemble des techniques de reproduction de textes, de dessins, de photographies. – Entreprise où l'on imprime.

improbable, *adj.* Qui a très peu de chances de se produire.

improductif, ive, *adj. et subst.* Qui ne travaille pas à produire. – *Adj.* Stérile.

impromptu, ue, *adj. et subst. m. Adj.* Improvisé. – *Subst.* Poème improvisé ou pièce musicale de forme libre : *Un* **impromptu** *de Chopin.*

impropre, *adj.* Qui n'a pas les qualités nécessaires. – Qui ne convient pas.

improvisation, *subst. f.* Action, art d'improviser. – Ce qui est improvisé.

improviser, *verbe trans.* Produire, composer sans préparation, surle-champ. – *Pronom.* Devenir d'emblée.

improviste (à l'), *loc. adv.* Sans que l'on s'y attende.

imprudence, *subst. f.* Manque de prudence, négligence. – Acte imprudent.

impudence, *subst. f.* Comportement d'une personne insolente, effrontée.

impudeur, *subst. f.* Manque de pudeur, de réserve.

impudique, *adj.* Qui blesse la pudeur, indécent.

impuissance, *subst. f.* Manque de pouvoir, de force pour réaliser *qqch.*

impuissant, ante, *adj.* Atteint d'impuissance.

impulsif, ive, *adj. et subst.* Qui cède à ses impulsions.

impulsion, *subst. f.* Action de pousser (*qqch.*). – Incitation à agir. – Tendance irrésistible à accomplir un acte.

impunité, *subst. f.* Absence de châtiment. – État d'une personne qui est à l'abri des sanctions.

impur, ure, *adj.* Souillé par des impuretés.

impureté, *subst. f.* Élément étranger à une substance. – État de ce qui est impur.

imputer, *verbe trans.* Attribuer à *qqn* (une action, une responsabilité). – Porter (une somme) au compte de.

imputrescible, *adj.* Qui ne peut se putréfier.

inacceptable, *adj.* Qu'on ne peut accepter.

inaccessible, *adj.* Qui ne peut être atteint. – Qu'on ne peut aborder. – Insensible.

inactif, ive, *adj. et subst.* Oisif. – *Adj.* Inefficace.

inaction, *subst. f.* Absence d'action, d'activité.

inadapté, ée, *adj. et subst.* Qui n'est pas adapté à son milieu, à sa tâche, à la vie sociale.

inadmissible, *adj.* Qu'on ne peut pas admettre.

inadvertance, *subst. f.* Distraction de l'attention. – *Par* **inadvertance** : par mégarde.

inaltérable, *adj.* Qui ne peut être altéré.

inamical, ale, aux, *adj.* Qui n'est pas amical ; hostile.

inamovible, *adj.* Qui ne peut être déplacé, destitué ou suspendu, en parlant d'un magistrat.

inanimé, ée, *adj.* Qui est sans vie par nature : *Objet* **inanimé**. – Qui a perdu la vie, ou qui a perdu connaissance ; inerte.

inanité, *subst. f.* Vanité. – Futilité.

inanition, *subst. f.* Faiblesse, épuisement de l'organisme dû au manque de nourriture.

inappréciable, *adj.* Qui ne peut être évalué. – Trop précieux pour pouvoir être estimé.

inapte, *adj.* Qui n'est pas apte.

inaptitude, *subst. f.* État d'une personne inapte.

inattaquable, *adj.* Qui ne peut être mis en cause, attaqué.

inattendu, ue, *adj.* À quoi on ne s'attend pas.

inattentif, ive, *adj.* Qui ne prête pas attention, qui est distrait.

inaudible, *adj.* Qui ne peut être perçu par l'oreille. – Se dit d'un son dont l'intensité est trop faible pour qu'on l'entende, ou qui est trop mauvais pour être écouté.

inauguration, *subst. f.* Cérémonie marquant l'ouverture ou la mise en service de *qqch.*

inaugurer, *verbe trans.* Ouvrir ou mettre en service (*qqch.*) avec solennité. – Mettre en œuvre pour la première fois.

inavouable, *adj.* Trop honteux pour être avoué.

incalculable, *adj.* Impossible à calculer. – *Fig.* Difficile à estimer.

incandescent, ente, *adj.* Qui émet un rayonnement lumineux, sous l'effet de la chaleur.

incantation, *subst. f.* Formule magique accompagnée de gestes rituels.

incapable, *adj. et subst.* Qui n'est pas capable. – *Dr.* Qui est frappé d'incapacité.

incapacité, *subst. f.* État d'une personne inapte. – *Dr.* Inaptitude à exercer certains droits.

incarcérer, *verbe trans.* Mettre en prison.

incarnat, ate, *adj. et subst. m.* Rouge clair, tirant sur le rose.

incarnation, *subst. f.* Image, personnification.

incarner, *verbe trans.* Être l'incarnation de. – Jouer (un personnage) au théâtre, au cinéma.

incartade, *subst. f.* Petit écart de conduite.

incassable, *adj.* Qui ne peut pas se casser.

incendiaire, *adj. et subst. Adj.* Qui provoque ou peut provoquer des incendies. – Qui enflamme les esprits ; qui suscite les troubles, la révolte. – *Subst.* Auteur d'un incendie.

incendie, *subst. m.* Feu étendu qui cause d'importants dégâts : *Un* **incendie** *de forêt.*

incendier, *verbe trans.* Détruire par le feu.

incertain, aine, *adj.* Qui n'est pas certain. – Variable : *Temps* **incertain**. – Vague.

incertitude, *subst. f.* Caractère de ce qui est incertain. – État d'une personne qui hésite.

incessant, ante, *adj.* Qui ne cesse pas ; continuel.

inceste, *subst. m.* Rapports sexuels entre parents proches.

incidence, *subst. f.* Effet, influence directe.

incident, *subst. m.* Événement sans gravité.

incinérer, *verbe trans.* Réduire en cendres par le feu.

incise, *subst. f.* Proposition, *gén.* brève, intercalée dans une phrase.

inciser, *verbe trans.* Entailler finement.

incisif, ive, *adj. et subst. f. Adj.* Acéré, mordant, direct. – *Subst.* Dent plate de devant.

inciter, *verbe trans.* Encourager, inviter, pousser (*qqn*) à faire ou à dire *qqch.*

inclinaison, *subst. f.* Position oblique par rapport à un plan.

inclination, *subst. f.* Action d'incliner, de s'incliner. – Penchant pour *qqn* ou *qqch*.

incliner, *verbe trans. Trans. dir.* Mettre dans une position oblique. – *Trans. indir.* Être enclin à ; pencher pour. – *Pronom.* Se pencher en avant. – *Fig.* S'avouer vaincu.

inclure, *verbe trans.* Mettre dans un ensemble. – Comprendre, contenir.

incognito, *subst. m. et adv. Adv.* Sans être reconnu : *Voyager* **incognito**. – *Subst.* Situation d'une personne qui tait son identité.

incohérence, *subst. f.* Défaut de cohérence.

incohérent, ente, *adj.* Qui n'a pas de cohérence. – *Fig.* Illogique, incompréhensible.

incollable, *adj.* Qui ne colle pas. – Qui a réponse à toutes les questions (*fam.*).

incolore, *adj.* Qui n'a pas de couleur.

incomber, *verbe trans. indir.* Revenir à, être une obligation pour : *Cette charge* **incombe** *à un autre*.

incombustible, *adj.* Qui ne peut brûler.

incommensurable, *adj.* Qu'on ne peut mesurer ; immense, illimité.

incommoder, *verbe trans.* Procurer une gêne physique à (*qqn*).

incomparable, *adj.* Qu'on ne peut comparer à autre chose, sans égal.

incompatible, *adj.* Qui n'est pas compatible avec autre chose.

incompétent, ente, *adj.* Qui n'a pas la capacité ou les qualités nécessaires pour faire *qqch*.

incomplet, ète, *adj.* Qui n'est pas complet.

incompréhensible, *adj.* Qui ne peut être compris, inintelligible. – Qu'on ne peut expliquer ni justifier, déconcertant.

incompréhension, *subst. f.* Impuissance à comprendre. – Manque d'indulgence. **incompris, ise**, *adj. et subst.* Qui n'est pas compris. – Qui n'est pas apprécié selon ses mérites.

inconcevable, *adj.* Contraire à la raison. – Inimaginable. – Inexplicable.

inconciliable, *adj.* Qui ne peut se concilier avec autre chose.

inconditionnel, elle, *adj. et subst. Adj.* Qui n'est assorti d'aucune condition. – *Subst.* Personne qui appuie sans réserve *qqn*, un parti.

incongru, ue, *adj.* Contraire aux usages, inconvenant, choquant.

inconnu, ue, *adj. et subst.* Qu'on ne connaît pas. – Qui n'est pas célèbre. – *Adj.* Que l'on n'a jamais ressenti : *Un sentiment* **inconnu**.

inconscient, iente, *adj. et subst. Adj.* Qui a perdu connaissance, évanoui. – Qui ne se rend pas compte. – Dont on n'a pas conscience. – *Subst.* Personne qui agit sans réflexion. – *Masc. Psychan.* Domaine de la vie psychique qui échappe à la conscience.

inconséquent, ente, *adj.* Incohérent dans ses idées ou sa conduite ; irréfléchi.

inconsolable, *adj.* Qui ne peut être consolé.

inconstant, ante, *adj. et subst.* Qui change constamment ; instable, infidèle. – *Adj.* Variable.

inconstitutionnalité, *subst. f.* Caractère de ce qui n'est pas conforme à la Constitution.

incontestable, *adj.* Qu'on ne peut contester.

incontournable, *adj.* Dont on ne peut pas faire le tour. – *Fig.* Qu'on ne peut pas éluder.

incontrôlé, ée, *adj.* Qui n'a pas été contrôlé. – Qui échappe à tout contrôle.

inconvenant, ante, *adj.* Contraire aux usages ; grossier, malséant.

inconvénient, *subst. m.* Désavantage. – Conséquence fâcheuse, désagrément.

incorporer, *verbe trans.* Faire pénétrer (*qqch.*) dans une substance, dans un tout. – Inscrire (une recrue) dans un corps d'armée.

incorrect, ecte, *adj.* Qui n'est pas correct. – Malpoli, mal élevé.

incorrigible, *adj.* Qu'on ne peut corriger. – Qui persiste dans ses défauts.

incorruptible, *adj. et subst.* Qui ne se laisse pas corrompre ; intègre. – *Adj.* Inaltérable.

incrédule, *adj. et subst.* Qui ne croit pas d'emblée ce qu'on lui dit.

increvable, *adj.* Qui résiste à la crevaison. – *Fig.* Qui résiste bien à la fatigue (*fam.*).

incriminer, *verbe trans.* Tenir pour responsable d'un acte critiquable ; accuser.

incroyable, *adj.* Difficile, voire impossible, à croire. – Extraordinaire.

incroyant, ante, *adj. et subst.* Qui ne croit pas en Dieu.

incruster, *verbe trans.* Orner un objet en insérant sur sa surface des éléments d'une autre matière. – *Pronom.* S'implanter. – S'installer chez *qqn* et n'en plus partir (*fam.*).

incubation, *subst. f.* Action de couver un œuf ; temps que dure cette action. – Période comprise entre la contagion et l'apparition des symptômes d'une maladie.

inculpation, *subst. f.* Imputation à une personne d'un crime ou d'un délit, entraînant l'ouverture d'une instruction judiciaire.

inculper, *verbe trans.* Mettre (*qqn*) en examen, soumettre (*qqn*) à une inculpation.

inculquer, *verbe trans.* Enseigner (*qqch.*) à *qqn*, de sorte que les connaissances soient acquises durablement : **Inculquer** *des préceptes*.

inculte, *adj.* Qui n'est pas cultivé. – *Fig.* Dépourvu de culture intellectuelle.

incurable, *adj. et subst.* Qui ne peut être guéri.

incursion, *subst. f.* Expédition rapide et brève sur un territoire. – Entrée brusque dans un lieu.

incurvé, ée, *adj.* Dont la forme est courbe.

indécent, ente, *adj.* Qui est contraire aux bonnes mœurs. – Choquant.

indéchiffrable, *adj.* Qui ne peut être déchiffré, incompréhensible.

indécis, ise, *adj. et subst.* Qui ne sait pas se décider ; incertain, irrésolu. – *Adj.* Imprécis, peu net. – Douteux.

indéfini, ie, *adj.* Qu'on ne peut définir avec précision. – *Ling. Article* **indéfini** : accompagne un nom qui n'a pas encore été identifié ; *Adjectif, pronom* **indéfinis** : expriment les nuances les plus floues de la détermination.

indélébile, *adj.* Qui ne peut être effacé.

indélicat, ate, *adj.* Qui manque de délicatesse. – Malhonnête.

indélicatesse, *subst. f.* Malhonnêteté.

indemne, *adj.* Qui n'a pas subi de dommage, de blessure : *Sortir* **indemne** *d'un accident*.

indemniser, *verbe trans.* Dédommager (*qqn*) en versant une indemnité.

indemnité, *subst. f.* Somme d'argent versée à *qqn* en réparation d'un dommage subi. – Somme versée à *qqn* en compensation de certains frais liés à son activité.

indéniable, *adj.* Certain, incontestable.

indépendance, *subst. f.* État d'une personne indépendante, autonome. – Caractère d'une personne qui refuse toute contrainte. – Situation d'un peuple, d'un pays non soumis à un autre. – Absence de relation entre plusieurs phénomènes.

indépendant, ante, *adj.* Libre de toute dépendance. – Qui refuse toute contrainte. – Qui n'a pas de rapport avec.

indescriptible, *adj.* Trop beau, trop grand, trop horrible, etc., pour pouvoir être décrit.

indésirable, *adj. et subst.* Dont la présence n'est pas souhaitée, désirée.

indestructible, *adj.* Trop fort, trop solide pour être détruit. – Qui résiste à tout.

indéterminé, ée, *adj.* Qui n'est pas fixé, défini. – Qui n'est pas connu avec précision.

index, *subst. m.* Deuxième doigt de la main, à côté du pouce. – Liste alphabétique répertoriant les sujets abordés dans un livre. – *Mettre à l'*index : exclure.

indicateur, trice, *adj. et subst. Adj.* Qui indique. – *Subst.* Personne qui renseigne la police en échange d'avantages. – *Masc.* Livre qui donne des renseignements.

indicatif, ive, *adj. et subst. m. Adj.* Qui donne une indication. – *Subst.* Air musical propre à une émission de radio. – *Ling.* Mode de la conjugaison indiquant que celui qui parle considère ce qu'il dit comme un fait qui se réalise et qui se situe à une époque déterminée.

indication, *subst. f.* Action d'indiquer. – Ce qui révèle, indice. – Information, renseignement. – Cas pour lequel un médicament est recommandé : *Indication thérapeutique.*

indice, *subst. m.* Signe révélateur de l'existence probable de *qqch.* – Grandeur numérique exprimant un rapport. – Chiffre montrant une évolution : *Indice des prix.*

indifférence, *subst. f.* Absence d'intérêt pour *qqch.* ou pour *qqn.* – Insensibilité.

indifférent, ente, *adj. et subst.* Qui n'éprouve aucun attachement pour *qqn* ou *qqch.* ; insensible. – *Adj.* Qui ne présente aucun intérêt ou aucun motif de préférence.

indigène, *adj. et subst.* Originaire du pays où il vit.

indigent, ente, *adj. et subst.* Pauvre, dénué de tout.

indigeste, *adj.* Difficile à digérer.

indigestion, *subst. f.* Trouble de la digestion. – *Fig.* Dégoût, saturation.

indignation, *subst. f.* Sentiment de colère causé par une injustice, une action honteuse.

indigne, *adj.* Qui n'est pas digne de. – Déshonorant, honteux.

indigner, *verbe trans.* Provoquer l'indignation de.

indigo, *subst. m.* Teinture bleue. – *Empl. adj. inv.* D'un bleu violacé : *Des jupes* **indigo.**

indiquer, *verbe trans.* Montrer, désigner. – Faire savoir. – Être le signe de.

indirect, ecte, *adj.* Qui n'agit pas directement. – Qui ne se meut pas en ligne droite. – *Ling.*

Complément d'objet **indirect** *d'un verbe* : qui est introduit par une préposition.

indiscipliné, ée, *adj.* Qui manque de discipline, qui ne respecte pas les règles.

indiscret, ète, *adj. et subst.* Qui révèle ce qu'il devrait taire. – *Adj.* Curieux.

indiscrétion, *subst. f.* Manque de discrétion ; curiosité déplacée. – Révélation d'un secret.

indiscutable, *adj.* Qui s'impose sans discussion.

indispensable, *adj.* Dont on ne peut se passer.

indisponible, *adj.* Qu'on ne peut utiliser librement. – Qui est occupé, réservé.

indisposer, *verbe trans.* Causer un léger malaise à (*qqn*). – Déplaire, choquer, voire irriter.

indistinct, incte, *adj.* Que l'on distingue mal, qui n'est pas net. – Confus.

individu, *subst. m.* Spécimen vivant, animal ou végétal, d'une espèce. – Être humain, pris isolément. – Personne quelconque.

individualisme, *subst. m.* Attitude d'une personne qui s'accorde à elle-même la préférence, plutôt qu'à la collectivité.

individuel, elle, *adj.* Qui appartient à l'individu. – Destiné à un seul individu.

indivisible, *adj.* Qu'on ne peut diviser.

indo-européen, enne, *adj. et subst. m.* Se dit d'un groupe de langues européennes et asiatiques d'origine commune, et des peuples qui les parlent.

indolence, *subst. f.* Nonchalance, mollesse.

indolore, *adj.* Qui n'est pas douloureux.

indomptable, *adj.* Qu'on ne peut pas dompter. – Qu'on ne peut dominer ni asservir.

indubitable, *adj.* Dont on ne peut douter.

induire, *verbe trans.* Porter à, inciter : **Induire** *qqn en erreur*, le tromper. – Avoir pour conséquence, provoquer. – Conclure.

indulgence, *subst. f.* Inclination, facilité à pardonner, à excuser.

indûment, *adv.* D'une manière injustifiée.

industrialiser, *verbe trans.* Équiper (une région, un pays) d'usines, d'industries.

industrie, *subst. f.* Ensemble des activités et des moyens mis en œuvre pour extraire des matières premières et les transformer en produits fabriqués.

industriel, ielle, *adj. et subst. m. Adj.* Qui concerne les industries. – *Subst.* Personne qui possède ou qui dirige une entreprise industrielle.

inébranlable, *adj.* Qu'on ne peut ébranler.

inédit, ite, *adj. et subst. m.* Se dit d'une œuvre non encore éditée. – *Adj.* Nouveau, original.

ineffable, *adj.* Si beau, si agréable qu'on ne peut l'exprimer (*littér.*).

inefficace, *adj.* Sans efficacité.

inégal, ale, aux, *adj.* Qui n'est pas égal à une autre chose ou à une autre personne. – Qualifie une surface qui n'est pas unie. – Variable (en parlant de l'humeur, du temps). – Irrégulier : *Un pouls* **inégal** ; *Un style* **inégal.**

inégalité, *subst. f.* Caractère de ce qui est inégal.

inéligible, *adj.* Qui ne peut être élu, en vertu d'une loi ou d'un règlement.

inéluctable, *adj.* Inévitable.

inénarrable, *adj.* Qu'on ne peut raconter. – Extrêmement drôle, extraordinaire.

inepte, *adj.* Dénué de sens. – Idiot.

inépuisable, *adj.* Qu'on ne peut épuiser.

inerte, *adj.* Dépourvu d'énergie et de mouvement propre. – Immobile.

inertie, *subst. f.* Absence d'énergie, physique ou morale. – *Phys.* Propriété qu'ont les corps de ne pouvoir modifier d'eux-mêmes leur état de mouvement.

inespéré, ée, *adj.* Que l'on n'espérait pas.

inestimable, *adj.* Que l'on ne peut estimer. – Très précieux : *Un bien* **inestimable.**

inévitable, *adj.* Impossible à éviter.

inexact, acte, *adj.* Qui n'est pas exact, en parlant d'un calcul, d'un raisonnement ; infidèle. – Qui n'arrive pas à l'heure.

inexistant, ante, *adj.* Qui n'existe pas. – Négligeable, sans importance.

inexorable, *adj.* Qui est impitoyable, implacable : *Personne, destin* **inexorables.**

inexpérience, *subst. f.* Manque d'expérience.

inexplicable, *adj.* Qui ne peut être expliqué. – Énigmatique, étrange.

inexpressif, ive, *adj.* Qui n'est pas expressif.

inexprimable, *adj.* Qui ne peut être exprimé.

in extremis, *loc. adv.* Au dernier moment.

inextricable, *adj.* Qu'on ne peut démêler, enchevêtré. – Dont on ne peut sortir : *Une forêt* **inextricable.** – *Fig.* Insoluble.

infaillible, *adj.* Qui ne peut commettre d'erreur. – Assuré, qui réussit toujours.

infaisable, *adj.* Impossible à faire.

infamant, ante, *adj.* Déshonorant.

infâme, *adj.* Méprisable, odieux. – Immonde, sordide : *Un taudis* **infâme.**

infamie, *subst. f.* Atteinte à la réputation de *qqn*, honte. – Action, parole infâmes.

infant, ante, *subst.* Titre officiel des enfants royaux du Portugal et d'Espagne.

infanterie, *subst. f.* Ensemble des unités de fantassins, qui combattent à pied.

infantile, *adj.* Relatif à l'enfant en bas âge. – Puéril : *Une attitude* **infantile.**

infarctus, *subst. m.* Nécrose d'un tissu due à un trouble de la circulation sanguine : **Infarctus** *du myocarde,* lésion du muscle cardiaque.

infatigable, *adj.* Résistant, inlassable.

infécond, onde, *adj.* Stérile, improductif.

infect, ecte, *adj.* Souillé, nauséabond. – Très mauvais au goût. – *Fig.* Ignoble, répugnant.

infecter, *verbe trans.* Contaminer par des germes infectieux. – Souiller, empester. – *Pronom.* Être contaminé : *Plaie qui s'*infecte.

infectieux, ieuse, *adj.* Qui transmet une infection. – Qui s'accompagne d'une infection.

infection, *subst. f.* Pénétration et développement de germes pathogènes dans l'organisme : *Une* **infection** *microbienne.* – Puanteur.

inférieur, ieure, *adj. et subst. Adj.* Situé plus bas. – Dont la quantité, la valeur ou le rang est plus bas. – *Subst.* Subalterne.

infériorité, *subst. f.* État de ce qui est inférieur en rang, en valeur, en mérite. – *Complexe d'*infériorité : sentiment d'une personne qui se sousestime. – Handicap.

infernal, ale, aux, *adj.* Relatif à l'enfer, aux Enfers. – Qui est inspiré par le démon, par le mal. – Insupportable.

infester, *verbe trans.* Envahir un lieu et y provoquer une gêne, une nuisance.

infidèle, *adj. et subst.* Qui ne respecte pas ses engagements conjugaux ou amoureux. – Qui ne croit pas au Dieu tenu pour vrai (vieilli). – *Adj.* Inexact : *Une traduction* **infidèle.**

infiltrer, *verbe trans.* Réussir à entrer clandestinement dans (un groupe) pour obtenir des renseignements : **Infiltrer** *un réseau.* – *Pronom.* Pénétrer en s'insinuant, comme à travers un filtre. – *Fig.* S'introduire, se glisser dans.

infime, *adj.* Minuscule ; imperceptible.

infini, ie, *adj. et subst. m.* Sans bornes, sans limites. – Immense, considérable. – *Loc. adv. À l'*infini : sans fin.

infinité, *subst. f.* Caractère de ce qui est infini (*littér.*). – Très grand nombre, multitude.

infinitésimal, ale, aux, *adj.* Extrêmement petit.

infinitif, *subst. m.* Forme nominale d'un verbe.

infirme, *adj. et subst.* Qui est atteint d'une infirmité, handicapé.

infirmer, *verbe trans.* Démentir, contredire.

infirmerie, *subst. f.* Local où l'on donne les premiers soins à des malades, à des blessés.

infirmier, ière, *subst.* Personne dont la profession est d'assurer les soins prodigués aux malades et aux blessés sur prescription médicale. – *Empl. adj.* Soins infirmiers.

infirmité, *subst. f.* État d'une personne qui a un handicap physique.

inflammable, *adj.* Qui s'enflamme facilement.

inflammation, *subst. f.* Réaction locale (chaleur, douleur, rougeur et tuméfaction) d'un organisme agressé par un agent pathogène.

inflation, *subst. f.* Phénomène monétaire qui se traduit par une hausse constante des prix.

infléchir, *verbe trans.* Changer le cours, l'orientation de. – *Pronom.* Se courber.

inflexible, *adj.* Que rien ne peut fléchir.

inflexion, *subst. f.* Action de fléchir. – Changement d'orientation : *L'*inflexion *d'une politique.* – Changement dans l'intonation.

infliger, *verbe trans.* Appliquer, faire subir (*qqch.* de déplaisant à *qqn*).

influence, *subst. f.* Action exercée sur une personne ou sur une chose.

influencer, *verbe trans.* Exercer une influence sur.

influer, *verbe intrans.* Influer *sur* : exercer une action déterminante sur.

influx, *subst. m.* Influx *nerveux* : ensemble des phénomènes qui transmettent une excitation aux éléments nerveux.

informaticien, ienne, *subst.* Personne dont la profession est l'informatique.

information, *subst. f.* Renseignement, documentation sur une affaire, une question. – Nouvelle communiquée au public par les médias.

informatique, *adj. et subst. f. Subst.* Science du traitement automatique de l'information. – Ensemble des outils (ordinateurs, logiciels) autorisant ce traitement. – *Adj.* Relatif à l'**informatique.**

informatiser, *verbe trans.* Équiper de moyens informatiques (une activité, une entreprise).

informe, *adj.* Qui n'a pas de forme définie. – Dont les formes sont disgracieuses.

informer, *verbe trans.* Renseigner, mettre au courant.

infortune, *subst. f.* Adversité, épreuve, malchance.

infra-, *préfixe* Exprime l'idée d'« en dessous de », d'« au bas de ».

infraction, *subst. f.* Violation d'un règlement, d'une loi, d'un contrat.

infranchissable, *adj.* Qu'on ne peut franchir.

infrarouge, *adj. et subst. m.* Se dit d'un rayonnement invisible dont la longueur d'onde est inférieure à celle de la lumière rouge visible.

infrason, *subst. m.* Son dont la fréquence est inférieure aux fréquences audibles.

infrastructure, *subst. f.* Partie inférieure des fondations d'une construction. – Ensemble des constructions, des équipements routiers et ferroviaires. – Ensemble des installations au sol, dans l'aviation.

infructueux, euse, *adj.* Sans résultat.

infuser, *verbe Trans.* Laisser tremper une substance dans un liquide pour qu'il se charge des principes, des arômes qu'elle contient. – Transmettre : **Infuser** *du courage à qqn.* – *Intrans.* Le thé **infuse**.

infusion, *subst. f.* Action d'infuser une plante. – Boisson infusée : *Une* **infusion** *de tilleul.*

ingénier (s'), *verbe pronom.* Mettre en œuvre toutes ses ressources pour parvenir à un résultat.

ingénieur, *subst. m.* Personne, de formation scientifique et technique, apte à diriger des travaux publics, des productions industrielles.

ingénieux, ieuse, *adj.* Qui a l'esprit inventif. – Astucieux, en parlant d'un dispositif.

ingéniosité, *subst. f.* Qualité d'une personne ingénieuse ou de ce qui est ingénieux.

ingénu, ue, *adj. et subst.* Se dit d'une personne simple jusqu'à la naïveté.

ingérence, *subst. f.* Fait de s'ingérer, de s'immiscer.

ingérer, *verbe trans.* Introduire (des aliments) dans son organisme par la bouche. – *Pronom.* Intervenir, s'immiscer dans une affaire.

ingrat, ate, *adj. et subst.* Qui n'a aucune reconnaissance pour les bienfaits reçus. – *Adj.* Dépourvu d'agrément ; difficile ; aride, stérile.

ingrédient, *subst. m.* Élément d'un mélange.

ingurgiter, *verbe trans.* Avaler rapidement, presque sans mâcher.

inhabité, ée, *adj.* Qui n'est pas habité. – Déserté.

inhabituel, elle, *adj.* Qui n'est pas habituel.

inhaler, *verbe trans.* Inspirer (un gaz, des vapeurs).

inhérent, ente, *adj.* Lié à, inséparable de.

inhibé, ée, *adj.* Stoppé par une inhibition. – Bloqué, dont la volonté est comme paralysée ; timide.

inhibition, *subst. f.* Suspension ou ralentissement d'un processus chimique, physiologique ou psychologique.

inhumain, aine, *adj.* Qui n'a rien d'humain. – Extrêmement pénible. – Cruel.

inhumer, *verbe trans.* Mettre (un corps humain) en terre ou dans un tombeau, avec un cérémonial approprié.

inimaginable, *adj.* Qu'on ne peut concevoir.

inimitable, *adj.* Impossible à imiter.

inimitié, *subst. f.* Hostilité.

inintelligible, *adj.* Incompréhensible.

ininterrompu, ue, *adj.* Qui s'enchaîne sans interruption (dans l'espace ou le temps), continu.

iniquité, *subst. f.* Manque d'équité, injustice.

initial, ale, aux, *adj. et subst. f. Adj.* Qui est au commencement, à l'origine. – *Subst.* Première lettre d'un mot ; au *plur.*, premières lettres du nom et du prénom de *qqn* : *Parapher de ses* **initiales**.

initiative, *subst. f.* Action de se décider, d'agir le premier. – Qualité de *qqn* qui ose.

initier, *verbe trans.* Faire accéder (*qqn*) à un savoir secret ou difficile. – Enseigner les premiers rudiments de *qqch.* à (*qqn*).

injecter, *verbe trans.* Introduire (un fluide, en jet ou sous pression) dans *qqch.*

injection, *subst. f.* Action d'injecter. – Le produit injecté : *Une* **injection** *d'antibiotiques.*

injonction, *subst. f.* Ordre exprès.

injure, *subst. f.* Parole outrageante, insulte.

injurier, *verbe trans.* Offenser par des injures.

injuste, *adj.* Qui n'est pas conforme à la justice ou à l'équité. – Qui agit contre la justice ou l'équité.

injustice, *subst. f.* Manque de justice, iniquité. – Acte injuste.

injustifié, ée, *adj.* Qui n'est pas justifié, qui est non fondé ou mal fondé.

inlassable, *adj.* Qui ne se lasse pas.

inné, ée, *adj.* Qui appartient à la nature d'un être vivant sans avoir été acquis par apprentissage.

innervation, *subst. f.* Distribution des nerfs dans un tissu, dans un organe.

innocence, *subst. f.* Ignorance du mal, pureté. – Naïveté, candeur. – État d'une personne qui n'est pas coupable.

innocenter, *verbe trans.* Déclarer innocent. – Prouver l'innocence de.

innombrable, *adj.* Dont les éléments sont trop nombreux pour être dénombrés, comptés.

innover, *verbe intrans.* Introduire du nouveau dans un domaine spécifique.

inoccupé, ée, *adj.* Qui n'est ni occupé ni réservé. – Qui n'a pas d'occupation, d'activité.

inoculer, *verbe trans.* Introduire (un germe) dans l'organisme par voie sanguine ou lymphatique.

inodore, *adj.* Qui n'a pas d'odeur.

inoffensif, ive, *adj.* Qui est sans danger.

inondation, *subst. f.* Débordement des eaux, qui inondent l'espace environnant.

inonder, *verbe trans.* Recouvrir d'une grande masse d'eau. – *Fig.* Envahir.

inopiné, ée, *adj.* Imprévu, inattendu.

inopportun, une, *adj.* Qui n'est pas opportun. – Maladroit, regrettable.

inoubliable, *adj.* Qu'on ne peut oublier.

inouï, ïe, *adj.* Extraordinaire, incroyable.

inqualifiable, *adj.* Indigne.

inquiet, iète, *adj.* Tourmenté, soucieux.

inquiéter, *verbe trans.* Remplir d'inquiétude. – Tracasser. – *Pronom.* Être en proie à l'inquiétude. – Se soucier de.

inquiétude, *subst. f.* État de crainte, de peur face à un danger ou à un échec possibles.

inquisition, *subst. f.* Enquête arbitraire, vexatoire.

insaisissable, *adj.* Que l'on ne peut saisir. – Que l'on ne peut percevoir, comprendre.

insalubre, *adj.* Qui nuit à la santé, malsain.

insanité, *subst. f.* Ce qui est contraire au bon sens. – Acte ou propos ridicules.

insatiable, *adj.* Qui ne peut être rassasié.

insatisfait, aite, *adj.* Qui n'est pas satisfait.

inscription, *subst. f.* Texte écrit ou gravé, commémorant un événement. – Action d'inscrire ou de s'inscrire sur une liste.

inscrire, *verbe trans.* Graver. – Écrire (son nom, une annotation) sur. – *Pronom.* Adhérer à. – S'insérer, se situer.

insecte, *subst. m.* Invertébré qui possède trois paires de pattes et dont le corps est divisé en trois parties : la tête, le thorax et l'abdomen.

insecticide, *adj. et subst. m.* Se dit d'un produit qui tue les insectes.

insectivore, *adj. et subst. m.* Se dit d'un animal qui se nourrit d'insectes. – *Subst. plur.* Ordre de mammifères comprenant la taupe, le hérisson, etc., qui se nourrissent d'insectes.

insécurité, *subst. f.* Manque de sécurité.

insémination, *subst. f.* Dépôt de sperme dans les voies génitales d'une femelle.

insensé, ée, *adj. et subst.* Qui est contraire au bon sens. – Extravagant.

insensibiliser, *verbe trans.* Rendre insensible à la douleur ; anesthésier.

insensible, *adj.* Qui n'éprouve aucune sensation. – Qui n'éprouve aucun sentiment. – Imperceptible : *Différence* **insensible**.

inséparable, *adj. et subst. Adj.* Qu'on ne peut séparer, indissociable. – *Adj. plur. et subst. plur.* Qui sont toujours ensemble.

insérer, *verbe trans.* Introduire, intercaler dans *qqch.*

insertion, *subst. f.* Action d'insérer ; son résultat. – Fait de s'insérer dans un groupe, un milieu social différent.

insidieux, ieuse, *adj.* Qui agit comme un piège. – Qui se répand de manière sournoise.

insigne, *adj. et subst. m. Adj.* Remarquable : *J'ai l'*insigne *honneur de.* – *Subst.* Signe extérieur d'un grade, d'une dignité, de l'appartenance à un groupe.

insignifiant, ante, *adj.* Sans importance. – Banal.

insinuation, *subst. f.* Façon adroite de dire *qqch.* sans l'exprimer ouvertement. – Sous-entendu.

insinuer, *verbe trans.* Donner à entendre (*qqch.*) par insinuation. – *Pronom.* Se glisser.

insipide, *adj.* Sans saveur. – *Fig.* Ennuyeux.

insister, *verbe intrans.* Mettre l'accent sur une idée, une action. – Persister dans une démarche, un point de vue.

insolation, *subst. f.* Exposition aux rayons solaires. – Trouble provoqué par une trop longue exposition au soleil.

insolence, *subst. f.* Audace excessive, provocatrice. – Attitude ou parole irrespectueuses.

insolite, *adj.* Qui étonne. – Bizarre.

insoluble, *adj.* Qui ne peut se dissoudre dans un liquide. – Qu'on ne peut résoudre.

insolvable, *adj.* Qui n'a pas les moyens de payer ses créanciers.

insomnie, *subst. f.* État d'une personne qui ne peut trouver le sommeil.

insondable, *adj.* Dont on ne peut mesurer la profondeur. – *Fig.* Incompréhensible.

insonoriser, *verbe trans.* Isoler du bruit. – Rendre moins sonore.

insouciance, *subst. f.* Manière d'être légère et frivole, sans préoccupation de l'avenir.

insoumis, ise, *adj. et subst.* Qui ne se soumet à aucune autorité. – *Subst. masc. Milit.* Qui a refusé de rejoindre son corps d'armée.

insoutenable, *adj.* Qu'on ne peut supporter. – Qu'on ne peut défendre.

inspecter, *verbe trans.* Regarder avec attention, examiner minutieusement.

inspecteur, trice, *subst.* Personne chargée officiellement d'effectuer des contrôles.

inspiration, *subst. f.* Phase de la respiration où l'on fait pénétrer de l'air dans les poumons. – Idée soudaine, créatrice.

inspirer, *verbe trans.* Faire entrer (de l'air) dans les poumons. – Suggérer (une pensée, une action, une œuvre) ; faire naître, susciter (un sentiment). – *Pronom. S'*inspirer *de* : tirer des idées de.

instable, *adj.* Qui n'est pas stable. – *Fig.* Qui est sujet au changement.

installer, *verbe trans.* Placer, disposer (*qqn* ou *qqch.*). – Équiper un lieu. – *Pronom.* S'établir en un lieu : *S'*installer *à la campagne.*

instamment, *adv.* D'une manière urgente.

instance, *subst. f.* Sollicitation pressante. – Procédure judiciaire. – Autorité décisionnaire.

instant, *subst. m.* Intervalle de temps très bref. – *À l'*instant : immédiatement ; *Par* instants : de temps en temps. – *Loc. conj. Dès l'*instant *que, où* : à partir du moment où.

instantané, ée, *adj.* Qui se produit immédiatement, en un instant très court.

instar de (à l'), *loc. prép.* À la manière de (*littér.*).

instaurer, *verbe trans.* Fonder, établir pour la première fois : **instaurer** *une mode.*

instigateur, trice, *subst.* Personne qui pousse à faire *qqch.* – Inspirateur.

instiller, *verbe trans.* Faire pénétrer goutte à goutte (un liquide) dans *qqch.* – *Fig.* Communiquer lentement, subrepticement une idée, un sentiment à *qqn* (*littér.*).

instinct, *subst. m.* Comportement inné, mécanique et héréditaire. – Intuition. – *Fig.* Disposition particulière pour une activité.

instituer, *verbe trans.* Créer, établir (une institution, une coutume). – Nommer (*qqn*) par testament.

institut, *subst. m.* Nom donné à certains établissements de recherche, d'enseignement ou de commerce.

instituteur, trice, *subst.* Personne qui enseigne dans une école maternelle ou primaire.

institution, *subst. f.* Action de fonder *qqch.* – Ensemble de règles établies dans l'intérêt de la collectivité. – Organisme, établissement. – *Plur.* L'ensemble des formes et des structures politiques d'un pays.

instructif, ive, *adj.* Propre à instruire.

instruction, *subst. f.* Action d'instruire. – Ensemble des connaissances acquises par *qqn.* – *Dr.* Procédure de mise en état d'être jugée, en parlant d'une affaire pénale. – *Plur.* Ordres, prescriptions.

instruire, *verbe trans.* Communiquer des connaissances à (*qqn*). – Informer. – *Dr.* Procéder à l'instruction (d'une cause).

instrument, *subst. m.* Outil, dispositif servant à créer *qqch.*, à exécuter une opération. – **Instrument** *de musique* : qui produit des sons. – *Fig.* Moyen pour parvenir à ses fins.

insu de (à l'), *loc. prép.* Sans que cela soit su de.

insubmersible, *adj.* Qui ne peut sombrer.

insuffisant, ante, *adj.* Qui ne suffit pas. – Qui manque de compétences.

insuffler, *verbe trans.* Communiquer par le souffle : **Insuffler** *la vie.* – Inspirer, transmettre. – *Méd.* Introduire (de l'air, un gaz) dans l'organisme.

insulaire, *adj. et subst. Adj.* Relatif à une île, à ses habitants. – *Subst.* Habitant d'une île.

insuline, *subst. f.* Hormone du pancréas.

insulte, *subst. f.* Action ou parole offensantes.

insulter, *verbe trans.* Agresser par des paroles ou des actes outrageants. – Choquer.

insupportable, *adj.* Difficile à supporter. – Exaspérant, turbulent :

insurger (s'), *verbe pronom.* Se révolter. – *Fig.* Protester énergiquement.

insurmontable, *adj.* Qu'on ne peut surmonter.

insurrection, *subst. f.* Action organisée, agressive et violente, contre un pouvoir ; révolte.

intact, acte, *adj.* Qui n'a subi aucun dommage, aucune altération ou modification.

intangible, *adj.* Qu'on n'a pas le droit de toucher, de modifier.

intarissable, *adj.* Inépuisable. – *Fig.* Qui n'en finit pas de parler.

intégral, ale, aux, *adj.* Qui est complet, total.

intégralité, *subst. f.* Totalité.

intégration, *subst. f.* Action d'intégrer, fait de s'intégrer à (un groupe, un milieu).

intègre, *adj.* Honnête, incorruptible.

intégrer, *verbe trans.* Incorporer dans un ensemble.

intégrisme, *subst. m.* Attitude qui prône le strict maintien d'une religion révélée dans sa tradition initiale.

intégrité, *subst. f.* État de ce qui est entier, complet. – Qualité d'une personne intègre.

intellect, *subst. m.* Faculté de comprendre, intelligence, entendement.

intellectuel, elle, *adj. et subst. Adj.* Qui relève de l'intellect. – *Subst.* Personne qui se consacre aux activités de l'esprit.

intelligence, *subst. f.* Faculté de saisir par la pensée. – Ensemble des facultés humaines relatives à la conception, à la connaissance, à la compréhension. – Accord, entente avec *qqn* : *Vivre en bonne* **intelligence** *avec qqn.*

intelligible, *adj.* Qui peut être compris.

intempérie, *subst. f.* Mauvais temps (*gén.* au *plur.*).

intempestif, ive, *adj.* Mal à propos, déplacé.

intemporel, elle, *adj.* Qui est hors du temps, éternel. – Immatériel.

intendance, *subst. f.* Fonction d'une personne chargée d'administrer le patrimoine d'une collectivité ou d'un particulier. – Service qui gère les questions financières et matérielles, au sein d'une administration ou d'une entreprise.

intense, *adj.* À un haut degré, fort.

intensif, ive, *adj.* Qui fait l'objet d'efforts soutenus : *Entraînement* **intensif.**

intensité, *subst. f.* Qualité de ce qui est intense. – Degré d'activité, de puissance, de force.

intention, *subst. f.* Volonté d'accomplir *qqch.* ; projet. – But que l'on vise. – *Loc. prép. A l'***intention** *de* : pour.

intentionnel, elle, *adj.* Qui est fait, conçu avec une intention déterminée.

interaction, *subst. f.* Influence réciproque de deux ou de plusieurs phénomènes.

intercaler, *verbe trans.* Insérer dans une série constituée, dans un ensemble.

intercéder, *verbe intrans.* Intervenir en faveur de *qqn*, d'un projet.

intercepter, *verbe trans.* Arrêter au passage. – Se saisir de (*qqch.* qui était destiné à *qqn* d'autre).

interconnexion, *subst. f.* Mise en relation étroite de deux ou de plusieurs choses ou idées.

interdiction, *subst. f.* Action d'interdire : **Interdiction** *d'afficher.* – Ce qui est interdit.

interdire, *verbe trans.* Défendre (*qqch.*) à *qqn* ; ne pas permettre l'usage de. – Faire obstacle à.

interdit, ite, *adj. et subst. m. Adj.* Frappé d'interdiction, défendu. – Décontenancé, stupéfait. – *Subst.* Interdiction.

intéressé, ée, *adj. et subst.* Qui est concerné. – *Adj.* Qui est guidé par son intérêt personnel. – Qui est inspiré par l'intérêt : *Service* **intéressé.**

intéresser, *verbe trans.* Retenir l'attention de, plaire à. – Associer (*qqn*) à une affaire, à un profit. – Concerner. – *Pronom.* Avoir de l'intérêt pour : *S'***intéresser** *à l'actualité.*

intérêt, *subst. m.* Attention que l'on porte à *qqn* ou à *qqch.* – Ce qui est utile, avantageux. – *Plur.* Somme que rapporte un prêt au prêteur. – Parts que l'on possède dans une affaire.

interférence, *subst. f. Phys.* Phénomène observé lorsque deux ondes se superposent. – Fait d'interférer.

interférer, *verbe intrans.* Se superposer, en parlant d'ondes. – *Fig.* Se recouper en se contrariant : *Actions qui* **interfèrent.**

intérieur, ieure, *adj. et subst. m. Adj.* Situé au-dedans. – Qui a trait à l'esprit, à la vie psychologique. – Qui concerne une collectivité, un État : *Règlement* **intérieur.** – *Subst.* Le dedans. – Logement. – Vie, politique interne d'un pays : *Ministre de l'***Intérieur.**

intérioriser, *verbe trans.* Garder pour soi, en soi. – Rendre plus intérieur, plus intime.

interjection, *subst. f.* Mot invariable exprimant un sentiment, une émotion, un ordre : « *Aïe ! bravo ! bah !* » *sont des* **interjections.**

interlocuteur, trice, *subst.* Personne qui s'entretient avec une autre.

interloquer, *verbe trans.* Décontenancer, étonner.

intermède, *subst. m.* Divertissement présenté à l'entracte, au théâtre. – Ce qui interrompt le cours d'un processus.

intermédiaire, *adj. et subst. Adj.* Qui est au milieu, entre. – *Subst.* Personne qui met en relation.

interminable, *adj.* Qui semble ne jamais devoir se terminer : *Une attente* **interminable.**

intermittence, *subst. f.* Discontinuité dans un processus ; intervalle de temps. – *Loc. adv. Par* **intermittence** : à intervalles irréguliers.

internat, *subst. m.* Situation d'un élève pension- naire ; lieu où logent les internes. – Fonction d'interne des hôpitaux.

international, **ale**, **aux**, *adj.* Qui concerne les re- lations entre plusieurs nations.

interne, *adj. et subst.* Adj. Qui est au-dedans. – *Subst.* Pensionnaire dans un établissement sco- laire. – Étudiant en médecine.

interner, *verbe trans.* Emprisonner. – Enfermer dans un hôpital psychiatrique.

interpeller, *verbe trans.* Adresser brusquement la parole à *qqn* pour le questionner. – Attirer l'attention de, s'imposer à.

interposer, *verbe trans.* Placer entre deux choses. – *Pronom.* Intervenir pour séparer deux adver- saires.

interprétation, *subst. f.* Explication, commentaire. – Manière de dire un texte, de jouer un morceau de musique.

interpréter, *verbe trans.* Traduire. – Expliquer (*qqch.*) par référence à des choses connues, donner un sens à. – Jouer (un rôle, un morceau de musique).

interrogatif, **ive**, *adj.* Qui exprime une interroga- tion : *Phrase* **interrogative**.

interrogation, *subst. f.* Question, demande. – *Point d'*interrogation : signe de ponctuation (?) placé à la fin d'une phrase interrogative directe.

interrogatoire, *subst. m.* Ensemble des questions posées par un magistrat, dans une affaire civile ou pénale. – Suite de questions.

interroger, *verbe trans.* Questionner.

interrompre, *verbe trans.* Briser la continuité (d'un processus). – Couper la parole à (*qqn*). – *Pro- nom.* S'arrêter de faire *qqch.*

interrupteur, *subst. m.* Dispositif permettant d'in- terrompre ou de rétablir le passage d'un courant électrique.

interruption, *subst. f.* Action d'interrompre ou de s'interrompre. – Son résultat.

intersection, *subst. f.* Point de rencontre de deux lignes ou de deux surfaces qui se coupent.

interstice, *subst. m.* Très petit espace entre les parties d'un tout.

intervalle, *subst. m.* Distance entre deux objets. – Durée qui sépare deux événements. – *Mus.* Écart entre deux sons. – *Loc. adv. Par* **inter- valles** : de temps à autre.

intervenir, *verbe intrans.* Prendre part à un évé- nement. – Prendre la parole dans une discus- sion. – User de son influence (auprès de *qqn*). – *Méd.* Opérer.

intervention, *subst. f.* Action d'intervenir. – Opé- ration chirurgicale.

intervertir, *verbe trans.* Permuter, échanger.

interview, *subst. f.* Entretien mené par un jour- naliste dans l'intention de publier les dé- clarations de la personne interrogée.

intestin, *subst. m.* Partie du tube digestif qui fait suite à l'estomac.

intime, *adj. et subst.* Qui est très proche de *qqn*. – Adj. Profond, personnel et caché.

intimer, *verbe trans.* Déclarer impérativement, notifier : **intimer** *l'ordre de*.

intimider, *verbe trans.* Troubler, rendre timide. – Inspirer de la crainte à.

intimité, *subst. f.* Caractère intime, profond. – Relation étroite entre deux personnes.

intituler, *verbe trans.* Donner un titre à (un texte, un livre, etc.). – *Pronom.* Avoir pour titre. – Se donner le titre, le nom de.

intolérance, *subst. f.* Disposition hostile envers les personnes professant d'autres opinions. – In- aptitude de l'organisme à tolérer certains ali- ments ou médicaments.

intonation, *subst. f.* Ton, inflexion de la voix.

intouchable, *adj. et subst.* Qu'on n'a pas le droit de toucher, de condamner. – En Inde, se dit d'une personne considérée comme impure par sa naissance.

intoxication, *subst. f.* Trouble provoqué par la présence d'un produit toxique dans l'organisme ; empoisonnement. – *Fig.* Influence insidieuse exercée sur les esprits par la propagande.

intoxiquer, *verbe trans.* Empoisonner. – *Fig.* In- fluencer insidieusement. **intra-**, *préfixe* Préfixe qui signifie « à l'intérieur de ».

intraitable, *adj.* Inflexible, intransigeant.

intransigeant, **ante**, *adj.* Qui n'accepte aucun compromis, aucune concession.

intransitif, **ive**, *adj. et subst. m.* Se dit d'un verbe qui n'admet pas de complément d'objet.

intrépide, *adj.* Qui ne craint pas le danger.

intrépidité, *subst. f.* Bravoure, témérité.

intrigant, **ante**, *adj. et subst.* Se dit d'une personne qui emploie l'intrigue pour parvenir à ses fins.

intrigue, *subst. f.* Menée secrète pour atteindre un but. – Trame d'un roman, d'une pièce de théâ- tre, d'un film.

intriguer, *verbe Trans.* Exciter la curiosité de. – *Intrans.* Mener une intrigue, comploter.

intrinsèque, *adj.* Qui appartient à l'essence même de l'objet, inhérent.

introduction, *subst. f.* Action d'introduire. – Pré- face, préliminaire.

introduire, *verbe trans.* Faire entrer dans. – Faire admettre (*qqn*) dans un groupe.

introniser, *verbe trans.* Installer solennellement (*qqn*) dans ses fonctions.

introspection, *subst. f.* Observation de soi par soi.

introuvable, *adj.* Impossible à trouver. – Rare.

introversion, *subst. f.* Caractère d'une personne repliée sur ellemême.

intrus, **use**, *adj. et subst.* Qui n'est pas à sa place dans un ensemble donné. – Qui s'introduit quelque part sans y avoir été convié.

intuition, *subst. f.* Connaissance immédiate, sans raisonnement ; pressentiment.

inusable, *adj.* Qui résiste très bien à l'usure.

inutile, *adj.* Qui ne sert à rien. – Infructueux, sans résultat.

inutilisable, *adj.* Qui ne peut pas servir.

invaincu, **ue**, *adj.* Qui n'a jamais été vaincu.

invalide, *adj. et subst.* Qui est atteint d'une inva- lidité.

invalider, *verbe trans.* Rendre nul, non valable, juridiquement ou administrativement.

invalidité, *subst. f.* Nullité d'un acte ou d'un con- trat. – État d'une personne infirme.

invariable, *adj.* Qui reste constant, immuable.

invasion, *subst. f.* Action d'envahir en masse et en force un territoire, en parlant d'une armée, d'un peuple. – Envahissement soudain et massif : *Une* **invasion** *de touristes.*

invective, *subst. f.* Discours violent, injure.

inventaire, *subst. m.* Dénombrement des objets, des biens appartenant à une personne, à une entreprise ou à une collectivité.

inventer, *verbe trans.* Créer (*qqch.* de nouveau) : **Inventer** *une machine.* – Imaginer, créer de toutes pièces : **Inventer** *une histoire.*

inventeur, trice, *subst.* Personne qui invente. – Personne qui découvre.

invention, *subst. f.* Création d'un objet ou d'un procédé nouveau ; son résultat. – Mensonge.

inventorier, *verbe trans.* Faire l'inventaire de.

inverse, *adj. et subst. m.* Contraire à un sens considéré. – Opposé, contraire : *Effet* **inverse**.

inverser, *verbe trans.* Diriger dans un sens opposé. – Intervertir (un ordre).

invertébré, *adj. et subst. m.* Se dit des animaux pluricellulaires sans vertèbres, tels que les insectes, les mollusques, les crustacés, etc.

investigation, *subst. f.* Enquête approfondie.

investir, *verbe trans.* Conférer officiellement une dignité, un droit, un pouvoir à (*qqn*). – Assiéger (une ville, une place forte). – Placer (des capitaux). – *Pronom.* Mettre toute son énergie dans *qqch.*

investissement, *subst. m.* Action d'investir, de s'investir. – Résultat de cette action.

investiture, *subst. f.* Mise en possession officielle et solennelle d'une dignité.

invétéré, ée, *adj.* Ancré dans une habitude.

invincible, *adj.* Qui ne peut être vaincu.

inviolable, *adj.* Qu'on ne peut enfreindre. – Qu'on ne peut forcer : *Serrure* **inviolable**.

invisible, *adj.* Qu'on ne peut pas voir.

invitation, *subst. f.* Action d'inviter. – Écrit par lequel on invite. – Action d'inciter à.

inviter, *verbe trans.* Prier (*qqn*) de prendre part ou d'assister à un événement. – Inciter à : **Inviter** *à la prudence.* – *Pronom.* Se rendre en un lieu sans y être convié.

invivable, *adj.* Très difficile à vivre.

involontaire, *adj.* Qui s'accomplit sans l'intervention de la volonté.

invoquer, *verbe trans.* Demander l'aide (d'une puissance surnaturelle). – Faire appel à. – Citer à l'appui ; prétexter.

invraisemblable, *adj.* Qui ne semble pas vrai. – Extravagant : *Une tenue* **invraisemblable**.

invulnérable, *adj.* Qui ne peut être blessé. – Qui ne peut être atteint moralement.

iode, *subst. m.* Élément chimique doté de propriétés antiseptiques, présent dans la mer.

ion, *subst. m.* Atome ou groupe d'atomes porteur d'une charge électrique.

ionique, *adj. et subst. m.* Se dit de l'un des trois ordres de l'architecture grecque, caractérisé par des chapiteaux ornés de volutes latérales.

irascible, *adj.* Qui se met facilement en colère.

iris, *subst. m.* Plante à fleurs jaunes ou violettes ornementales. – Partie colorée de l'œil.

irisé, ée, *adj.* Qui présente des reflets aux couleurs de l'arc-en-ciel.

ironie, *subst. f.* Attitude de moquerie, de raillerie plus ou moins sceptique.

irradier, *verbe Trans.* Exposer à une émission radioactive. – *Intrans.* Rayonner, se propager.

irrationnel, elle, *adj.* Qui n'est pas conforme aux normes de la raison.

irréaliste, *adj.* Qui manque de réalisme.

irrécupérable, *adj.* Qu'on ne peut récupérer.

irréductible, *adj.* Qu'on ne peut réduire. – Dont on ne peut venir à bout, inflexible.

irréel, elle, *adj.* Qui ne semble pas réel.

irréfutable, *adj.* Qu'on ne peut réfuter.

irrégularité, *subst. f.* Caractère, aspect de ce qui est irrégulier. – Anomalie. – Acte contraire aux règles.

irrégulier, ière, *adj.* Qui n'est pas régulier. – Non conforme aux règles et aux lois.

irrémédiable, *adj.* À quoi on ne peut remédier ; définitif : *Une perte* **irrémédiable**.

irréparable, *adj.* Qu'on ne peut réparer.

irréprochable, *adj.* Qui ne se prête à aucun reproche ; parfait.

irrésistible, *adj.* À qui ou à quoi on ne peut résister. – Extrêmement drôle.

irrésolu, ue, *adj.* Qui a du mal à se décider.

irrespect, *subst. m.* Manque de respect.

irrespirable, *adj.* Qui est pénible à respirer.

irresponsable, *adj.* Qui n'est pas responsable de ses actes ou qui agit avec légèreté.

irréversible, *adj.* Qui ne peut se produire que dans un seul sens. – Définitif.

irrévocable, *adj.* Que l'on ne peut révoquer. – Définitif : *Un verdict* **irrévocable**.

irrigation, *subst. f.* Action d'irriguer des terres. – Circulation du sang dans les organes.

irriguer, *verbe trans.* Faire venir de l'eau sur des terres, pour les arroser.

irritation, *subst. f.* Colère. – Inflammation légère de la peau ou des muqueuses.

irriter, *verbe trans.* Mécontenter, mettre en colère. – Causer une inflammation à.

irruption, *subst. f.* Invasion soudaine et violente. – Apparition brusque.

islam, *subst. m.* Religion des musulmans, dont le livre saint est le Coran. – *L'***Islam** : l'ensemble des peuples musulmans.

isocèle, *adj.* Se dit d'un triangle dont deux côtés sont égaux ou d'un trapèze dont les deux côtés non parallèles sont égaux.

isolant, ante, *adj. et subst. m.* Qui isole du son, de la chaleur, du froid ou de l'électricité.

isolation, *subst. f.* Protection contre l'électricité, la chaleur, le froid ou le bruit.

isolement, *subst. m.* État d'une personne ou d'une chose isolée : *L'***isolement** *d'un ermite.*

isoler, *verbe trans.* Séparer de son environnement. – Éloigner des autres personnes : **Isoler** *un malade.* – Protéger en posant un matériau isolant : **Isoler** *un studio.*

isoloir, *subst. m.* Lieu où l'on s'isole pour voter.

issu, ue, *adj. et subst. f. Adj.* **Issu** *de* : né de. – *Subst.* Sortie. – *Fig.* Résultat ; échappatoire.

isthme, *subst. m.* Bande de terre, entre deux mers, reliant deux terres.

italien, *subst. m.* Langue romane parlée en Italie.

italique, *adj. et subst. m.* Se dit de caractères d'imprimerie penchés, d'origine vénitienne.

itinéraire, *subst. m.* Parcours, trajet.

i.v.g., *subst. f. inv.* Sigle pour « interruption volontaire de grossesse ».

ivoire, *subst. m.* Substance osseuse constituant les défenses de l'éléphant, les dents, etc.

ivre, *adj.* Qui est sous l'effet de l'alcool ; soûl. – *Fig.* Exalté, transporté.

ivresse, *subst. f.* État d'une personne ivre. – Euphorie, exaltation.

J

j, j, *subst. m. inv.* Dixième lettre et septième consonne de l'alphabet français.

jabot, *subst. m.* Poche de l'œsophage des oiseaux. – Pièce de dentelle ou de tissu fin, ornant un corsage ou une chemise.

jacasser, *verbe intrans.* Pousser son cri (jacassement), en parlant de la pie.

jachère, *subst. f.* Terre qu'on laisse temporairement sans culture, au repos.

jacinthe, *subst. f.* Plante à bulbe, cultivée pour ses fleurs odorantes en grappes.

jacquard, *subst. m.* Métier à tisser. – Tricot à dessins géométriques, de plusieurs couleurs.

jacquerie, *subst. f.* Insurrection de paysans.

jactance, *subst. f.* Manière de parler hautaine et arrogante (*littér.*).

jade, *subst. m.* Pierre fine d'un vert plus ou moins sombre. – Objet en **jade**.

jadis, *adv.* Dans un passé lointain.

jaguar, *subst. m.* Félin d'Amérique du Sud, voisin de la panthère d'Afrique.

jaillir, *verbe intrans.* Sortir avec force, en parlant d'un fluide ou de la lumière. – Apparaître, surgir brusquement.

jaillissement, *subst. m.* Action de jaillir. – Son résultat.

jais, *subst. m.* Variété de lignite, d'un noir brillant.

jalon, *subst. m.* Piquet marquant un alignement, une distance. – *Fig.* Point de repère : *Poser des* **jalons**, préparer le terrain.

jalonner, *verbe trans.* Marquer de points de repère : **Jalonner** *une allée.* – Border de loin en loin : *Des platanes* **jalonnent** *la route* ; au *fig.* : *Étapes qui* **jalonnent** *une carrière.*

jalouser, *verbe trans.* Envier, être jaloux de.

jalousie, *subst. f.* Amour exclusif ; crainte d'être trahi par autrui. – Envie ; dépit de ne pas posséder ce que possède autrui. – Persienne formée de lattes mobiles parallèles.

jaloux, ouse, *adj. et subst.* Qui éprouve de la jalousie. – *Adj.* Très attaché à : *Être* **jaloux** *de ses prérogatives.*

jamais, *adv.* En un temps quelconque, un jour : *Sait-on* **jamais** ! – À aucun moment (avec négation) : *Elle ne rit* **jamais**. – *Loc. adv. À (tout)* **jamais** : pour toujours.

jambage, *subst. m.* Chacun des traits verticaux des lettres *m, n* et *u.*

jambe, *subst. f.* Partie du membre inférieur qui va du genou au pied. – Le membre inférieur tout entier. – Partie d'un pantalon qui recouvre la **jambe**.

jambon, *subst. m.* Cuisse ou épaule de porc cuite ou crue (salée ou fumée).

jambonneau, *subst. m.* Petit jambon fait avec la partie de la patte du porc située sous le genou.

jante, *subst. f.* Pourtour d'une roue, en bois ou en métal.

janvier, *subst. m.* Premier mois de l'année.

japonais, *subst. m.* Langue parlée au Japon.

japper, *verbe intrans.* Pousser de petits cris (jappements), en parlant du jeune chien.

jaquette, *subst. f.* Veste masculine de cérémonie, à longs pans ouverts. – Couverture amovible d'un livre.

jardin, *subst. m.* Terrain clos, réservé à des cultures maraîchères ou ornementales. – **Jardin** *public* : espace vert, dans une ville. – **Jardin** *d'enfants* : classe de très jeunes enfants, dans l'enseignement privé.

jardinage, *subst. m.* Action de jardiner.

jardiner, *verbe intrans.* Entretenir un jardin.

jardinier, ière, *subst.* Personne dont le métier est de cultiver, d'entretenir des jardins. – *Fém.* Bac à fleurs. – Mélange de légumes cuits.

jargon, *subst. m.* Langage inintelligible. – Langage propre à une discipline, à une profession.

jarre, *subst. f.* Grand vase de terre cuite ou de grès servant à conserver de l'eau, de l'huile.

jarret, *subst. m.* Chez l'homme, partie postérieure du genou. – Chez les quadrupèdes, articulation située au milieu de la jambe.

jars, *subst. m.* Mâle de l'oie.

jaser, *verbe intrans.* S'adonner à un bavardage indiscret ou malveillant. – Babiller. – Pousser son cri, en parlant de la pie, du perroquet, etc.

jasmin, *subst. m.* Arbrisseau à fleurs odorantes blanches ou jaunes : *Thé au* **jasmin**.

jatte, *subst. f.* Récipient rond et évasé.

jauge, *subst. f.* Capacité d'un récipient. – Indicateur du niveau d'un liquide dans un récipient. – Volume intérieur d'un navire.

jauger, *verbe Trans.* Mesurer la capacité (d'un récipient, d'un navire). – *Fig.* Apprécier, juger (*qqn* ou *qqch.*). – *Intrans. Mar.* Avoir une capacité de : **Jauger** *mille tonneaux.*

jaune, *adj., subst. et adv. Adj.* De la couleur du citron ou de l'or. – *Subst.* Personne de la race **jaune**. – *Masc.* Couleur **jaune**. – Partie centrale de l'œuf d'un oiseau. – *Adv. Rire* **jaune** : rire en se forçant, pour cacher sa gêne ou son dépit.

jaunir, *verbe Rendre* ou devenir jaune.

jaunisse, *subst. f. Méd.* Coloration jaune de la peau révélant un trouble hépatique.

javel (eau de), *subst. f.* Solution de sels de chlore, utilisée pour désinfecter et/ou décolorer.

javelot, *subst. m.* Lance courte à pointe acérée. – En athlétisme, instrument de lancer.

jazz, *subst. m.* Musique créée par les Noirs américains, fondée sur l'improvisation.

je, j', *pron. pers.* Sujet de la 1re personne du singulier, des deux genres : **Je** *vais* ; **J'**irai.

jean(s), *voir* **blue-jean(s)**

jeep, *subst. f.* Automobile tout terrain à quatre roues motrices.

jérémiade, *subst. f.* Plainte, lamentation (*fam.*).

jerrican(e), *subst. m.* Récipient portatif à bec verseur, d'env. 20 l.

jersey, *subst. m.* Tricot à fines mailles. – Vêtement en **jersey**.

jésuite, *adj. et subst.* Se dit des membres de la Compagnie de Jésus, ordre religieux, et de ce qui les concerne. – *Fig.* Hypocrite (*péj.*).

jet (i), *subst. m.* Action de jeter. – Jaillissement d'un liquide ou d'un gaz sous pression.

jet (ii), *subst. m.* Avion à réaction.

jetée, *subst. f.* Construction en maçonnerie, en bois, etc., qui s'avance dans la mer.

jeter, *verbe trans.* Lancer. – Établir : **Jeter** *les bases d'un projet.* – Émettre : **Jeter** *un cri.* – Se débarrasser de. – Pousser violemment vers. – *Pronom.* Se précipiter (sur, contre).

jeton, *subst. m.* Pièce plate et ronde, symbolisant une valeur. – *Faux* **jeton** : hypocrite (*fam.*).

jeu, jeux, *subst. m.* Activité non utilitaire que l'on pratique pour s'amuser. – Activité codifiée par des règles : **Jeu** *de cartes.* – Manière de jouer, d'agir ; façon dont un acteur interprète son rôle. – Ensemble des **jeux** de hasard, d'argent. – Série d'objets de même fonction : *Un* **jeu** *de clefs.* – Espace entre deux objets facilitant le mouvement.

jeudi, *subst. m.* Quatrième jour de la semaine.

jeun (à), *loc. adv.* Sans avoir ni mangé ni bu.

jeune, *adj. et subst. Adj.* Qui n'est pas d'un âge avancé. – Propre à la jeunesse. – *Fig.* Récent, nouveau. – *Subst.* Personne **jeune**.

jeûne, *subst. m.* Action, fait de jeûner.

jeûner, *verbe intrans.* S'abstenir de manger ou de boire, volontairement ou non.

jeunesse, *subst. f.* Période de la vie comprise entre l'enfance et la maturité. – Ensemble des jeunes gens. – *Fig.* Caractère de ce qui est récent : *La* **jeunesse** *d'un vin.*

jiu-jitsu, *subst. m.* Art martial japonais, ancêtre du judo.

joaillerie, *subst. f.* Art, commerce du joaillier. – La marchandise du joaillier.

joaillier, ière, *subst.* Personne qui crée, travaille et vend des joyaux.

jockey, *subst. m.* Cavalier professionnel qui monte des chevaux de course.

jogging, *subst. m.* Course à pied pratiquée pour entretenir sa forme. – Survêtement.

joie, *subst. f.* Émotion vive, sentiment de profond contentement. – Gaieté. – Ce qui amène ce sentiment. – *Plur.* Agréments, plaisirs.

joindre, *verbe trans.* Rapprocher, relier (des choses). – Ajouter. – Atteindre.

joint (i), **jointe**, *adj.* Lié, uni. – Ajouté : *Ci*-**joint**.

joint (ii), *subst. m.* Articulation entre deux éléments. – Pièce qui sert à unir deux éléments.

jointure, *subst. f.* Point de rencontre de deux choses qui se joignent. – Articulation des os.

joker, *subst. m.* Carte à jouer qui peut remplacer n'importe quelle autre carte.

joli, ie, *adj.* Agréable à regarder, à entendre ; gracieux. – Digne d'intérêt, assez important (*fam.*). – *Empl. subst. C'est du* **joli** ! : c'est très mal (*iron.*).

jonc, *subst. m.* Plante herbacée des lieux humides. – Canne flexible et légère.

joncher, *verbe trans.* Recouvrir (le sol) de feuillages. – Couvrir, être épars sur : *Feuilles qui* **jonchent** *le sol.*

jonction, *subst. f.* Action de joindre ; fait de se joindre. – Lieu où deux choses se joignent.

jongler, *verbe intrans.* Lancer en l'air des balles, des objets et les rattraper pour les relancer aussitôt. – *Fig.* **Jongler** *avec* : manier avec subtilité, avec aisance.

jongleur, euse, *subst.* Artiste de cirque ou de music-hall dont la spécialité est de jongler.

jonque, *subst. f.* Voilier traditionnel d'Extrême-Orient, de mer et de rivière, aux voiles tendues par des lattes de bambou.

jonquille, *subst. f.* Narcisse à fleurs jaunes. – *Empl. adj. inv.* Jaune vif : *Une robe* **jonquille**.

joue, *subst. f.* Partie latérale de la face située entre l'œil et le menton. – Partie latérale de certains objets. – *Mettre en* **joue** : viser avec une arme à feu.

jouer, *verbe Intrans.* S'amuser, se livrer à un jeu. – Se mouvoir, agir : *Il fit* **jouer** *la clef dans la serrure.* – Se déformer : *Le bois* **joue** *sous l'effet de l'humidité.* – Tenir un rôle (au théâtre, au cinéma). – *Trans. indir.* Pratiquer : **Jouer** *aux cartes, au football.* – Feindre : *Il* **joue** *à l'ignorant.* – Se servir (d'un instrument de musique). – Traiter avec désinvolture : **Jouer** *avec les sentiments.* – *Trans. dir.* Risquer : *Il* **joue** *sa carrière.* – Interpréter : **Jouer** *un concerto.* – *Pronom.* Se moquer de.

jouet, *subst. m.* Objet destiné à l'amusement. – *Être le* **jouet** *de* : être la victime de.

joueur, euse, *adj. et subst. Adj.* Qui aime s'amuser. – *Subst.* Personne qui pratique régulièrement un jeu, un sport, ou un instrument de musique. – Personne qui a la passion du jeu.

joufflu, ue, *adj.* Dont les joues sont rebondies.

joug, *subst. m.* Pièce d'attelage en bois placée sur l'encolure des bœufs. – *Fig.* Entrave, matérielle ou morale.

jouir, *verbe trans. indir.* Tirer un grand plaisir (de). – Posséder (un bien, une faculté, un droit) et en profiter : **Jouir** *d'une vue perçante.* – *Empl. abs.* Atteindre l'orgasme (*fam.*).

jouissance, *subst. f.* Fait de jouir. – Fait d'être en possession d'un droit et de l'exercer.

joujou, oux, *subst. m. Fam.* Jouet. – *Faire* **joujou** : jouer.

jour, *subst. m.* Intervalle de temps (24 h), correspondant à une rotation complète de la Terre autour de son axe. – Intervalle de temps qui s'écoule entre le lever et le coucher du Soleil en un lieu donné. – Date, repère dans le temps : *Le* **jour** *de ma naissance.* – Clarté, lumière naturelle du Soleil : *Il fait* **jour** ; *Le point du* **jour**, *l'aube.* – Espace, trou qui laisse passer la lumière. – *Mettre au* **jour** : découvrir. – *Mettre à* **jour** : actualiser. – *Donner le* **jour** *à un enfant* : lui donner naissance, accoucher.

journal, aux, *subst. m.* Mise par écrit, au jour le jour, d'événements : **Journal** *de bord.* – Publication périodique relatant et commentant l'actualité. – Bulletin d'information télévisé ou radiophonique.

journalier, ière, *adj. et subst. Adj.* Quotidien. – *Subst.* Ouvrier agricole qui travaille à la journée.

journalisme, *subst. m.* Profession de journaliste.

journaliste, *subst.* Personne dont la profession est d'informer le public, dans un journal, à la radio ou à la télévision.

journée, *subst. f.* Partie du jour comprise entre le lever et le coucher du Soleil. – Ce qui se passe pendant la **journée**.

joute, *subst. f. Hist.* Combat courtois à la lance, entre deux cavaliers. – *Fig.* **Joute** *oratoire*.

jouvenceau, elle, *subst.* Jeune homme, jeune fille.

jouxter, *verbe trans.* Se trouver à côté de.

jovial, ale, aux, *adj.* Qui manifeste de la bonne humeur, de la gaieté : *Un visage* **jovial**.

joyau, aux, *subst. m.* Bijou fait de pierres et de métaux précieux. – *Fig.* Chose rare, très belle.

joyeux, euse, *adj.* Qui manifeste, éprouve ou inspire de la joie.

jubilation, *subst. f.* Joie intense, exubérante.

jubilé, *subst. m.* Célébration du cinquantième anniversaire d'un événement important.

jubiler, *verbe intrans.* Manifester sa jubilation.

jucher, *verbe Intrans.* Se poser en un lieu élevé, en parlant d'un oiseau : *Pigeon* **juchant** *sur une corniche*. – *Trans.* Placer en un point élevé : **Jucher** *un enfant sur ses épaules*.

judaïque, *adj.* Relatif à la religion juive. – Relatif aux Juifs de l'Antiquité.

judaïsme, *subst. m.* Ensemble des préceptes religieux des juifs, fondés sur la Bible.

judas, *subst. m.* Traître. – Petit trou ménagé dans une porte pour voir sans être vu.

judéo-chrétien, ienne, *adj.* Relatif aux croyances et aux valeurs communes au judaïsme et au christianisme.

judiciaire, *adj.* Qui relève de la justice.

judicieux, ieuse, *adj.* Qui dénote un jugement sûr, pertinent.

judo, *subst. m.* Sport de combat japonais adapté du jiu-jitsu et privilégiant la souplesse.

judoka, *subst.* Personne qui pratique le judo.

juge, *subst. m.* Magistrat chargé de rendre la justice. – Personne chargée d'exprimer son opinion, d'émettre un jugement de valeur.

jugé (au), *loc. adv.* D'une manière approximative.

jugement, *subst. m.* Sentence prononcée par un juge ou par un tribunal ; son contenu. – Opinion favorable ou défavorable. – Faculté qui permet à l'homme d'avoir une opinion. – Bon sens : *Avoir du* **jugement**.

jugeote, *subst. f.* Bon sens (*fam.*).

juger, *verbe trans.* Prononcer une sentence de justice sur (*qqn, une affaire*). – Donner son opinion sur. – Considérer, estimer que.

jugulaire, *adj. et subst. f.* Adj. De la gorge : *Veine* **jugulaire**. – Subst. Bride passant sous le menton et maintenant un couvre-chef.

juguler, *verbe trans.* Maîtriser avec efficacité, enrayer : **Juguler** *une épidémie*.

juif, juive, *adj. et subst. Subst.* Un **Juif** : descendant des Hébreux. – *Un* **juif** : personne dont la religion est le judaïsme. – *Adj.* Relatif aux **Juifs** ou au judaïsme.

juillet, *subst. m.* Septième mois de l'année.

juin, *subst. m.* Sixième mois de l'année.

jumeau, elle, *adj. et subst.* Se dit de deux enfants nés d'un même accouchement. – *Adj.* Qualifie des choses identiques.

jumelage, *subst. m.* Lien établi entre deux choses semblables ou ayant des affinités.

jumeler, *verbe trans.* Associer par jumelage.

jumelles, *subst. f. plur.* Instrument composé de deux lunettes associées, permettant de voir au loin.

jument, *subst. f.* Femelle du cheval.

jungle, *subst. f.* Végétation très dense, de hautes herbes et d'arbres, propre à l'Asie des moussons. – *Fig.* Milieu complexe où l'on se perd : *La* **jungle** *de l'administration*. – Milieu d'âpre concurrence : *Loi de la* **jungle**.

junior, *adj. et subst.* Adj. Qui concerne les jeunes. – Subst. Sportif âgé de 17 à 21 ans.

junte, *subst. f.* Gouvernement autoritaire issu d'un coup d'État : *Une* **junte** *militaire*.

jupe, *subst. f.* Vêtement féminin de longueur variable, qui part de la taille et recouvre les jambes. – Élément mécanique qui en enveloppe un autre : *La* **jupe** *d'un piston*.

jupon, *subst. m.* Pièce de lingerie féminine que l'on enfile sous une jupe, une robe.

jurassique, *adj. et subst. m.* Se dit de la période géologique de l'ère secondaire précédant le crétacé.

juré, *subst. m.* Membre d'un jury.

jurer, *verbe Trans. dir.* Promettre par serment. – Affirmer, promettre solennellement. – *Trans. indir.* **Jurer** *avec* : être mal assorti avec. – *Intrans.* Proférer des jurons.

juridiction, *subst. f.* Pouvoir de juger ; territoire sur lequel un juge exerce ses fonctions. – Ensemble des tribunaux de même nature.

juridique, *adj.* Qui relève du droit.

jurisprudence, *subst. f.* Ensemble des jugements et des arrêts qui ont été rendus sur une question et qui servent de référence à la loi.

juriste, *subst.* Spécialiste du droit.

juron, *subst. m.* Exclamation blasphématoire ou grossière : *Un vilain* **juron**.

jury, *subst. m.* Ensemble de personnes réunies pour juger un accusé en cour d'assises. – Commission d'examinateurs.

jus, *subst. m.* Liquide contenu dans la chair d'un fruit. – Suc de cuisson d'une viande.

jusque, *prép.* Marque le terme, la limite, dans l'espace ou dans le temps : *Aller* **jusqu'à** *Londres* ; **Jusqu'**ici, **jusque-là** ; **Jusqu'**à *un certain point*. – *Loc. conj.* **Jusqu'à** *ce que*+*subj.* : jusqu'au moment où.

justaucorps, *subst. m.* Vêtement collant d'une seule pièce, utilisé pour la danse, le sport.

juste, *adj., subst. m. et adv.* Adj. Qui agit conformément à la justice, équitable. – Exact, précis : *Une balance* **juste**. – À peine suffisant : *Un manteau un peu* **juste**. – Subst. Homme vertueux. – *Adv.* Avec une parfaite exactitude : *Il est midi* **juste**. – Avec pertinence : *Penser* **juste**. – D'une manière à peine suffisante : **Juste** *assez grand*.

justesse, *subst. f.* Exactitude d'un jugement, d'un instrument. – *De* **justesse** : de peu.

justice, *subst. f.* Reconnaissance et respect des droits d'autrui. – Pouvoir de faire régner le droit ; exercice de ce pouvoir.

justicier, ière, *subst.* Personne qui défend le droit, redresse les torts.

justificatif, ive, *adj. et subst. m.* Se dit de ce qui permet de justifier, de prouver : *Lettre* **justificative**.

justification, *subst. f.* Action de justifier ou de se justifier. – *Impr.* Longueur d'une ligne pleine.

justifier, *verbe trans. Trans. dir.* Faire admettre comme légitime, comme bien fondé. – *Trans. indir.* **Justifier** *de* : fournir la preuve formelle de.

– *Pronom.* Défendre son innocence, la légitimité de ses actes.

jute, *subst. m.* Fibre végétale dont on fait des cordages, des sacs, etc.

juteux, euse, *adj.* Qui fournit beaucoup de jus. – *Fig.* Lucratif (*fam.*).

juvénile, *adj.* Qui a les aspects, les qualités de la jeunesse : *Une voix* **juvénile**.

juxtaposer, *verbe trans.* Placer deux ou plusieurs choses côte à côte, mais sans les unir.

juxtaposition, *subst. f.* Action de juxtaposer. – Résultat de cette action.

K

k, k, *subst. m. inv.* Onzième lettre et huitième consonne de l'alphabet français.

kabbale, *voir* **cabale**

kabuki, *subst. m.* Genre théâtral japonais.

kafkaïen, ïenne, *adj.* Oppressant, absurde comme dans les romans de Franz Kafka.

kakatoès, *voir* **cacatoès**

kaki, *subst. m.* Fruit du plaqueminier, qui ressemble à la tomate. – *Empl. adj. inv.* Brun-jaune.

kaléidoscope, *subst. m.* Tube tapissé de miroirs, que l'on agite pour y regarder les dessins formés par des morceaux de verre coloré.

kamikaze, *subst. m.* Avion japonais bourré d'explosifs que son pilote écrasait sur un objectif ennemi, pendant la Seconde Guerre mondiale. – Volontaire pour cette mission. – *Fig.* Personne téméraire.

kangourou, *subst. m.* Marsupial australien, qui se déplace par bonds grâce à ses puissantes pattes postérieures et dont la femelle abrite ses petits dans une poche ventrale.

kaolin, *subst. m.* Argile blanche très pure.

kapok, *subst. m.* Fibre végétale utilisée pour bourrer des oreillers, des matelas, etc.

karaté, *subst. m.* Art martial japonais.

karst, *subst. m.* Relief de certaines régions, dû à l'érosion des roches calcaires par l'eau.

kayak, *subst. m.* Canot à une ou deux places, propulsé à l'aide d'une pagaie double.

kendo, *subst. m.* Art martial japonais, pratiqué avec un sabre de bambou.

képi, *subst. m.* Coiffure militaire cylindrique, dotée d'une visière.

kératine, *subst. f.* Constituant principal des cheveux, des ongles, des poils, etc.

kermesse, *subst. f.* Fête patronale. – Fête populaire en plein air ; vente de charité.

kérosène, *subst. m.* Carburant liquide extrait du pétrole, utilisé dans les moteurs à réaction.

ketch, *subst. m.* Voilier à deux mâts, dont le mât arrière, qui se trouve en avant de la barre, est le plus petit.

ketchup, *subst. m.* Condiment à base de tomate.

khalife, *voir* **calife**

khan, *subst. m.* Titre turco-mongol porté jadis par les souverains ou les chefs tribaux d'Asie centrale, tel Gengis **Khan**.

kibboutz, *subst. m.* Exploitation agricole communautaire, en Israël.

kidnapper, *verbe trans.* Enlever (*qqn*) afin d'obtenir une rançon.

kilo, *subst. m.* Abréviation pour « kilogramme ».

kilométrage, *subst. m.* Action de mesurer une distance en kilomètres. – Distance parcourue ou à parcourir, mesurée en kilomètres.

kilt, *subst. m.* Jupe courte et plissée du costume masculin traditionnel écossais. – Jupe de femme en tissu écossais.

kimono, *subst. m.* Vêtement traditionnel japonais.

kinésithérapie, *subst. f.* Traitement fondé sur les massages et la gymnastique fonctionnelle, visant à rééduquer des muscles ou des articulations lésés.

kinesthésie, *subst. f.* Ensemble des impressions sensibles qui renseignent sur les mouvements des différentes parties du corps.

kiosque, *subst. m.* Pavillon ouvert sur tous ses côtés, dans un jardin : **Kiosque** *à musique.* – Petite boutique sur la voie publique.

kippa, *subst. f.* Calotte portée par les juifs pratiquants.

kirsch, *subst. m.* Eau-de-vie de cerise.

kit, *subst. m.* Objet, meuble vendu en pièces détachées, à assembler par l'acheteur.

kit(s)ch, *adj. inv. et subst. m. inv.* Se dit d'œuvres ou d'objets volontairement ou non de mauvais goût.

kiwi, *subst. m.* Oiseau de Nouvelle-Zélande, au long bec et de mœurs nocturnes. – Fruit exotique à la chair verte.

klaxon, *subst. m.* Avertisseur sonore de véhicule.

klaxonner, *verbe intrans.* Faire fonctionner un Klaxon.

kleptomane, *subst.* Personne qui ne peut s'empêcher de commettre des vols.

knock-out, *subst. m. inv.* Mise hors de combat d'un boxeur (*abrév.* K.O.).

koala, *subst. m.* Petit mammifère marsupial qui vit dans les arbres, en Australie.

kolkhoz(e), *subst. m.* Coopérative agricole communautaire, dans l'ex-U.R.S.S.

kouglof, *subst. m.* Gâteau alsacien.

krach, *subst. m.* Effondrement brutal des cours de la Bourse. – Faillite d'une entreprise.

kraft, *subst. m.* Variété de papier d'emballage très résistant, de couleur beige.

kremlin, *subst. m.* Citadelle centrale des anciennes villes russes. – *Le* **Kremlin** : ensemble fortifié de palais, d'églises et d'édifices, siège du gouvernement de Russie, à Moscou.

krypton, *subst. m.* Gaz rare de l'air, utilisé dans certaines ampoules électriques.

kung-fu, *subst. m. inv.* Art martial chinois.

kyrielle, *subst. f.* Longue suite : *Une* **kyrielle** *d'injures.*

kyste, *subst. m.* Tumeur bénigne liquide ou semi-liquide (rarement solide).

L

l, l, *subst. m. inv.* Douzième lettre et neuvième consonne de l'alphabet français.

la (i), *voir* **le**

la (ii), *subst. m. inv. Mus.* Sixième note de la gamme : *Donner le* **la**, le son de référence.

là, *adv.* Désigne un endroit autre que celui où l'on se trouve (*oppos. ici*) : *Mettez-vous plutôt* **là**. – Employé pour « ici » : *Venez* **là**. – Désigne un moment du temps : **Là**, *il cessa de parler.* – Renforce un démonstratif : *Celui-*là. – Précédé d'une préposition ou suivi d'un adjectif, forme des locutions adverbiales : *De* **là** ; *D'ici* **là** ; *Par* **là** ; **Là**-*bas*, au loin ; **Là**-*haut* ; **Là**-*dessus*.

labeur, *subst. m.* Travail long, soutenu et pénible.

labial, ale, aux, *adj.* Qui concerne les lèvres.

laboratoire, *subst. m.* Local aménagé en vue de travaux scientifiques, photographiques, d'analyses biologiques, etc.

laborieux, ieuse, *adj.* Qui se consacre avec ténacité à un travail. – Qui réclame beaucoup d'efforts ; long et difficile. – Sans inspiration ni vivacité, poussif.

labour, *subst. m.* Travail de labourage : *Bêtes de* **labour**. – *Plur.* Terres labourées.

labourage, *subst. m.* Action, art de labourer la terre.

labourer, *verbe trans.* Retourner (la terre) avec une charrue ou une bêche. – *Fig.* Entailler, déchirer en laissant des sillons profonds.

labrador, *subst. m.* Grand chien de chasse à poil ras, noir ou fauve clair.

labyrinthe, *subst. m.* Réseau de chemins entrelacés, où l'on se perd facilement. – *Fig.* Situation inextricable.

lac, *subst. m.* Étendue d'eau, *gén.* douce, naturelle ou artificielle, à l'intérieur des terres.

lacer, *verbe trans.* Lier, serrer, fermer avec un lacet.

lacérer, *verbe trans.* Déchirer, mettre en lambeaux.

lacet, *subst. m.* Cordon servant à attacher une chaussure, un vêtement. – Virage ou suite de virages serrés d'une route en zigzag. – Nœud coulant servant à piéger le gibier.

lâche, *adj. et subst.* Qui manque de courage. – *Adj.* Méprisable, vil : *Un* **lâche** *attentat.* – Qui n'est pas tendu ; desserré. – Qui manque de densité, de concision : *Style* **lâche**.

lâcher, *verbe Trans.* Desserrer, délier. – Cesser de tenir, de retenir : **Lâcher** *les chiens.* – Abandonner. – *Intrans.* Rompre, se casser.

lâcheté, *subst. f.* Manque de courage, couardise. – Action méprisable.

laconique, *adj.* Bref, concis, en parlant d'un discours, d'un style. – Peu bavard.

lacrymal, ale, aux, *adj.* Relatif aux larmes.

lacté, ée, *adj.* Relatif au lait. – Qui contient du lait. – Qui ressemble au lait. – *La Voie* **lactée** : nébuleuse d'étoiles formant le grand axe de notre galaxie et qui, vue de la Terre, balaie le ciel d'une trace blanchâtre.

lacune, *subst. f.* Partie manquante d'un ensemble. – Déficience, insuffisance.

lacustre, *adj.* Qui vit dans un lac. – Qui se trouve sur les rives d'un lac : *Cité* **lacustre**.

lady, *subst. f.* Femme anglaise de haut rang. – Femme élégante et de bonne éducation.

lagon, *subst. m.* Étendue d'eau de mer comprise entre la terre ferme et un récif corallien. – Lagune au centre d'un atoll.

lagune, *subst. f.* Bras d'eau salée séparé de la mer par un étroit cordon littoral.

lai, *subst. m.* Petit poème du Moyen Âge.

laïcité, *subst. f.* Caractère laïque. – Principe de séparation de l'Église et de l'État.

laid, laide, *adj.* Qui n'est pas beau. – Contraire à la morale ou à la bienséance. – *Empl. subst. masc.* Ce qui est **laid**.

laideur, *subst. f.* Caractère de ce qui est laid.

laie, *subst. f.* Femelle du sanglier.

lainage, *subst. m.* Tissu de laine. – Gilet, pull-over de laine.

laine, *subst. f.* Pelage frisé et doux de certains ruminants, que l'on file pour faire des fibres textiles ; cette fibre. – Lainage, paletot.

laïque, *adj. et subst.* Qui n'appartient pas au clergé. – *Adj.* Qui n'a pas de caractère religieux.

laisse, *subst. f.* Lien utilisé pour attacher ou conduire un animal, en *partic.* un chien.

laisser, *verbe trans.* Maintenir (qqn ou qqch.) tel quel, ne pas intervenir sur. – Partir sans, abandonner (qqch. ou qqn). – Ne pas prendre : **Laisser** *la croûte.* – Céder : **Laisser** *la place.* – Ne pas empêcher de : **Laisser** *un chien courir.* – *Pronom.* Être agréable à : *Ce livre se* **laisse** *lire.*

laisser-aller, *subst. m. inv.* Désinvolture. – Manque de soin, de tenue : *Un* **laisser-aller** *vestimentaire.*

laissez-passer, *subst. m. inv.* Document administratif autorisant la libre circulation de qqn ou de qqch.

lait, *subst. m.* Liquide nourricier blanc et opaque sécrété par les glandes mammaires des mammifères femelles. – Liquide ayant l'aspect du **lait** : *Lait de palme, de chaux.*

laitage, *subst. m.* Aliment dérivé du lait.

laiterie, *subst. f.* Établissement où l'on conserve et traite le lait, et où on le transforme en beurre, en crème, etc. – Industrie, commerce du lait et des produits laitiers.

laiteux, euse, *adj.* Qui a l'aspect, la couleur du lait.

laitier, ière, *adj. et subst. Adj.* Relatif au lait : *Une vache* **laitière**, qui donne du lait. – *Subst.* Commerçant qui vend des produits laitiers.

laiton, *subst. m.* Alliage de cuivre et de zinc.

laitue, *subst. f.* Plante potagère que l'on mange en salade.

laïus, *subst. m.* Discours, exposé (*fam.*).

laize, voir LÉ

lama (i), *subst. m.* Ruminant d'Amérique du Sud, dont certaines races sont domestiquées.

lama (ii), *subst. m.* Moine bouddhiste du Tibet et de Mongolie. – *Dalaï-*lama : chef spirituel et temporel des Tibétains.

lambeau, *subst. m.* Morceau déchiré ou arraché d'une matière quelconque. – *Fig.* Fragment, débris d'un ensemble.

lambris, *subst. m.* Revêtement décoratif d'un mur, en forme de cadre mouluré. – Revêtement d'un mur en lames de bois ; ces lames.

lame, *subst. f.* Pièce allongée, plate et mince, en métal, en bois, etc. – Pièce de métal servant à piquer, à couper, etc. ; arme blanche. – Vague qui déferle, rouleau. – *Fig.* **Lame** *de fond* : phénomène violent et brutal.

lamé, ée, *adj. et subst. m.* Se dit d'une étoffe tissée ou ornée de fils d'or ou d'argent.

lamelle, *subst. f.* Petite lame. – Fine tranche.

lamellibranche, *subst. m.* Mollusque bivalve aux branchies en forme de lamelles (huître, moule, etc.). – *Plur.* La classe correspondante.

lamentable, *adj.* Pitoyable. – Très mauvais.

lamentation, *subst. f.* Plainte bruyante et prolongée. – Récrimination.

lamenter (se), *verbe pronom.* Se plaindre, se désoler, gémir.

laminer, *verbe trans.* Amincir (du métal). – *Fig.* Diminuer, réduire jusqu'à anéantir.

lampadaire, *subst. m.* Lampe montée sur un pied élevé. – Réverbère : *Un* **lampadaire** *public.*

lampe, *subst. f.* Appareil d'éclairage : **Lampe** *à huile, électrique.* – Appareil à flamme dégageant une forte chaleur : **Lampe** *à souder.*

lampion, *subst. m.* Petite lampe entourée de papier multicolore, utilisée pour illuminer des fêtes nocturnes (*synon.* lanterne vénitienne).

lamproie, *subst. f.* Vertébré marin dépourvu de mâchoires, qui ressemble à une anguille.

lance, *subst. f.* Ancienne arme à longue hampe munie d'un fer pointu. – Tuyau dont l'embout permet de projeter l'eau : **Lance** *d'arrosage.*

lancée, *subst. f. Sur sa* **lancée** : emporté par son élan initial.

lancement, *subst. m.* Action de lancer.

lance-pierre(s), *subst. m.* Arme en forme de fourche servant à lancer des pierres.

lancer, *verbe trans.* Envoyer au loin, avec énergie. – Mouvoir rapidement (une partie du corps) : **Lancer** *sa jambe en l'air.* – Mettre en route. – Inaugurer, promouvoir : **Lancer** *une mode, un produit.* – Émettre avec force : **Lancer** *un cri, une accusation.* – *Pronom.* Se jeter, se précipiter. – *Fig.* S'engager hardiment : *Se* **lancer** *dans la politique.*

lancier, *subst. m.* Cavalier armé d'une lance.

lancinant, ante, *adj.* Qui provoque des élancements douloureux. – *Fig.* Obsédant.

landau, aus, *subst. m.* Voiture à chevaux découverte, à quatre places. – Voiture d'enfant, dotée d'une capote.

lande, *subst. f.* Vaste étendue de terre où poussent des fougères, des bruyères, des ajoncs, etc. – Cette végétation elle-même.

langage, *subst. m.* Faculté de communication propre à l'espèce humaine, qui s'exerce par l'intermédiaire de divers systèmes codés : **Langage** *des gestes, parlé, écrit.* – Manière de s'exprimer : **Langage** *familier, incorrect.* – Vocabulaire spécialisé : **Langage** *administratif.*

lange, *subst. m.* Linge dans lequel on emmaillotait autrefois les nourrissons.

langoureux, euse, *adj.* Qui exprime la langueur. – Sentimental et mélancolique.

langouste, *subst. f.* Crustacé marin au corps long et cylindrique, à la chair appréciée.

langoustine, *subst. f.* Petit crustacé marin à pinces longues et fines.

langue, *subst. f.* Organe musculeux situé dans la bouche, siège du goût et instrument de la parole chez l'homme. – Ce qui évoque une **langue** : **Langue** *de terre, de feu.* – Ensemble des signes vocaux ou graphiques permettant la communication dans un groupe humain : *La* **langue** *française.*

languette, *subst. f.* Petit objet en forme de langue.

langueur, *subst. f.* Dépression ; absence d'énergie, indolence. – Mélancolie rêveuse.

languir, *verbe intrans.* Manquer d'ardeur, d'énergie ; au *fig.* : *La soirée* **languit**, traîne en longueur. – Être obsédé par (un sentiment). – Attendre avec impatience.

lanière, *subst. f.* Longue et étroite bande de matière souple, *souv.* de cuir.

lanterne, *subst. f.* Appareil d'éclairage composé d'une boîte translucide contenant une source lumineuse. – Feu de position à l'avant ou à l'arrière d'un véhicule. – *Fig. La* **lanterne** *rouge* : le dernier d'un classement (*fam.*).

lapalissade, *subst. f.* Formule que son caractère d'évidence rend risible.

laper, *verbe trans.* Boire à petits coups de langue, en parlant d'un animal.

lapereau, *subst. m.* Jeune lapin.

lapidaire, *adj.* Très concis.

lapider, *verbe trans.* Tuer, attaquer ou poursuivre à coups de pierres.

lapin, ine, *subst.* Petit mammifère rongeur, très prolifique, à longues oreilles, élevé ou chassé pour sa chair et sa fourrure. – *Masc.* Chair ou fourrure de cet animal.

laps, *subst. m.* **Laps** *de temps* : espace de temps.

lapsus, *subst. m.* Faute consistant à remplacer un mot par un autre, en parlant ou en écrivant.

laquais, *subst. m.* Domestique en livrée. – *Fig.* Personne servile (*littér.*).

laque, *subst. Fém.* Gomme résineuse dont on fait des peintures brillantes. – Produit que l'on vaporise sur les cheveux. – *Masc.* Vernis d'Orient, rouge ou noir. – Objet d'art enduit de ce vernis.

laquer, *verbe trans.* Enduire de laque.

larbin, *subst. m. Fam.* Domestique. – *Fig.* Homme servile.

larcin, *subst. m.* Petit vol commis sans effraction.

lard, *subst. m.* Couche de graisse qui se trouve sous la peau du porc, utilisée en cuisine.

larder, *verbe trans.* Piquer (une viande) de lardons. – Transpercer (*qqn*) de coups de couteau.

lardon, *subst. m.* Petit morceau de lard qui accompagne un plat. – Jeune enfant (*fam.*).

large, *adj. et subst. m.* Adj. Plus étendu que la moyenne, dans le sens de la largeur. – **Large** *de* : qui mesure (tant) en largeur. – Ample. – Important, grand. – Fig. Tolérant, ouvert. – Généreux, dépensier. – *Subst.* Largeur : *Trois mètres de* **large** ; *En long et en* **large**. – Haute mer : *Le grand* **large**. – *Être au* **large** : à distance ; à l'aise.

largement, *adv.* Avec largesse. – Fig. Amplement ; plus qu'il n'est nécessaire.

largesse, *subst. f.* Générosité. – *Plur.* Don, cadeau.

largeur, *subst. f.* Dimension d'une surface ou d'un volume opposée à la longueur. – Qualité de ce qui est large.

larguer, *verbe trans.* Lâcher, détacher : **Larguer** *les amarres*, partir. – Laisser tomber d'un avion. – Abandonner (*fam.*).

larme, *subst. f.* Liquide salé sécrété par les glandes lacrymales, qui coule des yeux. – Fig. Petite quantité de liquide.

larmoyer, *verbe intrans.* Se remplir de larmes, en parlant des yeux. – Pleurnicher.

larron, *subst. m.* Voleur (*littér.*).

larve, *subst. f.* Premier stade du développement de certains animaux (insectes, amphibiens). – Fig. Personne apathique ou veule (*fam.*).

laryngite, *subst. f.* Inflammation du larynx.

larynx, *subst. m.* Organe vocal principal, situé entre le pharynx et la trachée.

las, lasse, *adj.* Fatigué. – Fig. Ennuyé, dégoûté.

lascif, ive, *adj.* Voluptueux. – Très sensuel.

laser, *subst. m.* Appareil qui émet un faisceau lumineux très fin et très intense.

lasser, *verbe trans.* Fatiguer. – Ennuyer.

lassitude, *subst. f.* Fatigue. – Ennui.

lasso, *subst. m.* Longue corde à nœud coulant, servant à attraper les animaux.

latent, ente, *adj.* Qui reste caché mais peut se manifester à tout instant.

latéral, ale, aux, *adj.* Qui se trouve sur le côté.

latex, *subst. m.* Liquide laiteux sécrété par diverses plantes : *Le* **latex** *de l'hévéa*.

latin, ine, *adj. et subst. m.* Se dit de la langue des anciens Romains. – *Adj.* Du Latium, de la Rome antique ou des peuples romanisés. – Se dit de ceux qui parlent une langue romane (Français, Italiens, etc.) ou de cette langue.

latitude, *subst. f.* Distance d'un lieu terrestre par rapport à l'équateur (calculée en degrés, minutes et secondes). – Région, vue sous l'angle du climat : *Vivre sous d'autres* **latitudes**. – Liberté : *Avoir toute* **latitude** *pour agir*.

latrines, *subst. f. plur.* Lieux d'aisances sommaires.

latte, *subst. f.* Pièce de bois plate, étroite et mince.

lauréat, ate, *adj. et subst.* Qui a été reçu à un examen, à un concours ; qui a remporté un prix.

laurier, *subst. m.* Arbuste à feuilles persistantes : **Laurier**-*sauce*, dont les feuilles servent de condiment. – *Plur.* Gloire (*littér.*) : *Couronné de* **lauriers**.

lavabo, *subst. m.* Cuvette, équipée de robinets, utilisée pour la toilette. – *Plur.* Toilettes d'une collectivité.

lavage, *subst. m.* Action de laver. – **Lavage** *de cerveau* : action psychologique qui vise à priver une personne de sa faculté de réflexion.

lavande, *subst. f.* Plante à fleurs bleues en épi, utilisée en parfumerie. – *Empl. adj. inv.* Bleu-mauve assez clair.

lavandière, *subst. f.* Femme qui lavait le linge à la main (*littér.*).

lave, *subst. f.* Matière en fusion crachée par un volcan, qui se solidifie en refroidissant.

lavement, *subst. m. Méd.* Introduction par l'anus d'un liquide dans le gros intestin.

laver, *verbe trans.* Nettoyer avec un liquide, en *partic.* de l'eau. – Fig. Disculper : **Laver** *qqn d'un soupçon*. – Pronom. Faire sa toilette. – Fig. *Se* **laver** *les mains de qqch.* : en décliner la responsabilité.

laverie, *subst. f.* Blanchisserie où l'on lave soi-même son linge.

lavoir, *subst. m.* Bassin aménagé où l'on lavait le linge autrefois.

laxatif, ive, *adj. et subst. m.* Se dit d'un produit qui aide à évacuer les selles.

laxisme, *subst. m.* Indulgence excessive. – Manque de rigueur.

layette, *subst. f.* Ensemble des vêtements d'un nouveau-né.

le, la, les, *art. déf. et pron. pers.* Article défini qui détermine en genre et en nombre un groupe nominal. – Pronom personnel de la 3e personne, remplissant la fonction d'objet direct ou d'attribut.

lé, *subst. m.* Largeur d'une étoffe ou d'une bande de papier peint.

leader, *subst. m.* Chef de file. – *Sp.* Concurrent qui mène, dans une course, une compétition. – Entreprise, groupe occupant la première place dans son domaine.

lécher, *verbe trans.* Passer la langue sur. – Effleurer, en parlant du feu, de l'eau. – Fig. Exécuter avec grand soin (*fam.*).

leçon, *subst. f.* Enseignement d'un maître, d'un professeur. – Ce qu'un élève doit apprendre. – Réprimande, avertissement. – Enseignement tiré d'un échec.

lecteur, trice, *subst.* Personne qui lit, qui aime lire. – *Masc.* Appareil servant à diffuser des sons enregistrés : **Lecteur** *de cassettes*. – *Informat.* Organe servant à lire des disquettes.

lecture, *subst. f.* Action de lire, de déchiffrer. – Fait de savoir lire. – Ouvrage qu'on lit. – Interprétation particulière d'un texte ou d'une œuvre musicale.

légal, ale, aux, *adj.* Qui est conforme à la loi. – Qui résulte de, qui est ordonné par la loi.

légalisé, ée, *adj.* Rendu légal. – Authentifié par un magistrat ou par un officier ministériel.

légalité, *subst. f.* Caractère de ce qui est légal.

légat, *subst. m.* Représentant du pape.

légataire, *subst.* Bénéficiaire d'un legs.

légendaire, *adj.* Qui relève de la légende. – Qui est entré dans la légende, illustre.

légende, *subst. f.* Récit populaire merveilleux. – Histoire embellie ou amplifiée par l'imagination.

– Commentaire écrit d'une illustration, d'un document.

léger, ère, *adj.* Qui pèse peu ; peu dense. – Peu épais, mince : *Une robe* **légère**. – Peu intense ; peu important : *Une blessure* **légère**. – Gracieux : *Danseuse* **légère**. – *Fig.* Futile, irréfléchi : *Un esprit* **léger**.

légèreté, *subst. f.* Qualité de ce qui est léger.

légiférer, *verbe intrans.* Faire des lois.

légion, *subst. f.* Unité de l'armée romaine. – Appellation de certaines unités militaires. – La **Légion** *étrangère* : formation militaire essentiellement composée de volontaires étrangers. – *La* **Légion** *d'honneur* : ordre honorifique français. – *Fig.* Grand nombre.

légionnaire, *subst. m.* Soldat d'une légion romaine. – Soldat de la Légion étrangère.

législateur, trice, *adj. et subst. m.* Qui légifère.

législatif, ive, *adj.* Qui concerne les lois. – Qui fait les lois : *Pouvoir* **législatif**. – *Élections* **législatives** : destinées à désigner les députés ; *empl. subst.* : *Les* **législatives**.

législation, *subst. f.* Ensemble des lois propres à un pays ou relatives à un domaine donné.

légiste, *adj. m. et subst. Subst.* Spécialiste des lois. – *Adj. Médecin* **légiste** : chargé d'expertises en matière légale.

légitime, *adj.* Conforme à la loi, reconnu par la loi. – Conforme à l'équité, au bon droit, à la raison. – *Enfant* **légitime** : né de parents mariés. – **Légitime** *défense* : droit de répondre par la violence à une agression.

légitimer, *verbe trans.* Faire reconnaître comme légitime. – Reconnaître juridiquement un enfant naturel. – Justifier, excuser.

legs, *subst. m. inv.* Action de léguer un bien. – Bien ainsi légué.

léguer, *verbe trans.* Donner à titre d'héritage, par testament. – *Fig.* Transmettre aux suivants.

légume, *subst. m.* Plante potagère qui sert à l'alimentation humaine.

légumineuse, *subst. f.* Plante dont le fruit est une gousse (haricot, pois, lentille, luzerne, etc.). – *Plur.* L'ordre correspondant.

leitmotiv, *subst. m. Mus.* Motif, thème caractéristique qui se répète. – *Fig.* Thème, phrase qui revient.

lémurien, *subst. m.* Primate de petite taille, arboricole, aux gros yeux caractéristiques. – *Plur.* Le sous-ordre correspondant.

lendemain, *subst. m.* Jour qui suit immédiatement celui dont on parle. – Avenir.

lénifiant, ante, *adj.* Qui calme. – *Fig.* Qui apaise pour endormir la méfiance.

lent, lente, *adj.* Peu rapide. – *Fig.* Sans vivacité intellectuelle : *Avoir l'esprit* **lent**.

lente, *subst. f.* Œuf de pou.

lenteur, *subst. f.* Manque de rapidité. – *Fig.* Manque de vivacité intellectuelle.

lentille, *subst. f.* Variété de légumineuse ; sa graine, comestible. – Verre taillé circulaire, utilisé dans les instruments d'optique.

léonin, ine, *adj.* Propre au lion. – *Partage* **léonin** : abusif, à l'avantage du plus fort.

léopard, *subst. m.* Panthère tachetée d'Afrique. – Fourrure de cet animal.

lépidoptère, *subst. m.* Insecte dont les quatre ailes portent de minuscules écailles. – *Plur.* L'ordre correspondant.

lèpre, *subst. f.* Maladie infectieuse et contagieuse grave, qui se manifeste par des plaies cutanées. – *Fig.* Fléau moral ou social qui se propage : *La* **lèpre** *du chômage*.

lépreux, euse, *adj. et subst.* Se dit d'une personne atteinte de la lèpre. – *Adj. Fig.* Couvert de taches, dégradé : *Façade* **lépreuse**.

léproserie, *subst. f.* Hôpital où l'on isole et soigne les lépreux.

lequel, laquelle, lesquels, lesquelles, *pron. rel. et interr. Pron. rel.* Variante de « qui » : *Je ne sais* **lequel** *choisir*. – En complément indirect : *La route sur* **laquelle** *nous marchons*. – *Pron. interr.* Qui, quel (parmi plusieurs) : **Laquelle** *prenez-vous ?*

lès *ou* **lez**, *prép.* Près de, dans des noms de lieux : *Villeneuve-* **lès**-*Avignon* ; *Plessis-* **lez**-*Tours*.

lesbienne, *subst. f.* Femme homosexuelle.

lèse-majesté, *subst. f. inv.* Attentat contre un souverain : *Crime de* **lèse-majesté**.

léser, *verbe trans.* Faire tort à. – *Méd.* Blesser.

lésiner, *verbe intrans.* Économiser avec excès, avarice.

lésion, *subst. f.* Dégradation d'un tissu, d'un organe, due à un accident, à une affection, etc. – *Dr.* Préjudice subi par l'une des parties dans un contrat ou un partage.

lessive, *subst. f.* Produit alcalin servant à laver du linge ou à nettoyer *qqch*. – Action de laver le linge ; le linge lavé.

lessiver, *verbe trans.* Laver à l'aide de lessive. – *Fam.* Ruiner, déposséder. – Épuiser, éreinter.

lessiveuse, *subst. f.* Grand récipient en tôle dans lequel on faisait bouillir le linge.

lest, *subst. m.* Masse pesante assurant l'équilibre d'un navire. – Sacs de sable équipant un ballon, que les aéronautes jettent afin d'alléger l'appareil. – *Fig. Lâcher du* **lest** : faire une concession nécessaire à la sauvegarde de *qqch*.

leste, *adj.* Agile, souple. – Inconvenant, grivois : *Une plaisanterie un peu* **leste**.

lester, *verbe trans.* Charger de lest. – *Fig.* Charger, remplir (*fam.*) : **Lester** *ses poches*.

léthargie, *subst. f.* Sommeil pathologique profond. – Torpeur profonde, engourdissement.

lettre, *subst. f.* Chacun des signes graphiques d'un alphabet. – Texte écrit qu'on envoie à *qqn* : **Lettre** *d'amour, d'affaires*. – *À la* **lettre** : scrupuleusement. – *Plur.* Littérature : *Un homme de* **lettres**.

lettré, ée, *adj. et subst.* Qui possède une grande culture littéraire : *Un fin* **lettré**.

lettrine, *subst. f.* Grande majuscule, ornée ou non, *gén.* placée au début d'un chapitre.

leucémie, *subst. f.* Maladie caractérisée par la prolifération des globules blancs dans le sang.

leucocyte, *subst. m.* Globule blanc du sang.

leur (i), *pron. pers. inv.* Pronom personnel de la 3ᵉ personne du pluriel ; équivaut à « à eux », « à elles » : *Il* **leur** *a dit la vérité*.

leur (ii), leurs, *adj. et pron.* Adjectif et pronom (*le* **leur**, *la* **leur**, *les* **leurs**) possessifs de la 3ᵉ personne, qui s'emploient lorsqu'il y a plusieurs

leurre, *subst. m.* Appât factice, pour la chasse ou la pêche. – *Fig.* Artifice visant à tromper.

leurrer, *verbe trans.* Tromper (*qqn*) par de vaines espérances. – *Pronom.* Se faire des illusions.

levain, *subst. m.* Morceau de pâte contenant un ferment (levure) qui, mélangé à la pâte à pain, la fait gonfler à la chaleur. – *Fig.* Ce qui est susceptible d'attiser les passions.

levant, *subst. m.* L'est, l'orient (*oppos. couchant, ponant*).

levée, *subst. f.* Remblai. – Action de lever, de brandir : *Une* **levée** *de boucliers.* – Action de collecter : **Levée** *d'impôts, du courrier.*

lever (i), *verbe trans.* Déplacer vers le haut : **Lever** *son ardoise.* – Orienter vers le haut : **Lever** *les yeux, la tête.* – Faire sortir (un gibier) de son abri. – Récolter, réunir : **Lever** *les impôts, une armée.* – Mettre fin à : **Lever** *le siège.* – *Pronom.* Se réveiller et sortir de son lit. – Se mettre debout. – Apparaître dans le ciel : *Le soleil, le jour se lève.*

lever (ii), *subst. m.* Action de se lever, de quitter son lit. – Moment où un astre apparaît au-dessus de l'horizon. – Action d'élever *qqch.* vers le haut : *Le* **lever** *du rideau.*

levier, *subst. m.* Engin rigide, mobile autour d'un point fixe, servant à soulever une masse. – Organe de commande d'un mécanisme. – *Fig.* Moyen d'action.

lévitation, *subst. f.* Élévation d'un corps, qui reste en suspension dans l'air.

lèvre, *subst. f.* Chacune des parties charnues qui bordent la bouche. – Repli cutané de la vulve. – *Fig. Du bout des* **lèvres** : à contrecœur. – *Plur.* Bords d'une plaie.

levrette, *subst. f.* Femelle du lévrier.

lévrier, *subst. m.* Chien très rapide, aux membres longs et fins et à l'abdomen étroit.

levure, *subst. f.* Substance qui fait lever la pâte ou sert à la fermentation.

lexique, *subst. m.* Petit dictionnaire contenant les mots principaux d'une langue, d'une œuvre, d'une science, etc. – *Ling.* L'ensemble des mots d'une langue, le vocabulaire.

lez, *voir* **lès**

lézard, *subst. m.* Petit reptile, qui possède quatre pattes et une longue queue.

lézarde, *subst. f.* Crevasse étroite et longue.

lézarder (i), *verbe trans.* Fendre par des lézardes.

lézarder (ii), *verbe intrans.* Paresser au soleil (*fam.*).

liaison, *subst. f.* Action de lier matériellement des choses entre elles. – Rapport, connexion. – Établissement d'une communication : **Liaison** *aérienne.* – Relation amoureuse durable. – *Ling. Faire la* **liaison** : prononcer la dernière consonne d'un mot, devant un autre mot commençant par une voyelle ou un *h* muet.

liane, *subst. f.* Plante à tige souple et longue, qui croît en utilisant d'autres plantes comme support.

liasse, *subst. f.* Ensemble de feuilles, de billets de banque ou de journaux liés entre eux.

libation, *subst. f. Antiq.* Offrande d'un liquide aux dieux. – *Plur. Faire des* **libations** : boire joyeusement beaucoup d'alcool.

libeller, *verbe trans.* Rédiger selon une formulation précise : **Libeller** *un chèque.*

libellule, *subst. f.* Insecte à grandes ailes fines et transparentes, au vol rapide.

libéral, ale, aux, *adj. et subst.* Qui est favorable aux libertés individuelles. – Qui est partisan du libéralisme économique ou s'y réfère. – Qui est tolérant, compréhensif. – *Adj.* Se dit d'une profession non salariée.

libéralisme, *subst. m.* Doctrine politique fondée sur le respect des libertés individuelles. – Doctrine économique prônant la libre entreprise et la concurrence. – Tolérance.

libéralité, *subst. f.* Générosité, penchant à donner (*littér.*). – *Plur.* Dons généreux.

libération, *subst. f.* Action de libérer, de se libérer.

libérer, *verbe trans.* Mettre en liberté. – Dégager d'une servitude, d'une entrave. – Délivrer (une contrée) d'un occupant, d'un ennemi. – *Pronom.* S'acquitter (d'une dette). – Se rendre disponible : *Se* **libérer** *pour la journée.*

liberté, *subst. f.* État d'une personne ou d'une chose qui ne subit aucune contrainte : **Liberté** *de pensée, de circulation.* – Oisiveté temporaire : *Avoir quelques jours de* **liberté**. – *Plur.* **Libertés** *publiques* : droits fondamentaux reconnus au citoyen.

libertin, ine, *adj. et subst.* Libre-penseur, impie (vieilli). – Qui est libéré de toute règle morale ou religieuse ; qui se complaît dans une débauche raffinée.

libido, *subst. f.* Énergie de la pulsion sexuelle.

librairie, *subst. f.* Magasin, boutique où l'on vend des livres. – Commerce des livres.

libre, *adj.* Qui se détermine soi-même ; qui ne dépend que de soi. – Qui n'est ni prisonnier, ni captif, ni asservi. – Qui n'est pas assujetti à des contraintes. – Qui est disponible. – Qui n'a pas de règles strictes : *Vers* **libres**. – *Entrée* **libre** : gratuite.

libre arbitre, *subst. m.* Faculté de décider par sa seule volonté, hors de toute contrainte ou influence extérieures.

libre-échange, *subst. m.* Liberté totale du commerce entre les États, sans droits de douane ni quotas.

libre-service, *subst. m.* Système de vente dans lequel le client se sert lui-même. – Magasin en **libre-service**.

lice, *subst. f.* Champ clos où avaient lieu les tournois. – *Fig. Entrer en* **lice** : s'engager dans une lutte ; intervenir dans un débat.

licence, *subst. f.* Liberté excessive qui tend au désordre des mœurs. – Permis d'exercer une activité. – Premier diplôme du deuxième cycle universitaire.

licencié (i), ée, *adj. et subst.* Titulaire d'une licence (permis ou diplôme).

licencié (ii), ée, *adj. et subst.* Se dit d'une personne que son employeur vient de licencier.

licencier, *verbe trans.* Renvoyer, congédier.

licencieux, ieuse, *adj.* Qui est contraire aux bonnes mœurs, à la pudeur (*littér.*).

lichen, *subst. m.* Végétal formé de l'association d'un champignon et d'une algue.

licite, *adj.* Qui est permis par la loi.

licorne, *subst. f.* Cheval fabuleux portant une longue corne torsadée.

lie, *subst. f.* Dépôt qui se forme au fond des récipients emplis de boissons fermentées. – *Fig.* Rebut ; racaille.

lie-de-vin, *adj. inv.* Rouge violacé.

liège, *subst. m.* Substance légère, aérée et imperméable provenant de l'écorce de certains arbres et utilisée pour faire des bouchons.

lien, *subst. m.* Objet plus ou moins long, souple, qui sert à attacher. – Liaison entre deux idées, deux événements. – Ce qui unit moralement des personnes : **Lien** *conjugal*.

lier, *verbe trans.* Attacher avec un lien. – Rendre homogène : **Lier** *une sauce.* – Unir moralement ou juridiquement : *Contrat* **liant** *les parties.* – Engager : **Lier** *conversation.* – *Pronom.* Devenir ami avec ; s'attacher à.

lierre, *subst. m.* Plante ligneuse qui grimpe sur les murs, sur les arbres.

liesse, *subst. f.* Joie collective et bruyante (*littér.*).

lieu (i), **lieus**, *subst. m.* Poisson de mer carnivore (*synon. colin*).

lieu (ii), **lieux**, *subst. m.* Région déterminée de l'espace ; endroit : **Lieu** *de rencontre.* – *En premier* **lieu** : d'abord. – *Au* **lieu** *de* : à la place de. – *Tenir* **lieu** *de* : remplacer. – *Avoir* **lieu** : se produire. – **Lieu** *commun* : banalité.

lieu-dit, *subst. m.* Lieu qui porte un nom en rapport avec une particularité locale et dépend d'une commune.

lieue, *subst. f.* Ancienne mesure de distance. – *Fig.* *Être à cent* **lieues** *de* : être loin de.

lieutenant, *subst. m.* Grade d'officier précédant celui de capitaine. – **Lieutenant** *de vaisseau* : grade de la Marine nationale qui correspond à celui de capitaine. – Personne qui seconde un chef.

lieutenant-colonel, *subst. m.* Officier, entre commandant et colonel.

lièvre, *subst. m.* Mammifère herbivore, plus grand que le lapin, à la course rapide.

lifter, *verbe trans.* Au tennis, donner de l'effet à (une balle). – *Chir.* Retendre (la peau).

lifting, *subst. m.* Opération de chirurgie esthétique visant à supprimer les rides. – *Fig.* Rénovation, rajeunissement (*fam.*).

ligament, *subst. m.* Faisceau de fibres conjonctives qui relie les os au niveau des articulations.

ligature, *subst. f.* Fait d'attacher, de serrer avec un lien. – Ce lien lui-même.

ligne, *subst. f.* Trait continu, droit ou courbe. – Rangée de signes graphiques : *Une* **ligne** *imprimée, manuscrite.* – Trait qui forme une séparation, contour : *La* **ligne** *bleue des Vosges.* – Suite discontinue d'éléments : *Une* **ligne** *d'arbres.* – Moyen de communication : **Ligne** *ferroviaire.* – Silhouette ; aspect général : *Soigner sa* **ligne**. – Fil muni d'un hameçon, servant à pêcher.

lignée, *subst. f.* Descendance.

ligneux, euse, *adj.* De la nature du bois.

lignite, *subst. m.* Roche fossile combustible.

ligoter, *verbe trans.* Lier, attacher étroitement (*qqn*).

ligue, *subst. f.* Alliance militaire, politique, etc.

liguer, *verbe trans.* Rassembler en une ligue. – *Pronom.* S'unir (contre *qqn, qqch.*).

lilas, *subst. m.* Arbrisseau à grappes de fleurs blanches ou violettes, très parfumées. – *Empl. adj. inv.* Mauve rosé.

liliacée, *subst. f.* Plante arborescente, ou plus *souv.* herbacée, ornementale (lis, jacinthe) ou alimentaire (ail, poireau). – *Plur.* La famille correspondante.

lilliputien, ienne, *adj. et subst.* Tout petit, minuscule.

limace, *subst. f.* Petit mollusque gastropode terrestre sans coquille.

limaille, *subst. f.* Poussière de métal limé.

limande, *subst. f.* Poisson plat marin, comestible.

lime, *subst. f.* Outil d'acier garni d'entailles, qui sert à polir, à ajuster, à tailler, par frottement. – **Lime** *à ongles* : en métal ou en papier émeri.

limer, *verbe trans.* Travailler à la lime.

limier, *subst. m.* Chien de chasse. – *Fig.* Détective.

limitation, *subst. f.* Action de limiter. – Résultat de cette action.

limite, *subst. f.* Ce qui marque le terme d'une étendue, d'un territoire. – Terme d'une période : **Limite** *d'âge.* – Degré ultime, seuil infranchissable : *Être à la* **limite** *de ses forces.*

limiter, *verbe trans.* Marquer, imposer une limite à. – Servir de limite à.

limitrophe, *adj.* Qui est situé sur la frontière. – Contigu, attenant : *Pays* **limitrophe**.

limoger, *verbe trans.* Destituer, révoquer (*qqn*).

limon, *subst. m.* Terre légère et fertile, déposée par un fleuve ou contenue dans son lit.

limonade, *subst. f.* Boisson gazeuse sucrée et légèrement acide.

limousine, *subst. f.* Automobile à 4 portes et à 6 glaces latérales.

limpide, *adj.* Parfaitement transparent. – *Fig.* Facile à comprendre, évident.

lin, *subst. m.* Plante herbacée cultivée pour ses fibres (textiles) et ses graines (huile). – Toile, tissu fait avec ces fibres.

linceul, *subst. m.* Drap dans lequel on enveloppe un mort.

linéaire, *adj. et subst. m. Adj.* Qui est formé de lignes. – Qui évoque une ligne. – *Subst.* Rayonnage de marchandises, dans un magasin.

linge, *subst. m.* Ensemble de pièces de tissu à usage vestimentaire (sous-vêtements). – **Linge** *de maison* : draps, torchons, etc.

lingerie, *subst. f.* Industrie et commerce du linge. – Ensemble des sous-vêtements féminins. – Local où l'on entretient et range le linge.

lingot, *subst. m.* Parallélépipède de métal fondu puis moulé : **Lingot** *d'or, de cuivre.*

linguistique, *adj. et subst. f. Adj.* Relatif au langage ou aux langues. – *Subst.* Science des langues.

linoléum, *subst. m.* Revêtement de sol imperméable (*abrév.* lino).

linotte, *subst. f.* Petit oiseau chanteur. – *Fig. Tête de* **linotte** : personne très étourdie.

linteau, *subst. m.* Pièce horizontale qui soutient la maçonnerie au-dessus d'une ouverture.

lion, lionne, *subst.* Grand félidé d'Afrique, au pelage fauve. – *Masc.* Cinquième signe du zodiaque.

lionceau, *subst. m.* Petit du lion.

lipide, *subst. m.* Corps gras (*synon. graisse*).

liquéfaction, *subst. f.* Passage d'un corps de l'état solide ou gazeux à l'état liquide.

liquéfier, *verbe trans.* Rendre liquide. – *Pronom.* Devenir liquide. – *Fig.* Perdre son énergie (*fam.*).

liqueur, *subst. f.* Boisson aromatisée, alcoolisée et sucrée : *Une* **liqueur** *apéritive.* – Préparation pharmaceutique liquide.

liquide, *adj. et subst. m. Adj.* Qui coule ou tend à couler. – Qualifie l'un des états de la matière, caractérisé par l'absence de forme propre et un volume invariable : *De l'air* **liquide.** – *Subst.* Corps à l'état **liquide.** – Boisson ou aliment **liquide.** – *Fig.* Argent en espèces.

liquider, *verbe trans.* Clore (un compte) en percevant les créances et en payant les dettes. – Se débarrasser (de marchandises) à bas prix. – *Fam.* En finir avec : **Liquider** *un dossier.* – Éliminer ; tuer.

liquidité, *subst. f.* Propriété liquide. – *Plur.* Somme d'argent immédiatement disponible.

lire, *verbe trans.* Reconnaître et traduire mentalement ou à haute voix (les signes graphiques d'un texte). – Prendre connaissance (d'un texte) par la lecture. – *Empl. abs.* S'adonner fréquemment à la lecture d'œuvres littéraires. – *Fig.* Discerner (ce qui n'est pas formulé) : **Lire** *entre les lignes.*

lis, *subst. m.* Plante à bulbe, aux grandes fleurs décoratives blanches ; fleur de cette plante. – *Fleur de* **lis** : emblème des rois de France.

liseré, *subst. m.* Ruban étroit, en bordure d'un tissu. – Cette bordure.

liseron, *subst. f.* Petite plante grimpante à fleurs.

lisible, *adj.* Facile à lire, à déchiffrer : *Une écriture très* **lisible.** – Agréable à lire.

lisière, *subst. f.* Chacune des deux bordures limitant une pièce d'étoffe. – Limite d'un territoire, d'une forêt, d'un bois.

lisse, *adj.* Sans aspérités, uni, poli.

lisser, *verbe trans.* Rendre lisse.

liste, *subst. f.* Suite de noms, de mots, de chiffres, etc., écrits les uns après les autres.

lit, *subst. m.* Meuble sur lequel on s'étend pour dormir ; au *fig.*, union conjugale. – Couche d'une matière : *Un* **lit** *de terreau.* – Espace dans lequel coule un cours d'eau.

litanie, *subst. f. Relig.* Prière répétitive (*gén.* au *plur.*). – *Fig.* Énumération longue et fastidieuse.

literie, *subst. f.* Garniture, équipement d'un lit (sommier, matelas, draps, etc.).

lithographie, *subst. f.* Impression sur papier d'un dessin, d'un texte tracés à l'encre grasse sur une pierre calcaire. – L'épreuve obtenue.

litière, *subst. f.* Ancien lit couvert, à brancards. – Paille jonchant une étable. – Gravier destiné à recevoir les déjections d'animaux de compagnie.

litige, *subst. m.* Controverse, dispute. – *Dr.* Contestation donnant lieu à procès.

litote, *subst. f.* Expression qui consiste à dire moins pour laisser entendre plus (*oppos. hyperbole*).

littéraire, *adj. et subst.* Qui a plus de goût ou d'aptitude pour les lettres que pour les sciences.

– *Adj.* Relatif à la littérature. – Consacré aux lettres : *Une chronique* **littéraire.**

littéral, ale, aux, *adj.* À la lettre, mot pour mot. – Propre (*oppos. figuré*).

littérature, *subst. f.* Ensemble des œuvres écrites auxquelles on accorde un intérêt, esthétique ou autre. – Ensemble des œuvres littéraires propres à un pays, à une époque, à un genre particulier. – Le fait d'écrire, l'activité de l'écrivain.

littoral, ale, aux, *adj. et subst. m. Adj.* Relatif au bord de mer. – *Subst.* Zone côtière.

liturgie, *subst. f.* Ensemble des règles présidant à un culte chrétien : *La* **liturgie** *catholique.*

livide, *adj.* Blafard, excessivement pâle.

livraison, *subst. f.* Action de livrer une marchandise à un client. – Marchandise livrée.

livre (i), *subst. m.* Ensemble, broché ou relié, de feuilles manuscrites ou imprimées. – Ouvrage écrit, contenu d'un **livre.** – Registre : **Livre** *de comptes.*

livre (ii), *subst. f.* Ancienne unité de masse. – Unité actuelle non officielle (500 g). – Ancienne unité monétaire française.

livrée, *subst. f.* Uniforme de certains employés.

livrer, *verbe trans.* Remettre (une personne ou une chose) à *qqn* : **Livrer** *un colis, un prisonnier.* – Dénoncer, trahir (*qqn*). – Abandonner à l'action de : **Livrer** *une ville au pillage.* – Engager : **Livrer** *bataille.* – Dévoiler : **Livrer** *un secret. – Pronom.* Se remettre aux mains de (*qqn*). – *Se* **livrer** *à* : se consacrer à.

livret, *subst. m.* Petit livre, carnet. – *Mus.* Texte d'une œuvre lyrique.

livreur, euse, *subst.* Personne qui livre des marchandises aux clients.

lobby, *subst. m.* Groupe de pression : *Le* **lobby** *des fabricants d'armes.*

lobe, *subst. m.* Partie arrondie de certains organes.

local, ale, aux, *adj. et subst. m. Adj.* Propre à un lieu, à une région. – *Subst.* Lieu ou pièce d'un bâtiment, à usage déterminé.

localiser, *verbe trans.* Déterminer avec précision le lieu ou la date de (*qqch.*). – Limiter, circonscrire : **Localiser** *une épidémie.*

localité, *subst. f.* Petite ville, village.

locataire, *subst.* Personne qui prend en location un bien immeuble.

location, *subst. f.* Action de louer (comme locataire ou comme bailleur) un bien immeuble ou meuble. – Réservation d'une place de théâtre, de train, etc.

locomotion, *subst. f.* Action de se mouvoir, de se déplacer ; fonction qui assure ce mouvement. – Transport d'un lieu vers un autre : *Moyen de* **locomotion**

locomotive, *subst. f.* Machine qui tire ou pousse un train de wagons sur une voie ferrée. – *Fam.* Élément moteur ; leader.

locuteur, trice, *subst.* Personne qui parle, qui énonce (*oppos. auditeur*).

locution, *subst. f.* Ensemble de mots constituant une unité quant au sens ou à la fonction grammaticale.

logarithme, *subst. m. Math.* Exposant qu'il faut appliquer à un nombre (appelé base) pour obtenir un nombre déterminé.

loge, *subst. f.* Petit local destiné à un usage précis : **Loge** de concierge, d'acteur de théâtre.

logement, *subst. m.* Action de loger, de se loger. – Endroit où *qqn* habite.

loger, *verbe Intrans.* Habiter (en un lieu). – *Trans.* Héberger (*qqn*). – Ranger : **Loger** les valises dans le coffre.

logeur, euse, *subst.* Personne qui donne en location des chambres meublées.

logiciel, *subst. m.* Ensemble d'instructions, de programmes permettant à un ordinateur d'effectuer certaines tâches.

logique, *adj. et subst. f.* *Subst.* Étude des règles générales de la pensée rationnelle. – Cohérence d'un raisonnement ; enchaînement naturel de faits. – Manière de raisonner caractéristique : *La* **logique** *masculine*. – *Adj.* Qui concerne la **logique** et qui respecte ses lois.

logis, *subst. m.* Lieu où *qqn* habite (*littér.*).

logistique, *subst. f.* Ensemble des méthodes et des moyens mis au service de l'organisation.

logo, *subst. m.* Signe graphique représentant une marque, une entreprise.

logorrhée, *subst. f.* Besoin irrépressible de parler. – Discours trop long, trop abondant.

loi, *subst. f.* Règle sociale imposée à tous les individus d'une communauté. – Règle morale que l'individu s'impose à lui-même. – Rapport de nécessité régissant les phénomènes de la nature : *Les* **lois** *de la physique*. – Volonté : *Imposer sa* **loi**.

loin, *adv.* À une grande distance, dans l'espace ou dans le temps.

lointain, aine, *adj. et subst. m.* *Adj.* Éloigné dans l'espace ou dans le temps. – *Fig.* Qui a l'esprit ailleurs. – *Subst.* Ce qu'on aperçoit au loin.

loir, *subst. m.* Petit mammifère rongeur qui hiberne six mois par an.

loisir, *subst. m.* Temps libre. – Temps disponible pour faire commodément *qqch.* – *Plur.* Occupations auxquelles on se livre pendant son temps libre.

lombago, *voir* **lumbago**

lombaire, *adj.* Qui appartient à la région des lombes : *Les vertèbres* **lombaires**.

lombes, *subst. f. plur.* Partie du dos située au niveau des reins.

lombric, *subst. m.* Ver de terre.

long, longue, *adj., subst. m. et adv.* *Adj.* Qui dure ou semble durer longtemps. – Qui lasse. – Qui est très étendu dans le sens de la longueur. – Qui a telle longueur : *Un couloir* **long** *de deux mètres*. – *Adv.* Beaucoup : *En savoir* **long**. – *Subst.* Longueur. – *Le* **long** *de* : en suivant.

longe, *subst. f.* Corde qui sert à attacher ou à mener un animal domestique.

longer, *verbe trans.* Se déplacer le long de. – Border.

longeron, *subst. m.* Pièce maîtresse d'un châssis, d'une charpente, d'une aile d'avion.

longévité, *subst. f.* Longue durée de vie. – Durée de la vie.

longiligne, *adj.* Mince et élancé.

longitude, *subst. f.* Distance (calculée en degrés, minutes, secondes) d'un lieu terrestre par rapport au méridien de Greenwich.

longitudinal, ale, aux, *adj.* Relatif à la longueur. – Qui est dans le sens de la longueur.

longtemps, *adv. et subst. m.* *Adv.* Pendant un long moment. – *Subst.* Un long moment : *Il y a* **longtemps** ; *Pour* **longtemps** ; *Depuis* **longtemps**.

longueur, *subst. f.* Dimension maximale d'une chose. – Durée, étendue. – *Plur.* Passages longs et ennuyeux d'une œuvre (*péj.*).

longue-vue, *subst. f.* Lunette d'approche monoculaire.

lopin, *subst. m.* Petite parcelle de terre.

loquace, *adj.* Qui parle beaucoup.

loque, *subst. f.* Vêtement usé et déchiré (*gén.* au *plur.*) : *En* **loques**, en haillons. – *Fig.* Personne effondrée, incapable de réagir.

loquet, *subst. m.* Dispositif formé d'une barre rigide et mobile, qui sert à fermer une porte.

lord, *subst. m.* Titre de noblesse britannique. – Membre de la Chambre des **lords**.

lorgner, *verbe trans.* Regarder à la dérobée, du coin de l'œil. – *Fig.* Regarder avec convoitise.

lorgnette, *subst. f.* Lunette d'approche portative.

lors, *adv.* Alors, à ce moment-là (*littér.*). – *Loc. adv. Depuis* **lors** ; *Pour* **lors**. – *Dès* **lors**. – *Loc. conj. Dès* **lors** *que* : à partir du moment où, puisque. – *Loc. prép.* **Lors** *de* : à l'époque de.

lorsque, *conj.* Quand ; au moment où.

losange, *subst. m.* Parallélogramme dont les quatre côtés sont égaux.

lot, *subst. m.* Partie d'un tout partagé, divisé entre plusieurs personnes. – Ce que le destin impose à *qqn.* – Gain dans une loterie. – Ensemble de marchandises.

loterie, *subst. f.* Jeu de hasard où quelques billets numérotés sont gagnants par tirage au sort. – *Fig.* Ce qui est régi par le hasard.

loti, ie, *adj. Être bien* **loti**, *être mal* **loti** : être favorisé, défavorisé par le sort.

lotion, *subst. f.* Eau de toilette employée pour les soins de la peau ou des cheveux.

lotir, *verbe trans.* Partager en lots.

lotissement, *subst. m.* Action de lotir. – Parcelle d'un terrain loti. – Ensemble des maisons construites sur ce terrain.

loto, *subst. m.* Jeu de société qui consiste à remplir des cases correspondant à des numéros tirés au sort. – Loterie dans laquelle on coche des numéros sur des billets.

lot(t)e, *subst. f.* Poisson de rivière à la chair ferme et appréciée. – **Lotte** *de mer* : baudroie.

lotus, *subst. m.* Plante semblable au nénuphar, à fleurs bleues, blanches ou pourpres.

louable, *adj.* Digne d'être loué, apprécié.

louange, *subst. f.* Action de louer (I), de féliciter. – *Plur.* Paroles prononcées pour féliciter *qqn*.

louche (i), *adj.* Suspect, bizarre : *C'est* **louche** !

louche (ii), *subst. f.* Grande cuillère creuse, à long manche. – Son contenu.

loucher, *verbe intrans.* Être atteint de strabisme. – *Fig.* **Loucher** *sur* : convoiter.

louer (i), *verbe trans.* Exprimer publiquement la valeur ou les qualités de. – Féliciter, complimenter. – *Pronom. Se* **louer** *de* : afficher sa vive satisfaction de.

louer (ii), *verbe trans.* Concéder ou acquérir (l'usage ou la jouissance d'un bien, d'un droit) moyennant un loyer. – Réserver (une place de train, de théâtre, etc.).

loufoque, *adj. et subst.* Qui est un peu fou, cocasse.

louis, *subst. m.* Ancienne monnaie d'or française. – Pièce d'or française de 20 F.

loup, *subst. m.* Mammifère canidé, très proche du chien, vivant *gén.* en meute dans les forêts. – Nom donné à un poisson, le bar, en Méditerranée. – Masque recouvrant le haut du visage.

loupe, *subst. f.* Excroissance qui se développe sur certains arbres. – Lentille grossissante.

louper, *verbe trans.* Ne pas réussir, rater (*fam.*).

loup-garou, *subst. m.* Homme fantastique qui, selon la légende, se métamorphose la nuit en loup.

lourd, lourde, *adj. et adv. Adj.* Dont le poids est élevé. – Qui suggère l'idée de pesanteur. – Oppressant : *Temps* **lourd**. – Difficile à digérer. – *Fig.* Maladroit, gauche, sans élégance. – *Adv.* Beaucoup : *Ça pèse* **lourd**.

lourdaud, aude, *adj. et subst.* Maladroit, rustre.

lourdeur, *subst. f.* Caractère de ce qui est lourd.

loutre, *subst. f.* Mammifère carnivore aquatique, au pelage ras, épais et brillant. – Sa fourrure.

louve, *subst. f.* Femelle du loup.

louveteau, *subst. m.* Petit du loup. – *Fig.* Jeune scout de moins de 12 ans.

louvoyer, *verbe intrans. Mar.* Naviguer en suivant une ligne brisée, contre le vent. – *Fig.* Agir en prenant des détours ; biaiser, tergiverser.

lover (se), *verbe pronom.* S'enrouler sur soi-même.

loyal, ale, aux, *adj.* Honnête, sincère.

loyauté, *subst. f.* Qualité d'une personne loyale.

loyer, *subst. m.* Redevance régulière que l'on paie pour avoir l'usage d'une chose. – **Loyer** *de l'argent* : taux d'intérêt.

lubie, *subst. f.* Caprice passager, extravagant.

lubrifiant, ante, *adj. et subst. m.* Se dit d'une substance qui lubrifie (huile, graisse).

lubrifier, *verbe trans.* Enduire d'une substance qui rend glissant, qui diminue le frottement.

lubrique, *adj.* Qui manifeste une tendance excessive à la sensualité, à la luxure.

lucarne, *subst. f.* Petite fenêtre pratiquée dans une toiture : **Lucarne** *à tabatière*.

lucide, *adj.* Clairvoyant, perspicace. – Qui est pleinement conscient de la réalité.

lucidité, *subst. f.* Qualité d'une personne lucide.

luciole, *subst. f.* Insecte coléoptère lumineux.

lucratif, ive, *adj.* Qui a pour but le profit. – Qui procure un profit.

lucre, *subst. m.* Gain, profit (*péj.*).

ludique, *adj.* Relatif au jeu.

luette, *subst. f. Anat.* Appendice charnu et mobile qui prolonge le bord postérieur du voile du palais.

lueur, *subst. f.* Lumière faible, imprécise. – Éclat passager du regard. – Manifestation fugitive : *Une* **lueur** *d'espoir*.

luge, *subst. f.* Petit traîneau conçu pour glisser sur une pente neigeuse.

lugubre, *adj.* Qui traduit ou inspire une profonde tristesse ; sinistre. – Funèbre.

lui, *pron. pers.* Pronom personnel (masculin ou féminin) de la 3ᵉ personne du singulier.

luire, *verbe intrans.* . Être lumineux, briller. – *Fig.* Apparaître comme une lueur.

lumbago, *subst. m.* Très vive douleur lombaire.

lumière, *subst. f.* Phénomène physique perçu par l'œil, qui rend les choses visibles. – Éclat du soleil ; clarté du jour. – Ce qui éclaire ; lampe. – *Fig.* Éclaircissement, explication : *Faire la* **lumière** *sur qqch.* – Personne très intelligente (*iron.*). – *Plur.* Connaissances.

luminaire, *subst. m.* Appareil d'éclairage.

lumineux, euse, *adj.* Qui émet ou réfléchit de la lumière. – *Fig.* Clair, lucide : *Une pensée* **lumineuse**.

luminosité, *subst. f.* Qualité de ce qui est lumineux. – *Astron.* Puissance lumineuse.

lump, *subst. m.* Poisson dont les œufs rappellent le caviar.

lunaire, *adj.* Relatif à la Lune.

lunaison, *subst. f.* Temps compris entre deux nouvelles lunes consécutives (*env.* 29,5 jours).

lunatique, *adj. et subst.* Se dit d'une personne au caractère changeant, fantasque.

lunch, *subst. m.* Repas froid présenté en buffet, lors d'une réception.

lundi, *subst. m.* Premier jour de la semaine.

lune, *subst. f. La* **Lune** : satellite naturel unique de la Terre. – *Une* **lune** : une lunaison. – Chacune des phases de la **Lune** vue de la Terre : *Nouvelle, pleine* **lune**. – *Fig. Être dans la* **lune** : rêvasser.

lunette, *subst. f.* Instrument d'optique, longue-vue. – Objet de forme plus ou moins circulaire. – *Plur.* Paire de verres fixés dans une monture et servant à améliorer la vue.

lupanar, *subst. m.* Maison de prostitution (*littér.*).

lustre (i), *subst. m.* Période de cinq ans (*littér.*). – *Plur.* Longue période.

lustre (ii), *subst. m.* Éclat ; poli. – Appareil d'éclairage suspendu au plafond.

lustré, ée, *adj.* Qui a de l'éclat, du brillant. – Usé au point d'être brillant.

luth, *subst. m. Mus.* Instrument à cordes pincées.

luthier, *subst. m.* Fabricant d'instruments de musique portables à cordes : luth, violon, etc.

lutin, *subst. m.* Petit génie, souvent espiègle. – *Fig.* Enfant malicieux.

lutrin, *subst. m.* Pupitre destiné à supporter un livre ouvert, une partition.

lutte, *subst. f.* Sport de combat à mains nues. – Affrontement, combat. – Action menée contre des difficultés, contre un mal : **Lutte** *contre le chômage*.

lutter, *verbe intrans.* Pratiquer la lutte. – Entrer en lutte ; se battre. – Rivaliser.

lutteur, euse, *subst. Sp.* Athlète qui pratique la lutte. – *Fig.* Personne qui aime lutter.

luxation, *subst. f.* Déplacement, déboîtement d'un os par rapport à son articulation.

luxe, *subst. m.* Caractère de ce qui est coûteux, raffiné, fastueux. – Somptuosité dans la manière de vivre. – Abondance superflue.

luxer, *verbe trans.* Provoquer la luxation de. – *Pronom.* Se démettre (une articulation).

luxueux, euse, *adj.* Qui se caractérise par son luxe ; somptueux, fastueux.

luxure, *subst. f.* Recherche et pratique excessives des plaisirs sexuels.

luxuriant, ante, *adj.* Très abondant : *Une végétation luxuriante.* – *Fig.* Exubérant, riche.

luzerne, *subst. f.* Plante fourragère aux fleurs violettes, riche en protéines.

lycée, *subst. m.* Établissement du cycle long de l'enseignement secondaire.

lycéen, enne, *adj. et subst. Adj.* Relatif aux lycées. – *Subst.* Élève d'un lycée.

lymphatique, *adj. et subst.* Se dit d'une personne qui manque d'énergie. – *Adj.* Relatif à la lymphe.

lymphe, *subst. f. Biol.* Liquide riche en protéines, qui circule dans l'organisme.

lymphocyte, *subst. m.* Globule blanc qui joue un rôle capital dans les défenses de l'organisme.

lyncher, *verbe trans.* Exécuter (*qqn*) sur-le-champ, sans procès.

lynx, *subst. m.* Félidé connu pour sa vue perçante.

lyophiliser, *verbe trans.* Déshydrater par congélation et évaporation sous vide, pour conserver.

lyre, *subst. f. Mus.* Instrument à cordes antique.

lyrique, *adj. et subst. m. Adj.* Qui exalte les émotions. – Mis en scène et chanté : *L'art* **lyrique**, l'opéra. – *Subst.* Poète **lyrique**.

lyrisme, *subst. m.* Expression poétique des sentiments personnels. – *Fig.* Exaltation d'esprit, emphase poétique.

lys, *voir* **lis**

M

m, m, *subst. m. inv.* Treizième lettre et dixième consonne de l'alphabet français.

ma, *voir* **mon**

macabre, *adj.* Qui concerne la mort, sinistre.

macaque, *subst. m.* Singe d'Asie et d'Afrique du Nord, *souv.* utilisé comme sujet d'expérience.

macaron, *subst. m.* Petit gâteau moelleux aux amandes et au blanc d'œuf. – Insigne rond.

macchabée, *subst. m.* Cadavre (*fam.*).

macédoine, *subst. f.* Mélange de légumes ou de fruits coupés en petits morceaux.

macérer, *verbe Trans.* Faire tremper pour parfumer ou conserver. – *Intrans.* Subir ce traitement : **Macérer** *dans la saumure.*

mâcher, *verbe trans.* Broyer avec les dents. – *Fig.* Ne pas **mâcher** *ses mots* : dire tout net ce que l'on pense.

machette, *subst. f.* Très grand couteau en usage dans les pays tropicaux.

machiavélique, *adj.* Perfide et tortueux.

machin, *subst. m.* Nom donné à un objet ou à une personne dont on ignore ou dont on veut ignorer le nom (*fam.*).

machinal, ale, aux, *adj.* Qui s'accomplit sans intervention de la volonté, de la conscience.

machination, *subst. f.* Intrigue, complot ourdis pour accomplir de noirs desseins.

machine, *subst. f.* Combinaison de pièces et de dispositifs, conçue pour produire une action mécanique à partir d'une énergie.

machinerie, *subst. f.* Ensemble de machines. – Salle des machines, dans un navire.

machiniste, *subst.* Conducteur d'une machine. – Conducteur d'autobus. – Responsable de la manutention des décors d'un théâtre.

macho, *adj. et subst. m.* Se dit d'un homme qui se croit supérieur aux femmes et veut les dominer.

mâchoire, *subst. f.* Arc osseux dans lequel sont implantées les dents. – Chacune des deux parties d'une large pince.

mâchonner, *verbe trans.* Mâcher longuement, avec lenteur. – Mordiller de façon machinale.

maçon, *subst. m.* Artisan ou ouvrier du bâtiment qui exécute des travaux de maçonnerie.

maçonnerie, *subst. f.* Travaux du bâtiment qui concernent le gros œuvre et certains enduits.

maculé, ée, *adj.* Couvert de taches, souillé.

madame, *subst. f.* Titre attribué aux femmes mariées et, aujourd'hui, à toutes les femmes.

madeleine, *subst. f.* Petit gâteau léger au dessus rebondi et au dos strié.

mademoiselle, *subst. f.* Titre attribué aux jeunes filles.

madone, *subst. f.* Peinture, image représentant la Vierge. – *La* **Madone** : la Vierge.

madrier, *subst. m.* Planche très épaisse utilisée dans les travaux de charpente.

maestro, *subst. m.* Compositeur de musique ou chef d'orchestre de renom.

maf(f)ia, *subst. f. La* **Mafia** : organisation très puissante de malfaiteurs, d'origine sicilienne. – Toute association de malfaiteurs.

magasin, *subst. m.* Dépôt. – Boutique, local destinés à la vente de marchandises.

magazine, *subst. m.* Publication périodique illustrée. – Type d'émission télévisée ou radiophonique, à caractère périodique.

mage, *adj. m. et subst. m. Subst.* Ancien prêtre perse. – Magicien, devin. – *Adj. Les Rois* **mages** : Gaspard, Melchior et Balthazar.

magicien, ienne, *subst.* Personne qui pratique la magie. – Prestidigitateur.

magie, *subst. f.* Ensemble des pratiques et des rites par lesquels l'homme croit obtenir un pouvoir surnaturel.

magique, *adj.* Qui relève ou semble relever de la magie.

magistral, ale, aux, *adj.* Digne d'un maître : *Une œuvre* **magistrale**. – *Cours* **magistral** : dans lequel les étudiants n'interviennent pas.

magistrat, ate, *subst.* Personne qui détient une autorité légale, politique ou administrative.

magistrature, *subst. f.* Charge d'un magistrat ; sa durée. – Corps des magistrats.

magma, *subst. m.* Roche en fusion située dans les profondeurs de l'écorce terrestre.

magnanime, *adj.* Qui fait preuve de grandeur d'âme, de générosité.

magnat, *subst. m.* Personnalité puissante dans le domaine économique.

magnétique, *adj.* Relatif au magnétisme. – Qui attire le fer.

magnétiser, *verbe trans.* Rendre magnétique. – *Fig.* Attirer, fasciner ; hypnotiser.

magnétisme, *subst. m.* Ensemble des phénomènes et des propriétés relatifs aux aimants. – *Fig.* Fascination.

magnétophone, *subst. m.* Appareil qui enregistre les sons et les restitue.

magnétoscope, *subst. m.* Appareil qui enregistre des images et des sons, et qui les restitue sur un écran de télévision.

magnifier, *verbe trans.* Célébrer, louer, proclamer grand et illustre. – Rendre plus beau, idéaliser.

magnifique, *adj.* Plein de faste, de grandeur. – Très beau, splendide ; admirable.

magnolia, *subst. m.* Arbre ornemental dont les grandes fleurs blanches sont très odorantes.

magot, *subst. m.* Somme d'argent économisée et tenue en réserve (*fam.*).

mahara(d)ja(h), *subst. m.* Titre d'un prince hindou.

mai, *subst. m.* Cinquième mois de l'année.

maigre, *adj. et subst. Adj.* Sans graisse, décharné. – Pauvre en matières grasses. – Peu abondant ; au *fig.*, médiocre, insuffisant. – *Subst.* Personne **maigre**. – *Subst. masc.* Partie **maigre** d'une viande.

maigreur, *subst. f.* État de ce qui est maigre.

maigrir, *verbe Intrans.* Perdre du poids. – *Trans.* Faire paraître maigre.

maille, *subst. f.* Chacune des boucles d'un fil dont l'entrelacement forme un tricot. – Chacun des trous d'un filet, d'un grillage.

maillet, *subst. m.* Marteau en bois à deux têtes.

maillon, *subst. m.* Anneau d'une chaîne.

maillot, *subst. m.* Vêtement moulant, porté à même la peau : **Maillot** *de bain, de corps.*

main, *subst. f.* Organe de la préhension, muni de doigts et formant l'extrémité du bras. – Symbole de travail, d'assistance, d'autorité : *Coup de* **main** ; *Haute* **main**.

mainate, *subst. m.* Oiseau parleur d'Indo-Malaisie.

main-d'œuvre, *subst. f.* Travail d'un ouvrier. – Ensemble des ouvriers.

main-forte, *subst. f. sing.* Aide, assistance : *Prêter* **main-forte** *à qqn.*

mainmise, *subst. f.* Action de s'approprier un bien, un droit, une fonction.

maint, mainte, *adj. indéf.* Plusieurs, un grand nombre de (*littér.*) : **Maints** *ouvrages* ; **Maintes** *fois.*

maintenance, *subst. f.* Ensemble des opérations d'entretien, de réparation d'un matériel.

maintenant, *adv.* Tout de suite. – À présent.

maintenir, *verbe trans.* Conserver dans un état donné. – Tenir dans une même position. – Soutenir ; confirmer : **Maintenir** *une affirmation.*

maintien, *subst. m.* Manière de se tenir. – Action de maintenir *qqch.* dans un état donné.

maire, *subst. m.* Administrateur d'une commune, élu par le conseil municipal.

mairie, *subst. f.* Fonction de maire. – Administration d'une commune. – Bâtiment abritant les services municipaux.

mais, *conj.* Marque une opposition ou une objection : *Il est gentil* **mais** *têtu.* – Renforce une idée, une exclamation : **Mais** *non !*

maïs, *subst. m.* Céréale à tige unique et à graines jaunes en épi.

maison, *subst. f.* Bâtiment à usage d'habitation. – Domicile ; la famille qui y vit. – Nom de certains édifices publics ou privés : **Maison** *de retraite, d'arrêt, de jeu.* – Famille princière : **Maison** *d'Autriche.* – *Empl. adj. inv. Gâteau* **maison** : fait sur place (*fam.*).

maisonnée, *subst. f.* Ensemble des personnes qui habitent une maison, en *partic.* famille.

maisonnette, *subst. f.* Petite maison.

maître, maîtresse, *adj. et subst. Subst.* Personne qui exerce un pouvoir, une autorité, une responsabilité. – Instituteur. – *Subst. masc.* Personne qui a des disciples. – Titre d'un avocat, de certains officiers ministériels. – Personne prise comme modèle. – *Subst. fém.* Amante. – *Adj.* Apte à décider. – Essentiel, principal.

maître chanteur, *subst. m.* Escroc qui pratique le chantage.

maîtrise, *subst. f.* Autorité exercée sur *qqn* ou *qqch.* ; domination. – Talent, habileté. – Domination de soi-même. – L'un des grades universitaires. – Ensemble des contremaîtres et des chefs d'équipe, sur un chantier. – *Mus.* Chœur religieux.

maîtriser, *verbe trans.* Se rendre maître de (*qqn, qqch.*). – Dominer (une situation).

majesté, *subst. f.* Grandeur solennelle, qui impose le respect. – Titre d'un empereur ou d'un roi : *Sa* **Majesté** *la Reine.*

majestueux, euse, *adj.* Qui a de la majesté.

majeur, eure, *adj. et subst.* Se dit d'une personne qui a atteint la majorité légale. – *Adj.* Plus grand, plus important. – Très important. – *Subst. masc.* Troisième doigt de la main.

major, *subst. m. Milit.* Sous-officier ou officier supérieur par le rang : **Major** *général ; Sergent-***major**. – Candidat reçu premier à un concours : *Le* **major** *de la promotion.*

majordome, *subst. m.* Maître d'hôtel d'un souverain ou d'une grande maison.

majorer, *verbe trans.* Augmenter la valeur du montant (d'une facture, d'un impôt, etc.).

majorette, *subst. f.* Jeune fille défilant dans les fêtes locales en uniforme militaire de fantaisie.

majoritaire, *adj.* Qui rallie ou qui doit rallier la majorité. – Qui appartient à la majorité ; propre à la majorité.

majorité, *subst. f.* Supériorité en nombre. – Âge légal, fixé à 18 ans en France, où l'on devient un citoyen adulte responsable.

majuscule, *adj. et subst. f.* Se dit d'une variante plus grande d'une lettre minuscule, dont le dessin est différent.

mal (i), *adv.* De manière fâcheuse : *Ça va* **mal**. – Avec hostilité : *Être* **mal** *reçu.* – Imparfaitement : *J'écris* **mal**. – *Pas* **mal** : assez bien.

mal (ii), maux, *subst. m.* Ce qui cause une douleur physique ou morale. – Calamité, malheur. –

Difficulté, peine. – Ce qui est contraire à la morale, au bien.

malade, *adj. et subst.* Qui n'est pas en bonne santé. – *Adj.* En mauvais état.

maladie, *subst. f.* Altération de la santé. – Dégradation de qqch.

maladif, ive, *adj.* Qui est souvent malade. – Qui révèle une maladie. – Anormal.

maladresse, *subst. f.* Manque d'adresse. – Absence de tact. – Action, parole maladroites.

maladroit, oite, *adj. et subst.* Qui fait preuve de maladresse. – Qui manque de tact.

malaise, *subst. m.* Sensation pénible due à un trouble physiologique. – Trouble passager, état de malêtre.

malaisé, ée, *adj.* Qui ne se fait pas facilement.

malappris, ise, *adj. et subst.* Qui manque d'éducation.

malaxer, *verbe trans.* Rendre plus mou, plus homogène en pétrissant.

malchance, *subst. f.* Mauvaise fortune, manque de chance. – Hasard malheureux.

malchanceux, euse, *adj. et subst.* Qui n'a pas de chance.

mâle, *adj. et subst. m.* Qui est de sexe masculin. – *Adj.* Viril. – *Tech.* Qualifie une pièce qui s'insère dans une autre : *Une prise* **mâle**.

malédiction, *subst. f.* Action de maudire. – Malchance persistante ; fatalité.

maléfice, *subst. m.* Sortilège visant à porter malheur à qqn.

malencontreux, euse, *adj.* Qui survient mal à propos.

malentendu, *subst. m.* Interprétation erronée d'un acte, d'une parole.

mal-être, *subst. m. inv.* Sentiment profond de malaise.

malfaçon, *subst. f.* Défaut de fabrication ou de construction.

malfaisant, ante, *adj.* Nuisible, pernicieux.

malfaiteur, *subst. m.* Personne qui se livre à des activités délictueuses ou criminelles.

malfamé, ée, *adj.* Qui est mal fréquentée.

malformation, *subst. f.* Anomalie congénitale.

malgré, *prép.* Contre la volonté, le gré de. – En dépit de. – **Malgré** *tout* : pourtant.

malhabile, *adj.* Qui manque de savoir-faire.

malheur, *subst. m.* Coup du sort, événement pénible. – État douloureux. – Malchance.

malheureux, euse, *adj. et subst.* Qui est dans le malheur. – *Adj.* Qui exprime la tristesse, la douleur. – Qui n'a pas de chance. – Mal venu, mal inspiré. – Insignifiant.

malhonnête, *adj. et subst.* Qui fait preuve de malhonnêteté. – Trompeur, fourbe.

malhonnêteté, *subst. f.* Manque d'intégrité, de droiture. – Acte malhonnête, trompeur.

malice, *subst. f.* Méchanceté (*littér.*). – Tendance à s'amuser aux dépens d'autrui. – Ruse.

malicieux, ieuse, *adj.* Qui fait preuve de malice. – Enjoué, espiègle.

malin, igne, *adj. et subst.* Qui aime à faire le mal : *Le* **Malin**, le diable. – Qui est rusé ; qui a l'esprit vif et délié ; intelligent : *C'est un* **malin**. – *C'est* **malin** ! : c'est stupide (*fam.*). – *Adj.* Qui a un effet nuisible, pernicieux : *Une tumeur* **maligne**, cancéreuse.

malingre, *adj.* D'aspect chétif, fragile.

malintentionné, ée, *adj.* Qui a de mauvaises intentions, malveillant.

malle, *subst. f.* Grand coffre de voyage. – Coffre servant au rangement ; son contenu.

malléable, *adj.* Qui se laisse modeler. – *Fig.* Influençable.

mallette, *subst. f.* Petite valise.

malmener, *verbe trans.* Attaquer, traiter durement, par la parole ou par les actes.

malnutrition, *subst. f.* État d'une personne insuffisamment ou mal nourrie.

malotru, ue, *subst.* Personne grossière, mal élevée.

malpropre, *adj. et subst.* Qui n'est pas propre ; sale.

malsain, aine, *adj.* Qui nuit à la santé, physique ou morale.

malt, *subst. m.* Orge germée et séchée, destinée à la préparation de certains alcools.

maltraiter, *verbe trans.* Traiter avec brutalité.

malus, *subst. m.* Pénalité ajoutée à une prime d'assurance après un sinistre.

malveillance, *subst. f.* Tendance à nuire, à dénigrer.

malvenu, ue, *adj.* Inopportun. – Dont l'intervention n'est pas fondée.

malversation, *subst. f.* Détournement d'argent dans l'exercice d'une charge.

mamelle, *subst. f.* Glande productrice de lait, chez les femelles mammifères.

mamelon, *subst. m.* Extrémité de la mamelle ou du sein. – Petite colline de forme arrondie.

mammifère, *subst. m.* Animal vertébré qui possède des mamelles et une peau *gén.* couverte de poils. – *Plur.* La classe correspondante.

mammouth, *subst. m.* Mammifère fossile du quaternaire, proche des éléphants actuels.

manche (i), *subst. m.* Partie d'un outil ou d'un instrument par laquelle on les tient. – **Manche** *à balai* : levier de commande d'un avion.

manche (ii), *subst. f.* Partie d'un vêtement qui entoure le bras. – *Jeux et Sp.* Chacune des épreuves d'une même partie.

manchette, *subst. f.* Ornement des poignets d'une chemise. – Coup porté avec l'avant-bras. – Gros titre en première page d'un journal.

manchon, *subst. m.* Étui fourré où l'on met les mains pour les protéger du froid.

manchot, ote, *adj. et subst.* Se dit d'une personne qui est privée d'une main ou d'un bras. – *Subst. masc.* Oiseau palmipède à petits ailerons, de l'Antarctique.

mandarin, *subst. m.* Dans l'ancienne Chine, fonctionnaire de haut rang. – Dialecte parlé par la majorité des Chinois.

mandarine, *subst. f.* Agrume plus petit et plus doux que l'orange, fruit du mandarinier. **mandat**, *subst. m.* Acte par lequel une personne (le mandant) donne pouvoir d'agir en son nom à une autre personne (le mandataire). – Ordre de payer à qqn une somme déterminée.

mandater, *verbe trans.* Charger d'un mandat.

mandibule, *subst. f.* Mâchoire inférieure des Vertébrés. – *Plur.* Mâchoires (*fam.*).

mandoline, *subst. f. Mus.* Instrument à quatre cordes pincées et à caisse de résonance bombée.

manège, *subst. m.* Lieu où l'on dresse des chevaux. – Attraction foraine où des chevaux de bois tournent autour d'un axe vertical. – *Fig.* Manœuvre, intrigue.

manette, *subst. f.* Petit levier, poignée que l'on manœuvre pour déclencher un mécanisme.

mangeoire, *subst. f.* Récipient où l'on place la nourriture destinée à certains animaux.

manger, *verbe trans.* Mâcher et avaler (des aliments) ; *empl. abs.,* se nourrir. – User, ronger.

mangouste, *subst. m.* Mammifère carnivore d'Afrique ou d'Asie ressemblant à une belette, ennemi redoutable des serpents.

mangue, *subst. f.* Fruit tropical comestible du manguier, à la pulpe orangée très parfumée.

maniable, *adj.* Que l'on manie aisément.

maniaque, *adj. et subst.* Qui se montre méticuleux jusqu'à la manie ; qui semble obsédé par *qqch.* – *Adj.* Relatif à la manie.

manichéisme, *subst. m.* Doctrine qui considère le monde comme le lieu d'un combat entre le bien et le mal.

manie, *subst. f.* Habitude méticuleuse à l'excès. – Idée fixe ; obsession.

maniement, *subst. m.* Action, façon de manier.

manier, *verbe trans.* Tenir, utiliser, déplacer (*qqch.*) avec ses mains. – Manœuvrer (une machine, un véhicule).

manière, *subst. f.* Façon d'être, de se comporter. – Style propre à un créateur. – *Plur. Les bonnes* **manières** : les règles de la bienséance. – *Faire des* **manières** : agir avec affectation. – *Loc. prép. De* **manière** *à* : afin de.

maniéré, ée, *adj.* Affecté, précieux.

manifestant, ante, *subst.* Personne qui participe à une manifestation.

manifestation, *subst. f.* Expression d'une opinion, d'un sentiment. – Rassemblement de personnes qui manifestent. – Cérémonie en l'honneur de *qqch.* ou de *qqn.*

manifeste, *adj. et subst. m. Adj.* Évident, certain. – *Subst.* Déclaration publique et solennelle exposant un programme politique, intellectuel ou artistique.

manifester, *verbe Trans.* Faire connaître clairement et publiquement (son opinion). – Extérioriser (un sentiment). – *Intrans.* Prendre part à une manifestation. – *Pronom.* Apparaître. – Se faire connaître.

manigance, *subst. f.* Manœuvre habile et secrète.

manioc, *subst. m.* Arbrisseau des pays tropicaux dont la racine fournit une fécule, le tapioca.

manipulation, *subst. f.* Action de manipuler. – *Fig.* Manœuvre peu honnête.

manipuler, *verbe trans.* Manier (des produits, des appareils, des objets). – *Fig.* Influencer, manœuvrer (*qqn*).

manivelle, *subst. f.* Pièce que l'on active pour imprimer un mouvement de rotation à un dispositif.

mannequin, *subst. m.* Forme articulée représentant le corps humain. – Personne qui présente les modèles d'une maison de couture.

manœuvre (i), *subst. f.* Action manuelle permettant le fonctionnement d'une machine, d'un véhicule, d'un navire. – Exercice d'instruction militaire. – Ensemble des moyens utilisés pour atteindre un but déterminé.

manœuvre (ii), *subst. m.* Ouvrier non spécialisé.

manœuvrer, *verbe Intrans.* Réaliser, opérer une manœuvre. – *Trans.* Mettre en action ; guider (un véhicule). – *Fig.* **Manœuvrer** *qqn* : se servir de lui, l'influencer.

manoir, *subst. m.* Petit château entouré de terres.

manomètre, *subst. m.* Appareil qui sert à mesurer la pression d'un gaz ou d'une vapeur.

manque, *subst. m.* Pénurie, absence d'une chose nécessaire. – Chose qui fait défaut.

manquer, *verbe Intrans.* Être absent. – Faire défaut. – Faillir. – *Trans.* Ne pas atteindre ; rater. – **Manquer** *de* : être dépourvu de.; être sur le point de (faire *qqch.*). – **Manquer** *à* : se soustraire à (une obligation).

mansarde, *subst. f.* Pièce aménagée sous un toit et qui a, de ce fait, un mur en pente.

mante, *subst. f. Mante religieuse* : insecte carnivore aux pattes antérieures puissantes.

manteau, *subst. m.* Vêtement qui se porte par-dessus les autres. – Partie d'une cheminée qui fait saillie au-dessus du foyer.

manucure, *subst.* Personne qui s'occupe des soins de beauté des mains et des ongles.

manuel, elle, *adj. et subst.* Qui se sert de ses mains. – *Adj.* Qui se manœuvre à la main. – *Subst. masc.* Ouvrage contenant les notions fondamentales d'une science, d'une technique, d'un art.

manufacture, *subst. f.* Appellation de certaines entreprises industrielles appartenant à l'État.

manuscrit, ite, *adj. et subst. m.* Se dit d'un texte écrit à la main. – *Subst.* Texte original d'un auteur.

manutention, *subst. f.* Manipulation, déplacement de marchandises, à la main ou par des moyens mécaniques.

mappemonde, *subst. f.* Carte représentant, en projection, les deux hémisphères terrestres.

maquereau, *subst. m.* Poisson de mer osseux, à la chair compacte et à la peau rayée de noir.

maquette, *subst. f.* Modèle réduit d'un objet, d'un lieu. – Projet précédant la réalisation d'un livre, d'un objet, etc.

maquillage, *subst. m.* Action de maquiller, de se maquiller. – Produit servant à maquiller.

maquiller, *verbe trans.* Enduire (le visage) de fard ou d'un produit de beauté. – *Fig.* Fausser (une réalité) pour tromper.

maquis, *subst. m.* Végétation d'arbustes épineux, des régions méditerranéennes. – *Fig.* Lieu inextricable. – Région difficile d'accès où se replient les délinquants ou les opposants à un régime d'oppression.

marabout, *subst. m.* Ermite musulman. – Sorcier africain. – Grande cigogne d'Afrique.

maraîcher, ère, *adj. et subst. Subst.* Personne qui cultive et vend des légumes. – *Adj.* Relatif à cette activité : *Cultures* **maraîchères.**

marais, *subst. m.* Terrain inculte, très humide et recouvert d'eau stagnante peu profonde. – **Marais** *salant* : ensemble de bassins reliés à la mer, où l'on recueille le sel après évaporation de l'eau.

marasme, *subst. m.* Crise économique, stagnation.

marathon, *subst. m.* Course à pied de grand fond (42,195 km).

marauder, *verbe intrans.* Voler des fruits, des légumes, des volailles, dans les fermes et les jardins.

marbre, *subst. m.* Roche calcaire très dure et *souv.* veinée, utilisée en architecture et en décoration. – Statue, objet en **marbre**.

marbrure, *subst. f.* Dessin, marque qui imite les veines du marbre.

marc, *subst. m.* Résidu de fruits ou de grains pressés ou infusés. – Eau-de-vie provenant de la distillation d'un **marc**.

marcassin, *subst. m.* Petit du sanglier et de la laie.

marchand, ande, *adj. et subst.* Subst. Personne qui achète et qui revend des produits. – Adj. Relatif au commerce.

marchandage, *subst. m.* Action de marchander. – Tractation, négociation laborieuses.

marchander, *verbe trans.* Négocier le prix (d'une marchandise). – Accorder avec réticence.

marchandise, *subst. f.* Ce qui s'achète et se vend.

marche, *subst. f.* Chacun des degrés d'un escalier, où l'on pose le pied. – Action de marcher. – Déroulement d'un processus ; fonctionnement. – Musique au rythme accusé.

marché, *subst. m.* Lieu public où s'opèrent les transactions commerciales. – Toute opération de vente ou d'achat à un prix convenu. – État de l'offre et de la demande. – Arrangement conclu avec *qqn*.

marchepied, *subst. m.* Ensemble d'une à trois marches, fixe ou amovible, facilitant un accès.

marcher, *verbe intrans.* Se déplacer à pied. – Mettre en route (*qqch.*). – Fonctionner. – *Fig.* Réussir. – *Faire* **marcher** *qqn* : le taquiner, le tromper (*fam.*).

mardi, *subst. m.* Deuxième jour de la semaine.

mare, *subst. f.* Petite étendue d'eau stagnante. – Grande flaque : **Mare** *de sang*.

marécage, *subst. m.* Zone occupée par des marais.

maréchal, aux, *subst. m.* Officier général détenant la plus haute dignité militaire.

maréchal-ferrant, *subst. m.* Artisan forgeron qui ferre les chevaux.

marée, *subst. f.* Mouvement de la mer, qui monte et descend deux fois par jour. – Produits frais de la mer. – *Fig.* Foule en mouvement.

marelle, *subst. f.* Jeu d'enfant consistant à sauter à cloche-pied sur une figure tracée au sol.

margarine, *subst. f.* Corps gras alimentaire fabriqué à partir d'huiles végétales.

marge, *subst. f.* Bord, bordure de *qqch.* – Latitude laissée pour agir. – *Écon.* Bénéfice net réalisé sur la vente d'un produit. – *Loc. prép. En* **marge** *de* : en dehors, à l'écart de.

margelle, *subst. f.* Rebord en pierre d'un puits, d'une fontaine.

marginal, ale, aux, *adj. et subst.* Se dit de *qqn* qui vit en marge de la société. – *Adj.* Accessoire, secondaire.

marguerite, *subst. f.* Plante des champs dont la fleur a des pétales blancs et un cœur jaune.

mari, *subst. m.* Homme marié à une femme.

mariage, *subst. m.* Union légale d'un homme et d'une femme. – Célébration de cette union.

marié, ée, *adj. et subst.* Adj. Qui est uni à *qqn* par le mariage. – *Subst.* Personne dont on célèbre le mariage.

marier, *verbe trans.* Unir par les liens du mariage. – *Fig.* Unir, assortir.

marin, ine, *adj. et subst. m.* Subst. Personne qui navigue. – *Adj.* Relatif à la mer, au littoral. – Relatif à la navigation, aux **marins**.

marinade, *subst. f.* Préparation liquide épicée où des aliments macèrent avant la cuisson.

marine, *subst. f.* Art de la navigation. – Ensemble des navires d'un pays et de leurs équipages. – Tableau ayant la mer pour sujet. – *Empl. adj. inv. Bleu* **marine** : bleu foncé.

mariner, *verbe* Macérer ou faire macérer dans une marinade.

marinier, ière, *subst.* Personne qui navigue sur les fleuves, les canaux. – *Fém.* Polo à manches longues, à encolure ras du cou. – *Moules* **marinière** : préparées dans leur jus, avec des échalotes et du vin blanc.

marionnette, *subst. f.* Poupée articulée qu'on actionne à la main ou avec des fils.

marital, ale, aux, *adj.* Qui appartient au mari, dans un couple. – *Vie* **maritale** : concubinage.

maritime, *adj.* Qui est proche de la mer, qui subit son influence. – Qui se fait sur mer. – Qui concerne la marine.

marivaudage, *subst. m.* Badinage galant.

marjolaine, *subst. f.* Plante aromatique, également appelée origan.

marketing, *subst. m.* Ensemble des techniques (étude de marché, publicité, etc.) concourant à une plus large diffusion d'un produit.

marmaille, *subst. f.* Groupe de jeunes enfants plus ou moins bruyants (*fam.*).

marmelade, *subst. f.* Sorte de confiture, faite de fruits écrasés et de sucre.

marmite, *subst. f.* Récipient de cuisine, muni d'un couvercle et de deux poignées.

marmonner, *verbe trans.* Murmurer entre ses dents, d'une façon peu distincte.

marmot, *subst. m.* Petit enfant (*fam.*).

marmotte, *subst. f.* Mammifère rongeur des Alpes, dont l'hibernation est précoce.

maroquinerie, *subst. f.* Fabrication et commerce d'objets en cuir.

marotte, *subst. f.* Idée fantasque ; manie (*fam.*).

marquant, ante, *adj.* Qui marque. – Remarquable.

marque, *subst. f.* Signe distinctif mis sur *qqch.* : **Marque** *de fabrication*. – Entreprise commerciale ou industrielle : *Produit de* **marque**, appartenant à une entreprise renommée. – Trace naturelle permettant d'identifier. – Démonstration : **Marque** *d'amitié*.

marquer, *verbe trans.* Mettre un signe de reconnaissance sur. – Laisser une trace visible sur. – Noter par écrit. – Souligner. – *Empl. intrans.* Laisser un souvenir durable.

marqueterie, *subst. f.* Travail consistant à orner le bois par placage ou par incrustation. – Œuvre ainsi réalisée.

marquis, ise, *subst.* Personne ayant un titre de noblesse entre celui de comte et celui de duc.

marraine, *subst. f.* Femme qui tient un enfant sur les fonts baptismaux.

marrant, ante, *adj.* Drôle, amusant (*fam.*).

marre, *adv. En avoir* **marre** *de qqch.* : en être dégoûté, lassé (*fam.*).

marrer (se), *verbe pronom.* S'amuser, rire (*fam.*).

marron, *subst. m.* Grosse châtaigne, fruit du marronnier. – *Empl. adj. inv.* Brun-rouge.

marronnier, *subst. m.* Châtaignier cultivé. – **Marronnier** *d'Inde* : grand arbre ornemental.

mars, *subst. m.* Troisième mois de l'année.

marsouin, *subst. m.* Mammifère marin qui ressemble à un petit dauphin.

marsupial, ale, aux, *adj. et subst. m. Subst.* Mammifère dont les petits continuent leur développement dans la poche ventrale de leur mère, après la naissance. – *Plur.* L'ordre correspondant. – *Adj.* Relatif aux **Marsupiaux**.

marteau, *subst. m.* Outil constitué d'une masse métallique fixée à un manche, servant à frapper. – **Marteau** *piqueur* : outil à air comprimé permettant de défoncer et de creuser des roches, du béton, etc.

marteler, *verbe trans.* Façonner à coups de marteau. – Frapper à coups redoublés.

martial, ale, aux, *adj.* Relatif à la guerre, aux militaires. – *Arts* **martiaux** : sports de combat d'origine japonaise, tel le judo.

martien, ienne, *adj. et subst. m. Adj.* Relatif à la planète Mars. – *Subst.* Habitant supposé de Mars.

martinet (i), *subst. m.* Petit fouet à lanières.

martinet (ii), *subst. m.* Oiseau aux pattes très courtes, ressemblant à une hirondelle.

martingale, *subst. f.* Bande de tissu horizontale ornant le dos d'un vêtement. – *Jeux.* Combinaison réputée infaillible.

martin-pêcheur, *subst. m.* Petit oiseau à long bec, amateur de poissons.

mart(r)e, *subst. f.* Petit mammifère carnivore au corps allongé, recherché pour sa fourrure.

martyr, yre, *adj. et subst.* Se dit d'une personne qui subit ou a subi le martyre : *Enfant* **martyr**.

martyre, *subst. m.* Torture, supplice infligés à *qqn* en raison de sa foi ou de ses idées. – Grande souffrance physique ou morale.

martyriser, *verbe trans.* Livrer au martyre, supplicier. – Faire souffrir, persécuter.

marxisme, *subst. m.* Doctrine de Karl Marx, qui a inspiré les régimes communistes.

mas, *subst. m.* Ferme, maison campagnarde, en Provence.

mascarade, *subst. f.* Divertissement costumé. – *Fig.* Mise en scène trompeuse.

mascotte, *subst. f.* Animal, personne ou objet fétiches, portebonheur.

masculin, ine, *adj. et subst. m. Adj.* Qui est propre à l'homme, au mâle. – *Subst. Ling.* L'un des trois genres grammaticaux.

masochisme, *subst. m.* Comportement d'une personne qui trouve du plaisir dans sa propre souffrance.

masque, *subst. m.* Faux visage servant à se déguiser, à se dissimuler. – Protection faciale. – Cosmétique que l'on applique sur le visage.

masquer, *verbe trans.* Couvrir d'un masque. – Cacher à la vue, occulter. – *Fig.* Dissimuler.

massacre, *subst. m.* Action de massacrer ; son résultat. – Gâchis considérable, très mauvais travail (*fam.*).

massacrer, *verbe trans.* Tuer en masse, sauvagement (des êtres sans défense). – Endommager gravement (*fam.*).

massage, *subst. m.* Action de masser le corps.

masse (i), *subst. f.* Quantité, volume importants. – Ensemble imposant, perçu en tant qu'unité. – Quantité de matière d'un corps, exprimée en kilogrammes. – Somme d'argent : *La* **masse** *salariale*. – *Plur.* Le peuple (*péj.*).

masse (ii), *subst. f.* Gros maillet de bois ou de métal.

masser, *verbe trans.* Frotter, frictionner (le corps) dans un but thérapeutique ou esthétique.

massif, ive, *adj. et subst. m. Adj.* Lourd, imposant. – Qui se produit en grand nombre. – *Subst.* Montagne ou ensemble de montagnes. – Parterre de fleurs, d'arbustes.

massue, *subst. f.* Lourd bâton à tête renflée, utilisé comme arme.

mastic, *subst. m.* Substance beige, malléable et étanche, utilisée comme joint.

mastiquer (i), *verbe trans.* Boucher avec du mastic.

mastiquer (ii), *verbe trans.* Mâcher avec application.

mastodonte, *subst. m.* Grand mammifère préhistorique, voisin de l'éléphant.

masturbation, *subst. f.* Attouchement des parties génitales, afin de provoquer le plaisir sexuel.

masure, *subst. f.* Maison vétuste, délabrée.

mat (i), *adj. inv. et subst. m.* Aux échecs, se dit du roi qui ne peut plus se déplacer sans être pris, ce qui met fin à la partie.

mat (ii), mate, *adj.* Qui n'est pas brillant ; terne. – *Teint* **mat** : foncé. – *Bruit* **mat** : sourd.

mât, *subst. m.* Long poteau vertical sur le pont d'un navire, qui soutient la voilure. – Montant de bois maintenant un chapiteau ou portant un drapeau.

matador, *subst. m.* Torero qui, dans une corrida, met à mort le taureau.

match, *subst. m.* Sp. Épreuve disputée entre deux athlètes, deux équipes.

matelas, *subst. m.* Pièce de literie rembourrée sur laquelle on s'étend pour dormir.

matelassé, ée, *adj.* Rembourré, capitonné.

matelot, *subst. m.* Homme d'équipage qui prend part à la manœuvre, sur un navire.

mater, *verbe trans.* Dompter, maîtriser. – Réprimer.

matérialiser, *verbe trans.* Représenter d'une façon concrète (*qqch.* d'abstrait). – Réaliser (un projet, une idée).

matérialisme, *subst. m.* Doctrine philosophique qui affirme que seule existe la matière. – Attitude qui prône la recherche des plaisirs et des biens matériels.

matériau, aux, *subst. m.* Élément constitutif d'une œuvre concrète ou abstraite. – *Plur.* Éléments entrant dans la construction d'un bâtiment.

matériel, ielle, *adj. et subst. m. Adj.* Qui est constitué d'éléments tangibles ; concret. – *Subst.* Ensemble des objets, des instruments nécessaires à l'accomplissement de *qqch.*

maternel, elle, *adj.* Qui concerne la mère. – Qui a trait à l'éducation des enfants : *Une école* **maternelle** ; *empl. subst. fém.* : *La* **maternelle**.

maternité, *subst. f.* État maternel ; lien qui relie une mère à son enfant. – Clinique, service hospitalier où les femmes accouchent.

mathématicien, ienne, *subst.* Savant spécialisé dans les sciences mathématiques.

mathématique, *adj. et subst. f. Subst.* Science des nombres, des grandeurs, des figures (*gén.* au *plur.*). – *Adj.* Qui relève des **mathématiques** ; qui en a la rigueur, la précision.

matière, *subst. f.* Réalité matérielle, corps (*oppos. esprit*). – Substance particulière identifiable par ses propriétés : **Matière** *poreuse*. – *Fig.* Sujet d'un ouvrage, d'un enseignement. – Cause, occasion : **Matière** *à réfléchir*.

matin, *subst. m.* Partie de la journée allant du lever du soleil jusqu'à midi.

matinal, ale, aux, *adj.* Qui se rapporte au matin. – Qui se lève tôt.

matinée, *subst. f.* Durée du matin. – Spectacle qui a lieu l'après-midi.

matraque, *subst. f.* Petit gourdin lourd, de bois ou de caoutchouc dur, qui sert d'arme.

matraquer, *verbe trans.* Frapper (*qqn*) à coups de matraque. – *Fig.* Demander un prix exorbitant à (*qqn*). – Accabler (de questions, de publicité, etc.).

matrice, *subst. f.* Utérus de la femme. – Moule permettant de reproduire un objet.

matricule, *subst. Fém.* Registre administratif ; extrait de ce registre. – *Masc.* Numéro d'inscription sur ce registre.

matrimonial, ale, aux, *adj.* Relatif au mariage.

maturation, *subst. f.* Fait de mûrir.

maturité, *subst. f.* État d'un fruit mûr. – *Fig.* Âge mûr, entre la jeunesse et la vieillesse.

maudire, *verbe trans.* Appeler le malheur sur (*qqn*).

maugréer, *verbe* Grommeler, exprimer sa mauvaise humeur d'une voix indistincte.

mausolée, *subst. m.* Grand monument funéraire.

maussade, *adj.* Qui manifeste de la mauvaise humeur. – *Fig.* Triste, morose.

mauvais, aise, adj.* Qui n'est pas bon. – Qui n'est pas vrai, ni juste. – Qui est pernicieux, dangereux : *Un* **mauvais *génie*.

mauve, *subst. f.* Plante à fleurs roses ou violacées. – *Empl. adj. inv.* et *subst. masc.* Couleur de la **mauve**, violet clair.

maxillaire, *subst. m.* Os de la mâchoire.

maximal, ale, aux, *adj.* Qui constitue un maximum.

maxime, *subst. f.* Formule concise, sentence.

maximum, *subst. m.* Le plus haut degré possible.

mayonnaise, *subst. f.* Émulsion de jaune d'œuf et d'huile, aromatisée et assaisonnée.

mazout, *subst. m.* Liquide brun et visqueux tiré du pétrole, utilisé comme combustible.

mazurka, *subst. f.* Danse polonaise à trois temps.

me, m', *pron. pers.* Pronom complément de la 1re personne du singulier : *Cela* **me** *plaît*.

méandre, *subst. m.* Boucle décrite par le cours d'une rivière. – *Fig.* Détour tortueux.

mécanicien, ienne, *subst.* Technicien qui monte, entretien ou répare des machines. – Conducteur d'une locomotive.

mécanique, *adj. et subst. f. Adj.* Qui est mû par un moteur ; qui comporte un mécanisme : *Poupée*

mécanique. – Qui se fait au moyen de machines. – *Fig.* Machinal : *Geste* **mécanique.** – *Subst.* Science qui étudie les mouvements et les forces qui les produisent. – Science de la construction et de l'entretien des machines. – Assemblage de pièces destinées à produire, à transformer un mouvement.

mécanisme, *subst. m.* Combinaison de pièces agencées en vue de produire un ensemble de mouvements. – *Fig.* Mode de fonctionnement d'un système complexe.

mécène, *subst. m.* Personne ou institution qui soutient financièrement un écrivain, un artiste, un savant, une œuvre.

méchanceté, *subst. f.* Caractère méchant. – Parole ou acte méchant.

méchant, ante, *adj. et subst.* Qui cherche à faire du mal, à nuire. – Qui occasionne des ennuis.

mèche, *subst. f.* Cordon de fils qui, imprégné de substance combustible, peut entretenir une flamme. – Tige d'acier qui peut s'adapter à une perceuse. – Touffe de cheveux.

méconnaissable, *adj.* Qu'on ne peut reconnaître.

méconnaître, *verbe trans.* Se tromper sur ; sous-estimer.

mécontent, ente, *adj. et subst.* Qui n'est pas satisfait.

mécontentement, *subst. m.* État d'une personne mécontente. – Expression d'une insatisfaction.

mécréant, ante, *adj. et subst.* Qui est sans foi religieuse.

médaille, *subst. f.* Petit disque de métal portant l'effigie d'un personnage, *souv.* religieux, ou commémorant un événement. – Pièce métallique suspendue à un ruban, servant de récompense, de décoration.

médaillé, ée, *adj. et subst.* Qui a obtenu une médaille.

médaillon, *subst. m.* Grande médaille. – Bijou dans lequel on peut enfermer un souvenir.

médecin, *subst. m.* Personne qui est habilitée à exercer la médecine.

médecine, *subst. f.* Science appliquée dont le but est la conservation ou le rétablissement de la santé individuelle ou collective.

média, *subst. m.* Support et moyen d'information de grande diffusion (presse écrite, radio, télévision).

médian, iane, *adj. et subst. f. Adj.* Situé au milieu. – *Subst.* Droite qui joint le sommet d'un triangle au milieu du côté opposé à ce sommet.

médiateur, trice, *adj. et subst.* Se dit d'une personne qui intervient entre deux parties pour régler un litige. – *Subst. fém.* Droite perpendiculaire à un segment en son milieu.

médiatique, *adj.* Relatif aux médias. – Qui est devenu populaire grâce aux médias.

médical, ale, aux, *adj.* Qui a trait à la médecine.

médicament, *subst. m.* Produit dont la fonction est de lutter contre la maladie.

médiéval, ale, aux, *adj.* Du Moyen Âge.

médiocre, *adj. et subst.* Se dit d'une personne qui manque d'envergure, qui a peu de capacités. – *Adj.* Inférieur à la moyenne ; insuffisant.

médiocrité, *subst. f.* Faible valeur (de *qqn*, de *qqch.*). – Petitesse d'esprit et de cœur.

médire, *verbe trans. indir.* Dire du mal (de *qqn*).

médisance, *subst. f.* Action de médire. – Propos par lequel on médit.

méditation, *subst. f.* Action de méditer. – *Relig.* Exercice spirituel des mystiques.

méditer, *verbe Intrans.* S'absorber dans ses pensées. – *Trans.* Réfléchir longuement et profondément à propos de : **Méditer** *un conseil.* – Élaborer par la pensée : **Méditer** *une vengeance.*

médium, *subst. m.* Personne qui prétend communiquer avec l'au-delà. – *Mus.* Registre de la voix, entre l'aigu et le grave.

médius, *subst. m.* Doigt du milieu de la main (*synon. majeur*).

méduse, *subst. f.* Animal marin d'aspect gélatineux, dont le contact irrite la peau.

méduser, *verbe trans.* Frapper de stupeur.

meeting, *subst. m.* Réunion publique portant sur un sujet d'intérêt collectif.

méfait, *subst. m.* Action mauvaise, nuisible. – Effet néfaste : *Les* **méfaits** *du tabac.*

méfiance, *subst. f.* Tendance à se méfier. – Fait de se méfier.

méfier (se), *verbe pronom.* Ne pas avoir confiance en : *Je me* **méfie** *de lui.* – Se tenir sur ses gardes.

mégalithe, *subst. m.* Grand monument préhistorique, fait de très grosses pierres dressées (menhirs) ou couchées (dolmens).

mégalomanie, *subst. f.* Folie des grandeurs, ambition excessive et délirante.

mégarde (par), *loc. adv.* Par inadvertance, par erreur.

mégère, *subst. f.* Femme méchante et hargneuse.

mégot, *subst. m.* Reste d'une cigarette ou d'un cigare (*fam.*).

meilleur, eure, *adj. et subst. Adj.* Comparatif de « bon » : *Il est* **meilleur** *en lettres qu'en sciences.* – Superlatif de « bon » : *C'est la* **meilleure** *élève de la classe.* – *Subst. Le* **meilleur** : ce qu'il y a de mieux.

mélancolie, *subst. f.* Tristesse rêveuse et durable.

mélancolique, *adj.* Qui est en proie à la mélancolie. – Qui exprime la mélancolie.

mélange, *subst. m.* Action de mélanger ; son résultat. – Ensemble d'éléments disparates.

mélanger, *verbe trans.* Réunir en un tout homogène. – Assembler sans ordre. – *Fig.* Confondre.

mêlée, *subst. f.* Groupe d'individus qui se battent, se bousculent. – *Fig.* Conflit passionné. – *Sp.* Phase de jeu, au rugby.

mêler, *verbe trans.* Mélanger, embrouiller. – Impliquer (*qqn*). – *Pronom.* S'unir. – Participer à ; s'occuper de.

mélèze, *subst. m.* Conifère de haute montagne.

méli-mélo, *subst. m.* Mélange hétéroclite, confus (*fam.*).

mélodie, *subst. f.* Suite de sons formant une phrase musicale. – L'air d'une chanson.

mélodieux, ieuse, *adj.* Agréable à l'oreille.

mélodrame, *subst. m.* Genre théâtral populaire caractérisé par la simplification des caractères, l'abondance des péripéties et le pathétique des situations (*abrév. mélo*).

mélomane, *adj. et subst.* Se dit d'une personne qui a la passion de la musique classique.

melon, *subst. m.* Plante potagère rampante cultivée pour son fruit rond, à la chair orangée, juteuse et sucrée ; ce fruit. – Chapeau d'homme, rond et bombé, à bords étroits.

mélopée, *subst. f.* Chant simple et monotone.

membrane, *subst. f. Anat.* Tissu mince et souple qui enveloppe ou tapisse un organe. – Cloison ou feuille mince servant de communication entre deux milieux ou produisant des vibrations sonores.

membre, *subst. m.* Partie du corps servant à la locomotion ou à la préhension. – Partie d'un tout : **Membre** *de phrase.* – *Fig.* Personne appartenant à un groupe social.

même, *adj. indéf., pron. indéf. et adv. Adj.* Exprime un rapport d'identité ou de ressemblance : *La* **même** *maison* ; une insistance : *Eux-***mêmes** ; un degré extrême : *Être l'innocence* **même**. – *Pron.* *Ce sont les* **mêmes** *qui reviennent.* – *Adv.* Aussi : *Ils sont tous partis,* **même** *les enfants* ; exprime le renchérissement : *Il ne bouge* **même** *pas* ; précisément : *À cet instant* **même**. – *Quand* **même** : malgré cela. – *De* **même** : pareillement.

mémoire (i), *subst. f.* Faculté de retenir ce que l'on a appris ou vécu. – Dispositif de stockage des données, dans un ordinateur.

mémoire (ii), *subst. m.* Exposé rédigé en vue d'une conférence, d'un examen. – Résumé écrit d'une situation, d'une affaire. – Facture récapitulative. – *Plur.* Ouvrage dans lequel un auteur consigne ses souvenirs.

mémorable, *adj.* Digne d'être retenu.

mémorial, aux, *subst. m. Un* **Mémorial** : livre de souvenirs. – Monument commémoratif.

mémoriser, *verbe trans.* Fixer méthodiquement dans sa mémoire. – *Informat.* Mettre (des informations) en mémoire.

menace, *subst. f.* Acte ou parole menaçants. – Signe indiquant l'approche d'un danger : *Des* **menaces** *de guerre.*

menacer, *verbe trans.* Chercher à intimider (*qqn*) par des menaces. – Risquer de se produire : *L'orage* **menace**.

ménage, *subst. m.* Les meubles et objets divers d'une maison : *Monter son* **ménage**. – Entretien d'une maison : *Femme de* **ménage**. – Communauté domestique, conjugale ou non.

ménager (i), *verbe trans.* Utiliser judicieusement. – Arranger, organiser. – Pratiquer : **Ménager** *une ouverture.* – Traiter avec précaution.

ménager (ii), ère, *adj. et subst. f. Adj.* Relatif à la vie domestique. – *Subst.* Femme qui entretient sa maison. – Service de couverts de table.

ménagerie, *subst. f.* Lieu où sont exposés des animaux vivants.

mendiant, ante, *adj. et subst. Subst.* Personne qui mendie. – *Adj. Ordre* **mendiant** : ordre religieux faisant profession de vivre d'aumônes.

mendicité, *subst. f.* Action de mendier. – Condition du mendiant.

mendier, *verbe Intrans.* Demander l'aumône, la charité. – *Trans.* Demander (*qqch.*) à titre d'aumône. – Solliciter avec humilité.

mener, *verbe trans.* Conduire (un groupe, un cortège). – Diriger (une action) : **Mener** *les débats.* – Diriger (un animal, un véhicule). – Conduire à (une destination) : *Ce train* **mène** *à Nice* ; au *fig.* : *Cette histoire l'a* **mené** *au suicide.* – *Empl. abs. Sp.* Être placé en tête, dans une compétition.

ménestrel, *subst. m.* Musicien et poète ambulant du Moyen Âge.

meneur, euse, *subst.* Personne qui est à la tête d'un groupe, d'un mouvement revendicatif.

menhir, *subst. m.* Mégalithe dressé.

méninge, *subst. f.* Chacune des trois membranes enveloppant l'encéphale et la moelle épinière. – *Plur.* Le cerveau, l'esprit (*fam.*).

méningite, *subst. f.* Inflammation des méninges.

ménisque, *subst. m.* Cartilage de certaines articulations telles que le genou. – Lentille optique dont une face est concave et l'autre convexe.

ménopause, *subst. f.* Chez la femme, cessation de l'ovulation et des règles.

menotte, *subst. f.* Petite main. – *Plur.* Bracelets métalliques reliés par une chaîne, qui entravent les poignets d'un prisonnier.

mensonge, *subst. m.* Action de mentir. – Propos contraire à la vérité.

mensonger, ère, *adj.* Qui constitue un mensonge ou contient des mensonges.

mensualiser, *verbe trans.* Rendre mensuel (le paiement d'un salaire, d'un impôt, etc.).

mensualité, *subst. f.* Paiement mensuel, que l'on verse ou que l'on perçoit.

mensuel, elle, *adj. et subst. m. Adj.* Qui a lieu chaque mois. – *Subst.* Journal paraissant une fois par mois.

mensuration, *subst. f.* Mesure de certaines dimensions spécifiques du corps humain ; au *plur.*, ces dimensions.

mental, ale, aux, *adj.* Qui concerne l'intellect, la vie psychique. – Qui se déroule dans l'esprit : *Calcul* **mental**.

mentalité, *subst. f.* Manière habituelle de penser et de se comporter.

menteur, euse, *adj. et subst.* Qui ment ou qui a tendance à mentir fréquemment.

menthe, *subst. f.* Plante herbacée aromatique. – Sirop, infusion de **menthe**.

mention, *subst. f.* Action de mentionner. – Brève note portée sur un écrit. – Degré d'appréciation favorable d'un jury d'examen ; **Mention** *très bien*.

mentionner, *verbe trans.* Indiquer, signaler.

mentir, *verbe intrans.* Ne pas dire la vérité, en vue de tromper.

menton, *subst. m.* Bas du visage, partie saillante au milieu de la mâchoire inférieure.

menu, ue, *adj.*, *subst. m. et adv. Adj.* Petit. – Peu important : **Menue** *monnaie*. – *Adv.* Finement : *Hacher* **menu**. – *Subst.* Liste des mets servis à un repas. – Repas à prix fixe, dans un restaurant.

menuet, *subst. m.* Ancienne danse de cour.

menuiserie, *subst. f.* Artisanat du bois. – Atelier du menuisier.

menuisier, *subst. m.* Artisan qui travaille le bois.

méprendre (se), *verbe pronom.* Se tromper en prenant une chose, une personne pour une autre.

mépris, *subst. m.* Indifférence, détachement. – Attitude indiquant que l'on trouve *qqch.* ou *qqn* indigne d'intérêt ou d'estime.

méprise, *subst. f.* Fait de se méprendre.

mépriser, *verbe trans.* Ressentir ou manifester du mépris pour.

mer, *subst. f.* Étendue d'eau salée qui recouvre près des trois quarts de la surface de la Terre. –

Zone de cette étendue délimitée géographiquement : *La* **mer** *des Caraïbes*.

mercantile, *adj.* Qui ne vise que le profit.

mercenaire, *subst. m.* Soldat de métier louant ses services à un pays étranger.

mercerie, *subst. f.* Ensemble des fournitures nécessaires à la couture. – Boutique, commerce de ces fournitures.

merci, *subst. et interj. Subst. fém.* Miséricorde, pitié : *Sans* **merci**. – *Être à la* **merci** *de* : dépendre de. – *Subst. masc.* Reconnaissance, remerciement. – *Interj.* **Merci** *beaucoup !*

mercredi, *subst. m.* Troisième jour de la semaine.

mercure, *subst. m.* Métal blanc argenté, liquide à l'état naturel, qui se dilate à la chaleur (d'où son emploi dans les thermomètres).

merde, *subst. f. et interj. Subst.* Excrément (mot grossier). – *Interj.* Juron de colère, de refus, etc. (*fam.*).

mère, *subst. f.* Femme qui a mis au monde un ou plusieurs enfants. – Animal femelle qui a donné vie à des petits. – Supérieure d'un couvent. – *Fig.* Source, origine : *Idée* **mère**.

merguez, *subst. f.* Saucisse pimentée, à base de bœuf, de mouton.

méridien, *subst. m.* Grand cercle imaginaire passant par les pôles de la Terre.

méridional, ale, aux, *adj.* Situé au sud. – *Empl. subst.* Habitant du Midi.

meringue, *subst. f.* Pâtisserie faite de blanc d'œuf battu en neige, sucré et passé au four.

merisier, *subst. m.* Cerisier sauvage dont le bois rougeâtre est très utilisé en ébénisterie.

mérite, *subst. m.* Vertu, valeur qui appelle l'estime, la louange ou la récompense. – Avantage propre à une chose.

mériter, *verbe trans.* Se rendre digne, par sa conduite, de recevoir (des éloges, une récompense) : **Mériter** *des vacances*. – Être passible de : **Mériter** *la prison, un châtiment*. – **Mériter** *que* : valoir la peine que.

méritoire, *adj.* Digne d'être récompensé.

merlan, *subst. m.* Petit poisson de mer brun jaunâtre, à chair tendre.

merle, *subst. m.* Oiseau noir à bec jaune, remarquable pour son sifflement.

mérou, *subst. m.* Gros poisson marin carnassier.

merveille, *subst. f.* Chose ou événement dignes d'admiration. – Chose rare, étrange ; prodige.

merveilleux, euse, *adj.* Surprenant, admirable.

mes, *voir* **mon**

mésange, *subst. f.* Petit oiseau aux couleurs vives, insectivore.

mésaventure, *subst. f.* Aventure malheureuse.

mésentente, *subst. f.* Mauvaise entente entre deux personnes, deux collectivités.

mésestimer, *verbe trans.* Sous-estimer, ne pas estimer à sa juste valeur.

mesquin, ine, *adj.* Qui s'attache à des détails sans importance. – Avare, sans générosité.

mesquinerie, *subst. f.* Caractère mesquin. – Action mesquine, petitesse.

mess, *subst. m.* Salle de réfectoire réservée aux officiers ou aux sous-officiers.

message, *subst. m.* Information que l'on transmet à *qqn*. – Pensée originale véhiculée par une œuvre.

messager, **ère**, *subst.* Personne qui transmet, qui a mission de transmettre un message.

messagerie, *subst. f.* Service de transport de colis, de marchandises. – Service de communication sur un réseau télématique. –**Messageries** *de presse* : chargées de la distribution des journaux, des publications.

messe, *subst. f.* Cérémonie catholique qui commémore le sacrifice du Christ. – Musique écrite pour une grand-messe.

messidor, *subst. m.* Dixième mois du calendrier républicain, allant du 19-20 juin au 18-19 juillet.

messie, *subst. m. Le* **Messie** : sauveur envoyé par Dieu. – *Fig.* Personnage providentiel.

mesure, *subst. f.* Action de déterminer une grandeur par *réf.* à une unité. – Cette grandeur. – Récipient servant à déterminer les capacités et les volumes. – Division d'une durée musicale, d'un vers. – Norme, règle moyenne : *Passer la* **mesure**. – Décision prise en vue d'une certaine fin : *Des* **mesures** *contre le chômage*.

mesuré, **ée**, *adj.* Modéré, raisonnable. – Qui a fait l'objet d'une mesure.

mesurer, *verbe trans.* Déterminer la grandeur de (*qqn*, *qqch.*), par *réf.* à une unité convenue ; *empl. intrans.* : *Cet arbre* **mesure** *6 mètres*. – Modérer : **Mesurer** *ses paroles*. – *Pronom.* Se **mesurer** *à*, *avec qqn* : se confronter à lui.

métabolisme, *subst. m.* Ensemble des transformations chimiques et énergétiques qui se produisent dans un organisme vivant.

métal, **aux**, *subst. m.* Corps simple, *gén.* d'aspect brillant, bon conducteur de l'électricité et de la chaleur.

métallique, *adj.* Qui est fait de métal. – Qui a l'aspect d'un métal. – Qui rappelle la sonorité du métal : *Voix* **métallique**.

métallurgie, *subst. f.* Industrie des métaux.

métamorphose, *subst. f.* Changement de forme que subit un être vivant, une chose.

métamorphoser, *verbe trans.* Faire changer (*qqn* ou *qqch.*) de forme, de nature, de caractère.

métaphore, *subst. f.* Figure de rhétorique consistant à utiliser un terme concret dans un contexte abstrait, par *réf.* à une comparaison sous-entendue.

métaphysique, *adj. et subst. f.* Se dit de la partie de la philosophie qui étudie les premiers principes.

métastase, *subst. f.* Foyer cancéreux constitué à distance à partir d'une tumeur primitive.

métayer, **ère**, *subst.* Personne qui exploite une terre pour un propriétaire, avec lequel elle partage le produit des récoltes.

météore, *subst. m.* Phénomène lumineux provoqué par l'entrée dans l'atmosphère d'une météorite. – *Passer comme un* **météore** : très vite.

météorite, *subst. f.* Fragment d'astéroïde ou de comète atteignant le sol de la Terre ou d'un astre quelconque.

météorologie, *subst. f.* Science des phénomènes atmosphériques et de la prévision du temps (*abrév. météo*).

méthane, *subst. m.* Hydrocarbure gazeux.

méthode, *subst. f.* Ensemble des démarches, des procédés rationnels permettant de démontrer une vérité, d'accomplir un travail. – Ensemble des règles générales d'une technique ou d'un art.

méthodique, *adj.* Qui agit avec méthode. – Ordonné, fait avec méthode.

méticuleux, **euse**, *adj.* Scrupuleux, minutieux. – Attentif aux détails.

métier, *subst. m.* Activité professionnelle : *Le* **métier** *d'avocat*. – Savoir-faire. – Machine destinée au travail des matières textiles : *Un* **métier** *à tisser*.

métis, **isse**, *adj. et subst.* Se dit de personnes issues de parents de races différentes.

mètre, *subst. m.* Unité internationale de longueur. – Règle, ruban avec lequel on mesure les longueurs : *Un* **mètre** *pliant*.

métrer, *verbe trans.* Mesurer en utilisant un mètre.

métrique, *adj.* Relatif au mètre. – *Système* **métrique** : système international de poids et de mesures, qui a pour base le mètre.

métronome, *subst. m. Mus.* Instrument qui marque la mesure.

métropole, *subst. f.* Grande ville, capitale d'un pays, d'une province ou d'une région. – Le territoire national par rapport aux territoires d'outremer.

métropolitain, **aine**, *adj. et subst. m.* Qui appartient à la métropole. – *Subst.* Chemin de fer urbain, *gén.* souterrain (*abrév. métro*).

mets, *subst. m.* Plat, préparation culinaire.

mettre, *verbe trans.* Placer (une chose) quelque part : **Mettre** *un verre sur la table* ; revêtir du faire revêtir (un vêtement). – Disposer ; amener à un certain état : **Mettre** *le couvert* ; **Mettre** *un moteur en marche*. – Placer dans telle ou telle position ou situation : **Mettre** *un malade au lit*. – *Pronom.* Commencer : *Se* **mettre** *à chanter*.

meuble, *adj. et subst. m. Adj.* Se dit d'un bien qui peut être transporté (*oppos. immeuble*). – *Terre* **meuble** : facile à labourer. – *Subst.* Objet mobile destiné à l'aménagement ou à la décoration d'une habitation, d'un local.

meubler, *verbe trans.* Garnir de meubles. – *Fig.* Occuper, remplir : **Meubler** *ses loisirs*.

meugler, *verbe intrans.* Pousser son cri (meuglement), en parlant d'un bovin.

meule (i), *subst. f.* Roue de pierre dure servant à moudre le grain ou à aiguiser, affûter, etc.

meule (ii), *subst. f.* Gros tas de foin, de paille, etc.

meulière, *subst. f.* Roche sédimentaire servant de matériau de construction.

meunier, **ière**, *subst.* Personne qui exploite un moulin à céréales.

meurtre, *subst. m.* Homicide volontaire.

meurtrier, **ière**, *adj. et subst. Subst.* Auteur d'un meurtre. – *Adj.* Qui donne ou peut donner la mort : *Une arme* **meurtrière**.

meurtrière, *subst. f.* Étroite ouverture verticale dans une muraille fortifiée.

meurtrir, *verbe trans.* Frapper, endommager en laissant des traces. – *Fig.* Blesser moralement.

meurtrissure, *subst. f.* Blessure laissée sur le corps par des coups, par un choc.

meute, *subst. f.* Troupe de chiens dressés à la chasse. – *Fig.* Groupe de gens qui harcèlent *qqn*.

mezzanine, *subst. f.* Niveau intermédiaire aménagé à l'intérieur d'une pièce haute de plafond.

mi, *subst. m. inv. Mus.* Troisième note de la gamme.

miauler, *verbe intrans.* Pousser son cri (miaulement) en parlant du chat.

mica, *subst. m.* Minéral naturel (silicate) présent dans les roches éruptives sous forme de cristaux tendres.

miche, *subst. f.* Gros pain rond.

mi-clos, -close, *adj.* À moitié fermé : *Persienne* **mi-close** ; *Yeux* **mi-clos.**

micmac, *subst. m.* Intrigue embrouillée et suspecte (*fam.*) : *On ne comprend rien à ce* **micmac.**

micro, *subst. m.* Appareil transformant les vibrations sonores en signaux électriques (*abrév.* de « microphone »).

microbe, *subst. m.* Nom générique d'êtres vivants microscopiques.

microclimat, *subst. m.* Climat particulier à une très petite zone géographique.

microcosme, *subst. m.* Société restreinte et fermée.

microfilm, *subst. m.* Pellicule composée de photographies de dimensions réduites.

micro-informatique, *subst. f.* Domaine de l'informatique qui concerne l'utilisation des micro-ordinateurs.

micro-onde, *subst. f. Four à* **micro-ondes** : à cuisson rapide, qui transforme l'énergie des ondes en chaleur.

micro-ordinateur, *subst. m.* Ordinateur de petit format dont le fonctionnement repose sur un microprocesseur.

microphysique, *subst. f.* Partie de la physique qui étudie les atomes et les particules.

microprocesseur, *subst. m.* Circuit intégré, à haute densité d'intégration (*synon.* puce).

microscope, *subst. m.* Instrument d'optique permettant d'observer des objets invisibles à l'œil nu.

microscopique, *adj.* Réalisé au moyen d'un microscope. – Qui ne peut être vu qu'au moyen d'un microscope. – Minuscule.

midi, *subst. m.* Milieu de la journée, quand le soleil est au plus haut dans le ciel. – Le sud.

midinette, *subst. f.* Jeune fille naïve et romanesque.

mie, *subst. f.* Partie molle du pain.

miel, *subst. m.* Substance sucrée que les abeilles produisent à partir du nectar des fleurs. – *Fig.* Douceur, agrément.

mielleux, euse, *adj.* Qui rappelle le miel. – *Fig.* D'une douceur hypocrite : *Sourire* **mielleux.**

mien, mienne, *adj. poss. et pron. poss. Adj.* Qui est à moi : *Cette œuvre est* **mienne.** – *Pron.* Ce qui est à moi : *Ce livre est le* **mien.** – *Les* **miens** : mes parents, mes proches.

miette, *subst. f.* Fragment de pain, de gâteau. – *Fig.* Petite partie : **Miettes** *d'un héritage.*

mieux, *adj., subst. m. et adv. Adv.* D'une meilleure manière : *Je danse* **mieux** *que toi* ; *Aller* **mieux**, être en meilleure santé. – Superlatif de « bien » : *La femme la* **mieux** *habillée.* – *Adj.* Meilleur : *Il est* **mieux** *que l'autre.* – *Subst.* Ce qui est meilleur ou le meilleur. – Amélioration : *On constate un* **mieux.**

mièvre, *adj.* D'une grâce assez fade.

mignon, onne, *adj.* Joli, gracieux, charmant : *Un* **mignon** *petit chat.* – Gentil (*fam.*).

migraine, *subst. f.* Douleur affectant *souv.* un seul côté de la tête et survenant par crises.

migrateur, trice, *adj.* Qui migre selon les saisons : *Un oiseau* **migrateur.**

migration, *subst. f.* Action de migrer.

migrer, *verbe intrans.* Se déplacer en groupe, à un moment donné et dans un but précis.

mijoter, *verbe trans.* Faire cuire longuement à feu doux ; *empl. intrans.* : *Le ragoût* **mijote.** – *Fig.* Préparer en secret : **Mijoter** *un bon tour.*

mil, *subst. m.* Céréale à petits grains, répandue en Afrique.

mildiou, *subst. m.* Maladie de certaines plantes, telle la vigne, due à des moisissures.

milice, *subst. f.* Organisation militaire ou paramilitaire. – Groupement d'autodéfense.

milieu, ieux, *subst. m.* Ce qui est au centre, à égale distance des extrémités : **Milieu** *d'un segment* ; **Milieu** *de l'année.* – Environnement : **Milieu** *familial.* – *Au* **milieu** *de* : parmi.

militaire, *adj. et subst. Adj.* Qui concerne l'armée, les soldats, la guerre. – *Subst.* Personne qui fait partie d'une armée.

militant, ante, *adj. et subst.* Se dit des membres actifs d'une organisation, d'un parti.

militarisme, *subst. m.* Attitude ou doctrine qui tend à donner la priorité et une autorité parfois excessive à l'armée.

militer, *verbe intrans.* Combattre, agir activement pour la défense d'une conviction, d'un idéal.

mille (i), *adj. num. inv. et subst. m. inv. Adj.* Dix centaines (1 000). – Une grande quantité de : **Mille** *excuses.* – *Subst.* Le nombre mille : *Dix fois cent font* **mille.**

mille (ii), *subst. m.* Unité de longueur de navigation équivalant à 1 852 *m.*

mille-feuille, *subst. m.* Gâteau formé de couches alternées de pâte feuilletée et de crème pâtissière.

millénaire, *adj. et subst. m. Adj.* Qui a au moins mille ans ; très vieux. – *Subst.* Période de mille ans.

mille-pattes, *subst. m. inv.* Arthropode à nombreux segments porteurs chacun d'une paire de pattes.

millésime, *subst. m.* Chiffres indiquant une année. – Année de récolte d'un vin ; ce vin.

millet, *subst. m.* Nom générique de diverses céréales aux grains petits et nombreux.

milliard, *subst. m.* Mille millions (10^9).

milliardaire, *adj. et subst.* Se dit d'une personne très riche dont la fortune s'exprime en milliards de francs.

millième, *adj. num. et subst. m.* Qui occupe le rang n° 1000. – Qui est contenu mille fois exactement dans un tout.

millier, *subst. m.* Environ ou exactement mille unités. – *Par* **milliers** : en très grand nombre.

million, *subst. m.* Mille fois mille (10^6). – Grande quantité : *Riche à* **millions.**

millionième, *adj. num. et subst. m.* Qui occupe le rang n° 1000000. – Qui est contenu un million de fois exactement dans un tout.

millionnaire, *adj. et subst.* Se dit d'une personne dont la fortune s'exprime en millions de francs.

mime, *subst.* Artiste spécialisé dans le **mime**. – *Masc.* Spectacle où les acteurs s'expriment par des gestes, des jeux de physionomie.

mimer, *verbe trans.* Exprimer (une émotion) par des jeux de physionomie, par des gestes. – Imiter (*qqn*).

mimétisme, *subst. m.* Aptitude de certaines espèces animales à se confondre avec l'environnement. – Imitation machinale.

mimique, *subst. f.* Traduction d'une émotion, d'un sentiment par des gestes, des attitudes.

mimosa, *subst. m.* Arbrisseau à fleurs jaunes odorantes en forme de petites boules.

minable, *adj. et subst.* Qui est médiocre, piteux (*fam.*). – *Adj.* Qui inspire la pitié.

minaret, *subst. m.* Tour d'une mosquée, du haut de laquelle est lancé l'appel à la prière.

minauder, *verbe intrans.* Chercher à séduire par une attitude affectée, maniérée.

mince, *adj.* Peu épais. – Qui n'est pas gros : *Silhouette* **mince**. – *Fig.* Insignifiant.

mincir, *verbe intrans.* Devenir mince, plus mince. – *Empl. trans.* Faire paraître plus mince.

mine (i), *subst. f.* Aspect physique, physionomie de *qqn* : *Il a bonne* **mine**, il semble en bonne santé. – *Faire* **mine** *de* : faire semblant de. – **Mine** *de rien* : sans en avoir l'air (*fam.*).

mine (ii), *subst. f.* Lieu souterrain où l'on trouve des gisements de minéraux ou de métaux. – Charge d'explosifs dissimulée : *Il a sauté sur une* **mine**. – Petit bâton de graphite formant la partie centrale d'un crayon.

miner, *verbe trans.* Poser des mines explosives dans. – *Fig.* Saper, détruire lentement : *Sa maladie le* **mine**.

minerai, *subst. m.* Minéral que l'on traite pour en extraire un métal : **Minerai** *de plomb*.

minéral, ale, aux, *adj. et subst. m. Subst.* Substance chimique non organique, *gén.* cristallisée, qui constitue les roches. – *Adj.* Relatif aux **minéraux**.

minéralogie, *subst. f.* Science des minéraux.

minéralogique, *adj.* Qui concerne la minéralogie. – *Plaque* **minéralogique** : les chiffres et les lettres qui identifient un véhicule.

mineur (i), *subst. m.* Ouvrier d'une mine.

mineur (ii), eure, *adj. et subst.* Qui n'a pas atteint l'âge de la majorité (18 ans). – *Adj.* Plus petit. – D'intérêt secondaire : *Problème* **mineur**. – *Mus.* Qualifie un accord dont certaines notes sont diminuées d'un demi-ton.

miniature, *subst. f.* Peinture de petites dimensions. – *Empl. adj.* Qui est très réduit : *Un jardin* **miniature**.

miniaturiser, *verbe trans.* Réduire (*qqch.*) à de très petites dimensions.

minimal, ale, aux, *adj.* Qui a atteint le minimum : *Température* **minimale**, la plus basse.

minime, *adj. et subst. Adj.* Peu important, très petit. – *Subst.* Religieux d'un ordre mendiant. – Jeune sportif entre 13 et 15 ans.

minimiser, *verbe trans.* Réduire l'importance de.

minimum, *subst. m.* La plus petite valeur possible : *Un* **minimum** *de temps* ; *Au* **minimum**, au moins.

ministère, *subst. m.* Charge, fonction : **Ministère** *d'un prêtre*. – Ensemble des ministres d'un gouvernement. – Administration d'un domaine particulier de la vie publique : *Le* **ministère** *de la Défense*.

ministériel, ielle, *adj.* Qui est propre au ministère ou au ministre.

ministre, *subst. m.* Prêtre. – Titulaire d'un ministère : **Ministre** *des Finances*.

minois, *subst. m.* Visage d'enfant ou d'une personne jeune, agréable et attrayant.

minoritaire, *adj.* Qui appartient à la minorité.

minorité, *subst. f.* Groupe inférieur en nombre au sein d'un groupe dominant : *Être en* **minorité** ; *Les* **minorités** *nationales*.

minoterie, *subst. f.* Établissement où l'on transforme le grain en farine.

minuit, *subst. m.* Milieu de la nuit. – 0 heure ou 24 heures.

minuscule, *adj.* Se dit d'une lettre de petite taille (*oppos. majuscule*). – Très petit.

minute (i), *subst. f.* Unité de temps de 60 secondes. – *Dans quelques* **minutes** : bientôt ; *Une* **minute** ! : attendez un peu.

minute (ii), *subst. f.* Texte original d'un acte notarié ou d'un jugement.

minutie, *subst. f.* Précision, soin apporté à une tâche délicate.

minutieux, ieuse, *adj.* Qui exige une grande minutie. – Qui fait preuve de minutie.

miocène, *subst. m.* Troisième période de l'ère tertiaire (apparition de mammifères évolués).

mirabelle, *subst. f.* Fruit (prune) jaune du mirabellier. – Eaude-vie de **mirabelle**.

miracle, *subst. m. Relig.* Événement inexplicable, attribué à la puissance divine. – Événement heureux totalement inattendu.

miraculeux, euse, *adj. Relig.* Qui est dû à un miracle. – Surprenant, extraordinaire.

mirador, *subst. m.* Tour, construction élevée d'où l'on peut surveiller.

mirage, *subst. m.* Illusion d'optique due à la réfraction de la lumière sur les couches d'air chaud. – Image agréable, mais illusoire.

mire, *subst. f.* Repère installé sur le canon d'un fusil pour viser. – *Fig. Être le point de* **mire** : l'objet de tous les regards.

mirer (se), *verbe pronom.* Se regarder (dans un miroir, dans l'eau).

miroir, *subst. m.* Surface polie qui réfléchit les rayons lumineux, qui reflète une image.

miroiter, *verbe intrans.* Réfléchir la lumière en scintillant. – *Fig. Faire* **miroiter** *qqch. à qqn* : le lui présenter de manière avantageuse.

misaine, *subst. f.* Voile basse du premier mât, à l'avant du navire, dit mât de **misaine**.

misanthrope, *adj. et subst.* Se dit d'une personne qui n'aime pas le genre humain et s'en détourne.

miscible, *adj.* Qui peut se mêler à un autre corps de façon homogène.

mise, *subst. f.* Action de mettre : **Mise** *en bouteilles* ; **Mise** *en liberté*. – Manière de paraître, de s'habiller : *Une* **mise** *soignée*. – Somme que l'on risque au jeu.

miser, *verbe trans.* Engager comme enjeu. – **Miser** *sur* : mettre ses espérances en (*fam.*).

misérable, *adj. et subst. Adj.* Digne de pitié : *Une fin* **misérable**. – Très pauvre. – *Subst.* Individu méprisable. – Indigent.

misère, *subst. f.* Malheur, adversité. – État de grande pauvreté. – *Faire des* **misères** *à qqn* : le taquiner, lui causer du tracas.

miséreux, euse, *adj. et subst.* Se dit d'une personne qui vit dans une profonde misère (*littér.*).

miséricorde, *subst. f.* Sentiment de pitié ; pardon.

misogyne, *adj. et subst.* Qui éprouve un certain mépris pour les femmes.

missel, *subst. m.* Livre liturgique contenant les prières de la messe catholique romaine.

missile, *subst. m.* Fusée téléguidée ou autoguidée transportant une bombe.

mission, *subst. f.* Tâche confiée à *qqn*. – Délégation chargée d'une **mission**. – Organisation religieuse dont le but est de propager une foi ; établissement abritant les missionnaires.

missionnaire, *adj. et subst.* Adj. Relatif aux missions. – *Subst.* Membre d'une mission religieuse.

missive, *subst. f.* Lettre (*littér.*).

mistral, *subst. m.* Vent violent du nord, qui souffle dans la vallée du Rhône et en Provence.

mitaine, *subst. f.* Gant laissant à découvert le bout des doigts.

mite, *subst. f.* Larve de papillon, qui attaque les tapis, les fourrures, les vêtements de laine.

mi-temps, *subst. inv. Fém.* Pause entre deux parties d'un match ; chacune de ces parties. – *Masc.* Emploi occupant la moitié du temps de travail normal.

miteux, euse, *adj. et subst.* Qui a une apparence misérable.

mitigé, ée, *adj.* Modéré. – Nuancé.

mitonner, *verbe Trans.* Faire cuire longtemps et à petit feu. – *Fig.* Préparer soigneusement. – *Intrans.* Cuire longtemps et à petit feu.

mitoyen, enne, *adj.* Qui, par sa situation, appartient à deux propriétaires : *Mur* **mitoyen**.

mitraille, *subst. f.* Pluie de projectiles.

mitrailler, *verbe trans.* Tirer à feu nourri sur. – Harceler de prises de vue, de questions (*fam.*).

mitraillette, *subst. f.* Arme automatique individuelle, qui tire par rafales.

mitrailleuse, *subst. f.* Arme automatique à tir continu montée sur un affût ou un trépied.

mitre, *subst. f.* Coiffure des évêques et des archevêques de l'Église romaine.

mixer, *verbe trans.* Passer au mixeur. – *Cin.* Réunir sur une même bande (différents éléments sonores).

mixeur, *subst. m.* Appareil électroménager servant à broyer et à mélanger les aliments.

mixité, *subst. f.* Caractère de ce qui est mixte.

mixte, *adj.* Qui comporte des éléments de différente nature. – *École* **mixte** : qui accueille des garçons et des filles.

mixture, *subst. f.* Mélange de substances chimiques ou médicamenteuses. – Mélange d'aliments peu appétissant.

mnémotechnique, *adj.* Qui aide à mémoriser.

mobile, *adj. et subst. m.* Adj. Qui peut bouger ; qui est en mouvement. – Variable ; changeant. – *Subst.* Objet fait de pièces suspendues et **mobiles**. – Cause, raison d'une action : *Les* **mobiles** *du crime*.

mobilier, ière, *adj. et subst. m.* Adj. Qui concerne les biens meubles (*oppos.* immobilier). – *Subst.* Ensemble des meubles d'un lieu.

mobilisation, *subst. f.* Action de mobiliser.

mobiliser, *verbe trans.* Faire appel à : **Mobiliser** *les énergies*. – *Milit.* Tenir les troupes prêtes au combat ; appeler sous les drapeaux.

mobilité, *subst. f.* Caractère de ce qui est mobile.

moche, *adj.* Qui n'est pas beau (*fam.*).

modalité, *subst. f.* Forme particulière d'une action, d'un événement, d'une pensée : *Des* **modalités** *de paiement*.

mode (i), *subst. f.* Manière de vivre, d'agir. – Goût collectif et temporaire, en matière d'habillement : *Suivre la* **mode**. – Industrie et commerce des vêtements.

mode (ii), *subst. m.* Manière de procéder : **Mode** *d'emploi, de paiement*. – *Ling.* Forme verbale exprimant l'action ou l'état : **Mode** *indicatif*.

modèle, *subst. m.* Ce qu'on imite ou qu'on doit imiter ; *empl. adj.*, parfait : *Élève* **modèle**. – Personne ou chose qu'un artiste reproduit. – Spécimen : *Un nouveau* **modèle** *de voiture*. – **Modèle** *réduit* : reproduction d'un objet à petite échelle.

modeler, *verbe trans.* Créer, façonner (*qqch.*) en pétrissant une substance molle : **Modeler** *un vase*. – *Fig.* Régler (un comportement, une conduite) sur un modèle.

modélisme, *subst. m.* Conception, fabrication de modèles réduits.

modération, *subst. f.* Action de modérer. – Qualité d'une personne modérée.

modérer, *verbe trans.* Ramener à des proportions raisonnables : Modérer *sa vitesse, ses envies*. – *Pronom.* Se calmer, se contenir.

moderne, *adj.* Qui appartient à l'époque présente. – Qui tient compte du progrès technique, des mœurs contemporaines.

moderniser, *verbe trans.* Rendre moderne.

modernisme, *subst. m.* Caractère moderne. – Penchant pour ce qui est moderne.

modeste, *adj.* Sans éclat. – Humble, assez pauvre : *De condition* **modeste**. – Qui n'étale pas ses mérites, son savoir.

modestie, *subst. f.* Absence d'orgueil, humilité.

modification, *subst. f.* Action de modifier. – Résultat de cette action.

modifier, *verbe trans.* Changer, transformer.

modique, *adj.* De faible valeur : *Prix* **modique**.

modiste, *subst.* Personne qui confectionne ou vend des chapeaux féminins.

modulation, *subst. f.* Chacune des variations d'intensité, de hauteur et de timbre d'un son.

module, *subst. m.* Élément unitaire d'un ensemble.

moduler, *verbe trans.* Faire subir une modulation à (sa voix, un son). – Adapter à une structure, à un cas donné.

moelle, *subst. f.* **Moelle** *osseuse* : tissu intérieur d'un os, où se forment les globules rouges. – **Moelle** *épinière* : cordon nerveux relié au cerveau et distribuant l'influx nerveux dans le reste du corps.

moelleux, euse, *adj.* Doux et souple au toucher. – Agréable au goût : *Vin* **moelleux**, doux.

mœurs, *subst. f. plur.* Coutumes propres à une personne, à un groupe humain, à une époque.

mohair, *subst. m.* Poil de chèvre angora, long et soyeux : *Une écharpe en* **mohair**.

moi, *pron. pers.* Forme de la 1re personne du singulier, sujet ou complément : **Moi,** *j'y vais* ; *Venez chez* **moi.** – *Empl. subst.* Ce qui constitue la personnalité du sujet.

moignon, *subst. m.* Ce qui subsiste d'un membre amputé, ou rongé par la lèpre.

moindre, *adj.* Plus petit : *Une distance* **moindre.** – Le plus petit : *Le* **moindre** *doute.*

moine, *subst. m.* Religieux vivant dans une communauté.

moineau, *subst. m.* Oiseau passereau au plumage brun et noir, commun et familier.

moins, *adv. et prép. Adv.* Marque l'infériorité : **Moins** *cher que.* – *Loc. prép.* ou *conj. À* **moins** *que ou de* : sauf si. – *Au* **moins** : au minimum. – *Prép.* Indique une soustraction : *Trois* **moins** *un égale deux* (3 – 1 = 2).

moire, *subst. f.* Apprêt donnant à un tissu des reflets chatoyants. – L'étoffe ainsi traitée.

mois, *subst. m.* La douzième partie d'une année. – Salaire d'un **mois** de travail.

moisir, *verbe intrans.* Se couvrir de moisissures. – *Fig.* Attendre, s'attarder (*fam.*).

moisissure, *subst. f.* Champignon microscopique formant une plaque veloutée. – Altération d'une substance par ce champignon.

moisson, *subst. f.* Récolte de céréales, en *partic.* du blé. – Les céréales récoltées. – *Fig.* Ce qu'on recueille en grande quantité.

moissonner, *verbe trans.* Faire la moisson de.

moissonneur, euse, *subst.* Personne qui fait la moisson. – *Fém.* Machine agricole servant à moissonner.

moite, *adj.* Humide de sueur : *Front* **moite.**

moiteur, *subst. f.* État de ce qui est moite.

moitié, *subst. f.* L'une des deux parties égales ou presque égales d'un tout : *La* **moitié** *de la classe.* – *À* **moitié** : à demi, en partie.

mol, *voir* **mou**

molaire, *subst. f.* Chacune des grosses dents situées en arrière des canines et des prémolaires, qui permettent d'écraser les aliments.

môle, *subst. m.* Digue construite pour protéger l'entrée d'un port.

moléculaire, *adj.* Relatif aux molécules.

molécule, *subst. f.* La plus petite portion d'un corps simple pouvant exister à l'état libre.

molester, *verbe trans.* Brutaliser, rudoyer.

molette, *subst. f.* Roulette striée qui sert à couper, à graver, à frotter. – *Clef à* **molette** : dont l'écartement des mâchoires est réglable.

mollasse, *adj.* Mou, flasque.

mollasson, onne, *adj. et subst.* Se dit d'une personne sans énergie ou paresseuse (*fam.*).

molle, *voir* **mou**

mollesse, *subst. f.* Caractère de ce qui est mou.

mollet, *subst. m.* Saillie du muscle de la face postérieure de la jambe, sous le pli du genou.

molleton, *subst. m.* Tissu épais et doux.

mollir, *verbe intrans.* Devenir mou, plus mou. – *Fig.* Fléchir, faiblir.

mollusque, *subst. m.* Animal invertébré au corps mou, *gén.* pourvu d'une coquille (escargot, huître, *par ex.*). – *Plur.* L'embranchement correspondant.

molosse, *subst. m.* Gros chien de garde.

môme, *subst. Fam.* Enfant. – *Fém.* Jeune fille.

moment, *subst. m.* Laps de temps, d'une durée plus ou moins brève ou précise : *Le* **moment** *présent.* – *Loc. adv. En ce* **moment** : actuellement ; *Par* **moments** : de temps à autre. – *Loc. conj. Au* **moment** *où* : lorsque ; *Du* **moment** *que* : si, puisque.

momentané, ée, *adj.* Qui ne dure qu'un moment, que peu de temps.

momie, *subst. f.* Cadavre embaumé, entouré de bandelettes serrées.

momifier, *verbe trans.* Transformer en momie. – *Pronom.* Se dessécher.

mon, ma, mes, *adj. poss.* Qualifie ce qui est à moi, ce qui me concerne : **Mon** *livre,* **ma** *mère,* **mes** *ennuis.*

monacal, ale, aux, *adj.* Relatif aux moines.

monarchie, *subst. f.* Régime politique dans lequel le chef de l'État est un souverain, *gén.* héréditaire.

monarchiste, *adj. et subst.* Partisan de la monarchie.

monarque, *subst. m.* Chef de l'État, dans une monarchie ; prince souverain, empereur, roi.

monastère, *subst. m.* Lieu où vivent des moines.

monceau, *subst. m.* Accumulation, tas d'objets, de débris : *Un* **monceau** *d'ordures.*

mondain, aine, *adj. et subst.* Qui aime les divertissements propres à la haute société. – *Adj.* Qui concerne cette société : *La vie* **mondaine.**

monde, *subst. m.* Univers, ensemble de tout ce qui existe ; en *partic.,* la Terre : *Faire le tour du* **monde.** – Ensemble des êtres humains, société : *Le* **monde** *est en guerre.* – La haute société : *Sortir dans le* **monde.** – Ensemble d'êtres organisés : *Le* **monde** *des abeilles.* – *Tout le* **monde** : tous les gens.

mondial, ale, aux, *adj.* Qui concerne le monde entier : *Population* **mondiale.**

monétaire, *adj.* Relatif à la monnaie.

moniteur, trice, *subst.* Personne qui enseigne une pratique : **Moniteur** *de ski.* – Animateur : **Moniteur** *de colonie de vacances.*

monnaie, *subst. f.* Moyen d'échange (pièces, billets, etc.) ayant cours légal. – Instrument légal de paiement. – Les pièces de petite valeur.

monnayer, *verbe trans.* Convertir (un métal) en monnaie. – Tirer profit de.

mono-, *préfixe* Exprime l'idée d'« unique ».

monochrome, *adj.* Qui est d'une seule couleur.

monocle, *subst. m.* Verre optique unique, qui se fixe sous l'arcade sourcilière.

monocorde, *adj.* Émis sur une seule note ; monotone : *Voix* **monocorde.**

monoculture, *subst. f.* Production agricole portant sur un seul produit.

monogame, *adj. et subst.* Qui n'est marié légalement qu'à une seul conjoint.

monolithe, *adj. et subst. m.* Se dit d'un ouvrage constitué d'un seul bloc de pierre.

monologue, *subst. m.* Propos d'une personne qui parle seule, à haute voix.

monôme, *subst. m. Math.* Expression algébrique formée d'un seul terme.

monopole, *subst. m.* Privilège exclusif de production, d'exploitation ou de commerce de biens ou de services.

monopoliser, *verbe trans.* Exercer un monopole sur. – *Fig.* Accaparer à son profit exclusif : **Monopoliser** *la parole.*

monotone, *adj.* Qui est toujours du même ton. – Qui lasse par sa répétition, sa durée.

monotonie, *subst. f.* Caractère de ce qui est monotone ; uniformité.

monseigneur, *subst. m.* Titre honorifique des princes de famille royale, des évêques, des prélats.

monsieur, *subst. m.* Titre de politesse utilisé lorsque l'on s'adresse à un homme : *Bonjour* **monsieur.** – Titre précédant le nom ou la fonction d'un homme dont on parle.

monstre, *subst. m.* Être vivant présentant une malformation effrayante. – Être fantastique effrayant. – Individu très laid ou inhumain. – *Empl. adj.* Énorme (*fam.*).

monstrueux, euse, *adj.* Qui fait songer à un monstre. – D'une taille prodigieuse. – Horrible, terrible : *Crime* **monstrueux.**

monstruosité, *subst. f.* Caractère de ce qui est monstrueux. – Parole ou action monstrueuses.

mont, *subst. m.* Élévation de terrain d'une altitude et d'une étendue variables.

montage, *subst. m.* Assemblage des éléments d'un tout : *Le* **montage** *d'un moteur.*

montagnard, arde, *adj. et subst.* Qui vit à la montagne. – *Adj.* Relatif à la montagne.

montagne, *subst. f.* Élévation naturelle importante du relief. – *Fig.* Accumulation : *Une* **montagne** *de livres.*

montagneux, euse, *adj.* Couvert de montagnes.

montant, *subst. m.* Élément vertical d'une construction : *Les* **montants** *d'une porte.* – Totalité d'une somme due.

montée, *subst. f.* Action de monter, de gravir : *La* **montée** *d'un col.* – Chemin en forte pente. – Augmentation d'une grandeur variable : *La* **montée** *du chômage.*

monter, *verbe Intrans.* Aller en un lieu plus élevé : **Monter** *dans sa chambre.* – Grimper : **Monter** *sur un talus.* – S'élever, augmenter : *Les prix* **montent.** – *Fig.* Progresser : **Monter** *en grade.* – *Trans.* Escalader : **Monter** *une côte.* – Porter (un objet) vers un niveau plus élevé : **Monter** *le courrier.* – Construire, assembler : **Monter** *un moteur.* – *Fig.* Créer, organiser : **Monter** *une affaire.* – *Pronom.* S'élever (à une somme).

montgolfière, *subst. f.* Aérostat s'élevant grâce à l'air chauffé par un foyer placé sous le ballon.

monticule, *subst. m.* Petite élévation de terre. – Tas.

montre, *subst. f.* Petit instrument que l'on porte sur soi pour savoir l'heure.

montrer, *verbe trans.* Faire voir ; désigner, indiquer : **Montrer** *ses papiers* ; **Montrer** *le chemin.* – Laisser voir : **Montrer** *ses intentions.* – Faire preuve de : **Montrer** *du courage.* – Décrire ; enseigner : *L'expérience* **montre** *que.* – *Pronom.* Se révéler.

monture, *subst. f.* Animal sur lequel on monte pour se déplacer. – Armature d'un objet : *Des* **montures** *de lunettes.*

monument, *subst. m.* Ouvrage d'architecture, de sculpture élevé en souvenir de *qqn* ou de *qqch.* : **Monument** *aux morts.* – Édifice imposant : *Les*

monuments *de Paris.* – *Fig.* Œuvre de grande importance.

monumental, ale, aux, *adj.* Immense ; très important. – Relatif aux monuments.

moquer (se), *verbe pronom.* Tourner en ridicule. – Ne pas faire cas de : *Je* **me moque** *du qu'en-dira-t-on.*

moquerie, *subst. f.* Action de se moquer. – Action, parole par lesquelles on se moque.

moquette, *subst. f.* Tapis, cloué ou collé, recouvrant tout le sol d'une pièce.

moqueur, euse, *adj. et subst.* Qui est enclin à se moquer. – *Adj.* Qui exprime l'ironie, la raillerie.

moraine, *subst. f.* Accumulation de débris entraînés par un glacier.

moral, ale, aux, *adj. et subst. m. Adj.* Qui concerne la morale, le bien et le mal. – Qui est conforme à la morale. – Qui concerne la vie mentale : *Force* **morale.** – *Subst.* Condition psychologique d'une personne : *Avoir bon* **moral.**

morale, *subst. f.* Ensemble des valeurs et des règles de conduite imposées par la société, la religion. – *La* **morale** *d'une fable* : sa conclusion, son enseignement.

moralité, *subst. f.* Valeur d'un acte, d'une intention, par *réf.* aux règles de la morale. – Valeur morale de *qqn.*

morbide, *adj.* Qui indique une maladie : *Un symptôme* **morbide.** – Qui indique un dérèglement mental : *Cruauté* **morbide.**

morceau, *subst. m.* Partie arrachée à un aliment : **Morceau** *de pain.* – Partie d'un objet, d'une substance solide : **Morceau** *de savon.* – Extrait d'une œuvre littéraire ou musicale.

morceler, *verbe trans.* Découper (*qqch.*) en morceaux, en parcelles.

mordant, ante, *adj. et subst. m. Adj.* Corrosif, caustique. – *Subst.* Énergie, vivacité : *Avoir du* **mordant.**

mordiller, *verbe trans.* Mordre à petits coups de dents répétés.

mordre, *verbe trans.* Saisir avec les dents pour manger ou pour blesser. – Ronger, entamer. – **Mordre** *sur* : empiéter sur. – **Mordre** *à* : prendre goût à (*fam.*).

mordu, ue, *adj. et subst.* Qui est passionné (*fam.*).

morfondre (se), *verbe pronom.* S'ennuyer à attendre.

morgue (i), *subst. f.* Attitude orgueilleuse et méprisante (*littér.*).

morgue (ii), *subst. f.* Lieu où l'on dépose les cadavres après un décès anonyme ou suspect. – Salle d'un hôpital où l'on transporte les malades décédés.

moribond, onde, *adj. et subst.* Agonisant.

morille, *subst. f.* Champignon comestible à chapeau alvéolé.

morne, *adj.* Qui est triste, mélancolique. – Qui incite à la tristesse : *Un paysage* **morne.**

morosité, *subst. f.* Tristesse. – Humeur chagrine collective : *Morosité d'une société.*

morphine, *subst. f.* Analgésique puissant que l'on tire de l'opium.

morphologie, *subst. f.* Étude de la forme et de la structure des êtres vivants. – *Ling.* Étude de la forme des mots et de leurs variations.

mors, *subst. m.* Barre métallique que l'on passe dans la bouche du cheval pour le guider.

morse (i), *subst. m.* Mammifère marin des régions arctiques, à longues canines supérieures.

morse (ii), *subst. m.* Code télégraphique utilisant des combinaisons de points et de traits.

morsure, *subst. f.* Action de mordre. – Marque, plaie qui en résulte.

mort (i), *subst. f.* Cessation définitive de la vie, décès. – *Fig.* Destruction, disparition : *La* **mort** *des petits métiers.*

mort (ii), **morte**, *adj. et subst.* Qui a cessé de vivre. – *Adj. Fig.* Exténué, harassé : **Mort** *de fatigue.* – Sans animation : *Bourgade* **morte.** – *Bois* **mort** : sec, bon pour faire du feu. – *Langue* **morte** : qui n'est plus parlée.

mortadelle, *subst. f.* Gros saucisson cuit d'origine italienne, fait de porc et de bœuf.

mortalité, *subst. f.* Grande quantité de décès : *La* **mortalité** *due à un fléau.* – *Taux de* **mortalité** : nombre de décès annuels pour mille habitants.

mortel, **elle**, *adj.* Susceptible de mourir : *Tous les hommes sont* **mortels** ; *empl. subst.* : *Un* **mortel**, *un être humain* (*littér.*). – Qui cause la mort : *Maladie* **mortelle.** – Qui suscite un ennui pesant (*fam.*).

mortier, *subst. m.* Mélange de sable, de chaux (ou de ciment) et d'eau, servant de liant aux constructions. – Récipient où l'on broie des substances au pilon. – Canon à tube court.

mortifier, *verbe trans.* Humilier.

mortuaire, *adj.* Relatif à la mort, aux rites et aux cérémonies qui l'entourent.

morue, *subst. f.* Gros poisson des régions froides, que l'on consomme frais, salé ou séché.

morve, *subst. f.* Sécrétion des muqueuses nasales.

mosaïque, *subst. f.* Assemblage décoratif de fragments de pierre, de marbre, de verre formant un motif. – L'œuvre d'art ainsi réalisée.

mosquée, *subst. f.* Édifice cultuel islamique.

mot, *subst. m.* Unité élémentaire d'une langue. – Parole, message : *Dire un* **mot** *à qqn.* – Parole historique ou remarquable. – *Bon* **mot** : fine plaisanterie. – Message écrit : *Un* **mot** *d'excuse.*

motard, **arde**, *subst. Fam.* Policier, gendarme ou militaire à moto. – Motocycliste.

moteur, **motrice**, *adj. et subst. m. Adj.* Relatif au mouvement : *Handicapé* **moteur** ; *Roue* **motrice.** – *Subst.* Dispositif produisant de l'énergie mécanique à partir d'une source d'énergie différente : *Un* **moteur** *Diesel.* – *Fig.* Cause d'une action. – Instigateur.

motif, *subst. m.* Raison qui pousse à agir. – *B.-A.* Thème, sujet d'une œuvre. – Dessin ou mélodie qui se répètent.

motion, *subst. f.* Proposition émise dans une assemblée par un de ses membres.

motivation, *subst. f.* Ensemble des éléments psychologiques, des motifs qui poussent à agir.

motiver, *verbe trans.* Être la cause de, expliquer (une action). – Justifier par des arguments rationnels : **Motiver** *une requête.*

motocyclette, *subst. f.* Véhicule à deux roues, muni d'un moteur à essence de 125 cm^3 ou plus (*abrév. moto*).

motoriser, *verbe trans.* Munir (*qqch.*) d'un moteur. – Équiper de véhicules à moteur.

motrice, *subst. f.* Véhicule ferroviaire muni d'un moteur, qui entraîne les wagons.

motte, *subst. f.* Bloc compact : **Motte** *de terre.*

mou, **mol**, **molle**, *adj.* Qui manque de fermeté, de rigidité : *Pâte* **molle.** – *Fig.* Qui manque d'énergie, de dynamisme. – *Empl. subst.* : *C'est un* **mou.** – *Donner du* **mou** : diminuer la tension de *qqch.*

mouchard, **arde**, *subst. Fam.* Indicateur de police ; délateur. – *Masc.* Dispositif de contrôle de la vitesse des automobiles.

mouche, *subst. f.* Insecte à deux ailes, aux nombreuses espèces. – Grain de beauté artificiel (vieilli). – Leurre fixé à un hameçon. – *Faire* **mouche** : toucher son but.

moucher, *verbe trans.* Dégager le nez de ses mucosités en le pressant et en expirant. – *Fig.* Remettre (*qqn*) à sa place vertement (*fam.*). – *Pronom.* Se dégager le nez.

moucheron, *subst. m.* Insecte semblable à une petite mouche.

mouchoir, *subst. m.* Petit carré de linge ou de papier servant à se moucher.

moudre, *verbe trans.* Réduire (une substance, des grains) en poudre.

moue, *subst. f.* Grimace de bouderie ou de dédain.

mouette, *subst. f.* Oiseau palmipède au plumage gris et blanc, vivant *gén.* sur les côtes.

moufle, *subst. f.* Gant enveloppant toute la main, en séparant le pouce des autres doigts.

mouflon, *subst. m.* Ruminant des montagnes aux cornes recourbées, voisin du mouton.

mouillage, *subst. m.* Action de mouiller. – Endroit abrité où un navire peut jeter l'ancre.

mouiller, *verbe Trans.* Imbiber d'eau ou d'un autre liquide. – *Fig.* **Mouiller** *qqn* : le compromettre (*fam.*). – *Intrans.* Jeter l'ancre. – *Pronom.* Prendre des risques ; oser (*fam.*).

moule (i), *subst. f.* Mollusque bivalve comestible, qui vit fixé aux rochers.

moule (ii), *subst. m.* Objet creux qui imprime sa forme à la substance dont on le remplit.

mouler, *verbe trans.* Fabriquer (un objet) en coulant de la matière dans un moule. – Épouser les formes de.

moulin, *subst. m.* Machine ou appareil utilisés pour moudre des grains. – L'édifice qui renferme une telle machine : **Moulin** *à vent.*

moulinet, *subst. m.* Appareil rotatif et à manivelle d'une canne à pêche, servant à enrouler le fil. – Grand geste circulaire des bras.

moulu, **ue**, *adj.* Réduit en poudre. – *Fig.* Exténué.

moulure, *subst. f.* Ornement en creux ou en relief : *Les* **moulures** *d'une commode.*

mourant, **ante**, *adj. et subst.* Qui se meurt. – *Adj.* Très faible : *Une voix* **mourante.**

mourir, *verbe intrans.* Cesser de vivre ; être tué : **Mourir** *à la guerre.* – *Fig.* Souffrir de : **Mourir** *d'ennui.* – S'affaiblir, s'éteindre.

mouron, *subst. m.* Plante dont les graines sont appréciées des oiseaux. – Souci (*fam.*).

mousquet, *subst. m.* Arme à feu intermédiaire entre l'arquebuse et le fusil.

mousquetaire, *subst. m.* Cavalier (armé d'un mousquet) de la garde d'élite créée par Louis XIII.

mousqueton, *subst. m.* Fusil à canon court. – Boucle à ressort utilisée pour accrocher *qqch.*

mousse (i), *subst. f.* Plante non vasculaire qui forme sur le sol un tapis dru et court. – Amas de bulles d'air ou de gaz : **Mousse** de savon, de bière. – Substance, matière mousseuses : **Mousse** au chocolat ; Matelas en **mousse**.

mousse (ii), *subst. m.* Jeune apprenti marin.

mousseline, *subst. f.* Étoffe très fine et transparente.

mousser, *verbe intrans.* Produire de la mousse, des bulles.

mousseux, euse, *adj. et subst. m. Adj.* Qui mousse. – Vaporeux. – *Subst.* Vin pétillant ordinaire.

mousson, *subst. f.* Vent saisonnier tropical : **Mousson** d'été, humide et chaude.

moussu, ue, *adj.* Couvert de mousse végétale.

moustache, *subst. f.* Pilosité qui pousse au-dessus de la lèvre supérieure d'un homme. – Poils tactiles du museau de certains animaux : *Les* **moustaches** du chat.

moustiquaire, *subst. f.* Rideau de gaze dont on entoure le lit pour se protéger des moustiques.

moustique, *subst. m.* Insecte à deux ailes, à pattes grêles, dont la femelle pique l'homme et les animaux pour aspirer leur sang.

moût, *subst. m.* Jus de raisin non encore fermenté.

moutarde, *subst. f.* Plante à fleurs jaunes et à feuilles rugueuses. – Condiment fort et piquant préparé avec les graines de cette plante.

mouton, *subst. m.* Mammifère ruminant à la toison (laine) bouclée. – Viande de cet animal. – Crête blanche des vagues.

mouture, *subst. f.* Action de moudre des grains. – Produit de cette opération.

mouvement, *subst. m.* Déplacement d'un corps dans l'espace, mobilité. – Changement de position du corps ou d'un member ; geste. – Progression, manœuvre. – Agitation ; activité. – Mutation : **Mouvement** préfectoral. – Évolution : **Mouvements** de la Bourse. – Accès, élan : **Mouvement** de colère. – Organisation politique ; école littéraire ou artistique : Le **mouvement** surréaliste. – Vitesse d'exécution d'un morceau de musique.

mouvoir, *verbe trans.* Faire bouger, remuer. – *Pronom.* Être en mouvement, se déplacer.

moyen, enne, *adj. et subst. m. Adj.* Intermédiaire, situé entre deux extrémités : *Un élève* **moyen**. – *Vitesse* **moyenne** : rapport entre l'espace parcouru et le temps mis à le parcourir. – Qui appartient au type le plus courant : *L'électeur* **moyen**. – *Subst.* Ce qui permet d'arriver à une fin : *Un* **moyen** de transport. – *Au* **moyen** de : avec, grâce à. – *Plur.* Capacités ; ressources financières.

moyen âge, *subst. m.* Période de l'histoire comprise entre l'Antiquité et les Temps modernes (fin ve s.-fin xve s.).

moyennant, *prép.* Grâce à ; en échange de : **Moyennant** finances, à condition de payer.

moyenne, *subst. f.* Résultat de la division d'une somme de valeurs par leur nombre. – Moitié de la note maximale. – *Être dans la* **moyenne** : être à peu près à égale distance de deux extrêmes.

moyeu, eux, *subst. m.* Partie centrale d'une roue, qui tourne autour d'un axe, d'un essieu.

m.s.t., *subst. f. inv.* Sigle pour « maladie sexuellement transmissible ».

mucosité, *subst. f.* Liquide produit par une muqueuse : **Mucosités** nasales.

mue, *subst. f.* Changement périodique de peau, de poils ou de plumes que connaissent certains animaux. – Changement du timbre de la voix lors de la puberté.

muer, *verbe intrans.* Subir une mue. – *Pronom.* Se transformer.

muet, muette, *adj. et subst.* Qui est privé de l'usage de la parole. – *Adj.* Qui reste volontairement silencieux. – Très ému : **Muet** d'admiration. – *Cinéma* **muet** : sans bande sonore. – *Lettre* **muette** : qui ne se prononce pas.

mufle, *subst. m.* Extrémité du museau de certains mammifères. – *Fig.* Individu grossier.

mufti, *subst. m.* Docteur de la loi musulmane.

mugir, *verbe intrans.* Pousser des cris sourds et prolongés (mugissements), en parlant de certains bovidés. – *Fig.* Le vent **mugit**.

muguet, *subst. m.* Plante aux fleurs en forme de clochettes blanches très parfumées.

mulâtre, âtresse, *subst.* Personne dont l'un des deux parents est blanc et l'autre noir.

mule (i), *subst. f.* Pantoufle qui laisse le talon nu.

mule (ii), *subst. f.* Mulet femelle.

mulet (i), *subst. m.* Animal mâle issu du croisement d'un âne et d'une jument, toujours stérile.

mulet (ii), *subst. m.* Poisson de mer à la chair estimée.

mulot, *subst. m.* Petit rongeur également appelé rat des champs.

multi-, *préfixe* Exprime la quantité, la diversité.

multicolore, *adj.* De plusieurs couleurs.

multimédia, *adj.* Qui utilise, qui concerne plusieurs médias. – *Empl. subst. masc. Informat.* Ensemble des techniques et des produits utilisant le texte, le son et l'image.

multiple, *adj. et subst. Adj.* Qui se produit, qui existe plusieurs fois. – *Subst.* Nombre entier qui contient plusieurs fois exactement un nombre donné.

multiplication, *subst. f.* Action de multiplier, de se multiplier. – *Math.* Opération dans laquelle on additionne un nombre à lui-même, un nombre de fois donné.

multiplier, *verbe trans.* Accroître le nombre de. – Répéter, reproduire : **Multiplier** les échecs. – *Math.* Faire la multiplication de.

multitude, *subst. f.* Grande quantité.

municipal, ale, aux, *adj.* Qui concerne la commune : *Conseil* **municipal**.

municipalité, *subst. f.* Corps municipal, présidé par le maire. – La commune, considérée comme personne morale.

munificence, *subst. f.* Générosité extrême (*littér.*).

munir, *verbe trans.* Pourvoir, doter de.

munitions, *subst. f. plur.* Projectiles, explosifs nécessaires pour charger des armes à feu.

muqueuse, *subst. f.* Membrane tapissant la face interne de certaines cavités du corps.

mur, *subst. m.* Ouvrage de maçonnerie vertical limitant un espace : *Le* **mur** d'un jardin. – *Fig.* Obstacle infranchissable.

mûr, mûre, *adj.* Qui a atteint son plein développement : *Les blés* **mûrs**. – Réfléchi, sérieux.

muraille, *subst. f.* Grand mur épais protégeant une ville, une citadelle.

mûre, *subst. f.* Petit fruit du mûrier. – Baie noire de la ronce.

murène, *subst. f.* Poisson long et mince, très vorace, commun en Méditerranée.

murer, *verbe trans.* Fermer par un mur. – *Pronom.* S'enfermer, s'isoler.

mûrir, *verbe Trans.* Rendre mûr. – *Fig.* Préparer longtemps à l'avance : **Mûrir** *un projet.* – *Intrans.* Venir à maturité.

murmure, *subst. m.* Bruit doux et léger. – *Plur.* Protestations sourdes, indistinctes.

murmurer, *verbe Intrans.* Faire entendre un murmure ; au *fig.*, protester. – *Trans.* Dire à voix basse.

musarder, *verbe intrans.* S'attarder, flâner.

musc, *subst. m.* Produit odoriférant, sécrété par un petit ruminant d'Asie, que l'on utilise en parfumerie.

muscade, *subst. f.* Graine du fruit du muscadier, condiment apprécié.

muscat, *subst. m.* Raisin très parfumé. – Vin liquoreux produit avec ce raisin.

muscle, *subst. m.* Organe, fait de tissu contractile, assurant tous les mouvements du corps.

musclé, ée, *adj.* Dont les muscles sont bien développés. – *Fig.* Énergique, fort. – Brutal, autoritaire.

musculaire, *adj.* Qui concerne les muscles.

musculature, *subst. f.* Ensemble des muscles.

muse, *subst. f. Myth.* Chacune des neuf divinités féminines inspiratrices des arts et des sciences. – *Fig.* Inspiratrice du poète (*littér.*).

museau, *subst. m.* Extrémité antérieure et allongée de la face de certains animaux.

musée, *subst. m.* Établissement où sont conservées méthodiquement et exposées des collections d'objets et de documents relatifs aux beaux-arts, aux techniques, etc.

museler, *verbe trans.* Mettre une muselière à (un animal). – *Fig.* Faire taire.

muselière, *subst. f.* Objet dont on couvre le museau d'un animal pour l'empêcher de mordre.

musette (i), *subst. f.* Ancien instrument de musique proche de la cornemuse. – *Bal* **musette** : bal où l'on danse au son de l'accordéon.

musette (ii), *subst. f.* Sac porté en bandoulière.

muséum, *subst. m.* Musée consacré aux collections de sciences naturelles.

musical, ale, aux, *adj.* Qui concerne la musique : *Soirée* **musicale**. – Mélodieux.

music-hall, *subst. m.* Théâtre où l'on présente des spectacles de variétés. – Ce type de spectacle.

musicien, ienne, *adj. et subst.* Qui pratique la musique, la compose ou l'interprète. – Qui a des aptitudes pour la musique.

musique, *subst. f.* Art de combiner, selon des règles établies, les sons que produisent des instruments ou la voix humaine. – Suite de sons agréables à l'oreille.

musulman, ane, *adj. et subst.* Qui appartient, adhère à la religion prêchée par Mahomet.

mutant, ante, *adj. et subst.* Qui a subi une mutation, en parlant d'un animal ou d'un végétal. – *Subst.* Monstre de science-fiction.

mutation, *subst. f.* Changement, transformation. – Déplacement d'une personne à un nouveau poste. – *Biol.* Modification héréditaire brusque dans une descendance animale ou végétale, qui peut engendrer une espèce nouvelle.

mutiler, *verbe trans.* Priver (*qqn*) de son intégrité physique ; retrancher un membre à (*qqn*). – Détruire, abîmer.

mutin, ine, *adj. et subst.* Qui prend part à une rébellion. – *Adj.* D'humeur taquine, espiègle.

mutiner (se), *verbe pronom.* Se révolter.

mutinerie, *subst. f.* Rébellion, révolte.

mutisme, *subst. m.* Refus de parler.

mutuel, elle, *adj. et subst. f. Adj.* Qui implique un échange ; réciproque. – *Subst.* Association d'entraide et de prévoyance professionnelle.

mycologie, *subst. f.* Science des champignons.

mygale, *subst. f.* Grosse araignée velue d'Amérique du Sud, à la morsure très douloureuse.

myocarde, *subst. m. Anat.* Muscle cardiaque.

myopathie, *subst. f.* Maladie des muscles, qui entraîne leur atrophie progressive.

myope, *adj. et subst.* Se dit d'une personne atteinte de myopie.

myopie, *subst. f.* Convergence excessive de l'œil, créant une vision trouble des objets éloignés.

myosotis, *subst. m.* Plante à petites fleurs bleues.

myriade, *subst. f.* Nombre immense, indéterminé.

myrtille, *subst. f.* Baie bleu-noir comestible d'un arbrisseau des forêts de montagne.

mystère, *subst. m.* Chose cachée, secrète, incompréhensible : *Les* **mystères** *de l'au-delà.* – Secret, obscurité entourant une action.

mystérieux, ieuse, *adj.* Réservé aux initiés. – Mal connu, inexplicable. – Tenu secret.

mysticisme, *subst. m.* Recherche de l'absolu ou de Dieu dans l'extase, la contemplation.

mystification, *subst. f.* Action de mystifier. – Acte, parole destinés à mystifier.

mystifier, *verbe trans.* Tromper, abuser en faisant croire des choses imaginaires.

mystique, *adj. et subst. Adj.* Qui relève du mystère divin, du mysticisme. – *Subst.* Personne qui s'adonne au mysticisme.

mythe, *subst. m.* Récit imaginaire conçu pour expliquer des aspects mystérieux de la réalité ou de la destinée humaine. – Affabulation.

mythique, *adj.* Qui relève du mythe.

mythologie, *subst. f.* Ensemble de mythes, de légendes propres à une société, à une religion.

mythomanie, *subst. f.* Tendance pathologique à la fabulation.

myxomatose, *subst. f.* Maladie virale, infectieuse et contagieuse, du lapin.

N

n, n, *subst. m. inv.* Quatorzième lettre et onzième consonne de l'alphabet français.

nabab, *subst. m.* Personnage très riche qui mène grand train.

nacelle, *subst. f.* Petite barque (*littér.*). – Panier suspendu à un aérostat.

nacre, *subst. f.* Substance irisée qui revêt l'intérieur de la coquille de certains mollusques.

nacré, ée, *adj.* Qui a l'aspect irisé de la nacre.

nage, *subst. f.* Action, façon de nager. – À la **nage** : en nageant. – *Fig. En* **nage** : en sueur.

nageoire, *subst. f.* Appendice de nombreux animaux aquatiques, qui leur sert à se mouvoir.

nager, *verbe intrans.* Se mouvoir, avancer dans ou sur l'eau ; *empl. trans.* : *Nager la brasse.* – Baigner : *Viande nageant dans la sauce.* – *Fig.* Être rempli de : *Nager dans le bonheur.* – **Nager** *dans un vêtement* : y être au large. – *Empl. abs.* Ne rien comprendre (*fam.*).

nageur, euse, *adj. et subst.* Se dit d'une personne qui nage, qui sait nager. – *Adj.* Qui nage.

naguère, *adv.* Il y a peu de temps (*littér.*).

naïade, *subst. f.* Nymphe des ruisseaux et des fontaines. – Gracieuse baigneuse (*littér.*).

naïf, naïve, *adj. et subst.* Qui est trop confiant, crédule. – *Adj.* Simple, naturel : *Grâce* **naïve**.

nain,

naine, *adj. et subst.* Qui est atteint de nanisme. – Qui est d'une taille inférieure à la moyenne.

naissance, *subst. f.* Commencement de la vie indépendante ; venue au monde. – *Fig.* Endroit, moment où commence qqch. : *Naissance du cou* ; *Naissance d'une œuvre.* – *De* **naissance** : congénital, inné.

naissant, ante, *adj.* Qui commence à être, à apparaître : *Jour* **naissant** ; *Barbe* **naissante**.

naître, *verbe intrans.* Venir au monde. – Apparaître, se manifester : *Le jour est sur le point de naître.* – **Naître de** : être issu de, tirer son origine de. – *Faire* **naître** : susciter.

naïveté, *subst. f.* Crédulité excessive. – Simplicité, ingénuité. – Parole naïve.

naja, *subst. m.* Serpent venimeux d'Afrique et d'Asie (*synon. cobra, serpent à lunettes*).

nanisme, *subst. m.* Dysfonctionnement de la croissance entraînant une petitesse anormale.

nanti, ie, *adj. et subst.* Riche. – *Adj.* Muni, pourvu.

nantissement, *subst. m.* Contrat par lequel un débiteur remet ou immobilise un bien en garantie de sa dette. – Ce bien lui-même.

napalm, *subst. m.* Essence gélifiée servant au chargement de bombes incendiaires.

naphtaline, *subst. f.* Substance antimite, blanche et dure, issue d'un hydrocarbure.

nappage, *subst. m.* Action de napper. – Son résultat.

nappe, *subst. f.* Linge couvrant une table. – Étendue plane d'un fluide : *Nappe de pétrole.*

napper, *verbe trans.* Couvrir (un mets) d'une couche de sauce, de crème, de chocolat, etc.

napperon, *subst. m.* Petite pièce de tissu ouvragée utilisée pour décorer ou protéger un meuble.

narcisse, *subst. m.* Plante bulbeuse aux fleurs blanches ou jaunes très odorantes. – Homme épris de sa propre image (*littér.*).

narcissisme, *subst. m.* Admiration pour soi-même.

narcotique, *adj. et subst. m.* Se dit d'une substance qui provoque un sommeil artificiel.

narguer, *verbe trans.* Défier, braver avec insolence.

narguilé, *subst. m.* Pipe orientale à eau, dotée d'un long tuyau flexible.

narine, *subst. f.* Chacun des deux orifices du nez.

narquois, oise, *adj.* Moqueur et malicieux : *Sourire* **narquois**.

narrateur, trice, *subst.* Personne qui narre.

narration, *subst. f.* Récit détaillé d'un enchaînement de faits. – Rédaction scolaire.

narrer, *verbe trans.* Raconter (qqch.) en détail.

narval, als, *subst. m.* Cétacé des mers arctiques, dont le mâle porte une longue défense.

nasal, ale, aux, *adj.* Du nez. – Caractérisé par la vibration de l'air dans le nez : *Voyelle* **nasale**.

naseau, *subst. m.* Narine de certains grands mammifères : *Naseaux du cheval, du chameau.*

nasiller, *verbe intrans.* Parler du nez. – Pousser son cri (nasillement), en parlant du canard.

nasse, *subst. f.* Panier de pêche oblong. – Filet servant à piéger de petits oiseaux.

natal, ale, als, *adj.* Où l'on est né : *Maison* **natale**.

natalité, *subst. f.* Rapport entre le nombre des naissances et celui des habitants d'un lieu.

natation, *subst. f.* Action de nager. – Son résultat.

natif, ive, *adj. et subst.* **Natif** *de* : né à. – *Adj.* Inné.

nation, *subst. f.* Société humaine unie par son histoire et sa culture, ayant le plus *souv.* un territoire et un gouvernement communs.

national, ale, aux, *adj. et subst. Adj.* De la nation. – Qui intéresse l'ensemble d'un pays. – Qui appartient à l'État. – *Route* **nationale** : construite et entretenue par l'État. – *Subst. fém. La* **nationale 89**. – *Subst. masc. plur.* Citoyens d'un État (*oppos. étrangers*).

nationaliser, *verbe trans.* Transférer à l'État la propriété de (moyens de production privés).

nationalisme, *subst. m.* Volonté exprimée par un peuple de former une nation. – Doctrine politique prônant le développement de la puissance nationale.

nationalité, *subst. f.* Appartenance juridique à une nation : *Avoir la* **nationalité** *française*.

national-socialisme, *subst. m.* Doctrine nationaliste et raciste prônée par Adolf Hitler et mise en application en Allemagne entre 1933 et 1945 (*synon. nazisme*).

natte, *subst. f.* Tissu de fibres végétales entrelacées à plat. – Tresse de cheveux.

natter, *verbe trans.* Mettre en natte, tresser.

naturalisation, *subst. f.* Action de naturaliser. – Résultat de cette action.

naturaliser, *verbe trans.* Conférer une nationalité à (qqn). – Acclimater. – **Naturaliser** *un animal* : lui conserver, après sa mort, son aspect vivant par certains procédés.

naturalisme, *subst. m.* École artistique qui s'attache à reproduire la réalité avec objectivité.

naturaliste, *adj. et subst.* Adepte du naturalisme. – *Subst.* Spécialiste des sciences naturelles. – Personne qui naturalise des animaux.

nature, *subst. f.* L'univers ; le monde physique, la réalité : *Les lois de la* **nature**. – Le monde physique, sans intervention humaine : *Vivre dans la* **nature**. – Ensemble des caractères qui définissent les êtres ou les choses : *La* **nature** *humaine*. – *De* **nature** *à* : susceptible de, propre à. – Modèle réel d'un artiste : *Peindre d'après* **nature**. – *Empl. adj. inv. Grandeur* **nature** : réelle. – *Yaourt* **nature** : sans adjonction. – *Enfant* **nature** : spontané.

naturel, elle, *adj. et subst. m. Adj.* Relatif, propre à la nature, propre au monde physique et à ses lois : *Phénomène* **naturel**. – Qui est produit par la nature, qui en est issu : *Gaz* **naturel**. – Qui n'est pas modifié, altéré. – Normal : *C'est tout* **naturel**. – Sans affectation ni recherche : *Attitude* **naturelle**. – *Enfant* **naturel** : né hors mariage. – *Subst.* Caractère, tempérament. – Manière d'être sans affectation, à l'aise.

nature morte, *subst. f.* Représentation picturale d'objets, de végétaux coupés, de gibier mort.

naturisme, *subst. m.* Doctrine prônant le retour à la nature. – Nudisme.

naufrage, *subst. m.* Perte d'un navire en mer : *Faire* **naufrage**, couler. – *Fig.* Désastre, ruine.

naufragé, ée, *adj. et subst.* Qui a fait naufrage.

nauséabond, onde, *adj.* Dont l'odeur cause des nausées, écœurant. – *Fig. Roman* **nauséabond**.

nausée, *subst. f.* Envie de vomir. – *Fig.* Fort dégoût.

nautique, *adj.* Relatif à la navigation, aux sports pratiqués sur l'eau : *Salon* **nautique** ; *Ski* **nautique**.

naval, ale, als, *adj.* Relatif aux navires, à la navigation, à la marine militaire : *Chantier* naval.

navet, *subst. m.* Plante potagère cultivée pour ses racines. – Œuvre artistique sans valeur, en *partic.* très mauvais film (*fam.*).

navette, *subst. f.* Instrument renfermant une bobine, que l'on fait courir entre les fils d'un métier à tisser. – Véhicule qui assure une liaison régulière entre deux lieux. – *Faire la* **navette** : aller et venir fréquemment d'un lieu à un autre. – **Navette** *spatiale* : engin spatial récupérable.

navigable, *adj.* Où l'on peut naviguer.

navigant, ante, *adj.* Qui navigue : *Personnel* **navigant**, embarqué.

navigateur, trice, *subst.* Personne qui fait de longs voyages sur mer. – Personne responsable de l'itinéraire d'un bateau, d'un avion.

navigation, *subst. f.* Action de naviguer. – Technique de la conduite des bateaux, des avions, etc. – Circulation des bateaux et des avions.

naviguer, *verbe intrans.* Voyager sur l'eau ou dans les airs. – Diriger un bateau, un avion. – *Fig.* Conduire sa vie habilement.

navire, *subst. m.* Grand bateau conçu pour la navigation en haute mer.

navrer, *verbe trans.* Causer une grande peine à.

nazi, ie, *adj. et subst. Subst.* Membre ou sympathisant du parti national-socialiste. – *Adj.* Relatif à ce parti, à sa doctrine.

nazisme, *subst. m.* National-socialisme.

ne, *adv.* Négation employée seule ou renforcée par « pas », « jamais », « point », « guère », « plus ». – Employé sans nécessité et sans idée de négation dans les subordonnées comparatives ou avec un verbe de crainte, de doute, etc. (*empl.* explétif) : *Je crains qu'il* **ne** *se réveille*, qu'il se réveille.

né, née, *adj.* Né *de* : issu de. – Né *pour* : fait, doué pour. – *Artiste-*né : artiste de naissance.

néanmoins, *adv.* Pourtant, toutefois.

néant, *subst. m.* Non-être : *Tirer du* **néant**, créer ; *Réduire à* **néant**, à rien.

nébuleuse, *subst. f.* Corps, objet céleste diffus et vaporeux. – *Fig.* Amas confus.

nébuleux, euse, *adj.* Obscurci par des nuages. – *Fig.* Imprécis, confus : *Style* **nébuleux**.

nécessaire, *adj. et subst. m. Adj.* Qui constitue un besoin absolu ; indispensable : *L'oxygène est* **nécessaire** *à la vie*. – Qui se produit sans faute, inévitable : *Répercussion* **nécessaire** *d'un acte*. – *Subst.* Ce qui est essentiel. – *Un* **nécessaire** *de toilette, de couture* : une trousse pourvue des objets essentiels à cet usage.

nécessité, *subst. f.* Besoin vital : **Nécessité** *absolue de dormir*. – Obligation, contrainte : *Travailler par* **nécessité**.

nécessiter, *verbe trans.* Rendre nécessaire, requérir : *Ce travail* **nécessite** *beaucoup d'efforts*.

nécessiteux, euse, *adj. et subst.* Qui manque du nécessaire.

nec plus ultra, *subst. m. inv.* Ce qu'il y a de mieux.

nécrologie, *subst. f.* Notice biographique portant sur une personne décédée depuis peu. – Liste de personnes décédées au cours d'un laps de temps déterminé.

nécropole, *subst. f. Antiq.* Vaste étendue de sépultures. – Grand cimetière (*littér.*).

nécrose, *subst. f. Biol.* Mort des cellules composant un tissu organique.

nectar, *subst. m. Myth.* Breuvage des dieux, source d'immortalité. – Breuvage exquis (*littér.*). – Liquide sucré sécrété par certaines fleurs.

nectarine, *subst. f.* Hybride de pêche, à peau lisse.

néerlandais, *subst. m.* Langue germanique parlée aux Pays-Bas et en Belgique.

nef, *subst. f.* Grand voilier du Moyen Âge. – Partie d'une église allant du portail au chœur.

néfaste, *adj.* Qui apporte le malheur, funeste. – Mauvais, nuisible.

négatif (i), *subst. m.* Cliché photographique où lumière et ombre sont inversées par rapport à la réalité.

négatif (ii), ive, *adj.* Qui exprime le refus : *Réponse* négative ; *empl. subst.* : *Répondre par la* **négative**. – Qui n'aboutit à rien, n'est pas constructif : *Expérience, attitude* **négative**. – *Nombre* **négatif** : inférieur à zéro.

négation, *subst. f.* Action de nier. – Action de rejeter *qqch.*, de n'en pas tenir compte. – *Ling.* Mot qui sert à nier (« ne », « non », « pas »).

négligé, ée, *adj. et subst. m.* Qui dénote un manque de soin, du laisser-aller. – *Subst.* Vêtement féminin d'intérieur (vieilli).

négligeable, *adj.* Peu important, insignifiant.

négligence, *subst. f.* Manque de soin, d'application ; laisser-aller. – Faute d'inattention.

négliger, *verbe trans.* Ne pas prendre soin de (*qqch.*). – Délaisser. – Dédaigner, ne pas tenir compte de ; laisser passer : **Négliger** *une occasion.*

négoce, *subst. m.* Activité commerciale (vieilli).

négociant, ante, *subst.* Personne qui s'adonne au commerce en gros.

négociateur, trice, *subst.* Personne mandatée pour négocier une affaire.

négociation, *subst. f.* Action de négocier un accord, un prix. – Tractation, pourparlers.

négocier, *verbe Trans.* Discuter, traiter en vue d'aboutir à un accord. – Monnayer (une valeur, un titre). – **Négocier** *un virage* : s'y engager en manœuvrant au mieux. – *Intrans.* Engager des pourparlers.

nègre, négresse, *adj. et subst.* Se dit d'une personne de race noire (*souv. péj.*). – *Adj.* Qui appartient à la race noire : *Tribu* **nègre**. – Propre à une culture noire : *Art* **nègre**. – *Subst.* Esclave noir. – *Subst. masc.* Inconnu qui prépare ou rédige un ouvrage pour le compte d'un auteur célèbre.

négrier, ière, *adj. et subst. m.* *Adj.* Qui concerne la traite des Noirs. – *Subst.* Marchand qui se livrait à la traite des Noirs. – Navire servant à cette traite. – Entrepreneur qui traite ses employés en esclaves.

négus, *subst. m.* Titre de l'empereur d'Éthiopie.

neige, *subst. f.* Eau congelée tombant en flocons blancs. – *Battre des blancs en* **neige** : rendre mousseux des blancs d'œufs.

neiger, *verbe impers.* Tomber, en parlant de la neige.

neigeux, euse, *adj.* Couvert de neige : *Pentes* **neigeuses**. – Qui a l'apparence de la neige.

nénuphar, *subst. m.* Plante aquatique à fleur unique et à larges feuilles flottantes.

néo-, *préfixe* Élément signifiant « nouveau » : **Néo**colonialisme. – **Néo**-impressionnisme.

néoclassicisme, *subst. m.* Mouvement artistique et littéraire de la fin du XVIIIe s., marqué par un retour au classicisme du XVIIe s. et à l'Antiquité gréco-romaine.

néolithique, *adj. et subst. m.* Se dit d'une période de la préhistoire (7000 à 2500 av. J.-C.), caractérisée par le polissage de la pierre, l'agriculture et l'élevage.

néologisme, *subst. m.* Mot nouvellement créé. – Sens nouveau d'un mot ancien.

néon, *subst. m.* Gaz rare utilisé pour l'éclairage. – Tube fluorescent au **néon**.

néonatal, ale, als, *adj.* Qui a trait au nouveau-né.

néophyte, *subst.* *Relig.* Personne récemment convertie. – Nouvel adepte d'une doctrine, d'un parti : *Le zèle d'un* **néophyte**.

néphrétique, *adj.* Relatif aux reins : *Colique* **néphrétique**, due à un calcul.

népotisme, *subst. m.* Abus de pouvoir consistant à avantager ses parents, ses proches.

nerf, *subst. m.* Filament blanchâtre reliant le cerveau et les organes ; conducteur moteur et sensitif. – Tendon, ligament (*fam.*). – Énergie : *Avoir du* **nerf**. – *Le* **nerf** *de la guerre* : l'argent. – *Plur.* Ce que l'on considère comme le siège de l'équilibre mental : *Avoir les* **nerfs** *fragiles*.

nerveux, euse, *adj. et subst.* *Adj.* Relatif aux nerfs : *Système* **nerveux**. – Relatif à l'équilibre mental : *Maladie* **nerveuse** ; *Être* **nerveux**, agité, angoissé, irrité. – Vigoureux. – *Subst.* Personne émotive, excitée ou irritable.

nervosité, *subst. f.* Énervement passager. – Irritabilité, inquiétude durable ou passagère.

nervure, *subst. f.* Ligne fine et ramifiée, en relief sur une feuille, sur une aile d'insecte.

n'est-ce pas, *loc. adv. interr.* Appelle une approbation : *Il fait chaud,* **n'est-ce pas ?**

net, nette, *adj. et adv.* *Adj.* Sans souillure, propre. – *Fig.* Délivré des doutes : *En avoir le cœur* **net**. – Clair, précis : *Image* **nette**. – Honnête : *Une affaire pas très* **nette**. – Sur quoi on a effectué les déductions : *Salaire, poids* **net** (*oppos. brut*). – *Adv.* Franchement ; brutalement.

netteté, *subst. f.* Caractère de ce qui est net, propre, sans bavure. – Clarté, précision.

nettoiement, *subst. m.* Ensemble des opérations de nettoyage d'un lieu : **Nettoiement** *des plages*.

nettoyage, *subst. m.* Action de nettoyer. – Résultat de cette action.

nettoyer, *verbe trans.* Rendre propre et net. – Vider, débarrasser (un lieu) de personnes ou d'objets indésirables.

neuf (i), *adj. num. inv. et subst. m. inv.* *Adj.* Huit plus un. – Neuvième : *Charles* **IX**. – *Subst.* Le chiffre 9 : *Le 9 de cœur* ; *Le 9 mai*.

neuf (ii), neuve, *adj. et subst. m.* *Adj.* Qui n'a pas encore servi : *Voiture* **neuve**. – Nouveau, inédit : *Idée* **neuve**. – Empreint de fraîcheur : *Regard* **neuf**. – Novice. – *Subst.* Ce qui est **neuf**. – *À* **neuf** : dans l'état du **neuf**.

neurasthénie, *subst. f.* État dépressif. – Abattement, fatigue, mélancolie.

neurochirurgie, *subst. f.* *Méd.* Spécialité chirurgicale qui s'occupe du système nerveux.

neuroleptique, *adj. et subst. m.* Se dit d'un médicament exerçant une action sédative globale sur le système nerveux.

neurologie, *subst. f.* *Méd.* Spécialité qui traite du système nerveux et de ses affections.

neurone, *subst. m.* Cellule du système nerveux.

neutraliser, *verbe trans.* Rendre neutre. – S'opposer à, maîtriser : **Neutraliser** *une attaque*. – *Pronom.* S'annuler mutuellement.

neutralité, *subst. f.* Caractère d'un État, d'une personne, d'une chose neutre.

neutre, *adj. et subst. m.* Se dit d'une nation qui n'adhère à aucune alliance militaire, qui ne prend pas part à un conflit. – *Ling.* Se dit du genre qui n'est ni féminin ni masculin. – *Adj.* Sans caractère marqué. – *Chim.* Ni acide ni basique. – *Phys.* Qualifie un corps non chargé d'électricité.

neutron, *subst. m.* Particule électriquement neutre du noyau atomique.

névé, *subst. m.* Amas de neige en amont d'un glacier. – Plaque de neige isolée, en montagne.

neveu, eux, *subst. m.* Fils du frère ou de la sœur.

névralgie, *subst. f.* Vive douleur ressentie sur le trajet d'un nerf.

névrose, *subst. f.* Trouble du comportement dont le sujet est conscient et souffre.

névrosé, ée, *adj. et subst.* Qui est atteint de névrose.

nez, *subst. m.* Partie saillante au milieu du visage, organe de l'odorat. – Extrémité avant : **Nez** *d'un avion*. – *Avoir du* **nez** : du flair ; au *fig.*, de l'intuition. –**Nez** *à* **nez** : face à face.

ni, *conj.* Relie des propositions ou des termes négatifs : *Je ne peux* **ni** *ne veux* ; **Ni** *bon* **ni** *mauvais* ; *Sans foi* **ni** *loi*.

niais, niaise, *adj. et subst.* Qui est inexpérimenté et sot.

niaiserie, *subst. f.* Caractère de ce qui est niais. – Propos frivole, sottise : *Dire des* **niaiseries**.

niche (i), *subst. f.* Enfoncement ménagé dans l'épaisseur d'un mur. – Cabane, abri pour chien.

niche (ii), *subst. f.* Tour de malice, espièglerie (*fam.*).

nichée, *subst. f.* Ensemble des oisillons d'une même couvée, encore au nid.

nicher, *verbe intrans.* Faire son nid, pour un oiseau. – *Pronom.* Se loger, se cacher.

nickel, *subst. m. et adj. inv.* Subst. Métal blanc, brillant et lisse, inoxydable, utilisé en alliage. – *Adj.* Très propre (*fam.*) : *Une maison* **nickel**.

nicotine, *subst. f.* Substance toxique contenue dans le tabac.

nid, *subst. m.* Abri construit par les oiseaux pour y pondre. – Abri de certains autres animaux : **Nid** *de guêpes, de rats*. – Logement : **Nid** *douillet*. – Repaire : **Nid** *de brigands*.

nidifier, *verbe intrans.* Faire son nid, pour un oiseau.

nièce, *subst. f.* Fille du frère ou de la sœur.

nier, *verbe trans.* Contester, refuser l'existence ou la vérité de (*qqch.*) : *Je* **nie** *l'avoir fait*.

nigaud, aude, *adj. et subst.* Ignorant, sot, niais.

nihilisme, *subst. m.* Scepticisme, rejet de toute valeur morale, de tout idéal social.

nimbe, *subst. m. B.-A.* Auréole lumineuse qui ceint la tête du Christ, des anges et des saints.

nirvana, *subst. m.* Dans le bouddhisme, sérénité suprême.

nitrate, *subst. m.* Sel dérivé de l'azote, utilisé comme engrais.

niveau, *subst. m.* Instrument servant à vérifier l'horizontalité d'un plan. – État d'une surface horizontale : *Mettre de* **niveau**, égaliser. – Hauteur, degré d'élévation : **Niveau** *d'eau* ; **Niveau** *sonore*. – Stade de développement, d'évolution : **Niveau** *scolaire, intellectuel* ; **Niveau** *de vie*, conditions matérielles d'existence. – *Passage à* **niveau** : croisement au même **niveau** d'une route et d'une voie ferrée.

niveler, *verbe trans.* Ramener au niveau ; aplanir. – *Fig.* Rendre égal : **Niveler** *les salaires*.

nivellement, *subst. m.* Action de niveler. – Résultat de cette action.

nivôse, *subst. m.* Quatrième mois du calendrier républicain, allant du 21-23 décembre au 19-21 janvier.

nô, *subst. m.* Drame lyrique japonais, mimé.

nobiliaire, *adj.* Qui relève de la noblesse.

noble, *adj. et subst. Adj.* Qui fait partie de la noblesse ; propre à la noblesse. – Qui possède une distinction, une âme élevée. – *Subst.* Membre de la noblesse.

noblesse, *subst. f.* Classe sociale qui jouissait jadis de privilèges héréditaires. – Qualité d'un noble. – Distinction, élévation d'âme.

noce, *subst. f.* Fête, réjouissances qui accompagnent un mariage. – Partie de plaisir (*fam.*) : *Faire la* **noce**. – *Plur.* Mariage.

nocif, ive, *adj.* Qui est nuisible, dangereux ou pernicieux : *Le tabac est* **nocif**.

nocivité, *subst. f.* Caractère de ce qui est nocif.

noctambule, *adj. et subst.* Se dit d'une personne qui passe la nuit à se promener ou à s'amuser.

nocturne, *adj. et subst. Adj.* Relatif à la nuit : *Rapace* **nocturne**, qui chasse la nuit. – *Subst. fém.* Événement qui se déroule la nuit. – *Subst. masc.* Pièce pour piano, tendre et mélancolique.

nodosité, *subst. f.* Nœud du bois. – Petite boule sous-cutanée indolore.

nodule, *subst. m.* Petite nodosité. – Concrétion de minerai qui se forme au fond des océans.

noël, *subst. m.* Cantique religieux ou chant populaire évoquant la fête de **Noël**, qui commémore la naissance de Jésus-Christ.

nœud, *subst. m.* Enlacement serré obtenu en entrecroisant un ou plusieurs liens. – Relation étroite : **Nœud** *de l'amitié*. – Point crucial : **Nœud** *de l'intrigue*. – Lieu où se croisent plusieurs voies : **Nœud** *ferroviaire*. – Point d'insertion d'une branche sur un tronc d'arbre. – *Mar.* Unité de vitesse valant 1 mille (soit 1 852 m) à l'heure.

noir, noire, *adj. et subst.* Se dit des personnes à la peau foncée : *Race* **noire** ; *Les* **Noirs** *d'Amérique*. – *Adj.* De la couleur la plus foncée. – Obscur : *Nuit* **noire**. – Mauvais, négatif : *Série* **noire**, suite de malheurs ; *Âme* **noire**, méchante ; *Marché* **noir**, illégal. – Triste, pessimiste : *Idées* **noires**. – *Subst. masc.* La couleur **noire**. – Obscurité : *Être dans le* **noir**. – Pessimisme : *Broyer du* **noir**. – *Subst. fém.* Note de musique valant le quart de la ronde.

noirâtre, *adj.* Qui tire sur le noir.

noirceur, *subst. f.* Qualité de ce qui est noir. – *Fig.* Perfidie, extrême méchanceté (*littér.*) : *La* **noirceur** *d'une âme*.

noircir, *verbe Trans.* Teinter de noir ; enduire de noir. – *Fig.* Présenter (*qqch.*) de manière défavorable. – **Noircir** *du papier* : écrire beaucoup. – *Intrans.* Devenir noir.

noise, *subst. f.* Querelle, chicane : *Chercher des* **noises** *à qqn*.

noisette, *subst. f.* Amande oléagineuse, fruit comestible du noisetier. – Petite quantité : **Noisette** *de beurre*. – *Empl. adj. inv.* Brun clair tirant sur le roux : *Yeux* **noisette**.

noix, *subst. f.* Fruit du noyer, graine oléagineuse (cerneau) enfermée dans une coque ligneuse. – Fruit de divers arbres : **Noix** *de coco, de muscade*. – **Noix** *de veau* : morceau de choix tiré du cuisseau de ce bovin.

nom, *subst. m.* Mot servant à désigner une personne, un animal ou une chose ; appellation : **Nom** *commun, propre*. – Prénom : *Quel est ton* **nom ?** – **Nom** *de famille* : patronyme. – *Au nom de* : en vertu de. – *Se faire un* **nom** : devenir célèbre.

nomade, *adj. et subst.* Se dit d'une population dont l'habitat n'est pas fixe. – Se dit d'une personne qui voyage beaucoup.

no man's land, *subst. m. inv.* Zone séparant deux armées ennemies. – Zone comprise entre deux postes de douane de pays voisins. – *Fig.* Terrain neutre. – Terrain vague.

nombre, *subst. m.* Ensemble constitué d'une ou de plusieurs unités (ou fractions d'unité). – Grande quantité ; quantité indéterminée. – **Nombre** *de* : beaucoup de. – *Le plus grand* **nombre** : la majorité. – *Au* **nombre** *de* : parmi. – *Ling.* Forme que prend un mot pour exprimer l'unité (singulier) ou la pluralité (pluriel).

nombreux, euse, *adj.* En grand nombre.

nombril, *subst. m.* Cicatrice du cordon ombilical.

nombrilisme, *subst. m.* Travers consistant à se considérer comme le centre du monde.

nomenclature, *subst. f.* Liste des termes propres à une science, à une discipline : **Nomenclature** *zoologique*. – Ensemble des termes répertoriés dans un dictionnaire.

nominal, ale, aux, *adj.* Qui mentionne des noms : *Liste* **nominale**. – Qui existe de nom, mais pas en réalité : *Gérant* **nominal**. – *Ling.* Relatif au nom : *Forme* **nominale**.

nominatif, ive, *adj. et subst. m. Adj.* Qui porte mention du ou des noms : *Invitation* **nominative**. – *Subst.* Cas sujet des langues à déclinaison.

nomination, *subst. f.* Action de nommer à un poste, à une dignité.

nommément, *adv.* En désignant par le nom : *Accuser* **nommément** *qqn*.

nommer, *verbe trans.* Donner un nom à. – Désigner (*qqn* ou *qqch.*) par son nom. – Désigner (*qqn*) pour occuper un poste. – *Pronom.* Avoir pour nom. – Dire son nom.

non, *subst. m. inv. et adv. Adv.* Exprime la négation, la contestation : *Veux-tu venir ?* – **Non** ; **Non** *! tu ne sortiras pas !* – *Moi* **non** *plus* : négation de « moi aussi ». – *Empl.* préf. : **Non**-*violence*. – *Subst.* Refus : *Un* **non** *catégorique*.

nonagénaire, *adj. et subst.* Qui est âgé de 90 à 99 ans.

nonante, *adj. num. inv. Belg.* et *helv.* Quatre-vingt-dix.

nonce, *subst. m.* Ambassadeur du Saint-Siège auprès d'un gouvernement étranger.

nonchalance, *subst. f.* Laisser-aller, négligence. – Mollesse, indolence.

non-dit, *subst. m.* Ce qui reste tu.

non-lieu, *subst. m.* Décision de ne pas poursuivre un inculpé en justice.

nonne, *subst. f.* Religieuse (vieilli).

nonobstant, *prép. et adv. Prép.* En dépit de : **Nonobstant** *la maladie*. – *Adv.* Toutefois, malgré tout.

non-retour, *subst. m.* Point de **non-retour** : à partir duquel il n'est plus possible de revenir en arrière.

non-sens, *subst. m. inv.* Ce qui est dépourvu de sens ; absurdité.

nord, *adj. inv. et subst. m. inv. Subst.* Point cardinal indiquant la direction de l'étoile polaire, septentrion : *Se diriger plein* **nord**. – Région située dans cette direction : *Les gens du* **Nord**. – *Adj.* Situé au nord.

nordique, *adj. et subst.* Du nord de l'Europe.

noria, *subst. f.* Appareil hydraulique à godets servant à remonter l'eau. – Circulation incessante de véhicules.

normal, ale, aux, *adj. et subst. f. Adj.* Conforme à la norme ; ordinaire, régulier : *Tout est* **normal**. – Qui n'est pas pathologique : *L'état* **normal** *d'un individu*. – *Subst.* Etat habituel, courant : *Supérieur à la* **normale**.

normalisation, *subst. f.* Ensemble de règles techniques édictées afin d'unifier la fabrication et l'utilisation d'un produit.

normaliser, *verbe trans.* Procéder à la normalisation de. – Rendre normal.

normalité, *subst. f.* Qualité de ce qui est normal.

normatif, ive, *adj.* Qui établit des normes.

norme, *subst. f.* Principe, règle servant de référence. – État habituel, usage. – Prescriptions techniques relatives à un produit, à un service.

norvégien, *subst. m.* Langue germanique parlée en Norvège.

nos, *voir* **notre**

nostalgie, *subst. f.* Mélancolie due à l'éloignement du pays natal, au regret du passé.

nostalgique, *adj.* Qui est empreint de nostalgie.

nota bene, *subst. m. inv.* Mention introduisant une note placée en marge ou au bas d'un texte (*abrév. N.B.*).

notable, *adj. et subst. m. Adj.* Digne d'être noté ; important. – *Subst.* Personne influente.

notaire, *subst. m.* Officier public qui établit ou authentifie des actes, des contrats.

notamment, *adv.* En particulier, surtout.

notarié, ée, *adj.* Établi par un notaire, devant notaire : *Un acte* **notarié**.

notation, *subst. f.* Action, manière de noter, de représenter par des signes conventionnels : **Notation** *musicale, algébrique*. – Appréciation : **Notation** *d'un devoir*. – Remarque brève.

note, *subst. f.* Écrit bref permettant de se rappeler *qqch.*, d'informer : *Consulter une* **note** ; **Note** *de service*. – Facture : *Payer la* **note**. – Appréciation d'un travail : *Une bonne* **note**. – *Fig.* Touche : *Une* **note** *de couleur* ; *Forcer la* **note**, exagérer. – *Mus.* Caractère représentant un son ; ce son : *Les sept* **notes** *de la gamme*.

noter, *verbe trans.* Marquer ; prendre note de. – Constater : **Noter** *un changement*. – Attribuer une note à ; évaluer.

notice, *subst. f.* Écrit bref donnant des indications, des explications : **Notice** *d'utilisation*.

notifier, *verbe trans.* Aviser officiellement une personne de (*qqch.*).

notion, *subst. f.* Connaissance intuitive de *qqch.* – Concept. – *Plur.* Connaissances acquises élémentaires : **Notions** *d'algèbre*.

notoire, *adj.* Qui est connu de tous.

notoriété, *subst. f.* Qualité de ce qui est notoire. – Réputation avantageuse, célébrité.

notre, nos, *adj. poss.* Qui nous appartient. – Qui nous concerne : *Nos* **intérêts**.

nôtre, *adj. poss., pron. poss. et subst. m. plur. Adj.* Qui est à nous : *Cette maison est* **nôtre**. – *Pron.* *C'est la* **nôtre** : c'est celle qui est à nous. – *Subst.* Nos parents, ceux de notre groupe : *Êtes-vous des* **nôtres** ?

nouer, *verbe trans.* Faire un nœud à, attacher : **Nouer** *sa cravate, ses cheveux*. – *Fig.* Établir (un lien) : **Nouer** *une amitié*.

noueux, euse, *adj.* Qui présente des nœuds, des nodosités : *Bois* **noueux** ; *Doigts* **noueux**.

nougat, *subst. m.* Confiserie faite d'une pâte de sucre et de miel garnie d'amandes.

nougatine, *subst. f.* Sucre caramélisé mêlé d'éclats d'amandes.

nouille, *subst. f.* Pâte alimentaire découpée en fines lanières. – Personne peu dégourdie (*fam.*).

nourrice, *subst. f.* Femme dont le métier est de garder des enfants à son domicile. – Bidon de réserve : **Nourrice** *d'essence.*

nourricier, ière, *adj.* Qui nourrit : *Terre* **nourricière** ; *Père* **nourricier**, adoptif.

nourrir, *verbe trans.* Fournir les aliments nécessaires à ; donner à manger à. – Favoriser, entretenir : **Nourrir** *un feu* ; au *fig.* : **Nourrir** *un espoir.*

nourrissant, ante, *adj.* Qui nourrit beaucoup.

nourrisson, *subst. m.* Enfant non encore sevré.

nourriture, *subst. f.* Ce dont on se nourrit ; ensemble des aliments. – *Fig.* Ce qui enrichit l'esprit : **Nourriture** *spirituelle.*

nous, *pron. pers.* Forme de la 1re personne du pluriel, sujet ou complément : **Nous** *partirons demain* ; *Il* **nous** *a parlé.*

nouveau, el, elle, *adj.* Qui apparaît pour la première fois ; qui existe ou qui est connu depuis peu de temps : *Un* **nouvel** *objet.* – Qui est autre, différent : *Une* **nouvelle** *vie.* – Qui s'ajoute à ou succède à : *Un* **nouvel** *adhérent* ; *Une* **nouvelle** *édition.* – *Empl. subst. masc.* Ce qui est nouveau, récent, inhabituel : *Il y a du* **nouveau**. – *A* **nouveau**, *de* **nouveau** : une fois encore, une fois de plus.

nouveau-né, -née, *adj. et subst.* Se dit d'un enfant qui vient de naître.

nouveauté, *subst. f.* Caractère nouveau. – Chose nouvelle : *Les* **nouveautés** *littéraires.*

nouvel, *voir* **nouveau**

nouvelle, *subst. f.* Annonce d'un fait récent : *Bonne* **nouvelle**. – Bref récit littéraire. – *Plur.* Avoir des **nouvelles** *de* : des renseignements récents sur. – *Les* **nouvelles** : les informations.

novateur, trice, *adj. et subst.* Qui innove.

novembre, *subst. m.* Onzième mois de l'année.

novice, *adj. et subst.* Qui manque d'expérience ; qui débute. – *Subst. Relig.* Personne qui subit un temps d'épreuve, avant de prononcer ses vœux.

noyade, *subst. f.* Action de noyer, de se noyer. – Son résultat.

noyau, aux, *subst. m.* Partie centrale ligneuse de certains fruits, contenant la graine. – Partie centrale d'un tout, d'une densité supérieure à celle de la masse. – *Fig.* Petit groupe de personnes unies, au sein d'un groupe plus important : *Un* **noyau** *d'opposants.* – *Phys.* Partie centrale d'un atome.

noyer, *verbe trans.* Faire périr, asphyxier par immersion dans un liquide. – Recouvrir d'eau, inonder. – *Fig.* Rendre confus, délayer : **Noyer** *le poisson*, embrouiller une affaire.

nu, nue, *adj. et subst. m. Adj.* Totalement dévêtu. – Dégarni, sans ornements : *Un mur* **nu**. – *A mains* **nues** : sans armes – *A l'œil* **nu** : sans instrument d'optique. – *Loc. adv. A* **nu** : à découvert. – *Subst. B.-A.* Représentation de la nudité du corps : *Un* **nu** *de Maillol.*

nuage, *subst. m.* Amas de fines gouttelettes d'eau en suspension dans l'air. – Ce qui rappelle un nuage : **Nuage** *de poussière* ; **Nuage** *de lait.* – *Fig.* Trouble, inquiétude : *Bonheur sans* **nuages**. – *Être dans les* **nuages** : distrait.

nuageux, euse, *adj.* Couvert de nuages.

nuance, *subst. f.* Degré d'intensité d'une couleur, d'un son : **Nuance** *de bleu.* – *Fig.* Différence délicate, légère, subtilité.

nuancer, *verbe trans.* Introduire des nuances dans.

nubile, *adj.* En âge d'être marié. – Apte à la reproduction, pubère (*gén.* au *fém.*).

nucléaire, *adj. et subst. m. Adj.* Relatif au noyau de la cellule ou de l'atome. – Relatif à l'énergie produite à partir des modifications opérées sur les atomes de certains corps élémentaires : *Centrale* **nucléaire**, usine qui produit de l'électricité. – *Subst.* L'énergie **nucléaire** ; l'industrie qui la produit.

nucléon, *subst. m.* Particule constitutive du noyau de l'atome (protons et neutrons).

nudisme, *subst. m.* Fait de vivre nu au grand air, naturisme.

nudité, *subst. f.* État de celui ou de ce qui est nu.

nue, *subst. f.* Nuage (*littér.* ; *gén.* au *plur.*). – *Tomber des* **nues** : être très étonné. – *Porter aux* **nues** : louer avec excès.

nuée, *subst. f.* Nuage étendu (*littér.*). – *Fig.* Multitude : *Une* **nuée** *de guêpes.*

nuire, *verbe trans. indir.* **Nuire** *à* : causer du tort à, léser.

nuisance, *subst. f.* Tout facteur qui nuit à l'environnement ou à la santé.

nuisible, *adj.* Qui nuit : *Insecte* **nuisible**.

nuit, *subst. f.* Période d'obscurité entre le coucher et le lever du soleil : *La* **nuit** *tombe* ; *Oiseau de* **nuit**, nocturne. – Obscurité, absence de lumière. – *La* **nuit** *des temps* : les temps les plus reculés.

nul, nulle, *adj., subst. et pron. Adj. indéf.* Aucun, pas un : **Nul** *doute* ; **Nulle** *part.* – *Pron. indéf.* Personne : **Nul** *n'est venu.* – *Adj.* qualificatif. Inexistant, sans effet : *Tentative* **nulle** ; *Match* **nul**, sans gagnant ni perdant. – Sans valeur, très mauvais (*fam.*) : *Candidat* **nul**. – *Subst.* Ignorant, incompétent (*fam.*).

nullement, *adv.* Pas du tout, en aucune façon.

nullité, *subst. f.* Caractère de ce qui est nul, sans effet, sans valeur. – Personne nulle.

numéraire, *adj. et subst. m.* Se dit des espèces monnayées, de l'argent liquide : *Payer en* **numéraire**.

numéral, ale, aux, *adj. et subst. m.* Se dit d'un mot ou d'un symbole qui désigne un nombre : « *Trois* », « *deuxième* » *sont des adjectifs* **numéraux**.

numérateur, *subst. m.* Terme supérieur d'une fraction (*oppos.* dénominateur).

numération, *subst. f.* Façon d'écrire ou d'énoncer les nombres : **Numération** *décimale.*

numérique, *adj.* Relatif au nombre. – Qui utilise les nombres : *Affichage* **numérique**. – Évalué en nombre : *Supériorité* **numérique**.

numéro, *subst. m.* Chiffre, nombre inscrit sur un support et servant à repérer, à classer. – Exemplaire numéroté d'une parution. – Partie d'un spectacle : **Numéro** *d'acrobatie* ; au *fig.*, comportement déplacé ou répétitif (*fam.*) : *Il fait son* **numéro**. – *Fig.* Personnage original (*fam.*).

numéroter, *verbe trans.* Marquer d'un numéro.

nu-pieds, *subst. m. inv.* Sandale légère.

nuptial, ale, aux, *adj.* Relatif aux noces.

nuque, *subst. f.* Partie du corps située derrière le cou, au-dessous de l'occiput.

nursery, *subst. f.* Pièce réservée au soin des tout-petits.

nutritif, ive, *adj.* Relatif à la nutrition. – Qui a la propriété de nourrir.

nutrition, *subst. f.* Ensemble des opérations par lesquelles l'organisme assimile les aliments nécessaires à son énergie vitale.

nutritionniste, *subst.* Spécialiste des problèmes d'alimentation, de diététique.

nyctalope, *adj. et subst.* Qui voit dans l'obscurité : *Un oiseau* **nyctalope**.

nylon, *subst. m.* Textile synthétique.

nymphe, *subst. f. Myth.* Divinité féminine des bois, des eaux, des montagnes. – Jeune fille gracieuse. – *Zool.* Deuxième phase de la métamorphose des insectes, au sortir de l'état larvaire.

nymphéa, *subst. m.* Nénuphar blanc.

O

o, o, *subst. m. inv.* Quinzième lettre et quatrième voyelle de l'alphabet français.

ô, *interj.* Exprime une invocation ou un sentiment vif : *Ô doux Jésus !* ; *Ô joie !*

oasis, *subst. f.* Zone du désert fertilisée par un point d'eau. – *Fig.* Lieu de repos.

obédience, *subst. f.* Obéissance à un supérieur ecclésiastique, à une autorité morale, philosophique ou politique.

obéir, *verbe trans. indir.* Se conformer à (un ordre).

obéissance, *subst. f.* Action, fait d'obéir. – Disposition à obéir, docilité, soumission.

obélisque, *subst. m.* Colonne pointue, de forme quadrangulaire.

obèse, *adj. et subst.* Qui est anormalement gros.

obésité, *subst. f.* Excès de poids pathologique.

objecter, *verbe trans.* Répondre (par une objection).

objecteur, *subst. m.* **Objecteur** *de conscience* : celui qui refuse de porter les armes, par conviction religieuse ou morale.

objectif (i), *subst. m.* But que l'on cherche à atteindre. – Système optique d'une caméra ou d'un appareil photographique.

objectif (ii), ive, *adj.* Fondé sur une réalité extérieure à la personne. – Qui reproduit fidèlement la réalité; impartial.

objection, *subst. f.* Argument opposé à une suggestion, à une affirmation.

objectivité, *subst. f.* Qualité de celui ou de ce qui est objectif. – Impartialité.

objet, *subst. m.* Chose concrète, solide, palpable. – Sujet d'une pensée ; but d'une action. – *Ling.* Se dit du complément qui subit l'action exprimée par un verbe transitif.

oblation, *subst. f.* Offrande à Dieu, aux dieux.

obligation, *subst. f.* Contrainte sociale, morale, religieuse ou légale. – *Fin.* Titre boursier représentatif d'un emprunt à long terme.

obligatoire, *adj.* Exigé par la loi, par un règlement. – Inévitable, nécessaire (*fam.*).

obligeance, *subst. f.* Penchant à rendre service.

obligeant, ante, *adj.* Qui se plaît à rendre service. – Aimable, prévenant.

obliger, *verbe trans.* Forcer, contraindre. – Rendre service à (*qqn*).

oblique, *adj. et subst. f.* Se dit d'une droite qui n'est ni horizontale ni verticale.

obliquer, *verbe intrans.* Prendre une direction oblique. – Dévier du chemin prévu.

oblitérer, *verbe trans.* Apposer un cachet sur (un timbre). – *Fig.* Effacer peu à peu (*littér.*).

oblong, oblongue, *adj.* De forme allongée.

obnubiler, *verbe trans.* Obscurcir, brouiller l'esprit, le jugement de. – Obséder.

obole, *subst. f.* Offrande modeste.

obscène, *adj.* Qui offense la pudeur, indécent.

obscénité, *subst. f.* Propos, écrit, image obscènes.

obscur, ure, *adj.* Sans lumière, sombre. – *Fig.* Mystérieux, incompréhensible ; confus. – Inconnu, sans éclat : *Artiste* **obscur**.

obscurcir, *verbe trans.* Rendre obscur, assombrir. – *Fig.* Rendre incompréhensible, confus.

obscurité, *subst. f.* Absence de lumière, nuit. – *Fig.* Manque de clarté, de limpidité.

obséder, *verbe trans.* Occuper sans cesse l'esprit de.

obsèques, *subst. f. plur.* Cérémonie funèbre, enterrement.

obséquieux, ieuse, *adj.* Exagérément empressé.

obséquiosité, *subst. f.* Politesse excessive, servilité.

observance, *subst. f.* Respect d'une règle religieuse. – Cette règle elle-même.

observateur, trice, *adj. et subst. Subst.* Personne qui observe avec attention. – Personne qui assiste à un événement en spectateur. – *Adj.* Doué pour observer : *Un esprit* **observateur**.

observation, *subst. f.* Respect d'une loi, d'une règle. – Étude attentive. – Surveillance : *Malade en* **observation**. – Commentaire. – Reproche : *Faire des* **observations** *à qqn*.

observatoire, *subst. m.* Établissement affecté aux études astronomiques ou météorologiques. – Lieu d'où l'on peut observer.

observer, *verbe trans.* Respecter (une loi, un usage). – Examiner avec soin. – Surveiller, épier. – Remarquer, constater.

obsession, *subst. f.* Idée fixe, image obsédante.

obsolète, *adj.* Désuet, périmé.

obstacle, *subst. m.* Ce qui gêne le passage. – *Fig.* Ce qui empêche une action ; difficulté.

obstétrique, *subst. f. Méd.* Spécialité traitant de la grossesse et de l'accouchement.

obstination, *subst. f.* Ténacité, entêtement.

obstiner (s'), *verbe pronom.* Persévérer, s'entêter.

obstruction, *subst. f.* Tactique visant à entraver. – *Méd.* Engorgement d'un conduit.

obstruer, *verbe trans.* Faire obstacle à, boucher.

obtempérer, *verbe trans. indir.* Se soumettre (aux ordres).

obtenir, *verbe trans.* Réussir à avoir (ce que l'on désirait). – Arriver à (un résultat).

obtention, *subst. f.* Fait d'obtenir *qqch.*

obturer, *verbe trans.* Boucher hermétiquement.

obtus, use, *adj.* Sans finesse, borné : *Esprit* **obtus**. – *Géom. Angle* **obtus** : angle plus grand qu'un angle droit, compris entre 90° et 180°.

obus, *subst. m.* Projectile explosif, tiré au canon.

oc, *adv. Langue d'***oc** : ensemble des dialectes romans du midi de la France, dans lesquels **oc** signifiait « oui ».

occasion, *subst. f.* Circonstance favorable. – Achat à prix avantageux. – Produit de seconde main : *D'***occasion**, qui n'est pas neuf.

occasionnel, elle, *adj.* Qui résulte d'une occasion ; inhabituel. – Qui a lieu par hasard.

occasionner, *verbe trans.* Causer, entraîner, provoquer.

occident, *subst. m.* Ouest, couchant. – *L'***Occident** : l'ensemble des pays d'Europe de l'Ouest et d'Amérique du Nord.

occidental, ale, aux, *adj. et subst. Adj.* Situé à l'occident. – De l'Occident. – *Subst.* Habitant ou originaire de l'Occident.

occiput, *subst. m.* Partie de la tête située au-dessus de la nuque.

occire, *verbe trans.* Tuer (*littér.*).

occitan, ane, *adj. et subst.* De l'Occitanie, ensemble regroupant les régions de langue d'oc.

occlusion, *subst. f.* Fermeture pathologique d'un orifice, d'un conduit : **Occlusion** *intestinale.*

occulte, *adj.* Dont la cause demeure cachée, inconnue. – Clandestin. – *Sciences* **occultes** : doctrines ésotériques se référant à des forces non rationnelles.

occulter, *verbe trans.* Masquer (la lumière). – *Fig.* Cacher, dissimuler.

occultisme, *subst. m.* Pratique des sciences occultes.

occupation, *subst. f.* Action, fait d'occuper un lieu illégalement ou par invasion militaire. – Activité, travail : *Une* **occupation** *lucrative.*

occuper, *verbe trans.* Habiter (un lieu). – Envahir par force (une ville, un pays). – Remplir (un espace, une durée). – *Fig.* Exercer : *Il occupe de hautes fonctions.* – Fournir une occupation à (*qqn*). – *Pronom.* Avoir une activité. – Consacrer son temps à : **S'occuper** *de ses enfants.*

occurrence, *subst. f.* Occasion, circonstance fortuite : *En l'***occurrence**, dans le cas présent.

océan, *subst. m.* Immense étendue d'eau salée.

océanique, *adj.* Qui a trait à un océan. – Qui borde un océan ou subit son influence.

océanographie, *subst. f.* Science des océans.

ocelot, *subst. m.* Félin sauvage d'Amérique, dont le pelage tacheté est très recherché.

ocre, *adj. inv. et subst. Subst. fém.* Argile jaune ou rouge, servant de colorant. – *Subst. masc. et adj.* Brunrouge ou brun-jaune.

octave, *subst. f. Mus.* Ensemble des notes comprises dans un intervalle de huit degrés.

octet, *subst. m. Informat.* Groupe de huit caractères binaires ou bits.

octobre, *subst. m.* Dixième mois de l'année.

octogénaire, *adj. et subst.* Qui est âgé de 80 à 89 ans.

octroi, *subst. m.* Action d'octroyer ; son résultat. – Ancienne taxe perçue sur les marchandises à leur entrée dans une ville ; l'administration, le bureau chargé de cette taxe.

octroyer, *verbe trans.* Accorder (*qqch.*) par faveur.

oculaire, *adj.* De l'œil. – *Témoin* **oculaire** : qui a vu l'événement dont il témoigne.

oculiste, *subst. m. Méd.* Spécialiste de la vue.

ode, *subst. f.* Poème lyrique.

odeur, *subst. f.* Émanation portée par l'air ou par l'eau et perçue par l'odorat.

odieux, odieuse, *adj.* Qui soulève l'indignation. – Exécrable, haïssable.

odorant, ante, *adj.* Qui dégage une odeur, *gén.* agréable : *Des fleurs* **odorantes**.

odorat, *subst. m.* Sens qui permet à l'homme et aux animaux de sentir les odeurs.

odoriférant, ante, *adj.* Dont l'odeur est puissante et agréable.

odyssée, *subst. f.* Voyage plein d'aventures.

œcuménique, *adj.* Universel. – *Concile* **œcuménique** : qui rassemble tous les évêques catholiques. – Qui tend à rassembler toutes les Églises.

œdème, *subst. m. Méd.* Accumulation de liquide séreux dans certains tissus.

œil, yeux, œils, *subst. m.* Organe de la vue. – Vue, regard. – Attention, vigilance. – *Fig.* Trou, ouverture ; ornement rond (*plur. œils*).

œil-de-bœuf, *subst. m.* Fenêtre ronde ou ovale (appelée *oculus* au Moyen Âge).

œillade, *subst. f.* Clin d'œil complice ou tendre.

œillère, *subst. f.* Plaque de cuir empêchant un cheval de voir sur le côté.

œillet, *subst. m.* Petit trou cerclé de métal. – Plante à fleurs rouges, roses ou blanches, très odorantes.

œnologie, *subst. f.* Science de la fabrication du vin.

œsophage, *subst. m.* Partie du tube digestif comprise entre le pharynx et l'estomac.

œstrogène, *adj. et subst. m.* Se dit de l'hormone qui provoque l'ovulation chez la femme et les femelles des autres mammifères.

œuf, *subst. m.* Corps pondu par les femelles ovipares. – Ce corps, comestible, pondu par certains oiseaux et poissons : **Œufs** *de poule, de lump.*

œuvre, *subst. Fém.* Activité, travail : *Se mettre à l'***œuvre**. – Produit d'une activité ; ouvrage littéraire ou artistique. – *Masc.* Ensemble des œuvres d'un artiste. – *Le gros* **œuvre** : ce qui forme la structure d'un bâtiment.

œuvrer, *verbe intrans.* Agir en vue d'un objectif.

off, *adj. inv. Cin.* Hors champ.

offense, *subst. f.* Action ou propos qui outrage, blesse *qqn*, ou qui porte atteinte à une vertu morale : **Offense** *aux bonnes mœurs.*

offenser, *verbe trans.* Faire offense à (*qqn*, un principe, une vertu) : **Offenser** *la pudeur.*

offensif, ive, *adj. et subst. f. Adj.* Qui attaque ; qui sert à attaquer. – *Subst.* Attaque, assaut.

office, *subst. m.* Fonction, charge : *Faire* **office** *de*, jouer le rôle de. – *D'***office** : d'autorité. – Établissement public ou privé : **Office** *du tourisme.* – Messe, cérémonie religieuse. – *Plur. Bons* **offices** : assistance, entremise.

officialiser, *verbe trans.* Rendre officiel.

officiel, ielle, *adj. et subst. m.* Adj. Qui relève de l'autorité publique. – Affirmé comme vrai par une autorité : *La version* **officielle** *des faits*. – *Subst.* Représentant d'une autorité.

officier (i), *verbe intrans.* Célébrer un office religieux. – *Fig.* Œuvrer avec solennité (*iron.*).

officier (ii), *subst. m.* Titulaire d'un office, d'une charge publique. – Militaire de grade élevé, susceptible de commander.

officieux, ieuse, *adj.* Qui est de source sûre, mais qui n'est pas officiel.

officinal, ale, aux, *adj.* Utilisé en pharmacie.

officine, *subst. f.* Boutique de pharmacien. – *Fig.* Lieu où s'élabore qqch. de nuisible.

offrande, *subst. f.* Présent à caractère religieux.

offre, *subst. f.* Action d'offrir. – Proposition.

offrir, *verbe trans.* Donner en cadeau. – Proposer, mettre à la disposition de. – Procurer : **Offrir** *des avantages*.

offusquer, *verbe trans.* Choquer, déplaire vivement à.

ogive, *subst. f.* Archit. Arc diagonal renforçant une voûte. – Tête d'un obus, d'un missile.

ogre, ogresse, *subst.* Géant des contes de fées, qui mange les petits enfants.

oh, *interj.* Exprime la surprise, l'admiration.

ohé, *interj.* Sert à appeler.

oie, *subst. f.* Palmipède de basse-cour, à long cou. – *Fig.* Personne sotte.

oignon, *subst. m.* Plante potagère à saveur forte. – Bulbe de certaines plantes. – Grosse montre de gousset. – Cor sur un orteil.

oïl, *adv.* Langue d'**oïl** : ensemble des dialectes romans du nord de la France, dans lesquels **oïl** signifiait « oui ».

oindre, *verbe trans.* Enduire d'huile, de matière grasse. – *Relig.* Faire une onction à (*qqn*).

oiseau, *subst. m.* Vertébré ovipare à deux pattes et à deux ailes, doté d'un bec, recouvert de plumes et le plus souvent apte au vol.

oiseleur, *subst. m.* Personne dont le métier est de capturer les oiseaux.

oiselier, ière, *subst.* Personne qui fait profession d'élever et de vendre des oiseaux.

oiseux, euse, *adj.* Inutile, sans intérêt.

oisif, ive, *adj. et subst.* Qui est sans activité.

oisillon, *subst. m.* Jeune oiseau.

oisiveté, *subst. f.* Absence d'activité. – Farniente, désœuvrement.

o.k., *interj. et adj. inv.* Fam. Interj. D'accord. – *Adj.* Qui convient : *Tout est* **O.K.**

oléagineux, euse, *adj. et subst. m.* Adj. Qui contient de l'huile. – *Subst.* Plante dont les fruits, les graines fournissent de l'huile.

oléoduc, *subst. m.* Conduit servant au transport du pétrole brut.

olfactif, ive, *adj.* Qui se rapporte à l'odorat.

olibrius, *subst. m.* Personne excentrique (*fam.*).

olifant, *subst. m.* Cor de chasse médiéval en ivoire.

oligarchie, *subst. f.* Régime politique dans lequel le pouvoir est détenu par un petit nombre de personnes.

oligoélément, *subst. m.* Élément chimique (fer, magnésium) nécessaire à la vie, présent en infimes quantités dans l'organisme.

olive, *subst. f.* Petit fruit à noyau de l'olivier, comestible, dont on extrait de l'huile. – *Empl. adj. inv.* D'un vert tirant sur le jaune.

oliveraie, *subst. f.* Plantation d'oliviers.

olé(l)é, *interj. et adj. inv.* Interj. Exprime l'encouragement. – *Adj.* **Olé olé** : égrillard, osé (*fam.*).

olympien, ienne, *adj.* Qui concerne l'Olympe et ses dieux. – *Fig.* Serein et maître de soi.

olympique, *adj.* Jeux **Olympiques** : manifestation sportive internationale qui a lieu tous les quatre ans. – Relatif aux jeux Olympiques ; conforme à leur règlement.

ombilical, ale, aux, *adj.* Qui concerne le nombril.

ombrage, *subst. m.* Feuillage qui donne de l'ombre ; cette ombre elle-même. – *Fig.* Prendre **ombrage** de : s'offenser de.

ombrager, *verbe trans.* Couvrir d'ombre.

ombrageux, euse, *adj.* Qui s'effraie d'une ombre ou d'un objet inhabituel : *Cheval* **ombrageux**. – Prompt à s'offenser.

ombre, *subst. f.* Espace abrité du soleil. – Projection sombre d'un corps qui intercepte la lumière. – Forme imprécise ; spectre. – *Fig.* Trace : *Pas l'***ombre** *d'un doute*.

ombrelle, *subst. f.* Petit parasol portatif.

omelette, *subst. f.* Œufs battus cuits à la poêle.

omettre, *verbe trans.* Oublier. – Laisser de côté ; taire.

omission, *subst. f.* Action d'omettre, d'oublier.

omni-, *préfixe* Exprime l'idée de « tout ».

omnibus, *adj. inv. et subst. m.* Se dit d'un train qui s'arrête à toutes les gares.

omnipotent, ente, *adj.* Tout-puissant.

omniprésent, ente, *adj.* Présent partout. – Constamment présent.

omniscient, iente, *adj.* Qui sait tout.

omnisports, *adj. inv.* Pour de nombreux sports.

omnivore, *adj. et subst.* Qui se nourrit de tout.

omoplate, *subst. f.* Os plat de l'épaule.

on, *pron. indéf.* Pronom personnel sujet désignant les humains : **On** *vit plus vieux que jadis*. – Une personne indéterminée : **On** *a sonné*. – Nous (*fam.*) : **On** *dînera tôt*.

onagre, *subst. m.* Âne sauvage d'Asie. – *Antiq.* Catapulte romaine.

once, *subst. f.* Ancienne unité de poids. – *Fig.* Très petite quantité : *Une* **once** *de vérité*.

oncle, *subst. m.* Frère du père ou de la mère.

onction, *subst. f.* Application rituelle des saintes huiles. – *Fig.* Pieuse douceur (*littér.*).

onctueux, euse, *adj.* Qui produit l'impression d'un corps gras. – Moelleux, velouté.

onctuosité, *subst. f.* Caractère de ce qui onctueux.

onde, *subst. f.* Ride sur l'eau. – Eau de la mer, d'un lac, d'une rivière (*littér.*). – *Phys.* Vibration qui se propage. – *Plur.* La radio.

ondée, *subst. f.* Pluie subite et brève.

on-dit, *subst. m. inv.* Rumeur, bruit répandu.

ondoyer, *verbe intrans.* Onduler. – Serpenter.

ondulation, *subst. f.* Mouvement léger, alternatif et régulier d'un fluide qui s'élève et s'abaisse. – Mouvement rappelant celui des ondes. – Tracé sinueux. – *Plur.* Légère frisure.

ondulatoire, *adj.* Qui a les caractères d'une onde. – *Phys.* Qui a trait aux ondes.

onduler, *verbe* Former des ondulations ou en donner à (*qqch.*).

onéreux, euse, *adj.* Qui coûte cher.

o.n.g., *subst. f.* Sigle pour « organisation non gouvernementale», organisme à vocation humanitaire.

ongle, *subst. m.* Lame cornée recouvrant l'extrémité d'un doigt ou d'un orteil.

onglet, *subst. m.* Petite entaille où l'on peut introduire l'ongle. – Échancrure sur le bord des pages d'un livre, signalant une section. – *Bouch.* Morceau du bœuf.

onguent, *subst. m.* Pommade grasse.

ongulé, ée, *adj. et subst. m.* Se dit d'un mammifère aux doigts terminés par un sabot. – *Subst. plur.* L'ordre correspondant.

onirique, *adj.* Relatif au rêve. – Qui l'évoque.

onomatopée, *subst. f.* Mot formé à partir d'un bruit, et qui le rappelle.

onyx, *subst. m.* Agate présentant des anneaux concentriques de diverses couleurs.

onze, *adj. num. inv. et subst. m. inv.* *Adj.* Dix plus un. – Onzième : *Louis* XI ; *Il est 11 heures*. – *Subst.* Le nombre **onze**.

o.p.a., *subst. f.* Sigle pour « offre publique d'achat », opération de Bourse.

opacifier, *verbe trans.* Rendre opaque.

opacité, *subst. f.* Propriété de ce qui est opaque.

opale, *subst. f.* Pierre fine à reflets irisés.

opalin, ine, *adj.* Qui a la couleur laiteuse et bleuâtre de l'opale, ses reflets irisés.

opaque, *adj.* Qui intercepte la lumière. – Obscur. – *Fig.* Incompréhensible, impénétrable.

open, *adj. inv. et subst. m.* *Sp.* Se dit d'une compétition ouverte à tous : *Un* **open** *de tennis*. – *Adj. Billet d'avion* **open** : à date non fixée.

opéra, *subst. m.* Œuvre théâtrale mise en musique et chantée. – **Opéra** *bouffe* : dont le thème est comique. – Théâtre où l'on joue des **opéras**.

opéra-comique, *subst. m.* Opéra où alternent scènes chantées et dialogues parlés.

opération, *subst. f.* Action d'opérer. – Action visant un résultat. – Intervention chirurgicale. – Processus de calcul arithmétique. – Mouvement militaire stratégique.

opérationnel, elle, *adj.* Prêt à fonctionner. – Relatif aux opérations militaires.

opercule, *subst. m.* Petit couvercle.

opérer, *verbe trans.* Accomplir, effectuer (une action). – Procéder à une intervention chirurgicale sur. – *Empl. abs.* Produire un effet.

opérette, *subst. f.* Opéra-comique léger et gai.

ophidien, ienne, *adj. et subst. m.* *Adj.* Qui concerne les serpents. – *Subst. plur.* Sous-ordre regroupant tous les serpents.

ophtalmologie, *subst. f.* Médecine de l'œil.

opiacé, ée, *adj. et subst. m.* Se dit d'un produit contenant de l'opium.

opiner, *verbe trans. indir.* Opiner *à qqch.* : y acquiescer.

opiniâtre, *adj.* Qui ne cède pas. – Tenace.

opiniâtreté, *subst. f.* Obstination, acharnement.

opinion, *subst. f.* Manière de penser, avis. – Jugement de valeur. – *L'* **opinion** *publique* : ce que pensent la plupart des gens. – *Plur.* Convictions.

opium, *subst. m.* Drogue extraite du pavot.

opossum, *subst. m.* Petit marsupial d'Amérique et d'Australie, à belle fourrure.

opportun, une, *adj.* Qui vient à propos.

opportunisme, *subst. m.* Conduite guidée par l'intérêt, qui consiste à saisir toute opportunité.

opportunité, *subst. f.* Occasion favorable.

opposant, ante, *subst.* Personne qui s'oppose à une autorité, à un régime.

opposer, *verbe trans.* Répondre par, objecter. – Placer vis-à-vis ; faire s'affronter ; comparer. – Lutter au moyen de : **Opposer** *une résistance*. – *Pronom.* Résister à ; faire obstacle à. – Contraster.

opposition, *subst. f.* Action de s'opposer. – Résistance, contestation. – Contraste. – Contradiction, différence capitale. – *Pol.* L'ensemble des partis opposés au gouvernement.

oppresser, *verbe trans.* Gêner la respiration de. – *Fig.* Accabler, écraser.

oppresseur, *subst. m.* Celui qui opprime.

oppression, *subst. f.* Gêne respiratoire. – *Fig.* Angoisse. – Action d'opprimer ; état d'opprimé.

opprimer, *verbe trans.* Écraser (*qqn, une population*) sous son autorité.

opprobre, *subst. m.* Déshonneur, honte (*littér.*).

opter, *verbe intrans.* Choisir, prendre parti.

opticien, ienne, *subst.* Fabricant ou marchand de lunettes, d'instruments d'optique.

optimal, ale, aux, *adj.* Le meilleur possible.

optim(al)iser, *verbe trans.* Rendre optimal.

optimisme, *subst. m.* Tendance à voir le bon côté des choses. – Confiance en l'avenir.

optimiste, *adj. et subst.* Qui fait preuve d'optimisme.

optimum, *subst. m.* État jugé le plus favorable dans des circonstances données.

option, *subst. f.* Fait d'opter, de choisir. – Ce qui s'offre au choix. – Le choix ainsi fait. – Promesse d'achat, de vente.

optionnel, elle, *adj.* Facultatif, en option.

optique, *adj. et subst. f.* *Adj.* Relatif à la vision. – *Subst.* Science qui traite de la lumière et de la vision. – Fabrication et commerce des instruments d'**optique**. – Perspective : *L'* **optique** *d'un théâter* ; au fig., manière de voir.

opulence, *subst. f.* Abondance de biens, grande richesse. – *Fig.* Ampleur, générosité de formes.

opulent, ente, *adj.* Qui vit dans l'opulence ; fastueux. – *Fig.* Très épanoui, plantureux.

opus, *subst. m.* Morceau de musique numéroté.

opuscule, *subst. m.* Petit livre, brochure.

or (i), *subst. m.* Métal précieux jaune. – Monnaie en **or**. – Dans des locutions, symbole de richesse, d'excellence, de générosité. – *Empl. adj. inv.* Couleur de l'**or**.

or (ii), *conj.* Cependant : **Or**, *il advint que*. – Pourtant : *Je le croyais*, **or** *c'était faux*.

oracle, *subst. m.* *Antiq.* Réponse d'un dieu à qui le consultait ; ce dieu lui-même. – Opinion émise avec autorité ; personne qui émet cette opinion (*littér.*).

orage, *subst. m.* Perturbation atmosphérique, accompagnée d'éclairs et de coups de tonnerre. – *Fig.* Dispute violente.

orageux, euse, *adj.* Qui a les caractères de l'orage. – *Fig.* Agité, tumultueux.

oraison, *subst. f. Relig.* Prière. – Discours.

oral, ale, aux, *adj. et subst. m.* *Adj.* Qui se fait de vive voix. – Qui concerne la bouche. – *Subst.*

Ensemble des épreuves **orales** d'un examen (*oppos. écrit*).

orange, *adj. inv. et subst. Subst. fém.* Fruit sphérique, comestible et très parfumé de l'oranger (agrume). – *Subst. masc. et adj.* Couleur de ce fruit.

orangeraie, *subst. f.* Plantation d'orangers.

orangerie, *subst. f.* Bâtiment où l'on abrite, l'hiver, les orangers en caisses d'un parc.

orang-outan(g), *subst. m.* Grand singe d'Indo-Malaisie, aux longs bras et au poil roux (*synon. pongo*).

orateur, trice, *subst.* Personne qui fait un discours. – Personne éloquente.

oratoire, *subst. m.* Petite chapelle.

oratorio, *subst. m. Mus.* Drame lyrique, au thème *gén.* religieux, associant solistes, chœurs et orchestre.

orbite, *subst. f.* Cavité osseuse où se trouve l'œil. – Trajectoire que décrit un corps céleste gravitant autour de son foyer. – *Fig.* Zone d'influence de *qqn.*

orchestration, *subst. f. Mus.* Art d'écrire une œuvre pour orchestre. – *Fig.* Action concertée.

orchestre, *subst. m.* Groupe de musiciens jouant ensemble. – Rez-de-chaussée d'une salle de spectacle.

orchestrer, *verbe trans.* Faire l'orchestration musicale de. – *Fig.* Organiser (une manifestation d'une certaine ampleur).

orchidée, *subst. f.* Plante des climats chauds, appréciée pour ses fleurs aux formes originales.

ordinaire *adj. et subst. m. Adj.* Qui est conforme à l'usage ; habituel. – Commun, médiocre. – *Subst.* Ce qui est habituel, courant.

ordinal, ale, aux, *adj.* Qui marque le rang, l'ordre.

ordinateur, *subst. m.* Machine électronique apte à traiter rapidement de l'information.

ordination, *subst. f. Relig.* Acte conférant le sacrement d'un ordre majeur.

ordonnance, *subst. f.* Action de disposer *qqch.* selon un ordre. – Prescription écrite d'un médecin. – Acte pris par un gouvernement, avec l'aval d'un parlement. – Autrefois, soldat attaché au service d'un officier.

ordonnée, *subst. f.* L'une des deux coordonnées d'un point dans un plan (*oppos. abscisse*).

ordonner, *verbe trans.* Mettre dans un certain ordre. – Commander, donner l'ordre de ; prescrire. – *Relig.* Conférer l'ordination à.

ordre, *subst. m.* Manière de classer les éléments d'un tout : **Ordre** alphabétique. – Succession d'éléments classés. – Situation dans laquelle les objets sont rangés. – Disposition d'une personne organisée. – Situation d'une société stable. – Catégorie, classe, subdivision. – *Bot.* et *zool.* Division intermédiaire entre la classe et la famille. – *Relig.* Sacrement conféré à un diacre, à un prêtre ou à un évêque. – Congrégation religieuse ; association de membres d'une profession libérale : **Ordre** des médecins. – Compagnie honorifique : **Ordre** national du Mérite. – Commandement, injonction.

ordure, *subst. f.* Chose malpropre ; au *plur.*, immondices, déchets. – *Fig.* Propos grossier. – Personne abjecte (*fam.*).

ordurier, ière, *adj.* Grossier, obscène.

orée, *subst. f.* Bord, lisière d'un bois (*littér.*).

oreille, *subst. f.* Organe de l'ouïe ; partie visible de cet organe. – Aptitude à distinguer les sons. – Partie saillante d'un objet.

oreiller, *subst. m.* Coussin surélevant la tête, au lit.

oreillons, *subst. m. plur.* Maladie contagieuse caractérisée par des douleurs dans l'oreille.

ores, *adv.* D'*ores* et *déjà* : dès à présent.

orfèvre, *subst.* Fabricant d'objets en métaux précieux. – *Fig.* Expert, homme habile.

orfèvrerie, *subst. f.* Art, commerce de l'orfèvre. – Les pièces qu'il fabrique.

organdi, *subst. m.* Mousseline de coton.

organe, *subst. m.* Partie du corps remplissant une fonction. – Voix humaine. – Pièce mécanique assurant une fonction. – Publication émanant d'un groupe.

organigramme, *subst. m.* Représentation graphique de l'organisation d'une entreprise, d'une administration, etc.

organique, *adj.* Qui a trait aux organes. – Qui a trait aux organismes vivants. – Inhérent à la structure de *qqch.* : *Commandement* **organique**. – *Chim.* Qui a trait aux composés du carbone.

organisateur, trice, *subst.* Personne qui organise.

organisation, *subst. f.* Action d'organiser. – Structure, agencement d'un ensemble complexe. – Association à but déterminé.

organiser, *verbe trans.* Agencer d'une manière structurée. – Mettre en place (les éléments nécessaires à la réussite de *qqch.*).

organisme, *subst. m.* Être vivant. – Ensemble des organes de cet être ; corps humain. – Ensemble des services affectés à une tâche précise.

organiste, *subst.* Joueur d'orgue.

orgasme, *subst. m.* Paroxysme du plaisir sexuel.

orge, *subst. f.* Céréale qui sert à l'alimentation animale et à la fabrication de la bière ; sa graine. – *Empl. masc.* **Orge** *perlé* ou *mondé* : graines débarrassées de leur enveloppe.

orgeat, *subst. m.* Sirop d'**orgeat** : sirop préparé avec du lait d'amande.

orgelet, *subst. m.* Petit furoncle sur la paupière.

orgie, *subst. f.* Fête où l'on mange et boit avec excès. – *Fig.* Une **orgie** de : une profusion de.

orgue, *subst. m. Mus.* Instrument à vent composé de tuyaux qui communiquent avec un ou plusieurs claviers et une ou plusieurs soufflerie.

orgueil, *subst. m.* Sentiment, exagéré ou justifié, de sa propre valeur. – Ce qui suscite la fierté.

orgueilleux, euse, *adj. et subst.* Qui fait preuve d'orgueil.

orient, *subst. m.* Est, levant. – L'**Orient** : l'Asie.

oriental, ale, aux, *adj. et subst. Adj.* Situé à l'orient. – De l'Orient. – *Subst.* Habitant ou originaire d'un pays asiatique.

orientation, *subst. f.* Détermination du lieu où l'on se trouve : *Sens de l'*orientation. – Façon d'être orienté, disposé. – *Fig.* Tendance.

orienter, *verbe trans.* Disposer (*qqch.*) dans une direction définie. – Diriger, guider (*qqn* vers). – *Fig.* **Orienter** *qqn professionnellement*.

orifice, *subst. m.* Trou, ouverture.

oriflamme, *subst. f.* Bannière, étendard.

originaire, *adj.* Né à ; qui tire son origine de.

original, ale, aux, *adj. et subst.* Se dit d'une œuvre qui émane directement de l'auteur. – Se dit de *qqch.* qui ne ressemble à rien, d'une personne excentrique. – *Subst. masc.* Ouvrage, texte, modèle primitif ou authentique.

originalité, *subst. f.* Caractère original ; fantaisie.

origine, *subst. f.* Point de départ, début. – Naissance, ascendance. – Cause d'un événement. – Provenance.

originel, elle, *adj.* Qui date de l'origine.

oripeaux, *subst. m. plur.* Vêtements voyants élimés.

o.r.l., *subst. inv. Fém.* Sigle pour « oto-rhino-laryngologie », partie de la médecine qui s'occupe des oreilles,, du nez et de la gorge. – *Masc.* et *fém.* Médecin exerçant cette spécialité.

orme, *subst. m.* Grand arbre à feuilles dentelées.

ornement, *subst. m.* Action d'orner. – Objet, élément qui orne *qqch.*

ornemental, ale, aux, *adj.* Qui sert à l'ornement.

orner, *verbe trans.* Décorer, embellir, agrémenter.

ornière, *subst. f.* Trace profonde laissée par une roue dans un chemin. – *Fig.* Routine. – Situation difficile.

ornithologie, *subst. f.* Science des oiseaux.

ornithorynque, *subst. m.* Mammifère ovipare d'Australie à bec corné et à pattes palmées.

orphelin, ine, *subst.* Enfant qui a perdu l'un de ses parents, ou les deux.

orphelinat, *subst. m.* Établissement pour orphelins.

orque, *subst. f.* Grand mammifère marin carnivore (*synon. épaulard*).

orteil, *subst. m.* Doigt de pied.

ortho-, *préfixe* « Droit » ; au *fig.,* « correct ».

orthodoxe, *adj. et subst. Adj.* Fidèle à une doctrine religieuse, philosophique ou politique. – De la religion **orthodoxe,** christianisme d'Orient. – *Subst.* Adepte de cette religion.

orthogonal, ale, aux, *adj.* À angle droit.

orthographe, *subst. f.* Ensemble des règles fixant la manière d'écrire les mots. – Façon dont un mot est écrit.

orthographier, *verbe trans.* Écrire (un mot) selon les règles de l'orthographe.

orthopédie, *subst. f. Méd.* Traitement des lésions des os, des muscles, des articulations.

orthophonie, *subst. f.* Rééducation des défauts du langage parlé ou écrit.

orthoptère, *subst. m.* Insecte broyeur, à ailes postérieures plissées, tel que sauterelle, criquet, etc. – *Plur.* L'ordre correspondant.

ortie, *subst. f.* Plante aux feuilles irritantes.

ortolan, *subst. m.* Petit oiseau à la chair savoureuse.

orvet, *subst. m.* Lézard sans pattes qui ressemble à un petit serpent.

os, *subst. m.* Chacun des éléments du squelette de l'homme et des autres vertébrés. – *Fig.* Difficulté (*fam.*).

oscar, *subst. m.* Aux États-Unis, récompense cinématographique.

osciller, *verbe intrans.* Balancer, pencher d'un côté puis de l'autre, alternativement. – *Fig.* Hésiter (entre deux partis, deux attitudes contraires).

oseille, *subst. f.* Plante potagère à saveur acide.

oser, *verbe trans.* Faire preuve d'audace, de hardiesse pour. – Avoir l'impertinence de.

osier, *subst. m.* Saule aux branches flexibles. – Ces branches, servant à tresser des objets.

osmose, *subst. f.* Influence réciproque insensible.

ossature, *subst. f.* Ensemble des os, squelette. – Charpente, structure. – *Fig.* Plan.

osselet, *subst. m.* Petit os. – L'un des trois os de l'oreille. – *Plur.* Jeu d'adresse pratiqué avec de petits os de pieds de mouton.

ossements, *subst. m. plur.* Os décharnés des morts.

osseux, euse, *adj.* Relatif à l'os. – Constitué d'os. – Dont les os sont saillants.

ossuaire, *subst. m.* Sépulture d'ossements humains.

ostensible, *adj.* Volontairement très visible.

ostensoir, *subst. m. Relig.* Pièce d'orfèvrerie où l'on expose l'hostie consacrée.

ostentation, *subst. f.* Attitude de *qqn* qui veut se faire remarquer ; affectation ; parade.

ostéopathie, *subst. f.* Toute maladie des os. – *Méd.* Pratique consistant à manipuler les os.

ostracisme, *subst. m.* Fait d'exclure, d'écarter *qqn* d'un groupe.

ostréiculture, *subst. f.* Élevage des huîtres.

otage, *subst. m.* Personne gardée captive en vue d'un échange contre *qqn* ou *qqch.*

otarie, *subst. f.* Mammifère marin voisin du phoque qui vit dans l'hémisphère Sud.

ôter, *verbe trans.* Retirer, retrancher, enlever.

otite, *subst. f.* Inflammation de l'oreille.

ou, *conj.* Exprime le choix ou l'équivalence : *Boire* **ou** *conduire* ; *Ici* **ou** *là.* – Exprime l'approximation : *Dans deux* **ou** *trois ans.*

où, *pron. et adv.* Pron. rel. et adv. rel. Exprime le lieu, l'état ou le temps : *Il va* **où** *il veut* ; *Le jour* **où** *vous viendrez.* – *Adv. interr.* Marque le lieu mais le but : **Où** *es-tu ?* ; **Où** *allez-vous ?* – *D'*où **?** : de quel lieu, de quelle origine ?

ouaille, *subst. f.* Paroissien (*gén.* au *plur.*).

ouate, *subst. f.* Textile utilisé pour garnir, rembourrer. – Coton à pansements.

ouater, *verbe trans.* Garnir d'ouate.

oubli, *subst. m.* Fait d'oublier. – Négligence, étourderie.

oublier, *verbe trans.* Ne plus se souvenir de. – Omettre, négliger.

oubliette, *subst. f.* Cachot médiéval (*gén.* au *plur.*).

oued, *subst. m.* Rivière intermittente du Maghreb.

ouest, *adj. inv. et subst. m. inv. Subst.* L'un des quatre points cardinaux, correspondant au côté où le soleil se couche. – *Aller vers l'***ouest** : dans la direction de ce point. – Partie occidentale d'une région, d'un pays. – *Adj.* Situé à l'**ouest.**

oui, *subst. m. inv. et adv. Adv.* Exprime l'affirmation. – *Subst.* Acte d'affirmer : *J'attends votre* **oui.**

ouï-dire, *subst. m. inv. Par* **ouï-dire** : par la rumeur publique.

ouïe, *subst. f.* Sens par lequel on perçoit les sons. – *Plur.* Branchies des poissons.

ouïr, *verbe trans.* Entendre (vieilli).

ouistiti, *subst. m.* Petit singe à longue queue.

ouragan, *subst. m.* Tempête extrêmement violente. – *Fig.* Mouvement, trouble violent.

ourdir, *verbe trans.* Tisser, tramer (une intrigue).

ourler, *verbe trans.* Faire un ourlet à.

ourlet, *subst. m.* Repli cousu d'un bord d'étoffe.

ours, ourse, *subst.* Grand mammifère carnivore à fourrure épaisse. – *Fig.* Homme bourru.

oursin, *subst. m.* Animal marin à carapace calcaire formant une boule hérissée de piquants.

oust(e), *interj.* Exprime l'ordre de quitter un lieu.

outarde, *subst. f.* Oiseau échassier au corps massif.

outil, *subst. m.* Objet qui sert à effectuer un travail manuel. – *Fig.* Moyen de parvenir à ses fins.

outillage, *subst. m.* Ensemble d'outils.

outiller, *verbe trans.* Doter d'outils. – Équiper.

outrage, *subst. m.* Affront, grave injure.

outrager, *verbe trans.* Offenser, injurier, bafouer.

outrance, *subst. f.* Exagération, excès.

outrancier, ière, *adj.* Qui va jusqu'à l'outrance.

outre (i), *subst. f.* Sac en peau destiné aux liquides.

outre (ii), *prép. et adv.* Prép. En plus de. – *Adv.* Passer **outre** à qqch. : ne pas en tenir compte. – *En* **outre** : de plus.

outré, ée, *adj.* Exagéré. – Très indigné.

outrecuidance, *subst. f.* Désinvolture, impudence.

outremer, *subst. m.* Pierre d'un bleu intense (*synon.* lapislazuli). – *Empl. adj. inv.* D'un bleu intense.

outre-mer, *adv.* Au-delà des mers.

outrepasser, *verbe trans.* Aller au-delà de.

outrer, *verbe trans.* Exagérer. – Choquer, indigner.

outsider, *subst. m. Sp.* Concurrent qui n'est pas favori mais qui a des chances de gagner.

ouvert, erte, *adj.* Qui laisse un passage. – *Fig.* Qui communique aisément avec autrui.

ouverture, *subst. f.* Action d'ouvrir. – Porte ou fenêtre. – Trou, espace vide. – *Mus.* Prélude d'un opéra. – *Fig.* **Ouverture** *d'esprit* : curiosité et tolérance.

ouvrable, *adj.* Jour **ouvrable** : normalement consacré au travail (*oppos.* férié).

ouvrage, *subst. m.* Travail. – Produit de ce travail. – Œuvre d'un écrivain, d'un artiste. – **Ouvrage** *d'art* : grande réalisation technique.

ouvragé, ée, *adj.* Finement travaillé, orné.

ouvré, ée, *adj.* Façonné, travaillé. – *Jour* **ouvré** : où l'on travaille.

ouvre-boîte(s), *subst. m.* Instrument servant à ouvrir les boîtes de conserve.

ouvreuse, *subst. f.* Femme qui place les spectateurs, dans un théâtre, un cinéma.

ouvrier, ière, *adj. et subst.* Subst. Personne qui travaille de ses mains pour le compte d'autrui. – *Adj.* Qui a trait aux **ouvriers**.

ouvrir, *verbe Trans.* Faire en sorte que l'on puisse passer ou accéder à ; *empl. abs.* : **Ouvrir** *la porte.* – Faire une ouverture dans. – Décacheter ; desserrer les liens qui tiennent fermé. – Faire fonctionner. – Commencer, entamer : **Ouvrir** *la marche.* – *Intrans.* Donner accès à (un lieu) : *Une porte qui* **ouvre** *sur la rue.* – *Pronom.* Devenir réceptif à. – Se confier à (*qqn*).

ovaire, *subst. m.* Glande femelle de la reproduction, où se forment les ovules.

ovale, *adj. et subst. m.* Qui a une forme courbe allongée rappelant celle d'un œuf.

ovation, *subst. f.* Acclamation publique.

ovin, ovine, *adj. et subst.* Subst. Sous-famille des Bovidés (mouton, brebis, chèvre, bouquetin). – *Adj.* Relatif ou semblable aux **ovins**.

ovipare, *adj. et subst.* Qui se reproduit en pondant des œufs.

ovni, *subst. m.* Sigle pour « objet volant non identifié », soucoupe volante.

ovoïde, *adj.* Qui a la forme d'un œuf.

ovulation, *subst. f.* Libération des ovules produits par l'ovaire.

ovule, *subst. m.* Cellule reproductrice femelle.

oxyder, *verbe trans.* Modifier l'état (d'un corps) sous l'action de l'oxygène. – *Chim.* Combiner avec l'oxygène.

oxygène, *subst. m.* Gaz invisible, inodore, entrant pour 1/5 dans la composition de l'air.

oxygéner, *verbe trans.* Enrichir en oxygène. – *Pronom.* Respirer de l'air pur.

ozone, *subst. m.* Gaz bleu, surtout présent dans les couches élevées de l'atmosphère.

P

p, p, *subst. m. inv.* Seizième lettre et douzième consonne de l'alphabet français.

pacha, *subst. m.* Titre honorifique, dans l'Empire ottoman. – Homme inactif qui aime se faire servir : *Une vie de* **pacha**, de plaisirs.

pachyderme, *subst. m.* Mammifère à peau épaisse (rhinocéros, éléphant, etc.). – *Plur.* L'ancien ordre correspondant.

pacifier, *verbe trans.* Restaurer la paix publique (dans un pays, une population). – Apaiser (la conscience, l'esprit).

pacifique, *adj.* Qui s'attache à maintenir ou à trouver la paix. – Qui se passe dans la paix.

pacifiste, *adj. et subst.* Partisan de la paix.

pacotille, *subst. f.* Marchandise de piètre qualité. – *De* **pacotille** : sans valeur.

pacte, *subst. m.* Accord engageant solennellement les parties qui le concluent.

pactiser, *verbe intrans.* Conclure un pacte. – Composer, transiger (avec *qqn* ou *qqch.*).

pactole, *subst. m.* Source d'enrichissement.

pagaie, *subst. f.* Aviron court, non fixé à l'embarcation, que l'on manie à deux mains.

pagaille, *subst. f. Fam.* Grand désordre ; confusion. – *En* **pagaille** : à profusion.

paganisme, *subst. m.* Ensemble des cultes polythéistes, pour les chrétiens de l'Empire romain.

pagayer, *verbe intrans.* Faire avancer une embarcation à l'aide d'une pagaie.

page (i), *subst. m.* Jeune noble qui était attaché au service d'un seigneur, d'une grande dame.

page (ii), *subst. f.* Chacune des deux faces d'un feuillet : **Page** 7. – Feuillet entier : *Arracher une* **page** ; son contenu : *Finir sa* **page**.

paginer, *verbe trans.* Numéroter les pages de.

pagne, *subst. m.* Morceau d'étoffe couvrant le corps de la taille aux genoux : **Pagne** *africain.*

pagode, *subst. f.* Temple d'Extrême-Orient, à la toiture étagée et recourbée.

paie, *voir* **paye paiement,** *subst. m.* Action de payer. – Somme payée.

païen, païenne, *adj. et subst. Antiq.* Se dit des adeptes d'un culte polythéiste ou de ce qui s'y rapporte, pour les chrétiens de l'Empire romain. – Impie.

paillasse, *subst. f.* Matelas de paille. – Surface plane à côté d'un évier ; plan de travail.

paillasson, *subst. m.* Tapis-brosse permettant de s'essuyer les pieds.

paille, *subst. f.* Tige creuse et coupée des céréales égrenées. – Petit tuyau utilisé pour aspirer une boisson (*synon. chalumeau*). – *Fig. Être sur la paille* : dans la misère.

paillette, *subst. f.* Petit rond fin et brillant, cousu sur un vêtement pour l'orner : *Robe à* **paillettes.** – Parcelle d'or brut.

pain, *subst. m.* Aliment fait d'une pâte pétrie, fermentée et cuite au four. – Produit moulé en forme de **pain** : *Pain de glace, de savon, de sucre.* – Subsistance : *Gagner son* **pain.**

pair (i), *subst. m.* Personne semblable quant au rang, à la dignité ou à la fonction : *Accepter de n'être jugé que par ses* **pairs.** – Au Moyen Âge, grand vassal du monarque ; au début du xixᵉ s., membre de la Chambre haute. – *Fin.* Égalité de valeur ou de change. – *Travail au* **pair** : en échange du gîte et du couvert.

pair (ii), paire, *adj.* Exactement divisible par 2. – Au nombre de deux : *Organes* **pairs.** – *Page* **paire** : marquée d'un nombre **pair.**

paire, *subst. f.* Groupe de deux éléments analogues allant ensemble ou formant un objet unique : *Une* **paire** *de jumelles.*

paisible, *adj.* Tranquille, calme ; serein. – Qui ne trouble pas la paix, pacifique.

paître, *verbe* Brouter. – *Envoyer* **paître** *qqn* : l'éconduire avec humeur (*fam.*).

paix, *subst. f.* Situation d'un pays qui n'est pas en guerre. – Accord, entente : *Faire la* **paix** *avec qqn*, se réconcilier avec lui. – Tranquillité : *Avoir la* **paix.** – Sérénité : *Conscience en* **paix.**

palabre, *subst. m. ou f.* Discussion longue ou vaine (*gén.* au *plur.*).

palace, *subst. m.* Hôtel de grand luxe.

palais (i), *subst. m.* Somptueuse demeure. – **Palais** *de justice* : où siègent les tribunaux. – Imposant édifice public : **Palais** *de la Découverte.*

palais (ii), *subst. m.* Partie supérieure voûtée de la cavité buccale. – *Avoir le* **palais** *fin* : être gourmet.

palanquin, *subst. m.* Chaise ou litière orientale portée à bras d'hommes ou à dos d'éléphant, de chameau.

pale, *subst. f.* Petite vanne. – Extrémité plate d'un aviron. – Branche d'une hélice.

pâle, *adj.* Blême ou très peu coloré : *Visage* **pâle** ; *Jaune* **pâle.** – *Fig.* Fade, médiocre.

palefrenier, ière, *subst.* Personne chargée du soin des chevaux.

palefroi, *subst. m.* Au Moyen Âge, cheval de parade (*oppos. destrier*).

paléolithique, *adj. et subst. m.* Se dit de la première période de la préhistoire, qui a vu apparaître et se perfectionner les outils en pierre taillée.

paléontologie, *subst. f.* Science qui étudie, à partir des fossiles, les êtres vivants disparus.

palet, *subst. m.* Petit disque épais ou pierre plate qu'on lance vers un but, dans certains jeux.

paletot, *subst. m.* Pardessus court et boutonné devant. – Gilet de laine (*fam.*).

palette, *subst. f.* Pelle plate en bois. – Plaque sur laquelle le peintre mélange ses couleurs ; la gamme des couleurs utilisées. – Plateau de manutention.

palétuvier, *subst. m.* Arbre tropical des côtes marécageuses, aux racines aériennes.

pâleur, *subst. f.* Teint pâle.

palier, *subst. m.* Plate-forme située à chaque étage d'un escalier. – *Fig.* Niveau intermédiaire entre deux phases d'une progression.

palindrome, *subst. m.* Mot, phrase qui peut se lire indifféremment de gauche à droite ou de droite à gauche.

pâlir, *verbe* Devenir pâle. – Rendre pâle.

palissade, *subst. f.* Clôture de planches ou de pieux. – Mur fait d'arbres taillés.

palliatif, ive, *adj. et subst. m.* Se dit d'un traitement médical qui n'agit que sur le symptôme. – *Subst.* Solution provisoire, expédient.

pallier, *verbe trans.* Résoudre de manière provisoire et partielle, atténuer : **Pallier** *le chômage.*

palmarès, *subst. m.* Liste des lauréats d'un prix. – Liste des victoires de *qqn.* – Classement, selon leur popularité, de chansons, de films.

palme, *subst. f.* Feuille de palmier. – Distinction, décoration honorifique. – Nageoire en caoutchouc que l'on chausse pour nager plus vite.

palmé, ée, *adj.* En forme de palme. – Dont les doigts sont réunis par une membrane.

palmier, *subst. m.* Arbre des climats chauds, dont la tige florale se termine en un bouquet de grandes feuilles très découpées. – Petit gâteau plat, en pâte feuilletée.

palmipède, *adj. et subst. m.* Se dit d'un oiseau aquatique dont les pieds sont palmés.

palombe, *subst. f.* Pigeon ramier.

palourde, *subst. f.* Coquillage comestible qui vit enfoui dans le sable (*synon. clovisse*).

palper, *verbe trans.* Exercer de légères pressions avec la main pour apprécier, examiner.

palpitant, ante, *adj.* Qui palpite. – *Fig.* Qui fait palpiter le cœur d'émotion : *Récit* **palpitant.**

palpiter, *verbe intrans.* Battre plus fort et plus vite, en parlant du cœur. – Être animé de petits soubresauts, de frémissements.

paludisme, *subst. m.* Maladie parasitaire des pays chauds et humides, caractérisée par une forte fièvre intermittente (*synon. malaria*).

pâmer (se), *verbe pronom.* Défaillir. – *Fig.* S'extasier : *Elle se* **pâmait** *d'admiration.*

pâmoison, *subst. f.* État d'une personne qui se pâme (*littér.*) : *Tomber en* **pâmoison.**

pampa, *subst. f.* Vaste plaine herbeuse d'Amérique du Sud.

pamphlet, *subst. m.* Bref écrit satirique.

pamplemousse, *subst. m.* Agrume légèrement plus gros qu'une orange et au goût un peu amer.

pan, *subst. m.* Partie tombante ou flottante d'un vêtement. – Partie d'un mur.

panacée, *subst. f.* Remède universel.

panache, *subst. m.* Bouquet de plumes ornant une coiffure. – Ce qui flotte tel un **panache** : **Panache** de fumée. – *Fig.* Brio, éclat.

panacher, *verbe trans.* Orner de diverses couleurs. – Composer d'éléments différents.

panaris, *subst. m.* Infection aiguë du doigt.

pancarte, *subst. f.* Panneau portant une inscription ; écriteau : *Les* **pancartes** *des manifestants.*

pancréas, *subst. m.* Glande située à l'arrière de l'estomac, qui joue un rôle essentiel dans l'assimilation des glucides.

panda, *subst. m.* Mammifère d'Asie dont l'espèce la plus connue, le grand **panda**, au pelage noir et blanc, est voisine de l'ours et se nourrit de pousses de bambou.

pané, ée, *adj.* Enrobé de panure.

panégyrique, *subst. m.* Éloge inconditionnel.

panier, *subst. m.* Corbeille à une ou deux anses, *souv.* en osier : **Panier** *à provisions.* – *Sp.* Au basket, filet sans fond dans lequel on doit faire passer le ballon ; le point ainsi marqué.

panique, *adj. et subst. f.* Se dit d'une terreur brusque, *souv.* collective, conduisant à des comportements irraisonnés.

paniquer, *verbe trans.* **Intrans.** Être pris de panique. – *Trans.* Affoler : *La foule le* **panique.**

panne, *subst. f.* Arrêt accidentel de fonctionnement : **Panne** *de moteur, de courant.* – *Être en* **panne** *de* : manquer de (*fam.*).

panneau, *subst. m.* Surface plane et quadrangulaire utilisée en construction, en menuiserie. – Pancarte. – *Fig. Tomber dans le* **panneau** : dans le piège.

panoplie, *subst. f.* Collection d'armes disposées sur un panneau. – Déguisement d'enfant. – *Fig.* Assortiment d'objets semblables.

panorama, *subst. m.* Vaste paysage contemplé depuis une hauteur. – *Fig.* Vue d'ensemble d'un sujet.

panoramique, *adj. et subst. m.* Qui présente les caractères d'un panorama. – *Subst.* Mouvement de rotation d'une caméra ; l'effet visuel obtenu.

panse, *subst. f.* Première poche gastrique des Ruminants. – Partie renflée de certains objets.

pansement, *subst. m.* Application d'une compresse stérile et d'un cicatrisant sur une plaie. – Ce qui sert à protéger une plaie.

panser, *verbe trans.* Appliquer un pansement sur ; soigner au moyen de pansements. – **Panser** *un cheval* : le toiletter.

pansu, ue, *adj.* Qui présente un ventre rebondi. – *Carafe* **pansue** : renflée.

pantalon, *subst. m.* Culotte dont les jambes vont jusqu'aux pieds.

pantelant, ante, *adj.* Qui halète, respire de façon saccadée : **Pantelant** *d'émotion.*

panthéon, *subst. m. Antiq.* Temple dédié à tous les dieux. – Ensemble des divinités. – Monument où reposent des personnes illustres.

panthère, *subst. f.* Grand félidé des régions tropicales, à la robe jaune tachetée de noir.

pantin, *subst. m.* Figurine articulée dont on fait mouvoir les membres avec un fil. – *Fig.* Personne sans consistance ; fantoche.

pantois, oise, *adj.* Saisi d'étonnement.

pantomime, *subst. f.* Art de l'expression purement gestuelle. – Pièce de théâtre mimée.

pantoufle, *subst. f.* Chaussure d'intérieur.

panure, *subst. f.* Pain sec râpé dont on enrobe des aliments avant de les faire frire.

paon, paonne, *subst.* Gallinacé originaire d'Asie, dont le mâle, bleu-vert, porte une longue queue superbe qu'il peut déployer en roue.

papal, ale, aux, *adj.* Du pape : *Bulle* **papale.**

papauté, *subst. f.* Dignité, fonction de pape. – Administration et gouvernement d'un pape.

papaye, *subst. f.* Fruit tropical comestible du papayer, semblable à un gros melon oblong.

pape, *subst. m.* Chef de l'Église catholique romaine. – Chef indiscuté d'un mouvement (*fam.*).

paperasse, *subst. f.* Document, écrit inutiles.

papeterie, *subst. f.* Industrie, fabrication du papier. – Fabrique de papier. – Magasin où l'on vend des fournitures d'école, de bureau ; ces articles.

papetier, ière, *adj. et subst.* **Subst.** Fabricant de papier ou commerçant qui tient une papeterie. – *Adj.* Du papier : *Industrie* **papetière.**

papier, *subst. m.* Pâte de fibres végétales qui fournit une feuille mince destinée à l'écriture, à l'emballage, etc. ; feuille de cette matière. – Feuille écrite ou imprimée ; article de presse. – *Être dans les petits* **papiers** *de qqn* : jouir de sa faveur. – *Plur.* Pièces d'identité.

papille, *subst. f.* Petit point plus ou moins saillant sur une muqueuse : **Papilles** *gustatives*, qui se trouvent sur la langue.

papillon, *subst. m.* Lépidoptère aux ailes couvertes d'écailles microscopiques et plus ou moins colorées. – *Nœud* **papillon** : nœud de cravate dont la forme évoque celle d'un **papillon.** – Petite affiche ; contravention. – Écrou à ailettes.

papillonner, *verbe intrans.* S'agiter comme les ailes d'un papillon. – Passer constamment d'une chose à une autre.

papillote, *subst. f.* Feuille d'aluminium dont on enveloppe certains aliments avant leur cuisson. – Papier enveloppant un bonbon ; le bonbon lui-même.

papilloter, *verbe intrans.* Cligner nerveusement, en parlant des yeux, des paupières.

papoter, *verbe intrans.* Parler de sujets insignifiants, bavarder (*fam.*).

paprika, *subst. m.* Piment doux hongrois utilisé comme condiment sous forme de poudre.

papyrus, *subst. m.* Plante des bords du Nil. – Feuille destinée à l'écriture, que les anciens Égyptiens tiraient de cette plante. – Manuscrit sur **papyrus.**

paquebot, *subst. m.* Navire de taille importante destiné au transport de passagers.

pâquerette, *subst. f.* Petite marguerite blanche, qui parsème les prés aux environs de Pâques.

paquet, *subst. m.* Assemblage d'objets liés les uns aux autres ou emballés. – Colis. – Grande quantité (*fam.*) : *J'en ai vu un* **paquet !** – *Paquet de mer* : grosse vague déferlante.

par, *prép.* Indique le lieu par où l'on passe : *Passer par Lyon*, **par** *la fenêtre* ; le temps : **Par** *ce bel après-midi* ; la distribution : *Deux* **par** *deux* ; *Deux fois* **par** *jour* ; le moyen, la manière : **Par** *bateau* ; **Par** *la douceur* ; la cause : *Agir* **par** *peur.*

parabole (i), *subst. f.* Récit allégorique qui délivre un enseignement moral.

parabole (ii), *subst. f.* *Géom.* Courbe dont chaque point est équidistant d'un point fixe et d'une droite directrice.

parachute, *subst. m.* Appareil destiné à ralentir la chute d'un corps, formé d'une voilure reliée par des cordons à un harnais.

parachuter, *verbe trans.* Larguer par parachute. – Nommer inopinément (*qqn*) à un poste (*fam.*).

parachutisme, *subst. m.* Sport ou pratique du saut en parachute.

parade (i), *subst. f.* Défilé, revue en grande pompe : **Parade** *militaire*. – *De* **parade** : d'apparat. – *Faire* **parade** *de ses talents* : les exhiber.

parade (ii), *subst. f.* Action, façon de parer une menace, un coup.

parader, *verbe intrans.* S'afficher avec orgueil, se pavaner. – Participer à une parade militaire.

paradis, *subst. m.* Jardin merveilleux où vivaient, selon la Genèse, Adam et Ève. – Séjour des bienheureux après la mort. – Lieu, séjour enchanteurs.

paradisiaque, *adj.* Propre au paradis. – Qui évoque le paradis.

paradoxal, *ale, aux, adj.* Qui tient du paradoxe ; absurde, singulier. – Porté au paradoxe.

paradoxe, *subst. m.* Opinion contraire à l'opinion *gén.* admise. – Ce qui heurte, défie le sens commun.

paraffine, *subst. f.* Corps solide blanc constitué d'hydrocarbures : *Bougie de* **paraffine**.

paragraphe, *subst. m.* Subdivision cohérente d'un texte, annoncée par un alinéa.

paraître, *verbe intrans.* Surgir, se rendre visible, se manifester. – Sembler, avoir l'air. – Être publié. – *Il* **paraît** *que* : on dit que.

parallèle, *adj. et subst. Subst. fém. et adj.* Se dit de droites situées dans un même plan qui ne se coupent pas. – *Subst. masc.* Chaque cercle **parallèle** au plan de l'équateur, servant à déterminer la latitude : *Le 51ᵉ* **parallèle**. – *Fig. Faire un* **parallèle** *entre deux choses* : une comparaison. – *Adj.* Qui va dans la même direction : *Destins* **parallèles**. – *Marché* **parallèle** : non officiel, clandestin.

parallélépipède, *subst. m.* Prisme dont les six faces sont parallèles deux à deux.

parallélisme, *subst. m. Géom.* État de droites, de plans parallèles. – Évolution comparable.

parallélogramme, *subst. m.* Quadrilatère dont les côtés opposés sont parallèles.

paralyser, *verbe trans.* Frapper de paralysie.

paralysie, *subst. f.* Perte totale ou partielle de la motricité. – *Fig.* Impossibilité de fonctionner, d'agir : *La* **paralysie** *des transports*.

paralytique, *adj. et subst.* Qui est atteint de paralysie.

paramètre, *subst. m.* Donnée intervenant dans un jugement, une évaluation, etc. – *Math.* Dans une équation, élément autre que la variable ou l'inconnue, et dont on peut fixer librement la valeur numérique.

parangon, *subst. m.* Modèle : **Parangon** *de vertu*.

paranoïa, *subst. f.* Psychose caractérisée par un orgueil démesuré et une tendance à se croire persécuté.

paranormal, *ale, aux, adj.* Qualifie des phénomènes que la science ne peut expliquer.

parapet, *subst. m.* Muret à hauteur d'appui protégeant du vide : **Parapet** *d'un pont*.

paraphe, *subst. m.* Signature réduite aux initiales, ou trait tiré sous une signature.

paraphrase, *subst. f.* Explication d'un texte. – Commentaire d'un texte, qui se borne à en répéter le contenu de façon verbeuse.

paraplégie, *subst. f.* Paralysie des membres inférieurs ou, plus rarement, supérieurs.

parapluie, *subst. m.* Accessoire portatif et pliant servant à s'abriter de la pluie.

parasite, *adj. et subst. m.* Se dit d'une personne qui vit aux dépens d'autrui, ou d'un organisme tirant sa subsistance d'un autre, qu'il occupe et auquel il nuit. – *Plur.* Bruits perturbant un message radioélectrique. – *Adj.* Superflu et gênant.

parasiter, *verbe trans.* Vivre, croître aux dépens de. – Brouiller (un message sonore).

parasol, *subst. m.* Sorte de grand parapluie que l'on installe pour se protéger du soleil.

paratonnerre, *subst. m.* Dispositif destiné à protéger les bâtiments de la foudre.

paravent, *subst. m.* Ensemble de panneaux articulés abritant des regards, des courants d'air.

parc, *subst. m.* Enclos où l'on enferme du bétail. – Bassin où sont élevés des animaux marins. – Emplacement réservé aux automobiles. – Ensemble des véhicules, du matériel, des installations de même nature dont dispose une entreprise, un pays, etc. : **Parc** *automobile* ; **Parc** *immobilier*. – Région où la faune et la flore sont protégées. – Grand jardin. – **Parc** *zoologique* : zoo. – Terrain aménagé pour les loisirs, l'amusement : **Parc** *d'attractions*.

parcelle, *subst. f.* Fragment, petit morceau. – Portion de terrain constituant une unité cadastrale.

parce que, *loc. conj.* Exprime la cause, la raison : *Je mange* **parce que** *j'ai faim*. – **Parce que** ! : c'est comme ça, un point c'est tout.

parchemin, *subst. m.* Peau d'animal préparée pour l'écriture ou la reliure. – Document, texte écrit sur **parchemin**.

parcimonie, *subst. f.* Épargne minutieuse. – *Avec* **parcimonie** : avec un souci d'économie.

parcourir, *verbe trans.* Visiter dans toute son étendue. – Effectuer (un parcours précis). – *Fig.* Lire rapidement.

parcours, *subst. m.* Action de parcourir. – Trajet, itinéraire d'un lieu à un autre. – *Fig.* Déroulement d'une vie, d'une carrière. – *Incident de* **parcours** : difficulté imprévue.

pardessus, *subst. m.* Épais manteau d'homme.

par-devers, *prép.* En la possession de : *Garder qqch.* **pardevers** *soi*. – Par-devant, devant, en présence de : **Par-devers** *qqn*.

pardi, *interj.* Marque et souligne l'évidence, l'approbation : **Pardi** ! *j'en étais sûr !*

pardon, *subst. m.* Action de pardonner : *Accorder son pardon*. – Formule de politesse servant à s'excuser ou à prier *qqn* de répéter *qqch.*

pardonner, *verbe trans. Trans. dir.* Renoncer à punir (une faute). – Excuser (*qqch.*). – *Trans.*

indir. Ne plus tenir rigueur à (*qqn*) ; oublier les torts de (*qqn*). – *Pardonnez-moi* : excusez-moi.

pare-brise, *subst. m. inv.* Vitre avant d'un véhicule.

pare-chocs, *subst. m. inv.* Barre de protection placée à l'avant et à l'arrière d'un véhicule.

pareil, eille, *adj. et subst. Adj.* Égal, identique, semblable. – Tel, de ce genre : *En* **pareil** *cas.* – *Subst.* Chose ou personne similaire à une autre : *Il n'a pas son* **pareil**, il n'a pas d'égal. – *Rendre la* **pareille** *à qqn* : soumettre *qqn* au traitement qu'on en a reçu.

parent, ente, *adj. et subst.* Se dit d'une personne qui appartient à la même famille qu'une autre. – *Subst. masc. plur.* Le père et la mère. – Les ancêtres (*littér.*). – *Adj.* Qui procède de la même logique, analogue.

parenté, *subst. f.* Rapport d'alliance ou de consanguinité. – Ensemble des parents. – *Fig.* Analogie.

parenthèse, *subst. f.* Digression, précision insérée dans une phrase, un texte, entre deux signes de ponctuation. – Chacun de ces deux signes : ( ).

parer (i), *verbe trans.* Revêtir d'une parure, orner. – Apprêter, préparer pour un usage précis.

parer (ii), *verbe trans.* Esquiver, éviter : **Parer** *un coup.* – **Parer** *à* : se préserver de, remédier à.

paresse, *subst. f.* Tendance à éviter ou à refuser l'effort ; manque d'énergie.

paresser, *verbe intrans.* S'adonner à la paresse.

paresseux, euse, *adj. et subst.* Qui fait preuve de paresse. – *Subst. masc.* Mammifère édenté d'Amérique du Sud, aux mouvements très lents.

parfaire, *verbe trans.* Mener à son terme avec un souci de perfection.

parfait, aite, *adj.* Achevé, complet. – Qui touche à la perfection ; sans défaut.

parfois, *adv.* De temps en temps, quelquefois. – Tantôt : **Parfois** *l'une,* **parfois** *l'autre.*

parfum, *subst. m.* Odeur délicieuse. – Substance dégageant une telle odeur : *Un flacon de* **parfum**. – Arôme alimentaire.

parfumer, *verbe trans.* Imprégner de parfum, embaumer. – Donner une saveur à (un mets).

parfumerie, *subst. f.* Fabrication, usine, commerce et boutique de parfums. – Les produits de beauté et les parfums.

parfumeur, euse, *subst.* Fabricant de parfum. – Commerçant spécialisé dans la parfumerie.

pari, *subst. m.* Jeu dans lequel les participants engagent des sommes, des objets qui reviendront à celui dont le pronostic ou les assertions se vérifieront. – Défi.

paria, *subst. m.* En Inde, individu considéré comme impur. – *Fig.* Personne rejetée de tous.

parier, *verbe trans.* Engager (un enjeu) dans un pari : **Parier** *de l'argent.* – Être sûr de, affirmer, soutenir : *Je* **parie** *qu'il a fini !*

pariétal, ale, aux, *adj.* Relatif à une paroi : *Os* **pariétal**, qui forme un côté de la voûte crânienne ; *Peinture* **pariétale**, réalisée sur les parois d'une grotte (*synon. rupestre*).

paritaire, *adj.* Où toutes les parties sont également représentées : *Commission* **paritaire**.

parité, *subst. f.* Égalité stricte. – Équivalence de la valeur d'échange des monnaies de deux pays. – Caractère pair d'un nombre.

parjure, *adj. et subst.* Se dit d'une personne qui viole son serment. – *Subst. masc.* Violation d'un serment.

parka, *subst. m. ou f.* Veste imperméable à capuche.

parking, *subst. m.* Parc de stationnement.

parlant, ante, *adj.* Qui parle. – Qui reproduit la parole, la voix humaines : *Horloge* **parlante**. – Expressif : *Regard* **parlant**. – Qui exclut le doute, évident : *Indice* **parlant**.

parlement, *subst. m.* Sous l'Ancien Régime, cour souveraine de justice. – De nos jours, ensemble des assemblées législatives.

parlementaire, *adj. et subst. Adj.* Relatif au Parlement. – *Subst.* Membre du Parlement.

parlementer, *verbe intrans.* Négocier (avec l'ennemi). – Discuter pour trouver un arrangement.

parler (i), *verbe Intrans.* Prononcer des mots. – S'exprimer : **Parler** *par gestes.* – Passer aux aveux. – *Trans. dir.* Pratiquer (une langue) : **Parler** *le français.* – S'entretenir de, aborder (un sujet) : **Parler** *politique.* – *Trans. indir.* S'adresser à : **Parler** *à qqn.* – **Parler** *de* : tenir des propos sur.

parler (ii), *subst. m.* Manière de parler. – Dialecte.

parloir, *subst. m.* Pièce où les visiteurs peuvent rencontrer les pensionnaires de certains établissements : **Parloir** *d'une prison.*

parme, *adj. inv. et subst. m.* Couleur violet clair.

parmi, *prép.* Au milieu de. – Au nombre de. – Chez : *Idée répandue* **parmi** *les jeunes.*

parodie, *subst. f.* Caricature d'une œuvre littéraire ou artistique. – *Fig.* Grossière imitation, simulacre : **Parodie** *de justice.*

parodier, *verbe trans.* Faire la parodie de. – *Fig.* Caricaturer (*qqn*).

paroi, *subst. f.* Versant rocheux abrupt. – Cloison, mur. – Surface interne d'un objet creux ; surface latérale d'une cavité.

paroisse, *subst. f.* Circonscription ecclésiastique desservie par un curé, un pasteur.

paroissial, ale, aux, *adj.* Propre à la paroisse.

parole, *subst. f.* Faculté de parler propre à l'être humain. – Propos. – Serment : *Donner sa* **parole**. – *Plur.* Texte d'une chanson.

parolier, ière, *subst.* Auteur de textes destinés à être chantés.

paroxysme, *subst. m.* Intensité maximale.

parpaing, *subst. m.* Bloc creux de béton ou de ciment utilisé dans les constructions modernes.

parquer, *verbe trans.* Mettre (des bêtes) dans un enclos. – Enfermer (des gens) à l'étroit, comme du bétail. – Garer (une voiture).

parquet, *subst. m.* Assemblage de lames de bois couvrant le sol. – *Dr.* Ensemble des magistrats qui exercent le ministère public.

parrain, *subst. m.* Homme qui, au baptême, s'engage à guider son filleul dans sa foi. – Homme qui introduit *qqn* dans une société, un cercle, etc. – Chef d'une mafia.

parrainer, *verbe trans.* Servir de garant à. – Apporter son soutien financier, médiatique à.

parricide, *adj. et subst.* Se dit d'une personne qui a tué l'un de ses ascendants. – *Subst. masc.* Meurtre d'un ascendant : *Commettre un* **parricide**. – *Adj. Crime* **parricide**.

parsemer, *verbe trans.* Disperser, répandre ; être dispersé, répandu çà et là : *Les étoiles* **parsè-** ment *le ciel* ; *Ce tablier* **est parsemé** *de taches.*

part, *subst. f.* Morceau, partie d'un tout ; portion. – Ce qui revient à *qqn.* – *Prendre* **part** *à qqch.* : y participer. – *Faire* **part** *de*, informer de. – Contribution : *Payer sa* **part**. – Partie d'un lieu, côté, direction : *Quelque* **part**, en un lieu non précisé ; *Nulle* **part**, en aucun lieu ; *Autre* **part**, ailleurs. – *De la* **part** *de qqn* : en son nom. – *D'autre* **part** : en outre. – *Loc. adv. À* **part** : différent du reste, séparément, excepté.

partage, *subst. m.* Action de partager. – *Sans* **partage** : à soi seul ; entièrement.

partager, *verbe trans.* Diviser en plusieurs parties. – Diviser en groupes opposés, hostiles. – Donner une part de ; mettre en commun. – *Fig.* S'associer à. – *Être* **partagé** : être animé de sentiments contradictoires.

partant, ante, *adj. et subst. Subst.* Celui qui part. – *Sp.* Concurrent sur la ligne de départ. – *Adj. Être* **partant** *pour* : être volontaire pour (*fam.*).

partenaire, *subst.* Joueur, sportif avec lequel on fait équipe. – Acteur avec lequel on joue. – Pays avec lequel un autre pays entretient des relations. – **Partenaires** *sociaux* : représentants des syndicats et du patronat.

parterre, *subst. m.* Massif de fleurs. – Partie d'une salle de théâtre située derrière les fauteuils de l'orchestre. – Auditoire.

parti, *subst. m.* Groupe de personnes ayant des opinions, des intérêts communs. – Organisation politique. – *Prendre* **parti** *pour, contre qqn* : lui donner raison ou tort. – **Parti** *pris* : préjugé. – Décision, résolution : *Prendre le* **parti** *de*. – *Tirer* **parti** *de* : exploiter.

partial, ale, aux, *adj.* Qui est de parti pris. – Injuste.

partialité, *subst. f.* Tendance à suivre ses préférences personnelles, sans souci d'équité.

participation, *subst. f.* Action, fait de participer. – Intéressement aux bénéfices. – *Fin.* Détention partielle du capital d'une société.

participe, *subst. m.* Forme verbale utilisée au passif et dans les temps composés, ou jouant un rôle d'adjectif : **Participe** *passé, présent.*

participer, *verbe trans. indir.* Prendre part (à). – Payer ou recevoir sa part (de).

particularité, *subst. f.* Caractère particulier ; spécificité, singularité.

particule, *subst. f.* Parcelle infime. – Préposition « de » placée devant certains patronymes.

particulier, ière, *adj. et subst. m. Adj.* Propre à *qqch.*, à *qqn* ; individuel, privé. – Hors du commun, remarquable. – Spécial, spécifique. – *Subst.* Personne privée. – *Loc. adv. En* **particu-** lier : spécialement ; en tête à tête.

partie, *subst. f.* Élément, portion d'un tout. – Divertissement, jeu à plusieurs. – Chacun des plaideurs d'un procès, des signataires d'un contrat. – Profession, spécialité. – *Prendre qqn à* **partie** : s'attaquer à lui.

partiel, ielle, *adj. et subst. m.* Qui ne concerne pas la totalité de *qqch.* – Qui ne constitue pas un tout.

partir, *verbe intrans.* Quitter un lieu, s'en aller. – Prendre, avoir comme point de départ : **Partir** *de rien.* – *Loc. prép. À* **partir** *de* : depuis.

partisan, ane, *adj. et subst. Subst.* Personne qui soutient un candidat, un parti ou une cause. – Franc-tireur. – *Adj. Esprit* **partisan** : de parti pris. – *Être* **partisan** *de* : être favorable à.

partition, *subst. f.* Partage politique d'un pays. – Notation d'une œuvre musicale ; cahier, feuillet où est transcrite cette œuvre.

partout, *adv.* En tout lieu, en tout endroit.

parturiente, *subst. f.* Femme qui accouche.

parure, *subst. f.* Ce qui sert à parer. – Bijoux assortis. – Linge de lit coordonné.

parution, *subst. f.* Fait de paraître en librairie, d'être publié, pour un ouvrage. – Moment de la publication. – Ouvrage publié.

parvenir, *verbe trans. indir.* Réussir (à faire *qqch.*). – Arriver (à destination).

parvenu, ue, *adj. et subst.* Qui s'est élevé socialement sans acquérir les usages de son nouveau milieu.

parvis, *subst. m.* Esplanade située devant une église ou un bâtiment public.

pas (i), *adv.* Négation, employée avec ou sans « ne » : *Je ne viens* **pas** ; **Pas** *du tout.*

pas (ii), *subst. m.* Mouvement que l'on fait lorsqu'on marche, en passant un pied devant l'autre ; enjambée. – Façon de marcher : *À* **pas** *lents.* – Seuil ; passage ; détroit. – *Faire le premier* **pas** : faire des avances.

pascal, ale, als *ou* **aux**, *adj.* Relatif à la fête chrétienne de Pâques, ou à la Pâque juive : *Agneau* **pascal**.

passable, *adj.* Dont la qualité est juste moyenne ; ni bon ni mauvais : *Mention* **passable**.

passade, *subst. f.* Brève aventure amoureuse. – Engouement, caprice.

passage, *subst. m.* Action de passer. – Endroit par où l'on passe. – Changement, fait de passer (d'un état à un autre). – Traversée en bateau. – Galerie marchande couverte. – Extrait d'une œuvre.

passager, ère, *adj. et subst. Subst.* Usager d'un moyen de transport. – *Adj.* Bref, éphémère. – Qui ne fait que passer.

passant, ante, *adj. et subst. Adj.* Fréquenté : *Rue* **passante**. – *Subst.* Piéton qui passe.

passation, *subst. f.* Action d'écrire dans la forme juridique, légale exigée. – Transmission.

passe, *subst. f. Mot de* **passe** : mot ou code secret d'accès. – *Mauvaise* **passe** : situation difficile. – *Hôtel de* **passe** : de prostitution. – *Mar.* Chenal. – *Sp.* Action de passer un ballon.

passé (i), *prép.* Après, au-delà de : **Passé** *cette date, votre billet est périmé.*

passé (ii), *subst. m.* Ce qui a eu lieu, ce qui n'est plus. – *Ling.* Temps de la conjugaison utilisé pour décrire des actions révolues.

passé (iii), ée, *adj.* Du passé, révolu. – *Couleur* **passée** : ternie. – **Passé** *de mode* : démodé.

passe-droit, *subst. m.* Faveur illégale, irrégulière.

passéisme, *subst. m.* Nostalgie excessive du passé.

passementerie, *subst. f.* Ensemble des articles d'ornement tressés ou tissés, utilisés pour l'ameublement et l'habillement. – Fabrication, commerce de ces articles.

passe-montagne, *subst. m.* Cagoule de laine.

passe-partout, *adj. inv. et subst. m. inv.* Subst. Clef ouvrant de nombreuses serrures. – *Adj.* Qui convient partout.

passe-passe, *subst. m. inv. Tour de* **passe-passe** : tour d'adresse ; au *fig.*, manœuvre habile.

passeport, *subst. m.* Pièce officielle d'identité permettant de voyager à l'étranger.

passer, *verbe* Aller sans s'arrêter : *Passer dans la rue.* – Traverser, franchir : **Passer** *par Rome* ; **Passer** *la frontière.* – *Le temps* **passe** : il s'écoule. – **Passer** *en sixième* : y être admis. – **Passer** *un examen* : s'y présenter. – **Passer** *le café* : le filtrer. – **Passer** *une robe* : l'enfiler. – **Passer** *ses vacances à Rome* : y séjourner. – **Passe-***moi le pain* : donne-le-moi. – *Ce film* **passe** *cette semaine* : il est projeté. – *Y* **passer** : mourir (*fam.*).

passereau, *subst. m.* Oiseau de petite taille (moineau, merle, hirondelle, etc.) pourvu de pattes à quatre doigts dont l'un (le pouce) est dirigé vers l'arrière. – *Plur.* L'ordre correspondant.

passerelle, *subst. f.* Pont étroit réservé aux piétons. – Plan incliné ou escalier mobile qui permet l'accès à un bateau, à un avion.

passe-temps, *subst. m. inv.* Occupation, loisirs agréables.

passeur, euse, *subst.* Personne qui fait traverser une rivière. – Personne qui fait passer une frontière illégalement.

passible, *adj.* Qui encourt ou entraîne une peine : *Délit passible d'une amende.*

passif, ive, *adj. et subst. m.* Ling. Se dit d'une forme verbale où le sujet grammatical subit l'action : *Voix* **passive** ; *Au passif.* – *Adj.* Qui n'est pas agissant. – Qui se contente de subir. – Qui manque d'énergie ou de volonté.

passiflore, *subst. f.* Plante tropicale grimpante, qui donne le fruit de la Passion.

passion, *subst. f. La* **Passion** : les souffrances et le supplice du Christ. – Émotion violente qui domine la raison. – Amour ardent. – Intérêt intense, puissant désir éprouvé pour *qqch., qqn.* – Objet de cet amour, et de ce désir.

passionnel, elle, *adj.* Inspiré par la passion.

passionner, *verbe trans.* Susciter un très vif intérêt. – **Passionner** *un débat* : le rendre très animé.

passivité, *subst. f.* État de ce qui est passif. – Comportement d'une personne passive.

passoire, *subst. f.* Ustensile percé de trous, servant à égoutter les aliments.

pastel, *adj. inv. et subst. m.* Subst. Bâtonnet de couleur. – Dessin au **pastel**. – *Adj.* De couleur, de teinte douce et claire.

pastèque, *subst. f.* Plante méditerranéenne cultivée pour son gros fruit rond et vert, à chair rouge gorgée d'eau. – Ce fruit.

pasteur, *subst. m.* Gardien de troupeau. – Guide spirituel. – Ministre du culte protestant.

pasteuriser, *verbe trans.* Stériliser en portant à très haute température.

pastiche, *subst. m.* Imitation de la manière d'un artiste, du style d'un auteur, parodie.

pastille, *subst. f.* Petit bonbon ou médicament à sucer, de forme aplatie. – Motif rond.

pastis, *subst. m.* Boisson alcoolisée, à l'anis.

pastoral, ale, aux, *adj. et subst. f.* Adj. Relatif aux bergers. – Qui idéalise la campagne. – *Subst.* Œuvre qui s'inspire des mœurs champêtres.

patate, *subst. f.* Pomme de terre (*fam.*). – **Patate** *douce* : tubercule tropical à chair rosée.

pataud, aude, *adj. et subst.* Qui est gauche et maladroit. – *Subst. masc.* Chiot à grosses pattes.

patauger, *verbe intrans.* Marcher sur un sol boueux, dans des flaques. – Fig. S'empêtrer dans une difficulté (*fam.*).

patchwork, *subst. m.* Ouvrage fait de pièces de tissu disparates. – Fig. Ensemble hétérogène.

pâte, *subst. f.* Mélange à base de farine et d'eau : **Pâte** *à pain.* – Substance plus ou moins molle : **Pâte** *dentifrice.* – *Plur.* Aliments à base de semoule de blé dur, aux formes variées, que l'on fait bouillir.

pâté, *subst. m.* Hachis de viandes cuit en terrine ou en croûte. – Tache d'encre sur une feuille de papier. – Groupe de maisons.

pâtée, *subst. f.* Mélange épais d'aliments dont on nourrit certains animaux.

patent, ente, *adj.* Qui est évident, manifeste.

patente, *subst. f.* Écrit du roi accordant un droit, un privilège. – Ancien impôt professionnel ; le document attestant son paiement.

patère, *subst. f.* Portemanteau mural.

paternalisme, *subst. m.* Attitude d'un patron dont l'autorité, supposée protectrice, infantilise.

paternel, elle, *adj.* Propre au père. – Du côté du père. – Qui semble émaner d'un père.

paternité, *subst. f.* État, qualité, sentiment de père. – Fait d'être l'auteur (de *qqch.*).

pâteux, euse, *adj.* De la consistance d'une pâte.

pathétique, *adj. et subst. m.* Qui émeut vivement par son intensité dramatique ou douloureuse.

pathogène, *adj.* Susceptible d'être la cause d'une maladie : *Bactérie* **pathogène**.

pathologie, *subst. f.* Méd. Étude des causes, des symptômes et de l'évolution des maladies.

patibulaire, *adj.* Qui inspire la méfiance et l'inquiétude par son aspect louche, sinistre.

patience, *subst. f.* Vertu qui consiste à ne pas s'irriter des désagréments et à savoir attendre. – Persévérance, constance.

patient, iente, *adj. et subst.* Adj. Qui fait montre de patience. – *Subst.* Client d'un médecin.

patienter, *verbe intrans.* Attendre avec patience.

patin, *subst. m.* Semelle de feutre utilisée pour glisser sur un parquet ciré. – **Patin** *à roulettes* : semelle rigide à quatre roues, attachée sous la chaussure. – **Patin** *à glace* : chaussure sous laquelle est fixée une lame.

patinage, *subst. m.* Fait de patiner. – Pratique du patin à glace ou à roulettes.

patine, *subst. f.* Oxydation naturelle ou chimique du cuivre ou du bronze. – Empreinte du temps sur les objets anciens.

patiné, ée, *adj.* Couvert de patine.

patiner, *verbe intrans.* Se déplacer avec des patins à glace ou à roulettes. – Glisser faute d'adhérence : *Les roues* **patinent** *dans le sable.*

patinoire, *subst. f.* Lieu aménagé pour le patinage sur glace. – Fig. Sol très glissant.

patio, *subst. m.* Cour intérieure d'une maison, sur laquelle s'ouvrent des pièces.

pâtir, *verbe intrans.* Subir un dommage à cause de : **Pâtir** *de l'injustice.*

pâtisserie, *subst. f.* Gâteau, pâte travaillée, diversement garnie et cuite au four. – Boutique, commerce et profession du pâtissier.

pâtissier, ière, *adj. et subst.* Personne qui confectionne ou qui vend des pâtisseries.

patois, *subst. m.* Parler d'une localité ou d'une région rurales, d'usage oral.

pâtre, *subst. m.* Berger (*littér.*).

patriarcat, *subst. m.* Organisation sociale fondée sur l'autorité du père.

patriarche, *subst. m.* Vieillard vénérable entouré d'une descendance nombreuse.

patricien, ienne, *adj. et subst.* Se disait d'un citoyen romain de la plus haute classe sociale.

patrie, *subst. f.* Pays natal. – Nation à laquelle on appartient ou envers laquelle on éprouve un vif sentiment d'appartenance.

patrimoine, *subst. m.* Ensemble des biens hérités des ascendants. – Héritage d'une collectivité : **Patrimoine** *culturel.*

patriote, *adj. et subst.* Qui aime sa patrie et qui est prêt à la défendre.

patriotisme, *subst. m.* Amour de la patrie.

patron (i), *subst. m.* Modèle d'après lequel sont exécutés certains travaux artisanaux.

patron (ii), onne, *subst.* Saint protecteur. – Personne qui dirige un établissement et qui a des employés sous ses ordres; employeur.

patronage, *subst. m.* Protection accordée par une entreprise, une personne influente, etc. – Œuvre organisant les loisirs des enfants.

patronal, ale, aux, *adj.* Qui honore un saint patron : *Fête* **patronale**. – Relatif au patronat.

patronat, *subst. m.* Ensemble des patrons, des chefs d'entreprise.

patronner, *verbe trans.* Soutenir, appuyer en accordant son patronage à.

patronyme, *subst. m.* Nom de famille.

patrouille, *subst. f.* Petite formation d'avions, détachement de policiers ou de militaires chargés d'une mission de surveillance, de liaison, etc. – Cette mission.

patte, *subst. f.* Membre d'un animal. – Jambe, pied ou main (*fam.*). – Manière, habileté propres à un artiste.

patte-d'oie, *subst. f.* Carrefour d'où partent au moins trois voies. – Faisceau de rides au coin externe de l'œil.

pâturage, *subst. m.* Lieu où paît le bétail.

pâture, *subst. f.* Nourriture des animaux. – Pâturage. – *Fig.* Ce qui nourrit la pensée.

paume, *subst. f.* L'intérieur de la main, qui va du poignet à la naissance des doigts.

paupérisation, *subst. f.* Appauvrissement lent, continu d'une classe sociale, d'une population.

paupière, *subst. f.* Membrane cutanée, dotée de muscles et mobile, qui protège l'œil.

paupiette, *subst. f.* Tranche de veau farcie, roulée, bardée et ficelée, que l'on braise.

pause, *subst. f.* Interruption momentanée d'une activité, d'un travail. – *Mus.* Bref silence.

pauvre, *adj. et subst.* Qui a des ressources insuffisantes. – *Adj.* Qui inspire la pitié. – Médiocre, faible : *Un style* **pauvre**.

pauvreté, *subst. f.* État, condition d'une personne pauvre. – Aspect misérable. – *Fig.* Insuffisance, médiocrité.

pavage, *subst. m.* Action de paver. – Revêtement de pavés, de dalles, etc.

pavaner (se), *verbe pronom.* Se comporter avec suffisance, à la manière d'un paon qui fait la roue.

pavé, *subst. m.* Bloc de pierre gén. cubique, utilisé pour le revêtement d'un sol, d'une voie; ce revêtement. – Gros livre ou texte trop long (*fam.*). – Bifteck épais.

paver, *verbe trans.* Recouvrir (un sol) de pavés.

pavillon, *subst. m.* Maison individuelle. – Petit bâtiment ou corps de bâtiment. – Partie extérieure de l'oreille. – Extrémité évasée de certains instruments de musique à vent. – *Mar.* Drapeau.

pavoiser, *verbe Trans.* Orner (un bateau, une rue, un édifice, etc.) de drapeaux. – *Intrans. Fig.* Afficher sa joie (*fam.*).

pavot, *subst. m.* Plante dont une espèce fournit l'opium. – **Pavot** *des champs* : coquelicot.

payant, ante, *adj.* Qui doit payer. – Que l'on doit payer. – Rentable, profitable (*fam.*).

paye, *subst. f.* Somme d'argent que l'on reçoit en échange de son travail : *Une fiche de* **paye**.

payer, *verbe trans.* Verser une somme due ; verser à *qqn* ce qui lui est dû ; rémunérer. – Dédommager ; récompenser. – *Fig.* Expier : **Payer** *son crime.* – *Ça* **paye** : c'est rentable (*fam.*).

pays, *subst. m.* Territoire d'un État. – Région. – Lieu d'où l'on est originaire : *Rentrer au* **pays**.

paysage, *subst. m.* Étendue de pays que la vue embrasse. – Cette étendue, en tant qu'elle présente certains caractères : **Paysage** *de collines, d'usines.* – Représentation picturale, photographique, etc., d'un **paysage**. – *Fig.* Aspect général d'une situation.

paysagiste, *adj. et subst.* Peintre de paysages. – Architecte ou jardinier de parcs, de jardins.

paysan, anne, *adj. et subst. Subst.* Personne qui vit du travail de la terre. – *Adj.* De la campagne.

paysannerie, *subst. f.* Ensemble des paysans.

p.c. (i), *subst. m. inv.* Sigle pour « poste de commandement ».

p.c. (ii), *subst. m. inv.* Sigle pour « personal computer », ordinateur individuel.

p.-d.g., *voir* **président**

péage, *subst. m.* Droit à acquitter pour emprunter une voie. – Lieu où l'on en paie le droit.

peau, *subst. f.* Tissu organique qui recouvre le corps de l'homme et de certains animaux. – Cuir. – Enveloppe d'un fruit.

peaufiner, *verbe trans.* Achever avec un soin extrême.

pécari, *subst. m.* Porc sauvage d'Amérique.

peccadille, *subst. f.* Faute sans gravité.

pêche (i), *subst. f.* Fruit du pêcher, à la peau veloutée, juteux, d'un goût subtil.

pêche (ii), *subst. f.* Action, manière de pêcher. – Ensemble des poissons pêchés.

péché, *subst. m.* Faute commise contre la loi divine. – **Péché** *mignon* : petit travers sans gravité.

pécher, *verbe intrans.* Commettre un péché. – Commettre une faute, une erreur. – Comporter un défaut : **Pécher** *par manque de clarté.*

pêcher, *verbe trans.* Prendre ou tenter de prendre (du poisson). – *Fig.* Dénicher (*fam.*).

pécheur, pécheresse, *subst.* Personne qui commet, qui a commis des péchés.

pêcheur, euse, *adj. et subst. Subst.* Personne qui pratique la pêche, en professionnel ou en amateur. – *Adj.* Qui pêche : *Marin* **pêcheur**.

pectoral, ale, aux, *adj. et subst. m. Subst.* Bijou ou protection portés sur la poitrine. – *Plur.* Muscles du thorax. – *Adj.* De la poitrine.

pécule, *subst. m.* Somme d'argent amassée avec le temps : **Pécule** *d'un détenu*.

pécuniaire, *adj.* Relatif à l'argent. – Qui consiste en argent : *Aide* **pécuniaire**.

pédagogie, *subst. f.* Science de l'éducation. – Méthode d'enseignement.

pédagogue, *adj. et subst.* Se dit d'une personne douée pour l'enseignement. – *Subst.* Spécialiste de la pédagogie.

pédale, *subst. f.* Levier manœuvré au pied.

pédaler, *verbe intrans.* Actionner les pédales d'une bicyclette ; rouler à bicyclette.

pédalier, *subst. m.* Ensemble formé par les pédales et le plateau d'une bicyclette.

pédalo, *subst. m.* Embarcation à flotteurs, que l'on fait avancer en pédalant.

pédant, ante, *adj. et subst.* Qui étale son érudition. – *Adj.* *Ton* **pédant** : doctoral, prétentieux.

pédérastie, *subst. f.* Homosexualité masculine, assortie d'une préférence pour les jeunes.

pédestre, *adj.* Que l'on fait à pied.

pédiatrie, *subst. f.* Branche de la médecine spécialisée dans les maladies infantiles.

pédicure, *subst.* Spécialiste des soins du pied.

pedigree, *subst. m.* Généalogie d'un animal de race. – Le certificat qui l'atteste.

pédoncule, *subst. m.* Queue d'une fleur, d'un fruit.

pègre, *subst. f.* Milieu des malfaiteurs.

peigne, *subst. m.* Instrument à fines dents servant à démêler, à coiffer ou à retenir les cheveux. – Appareil servant à peigner des fibres.

peigner, *verbe trans.* Démêler avec un peigne (les cheveux, la barbe, des fibres textiles). – *Pronom.* Se coiffer.

peignoir, *subst. m.* Vêtement en tissu éponge, que l'on porte au sortir du bain, de la douche. – Léger vêtement féminin d'intérieur.

peindre, *verbe trans.* Représenter en peinture. – Recouvrir de peinture (une surface). – *Fig.* Dépeindre, décrire.

peine, *subst. f.* Contrainte, effort. – Chagrin. – Embarras, souci. – Sanction légale. – *Ce n'est pas la* **peine** : c'est inutile.

peine (à), *loc. adv.* Tout juste ; pas tout à fait : *Il est* **à peine** *2 heures*. – Aussitôt, dès que : **À peine** *futelle partie que ses paroles*.

peiner, *verbe Intrans.* Travailler dur, se fatiguer. – *Trans.* Chagriner (*qqn*).

peintre, *subst. m.* Artiste qui peint des tableaux, des fresques, etc. – Ouvrier, artisan couvrant de peinture des murs, des plafonds, etc.

peinture, *subst. f.* Art de l'artiste peintre ; son œuvre (tableau, fresque, etc.). – Matière colorée utilisée pour peindre. – Action de peindre un mur. – Description, évocation.

péjoratif, ive, *adj.* Qui comporte une connotation défavorable, dépréciative.

pelage, *subst. m.* Ensemble des poils d'un animal.

pêle-mêle, *adv.* En vrac, en désordre.

peler, *verbe Trans.* Ôter la peau (d'un légume, d'un fruit). – *Intrans.* Perdre sa peau par lamelles, en *gén.* après un coup de soleil.

pèlerin, *subst. m.* Personne qui fait un pèlerinage. – Requin géant inoffensif pour l'homme. – Espèce de faucon commun.

pèlerinage, *subst. m.* Voyage vers un lieu saint. – *Fig.* Voyage accompli en un lieu, en souvenir de *qqn*, de *qqch*.

pèlerine, *subst. f.* Manteau sans manches, *souv.* à capuche ; cape.

pélican, *subst. m.* Gros oiseau aquatique palmipède, au bec pourvu d'une poche.

pelisse, *subst. f.* Manteau doublé de fourrure.

pelle, *subst. f.* Outil composé d'une plaque, *souv.* métallique, ajustée à un long manche et servant notamment à creuser la terre.

pelletée, *subst. f.* Contenu d'une pelle. – *Fig.* Grande quantité (*fam.*) : *Une* **pelletée** *d'injures*.

pelleteuse, *subst. f.* Engin de chantier qui sert à déplacer la terre, à effectuer des terrassements.

pellicule, *subst. f.* Minuscule lamelle de peau détachée du cuir chevelu. – Couche très fine. – Fine feuille de matière souple. – *Photo et cin.* Feuille de plastique recouverte d'une couche sensible à la lumière.

pelote, *subst. f.* Boule de fil enroulé : **Pelote** *de ficelle*. – Jeu de balle traditionnel des Basques ; balle utilisée pour ce jeu.

peloton, *subst. m.* Petite pelote. – *Sp.* Groupe compact de coureurs. – *Milit.* Petite unité de soldats : **Peloton** *d'exécution*, chargé d'exécuter un condamné.

pelotonner (se), *verbe pronom.* Se blottir en boule.

pelouse, *subst. f.* Terrain couvert de gazon.

peluche, *subst. f.* Espèce de tissu doux à poils longs. – Jouet, animal en **peluche**. – Petite boule de fibres, détachée d'un tissu, d'un tricot.

p(e)lucher, *verbe intrans.* Former des peluches, en parlant d'un tissu qui s'use.

pelure, *subst. f.* Peau d'un fruit ou d'un légume que l'on a épluché.

pénal, ale, aux, *adj.* Qui concerne les peines encourues en cas d'infraction à la loi.

pénaliser, *verbe trans.* Sanctionner (un sportif qui a commis une faute). – Punir ; frapper d'une pénalité fiscale. – Désavantager.

penalty, *subst. m.* Au football, sanction prise contre un joueur qui a commis une faute grave près du son but. – Coup au but de réparation.

pénates, *subst. m. plur.* Dieux du foyer, dans la Rome antique. – *Fig. Ses* **pénates** : sa maison (*fam.*).

penaud, aude, *adj.* Honteux, confus, déconfit.

penchant, *subst. m.* Inclination naturelle, tendance.

pencher, *verbe intrans.* Être fortement incliné. – **Pencher** *pour, vers* : préférer. – *Pronom.* Se **pencher** *sur* : examiner.

pendaison, *subst. f.* Action de se pendre ou de pendre *qqn* : *Être condamné à la* **pendaison**.

pendant (i), *subst. m.* **Pendants** *d'oreilles* : boucles d'oreilles suspendues. – Objet, chose analogue, égale, symétrique à une autre.

pendant (ii), *prép.* Durant. – *Loc. conj.* **Pendant** *que* : lorsque, puisque, tandis que.

pendentif, *subst. m.* Bijou suspendu à une chaîne, porté autour du cou.

penderie, *subst. f.* Placard où l'on suspend les vêtements sur des cintres.

pendre, *verbe. Trans.* Suspendre (*qqch.*). – Exécuter (*qqn*) par pendaison. – *Intrans.* Être suspendu. – Descendre trop bas, traîner : *Ourlet qui* **pend**.

pendu, ue, *adj. et subst.* Se dit d'une personne morte par pendaison. – *Adj.* Suspendu, accroché.

pendule, *subst. Masc.* Corps suspendu que l'action de la pesanteur fait osciller. – Balancier d'une horloge. – *Fém.* Petite horloge à balancier.

pêne, *subst. m.* Partie mobile d'une serrure qui bloque la porte.

pénétration, *subst. f.* Action de pénétrer ; son résultat. – *Fig.* Intelligence lucide, acuité.

pénétré, ée, *adj.* Habité par un vif sentiment, une intense conviction. – Imbu.

pénétrer, *verbe Intrans.* S'introduire, entrer. – *Trans.* Transpercer, imbiber. – *Fig.* Envahir (les sens). – Deviner. – *Pronom.* Se convaincre, se persuader.

pénible, *adj.* Qui se fait avec difficulté. – Qui est cause de désagrément, de chagrin.

péniche, *subst. f.* Bateau fluvial à fond plat, transportant des marchandises.

pénicilline, *subst. f.* Antibiotique puissant obtenu à partir d'une moisissure.

péninsule, *subst. f.* Presqu'île très étendue.

pénis, *subst. m.* Organe mâle de la copulation.

pénitence, *subst. f.* Repentir d'avoir offensé Dieu. – Punition.

pénitencier, *subst. m.* Établissement carcéral réservé aux longues peines de réclusion.

pénitent, ente, *adj. et subst.* Se dit d'un pécheur qui se confesse et reçoit l'absolution.

pénitentiaire, *adj.* Relatif aux prisons.

penne, *subst. f.* Grande plume de la queue ou des ailes d'un oiseau.

pénombre, *subst. f.* Lumière faible, tamisée.

pensable, *adj.* Concevable, imaginable.

pense-bête, *subst. m.* Note, astuce destinées à faire penser à *qqch.* au moment voulu (fam.)

pensée (i), *subst. f.* Faculté de se représenter *qqch.* mentalement, d'y réfléchir. – Esprit. – Production consciente de l'activité psychique (idée, imagination, évocation, réflexion, etc.). – Opinion, point du vue : *Dévoiler sa* **pensée**.

pensée (ii), *subst. f.* Petite plante ornementale dont les fleurs veloutées ont des couleurs vives.

penser, *verbe Intrans.* Faire fonctionner son esprit, réfléchir. – *Trans.* Avoir pour opinion, croire. – Projeter de : *Je* **pense** *voyager.* – Penser à : ne pas oublier de ; envisager de.

pensif, ive, *adj.* Plongé dans ses pensées.

pension, *subst. f.* Allocation versée régulièrement : *Toucher sa* **pension**. – Établissement où des personnes sont logées et nourries moyennant une rétribution. – Établissement scolaire où l'élève est logé et nourri ; internat.

pensionnaire, *subst.* Élève interne. – Client qui a pris pension dans un hôtel.

pensionnat, *subst. m.* Internat scolaire.

pensionné, ée, *adj. et subst.* Qui touche une pension.

pensum, *subst. m.* Travail imposé à un élève comme punition. – Travail intellectuel pénible.

pentagone, *subst. m.* Polygone à cinq côtés.

pente, *subst. f.* Inclinaison d'une surface. – Versant d'une montagne ; côte. – *Fig.* Tendance.

pentu, ue, *adj.* Qui présente une forte pente : *Un toit* **pentu**.

pénultième, *adj.* Avant-dernier.

pénurie, *subst. f.* Situation de manque général de ce qui est nécessaire : **Pénurie** *d'essence, de personnel, de devises.*

pépier, *verbe intrans.* Pousser des cris brefs et aigus (pépiements), en parlant des petits oiseaux et des oisillons.

pépin, *subst. m.* Graine de certains fruits ou légumes. – *Fig.* Incident fâcheux (*fam.*).

pépinière, *subst. f.* Plantation de jeunes végétaux destinés à être replantés.

pépite, *subst. f.* Petit morceau de métal, en *partic.* d'or, tel qu'on le trouve dans la nature.

péplum, *subst. m.* Tunique romaine. – *Cin.* Film s'inspirant de l'Antiquité (*fam.*).

perçage, *subst. m.* Action de percer (une matière).

percale, *subst. f.* Tissu de coton, fin et résistant.

perçant, ante, *adj.* Vif, pénétrant. – Aigu, qui perce le tympan, en parlant d'un son. – *Vue* **perçante** : d'une grande acuité.

percée, *subst. f.* Dégagement, trouée dans un milieu naturel. – Progrès spectaculaire. – *Milit.* Action de traverser les lignes ennemies.

percement, *subst. m.* Opération consistant à percer une ouverture : **Percement** *d'un tunnel.*

perce-neige, *subst. f. ou m. inv.* Plante bulbeuse dont les fleurs blanches apparaissent en février.

percepteur, *subst. m.* Fonctionnaire chargé du recouvrement des impôts directs.

perceptible, *adj.* Qui peut être perçu par les sens. – Qui peut être saisi par l'esprit.

perception, *subst. f.* Bureau et fonction du percepteur. – Action et faculté de percevoir par les sens, par l'esprit.

percer, *verbe Trans.* Faire une ouverture, un trou, un passage dans. – *Fig.* **Percer** *un mystère* : l'élucider. – *Intrans.* Poindre (à travers *qqch.*). – Devenir célèbre.

perceuse, *subst. f.* Outil portatif ou machine-outil servant à percer des trous.

percevoir, *verbe trans.* Saisir par les sens ou par l'esprit, sentir, comprendre. – **Percevoir** *une pension* : la toucher. – **Percevoir** *un impôt* : le recouvrer.

perche (i), *subst. f.* Poisson d'eau douce, carnassier, à la chair prisée.

perche (ii), *subst. f.* Longue barre de bois, de métal, ronde et mince.

percher, *verbe Intrans.* Être posé sur une branche ou un perchoir, en parlant d'un oiseau. – *Trans.* Poser en hauteur. – *Pronom.* Se poser ; se jucher.

percheron, onne, *adj.* Se dit d'une race de chevaux de trait, originaire du Perche.

perchoir, *subst. m.* Barre, lieu où perchent les oiseaux domestiques ou captifs.

perclus, use, *adj.* Qui se meut à grand-peine.

percussion, *subst. f.* Choc brusque d'un corps contre un autre. – *Mus. Instruments à* **percussion** : sur lesquels on frappe.

percutant, ante, *adj.* Qui frappe. – Saisissant.

percuter, *verbe* Heurter violemment.

perdition, *subst. f. En* **perdition** : en danger de faire naufrage ; menacé de ruine, de disparition. – Ruine morale : *Lieu de* **perdition**.

perdre, *verbe trans.* Cesser de posséder, d'avoir à soi. – Être privé de. – Égarer. – Être quitté par (*qqn*) ; être séparé de (*qqn*) par la mort. – Être vaincu. – Gaspiller : **Perdre** *son temps.* – **Perdre** *de vue* : cesser de voir. – *Pronom.* S'égarer. – Disparaître.

perdreau, *subst. m.* Jeune perdrix de moins d'un an, constituant un gibier de choix.

perdrix, *subst. f.* Oiseau gallinacé, nichant dans des creux de terrain, prisé des chasseurs.

perdurer, *verbe intrans.* S'éterniser, se perpétuer.

père, *subst. m.* Homme qui a engendré un ou plusieurs enfants. – Créateur, fondateur, inventeur. – *Nos* **pères** : nos ancêtres. – *Relig. Le* **Père** : Dieu ; première Personne de la sainte Trinité. – Appellation donnée à certains prêtres. – *Le Saint-***Père** : le pape.

pérégrinations, *subst. f. plur.* Déplacements incessants entre divers lieux.

péremption, *subst. f. Date de* **péremption** : date avant laquelle il faut consommer un produit.

péremptoire, *adj.* Qui ne supporte ni objection ni discussion.

pérennité, *subst. f.* État, caractère de ce qui dure toujours ou très longtemps.

perfectible, *adj.* Qui peut être amélioré.

perfection, *subst. f.* Qualité, état de ce qui est parfait, irréprochable et accompli. – Chose, personne parfaites.

perfectionnement, *subst. m.* Action de perfectionner, de se perfectionner. – Son résultat.

perfectionner, *verbe trans.* Rendre plus parfait possible. – Améliorer. – *Pronom.* S'améliorer. – Compléter son savoir ; progresser.

perfectionniste, *adj. et subst.* Se dit de *qqn* qui pousse à l'extrême le goût du travail bien fait.

perfide, *adj. et subst.* Qui est fourbe et déloyal.

perfidie, *subst. f.* Caractère de ce qui est perfide. – Trahison, déloyauté. – Propos, acte qui cherchent à nuire sournoisement.

perforation, *subst. f.* Action de perforer ; trou qui en est le résultat. – *Méd.* Déchirure pathologique ou accidentelle d'un tissu.

perforer, *verbe trans.* Percer, pratiquer des trous dans.

performance, *subst. f.* Résultat obtenu par un athlète. – Exploit. – Résultat optimal qu'un matériel peut obtenir.

performant, ante, *adj.* Capable de performances. – Apte à soutenir la concurrence.

perfusion, *subst. f.* Injection intraveineuse lente, au goutte-à-goutte.

pergola, *subst. f.* Construction légère de jardin formée de poutres reposant sur des piliers, qui supporte des plantes grimpantes.

péricliter, *verbe intrans.* Aller vers le déclin, la faillite.

péridurale, *subst. f.* Anesthésie de la région du bassin, qui rend l'accouchement indolore.

péril, *subst. m.* Danger, risque. – *Au* **péril** *de sa vie* : au risque de perdre la vie, d'être tué.

périlleux, euse, *adj.* Qui comporte un péril.

périmé, ée, *adj.* Dont la date de validité ou de péremption est dépassée ; qui n'a plus cours. – Hors d'usage, dépassé.

périmètre, *subst. m.* Limite d'une surface plane ; longueur de cette limite. – Zone, espace.

périnée, *subst. m.* Région du corps comprise entre l'anus et les parties génitales.

période, *subst. f.* Laps de temps, époque. – Durée déterminée ; phase.

périodicité, *subst. f.* Propriété, caractère de ce qui est périodique. – Fréquence.

périodique, *adj. et subst. m.* Adj. Qui revient à intervalles réguliers. – *Subst.* Journal, magazine qui paraît à intervalles réguliers.

péripétie, *subst. f.* Incident imprévu qui change le cours des événements.

périphérie, *subst. f.* Région située à la limite d'un territoire, d'un espace. – Zone urbaine éloignée du centre de la ville.

périphérique, *adj. et subst. m. Adj.* À la périphérie. – *Subst.* Voie rapide entourant une agglomération.

périphrase, *subst. f.* Figure qui consiste à remplacer un mot par un groupe de mots.

périple, *subst. m.* Grand voyage par voie maritime.

périr, *verbe intrans.* Mourir de façon violente. – Disparaître (en mer) : **Périr** *corps et biens.*

périscope, *subst. m.* Instrument d'optique permettant de voir par-dessus un obstacle, ou à la surface de l'eau pour un sous-marin.

périssable, *adj.* Qui se gâte vite : *Des denrées* **périssables**.

perle, *subst. f.* Concrétion de nacre sécrétée par certains coquillages. – Petite boule percée d'un trou, à enfiler. – Gouttelette. – *Fig.* Personne ou chose dotées des plus éminentes qualités. – Erreur ridicule (*fam.*).

perler, *verbe intrans.* Former des gouttelettes (*littér.*).

perlier, ière, *adj.* Qui a trait aux perles.

permanence, *subst. f.* Caractère permanent. – Service chargé d'assurer le fonctionnement continu d'une activité ; local de ce service. – Salle d'un collège, d'un lycée, accueillant des élèves n'ayant pas de cours. – *En* **permanence** : sans interruption.

permanent, ente, *adj. et subst. Adj.* Qui dure sans varier ni s'interrompre, continu. – Dont l'activité est constante. – *Domicile* **permanent** : fixe. – *Subst.* Membre rémunéré d'une organisation, d'un parti. – *Subst. fém.* Traitement indéfrisable des cheveux.

perméabilité, *subst. f.* Propriété d'un corps qui est perméable.

perméable, *adj.* Qui laisse pénétrer un fluide, en *partic.* l'eau. – *Fig.* Influençable.

permettre, *verbe trans.* Autoriser, tolérer. – Donner le pouvoir, la possibilité de : **Permettre** *à qqn de s'absenter.* – *Pronom.* Prendre la liberté de, oser.

permis, *subst. m.* Autorisation officielle.

permissif, ive, *adj.* Qui laisse faire.

permission, *subst. f.* Action de permettre, autorisation. – Bref congé accordé à un militaire : *Partir en* **permission**.

permissionnaire, *subst.* Militaire en permission.

permuter, *verbe Trans.* Intervertir ; substituer (une chose à une autre). – *Intrans.* Échanger sa place, son emploi, etc.

pernicieux, ieuse, *adj.* Dangereux, nuisible.

péroné, *subst. m.* Os long et grêle de la jambe, parallèle au tibia.

pérorer, *verbe intrans.* Discourir avec emphase.

perpendiculaire, *adj. et subst. f. Adj.* Qui forme un angle droit. – *Subst.* Droite **perpendiculaire** (à une autre, à un plan).

perpétrer, *verbe trans.* Accomplir, commettre (un acte criminel) : **Perpétrer** *un forfait.*

perpétuel, elle, *adj.* Qui n'a pas de cesse, de fin. – Qui dure pour la vie. – Qui se renouvelle fréquemment : *Disputes* **perpétuelles**.

perpétuer, *verbe trans.* Faire durer très longtemps, ou indéfiniment : **Perpétuer** *une tradition.*

perpétuité, *subst. f. À* **perpétuité** : pour toujours.

perplexe, *adj.* Qui ne sait que décider, faute de comprendre.

perquisition, *subst. f.* Fouille d'un lieu par la police, dans le cadre d'une enquête.

perron, *subst. m.* Escalier extérieur de faible hauteur, menant à l'entrée d'un bâtiment.

perroquet, *subst. m.* Oiseau grimpeur des pays exotiques, capable d'imiter des sons articulés.

perruche, *subst. f.* Oiseau semblable à un petit perroquet, mais incapable d'imiter des sons. – Femelle du perroquet.

perruque, *subst. f.* Coiffure postiche.

pers, perse, *adj.* D'une couleur entre le bleu et le vert (*littér.*) : *Des yeux* pers.

persécuter, *verbe trans.* Faire souffrir par des traitements cruels. – Importuner sans cesse.

persécution, *subst. f.* Action de persécuter.

persévérance, *subst. f.* Action de persévérer. – Ténacité, constance.

persévérer, *verbe intrans.* Demeurer résolu, constant dans une action, une décision, un sentiment.

persienne, *subst. f.* Volet, contrevent ajourés.

persifler, *verbe trans.* Tourner en ridicule, railler.

persil, *subst. m.* Herbe aromatique utilisée comme condiment : *Un bouquet de* **persil**.

persillade, *subst. f.* Assaisonnement à base de persil et d'ail hachés.

persistance, *subst. f.* Action de persister ; fermeté, obstination. – Fait de persister.

persister, *verbe intrans.* Demeurer ferme, s'obstiner : **Persister** *dans l'erreur.* – Durer, subsister.

personnage, *subst. m.* Personne importante, célèbre ou originale. – Individu imaginaire créé par un auteur. – Emploi d'un acteur. – Personne, considérée relativement à son comportement : **Personnage** *grotesque.*

personnaliser, *verbe trans.* Adapter (*qqch.*) à *qqn*, à un cas particulier. – Donner une touche personnelle à (*qqch.*) : **Personnaliser** *un appartement.*

personnalité, *subst. f.* Ensemble des caractères permanents d'une personne, qui déterminent sa singularité, son originalité. – Individu célèbre ou influent.

personne (i), *subst. f.* Être humain, individu. – Personnalité physique ou psychique : *Être content de sa* **personne**. – *Dr.* **Personne morale** : entité juridique sans existence corporelle, société. – *Ling.* Forme de la conjugaison du verbe indiquant le rôle que tient celui qui est en cause dans l'énoncé. – *Venir en* **personne** : soi-même.

personne (ii), *pron. indéf. m. sing.* Quiconque : *Savoir mieux que* **personne**. – Nul, aucun être : *N'accepter d'ordres de* **personne**.

personnel, elle, *adj. et subst. m. Adj.* Propre à une personne. – Original, singulier. – Qui ne se préoccupe pas des autres, égoïste. – *Ling.* Qui marque la personne grammaticale : *Mode, pronom* **personnels**. – *Subst.* Ensemble des salariés d'un service, d'une entreprise.

personnifier, *verbe trans.* Attribuer des traits humains à (une abstraction, une chose) ; incarner, symboliser. – Être représentatif de.

perspective, *subst. f.* Technique permettant la représentation sur un plan d'un objet en trois dimensions. – Vue d'ensemble, éloignée de l'observateur. – Grande voie rectiligne, que l'on peut embrasser du regard. – Possibilité d'action, horizon : **Perspectives** *de carrière.* – *Loc. adv. En* **perspective** : en vue ; en projet.

perspicace, *adj.* Apte à deviner ce qui n'est pas évident ; pénétrant.

perspicacité, *subst. f.* Caractère perspicace.

persuader, *verbe trans.* Convaincre ; rendre (*qqn*) sûr ou déterminé.

persuasif, ive, *adj.* Qui persuade, convainc.

persuasion, *subst. f.* Action de persuader. – Conviction, assurance.

perte, *subst. f.* Fait d'avoir égaré *qqch.* – Décès d'un être proche ; au *plur.*, victimes d'une guerre, d'une bataille. – Privation de ce que l'on avait. – Fait de perdre de l'argent ; la somme perdue. – Gaspillage : *C'est une* **perte** *de temps.* – Échec.

pertinent, ente, *adj.* Approprié. – Qui dénote du bon sens, de la réflexion.

perturbateur, trice, *adj. et subst.* Qui perturbe, trouble.

perturbation, *subst. f.* Trouble, désordre. – Mauvais fonctionnement. – Pluie accompagnée de vents violents, tempête.

perturber, *verbe trans.* Gêner le fonctionnement, le déroulement normal de. – Troubler.

pervenche, *subst. f.* Plante des sous-bois à fleurs bleu-mauve. – Contractuelle (*fam.*). – *Empl. adj. inv.* Bleu-mauve : *Yeux* **pervenche**.

pervers, erse, *adj. et subst.* Qui aime à faire le mal. – Qui est atteint de perversion, en *partic.* sexuelle. – *Adj.* Qui témoigne de perversité. – *Effet* **pervers** : conséquence fâcheuse, non prévue, d'une décision.

perversion, *subst. f.* Action de pervertir ; son résultat. – Altération, corruption. – Comportement déviant, en *partic.* sexuel.

perversité, *subst. f.* Attirance pour le mal. – Action perverse.

pervertir, *verbe trans.* Pousser au mal, rendre mauvais (*qqn*). – Dévier (*qqch.*) de sa finalité ; dénaturer : **Pervertir** *un projet.*

pesant, ante, *adj.* Lourd. – *Fig.* Dénué de vivacité, de finesse ou de grâce. – Pénible.

pesanteur, *subst. f.* Caractère lourd, pesant. – Attraction exercée par la Terre sur un corps, gravitation. – Force d'inertie, immobilisme : **Pesanteur** *administrative.*

pesée, *subst. f.* Opération par laquelle on pèse *qqch., qqn.* – Ce qui est pesé en une fois. – Pression exercée sur *qqch.*

pèse-personne, *subst. m.* Balance sur laquelle on monte pour se peser.

peser, *verbe Trans.* Déterminer le poids de. – Étudier, examiner avec soin. – *Intrans.* Avoir un poids donné, être lourd. – *Fig.* Être pénible, dur à supporter pour *qqn.* – **Peser** *sur* : exercer une pression sur.

pessimisme, *subst. m.* Disposition à considérer que les choses vont empirer, défaitisme.

pessimiste, *adj. et subst.* Qui est porté au pessimisme.

peste, *subst. f.* Grave maladie infectieuse et épidémique. – *Fig.* Personne ou chose nuisibles. – Enfant insupportable.

pester, *verbe intrans.* Parler avec colère, maugréer : *Il* **peste** *contre son voisin.*

pesticide, *adj. et subst. m.* Se dit d'un produit chimique qui combat animaux ou végétaux nuisibles.

pestiféré, ée, *adj. et subst.* Qui est atteint de la peste.

pestilentiel, ielle, *adj.* Qui exhale une odeur infecte.

pétale, *subst. m.* Chacun des éléments composant la corolle d'une fleur.

pétanque, *subst. f.* Jeu de boules provençal.

pétarade, *subst. f.* Série de détonations.

pétard, *subst. m.* Petite charge d'explosif utilisée comme signal acoustique ou pour s'amuser. – *Fam.* Pistolet. – Bruit, tapage.

péter, *verbe intrans. Fam.* Lâcher des gaz intestinaux. – Exploser, détoner – Se briser, se casser. – *Empl. trans.* **Péter** *un objet* : le casser.

pétiller, *verbe intrans.* Éclater en une suite de petits bruits secs, crépiter. – Bruire en faisant des bulles. – Briller vivement, rayonner.

petit, ite, *adj., subst. et adv. Adj.* Dont les dimensions sont inférieures à la moyenne. – Faible, de peu d'importance. – Mesquin. – *Adj. et subst.* Qui n'a pas atteint l'âge adulte. – Qui est de petite taille. – *Adv.* Peu. – **Petit à petit** : peu à peu. – *En* **petit** : sur une petite échelle, en réduction.

petite-fille, *subst. f.* Pour les parents, fille de leur fils ou de leur fille.

petitesse, *subst. f.* Caractère de ce qui est petit. – Caractère, comportement mesquins, sans grandeur.

petit-fils, *subst. m.* Pour les parents, fils de leur fils ou de leur fille.

petit-four, *subst. m.* Petit gâteau fin, sec ou frais, de la taille d'une bouchée.

pétition, *subst. f.* Requête, plainte, demande écrite adressées à une autorité par une ou plusieurs personnes.

petits-enfants, *subst. m. plur.* Pour les parents, enfants de leur fils ou de leur fille.

petit-suisse, *subst. m.* Petit fromage blanc cylindrique, non salé.

pétrifier, *verbe trans.* Changer en pierre. – Couvrir d'une couche pierreuse. – *Fig.* Immobiliser, paralyser (*qqn*) d'émotion.

pétrin, *subst. m.* Coffre, appareil dans lesquels on pétrit le pain. – *Fig.* Situation fâcheuse (*fam.*) : *Être dans le* **pétrin.**

pétrir, *verbe trans.* Presser, malaxer à l'aide des mains. – *Fig.* Imposer une forme à, façonner.

pétrochimie, *subst. f.* Chimie des produits dérivés du pétrole.

pétrographie, *subst. f.* Science des roches.

pétrole, *subst. m.* Huile minérale composée d'hydrocarbures, que l'on tire du sous-sol et qui sert de source d'énergie après raffinage.

pétrolier, ière, *adj. et subst. m. Adj.* Relatif au pétrole. – *Subst.* Navireciterne qui sert au transport du pétrole.

pétrolifère, *adj.* Qui renferme du pétrole.

pétulance, *subst. f.* Ardeur exubérante, fougue.

pétunia, *subst. m.* Plante ornementale à fleurs blanches, roses ou violettes.

peu, *adv.* En petite quantité : *Manger* **peu.** – En quantité ou en qualité insuffisantes : **Peu** *qualifié.* – Pas souvent : *Voyager* **peu.** – Pas longtemps : *Durer* **peu.** – *Empl. subst. masc. Un* **peu** *de* : une petite quantité de. – *Loc. adv. Sous* **peu** : bientôt ; *Depuis* **peu** : récemment ; **Peu** *à* **peu** : progressivement ; *À* **peu** *près* : presque.

peuplade, *subst. f.* Petit groupe humain dans une société archaïque, tribu.

peuple, *subst. m.* Ensemble d'êtres humains constituant une communauté sociale, culturelle ou nationale. – Ensemble des gens qui ne bénéficient pas de privilèges : *Sortir du* **peuple.** – Foule de gens (*fam.*) : *Quel* **peuple** !

peuplement, *subst. m.* Action de peupler. – État d'un territoire peuplé.

peupler, *verbe trans.* Installer à demeure des gens, des animaux ou des végétaux dans (un lieu). – Vivre en nombre dans (un lieu), occuper (un territoire).

peuplier, *subst. m.* Arbre élancé à petites feuilles. – Bois de cet arbre, utilisé en menuiserie.

peur, *subst. f.* Sentiment de grande inquiétude, d'alarme à l'idée ou en présence d'un danger. – *Loc. prép. et conj. De* **peur** *de, que* : par crainte de, dans la crainte que.

peureux, euse, *adj. et subst.* Qui est enclin à la peur.

peut-être, *adv.* Exprime le doute, l'éventualité : *Il partira* **peut-être.**

phacochère, *subst. m.* Sanglier d'Afrique.

phalange, *subst. f. Antiq.* Corps d'infanterie de l'armée grecque. – Organisation paramilitaire d'inspiration fasciste. – Segment d'un doigt ou d'un orteil.

pharaon, *subst. m.* Souverain de l'Égypte antique.

phare, *subst. m.* Tour dont le signal lumineux guide les bateaux. – Projecteur de lumière placé à l'avant d'un véhicule.

pharmaceutique, *adj.* Qui a trait à la pharmacie.

pharmacie, *subst. f.* Science de la composition et de la préparation des médicaments. – Laboratoire et boutique où on les prépare, où on les vend. – Petite armoire ou trousse à médicaments.

pharynx, *subst. m.* Canal reliant l'arrière-bouche à l'œsophage.

phase, *subst. f.* Chacun des états d'un processus qui évolue par paliers. – Chacun des changements d'aspect de la Lune.

phénix, *subst. m.* Oiseau fabuleux qui renaît de ses cendres. – Personne d'exception (*littér.*).

phénoménal, ale, aux, *adj.* Qui relève du phénomène. – Qui sort de l'ordinaire, prodigieux.

phénomène, *subst. m.* Fait que l'on peut observer. – Fait, événement sortant de l'ordinaire. – Personne singulière, excentrique (*fam.*).

philanthrope, *subst.* Ami du genre humain (vieilli). – Personne qui s'emploie à améliorer le sort d'autrui. – Personne désintéressée.

philatélie, *subst. f.* Étude des timbres-poste. – Art de les collectionner, de les négocier.

philodendron, *subst. m.* Plante verte ornementale à grandes feuilles découpées.

philosophe, *adj. et subst.* Qui fait preuve de sagesse, de hauteur d'âme, de détachement. – *Subst.* Personne qui s'adonne à la réflexion, à la pensée, sur les grandes questions concernant l'homme, l'univers, la vie ; penseur qui échafaude une doctrine.

philosophie, *subst. f.* Champ d'activité d'un philosophe. – Doctrine d'un philosophe : *La* **philosophie** *de Platon.* – Sagesse.

philtre, *subst. m.* Breuvage magique qui inspire l'amour. – *Fig.* Tout ce qui atteint le même but.

phlébite, *subst. f.* Inflammation d'une veine.

phlébologie, *subst. f.* Branche de la médecine qui a trait aux maladies des veines.

phobie, *subst. f.* Peur maladive. – Vive aversion.

phonétique, *adj. et subst. f. Adj.* Qui a trait aux sons du langage. – *Subst.* Science des sons des différentes langues. – Leur transcription par des signes conventionnels.

phonographe, *subst. m.* Appareil ancien restituant les sons gravés sur un disque (*abrév. phono*).

phoque, *subst. m.* Mammifère amphibie des mers froides, à pattes courtes et palmées.

phosphate, *subst. m.* Corps chimique, dont certaines variétés naturelles servent d'engrais.

phosphorescent, ente, *adj.* Qui brille dans l'obscurité.

photo, *subst. f. Abrév.* pour « photographie », technique qui reproduit sur une surface sensible l'image de la réalité ; l'image obtenue. – *Empl. adj. inv. Abrév.* pour « photographique », qui a trait à la photographie : *Appareil* **photo**.

photocopie, *subst. f.* Reproduction photographique rapide d'un document.

photogénique, *adj.* Dont l'image en photo ou au cinéma est avantageuse.

photographier, *verbe trans.* Obtenir par la photographie l'image de (*qqch.* ou *qqn*). – *Fig.* Mémoriser visuellement. – Décrire, dépeindre avec exactitude.

photogravure, *subst. f.* Procédé de gravure des clichés d'impression.

phrase, *subst. f.* Assemblage raisonné de mots, formant un énoncé complet.

phréatique, *adj. Nappe* **phréatique** : nappe d'eau souterraine.

phylloxéra, *subst. m.* Maladie de la vigne causée par un petit insecte. – Cet insecte.

physicien, ienne, *subst.* Spécialiste de la physique.

physiologie, *subst. f.* Science des organes des êtres vivants, et de leur fonctionnement.

physionomie, *subst. f.* Ensemble des traits du visage. – Aspect singulier de *qqch.*, de *qqn*.

physionomiste, *adj. et subst.* Qui mémorise les visages.

physique, *adj. et subst. Adj.* Qui a trait à la nature, au monde concret. – Qui a trait au corps humain. – Qui a trait à la **physique**. – *Subst. masc.* Aspect extérieur d'une personne ; état de santé. – *Subst. fém.* Science des propriétés de la matière, qui établit les lois régissant les phénomènes naturels.

phytothérapie, *subst. f.* Traitement des maladies par les plantes.

piaffer, *verbe intrans.* Frapper le sol avec les sabots de devant, en parlant d'un cheval. – Trépigner d'impatience.

piailler, *verbe intrans.* Pousser des cris aigus, en parlant d'oiseaux. – Crier sans cesse (*fam.*).

piano (i), *subst. m. Mus.* Instrument à clavier et à cordes, frappées par des marteaux.

piano (ii), *adv. Mus.* Doucement, lentement.

pianoter, *verbe intrans.* Jouer maladroitement du piano. – Tapoter du bout des doigts sur *qqch.*

pic (i), *subst. m.* Oiseau grimpeur qui niche dans les trous d'arbres et les frappe avec son bec.

pic (ii), *subst. m.* Outil pointu en fer.

pic (iii), *subst. m.* Montagne à la cime pointue.

pic (à), *loc. adv.* Verticalement. – En allant droit au fond de l'eau : *Couler* **à pic**. – *Fig.* À point nommé (*fam.*) : *Tomber* **à pic**.

pichenette, *subst. f.* Petit coup de doigt (*fam.*).

pichet, *subst. m.* Petite cruche à boissons.

pickpocket, *subst. m.* Voleur à la tire.

picorer, *verbe Intrans.* Saisir de la nourriture avec le bec, en parlant d'un oiseau. – Manger peu. – *Trans.* Prendre, piquer (des miettes) çà et là.

picoter, *verbe trans.* Picorer. – Causer une légère irritation à : **Picoter** *la peau.*

picotin, *subst. m.* Ration d'avoine.

pictogramme, *subst. m.* Dessin stylisé fournissant une indication simple.

pictural, ale, aux, *adj.* Qui a trait à la peinture.

pic-vert, *voir* **pivert**. **pie**, *subst. f.* Passereau noir et blanc à longue queue. – *Fig.* Personne bavarde (*fam.*). – *Empl. adj. inv.* De couleur noir et blanc, ou roux et blanc : *Des vaches, des chevaux* **pie**.

pièce, *subst. f.* Partie d'un tout : *Mettre en* **pièces**, briser. – Élément d'un mécanisme. – Chambre ou salle d'un logement. – Morceau, fragment : **Pièce** *de tissu.* – Objet : **Pièce** *de collection.* – Document : **Pièce** *d'identité.* – Composition littéraire ou musicale. – Monnaie : **Pièce** *de 5 F.* – *Loc. adv. À la* **pièce** : selon le travail exécuté.

piécette, *subst. f.* Petite pièce de monnaie.

pied, *subst. m.* Extrémité de la jambe qui permet à l'homme de marcher et de se tenir debout : *À* **pied**, en marchant. – Extrémité de la patte d'un animal. – Partie inférieure : *Le* **pied** *du mur* ; *Un verre à* **pied**. – Ancienne unité de longueur valant 12 pouces. – *Ling.* Unité rythmique d'un vers.

pied-à-terre, *subst. m. inv.* Logement occasionnel.

pied-de-biche, *subst. m.* Levier à tête fendue, servant à arracher les clous.

piédestal, *subst. m.* Socle d'une statue, d'une colonne. – *Mettre sur un* **piédestal** : idéaliser.

pied-noir, -noire, *adj. et subst.* Se dit d'un Français né en Algérie avant l'indépendance de ce pays (*fam.*).

piège, *subst. m.* Dispositif destiné à capturer les animaux. – *Fig.* Moyen détourné pour embarrasser *qqn.* – Difficulté cachée.

piéger, *verbe trans.* Prendre (un animal) au moyen d'un piège. – *Fig.* Prendre (*qqn*) au piège. – Placer une charge explosive dans.

pierraille, *subst. f.* Petites pierres en amas. – Terrain pierreux.

pierre, *subst. f.* Matière minérale, inorganique, solide et dure. – Morceau de cette matière. – **Pierre** *précieuse* : minéral de grande valeur utilisé en joaillerie.

pierreries, *subst. f. plur.* Pierres précieuses travaillées.

pierreux, euse, *adj.* Plein de pierres. – De la nature de la pierre.

pierrot, *subst. m.* Personnage de pantomime, à la figure enfarinée et à l'air rêveur.

piété, *subst. f.* Dévotion, attachement à Dieu, à la religion. – Sentiment d'amour, de respect.

piétinement, *subst. m.* Action de piétiner ; le bruit ainsi provoqué. – *Fig.* Stagnation.

piétiner, *verbe Intrans.* Marteler le sol avec les pieds. – *Fig.* Stagner, ne pas progresser. – *Trans.* Écraser avec les pieds.

piéton, onne, *adj. et subst. Subst.* Personne qui circule à pied. – *Adj.* Réservé aux piétons.

piètre, *adj.* Qui a peu de valeur, médiocre.

pieu, pieux, *subst. m.* Longue pièce de bois pointue.

pieuvre, *subst. f.* Céphalopode marin muni de huit tentacules à ventouses (*synon. poulpe*).

pieux, pieuse, *adj.* Qui fait preuve de piété. – Qui dénote un sentiment de piété.

pigeon, *subst. m.* Oiseau aux ailes courtes, de mœurs sociales. – **Pigeon** *voyageur* : doué d'un grand sens de l'orientation, et utilisé naguère pour porter des messages. – *Fig.* Personne facile à duper (*fam.*).

piger, *verbe trans.* Saisir, comprendre (*fam.*).

pigment, *subst. m.* Substance, naturelle ou de synthèse, qui donne sa couleur à *qqch.* – Agent organique de la coloration de la peau.

pigmentation, *subst. f.* Coloration par un pigment.

pigmenter, *verbe trans.* Colorer avec un pigment.

pignon (i), *subst. m.* Graine comestible de la pomme du pin parasol.

pignon (ii), *subst. m.* Roue dentée d'un engrenage.

pignon (iii), *subst. m.* Partie élevée d'un mur, en pointe.

pilastre, *subst. m.* Pilier accolé à un mur.

pile (i), *subst. f.* Tas d'objets de même nature posés les uns sur les autres. – Ouvrage de maçonnerie soutenant les arches d'un pont. – Appareil qui transforme en électricité l'énergie fournie par une réaction chimique.

pile (ii), *subst f.* Côté d'une pièce de monnaie opposé à celui où est frappée une figure : **Pile** *ou*

face. – *Empl. adv.* Exactement (*fam.*) : *Midi* **pile** ; *Tomber* **pile**, à point nommé.

piler (i), *verbe trans.* Broyer à l'aide d'un pilon.

piler (ii), *verbe intrans.* S'arrêter net (*fam.*).

pileux, euse, *adj.* Relatif aux poils.

pilier, *subst. m.* Élément vertical servant de support à une construction. – *Fig.* Fondement.

pillage, *subst. m.* Action de piller. – Son résultat.

pillard, arde, *adj. et subst.* Qui se livre au pillage.

piller, *verbe trans.* Voler avec violence. – *Fig.* Plagier, imiter sans retenue.

pilon, *subst. m.* Instrument arrondi qui sert à écraser *qqch.* dans un mortier. – Jambe de bois (*fam.*). – Cuisse de poulet.

pilonnage, *subst. m.* Action de pilonner ; son résultat. – Bombardement intensif.

pilonner, *verbe trans.* Écraser, broyer avec un pilon. – Bombarder intensivement.

pilori, *subst. m.* Poteau où l'on exposait les condamnés à la vindicte publique.

pilosité, *subst. f.* Présence de poils sur certaines parties du corps. – Ces poils eux-mêmes.

pilotage, *subst. m.* Action de diriger un navire, de conduire un véhicule, de piloter un avion.

pilote, *subst. m.* Personne qui conduit un véhicule, un avion, etc. – Marin qui guide les navires dans les passages difficiles. – *Empl. adj.* Modèle : *Industrie* **pilote**.

piloter, *verbe trans.* Conduire (un véhicule, un avion). – Guider (un navire). – Servir de guide à.

pilotis, *subst. m.* Ensemble de pieux fichés dans l'eau, soutenant une construction.

pilule, *subst. f.* Petit médicament sphérique à avaler. – *La* **pilule** : contraceptif oral.

pimbêche, *subst. f.* Femme prétentieuse (*fam.*).

piment, *subst. m.* Plante dont le fruit, à la saveur piquante, est utilisé comme épice. – *Fig.* Ce qui donne du piquant : *Le* **piment** *de la vie*.

pimenter, *verbe trans.* Ajouter du piment à.

pimpant, ante, *adj.* Dont l'aspect coquet évoque la gaieté, la fraîcheur.

pin, *subst. m.* Conifère dont les feuilles persistantes sont des aiguilles et les fruits, des cônes.

pinacle, *subst. m.* Faîte d'un édifice. – *Fig.* Apogée.

pinacothèque, *subst. m.* Musée ou département d'un musée consacrés à la peinture.

pinailler, *verbe intrans.* Ergoter (*fam.*).

pince, *subst. f.* Instrument à deux branches servant à saisir ou à tenir serré un objet. – Barre de fer aplatie à une extrémité, servant de levier. – Patte antérieure préhensile de certains crustacés. – Pli cousu ajustant un vêtement près du corps.

pincé, ée, *adj.* Mince, serré : *Lèvres* **pincées**. – Contraint, dédaigneux.

pinceau, *subst. m.* Instrument formé d'une touffe de poils fixée à un manche, utilisé pour peindre, pour étendre de la colle, etc.

pincée, *subst. f.* Petite quantité d'une substance poudreuse ou granuleuse que l'on peut saisir entre le pouce et l'index.

pincement, *subst. m.* Action de pincer ; son résultat. – **Pincement** *au cœur* : sensation intérieure désagréable causée par une émotion.

pince-monseigneur, *subst. f.* Barre métallique aplatie aux extrémités, qui sert de levier pour forcer les portes.

pincer, *verbe trans*. Serrer avec une pince ou entre les doigts. – **Pincer** *les lèvres* : les serrer. – *Se faire* **pincer** : se faire prendre (*fam.*).

pincette, *subst. f.* Petite pince. – *A ne pas prendre avec des* **pincettes** : de mauvaise humeur (*fam.*).

pinçon, *subst. m.* Marque qui apparaît sur la peau qui a été pincée.

pinède, *subst. f.* Bois de pins.

pingouin, *subst. m.* Oiseau palmipède des mers boréales, au plumage noir et blanc.

ping-pong, *subst. m.* Tennis de table.

pingre, *adj. et subst.* Qui est chiche, avare (*fam.*).

pinson, *subst. m.* Passereau muni d'un bec conique, au chant mélodieux.

pintade, *subst. f.* Oiseau gallinacé de basse-cour.

pinte, *subst. f.* Mesure de capacité anglo-saxonne. – Récipient de cette capacité ; son contenu : *Une* **pinte** *de bière*.

pioche, *subst. f.* Outil composé d'un fer fixé à un manche, servant à creuser les sols durs.

piocher, *verbe Trans*. Creuser avec une pioche. – *Intrans*. Se servir, puiser au hasard.

piolet, *subst. m.* Sorte de petite pioche, servant aussi de canne, utilisée par les alpinistes.

pion, *subst. m.* Pièce d'un jeu, que l'on déplace, en *partic*. aux échecs et aux dames.

pionnier, ière, *subst.* Personne qui défriche des contrées incultes. – Personne qui, la première, se lance dans un domaine nouveau.

pipe, *subst. f.* Objet servant à fumer, formé d'un petit fourneau et d'un tuyau. – *Casser sa* **pipe** : mourir (*fam.*).

pipeau, *subst. m.* Flûte à bec rudimentaire.

pipe-line, *subst. m.* Grosse canalisation permettant d'acheminer des combustibles liquides ou gazeux sur de très longues distances.

pipette, *subst. f.* Tube étroit, *gén.* en verre, qui sert à prélever un liquide.

piquant, ante, *adj. et subst. m.* Se dit de ce qui provoque agréablement l'intérêt. – *Adj.* Qui pique. – *Subst.* Épine d'un végétal, d'un animal.

pique, *subst. Fém.* Arme formée d'un long manche que termine un fer pointu et plat. – Propos blessant (*fam.*). – *Masc.* L'une des deux couleurs noires d'un jeu de cartes.

piqué, ée, *adj. et subst. m. Adj.* Cousu à la machine. – Marqué de petits trous ou de petites taches : *Miroir* **piqué**. – *Vin* **piqué** : aigri. – *Fig.* Extravagant, fou (*fam.*). – *Subst.* Descente rapide et quasi verticale d'un avion. – Étoffe dont le tissage forme des motifs en relief.

pique-nique, *subst. m.* Repas froid pris sur l'herbe, en plein air.

piquer, *verbe Trans*. Blesser légèrement en perçant avec un objet pointu. – Picoter. – Enfoncer (*qqch.* de pointu) dans. – Coudre à la machine. – Voler, dérober (*fam.*). – *Fig.* **Piquer** *qqn au vif* : atteindre son amourpropre. – **Piquer** *la curiosité* : l'éveiller. – **Piquer** *une colère* : la manifester brusquement. – **Piquer** *une tête* : plonger. – *Intrans*. Faire un piqué, en parlant d'un avion. – **Piquer** *du nez* : pencher en avant (*fam.*).

piquet, *subst. m.* Petit pieu fiché en terre. – Punition scolaire consistant à envoyer un élève au coin. – **Piquet** *de grève* : groupe de travailleurs gardant l'entrée d'un établissement en grève.

piqueter, *verbe trans*. Parsemer de petites taches.

piqûre, *subst. f.* Blessure provoquée par une pointe ; sensation qui en résulte. – Introduction dans l'organisme d'une aiguille pour pratiquer une injection ou une ponction. – Couture à la machine.

piranha, *subst. m.* Poisson carnivore d'Amazonie.

pirate, *adj. et subst. m.* *Subst.* Brigand qui court les mers pour piller les bateaux. – **Pirate** *de l'air* ; personne qui détourne un avion. – *Adj.* Clandestin, non autorisé : *Une radio* **pirate**.

pirater, *verbe Trans*. Reproduire illégalement. – *Intrans*. Se livrer à la piraterie.

piraterie, *subst. f.* Acte de pirate. – *Fig.* Escroquerie.

pire, *adj. et subst. m. Adj.* Plus mauvais, plus nocif (que) : *C'est* **pire** *que tout* ; *Un remède* **pire** *que le mal*. – *Subst.* Ce qu'il y a de plus mauvais : *Redouter le* **pire**.

pirogue, *subst. f.* Embarcation longue et étroite, à fond plat, creusée *gén.* dans un tronc.

pirouette, *subst. f.* Mouvement effectué en pivotant sur soimême. – *Fig.* Revirement.

pis (i), *adj. et adv. Adv.* (littér.) : *Aller de mal en* **pis**.

pis (ii), *subst. m.* Mamelle d'une bête qui donne du lait : **Pis** *de vache, de chèvre*.

pisciculture, *subst. f.* Ensemble des techniques d'élevage et de reproduction des poissons.

piscine, *subst. f.* Bassin artificiel où l'on pratique la natation.

pisé, *subst. m.* Terre argileuse mêlée d'eau et de paille qui sert à faire des constructions.

pissenlit, *subst. m.* Plante comestible, à fleurs jaunes, très courante dans les champs.

pisser, *verbe intrans*. Uriner (*fam.*).

pissotière, *subst. f.* Urinoir public réservé aux messieurs (*fam.*).

pistache, *subst. f.* Graine, de couleur verte, du pistachier. – *Empl. adj. inv.* Vert pâle.

piste, *subst. f.* Suite d'empreintes laissées par un homme, un animal ou un véhicule. – Ensemble d'indices permettant d'orienter une recherche, une enquête ; direction ainsi indiquée. – Route sommaire. – Espace aménagé au centre d'un cirque, d'un dancing. – Bande de terrain balisée : **Piste** *d'atterrissage*.

pister, *verbe trans*. Suivre (un animal) à la trace. – Suivre discrètement, filer (*qqn*).

pistil, *subst. m.* Organe reproducteur femelle de la fleur.

pistole, *subst. f.* Monnaie d'or qui avait cours en Espagne et en Italie aux xvie et xviie s.

pistolet, *subst. m.* Arme à feu individuelle, se tenant d'une seule main. – *Peinture au* **pistolet** : par pulvérisation.

piston, *subst. m.* Pièce cylindrique qui, en coulissant, produit une activité motrice. – *Mus.* Dispositif réglant la hauteur du son de certains instruments à vent. – *Fig.* Recommandation, influence permettant l'obtention privilégiée d'un avantage (*fam.*).

pistonner, *verbe trans*. Aider (*qqn*) à obtenir *qqch.* en usant de son influence (*fam.*).

pitance, *subst. f.* Nourriture quotidienne (*fam.*).

piteux, euse, *adj.* Qui inspire une pitié mêlée de mépris. – *Se sentir* **piteux** : honteux.

pithécanthrope, *subst. m.* Mammifère primate fossile présentant déjà des traits humains.

pitié, *subst. f.* Sentiment de compassion à l'égard de ceux qui souffrent.

piton, *subst. m.* Vis ou clou dont la tête est en forme de crochet ou d'anneau. – Sommet pointu et élevé d'une montagne.

pitoyable, *adj.* Qui suscite la pitié ou un mépris apitoyé.

pitre, *subst. m.* Personne qui cherche à faire rire par ses propos et ses gestes.

pitrerie, *subst. f.* Geste ou blague de pitre.

pittoresque, *adj. et subst. m.* Qui décrit de façon expressive et imagée. – Qui a un charme typique.

pivert, *subst. m.* Gros oiseau se nourrissant des insectes qui rongent le bois.

pivoine, *subst. f.* Plante vivace à bulbe, aux grosses fleurs décoratives.

pivot, *subst. m.* Axe vertical, cylindrique et rotatif. – *Fig.* Point essentiel, centre, base.

pivoter, *verbe intrans.* Tourner sur un pivot. – Se retourner, à demi ou complètement.

pizza, *subst. f.* Tarte italienne garnie de tomates, de fromage et parfumée à l'origan.

pizzeria, *subst. f.* Restaurant italien où l'on sert des pizzas.

placage, *subst. m.* Application sur un support ordinaire d'une feuille d'un matériau plus résistant ou plus noble. – Cette feuille.

placard, *subst. m.* Meuble de rangement aménagé dans un renfoncement ou appliqué contre un mur. – Avis affiché publiquement.

placarder, *verbe trans.* Afficher.

place, *subst. f.* Espace déterminé qu'une chose ou une personne occupe. – Espace réservé à un usage précis ; siège : *Une* **place** *de cinéma*. – Situation, position au sein d'un ensemble, d'une hiérarchie : *La première* **place** ; *Chacun à sa* **place**. – Emploi. – Espace découvert où convergent les rues : *La* **place** *du marché*. – **Place forte** : forteresse.

placebo, *subst. m.* Produit inactif que l'on présente au patient comme un médicament.

placement, *subst. m.* Action de procurer un emploi, une place, à *qqn* : *Bureau de* **placement**. – Action de placer de l'argent ; cet argent.

placenta, *subst. m.* Organe qui adhère à l'utérus et qui assure les échanges entre la mère et le fœtus durant la gestation.

placer, *verbe trans.* Assigner un rang, une valeur, une place à. – Mettre face à : **Placer** (*qqn*) *devant ses responsabilités*. – Faire valoir, investir (un capital). – Trouver preneur pour : **Placer** *une marchandise*. – Donner, accorder : **Placer** *sa confiance en qqn*.

placide, *adj.* Calme et paisible.

plafond, *subst. m.* Surface horizontale qui limite dans sa hauteur l'intérieur d'un lieu couvert, d'un véhicule. – Couche de nuages. – *Fig.* Valeur maximale à ne pas dépasser.

plafonner, *verbe intrans.* Cesser de progresser.

plafonnier, *subst. m.* Dispositif d'éclairage électrique qui est fixé au plafond.

plage, *subst. f.* Étendue dégagée de sable ou de galets, qui s'incline jusqu'à la mer. – Surface délimitée. – Durée limitée, tranche horaire.

plagiat, *subst. m.* Action de plagier. – Copie.

plagier, *verbe trans.* Copier et s'attribuer la paternité (d'une œuvre originale).

plaid, *subst. m.* Couverture de voyage écossaise.

plaider, *verbe Intrans.* Défendre (une partie, une cause) devant un tribunal. – Soutenir une action en justice contre (*qqn*). – Défendre (*qqn, qqch.*) par des arguments : **Plaider** *pour, en faveur de*. – *Trans.* **Plaider** *une affaire* ; **Plaider** *coupable*.

plaidoirie, *subst. f.* Action de plaider. – Ensemble des arguments exposés par l'avocat de la défense.

plaidoyer, *subst. m.* Exposé passionné et argumenté prononcé pour soutenir une cause.

plaie, *subst. f.* Coupure, déchirure des tissus de la peau ou des muqueuses, blessure. – *Fig.* Chose ou personne très pénibles.

plaindre, *verbe trans.* Éprouver ou manifester de la compassion pour (autrui). – *Pronom.* Exprimer sa souffrance. – *Se* **plaindre** *de* : manifester son mécontentement au sujet de.

plaine, *subst. f.* Vaste étendue géographique, plate, de niveau plus bas que ce qui l'entoure.

plain-pied (de), *loc. adv.* Au même niveau.

plainte, *subst. f.* Parole, cri exprimant la souffrance. – Récrimination. – Dénonciation en justice d'une infraction, par la victime.

plaintif, ive, *adj.* Qui a le ton de la plainte.

plaire, *verbe trans. indir.* **Plaire à** : être agréable à, être du goût de. – Charmer (*qqn*). – *Empl. impers.* *S'il te* **plaît** : formule de politesse exprimant une demande. – *Pronom.* Se trouver bien dans un lieu, une situation. – Prendre plaisir à. – Se convenir.

plaisance (de), *loc. adj.* Ce qui satisfait au plaisir, à l'agrément : *Voyage, bateau* **de plaisance**.

plaisancier, ière, *subst.* Personne qui navigue pour l'agrément, le plaisir.

plaisant, ante, *adj.* Agréable. – Divertissant.

plaisanter, *verbe Intrans.* S'exprimer ou se comporter de façon drôle pour amuser. – *Trans.* Railler gentiment (*qqn*).

plaisanterie, *subst. f.* Parole, acte visant à amuser ou à railler *qqn*. – Ce qui ne mérite pas d'être pris au sérieux.

plaisantin, *subst. m.* Personne qui fait des plaisanteries, farceur. – Personne que l'on ne peut pas prendre au sérieux.

plaisir, *subst. m.* État affectif, sensation agréables. – Jouissance sexuelle. – Source de contentement ; divertissement.

plan, plane, *adj. et subst. m. Adj.* Uni, sans courbures ni variations de niveau. – *Subst.* Surface **plane**. – Figure géométrique à deux dimensions. – Chacun des niveaux de vision, défini par son éloignement de l'œil : *Au premier* **plan**. – Importance relative : *Rôle de second* **plan**. – Représentation en projection horizontale de la disposition ou de l'agencement de *qqch*. – Structure d'un ouvrage littéraire. – *Fig.* Ensemble des dispositions à prendre en vue de réaliser un projet.

planche, *subst. f.* Longue pièce de bois, plate et rectangulaire, plus large qu'épaisse.

plancher, *subst. m.* Plate-forme horizontale séparant deux étages. – Sol d'une pièce. – Valeur minimale de base.

plancton, *subst. m.* Ensemble des organismes microscopiques qui vivent dans l'eau.

planer, *verbe intrans.* Évoluer dans l'air sans bouger les ailes, en parlant d'un oiseau, sans l'aide d'un moteur, en parlant d'un avion. – Manquer de réalisme, rêver (*fam.*). – *Fig.* Peser comme une menace.

planétaire, *adj.* Relatif aux planètes. – Relatif à la Terre.

planétarium, *subst. m.* Coupole sur laquelle sont représentés les astres et les planètes.

planète, *subst. f.* Corps céleste qui gravite autour d'une étoile, en *partic.* du Soleil. – *Empl. abs.* La Terre.

planeur, *subst. m.* Avion léger sans moteur, qui utilise les courants atmosphériques.

planification, *subst. f.* Action de planifier.

planifier, *verbe trans.* Organiser, préparer (*qqch.*) selon un plan.

planisphère, *subst. m.* Carte plane montrant côte à côte les deux hémisphères terrestres.

planning, *subst. m.* Programme détaillé des tâches à accomplir dans un temps donné.

planquer, *verbe trans.* Cacher (*fam.*).

plant, *subst. m.* Jeune végétal récemment mis en pleine terre ou destiné à être repiqué.

plantaire, *adj.* De la plante du pied.

plantation, *subst. f.* Action, manière de planter. – Ensemble des végétaux plantés sur un terrain. – Exploitation agricole tropicale.

plante (i), *subst. f.* Face inférieure du pied.

plante (ii), *subst. f.* Tout végétal enraciné dans la terre.

planter, *verbe trans.* Mettre en terre pour faire prendre racine (un végétal). – Peupler (un espace) de végétaux. – Fixer droit dans le sol.

plantigrade, *adj. et subst. m.* Qui marche sur toute la plante des pieds, tel l'ours.

plantureux, euse, *adj.* Bien en chair. – Très abondant. – Fertile.

plaque, *subst. f.* Élément plat, peu épais, rigide, fait de divers matériaux et destiné à de nombreux usages : **Plaque** *de marbre, d'égout, minéralogique.* – Insigne, décoration. – Couche : **Plaque** *de verglas.* – Tache de la peau, à contour précis.

plaqué, ée, *adj. et subst. m.* Qui est recouvert d'une mince couche de métal ou de bois précieux.

plaquer, *verbe trans.* Recouvrir d'un revêtement solide ou précieux. – Appliquer fortement sur ou contre. – *Fig.* Abandonner (*fam.*).

plaquette, *subst. f.* Petite plaque. – Petit livre mince. – Cellule sanguine.

plasma, *subst. m.* Partie liquide du sang.

plastic, *subst. m.* Explosif malléable.

plasticité, *subst. f.* Propriété d'une matière qui peut être modelée.

plastifier, *verbe trans.* Recouvrir d'un revêtement de matière plastique.

plastique, *adj. et subst. Adj.* Qui s'attache à la beauté des formes. – Qui peut être modelé. – *Subst. fém.* Harmonie des formes. – Art de sculpter, de modeler. – *Subst. masc.* Matière synthétique transformable sous l'action de la chaleur et de la pression.

plastiquer, *verbe trans.* Faire exploser au plastic.

plastron, *subst. m.* Empiècement sur le devant d'un corsage ou d'une chemise.

plastronner, *verbe intrans.* Bomber la poitrine. – *Fig.* Se faire valoir (*fam.*).

plat (i), plate, *adj. et subst. m. Adj.* Dont la surface est unie, sans relief. – Peu épais, peu profond. – Banal. – *À* **plat** : horizontalement ; dégonflé, pour un pneu. – *Subst.* Partie **plate** de *qqch.*

plat (ii), *subst. m.* Pièce de vaisselle à fond plat dans laquelle on sert les mets. – Mets d'un repas.

platane, *subst. m.* Arbre à grandes feuilles dentées, qui ombrage les places et les routes.

plateau, *subst. m.* Support plat et rigide servant à transporter de la vaisselle et des aliments. – Endroit d'un studio où se déroule le tournage d'un film. – Vaste étendue au relief plat, d'altitude élevée.

plate-bande, *subst. f.* Bande de terre fleurie ou cultivée.

plate-forme, *subst. f.* Petite étendue de terrain plane et surélevée. – Surface plane, *souv.* surélevée, servant de support à des installations. – **Plate-forme** *d'autobus* : partie arrière découverte.

platine (i), *subst. f.* Élément d'une chaîne haute fidélité permettant de passer des disques.

platine (ii), *subst. m.* Métal précieux utilisé en bijouterie. – *Empl. adj. inv. Des cheveux* **platine** : d'un blond presque blanc.

platitude, *subst. f.* Caractère banal, quelconque de *qqch.*, d'un propos. – Propos commun, fade, sans intérêt.

platonique, *adj.* Pur, idéal : *Amour* **platonique**, chaste. – Qui reste théorique, sans effet.

plâtre, *subst. m.* Poudre blanche tirée du gypse, qu'on mêle à l'eau et qui durcit peu à peu. – Objet moulé en **plâtre**.

plâtrer, *verbe trans.* Enduire de plâtre. – Gainer de plâtre (un membre fracturé) pour le maintenir immobile.

plausible, *adj.* Crédible, vraisemblable.

play-back, *subst. m. inv. Chanter en* **play-back** : mimer une chanson préenregistrée.

play-boy, *subst. m.* Séducteur fortuné.

plèbe, *subst. f.* Bas peuple (*péj.*).

plébiscite, *subst. m.* Vote de confiance demandé au peuple par un chef d'État.

pléiade, *subst. f.* Groupe important de personnes (*littér.*) : *Une* **pléiade** *d'acteurs.*

plein, pleine, *adj., subst. m., adv. et prép. Adj.* Rempli. – Qui contient beaucoup de choses. – Total, complet ; entier. – *Adv. J'en ai* **plein** : j'en ai beaucoup (*fam.*). – *Prép.* En abondance (*fam.*) : *Il y a* **plein** *de monde.* – *Subst. Faire le* **plein** : remplir totalement (une salle, un réservoir). – *Battre son* **plein** : être à son intensité maximale.

pleinement, *adv.* De manière entière, totale.

plénier, ière, *adj. Assemblée* **plénière** : à laquelle chacun des membres est convoqué.

plénipotentiaire, *subst. m.* Diplomate investi des pleins pouvoirs pour remplir une mission.

plénitude, *subst. f.* Intégralité, totalité (*littér.*).

pléonasme, *subst. m.* Dans une phrase, terme qui répète l'idée émise sans l'enrichir (*ex.* : *Descendre en bas* ; *Panacée universelle*).

pléthore, *subst. f.* Quantité excessive.

pleurer 229 p.m.e.

pleurer, *verbe Trans.* Regretter (*qqn*, *qqch.*).
– *Intrans.* Verser des larmes.

pleurésie, *subst. f.* Inflammation de la membrane extérieure des poumons (plèvre).

pleurnicher, *verbe intrans.* Pleurer sans conviction et sans raison vraiment sérieuse ; geindre (*fam.*).

pleurote, *subst. m.* Champignon comestible qui se développe sur les troncs d'arbres.

pleurs, *subst. m. plur.* Larmes (*littér.*).

pleutre, *adj. et subst. m.* Qui est sans courage (*littér.*).

pleuvoir, *verbe Impers.* Tomber, en parlant de la pluie. – *Intrans.* Être distribué en quantité : *Les coups* **pleuvaient**.

plexiglas, *subst. m. inv.* Résine synthétique légère, transparente et incassable.

plexus, *subst. m.* Entrelacement de nerfs et de vaisseaux : **Plexus** *solaire*, situé au creux de l'estomac.

pli, *subst. m.* Rabat d'une matière souple sur elle-même. – Trace de pliure. – Enveloppe ; lettre. – *Fig.* Habitude : *Prendre le* **pli** *de ne rien faire.*

pliage, *subst. m.* Action, manière de plier *qqch.*

plier, *verbe Trans.* Rabattre entièrement ou partiellement sur elle-même (une chose souple ou articulée) : **Plier** *un drap.* – Fléchir : **Plier** *les genoux.* – *Intrans.* Se courber, ployer. – *Pronom.* Se conformer : **Se plier** *au règlement.*

plinthe, *subst. f.* Bande de bois plate fixée au ras du sol, protégeant une cloison.

plissement, *subst. m.* Action de plisser. – Déformation du relief de la Terre : **Plissement** *alpin.* – Ensemble de plis, de rides.

plisser, *verbe Intrans.* Former des plis. – *Trans.* Marquer de plis ou de rides.

pliure, *subst. f.* Marque laissée par un pli. – Creux d'une articulation : **Pliure** *du genou.*

plomb, *subst. m.* Métal gris-bleu, très lourd et malléable. – Grain, morceau de ce métal, utilisé pour la chasse, la pêche.

plombage, *subst. m.* Obturation d'un trou dans une dent par un amalgame. – Cet amalgame.

plomber, *verbe trans.* Garnir de plomb. – Donner une couleur évoquant celle du plomb à. – **Plomber** *une dent* : l'obturer avec un amalgame.

plomberie, *subst. f.* Métier, ouvrage du plombier. – Ensemble des canalisations installées par un plombier.

plombier, *subst. m.* Ouvrier ou artisan qui installe et entretient les circuits de distribution d'eau et de gaz et les équipements sanitaires.

plonge, *subst. f.* Lavage de la vaisselle, dans un restaurant, un café, une cantine.

plongée, *subst. f.* Action de plonger ; séjour en immersion. – Activité sous-marine, à titre sportif ou professionnel, d'une personne munie d'un équipement approprié. – Vue de haut en bas.

plongeoir, *subst. m.* Tremplin surélevé permettant à un nageur de plonger.

plongeon, *subst. m.* Saut dans l'eau la tête la première. – Chute brusque et rapide en avant.

plonger, *verbe Trans.* Enfoncer dans un liquide. – Introduire vivement : **Plonger** *sa main dans sa poche.* – Mettre brusquement dans un certain état : **Plonger** *qqn dans l'embarras.* – *Intrans.*

S'enfoncer dans l'eau. – Exécuter un plongeon. – *Pronom.* **Se plonger** *dans la lecture* : s'y absorber.

plongeur, euse, *subst.* Qui plonge dans ou sous l'eau. – Qui fait la plonge.

plot, *subst. m.* Pièce métallique assurant un contact électrique.

ploutocratie, *subst. f.* Ordre politique ou social où les plus fortunés détiennent le pouvoir.

ployer, *verbe intrans. Littér.* Se courber : **Ployer** *sous l'effort.* – *Empl. trans.* **Ployer** *les genoux* : les plier.

pluie, *subst. f.* Chute, sous forme de gouttes, de l'eau contenue dans l'atmosphère. – Quantité abondante : *Une* **pluie** *de cadeaux.*

plumage, *subst. m.* Ensemble des plumes qui couvrent le corps d'un oiseau.

plume, *subst. f.* Chacun des éléments formés d'un tuyau garni de barbes, qui couvrent le corps d'un oiseau et lui permettent de voler.

plumeau, *subst. m.* Bouquet de plumes fixé à un petit manche, permettant d'épousseter.

plumer, *verbe trans.* Enlever les plumes (d'un oiseau, d'une volaille). – Dépouiller (*qqn*) de ses biens en le dupant (*fam.*).

plumet, *subst. m.* Bouquet de plumes ornant une coiffure, en *partic.* une coiffure militaire.

plumetis, *subst. m.* Semis de petits points régulièrement brodés sur un tissu.

plumier, *subst. m.* Boîte compartimentée en bois, servant à ranger crayons, gommes, etc.

plupart (la), *subst. f.* La plus grande partie, la majorité (de) : *La* **plupart** *des gens* ; **La plupart** *sont arrivés* ; **La plupart** *du temps*, le plus souvent.

pluralisme, *subst. m.* Coexistence d'opinions diverses au sein d'un système.

pluralité, *subst. f.* Fait de n'être pas unique.

pluriel, ielle, *adj. et subst. m. Adj.* Qui marque la pluralité. – *Subst. Ling.* Catégorie grammaticale indiquant la pluralité.

plus, *adv. et subst. m. Adv.* Comparatif de supériorité : *Il est* **plus** *habile que moi* ; superlatif de supériorité : *Le* **plus** *grand de tous.* – Avec la négation *ne*, exprime la fin d'un état ou d'une action : *Il n'est* **plus** *fatigué.* – Exprime l'addition : *Deux* **plus** *deux font quatre.* – *Subst.* Signe de l'addition (+). – Élément positif : *Ce diplôme sera un* **plus** *dans sa carrière.*

plusieurs, *adj. plur. et pron. indéf. plur.* Plus d'un, plus d'une ; un certain nombre : **Plusieurs** *personnes* ; *Elles sont venues à* **plusieurs.**

plus-value, *subst. f.* Accroissement de la valeur d'un bien ou d'un revenu.

plutonium, *subst. m.* Élément radioactif tiré de l'uranium, utilisé dans la bombe atomique.

plutôt, *adv.* De préférence : *Mets* **plutôt** *ce gilet-ci.* – Au lieu de : **Plutôt** *que de jouer, tu ferais mieux de m'aider.* – Passablement, assez : *Elle est* **plutôt** *belle.*

pluvial, ale, aux, *adj.* De la pluie. – Dû à la pluie.

pluvieux, ieuse, *adj.* Caractérisé par la pluie.

pluviôse, *subst. m.* Cinquième mois du calendrier républicain, allant du 20-22 janvier au 18-20 février.

p.m.e., *subst. f. inv.* Sigle de « petites et moyennes entreprises ».

p.n.b., *subst. m. inv.* Sigle de « produit national brut », production annuelle d'un pays.

pneumatique, *adj. et subst. m. Adj.* Qui fonctionne à l'air comprimé. – Gonflable. – *Subst.* Enveloppe de caoutchouc gonflée qui s'adapte sur la jante d'une roue (*abrév. pneu*).

pneumonie, *subst. f.* Inflammation aiguë d'un lobe du poumon.

poche, *subst. f.* Sac de diverses matières, de toutes dimensions. – Repli d'un vêtement en forme de petit sac, destiné à recevoir de menus objets. – Cavité emplie d'un corps fluide. – *De* **poche** : petit, maniable.

pocher, *verbe trans.* **Pocher** *l'œil à qqn* : le tuméfier d'un coup violent. – **Pocher** *un œuf* : le plonger dans l'eau bouillante sans sa coquille.

pochette, *subst. f.* Mouchoir dont la pointe orne la poche de poitrine d'un veston. – Sachet.

pochoir, *subst. m.* Feuille rigide, évidée, permettant de reproduire un dessin.

podium, *subst. m.* Estrade où sont récompensés les vainqueurs d'une compétition sportive.

poêle (i), *subst. m.* Appareil de chauffage à foyer clos, muni d'un tuyau d'évacuation.

poêle (ii), *subst. f.* Ustensile de cuisine servant à faire sauter les aliments à feu vif.

poêler, *verbe trans.* Faire sauter à la poêle.

poème, *subst. m.* Ouvrage de poésie.

poésie, *subst. f.* Genre littéraire rythmé dont le style imagé et harmonieux suscite l'émotion. – Petit poème.

poète, poétesse, *subst.* Écrivain qui compose des poèmes. – *Masc.* Idéaliste et rêveur.

poétique, *adj.* Relatif à la poésie. – Qui dégage un charme émouvant.

pogrom(e), *subst. m.* Émeute antisémite accompagnée de massacres, de pillages.

poids, *subst. m.* Force exercée sur un corps du fait de la pesanteur. – Mesure de cette force. – Masse pesante. – Masse de métal servant à peser. – Ce qui oppresse. – *De* **poids** : important, influent. – **Poids** *lourd* : camion.

poignant, ante, *adj.* Bouleversant, déchirant.

poignard, *subst. m.* Arme blanche munie d'une courte lame large et pointue.

poignarder, *verbe trans.* Frapper avec un poignard.

poigne, *subst. f.* Force d'une main qui serre, qui empoigne. – *Fig.* Autorité : *Gouvernement à* **poigne**.

poignée, *subst. f.* Ce que peut contenir une main fermée. – Petit nombre de gens. – Partie d'un objet conçue pour que la main puisse la saisir. – **Poignée** *de main* : salut qui consiste à serrer la main de *qqn*.

poignet, *subst. m.* Articulation qui relie la main à l'avant-bras.

poil, *subst. m.* Production épidermique filiforme qui couvre la peau des Mammifères et de certaines parties du corps humain.

poilu ; ue, *adj. et subst. m. Adj.* Couvert de poils. – *Subst.* Soldat français pendant la Grande Guerre.

poinçon, *subst. m.* Outil d'acier fin et pointu servant à percer ou à graver. – Tige de métal utilisée pour marquer un objet. – Estampille.

poinçonner, *verbe trans.* Marquer au poinçon.

poindre, *verbe intrans.* Commencer à apparaître (*littér.*) : *Regarder* **poindre** *les étoiles au crépuscule*.

poing, *subst. m.* Main fermée. – *Dormir à* **poings** *fermés* : profondément.

point (i), *subst. m.* Rond de très petite dimension. – Lieu précis, bien délimité. – Degré d'une évolution. – Partie d'un développement ; sujet traité. – Unité servant à noter un travail, une épreuve. – Manière d'utiliser un fil, qui, répétée, forme une couture, un tricot. – Douleur aiguë : **Point** *de côté*. – Signe de ponctuation marquant l'abréviation d'un mot, la fin d'une phrase (.) ou le nondit (...) : **Points** *de suspension*.

point (ii), *adv.* Synon. de « *pas* » (*littér.*) : *Ils ne t'oublieront* **point**.

pointage, *subst. m.* Action de contrôler en marquant d'un point. – Action de diriger une arme, une lunette vers un objectif.

point de vue, *subst. m.* Lieu élevé d'où l'on embrasse le paysage ; ce paysage. – Manière d'envisager *qqch.*, opinion.

pointe, *subst. f.* Extrémité aiguë, piquante : *La* **pointe** *d'un clou* ; *La* **pointe** *du clocher*. – Petite quantité. – Moment d'intense activité : *L'heure de* **pointe**. – Forte accélération : *Pousser une* **pointe**.

pointer, *verbe Trans.* Marquer (*qqch.*) d'un signe, cocher. – Contrôler : **Pointer** *les présents*. – Diriger : **Pointer** *le canon sur l'ennemi*. – *Intrans.* S'élever, s'avancer en pointe. – Commencer à paraître. – Enregistrer son heure d'arrivée et de départ sur une machine. – *Pronom.* Arriver (*fam.*).

pointillé, *subst. m.* Trait discontinu formé d'une succession de petits points, de petits trous.

pointilleux, euse, *adj.* Qui s'attache aux points de détail, tatillon : *Un critique* **pointilleux**.

pointu, ue, *adj.* Terminé en pointe. – *Des connaissances* **pointues** : très spécialisées.

pointure, *subst. f.* Taille d'une chaussure. – *Une grosse* **pointure** : un personnage influent, compétent (*fam.*).

point-virgule, *subst. m.* Signe de ponctuation (;) marquant une pause.

poire, *subst. f.* Fruit du poirier, oblong, à chair juteuse et fondante. – *Fam.* Visage. – Personne qu'on trompe aisément.

poireau, *subst. m.* Plante potagère à pied blanc et à longues feuilles vertes.

pois, *subst. m.* Plante potagère dont on consomme les graines et parfois la cosse : *Petits* **pois** ; **Pois** *chiches*. – *Plur.* Petits motifs ronds sur une étoffe unie : *Robe à* **pois**.

poison, *subst. m.* Substance qui peut tuer. – *Fig.* Ce qui est d'influence pernicieuse. – Personne acariâtre (*fam.*).

poisseux, euse, *adj.* Qui colle : *Bonbon* **poisseux**.

poisson, *subst. m.* Vertébré aquatique muni de nageoires et recouvert d'écailles, qui respire à l'aide de branchies. – *Plur.* La classe correspondante. – Douzième signe du zodiaque.

poissonnerie, *subst. f.* Magasin où l'on vend les produits de la mer.

poissonneux, euse, *adj.* Qui abonde en poissons.

poitrail, *subst. m.* Partie du cheval située entre l'encolure et les membres antérieurs.

poitrine, *subst. f.* Partie du corps humain qui abrite le cœur et les poumons. – Face antérieure du thorax. – Seins de la femme.

poivre, *subst. m.* Épice à saveur piquante, constituée par les petites baies du poivrier.

poivrer, *verbe trans.* Assaisonner de poivre.

poivrière, *subst. f.* Ustensile qui contient du poivre moulu.

poivron, *subst. m.* Fruit vert, jaune ou rouge du piment doux, consommé en légume.

poix, *subst. f.* Corps visqueux à base de résines et de goudrons végétaux.

poker, *subst. m.* Jeu de cartes. – *Fig. Coup de* **poker** : tentative risquée.

polaire, *adj.* Qui a trait aux pôles de la Terre, ou aux régions avoisinantes. – Glacial.

polariser, *verbe trans.* Attirer sur soi : **Polariser** *tous les regards*. – *Pronom.* Fixer son attention (sur *qqch.*).

polaroid, *subst. m.* Appareil photographique à développement instantané.

pôle, *subst. m.* Chacune des extrémités de l'axe de rotation de la Terre.

polémique, *adj. et subst. f. Subst.* Controverse plus ou moins violente. – *Adj.* Très agressif.

polémiquer, *verbe intrans.* Engager ou alimenter une polémique, une discussion.

poli (i), **ie**, *adj.* Qui respecte les règles de la politesse, de la bienséance.

poli (ii), **ie**, *adj. et subst. m. Adj.* Lisse et brillant. – *Subst.* Aspect d'une chose **polie**.

police (i), *subst. f.* Maintien de l'ordre public. – Administration, force publique qui en a la charge. – Ensemble des agents de cette administration.

police (ii), *subst. f.* Document attestant la validité, les clauses d'un contrat d'assurance. – Assortiment de caractères typographiques.

policé, **ée**, *adj.* Dont les mœurs ont été affinées par la civilisation : *Une société* **policée**.

polichinelle, *subst. m.* Bouffon de comédie, bossu et ventru ; pantin. – Individu faible, versatile. – *Secret de* **polichinelle** : connu de tous.

policier, **ière**, *adj. et subst. m. Adj.* Qui concerne la police. – Où la police exerce un contrôle total : *Un État* **policier**. – *Roman* **policier** : dont l'intrigue repose sur une enquête. – *Subst.* Membre de la force publique.

poliomyélite, *subst. f.* Maladie infectieuse qui provoque des paralysies progressives.

polir, *verbe trans.* Rendre lisse et brillant. – Parfaire.

polisson, **onne**, *adj. et subst.* Enfant espiègle. – Libertin.

politesse, *subst. f.* Ensemble des règles qui maintiennent de bonnes relations dans une société ; respect de ces règles. – Parole, action qui s'y conforme.

politicien, **ienne**, *adj. et subst. Subst.* Personne qui exerce une action, une responsabilité politiques. – *Adj.* Qui relève d'un calcul politique.

politique, *adj. et subst. Adj.* Relatif au gouvernement d'un État, à l'exercice du pouvoir. – *Homme* **politique** : qui s'occupe de **politique**. – Qui résulte d'un calcul habile. – *Subst.* Personne qui fait de la **politique**. – *Subst. fém.* Art et manière de gouverner ; conduite des affaires publiques : *Une* **politique** *de droite, de gauche.* –

Manière de mener une affaire, stratégie. – *Subst. masc.* Ce qui est **politique**.

politiser, *verbe trans.* Donner un caractère ou une conscience politiques à.

polka, *subst. f.* Danse vive, à deux temps, originaire de Pologne, en vogue au xix\ensuremath{^e} s.

pollen, *subst. m.* Poussière libérée par les fleurs, qui les féconde.

polluer, *verbe trans.* Souiller. – Rendre (un environnement) malsain, voire dangereux.

pollution, *subst. f.* Dégradation d'un environnement naturel, d'un milieu vivant, par des agents physiques, chimiques ou biologiques.

polo, *subst. m.* Sport équestre d'équipe. – Tricot léger à col rabattu.

polochon, *subst. m.* Traversin (*fam.*).

polonais, *subst. m.* Langue slave parlée en Pologne.

poltron, **onne**, *adj. et subst.* Qui est peureux.

poly-, *préfixe* Exprime l'idée de nombre, d'abondance.

polychrome, *adj.* De plusieurs couleurs.

polyculture, *subst. f.* Agriculture diversifiée au sein d'une même exploitation, d'une même région (*oppos. monoculture*).

polyester, *subst. m.* Matière synthétique utilisée dans l'industrie textile.

polygame, *adj. et subst.* Qui pratique la polygamie.

polygamie, *subst. f.* Fait d'être marié à plusieurs conjoints.

polyglotte, *adj. et subst.* Qui parle plusieurs langues.

polygone, *subst. m. Géom.* Figure à plusieurs côtés.

polype, *subst. m. Méd.* Tumeur molle, *gén.* bénigne, qui apparaît sur une muqueuse.

polyphonie, *subst. f. Mus.* Technique utilisant la superposition des lignes mélodiques. – Chant à plusieurs voix ; morceau pour plusieurs instruments.

polystyrène, *subst. m.* Matière plastique très légère.

polythéisme, *subst. m.* Religion qui reconnaît l'existence de plusieurs dieux.

polyvalent, **ente**, *adj.* Qui a plusieurs fonctions ou capacités. – Adapté à divers usages.

pommade, *subst. f.* Substance molle et grasse, cosmétique ou médicamenteuse. – *Fig. Passer de la* **pommade** *à qqn* : le flatter (*fam.*).

pomme, *subst. f.* Fruit du pommier, rond, à pépins et à pulpe ferme et juteuse. – Fruit plus ou moins rond : **Pomme** *de pin*. – Objet rond : **Pomme** *d'arrosoir*, partie percée de trous adaptée au bec. – *Tomber dans les* **pommes** : s'évanouir (*fam.*).

pommeau, *subst. m.* Bout arrondi de la poignée d'une épée, d'une canne, d'un parapluie.

pomme de terre, *subst. f.* Plante originaire d'Amérique du Sud, cultivée pour ses tubercules. – Tubercule de cette plante.

pommette, *subst. f.* Partie saillante de la joue, sous l'angle extérieur de l'œil.

pompe (i), *subst. f.* Déploiement de faste, cérémonial fastueux. – **Pompes** *funèbres* : service qui organise des enterrements.

pompe (ii), *subst. f.* Appareil servant à aspirer, à refouler ou à comprimer un fluide. – *Fam.* Chaussure. – *À toute* **pompe** : à toute vitesse.

pomper, *verbe trans.* Déplacer (un fluide) à l'aide d'une pompe. – *Fam.* Lasser, fatiguer. – Copier, tricher.

pompeux, euse, *adj.* D'une solennité excessive.

pompier, *subst. m.* Homme chargé de combattre les incendies, les sinistres, et de porter secours.

pompon, *subst. m.* Touffe de laine ou de soie, en forme de boule, servant d'ornement.

pomponner, *verbe trans.* Apprêter avec grand soin.

ponant, *subst. m.* Occident (*oppos. levant*).

ponce, *adj. et subst. f.* **Ponce** ou *pierre* **ponce** : roche volcanique poreuse, très légère, utilisée pour polir, nettoyer.

poncer, *verbe trans.* Polir, décaper avec un abrasif.

poncho, *subst. m.* Manteau fait d'un rectangle de laine fendu pour laisser passer la tête.

poncif, *subst. m.* Idée, propos sans originalité.

ponction, *subst. f.* Prélèvement, *gén.* à l'aide d'une aiguille, d'un liquide organique. – *Fig. Faire une* **ponction** *dans ses économies.*

ponctualité, *subst. f.* Qualité de *qqn* qui est toujours à l'heure ; régularité.

ponctuation, *subst. f.* Action de ponctuer ; son résultat. – Ensemble des signes graphiques destinés à rythmer un texte, à marquer des rapports syntaxiques.

ponctuel, elle, *adj.* Qui arrive à l'heure ; régulier. – *Fig.* Qui concerne un point particulier, un détail : *Une intervention* **ponctuelle**.

ponctuer, *verbe trans.* Marquer par des signes de ponctuation. – Souligner (ses paroles) par des gestes, des exclamations.

pondération, *subst. f.* Action de pondérer ; son résultat. – *Fig.* Modération, calme.

pondérer, *verbe trans.* Équilibrer *qqch.* par autre chose. – *Fig.* Modérer, calmer, mesurer.

pondeur, euse, *adj. et subst. f.* Qui pond. – **Pondeuse** ou *poule* **pondeuse** : que l'on élève pour ses œufs.

pondre, *verbe trans.* Produire (un, des œufs), en parlant d'une femelle ovipare. – *Fig.* Rédiger (*fam.*) : **Pondre** *un article.*

poney, *subst. m.* Cheval de petite taille.

pont, *subst. m.* Ouvrage d'art servant à franchir un cours d'eau, une voie, un ravin. – *Fig.* Lien, transition, jonction. – *Couper les* **ponts** : cesser toute relation. – *Faire le* **pont** : ne pas travailler entre deux jours fériés. – *Mar.* Chacun des planchers qui partagent les étages d'un navire.

pontage, *subst. m.* Remplacement d'une partie d'artère défectueuse par une prothèse.

ponte, *subst. f.* Action de pondre. – Les œufs pondus. – Période où les femelles pondent.

pontife, *subst. m.* Titre donné aux évêques et aux prélats. – *Souverain* **pontife** : le pape.

pontifical, ale, aux, *adj.* Qui a trait au pape.

pontifier, *verbe intrans.* Se donner un air important, discourir avec emphase.

pont-levis, *subst. m.* Pont mobile enjambant le fossé d'un château fort et qu'on peut lever ou abaisser à volonté.

ponton, *subst. m.* Plate-forme flottante, reliée à un quai ou à un rivage. – Navire désarmé servant de dépôt de matériel, de prison, etc.

pope, *subst. m.* Prêtre de l'Église orthodoxe slave.

popeline, *subst. f.* Tissu léger de laine et de soie.

populace, *subst. f.* Bas peuple (*péj.*).

populaire, *adj.* Qui se rapporte au peuple, qui en est issu. – Pour le peuple, le grand public. – Qui jouit d'une grande popularité.

populariser, *verbe trans.* Faire connaître au plus grand nombre, répandre.

popularité, *subst. f.* Fait d'être connu et apprécié du plus grand nombre.

population, *subst. f.* Ensemble des personnes habitant un espace déterminé ou répondant à un critère particulier.

porc, *subst. m.* Mammifère omnivore au museau terminé en groin, élevé pour sa chair. – Viande ou peau de cet animal. – *Fig.* Homme sale ou débauché (*fam.*)

porcelaine, *subst. f.* Matière céramique à pâte fine, translucide ; objet de cette matière : **Porcelaine** *de Chine*. – Gros coquillage des mers chaudes, brillant et coloré.

porcelet, *subst. m.* Jeune porc.

porc-épic, *subst. m.* Mammifère rongeur couvert de longs piquants.

porche, *subst. m.* Espace couvert abritant la porte d'entrée d'un bâtiment.

porcherie, *subst. f.* Local où l'on élève des porcs. – *Fig.* Lieu très sale, en désordre (*fam.*).

porcin, ine, *adj. et subst. m. Adj.* Qui a trait au porc. – Qui évoque un porc. – *Subst.* Mammifère ongulé tel que le porc. – *Plur.* La famille correspondante (*synon. Suidés*).

pore, *subst. m.* Minuscule orifice de la peau, par lequel s'écoule la sueur.

poreux, euse, *adj.* Qui présente de multiples petits trous : *Roche* **poreuse**.

pornographie, *subst. f.* Représentation de choses obscènes en littérature, au cinéma, etc.

port (i), *subst. m.* Abri naturel ou artificiel aménagé pour l'accueil des navires. – Ville qui possède un **port** : *Anvers*, **port** *de la mer du Nord.*

port (ii), *subst. m.* Fait d'être revêtu ou de porter sur soi. – Manière de se tenir. – Chargement. – Prix d'un transport.

portable, *adj. et subst. m. Adj.* Portatif. – Dont on peut se vêtir : *Une veste* **portable**. – *Subst.* Appareil **portable**.

portail, *subst. m.* Entrée principale, *souv.* monumentale, d'un édifice, d'une propriété.

portant, ante, *adj. et subst. m.* Qui a pour fonction de porter, de soutenir. – *Adj. Bien, mal* **portant** : en bonne, en mauvaise santé.

portatif, ive, *adj.* Aisément transportable.

porte, *subst. f.* Ouverture donnant accès à un lieu. – Panneau mobile permettant d'obturer une ouverture. – *Mettre qqn à la* **porte** : le congédier, le licencier.

porte-à-porte, *subst. m. inv.* Technique de vente consistant à démarcher les clients à leur domicile.

porte-avions, *subst. m. inv.* Navire de guerre disposant d'une piste d'envol et d'appontage pour les avions.

porte-bagages, *subst. m. inv.* Accessoire d'un véhicule, destiné à recevoir les bagages.

porte-bonheur, *subst. m. inv.* Objet censé porter chance.

porte-cartes, *subst. m. inv.* Petit portefeuille à compartiments transparents.

porte-clefs, *subst. m. inv.* Anneau servant à porter des clefs.

portée, *subst. f.* Ensemble des petits qu'une femelle met bas en une fois. – Distance à laquelle une arme peut lancer un projectile. – Distance à laquelle la voix, la vue, etc., peuvent porter. – Distance entre deux points d'appui : **Portée** *d'une poutre.* – Importance, effet : *Événement de grande* **portée**. – *À la* **portée** *de* : accessible à. – *Mus.* Ensemble de cinq lignes parallèles horizontales sur lesquelles sont écrites les notes d'une partition.

porte-fenêtre, *subst. f.* Fenêtre s'ouvrant jusqu'au sol et servant de porte.

portefeuille, *subst. m.* Étui muni de poches, où l'on range ses billets de banque et ses papiers. – *Fig.* Ministère. – Ensemble des valeurs mobilières, des titres que possède *qqn*.

portemanteau, *subst. m.* Support auquel on suspend les vêtements.

porte-monnaie, *subst. m. inv.* Petite bourse dans laquelle on met ses pièces de monnaie.

porte-parole, *subst. m. inv.* Personne chargée de s'exprimer au nom de *qqn* ou d'un groupe.

porter, *verbe Trans.* Soutenir (un poids, une charge). – Engendrer : **Porter** *un enfant, une œuvre* ; **Porter** *ses fruits,* avoir des résultats positifs. – Avoir sur soi : **Porter** *une belle robe* ; au *fig.* : **Porter** *un nom célèbre.* – Diriger, pousser : **Porter** *ses regards (vers)* ; **Porter** *au pouvoir.* – Donner, apporter : **Porter** *chance, secours.* – *Intrans.* **Porter** *à* : concerner. – *Être* **porté** *à* : être enclin à. – *Empl. abs. Ma remarque* **a porté** : elle a eu de l'effet. – *Pronom.* Aller (en parlant de la santé) : *Se* **porter** *mieux.* – Se présenter comme : *Se* **porter** *candidat, partie civile.*

porteur, euse, *adj. et subst. Subst.* Personne qui remet des messages. – Personne qui porte les bagages (d'un voyageur, d'une équipe en expédition). – *Chèque, bon au* **porteur** : payables à qui les détient. – *Adj.* Qui porte, soutient : *Mur* **porteur**.

porte-voix, *subst. m. inv.* Instrument portatif évasé, destiné à amplifier la voix.

portier, ière, *subst.* Personne qui surveille l'entrée de certains établissements.

portière, *subst. f.* Porte de voiture ou de train.

portillon, *subst. m.* Petite porte basse à battant.

portion, *subst. f.* Part, tranche. – Partie d'un tout.

portique, *subst. m. Archit.* Galerie à colonnes. – *Sp.* Poutre horizontale fixée sur deux poteaux, qui reçoit des agrès de gymnastique.

porto, *subst. m.* Vin liquoreux du Portugal.

portrait, *subst. m.* Représentation imagée (picturale, photographique, etc.) d'une personne. – *Fig.* Description. – Réplique : *C'est son* **portrait** *craché.*

portuaire, *adj.* D'un port : *Site* **portuaire**.

portugais, *subst. m.* Langue romane parlée principalement au Portugal et au Brésil.

pose, *subst. f.* Action de poser. – Attitude du corps : **Pose** *lascive.* – Attitude affectée. – *Temps de* **pose** : durée nécessaire pour obtenir une photographie correcte.

posé, ée, *adj.* Calme, pondéré.

poser, *verbe Trans.* Cesser de porter. – Mettre, placer, installer. – Déclarer, formuler : **Poser** *une question, sa candidature.* – Donner de l'importance à (*fam.*) : *Ça vous* **pose** *qqn.* – *Intrans.* Rester immobile devant un photographe, un cinéaste. – Prendre une attitude affectée. – *Pronom.* Se percher, atterrir. – Se manifester : *Le problème se* **posera**. – *Se* **poser** *en victime* : en jouer le rôle.

positif, ive, *adj. et subst. m. Adj.* Affirmatif : *Réponse* **positive**. – Utile, favorable. – Pratique, réaliste : *Esprit* **positif**. – *Math.* Supérieur à zéro, en parlant d'un nombre. – *Méd. Examen* **positif** : qui révèle la présence dans l'organisme du corps recherché. – *Subst.* Ce qui est **positif**. – Épreuve photographique en couleurs réelles.

position, *subst. f.* Manière dont un objet est posé, dont qqn se tient : **Position** *verticale, horizontale.* – Place, endroit où se trouve *qqn* ou *qqch.* : **Position** *des troupes.* – Situation. – Avis, opinion.

positionner, *verbe trans.* Mettre dans une position, une pose précise. – Déterminer l'emplacement de. – Déterminer la situation (d'un produit sur le marché).

positivisme, *subst. m.* Doctrine philosophique qui fait reposer la connaissance sur les seuls faits observés, sur l'expérience scientifique.

posologie, *subst. f.* Indication de la dose de médicament à administrer à un malade.

possédé, ée, *adj. et subst.* Se dit d'un être qui se trouve sous l'emprise d'un pouvoir démoniaque.

posséder, *verbe trans.* Avoir à soi, détenir. – Bien connaître, maîtriser : **Posséder** *l'allemand.* – Tromper (*fam.*).

possessif, ive, *adj.* Qui éprouve un sentiment de possession affective envers *qqn.* – *Ling.* Qui marque l'appartenance : *Adjectif, pronom* **possessifs**.

possession, *subst. f.* Fait de posséder. – Chose que l'on possède. – Fait d'être possédé.

possibilité, *subst. f.* Qualité de ce qui est possible. – Chose possible. – *Plur.* Moyens dont on dispose.

possible, *adj. et subst. m. Adj.* Qui peut se produire, être réalisé. – Qu'on peut croire. – *Le plus, le moins* **possible** : le plus, le moins que l'on peut (**possible** est dans ce cas *inv.*). – *Subst.* Faire son **possible** : tout ce que l'on peut.

post-, préfixe « Après », dans l'espace ou dans le temps.

postal, ale, aux, *adj.* De la poste : *Code* **postal**.

poste (i), *subst. f.* Service public chargé du traitement, de la distribution du courrier. – Bureau postal : *Aller à la* **poste**.

poste (ii), *subst. m.* Lieu où un militaire est affecté. – Emploi civil. – Emplacement, local affectés à une activité, un service : **Poste** *de secours, de travail* ; **Poste** *d'essence.* – Appareil récepteur : **Poste** *de télévision.*

poster (i), *verbe trans.* Déposer (du courrier) à la poste.

poster (ii), *verbe trans.* Placer à un endroit, à un poste précis, *souv.* pour guetter.

poster (iii), *subst. m.* Affiche décorative.

postérieur, ieure, adj. et subst. m. Adj. Qui vient après (dans le temps). – Qui est situé à l'arrière. – Subst. Arrière-train, fesses (fam.).

postérité, subst. f. Descendance (littér.). – Les générations futures : Écrivain passé à la **postérité**, dont la renommée se perpétue.

postface, subst. f. Texte de commentaire placé en fin d'ouvrage.

posthume, adj. Né, paru après la mort de son concepteur : Enfant, œuvre **posthumes**. – Qui survient après la mort : Triomphe, décorations **posthumes**.

postiche, adj. et subst. m. Adj. Faux, artificiel : Cils postiches. – Subst. Perruque.

postier, ière, subst. Employé des postes.

postillon, subst. m. Personne qui conduisait une voiture attelée au service de la poste. – Gouttelette de salive projetée en parlant.

postillonner, verbe intrans. Lancer des postillons.

postopératoire, adj. Qui fait suite à une opération chirurgicale.

postposition, subst. f. Position d'un mot juste après un autre, qui lui est lié.

post-scriptum, subst. m. inv. Ajout placé au bas d'une lettre, après la signature (abrév. P.-S.).

postuler (pour) un nouvel emploi. – Réclamer, supposer. Sollicter, être candidat à : **Postuler** (pour) un nouvel emploi. – Réclamer, supposer.

posture, subst. f. Position du corps. – Être en bonne, mauvaise **posture** : dans une situation favorable, difficile.

pot, subst. m. Récipient pouvant revêtir diverses formes et accueillir divers objets : **Pot** à eau ; **Pot** de chambre. – Fam. Boisson : Prendre un **pot**. – Réunion où l'on boit. – Chance. – Tourner autour du **pot** : ne pas aller droit au but. – Tech. **Pot** d'échappement : appareil d'où s'évacuent les gaz brûlés par un moteur à explosion.

potable, adj. Qu'on peut boire sans danger. – Passable, acceptable (fam.).

potage, subst. m. Bouillon de viande ou de légumes.

potager, ère, adj. et subst. m. Adj. Se dit de plantes comestibles et de ce qui s'y rapporte. – Subst. Jardin de légumes.

potasser, verbe trans. Étudier assidûment (fam.).

pot-au-feu, subst. m. inv. Plat constitué de viande de bœuf bouillie avec des légumes.

pot-de-vin, subst. m. Argent versé illégalement pour s'approprier un marché.

pote, subst. m. Camarade (fam.).

poteau, subst. m. Pièce de bois, de métal, dressée verticalement sur le sol. – Battre qqn sur le **poteau** : de justesse. – Envoyer au **poteau** : condamner à être fusillé.

potée, subst. f. Plat de viande bouillie servie avec des légumes : **Potée** auvergnate.

potelé, ée, adj. Dodu, grassouillet.

potence, subst. f. Support en équerre. – Instrument de pendaison.

potentat, subst. m. Souverain absolu. – Tyran.

potentialité, subst. f. Possibilité, virtualité.

potentiel, ielle, adj. et subst. m. Adj. Qui existe en puissance, virtuel : Ressources **potentielles**. – Subst. Capacité, puissance dont on dispose : **Potentiel** militaire, économique. – Différence de potentiel : tension électrique.

poterie, subst. f. Art de fabriquer des objets en terre cuite. – Objet ainsi façonné.

poterne, subst. f. Porte dérobée perçant une muraille d'enceinte.

potiche, subst. f. Grand vase en porcelaine. – Fig. Personnage relégué dans un rôle honorifique.

potin, subst. m. Fam. Bruit. – Commérage (gén. au plur.).

potion, subst. f. Médicament liquide.

potiron, subst. m. Courge volumineuse.

pot-pourri, subst. m. Mélange de chansons ou de morceaux de musique.

pou, poux, subst. m. Insecte parasite qui se fixe dans les cheveux de l'homme. – Chercher des poux à qqn : lui chercher querelle (fam.).

poubelle, subst. f. Récipient où l'on jette les ordures ménagères.

pouce, subst. m. Le plus gros doigt de la main, opposable aux quatre autres. – Ancienne mesure de longueur (27,07 mm). – Donner un coup de pouce à qqn : l'aider. – Fam. **Pouce !** : arrêtez ! ; Se tourner les **pouces** : ne rien faire ; Sur le **pouce** : à la hâte.

poudre, subst. f. Substance solide broyée en particules infimes. – Produit de maquillage fin et léger. – Substance explosive. – Mettre le feu aux poudres : faire éclater une affaire, un conflit.

poudrer, verbe trans. Couvrir d'une légère couche de poudre : **Poudrer** son visage.

poudreux, euse, adj. Couvert de poudre, de poussière. – Qui a la consistance de la poudre. – Empl. subst. fém. Neige fraîche et fine.

poudrier, subst. m. Petit récipient plat contenant de la poudre de maquillage.

poudrière, subst. f. Dépôt d'explosifs. – Fig. Endroit où un conflit menace d'éclater.

pouf, subst. m. Siège en forme de gros coussin.

pouffer, verbe intrans. Rire en essayant de se retenir.

poulailler, subst. m. Abri pour les poules. – Galerie populaire, tout en haut d'un théâtre.

poulain, subst. m. Petit de la jument. – Débutant soutenu par une personnalité.

poule (i), subst. f. Femelle du coq, appréciée pour sa chair et ses œufs. – Nom de la femelle de divers oiseaux : **Poule** faisane. – Femme facile, maîtresse (fam. et péj.). – Chair de **poule** : frisson dû au froid, à la peur. – Mère **poule** : femme qui couve trop ses enfants. – **Poule** mouillée : poltron.

poule (ii), subst. f. Sp. Compétition où tous les concurrents s'affrontent successivement.

poulet, subst. m. Jeune coq ou jeune poule. – Viande de cet animal. – Policier (fam.).

pouliche, subst. f. Jument non adulte.

poulie, subst. f. Petite roue à jante creusée dans laquelle passe un câble ou une corde servant à soulever une charge.

poulinière, subst. f. Jument reproductrice.

poulpe, voir **pieuvre**

pouls, subst. m. Battement du sang dans un vaisseau, une artère.

poumon, subst. m. Chacun des deux organes de la respiration, situés dans la cage thoracique.

poupe, subst. f. Arrière d'un navire. – Avoir le vent en **poupe** : être porté vers le succès.

poupée, *subst. f.* Jouet reproduisant en miniature un être humain. – *Fam.* Pansement entourant le doigt. – Jolie jeune femme (*péj.*).

poupin, ine, *adj.* Qui a le visage rond.

pouponner, *verbe intrans.* S'occuper d'un bébé, le dorloter (*fam.*).

pour, *prép.* Exprime le but, la direction, l'intention : *Départ* **pour** *Nice* ; *Je vote* **pour** *lui*, en sa faveur. – Exprime la cause : *Puni* **pour** *indiscipline.* – Exprime la conséquence : *Trop poli* **pour** *être honnête.* – Exprime l'échange, l'équivalence : *Il paya* **pour** *elle*, à sa place. – *Empl. subst. Le* **pour** (*oppos. le contre*) : le bon côté, les avantages.

pourboire, *subst. m.* Somme d'argent versée par un client en plus du prix normal pour marquer sa satisfaction.

pourcentage, *subst. m.* Proportion d'une grandeur pour cent unités. – Commission calculée selon ce principe.

pourchasser, *verbe trans.* Poursuivre, traquer.

pourfendre, *verbe trans.* Attaquer violemment (*littér.*) : **Pourfendre** *ses ennemis.*

pourlécher (se), *verbe pronom.* Passer sa langue sur ses lèvres, sur ses babines, avec gourmandise.

pourparlers, *subst. m. plur.* Discussion entre plusieurs parties en vue de parvenir à une entente.

pourpoint, *subst. m.* Sorte de veste très ajustée que portaient les hommes, du xiie au xviie s.

pourpre, *adj. inv. et subst. Subst. fém.* Teinture rouge autrefois extraite d'un coquillage. – Tissu précieux teinté à la **pourpre**, symbole de haute dignité. – *Subst. masc.* et *adj.* Rouge très intense.

pourquoi, *subst. m. inv. et adv. Adv.* Pour quelle raison : **Pourquoi** *ris-tu ?* ; *Je ne sais* **pourquoi**. – *C'est* **pourquoi** : c'est la raison pour laquelle. – *Subst.* Cause : *Le* **pourquoi** *et le comment.*

pourri, ie, *adj.* En état de décomposition. – Corrompu, vénal. – Hors d'usage, bon à jeter. – *Été* **pourri** : très pluvieux (*fam.*).

pourrir, *verbe Intrans.* Se décomposer sous l'action de bactéries. – *Fig.* Stagner, se dégrader. – *Trans.* Putréfier, corrompre. – *Fig.* Trop gâter (*qqn*) (*fam.*).

pourriture, *subst. f.* Décomposition organique ; ce qui est pourri. – Corruption morale.

poursuite, *subst. f.* Action de poursuivre ce qui fuit ; au *fig.*, quête. – *Engager des* **poursuites** : saisir la justice.

poursuivre, *verbe trans.* Suivre pour atteindre. – Harceler, hanter. – Tenter d'atteindre, de réaliser. – Continuer. – Attaquer en justice.

pourtant, *adv.* Cependant, toutefois.

pourtour, *subst. m.* Ligne qui fait le tour d'un lieu, ou espace qui le borde.

pourvoi, *subst. m.* Dernier recours en justice pour annuler une décision : **Pourvoi** *en cassation.*

pourvoir, *verbe trans.* Doter de ce qui est nécessaire : **Pourvoir** *un poste* ; **Pourvoir** *qqn d'un emploi.* – **Pourvoir** *à* : subvenir à. – *Pronom.* Former un pourvoi.

pourvoyeur, euse, *subst.* Personne qui ravitaille, qui fournit *qqch.*

pourvu que, *loc. conj.* Indique une condition ou bien un souhait, une appréhension : *Vous réus-*sirez **pourvu que** *vous le vouliez* ; **Pourvu qu'**il fasse beau !

pousse, *subst. f.* Croissance d'un végétal (ou des ongles, des dents, des cheveux). – Plante, branche toutes nouvelles.

pousse-café, *subst. m. inv.* Alcool servi après le café.

poussée, *subst. f.* Pression exercée contre *qqn*, *qqch.* pour le déplacer. – Flambée, impulsion : **Poussée** *de fièvre*, fièvre forte et soudaine.

pousse-pousse, *subst. m. inv.* Voiture légère à deux roues, tirée par un homme, fréquente en Asie.

pousser, *verbe Trans.* Appuyer, exercer une pression sur (*qqch.*, pour le déplacer) ; bousculer. – Inciter à. – Faire entendre : **Pousser** *un cri.* – *Intrans.* Croître.

poussette, *subst. f.* Siège d'enfant monté sur roulettes, que l'on pousse devant soi.

poussière, *subst. f.* Infimes particules de terre ou de matière quelconque, pouvant rester en suspension dans l'air. – Chose infime.

poussiéreux, euse, *adj.* Plein de poussière. – *Fig.* Vieilli, dépassé.

poussif, ive, *adj.* Qui s'essouffle. – *Moteur* **poussif** : qui tourne mal. – *Fig.* Laborieux.

poussin, *subst. m.* Poulet nouvellement sorti de l'œuf. – Jeune sportif appartenant à la catégorie des moins de 11 ans.

poutre, *subst. f.* Gros et long morceau de bois équarri, servant de support dans une construction. – *Sp.* Agrès constitué d'une telle pièce élevée au-dessus du sol.

poutrelle, *subst. f.* Petite poutre métallique.

pouvoir (i), *verbe trans.* Avoir la capacité, la possibilité de. – Avoir la permission, le droit de. – Risquer de : *Je* **peux** *faire erreur.* – *N'en plus* **pouvoir** : être à bout de forces. – *Il se* **peut** *que* : il est possible que.

pouvoir (ii), *subst. m.* Capacité d'agir. – Écrit donnant procuration. – Influence, ascendant. – Autorité constituée, gouvernement : *Les* **pouvoirs** *publics.* – Propriété physique : **Pouvoir** *décapant de la soude.*

pragmatisme, *subst. m.* Conduite qui révèle un sens pratique et privilégie l'efficacité.

praire, *subst. f.* Coquillage bivalve comestible, qui vit dans le sable.

prairial, *subst. m.* Neuvième mois du calendrier républicain, allant du 20-21 mai au 18-19 juin.

prairie, *subst. f.* Terrain herbeux qui sert de pâturage ou fournit le foin.

praline, *subst. f.* Bonbon fait d'une amande enrobée de sucre cuit puis glacé.

praliné, *subst. m.* Mélange de pralines pilées et de chocolat.

praticable, *adj.* Réalisable. – *Chemin* **praticable** : où l'on peut passer, circuler.

praticien, ienne, *subst.* Médecin qui soigne les malades (*oppos. chercheur*).

pratiquant, ante, *adj. et subst.* Qui observe les pratiques de sa religion.

pratique (i), *subst. f.* Mise en application d'une théorie. – Exercice d'une activité. – Expérience. – Observance des rites : **Pratique** *religieuse.* – *Plur.* Agissements : *Des* **pratiques** *courantes.* – *En* **pratique** : en fait, en réalité.

pratique (ii), adj. Qui concerne la réalité concrète (*oppos. théorique*). – Qui s'attache à l'efficacité. – Facile à utiliser ; qui épargne du temps et des efforts.

pratiquer, verbe trans. Exercer (un métier, une activité) : **Pratiquer** *le judo* ; **Pratiquer** *une langue,* avoir l'occasion de la parler. – User de, recourir à : **Pratiquer** *la tolérance, le chantage.* – Exécuter, réaliser. – *Empl. intrans.* Observer des pratiques religieuses. – *Pronom.* Se faire, être d'usage.

pré, subst. m. Petite prairie, souv. clôturée.

pré-, préfixe « Antérieur », dans le temps ou dans l'espace.

préalable, adj. et subst. m. Adj. Qui doit d'abord être dit, examiné ou accompli. – Subst. Condition à remplir avant d'ouvrir une négociation, un débat. – *Au* **préalable** : auparavant.

préambule, subst. m. Introduction explicative. – *Fig.* Signe annonciateur de *qqch.*

préau, aux, subst. m. Partie couverte d'une cour d'école. – Cour d'un cloître, d'une prison.

préavis, subst. m. Annonce préalable d'une décision qui prendra effet passé un certain délai. – Ce délai : *Période de* **préavis.**

précaire, adj. Dont la durée est incertaine : *Un emploi* **précaire.**

précarité, subst. f. Caractère précaire de *qqch.*

précaution, subst. f. Mesure prise pour éviter ou limiter un mal. – Circonspection, prudence.

précautionneux, euse, adj. Qui agit avec précaution.

précédent, ente, adj. et subst. m. Adj. Qui précède. – *Subst.* Événement antérieur qui a valeur d'exemple, de référence.

précéder, verbe trans. Avoir lieu, exister, venir avant. – Être placé, marcher devant.

précepte, subst. m. Recommandation d'ordre moral ou religieux.

précepteur, trice, subst. Professeur particulier.

prêcher, verbe Trans. Répandre, dire (la Parole divine). – Prôner, conseiller. – *Intrans.* Faire un sermon : **Prêcher** *en chaire.*

précieux, ieuse, adj. et subst. f. Adj. Dont le prix est élevé. – Cher au cœur. – Très utile. – Affecté, prétentieux. – *Subst.* Femme pédante du XVIIe s.

préciosité, subst. f. Grande affectation dans les manières et le langage.

précipice, subst. m. Ravin aux versants très abrupts ; gouffre.

précipitation, subst. f. Grande hâte. – *Chim.* Phénomène par lequel un corps insoluble se dépose au fond d'un liquide. – *Plur.* Pluie, grêle, neige, etc.

précipiter, verbe trans. Jeter d'un endroit élevé. – Hâter, accélérer. – Entraîner, pousser vers un malheur. – *Chim.* Provoquer la précipitation de ; *empl. abs.,* la subir. – *Pronom.* Accourir, s'élancer vivement.

précis, ise, adj. et subst. m. Adj. Déterminé avec rigueur. – Qui atteint son objectif avec exactitude ; sûr. – Exact, juste. – *Subst.* Manuel de notions essentielles.

préciser, verbe trans. Déterminer de façon précise. – Apporter des précisions à ; rendre plus net, plus clair.

précision, subst. f. Caractère précis, exact de *qqch.* – Détail, information supplémentaires.

précoce, adj. Mûr avant la saison. – Qui survient très tôt. – *Enfant* **précoce** : mûr pour son âge.

précocité, subst. f. Caractère précoce.

préconçu, ue, adj. Forgé à l'avance, sans réflexion personnelle : *Idée* **préconçue.**

préconiser, verbe trans. Recommander vivement.

précurseur, adj. m. et subst. m. Subst. Personne dont la pensée ou les œuvres sont en avance sur leur époque. – Adj. Signe **précurseur** : annonciateur, avant-coureur.

prédateur, trice, adj. et subst. Qui se nourrit de proies.

prédécesseur, subst. m. Personne qui a précédé *qqn* dans une fonction, un domaine.

prédestination, subst. f. Détermination préalable du destin du monde, de l'homme. – Caractère fatal de certains événements.

prédestiner, verbe trans. Vouer par avance à *qqch.*

prédéterminer, verbe trans. Déterminer par avance.

prédicateur, subst. m. Celui qui prêche.

prédication, subst. f. Action de prêcher ; son résultat. – Sermon.

prédiction, subst. f. Action de prédire. – La chose qui est prédite.

prédilection, subst. f. Vive préférence vouée à *qqn,* à *qqch.* – *De* **prédilection** : favori.

prédire, verbe trans. Annoncer, dire à l'avance (ce qui devrait arriver) ; prévoir.

prédisposer, verbe trans. Placer dans une disposition qui favorise l'accomplissement de *qqch.*

prédisposition, subst. f. Aptitude naturelle.

prédominance, subst. f. État, caractère de *qqn,* de *qqch.* qui prédomine.

prédominer, verbe intrans. Dominer nettement ; l'emporter en nombre, en qualité, en importance.

prééminence, subst. f. Supériorité absolue conférée par le rang, la fonction ; suprématie.

préemption, subst. f. Acquisition prioritaire.

préfabriqué, ée, adj. et subst. m. Se dit d'un élément de construction façonné en usine, prêt à être monté. – *Maison* **préfabriquée** : bâtie avec ces éléments.

préface, subst. f. Texte de présentation placé au début d'un ouvrage.

préfectoral, ale, aux, adj. Relatif au préfet.

préfecture, subst. f. Charge, fonction de préfet. – Circonscription administrative d'un préfet. – Ensemble des services de cette administration ; l'édifice qui l'abrite. – La ville où elle siège.

préférable, adj. Qui mérite d'être préféré. – *Il est* **préférable** *de* : il vaut mieux.

préférence, subst. f. Fait de préférer ; ce qui est préféré. – *De* **préférence** *(à)* : plutôt (que).

préférentiel, ielle, adj. Qui accorde une préférence en faveur de *qqn* : *Prix* **préférentiel.**

préférer, verbe trans. Aimer mieux : *Elle* **préfère** *le thé au café.*

préfet, subst. m. Représentant du gouvernement placé à la tête d'un département ou d'une région. – Haut fonctionnaire civil ou militaire : **Préfet** *de police, maritime.*

préfigurer, verbe trans. Annoncer, être le signe de.

préfixe, *subst. m.* Élément qui se place devant un mot pour en former un autre.

préhension, *subst. f.* Action de prendre, de saisir.

préhistoire, *subst. f.* Période de l'évolution de l'humanité antérieure à l'invention de l'écriture. – Science qui étudie cette période.

préjudice, *subst. m.* Tort, dommage causés. – *Au* **préjudice** *de* : au désavantage de.

préjudiciable, *adj.* Qui porte préjudice.

préjugé, *subst. m.* Parti pris, idée préconçue.

préjuger, *verbe trans. indir.* Juger prématurément : *Sans* **préjuger** *du résultat.*

prélasser (se), *verbe pronom.* S'abandonner à la paresse.

prélat, *subst. m.* Haut dignitaire de l'Église catholique : cardinal, évêque, etc.

prélèvement, *subst. m.* Action de prélever : **Prélèvement** *sanguin, bancaire.* – Ce qui est prélevé.

prélever, *verbe trans.* Prendre, retrancher (une partie d'un tout) : **Prélever** *un acompte.*

préliminaire, *adj. et subst. m. plur.* *Adj.* Qui précède : *Enquête* **préliminaire**. – *Subst.* Actes qui préparent un événement : **Préliminaires** *de paix.*

prélude, *subst. m.* Morceau musical servant *gén.* d'introduction. – *Fig.* Annonce, point de départ : *Le* **prélude** *d'une belle aventure.*

prématuré, ée, *adj. Adj.* Qui a lieu ou est fait trop tôt. – *Empl. subst.* Bébé né avant terme.

préméditation, *subst. f.* Intention réfléchie d'accomplir un acte (*gén.* mauvais) : *Meurtre, crime avec* **préméditation**.

préméditer, *verbe trans.* Préparer avec soin et calcul. – **Préméditer** *de* (*+inf.*) : projeter de.

prémices, *subst. f. plur.* Signes annonciateurs, débuts : *Les* **prémices** *du renouveau.*

premier, ière, *adj. et subst. Adj.* Qui précède tous les autres (dans le temps, l'espace, ou par la valeur) : **Premier** *ministre*, chef du gouvernement. – *Voyager en* **première** *classe* : dans la classe la plus chère. – *Matières* **premières** : richesses naturelles. – *Nombres* **premiers** : qui ne se divisent que par eux-mêmes ou par l'unité. – *Subst. masc.* Jeune **premier** : jeune acteur jouant les rôles d'amoureux. – *Subst. fém.* **Première** fois qu'on réalise *qqch.* : *C'est une grande* **première** ! – **Première** représentation d'une pièce. – *Classe* du lycée précédant la terminale. – *En* **premier** : d'abord.

prémisse, *subst. f.* Chacune des deux premières propositions d'un syllogisme.

prémolaire, *subst. f.* Dent située entre la canine et les molaires.

prémonition, *subst. f.* Pressentiment mystérieux d'un événement à venir.

prémunir, *verbe trans.* Protéger, préserver de (*qqch.*).

prenant, ante, *adj.* Qui intéresse, captive. – Qui occupe l'esprit. – *Être partie* **prenante** : être concerné.

prendre, *verbe Trans.* Saisir. – Emporter, acheter. – Accueillir, recueillir. – S'adjoindre : **Prendre** *un associé.* – Consommer. – S'emparer de, arrêter : **Prendre** *un voleur.* – Emprunter ; utiliser : **Prendre** *une voiture.* – *À tout* **prendre** : tout compte fait. – **Prendre** *pour* : confondre avec. – **Prendre** *sur soi* : assumer. – *Intrans.*

Suivre une direction : **Prendre** *à droite.* – Se figer : *La sauce* **a pris**. – Réussir (*fam.*) : *Ça ne* **prend** *pas avec moi* ! – *Pronom.* S'accrocher. – *Se* **prendre** *à* : se mettre à. – *Se* **prendre** *pour* : se considérer comme. – *S'en* **prendre** *à* : attaquer. – *Savoir s'y* **prendre** : savoir comment procéder.

preneur, euse, *subst.* Acquéreur.

prénom, *subst. m.* Nom qui précède le patronyme.

prénommer, *verbe trans.* Donner (tel prénom) à. – *Pronom.* Avoir pour prénom.

prénuptial, ale, aux, *adj.* Qui précède le mariage.

préoccupation, *subst. f.* Inquiétude, souci.

préoccuper, *verbe trans.* Tourmenter, causer du souci à. – *Pronom.* S'inquiéter.

préparateur, trice, *subst.* Assistant d'un scientifique ou d'un pharmacien.

préparatif, *subst. m.* Ce qu'on fait pour préparer *qqch.* (*gén.* au *plur.*).

préparation, *subst. f.* Action de préparer : **Préparation** *d'un plat, d'un examen.* – Son résultat.

préparatoire, *adj.* Qui prépare. – *Cours* **préparatoire** : première année du primaire.

préparer, *verbe trans.* Rendre propre à une utilisation. – Cuisiner : **Préparer** *un couscous.* – Organiser à l'avance : **Préparer** *ses vacances, sa retraite.* – Étudier pour mener à bien : **Préparer** *le bac.* – Aider (*qqn*) à affronter, à accepter *qqch.* – Annoncer, amener. – *Pronom.* Être imminent : *Une crise se* **prépare**. – S'habiller, se faire beau.

prépondérance, *subst. f.* Supériorité, primauté.

prépondérant, ante, *adj.* Qui l'emporte en poids, en influence, en prestige.

préposé, ée, *subst.* Personne affectée à une tâche d'exécution. – *Empl. abs.* Facteur.

préposition, *subst. f.* Petit mot invariable qui relie deux éléments d'une phrase.

prépuce, *subst. m.* Repli de peau qui protège le gland du pénis.

prérogative, *subst. f.* Droit attaché exclusivement à une fonction. – Privilège.

près, *adv.* Proche dans le temps ou dans l'espace. – Sur le point : *Être* **près** *d'arriver.* – *À peu* **près** : environ, presque. – *De* **près** : d'une courte distance ; au *fig.*, attentivement. – *À cela* **près** *que* : cela excepté.

présage, *subst. m.* Signe censé annoncer l'avenir.

présager, *verbe trans.* Être le présage de. – Prévoir.

presbyte, *adj. et subst.* Qui voit mal de près.

presbytère, *subst. m.* Maison du curé.

prescription, *subst. f.* Action de prescrire. – Règle de conduite imposée. – Ordonnance médicale. – *Dr.* Délai au terme duquel une action judiciaire est définitivement close.

prescrire, *verbe trans.* Recommander expressément ; ordonner, exiger. – Indiquer à un malade (le traitement à suivre).

préséance, *subst. f.* Supériorité protocolaire.

présence, *subst. f.* Fait d'être présent. – Forte personnalité sur scène, à l'écran. – **Présence** *d'esprit* : esprit d'à-propos.

présent (i), *subst. m.* Le temps actuel (*oppos.* passé *et futur*). – *Ling.* Temps de conjugaison qui exprime ce qui est actuel ou constant. – *À* **présent** : maintenant.

présent (ii), *subst. m.* Cadeau, don (*littér.*).

présent (iii), **ente**, *adj. et subst.* Qui est là : *Les personnes* **présentes** ou *les* **présents**. – Actuel : *Difficultés* **présentes**. – Dont il est question maintenant : *La* **présente** *lettre* ou *la* **présente**. – *Fig.* Attentif.

présentable, *adj.* Qui peut se montrer sans crainte ; convenable.

présentateur, **trice**, *subst.* Personne qui présente un spectacle, une émission télévisée.

présentation, *subst. f.* Action, manière de présenter, de se présenter. – Aspect extérieur : *Une* **présentation** *soignée*.

présenter, *verbe trans.* Montrer : **Présenter** *ses papiers*. – Faire connaître à un public ; animer (un spectacle, une émission). – Formuler, adresser : **Présenter** *des excuses à qqn.* – Faire connaître qqn en le nommant. – Comporter. – *Pronom.* Apparaître. – Dire qui on est, donner son nom. – Se porter candidat.

présentoir, *subst. m.* Petit meuble servant à exposer des produits au public.

préservatif, *subst. m.* Contraceptif masculin, protégeant également des M.S.T.

préservation, *subst. f.* Action de préserver, de se préserver. – L'état qui en résulte.

préserver, *verbe trans.* Protéger d'un dommage.

présidence, *subst. f.* Fonction de président ; sa durée. – Résidence du président.

président, **ente**, *subst.* Personne qui préside une assemblée, une réunion. – **Président** *de la République* : chef de l'État. – **Président**-*directeur général (P.-D.G.)* : patron d'une entreprise, d'une société.

présidentiel, **ielle**, *adj.* Relatif au président, à la présidence de la République.

présider, *verbe trans.* Exercer la présidence de. – **Présider** *à* : veiller à, organiser.

présomption, *subst. f.* Opinion fondée sur des indices et non sur des preuves ; supposition. – Prétention, suffisance.

présomptueux, **euse**, *adj.* Qui possède ou dénote une très haute opinion de soi-même.

presque, *adv.* À peu près, quasi : *J'ai* **presque** *fini*.

presqu'île, *subst. f.* Avancée de terre dans la mer, reliée au continent par un isthme.

pressant, **ante**, *adj.* Qui exerce une vive incitation, une pression insistante. – Urgent.

press-book, *subst. m.* Album constitué à partir de coupures de presse, de photos concernant une personne, un produit.

presse, *subst. f.* Dispositif servant à comprimer. – Machine d'imprimerie. – Les journaux ou les journalistes. – Période de travail intense.

pressé, **ée**, *adj.* Qui a subi une pression : *Orange* **pressée**. – Qui doit se dépêcher. – Urgent.

pressentiment, *subst. m.* Intuition plus ou moins nette d'un événement à venir.

pressentir, *verbe trans.* Prévoir intuitivement ; se douter de. – Sonder (qqn) sur ses intentions avant de lui confier un poste.

presse-papiers, *subst. m. inv.* Objet lourd qui empêche les papiers de s'envoler.

presser, *verbe trans.* Comprimer fortement : **Presser** *une orange*. – Appuyer sur : **Presser** *la sonnette*. – Harceler : **Presser** *de questions*. – Inciter vivement à : *On me* **presse** *de vendre*. –

Accélérer, hâter. – *Empl. intrans.* Être urgent. – *Pronom.* Se tasser. – Se dépêcher : **Presse**-*toi !*

pressing, *subst. m.* Établissement où l'on fait nettoyer et repasser à la vapeur ses vêtements, son linge.

pression, *subst. f.* Action de presser. – Poussée, force, tension. – **Pression** *atmosphérique* : exercée par l'air en un point donné. – Forte insistance ; influence contraignante.

pressoir, *subst. m.* Presse qui écrase des fruits ou des graines pour en extraire le jus ou l'huile. – Local où elle est installée.

pressurer, *verbe trans.* Écraser au pressoir. – Comprimer. – Exploiter ; accabler (d'impôts).

pressuriser, *verbe trans.* Maintenir (une enceinte) à une pression atmosphérique normale.

prestance, *subst. f.* Maintien élégant et fier.

prestataire, *subst.* Fournisseur de services. – Bénéficiaire d'une prestation sociale.

prestation, *subst. f.* Action de vendre un service ; ce service. – Allocation (*gén.* au *plur.*) : **Prestations** *sociales*. – Fait de se produire en public, pour un artiste, un sportif (*empl.* critiqué).

preste, *adj.* Vif et agile.

prestidigitateur, **trice**, *subst.* Personne qui pratique l'art de la prestidigitation.

prestidigitation, *subst. f.* Art de faire apparaître ou disparaître des objets grâce à l'agilité de ses doigts ; illusionnisme.

prestige, *subst. m.* Attrait, influence qui suscitent l'admiration : *Le* **prestige** *d'un champion*.

prestigieux, **ieuse**, *adj.* Qui a du prestige.

présumer, *verbe trans.* Supposer d'après certains indices. – **Présumer** *de* : surestimer.

prêt (i), *subst. m.* Action de prêter. – Ce qui est prêté.

prêt (ii), **prête**, *adj.* Dont on peut disposer immédiatement. – **Prêt** *à* : préparé, disposé à ; sur le point de.

prêt-à-porter, *subst. m.* Ensemble des vêtements confectionnés en série.

prétendant, **ante**, *subst.* Personne qui brigue un poste, une dignité. – *Masc.* Celui qui aspire à épouser une femme (vieilli).

prétendre, *verbe trans.* Être persuadé de ; affirmer. – Avoir la ferme intention de : *Il* **prétend** *réussir*. – **Prétendre** *à* : aspirer à.

prétendu, **ue**, *adj.* Qui passe pour ce qu'il n'est pas. – Supposé.

prétentieux, **ieuse**, *adj. et subst.* Qui s'attribue des mérites excessifs. – *Adj.* Qui dénote la prétention.

prétention, *subst. f.* Exigence, revendication ; au *plur.*, salaire demandé. – Visée ambitieuse. – Défaut du prétentieux.

prêter, *verbe trans.* Remettre à qqn (qqch. qui devra être restitué). – Imputer, attribuer. – **Prêter** *l'oreille* : écouter attentivement. – **Prêter** *à* : donner lieu à. – *Pronom.* Consentir : **Se prêter** *au jeu*. – Être approprié.

prétexte, *subst. m.* Raison fallacieuse invoquée pour se justifier ou échapper à qqch.

prétexter, *verbe trans.* Utiliser comme prétexte.

prétoire, *subst. m.* Salle d'audience d'un tribunal.

prêtre, *subst. m.* Ministre d'un culte (*fém. prêtresse*). – Ecclésiastique catholique qui a reçu le sacrement de l'ordre.

prêtrise, *subst. f.* Fonction, dignité de prêtre.

preuve, *subst. f.* Ce qui établit de manière irréfutable qu'une chose est vraie. – Signe, geste qui attestent une disposition.

preux, *adj. m. et subst. m.* Qui est vaillant et brave.

prévaloir, *verbe intrans.* L'emporter sur ; s'imposer. – *Pronom.* Se **prévaloir** *de* : tirer vanité de.

prévarication, *subst. f.* Détournement de fonds publics commis par un fonctionnaire.

prévenance, *subst. f.* Comportement attentionné qui consiste à prévenir les désirs d'autrui.

prévenant, ante, *adj.* Qui fait preuve de prévenance, de sollicitude.

prévenir, *verbe trans.* Informer ; avertir. – Éviter (un mal) par des mesures prudentes. – **Prévenir** *le désir de qqn* : le satisfaire avant qu'il soit exprimé. – *On m'*a prévenu *contre vous* : on m'a influencé en votre défaveur.

préventif, ive, *adj.* Qui a pour but de prévenir un danger : *Médecine* **préventive**. – Qui concerne les prévenus.

prévention, *subst. f.* Ensemble des mesures prises pour prévenir un mal, un risque. – Jugement préconçu. – Détention d'un prévenu.

prévenu, ue, *subst.* Personne qui doit répondre d'un délit devant la justice.

prévisible, *adj.* Que l'on peut raisonnablement prévoir : *Un succès* **prévisible**.

prévision, *subst. f.* Action de prévoir. – Chose prévue (*gén.* au *plur.*).

prévoir, *verbe trans.* Estimer probable ; deviner. – Envisager. – Organiser à l'avance.

prévôt, *subst. m.* Magistrat, officier sous l'Ancien Régime : **Prévôt** *de la marine*.

prévoyance, *subst. f.* Attitude raisonnable qui consiste à préparer l'avenir ; prudence.

prévoyant, ante, *adj.* Plein de prévoyance.

prie-dieu, *subst. m. inv.* Chaise basse sur laquelle on s'agenouille pour prier.

prier, *verbe trans.* S'adresser par la prière à (Dieu, un saint). – Demander avec insistance, politesse, ou sévérité : *Je vous* **prie** *de sortir*.

prière, *subst. f.* Fait de prier Dieu. – Texte que l'on récite à telle occasion. – Demande insistante.

prieur, eure, *subst.* Supérieur d'une communauté religieuse : *La cellule du* **prieur**.

prieuré, *subst. m.* Communauté monastique dirigée par un prieur, une prieure.

primaire, *adj. et subst. m.* Se dit de l'enseignement du premier degré (entre maternelle et collège). – Se dit du secteur économique concernant la production de matières premières. – Se dit de l'ère géologique qui précède le secondaire. – *Adj.* Grossier, simpliste. – Fondamental, original.

primat, *subst. m.* Titre honorifique d'un archevêque, dont le siège était autrefois prééminent.

primate, *subst. m.* Mammifère supérieur à main préhensile, dont les petits naissent formés. – *Plur.* L'ordre correspondant.

primauté, *subst. f.* État, caractère de ce qui occupe le premier rang ; supériorité.

prime, *subst. f.* Somme due par l'assuré à son assureur. – Somme d'argent versée à titre de gratification. – Cadeau commercial.

primer (i), *verbe trans.* Passer avant, l'emporter sur : *L'indignation* **prime** *(sur) la peur*.

primer (ii), *verbe trans.* Récompenser d'un prix.

primesautier, ière, *adj.* Spontané ; vif et franc.

primeur, *subst. f.* Avoir la **primeur** *d'une nouvelle* : en être le premier informé. – *Plur.* Fruits ou légumes mûrs avant la saison normale.

primevère, *subst. f.* Petite plante vivace printanière aux fleurs de couleurs vives et variées.

primitif, ive, *adj.* Qui est au premier stade de son évolution. – Qui se présente tel qu'en son état d'origine. – Peu élaboré.

primo, *adv.* D'abord, en premier lieu.

primordial, ale, aux, *adj.* De première importance.

prince, princesse, *subst. Masc.* Celui qui règne ou appartient à une famille régnante ; plus haut titre de noblesse. – *Fém.* Fille ou femme d'un prince ; fille d'un souverain.

princier, ière, *adj.* Qui appartient au prince. – Digne d'un prince, fastueux.

principal, ale, aux, *adj. et subst. Adj.* Qui est le plus important. – *Ling.* Proposition **principale** : dont les autres dépendent (*oppos. subordonnée*). – *Subst.* Directeur d'un collège. – *Subst. masc.* Chose **principale**, essentielle.

principauté, *subst. f.* Petit État indépendant gouverné par un prince.

principe, *subst. m.* Cause, fondement. – Loi générale non démontrée mais vérifiée par l'expérience. – Concept fondamental d'une science, d'une discipline. – Règle morale sur laquelle on fonde sa conduite. – *En* **principe** : théoriquement.

printanier, ière, *adj.* Du printemps. – Qui évoque le printemps : *Une robe* **printanière**.

printemps, *subst. m.* La première des quatre saisons, celle où la végétation s'éveille.

prioritaire, *adj.* Qui a la priorité. – *Route* **prioritaire** : où l'on a la priorité.

priorité, *subst. f.* Caractère de ce qui vient, de ce qui passe en premier. – Chose prioritaire. – Droit de passer devant les autres.

pris, prise, *adj. et subst. f. Adj.* Occupé (*oppos. libre*). – Qui a beaucoup à faire. – *Avoir le nez* **pris** : être enrhumé. – *Subst.* Action de saisir avec la main ; point d'appui : *Lâcher* **prise**, cesser de tenir ; au *fig.*, abandonner. – Action de prendre, de s'emparer de *qqn* ou *qqch.* ; ce qui est **pris**. – *Avoir* **prise** *sur* : avoir de l'influence sur. – **Prise** *de vues* : action de filmer. – **Prise** *de courant* : dispositif de branchement électrique. – **Prise** *de sang* : prélèvement sanguin. – **Prise** *de conscience* : compréhension soudaine (d'une réalité, d'un problème).

priser, *verbe trans.* Apprécier, estimer (*littér.*).

prisme, *subst. m.* Solide ayant deux bases égales et parallèles, et dont les côtés sont des parallélogrammes.

prison, *subst. f.* Lieu où l'on enferme les prévenus ou les condamnés. – Peine d'emprisonnement. – *Fig.* Ce qui évoque une **prison**.

prisonnier, ière, *adj. et subst.* Se dit d'une personne détenue en prison ou privée de liberté.

privatif, ive, *adj.* Qui prive. – *Préfixe* **privatif** : qui marque la négation. – *Jardin* **privatif** : dont on a la jouissance exclusive.

privation, *subst. f.* Fait d'être privé ou de se priver. – *Plur.* Manque de ce qui est nécessaire, en *partic.* de nourriture.

privatiser, *verbe trans.* Transférer au secteur privé (ce qui était géré par l'État).

privauté, *subst. f.* Familiarité (*gén.* au *plur.*).

privé, ée, *adj. et subst. m. Adj.* Intime. – Dont le public est sélectionné. – Interdit au public. – *Écon.* Qui ne relève pas de l'État. – *Subst. Écon.* Le secteur **privé**. – Détective. – *En privé* : sans témoin.

priver, *verbe trans.* Empêcher (*qqn*) de posséder *qqch.* ou d'en jouir. – *Pronom.* S'imposer des privations.

privilège, *subst. m.* Droit, avantage exclusifs.

privilégier, *verbe trans.* Accorder un privilège à. – Favoriser ; donner plus d'importance à.

prix, *subst. m.* Valeur fixée en monnaie d'un objet, d'un service. – Effort, sacrifice consentis pour obtenir *qqch*. – *À tout* **prix** : coûte que coûte. – Récompense honorifique.

probabilité, *subst. f.* Caractère de ce qui est probable. – Hypothèse vraisemblable.

probable, *adj.* Qui n'est pas certain, mais a des chances de se produire.

probatoire, *adj. Examen* **probatoire** : destiné à vérifier qu'un élève a bien le niveau requis.

probité, *subst. f.* Qualité morale d'une personne intègre et juste.

problématique, *adj. et subst. f. Adj.* Qui pose des problèmes. – Incertain, douteux. – *Subst.* Ensemble des questions que soulève un sujet.

problème, *subst. m.* Question, difficulté auxquelles il faut apporter une solution. – Exercice scolaire de géométrie, d'algèbre.

procédé, *subst. m.* Manière d'agir pour obtenir un résultat. – Méthode.

procéder, *verbe Intrans.* Agir selon une méthode. – *Trans. indir.* **Procéder** *à* : exécuter (une tâche) point par point. – **Procéder** *de* : découler, émaner de.

procédure, *subst. f.* Marche à suivre pour aboutir à *qqch*. – Ensemble des règles à observer pour agir en justice.

procès, *subst. m.* Action en justice. – *Faire le* **procès** *de* : critiquer sévèrement.

procession, *subst. f.* Cortège religieux. – Longue file de personnes.

processus, *subst. m.* Ensemble de faits ou de phénomènes successifs. – Déroulement d'une opération.

procès-verbal, aux, *subst. m.* Acte de procédure constatant un fait, une infraction (*abrév.* P.-V.). – Compte rendu officiel.

prochain, aine, *adj. et subst. m. Adj.* Qui vient après, qui suit : *Lundi* **prochain** ; **Prochain** *arrêt*. – Plus ou moins proche. – *Subst.* Autrui.

proche, *adj. et subst. m. Adj.* Qui n'est pas loin, dans l'espace ou dans le temps. – Uni par une relation affective. – Guère différent. – *Subst.* Ami intime ; membre de l'entourage.

proclamation, *subst. f.* Action de proclamer. – Discours, publication qui énoncent ce qui est proclamé.

proclamer, *verbe trans.* Reconnaître solennellement par un acte officiel. – Annoncer avec force, en public : **Proclamer** *son innocence*.

procréation, *subst. f.* Action de procréer.

procréer, *verbe trans.* Engendrer, en parlant de l'homme ou de la femme.

procuration, *subst. f.* Écrit par lequel une personne donne pouvoir à une autre d'agir en son nom : *Bon pour* **procuration**.

procurer, *verbe trans.* Fournir, faire obtenir. – Occasionner, apporter.

procureur, *subst. m.* Magistrat représentant le ministère public, chargé de l'accusation et du réquisitoire : **Procureur** *de la République*.

prodigalité, *subst. f.* Caractère d'une personne prodigue. – Largesse. – Dépense excessive (*gén.* au *plur.*).

prodige, *subst. m.* Événement extraordinaire, dont l'origine semble magique ou surnaturelle. – Individu au talent hors du commun.

prodigieux, ieuse, *adj.* Qui relève du prodige. – Étonnant, remarquable.

prodigue, *adj. et subst.* Qui dilapide son argent. – Qui donne sans compter.

prodiguer, *verbe trans.* Dépenser avec largesse. – Distribuer à l'excès.

producteur, trice, *adj. et subst.* Qui produit : *Les pays* **producteurs** *de riz*. – **Producteur** *de cinéma* : qui finance et commercialise un film.

productif, ive, *adj.* Qui produit *qqch*. ; fertile. – Dont le rendement est élevé.

production, *subst. f.* Action de produire. – L'ensemble de ce qui est produit. – Film, émission.

productivité, *subst. f.* Aptitude à produire. – Rapport entre la production obtenue et les moyens mis en œuvre pour y parvenir.

produire, *verbe trans.* Faire naître ; fabriquer. – Provoquer, entraîner. – Montrer, présenter pour prouver : **Produire** *une attestation*. – Financer (un film, une émission). – *Pronom.* Donner une représentation, pour un artiste. – Survenir, pour un événement.

produit, *subst. m.* Ce qui est tiré de la terre ou obtenu par un travail. – Ce qui est fabriqué ; article. – Bénéfice, recette. – Résultat d'une multiplication.

proéminent, ente, *adj.* Qui forme une saillie, une protubérance.

profanateur, trice, *adj. et subst.* Qui profane.

profanation, *subst. f.* Action de profaner. – Sacrilège ; violation : **Profanation** *de sépulture*.

profane, *adj. et subst.* Qui n'appartient pas au domaine religieux ou sacré. – Qui n'est pas initié ; ignorant.

profaner, *verbe trans.* Violer le caractère sacré de. – Dégrader, avilir (*littér.*).

proférer, *verbe trans.* Dire à voix haute. – Prononcer avec force : **Proférer** *des menaces*.

professer, *verbe trans.* Déclarer en public. – Enseigner (*souv. empl. intrans.*).

professeur, *subst. m.* Personne qui enseigne une matière, une discipline.

profession, *subst. f.* Déclaration publique : *Une* **profession** *de foi*. – Activité dont on tire ses revenus, métier.

professionnel, elle, *adj. et subst. Adj.* Relatif à une profession. – Qui n'est pas amateur. – *Subst.*

Personne dont l'activité est rétribuée. – Personne dont l'expérience fait autorité.

professorat, *subst. m.* Fonction de professeur.

profil, *subst. m.* Visage vu de côté. – Silhouette latérale de *qqch.* – Configuration générale de *qqch.* – Caractère ou parcours professionnel de *qqn*, le rendant apte à exercer une activité.

profiler (se), *verbe pronom.* Se détacher en silhouette, montrer ses contours. – S'annoncer.

profit, *subst. m.* Avantage financier retiré d'une vente, d'un placement. – Bénéfice moral, intellectuel.

profitable, *adj.* Dont on tire avantage ; utile.

profiter, *verbe trans. indir.* **Profiter** *de* : tirer un bénéfice de ; utiliser avantageusement. – **Profiter** *à* : être utile, procurer un profit à.

profiterole, *subst. f.* Chou garni de glace à la vanille et arrosé de chocolat chaud.

profiteur, euse, *subst.* Personne qui réalise des profits aux dépens d'autrui.

profond, onde, *adj.* Dont le fond est bas, par rapport au bord, à la surface. – Qui s'enfonce, pénètre loin. – Très intense. – *Un esprit* **profond** : aigu, pénétrant.

profondeur, *subst. f.* Caractère de ce qui est profond. – Dimension d'une chose, mesurée de haut en bas ou du bord à son point le plus éloigné. – Intensité. – Acuité, ampleur de l'esprit, des sentiments.

profusion, *subst. f.* Grande quantité.

progéniture, *subst. f.* Les enfants, les êtres engendrés par un humain ou un animal.

prognathe, *adj. et subst.* Se dit d'un être humain dont les mâchoires avancent en saillie.

programmation, *subst. f.* Action de programmer.

programme, *subst. m.* Ce qu'il est prévu d'étudier au cours d'un cycle scolaire. – Liste des émissions de télévision, des spectacles à venir ; descriptif d'une représentation. – Déclaration des intentions d'un candidat, d'un parti. – Projet structuré. – Ensemble d'instructions en langage informatique permettant à un ordinateur d'exécuter une tâche.

programmer, *verbe trans.* Inclure dans un programme de cinéma, de théâtre, etc. – Déterminer les tâches (d'un ordinateur). – Prévoir.

progrès, *subst. m.* Fait de gagner du terrain, de se développer. – Amélioration, perfectionnement. – Évolution de l'humanité, considérée dans ses aspects positifs.

progresser, *verbe intrans.* Avancer. – Se propager, s'étendre. – Améliorer ses connaissances, ses performances. – Se rapprocher d'un idéal.

progressif, ive, *adj.* Qui progresse, se développe. – Qui évolue par degrés, peu à peu.

progression, *subst. f.* Action, fait de progresser.

progressiste, *adj. et subst.* Qui est partisan de profondes réformes, sociales notamment.

prohibé, ée, *adj.* Qui est interdit par la loi.

prohibitif, ive, *adj.* Qui interdit. – *Prix* **prohibitifs** : si élevés qu'ils dissuadent l'acheteur.

prohibition, *subst. f.* Défense légale. – Période (entre 1919 et 1933) où les États-Unis interdirent l'alcool.

proie, *subst. f.* Être vivant capturé pour être dévoré : *Oiseau de* **proie**, qui tue les animaux dont il se nourrit. – Ce dont on s'empare par la force. – *En* **proie** *à* : tourmenté par.

projecteur, *subst. m.* Appareil orientable qui émet une lumière intense. – Appareil qui sert à projeter des images sur un écran.

projectile, *subst. m.* Corps lancé pour atteindre une cible ; balle, obus.

projection, *subst. f.* Action de lancer, de jeter ; ce qui est projeté. – Action de projeter des images sur un écran ; ces images. – Représentation d'un volume sur une surface plane.

projet, *subst. m.* Ce qu'on a l'intention de faire. – Ébauche, travail préparatoire.

projeter, *verbe trans.* Jeter avec force. – Faire apparaître sur un écran. – **Projeter** *de* : avoir comme dessein, comme projet.

prolétaire, *subst.* Travailleur manuel qui n'a que son salaire, *gén.* modeste, pour vivre.

prolétariat, *subst. m.* Classe sociale formée par l'ensemble des prolétaires.

prolifération, *subst. f.* Fait de proliférer.

proliférer, *verbe intrans.* Se reproduire, en parlant de cellules. – *Fig.* Se multiplier en grand nombre et en un temps bref.

prolifique, *adj.* Très fécond. – *Un écrivain* **prolifique** : à la production abondante.

prolixe, *adj.* Qui discourt trop longtemps. – *Style* **prolixe** : abondant ; délayé, verbeux.

prologue, *subst. m.* Introduction d'une œuvre. – *Fig.* Prélude.

prolongation, *subst. f.* Accroissement d'une durée. – Temps ajouté au temps normal.

prolongement, *subst. m.* Augmentation d'une longueur. – *Fig.* Suite, répercussion.

prolonger, *verbe trans.* Augmenter, accroître la durée ou la longueur de.

promenade, *subst. f.* Action de se promener. – Espace aménagé pour se promener.

promener, *verbe trans.* Faire sortir pour le plaisir. – *Envoyer* **promener** : repousser brutalement (*fam.*). – *Fig.* Déplacer : **Promener** *son regard sur la foule.* – *Pronom.* Se déplacer (*gén.* à pied) par plaisir.

promeneur, euse, *subst.* Celui qui se promène.

promesse, *subst. f.* Action de promettre : *Tenir ses* **promesses**, les réaliser. – Ce qui donne des espérances (*littér.* et *gén.* au *plur.*) : *Situation pleine de* **promesses**.

promettre, *verbe trans.* S'engager solennellement à. – Assurer, prédire. – Laisser espérer : *Ne* **promettre** *rien de bon.* – *Pronom.* Se jurer.

promis, ise, *adj.* Qui a fait l'objet d'une promesse. – *Terre* **promise** : destinée par Dieu aux Hébreux.

promiscuité, *subst. f.* Voisinage envahissant, qui nuit à l'intimité.

promontoire, *subst. m.* Cap élevé s'avançant au-dessus de la mer.

promoteur, trice, *subst.* Homme d'affaires qui finance des constructions immobilières. – Personne qui est à l'origine de *qqch.* : **Promoteur** *d'une cause humanitaire.*

promotion, *subst. f.* Nomination de *qqn* à un emploi supérieur. – Ensemble de gens promus ensemble, ou admis la même année dans une grande école. – Développement des ventes par la publicité ou la baisse des prix : *Article en*

promotion, proposé à un prix attractif. – Activité du promoteur.

promouvoir, *verbe trans.* Nommer à un grade plus élevé. – Faire la promotion de. – Favoriser l'essor de : **Promouvoir** *une politique.*

prompt, prompte, *adj. Littér.* Rapide. – Vif d'esprit : **Prompt** *à comprendre.*

promptitude, *subst. f.* Rapidité ; vivacité (*littér.*).

promulgation, *subst. f.* Action de promulguer.

promulguer, *verbe trans.* Publier officiellement.

prôner, *verbe trans.* Prêcher, vanter : **Prôner** *une réconciliation, les vertus d'un produit.*

pronom, *subst. m. Ling.* Mot qui représente dans une phrase un nom déjà cité.

pronominal, ale, aux, *adj.* Relatif au *pronom.* – *Verbe* **pronominal** : conjugué avec deux pronoms de la même personne (*ex.* : *Il se promène* ; *Nous nous enfuyons*).

prononcer, *verbe trans.* Articuler. – Dire, lire. – Rendre, déclarer : **Prononcer** *un arrêt.* – *Pronom.* Prendre une décision, donner un avis.

prononciation, *subst. f.* Manière d'articuler, de prononcer les mots, les sons.

pronostic, *subst. m.* Prévision, estimation.

pronostiquer, *verbe trans.* Prévoir, annoncer : **Pronostiquer** *la victoire d'un cheval.*

propagande, *subst. f.* Action psychologique exercée sur l'opinion pour l'amener à soutenir une politique : *La* **propagande** *nazie.*

propagation, *subst. f.* Extension, développement. – *Phys.* Déplacement d'énergie : **Propagation** *de la lumière.*

propager, *verbe trans.* Répandre partout. – *Pronom.* S'étendre : *L'incendie se* **propage.**

propane, *subst. m.* Gaz combustible.

propension, *subst. f.* Tendance, penchant (*littér.*) : **Propension** *à la médisance.*

prophète, étesse, *subst.* Personne qui prétend prédire l'avenir par inspiration divine : *Le* **Prophète**, *Mahomet.*

prophétie, *subst. f.* Prédiction, oracle.

propice, *adj.* Favorable : *Lieu* **propice** *à la méditation* ; *Choisir le moment* **propice.**

proportion, *subst. f.* Rapport entre les parties d'un tout, ou entre plusieurs objets. – *Plur.* Dimensions, importance : *L'affaire a pris d'énormes* **proportions.** – *En* **proportion** *de* : par rapport à.

proportionnel, elle, *adj.* Qui est en proportion : *Grandeurs* **proportionnelles.** – *Empl. subst. fém. Pol.* Type de scrutin où le nombre d'élus de chaque parti est fixé en proportion des suffrages obtenus.

proportionner, *verbe trans.* Établir des rapports égaux entre (plusieurs choses). – *Bien* **proportionné** : harmonieux.

propos, *subst. m.* Paroles échangées (*gén.* au *plur.*) : *Des* **propos** *aimables.* – But, intention (*littér.*). – *À* **propos** : opportunément ; au fait (*fam.*). – *À* **propos** *de* : au sujet de. – *À tout* **propos** : constamment.

proposer, *verbe trans.* Offrir, présenter. – *Pronom.* Avoir l'intention (de). – S'offrir : *Se* **proposer** *pour un travail.*

proposition, *subst. f.* Action de proposer *qqch.* – *Ling.* Unité syntaxique comprenant *gén.* un verbe : *Une* **proposition** *subordonnée.*

propre, *adj. et subst. m. Adj.* Net, exempt de saleté. – Honnête, moral. – Qui appartient spécifiquement à. – Capable de, apte à, adapté à. – *Ling. Nom* **propre** : qui désigne une personne, un lieu uniques ; *Sens* **propre** : premier. – *Subst.* Qualité particulière : *Le* **propre** *de l'homme.* – *En* **propre** : bien à soi. – *Mettre au* **propre** : recopier un brouillon.

propreté, *subst. f.* Qualité de ce qui est propre, net, sans souillure.

propriétaire, *subst.* Personne qui possède *qqch.* en propre. – Personne qui loue une maison, un appartement à un locataire.

propriété, *subst. f.* Droit de jouir d'un bien d'une manière exclusive. – Bien possédé ; domaine : *Une splendide* **propriété.** – Qualité propre à une chose.

propulser, *verbe trans.* Faire avancer à grande vitesse ; projeter au loin : **Propulser** *une fusée.*

propulsion, *subst. f.* Action ou manière de propulser : *Une* **propulsion** *nucléaire.*

prorata, *subst. m. inv. Au* **prorata** *de* : proportionnellement à.

prorogation, *subst. f.* Action de proroger.

proroger, *verbe trans.* Reporter ; prolonger au-delà de la date fixée : **Proroger** *un délai.*

prosaïque, *adj.* Banal, terre à terre : *Un comportement* **prosaïque.**

proscription, *subst. f.* Action de proscrire.

proscrire, *verbe trans.* Exiler. – Interdire, prohiber.

prose, *subst. f.* Forme la plus courante du discours oral ou écrit.

prosélytisme, *subst. m.* Zèle déployé pour convertir à une foi, à une doctrine.

prospecter, *verbe trans.* Étudier méthodiquement (un terrain) pour trouver des richesses naturelles. – Sillonner (une région) à la recherche d'une clientèle.

prospection, *subst. f.* Action de prospecter.

prospective, *subst. f.* Ensemble de recherches ayant pour but de prévoir l'évolution des sociétés humaines.

prospectus, *subst. m.* Feuillet, brochure publicitaire distribués gratuitement.

prospère, *adj.* Qui connaît le succès, la réussite ; florissant : *Un commerce* **prospère.**

prospérer, *verbe intrans.* Se développer favorablement, avoir du succès. – S'enrichir.

prospérité, *subst. f.* État heureux dû à une bonne santé physique ou matérielle. – Richesse.

prostate, *subst. f.* Glande de l'appareil génital masculin, qui se situe sous la vessie.

prosterner (se), *verbe pronom.* S'incliner, se courber jusqu'à terre en signe de grand respect.

prostitué, ée, *adj. et subst.* Qui se livre à la prostitution.

prostituer, *verbe trans.* Livrer à la prostitution. – Utiliser pour une cause indigne, pour de l'argent : **Prostituer** *sa plume.* – *Pronom.* Faire commerce de son corps.

prostitution, *subst. f.* Pratique professionnelle qui consiste à satisfaire les besoins sexuels d'autrui contre de l'argent.

prostré, ée, *adj.* Profondément abattu.

protagoniste, *subst.* Personne qui joue un rôle capital dans une affaire, un récit.

protecteur, trice, *adj. et subst.* Qui protège. – *Adj. Un ton* **protecteur** : supérieur et condescendant.

protection, *subst. f.* Action de protéger. – Personne ou chose qui protège. – Ensemble de mesures prises pour protéger : **Protection sociale.**

protectionnisme, *subst. m.* Politique économique qui vise à protéger un État de la concurrence étrangère (*gén.* par des mesures douanières).

protectorat, *subst. m.* Régime juridique selon lequel un État est placé sous la dépendance d'un autre État censé lui apporter sa protection. – L'État dépendant.

protéger, *verbe trans.* Préserver de ce qui peut nuire ; mettre à l'abri, défendre. – Soutenir, appuyer (*qqn*). – Favoriser (*qqch.*).

protéine, *subst. f.* Composé d'acides aminés présent dans les végétaux et dans l'organisme animal et humain.

protestant, ante, *adj. et subst.* Qui appartient à l'une des religions réformées.

protestantisme, *subst. f.* Ensemble des Églises chrétiennes séparées de Rome, issues de la Réforme (xvie s.). – Leurs doctrines.

protestataire, *adj. et subst.* Qui proteste.

protestation, *subst. f.* Action de protester.

protester, *verbe intrans.* Manifester avec force son opposition, son désaccord. – *Empl. trans. indir.* **Protester** *de* : affirmer, assurer avec force.

prothèse, *subst. f.* Pièce, appareil destinés à remplacer tout ou partie d'un organe, d'un membre : *Une* **prothèse** *dentaire.*

protocolaire, *adj.* Conforme au protocole ; qui s'y rapporte. – Cérémonieux.

protocole, *subst. m.* Ensemble des règles d'usage qui président au déroulement d'une cérémonie officielle. – Procès-verbal des résolutions d'une conférence, d'une assemblée.

proton, *subst. m.* Particule de charge positive composant, avec le neutron, le noyau atomique.

prototype, *subst. m.* Exemplaire, modèle destinés aux essais d'une machine ou d'un appareil qui sera ensuite produit en série.

protozoaire, *subst. m.* Être vivant unicellulaire. – *Plur.* L'embranchement correspondant.

protubérance, *subst. f.* Bosse qui se forme à la surface d'un corps ; renflement, excroissance.

proue, *subst. f.* Avant d'un navire.

prouesse, *subst. f.* Action remarquable, exploit.

prouver, *verbe trans.* Établir la vérité, la réalité de (*qqch.*), au moyen d'arguments incontestables, de preuves matérielles. – Démontrer, révéler, être le signe de.

provenance, *subst. f.* Endroit d'où provient *qqch.* – Origine : *La* **provenance** *d'un vin.*

provenir, *verbe intrans.* Venir, tirer son origine (de).

proverbe, *subst. m.* Brève formule imagée, issue de la sagesse populaire.

proverbial, ale, aux, *adj.* Qui tient du proverbe. – Connu de tous, notoire.

providence, *subst. f.* Puissance, sagesse divine qui régit le monde. – *La* **Providence** : Dieu, gouvernant le monde. – Secours exceptionnel, inespéré.

providentiel, ielle, *adj.* Qui tient de la Providence. – Qui arrive de façon opportune, par un heureux hasard.

province, *subst. f.* Division territoriale d'un État. – Contrée d'un pays. – La France, à l'exclusion de Paris et de sa banlieue.

provincial, ale, aux, *adj. et subst.* Qui appartient à la province.

proviseur, *subst. m.* Directeur d'un lycée.

provision, *subst. f.* Réserve de choses qu'on utilisera au fur et à mesure des besoins. – Somme déposée pour couvrir des paiements à venir, ou comme acompte. – *Plur.* Vivres.

provisionnel, elle, *adj.* Qui constitue une provision sur une somme à payer ultérieurement.

provisoire, *adj.* En attente d'une solution définitive ; temporaire, passager.

provocant, ante, *adj.* Qui provoque ; agressif. – Qui aguiche, qui excite sexuellement.

provocation, *subst. f.* Action de provoquer. – Propos ou acte provocants.

provoquer, *verbe trans.* Exciter, défier *qqn* pour le pousser à réagir violemment. – Pousser (*qqn*) à faire *qqch.* – Aguicher. – Être cause de.

proxénète, *subst.* Individu qui tire ses gains de la prostitution d'autrui.

proximité, *subst. f.* Fait d'être proche, dans l'espace ou le temps. – *À* **proximité** *de* : près de.

prude, *adj. et subst.* D'une pudeur excessive.

prudence, *subst. f.* Attitude qui consiste à agir avec précaution pour éviter toute erreur, tout désagrément ou danger inutiles.

prudent, ente, *adj.* Qui fait preuve de prudence.

prune, *subst. f.* Fruit comestible du prunier. – *Empl. adj. inv.* Violet foncé.

pruneau, *subst. m.* Prune séchée.

prunelle, *subst. f.* Petit fruit bleu-noir du prunellier, à saveur âcre. – Pupille de l'œil.

prurit, *subst. m.* Démangeaison.

psalmodier, *verbe Intrans.* Chanter des psaumes. – *Trans.* Réciter avec monotonie.

psaume, *subst. m.* Poème ou chant bibliques.

pseudonyme, *subst. m.* Nom d'emprunt sous lequel une personne, notamment un écrivain ou un artiste, choisit d'être connue du public.

psoriasis, *subst. m.* Maladie chronique de la peau, caractérisée par des plaques rouges qui sèchent et pèlent.

psychanalyse, *subst. f.* Méthode de connaissance des phénomènes psychiques profonds. – Thérapie fondée sur cette méthode.

psychanalyste, *subst.* Praticien de la psychanalyse.

psyché, *subst. f.* Grand miroir inclinable.

psychiatre, *subst.* Spécialiste de la psychiatrie.

psychiatrie, *subst. f.* Branche de la médecine consacrée aux maladies mentales.

psychique, *adj.* Qui concerne la vie mentale, l'activité de l'esprit.

psychisme, *subst. m.* Ensemble des réalités psychiques.

psychologie, *subst. f.* Étude scientifique des phénomènes psychiques. – Aptitude à comprendre autrui, à prévoir son comportement. – Mentalité, manière de penser.

psychologue, *adj. et subst.* Qui est spécialiste en psychologie. – Qui est apte à comprendre autrui.

psychopathe, *subst.* Malade mental.

psychose, *subst. f.* Affection psychique caractérisée par une déstructuration grave de la personnalité. – État d'angoisse, de panique collectives.

psychosomatique, *adj.* Se dit d'un trouble organique d'origine psychique.

psychothérapie, *subst. f.* Thérapie qui fait appel à l'action psychique, *souv.* sous la forme d'entretiens avec le patient.

puant, puante, *adj.* Qui pue. – Prétentieux, odieux, hautain (*fam.*).

puanteur, *subst. f.* Odeur nauséabonde, infecte.

pubère, *adj.* Qui a atteint l'âge de la puberté.

puberté, *subst. f.* Passage de l'enfance à l'adolescence. – Ensemble des transformations physiologiques et psychologiques qui marquent cette période.

pubis, *subst. m.* Région triangulaire du bas-ventre, limitée par les plis de l'aine.

public, ique, *adj. et subst. m. Adj.* Qui concerne la population. – Qui relève de l'État, de son administration (*oppos. privé*) : *Secteur* **public**. – Pour tous. – Connu de tous. – *Subst.* La population en général. – Ensemble de personnes concernées par une œuvre littéraire ou artistique, par un média ; personnes assistant à un spectacle.

publication, *subst. f.* Action de publier. – Écrit publié, paru.

publicitaire, *adj. et subst. Adj.* Qui a trait à la publicité. – *Subst.* Professionnel de la publicité.

publicité, *subst. f.* Caractère de ce qui est public : **Publicité** *des débats*. – Activité commerciale visant à faire connaître au public des produits mis en vente. – Annonce, encart de presse, affiche, film conçus à cet effet.

publier, *verbe trans.* Rendre public, divulguer, *souv.* par voie de presse. – Faire paraître en librairie, éditer : **Publier** *un roman, une thèse.*

puce, *subst. f.* Insecte sauteur parasite de l'homme ou de certains animaux. – Plaquette de matériau semi-conducteur, servant de support à un microprocesseur : *Carte à* **puce**. – *Marché aux* **puces** (ou *les* **puces**) : marché d'objets d'occasion.

puceau, elle, *subst.* Jeune homme, jeune fille vierges (*fam.*).

pucelage, *subst. m.* Virginité (*fam.*).

puceron, *subst. m.* Petit insecte prolifique, parasite des végétaux, *par ex.* du pommier.

pudeur, *subst. f.* Sentiment de gêne, de retenue devant ce qui peut offenser la décence, en *partic.* dans le domaine sexuel. – Délicatesse, discrétion.

pudibond, onde, *adj.* Qui est pudique à l'excès.

pudique, *adj.* Qui manifeste de la pudeur.

puer, *verbe Intrans.* Sentir très mauvais, empester. – *Trans.* Répandre la désagréable odeur de : **Puer** *l'alcool.*

puériculture, *subst. f.* Ensemble des méthodes et des pratiques destinées à assurer le développement des tout-petits.

puéril, ile, *adj.* Enfantin, indigne d'un adulte.

pugilat, *subst. m.* Combat à coups de poing.

pugnacité, *subst. f.* Combativité (*littér.*).

puîné, ée, *adj. et subst.* Cadet (vieilli).

puis, *adv.* Après cela, ensuite. – Plus loin. – *Et* **puis** : d'ailleurs, en outre, de plus.

puisatier, *subst. m.* Ouvrier qui fore des puits.

puiser, *verbe trans.* Prendre, prélever (un liquide) au moyen d'un récipient. – *Fig.* Prélever, emprunter ; *empl. abs* : **Puiser** *dans ses économies, ses réserves.*

puisque, *conj.* Comme, attendu que, du moment que : **Puisque** *vous le dites, c'est vrai.* – Parce que : *Je pars,* **puisqu'***il se fait tard*

puissance, *subst. f.* Pouvoir, autorité. – État souverain. – Force qui peut agir, énergie. – *Math.* **Puissance** *d'un nombre* : produit de plusieurs facteurs égaux à ce nombre. – *Phys.* Quantité d'énergie fournie ou consommée par unité de temps.

puissant, ante, *adj.* Qui a beaucoup de pouvoir, d'influence. – Qui est fort, actif, vigoureux ; qui produit de grands effets. – *Empl. subst. Les* **puissants** : ceux qui détiennent le pouvoir, la richesse ou l'influence.

puits, *subst. m.* Trou vertical creusé dans le sol, permettant de puiser l'eau des nappes souterraines. – Excavation creusée dans le sol en vue de l'exploitation d'un gisement de pétrole, de charbon, etc.

pull-over, *subst. m.* Tricot que l'on enfile par la tête (*abrév. pull*).

pulluler, *verbe intrans.* Exister en grand nombre, abonder. – Se multiplier, proliférer.

pulmonaire, *adj.* Qui a trait au poumon.

pulpe, *subst. f.* Chair d'un fruit. – Extrémité charnue d'un doigt. – Tissu sensible du fond de la cavité dentaire.

pulsation, *subst. f.* Battement du cœur, des artères. – *Phys.* Forme d'onde courte.

pulsion, *subst. f.* Impulsion. – *Psychan.* Tendance profonde, en *gén.* inconsciente, qui pousse le sujet à accomplir certains actes.

pulvérisateur, *subst. m.* Instrument servant à projeter de fines gouttelettes, une poudre.

pulvériser, *verbe trans.* Réduire en poudre, en très fines particules. – Projeter en fines gouttelettes. – *Fig.* Détruire, réduire à néant. – **Pulvériser** *un record* : le battre largement.

puma, *subst. m.* Grand félin d'Amérique, à robe fauve, qui vit dans les arbres.

punaise, *subst. f.* Insecte parasite à corps aplati, à l'odeur repoussante quand on l'écrase. – Petit clou à tête plate, qu'on enfonce à la main.

punir, *verbe trans.* Infliger une peine à, châtier. – Sanctionner (une faute, un délit) par une punition : **Punir** *un méfait.*

punition, *subst. f.* Action de punir. – Châtiment, sanction que l'on inflige à celui qu'on punit.

pupille (i), *subst.* Orphelin mineur placé sous la tutelle d'un particulier ou de l'État.

pupille (ii), *subst. f.* Orifice central de l'iris de l'œil.

pupitre, *subst. m.* Meuble à plan incliné permettant de lire, d'écrire aisément. – Tableau de commande et de contrôle.

pur, pure, *adj.* Qui est sans mélange. – Qui est exclusivement tel : *C'est de la* **pure** *méchanceté.* – Qui n'est pas pollué. – Qui est sans défaut moral, sans tache ; chaste. – Simple et harmonieux : *Un style* pur.

purée, *subst. f.* Plat de légumes bouillis et écrasés.

pureté, *subst. f.* Qualité de ce qui est pur.

purgatoire, *subst. m.* Relig. Antichambre du paradis. – *Fig.* Période, lieu d'épreuve.

purge, *subst. f.* Action de purger. – Médication utilisée pour purger. – Élimination autoritaire d'opposants politiques ; épuration.

purger, *verbe trans.* Traiter qqn pour évacuer le contenu de son intestin. – Vider (un contenant) de son liquide ou de certains résidus ; vidanger. – Délivrer, débarrasser d'un mal ou d'individus malfaisants. – **Purger** *une peine de prison* : la subir.

purification, *subst. f.* Action de purifier. – Cérémonie au cours de laquelle on se purifie.

purifier, *verbe trans.* Rendre pur ou plus pur.

purin, *subst. m.* Engrais liquide issu du fumier.

purisme, *subst. m.* Souci, parfois excessif, de pureté dans le langage, dans les arts, dans une discipline : *Le* purisme *du grammairien.*

puritain, aine, *adj. et subst.* Membre d'une secte protestante d'origine anglaise. – Qui affiche une morale très rigoureuse.

pur-sang, *subst. m. inv.* Cheval de course issu d'une race créée au xviiie s. à partir de juments anglaises et d'étalons arabes.

purulent, ente, *adj.* Qui renferme ou produit du pus : *Plaie* purulente.

pus, *subst. m.* Liquide jaunâtre porteur de microbes, qui se forme lors d'une infection.

pusillanime, *adj.* Qui manque de courage, d'audace ; timoré.

pustule, *subst. f.* Petite lésion purulente qui apparaît sur la peau.

putatif, ive, *adj. Dr.* Qu'on suppose légitime ; présomptif : *Père, enfant* putatifs.

putois, *subst. m.* Petit mammifère carnivore à fourrure brune et à odeur repoussante.

putréfaction, *subst. f.* Décomposition de matières organiques ; pourriture.

putréfier, *verbe trans.* Faire tomber en putréfaction. – *Pronom.* Pourrir.

putrescible, *adj.* Qui peut se putréfier.

putsch, *subst. m.* Coup d'État organisé par un groupe armé.

puzzle, *subst. m.* Jeu de patience consistant à réunir des fragments pour reconstituer une image.

pygmée, *subst.* Individu de très petite taille, d'une race d'Afrique ou d'Indonésie. – Personne de très petite taille.

pyjama, *subst. m.* Vêtement de nuit, composé d'une veste et d'un pantalon légers.

pylône, *subst. m.* Tour de métal ou de béton qui soutient des lignes électriques ou des câbles de pont suspendu.

pyramide, *subst. f.* Monument à base quadrangulaire et à quatre faces triangulaires se rejoignant au sommet, servant de tombeau aux pharaons d'Égypte. – Construction de même forme, parfois à degrés. – Représentation graphique évoquant une **pyramide** : *Pyramide des âges.*

pyrex, *subst. m.* Verre résistant au feu.

pyrogravure, *subst. f.* Gravure sur bois, sur cuir, etc., obtenue à l'aide d'une pointe chauffée au rouge.

pyromane, *subst.* Maniaque allumeur d'incendies ; incendiaire.

pyrotechnie, *subst. f.* Science des explosifs. – Technique des feux d'artifice.

python, *subst. m.* Grand serpent d'Asie ou d'Afrique, non venimeux, qui étouffe ses proies.

Q

q, q, *subst. m. inv.* Dix-septième lettre et treizième consonne de l'alphabet français.

q.i., *subst. m. inv.* Sigle pour « quotient intellectuel », rapport entre l'âge mental, évalué par des tests, et l'âge réel, multiplié par 100.

quadragénaire, *adj. et subst.* Se dit d'une personne âgée de 40 à 49 ans.

quadrature, *subst. f. Géom.* Construction d'un carré à partir d'une figure quelconque de même surface. – *Fig.* **Quadrature** *du cercle* : problème sans solution.

quadrilatère, *subst. m.* Figure géométrique à 4 angles et à 4 côtés.

quadrillage, *subst. m.* Division d'une surface en carrés juxtaposés ; ensemble des lignes opérant cette division. – Contrôle serré, méthodique d'un territoire par la police ou l'armée.

quadrille, *subst. m.* Danse d'autrefois, exécutée par quatre couples de danseurs. – Ces couples.

quadriller, *verbe trans.* Diviser en carrés. – Contrôler par un quadrillage policier ou militaire.

quadrupède, *adj. et subst.* Se dit de tout mammifère terrestre qui marche sur quatre pattes.

quadrupler, *verbe Trans.* Multiplier par 4. – *Intrans.* Se multiplier par 4.

quadruplés, ées, *subst. plur.* Les quatre enfants nés d'une même grossesse.

quai, *subst. m.* Ouvrage de maçonnerie permettant l'accostage des bateaux. – Voie carrossable bordant un cours d'eau. – Plate-forme longeant une voie ferrée, dans une gare.

qualificatif, ive, *adj. et subst. m.* Se dit d'un mot qui exprime une qualité, qui qualifie qqn, qqch. : *Adjectif* qualificatif. – *Adj. Sp.* Épreuve qualificative : qui permet de concourir ou de se maintenir dans une compétition.

qualification, *subst. f.* Action, manière de qualifier. – Aptitude requise, professionnelle ou sportive. – Fait de se qualifier.

qualifié, ée, *adj.* Ouvrier qualifié : compétent dans un domaine professionnel. – *Vol* qualifié : avec circonstances aggravantes.

qualifier, *verbe trans.* Nommer, désigner comme. – Rendre qualifié, donner qualité à : *Son diplôme le* qualifie. – *Sp.* Autoriser (un concurrent, une équipe, un cheval) à participer à une épreuve. – *Pronom.* Remporter une épreuve qualificative.

qualitatif, ive, *adj.* Qui concerne la qualité, la nature de *qqch.* (*oppos. quantitatif*).

qualité, *subst. f.* Manière d'être ; ensemble des propriétés permettant d'évaluer *qqch.* – Degré supérieur : *Un article de* **qualité**. – Mérite, vertu (*oppos. défaut*). – Condition sociale, civile, juridique. – *Loc. prép. En* **qualité** *de* : à titre de.

quand, *adv. et conj. Adv. interr.* À quel moment, à quelle époque : **Quand** *pars-tu ?* – *Conj.* Au moment où : *Je partirai* **quand** *je serai prêt.* – Exprime une opposition : *Il travaille mal,* **quand** *il est si intelligent !*, alors qu'il est si intelligent. – *Loc. adv.* **Quand** *même* : pourtant (*fam.*).

quant à, *loc. prép.* En ce qui concerne.

quant-à-soi, *subst. m. inv.* Réserve, attitude distante.

quantifier, *verbe trans.* Déterminer la quantité de.

quantitatif, ive, *adj.* Qui concerne la quantité de *qqch.* (*oppos. qualitatif*).

quantité, *subst. f.* Mesure en nombre d'unités, en poids ou en volume déterminant une partie d'un tout. – **Quantité** *de* : beaucoup. – *En* **quantité** : en abondance.

quarantaine, *subst. f.* Isolement imposé par un éventuel risque de contagion.

quarante, *adj. num. inv. et subst. m. inv. Adj.* Quatre fois dix. – Quarantième : *Page* 40. – *Subst.* Le nombre quarante, le numéro 40.

quart, *subst. m.* Chacune des parties d'un tout divisé en quatre parts égales. – Service de garde sur un navire : *Être de* **quart**. – Bouteille ou gobelet d'un **quart** de litre.

quartette, *subst. m.* Groupe de jazz composé de quatre musiciens.

quartier, *subst. m.* Quatrième partie d'un tout. – Morceau : **Quartier** *de viande, d'orange*. – Chacune des quatre phases de la Lune. – Division, partie d'une ville ; les gens qui y habitent. – *Milit.* Cantonnement : **Quartier** *général* (Q.G.) : poste de commandement.

quart-monde, *subst. m.* Dans un pays riche, couche la plus défavorisée de la population. – Ensemble des pays les plus pauvres du tiers-monde.

quartz, *subst. m.* Silice cristallisée, *gén.* incolore, utilisée notamment en optique et en horlogerie.

quasi, *adv.* Presque, à peu près : **Quasi** *terminé* ; *La* **quasi**-*totalité*.

quaternaire, *adj. et subst. m.* Se dit de la plus récente des ères géologiques, qui comprend la période actuelle et au cours de laquelle est apparu l'homme.

quatorze, *adj. num. inv. et subst. m. inv. Adj.* Dix plus quatre. – Quatorzième : *Louis* XIV. – *Subst.* Le nombre **quatorze**, le numéro 14.

quatrain, *subst. m.* Strophe de quatre vers.

quatre, *adj. num. inv. et subst. m. inv. Adj.* Deux fois deux. – Quatrième. – *Subst.* Le nombre **quatre**, le numéro 4.

quatre-quarts, *subst. m. inv.* Gâteau composé de beurre, de farine, de sucre et d'œufs, à poids égal.

quatre-quatre, *subst. m. inv.* Véhicule tout terrain à quatre roues motrices.

quatre-vingt-dix, *adj. num. inv. et subst. m. inv. Adj.* Neuf dizaines. – Quatre-vingt-dixième. –

Subst. Le nombre **quatre-vingt-dix**, le numéro 90.

quatre-vingts, *adj. num. et subst. m. Adj.* Quatre fois vingt : **Quatre-vingts** *ans.* – Quatre-vingtième : *Les années* **quatre-vingt**. – *Subst.* Le nombre **quatre-vingts**, le numéro 80.

quatuor, *subst. m.* Morceau de musique pour quatre voix ou quatre instruments. – Groupe de quatre musiciens ou chanteurs.

que, *pron., adv. et conj. Pron. rel.* Reprend, comme *compl.* ou attribut, un antécédent exprimé (*qqn* ou *qqch.*) : *L'homme* **que** *j'ai vu*. – *Pron. interr.* Quelle chose : **Que** *faire ?* – *Conj.* Relie une principale et une subordonnée, ou introduit une deuxième subordonnée : *Je suppose* **qu'**il *viendrez*. – S'emploie en corrélation avec « tel », « même », « plus » : *Un exploit tel* **que** *le sien*. – Sert à former une locution conjonctive avec un adverbe : *Afin* **que** ; *Avant* **que**. – Exprime un souhait, un ordre : **Qu'il** *vienne*. – *Ne* ... **que** : seulement. – *Adv. exclam.* Combien : **Qu'il** *est grand*, **qu'il** *est fort !*

quel, quelle, *adj. Adj. interr.* Se rapporte à la nature de ce dont il est question : **Quel** *temps fait-il ?* – *Adj. exclam.* **Quelle** *horreur !* – *Adj. rel.* (+*subj.*). De quelque nature que : **Quel** *qu'en soit le prix*.

quelconque, *adj. Adj. indéf.* Quel qu'il soit, n'importe lequel. – *Adj.* qualificatif. De qualité médiocre ; banal.

quelque, *adj. indéf. et adv. Adj.* Devant un nom au singulier : *Je veux* **quelque** *chose*, une chose indéterminée. – Devant un nom au pluriel : *J'ai lu* **quelques** *livres*, un petit nombre de livres. – *Adv.* **Quelque** ... *que* marque la concession (*littér.*) : **Quelque** *belle qu'elle soit*, si belle soit-elle. – Environ : **Quelque** *vingt personnes*.

quelquefois, *adv.* Certaines fois, parfois.

quelqu'un, 'une, quelques-uns, -unes, *pron. indéf.* Une personne : *C'est* **quelqu'un** *d'intelligent* ; **Quelqu'un** *est venu*. – Un, parmi d'autres : **Quelqu'une** *de vos amies*. – Personne importante : *Se prendre pour* **quelqu'un**. – *Plur.* Un certain nombre : *J'ai connu* **quelques-uns** *de ces grands musiciens*.

quémander, *verbe* Demander humblement mais avec insistance.

qu'en-dira-t-on, *subst. m. inv.* L'opinion d'autrui.

quenelle, *subst. f.* Rouleau fait d'un hachis de viande ou de poisson, de farine et d'œuf.

quenotte, *subst. f.* Dent d'un enfant (*fam.*).

quenouille, *subst. f.* Tige au bout de laquelle on enroulait le textile destiné au filage.

querelle, *subst. f.* Violent désaccord, conflit.

quereller, *verbe trans.* Adresser des reproches à. – *Pronom.* Se disputer.

quérir, *verbe trans.* Chercher (*littér.*).

question, *subst. f.* Demande, interrogation faite à *qqn* : *Poser une* **question**. – Point de discussion, problème : *Examiner à fond une* **question**. – *Il est* **question** *de* : il s'agit de. – *La chose en* **question** : dont il s'agit.

questionnaire, *subst. m.* Liste de questions posées selon des critères précis.

questionner, *verbe trans.* Soumettre à des questions.

quête, *subst. f.* Recherche : *En* **quête** *d'idées.* – Action de demander, de recueillir des dons.

quêter, *verbe Intrans.* Faire la quête. – *Trans.* Demander humblement, solliciter.

quetsche, *subst. f.* Grosse prune violette, oblongue.

queue, *subst. f.* Appendice qui prolonge la colonne vertébrale de certains animaux : *La* **queue** *du chien.* – Extrémité postérieure du corps de certains animaux : **Queue** *d'un oiseau, d'un serpent.* – Ce qui prolonge *qqch.* : *La* **queue** *d'une poêle.* – File de personnes qui attendent leur tour : *Faire la* **queue.**

qui, *pron.* Pron. rel. Reprend, comme sujet ou *compl.*, un antécédent exprimé (*qqn* ou *qqch.*) : *C'est le vent* **qui** *souffle* ; *L'homme à* **qui** *j'ai parlé.* – Quiconque : **Qui** *vivra verra.* – Pron. interr. Quelle personne : **Qui** *va là ?*

quiche, *subst. f.* Tarte salée garnie de lardons, d'œufs battus et de crème.

quiconque, *pron. Pron. indéf.* N'importe qui : *Il est plus fort que* **quiconque.** – *Pron. rel.* Quelle que soit la personne qui : **Quiconque** *enfreindra la loi sera puni.*

quiétude, *subst. f.* Paix de l'âme. – Calme (*littér.*).

quignon, *subst. m.* Extrémité croustillante d'un pain.

quille (i), *subst. f. Jeux.* Cylindre de bois que l'on tente de renverser en lançant une boule.

quille (ii), *subst. f.* Pièce longitudinale sur laquelle repose la charpente de la carène d'un bateau.

quincaillerie, *subst. f.* Ensemble de petits ustensiles ménagers, d'outils en métal. – Magasin où l'on vend ces objets.

quincaillier, ière, *subst.* Marchand de quincaillerie.

quinconce, *subst. m. Objets en* **quinconce** : groupés par 5, dont 4 en carré et le 5ᵉ au centre.

quinine, *subst. f.* Substance extraite du quinquina, qui sert de remède contre le paludisme.

quinquagénaire, *adj. et subst.* Qui est âgé de 50 à 59 ans.

quinquennal, ale, aux, *adj.* Qui dure cinq ans. – Qui a lieu tous les cinq ans.

quinquina, *subst. m.* Arbre à l'écorce amère dont on tire la quinine. – Apéritif amer que l'on fait avec cette écorce.

quinte, *subst. f.* Accès de toux. – *Jeux.* Suite de cinq cartes de même couleur. – *Mus.* Intervalle de cinq degrés dans une gamme.

quintessence, *subst. f.* L'essentiel, le meilleur de *qqch.*

quintette, *subst. m.* Morceau de musique pour cinq voix ou cinq instruments. – Groupe de cinq musiciens ou chanteurs.

quintupler, *verbe Trans.* Multiplier par 5. – *Intrans.* Se multiplier par 5.

quintuplés, ées, *subst. plur.* Les cinq enfants nés d'une même grossesse.

quinzaine, *subst. f.* Deux semaines.

quinze, *adj. num. inv. et subst. m. inv. Adj.* Dix plus cinq. – Quinzième : *Louis XV.* – *Subst.* Le nombre **quinze**, le numéro 15. – Équipe de **15** joueurs, au rugby.

quiproquo, *subst. m.* Méprise, malentendu.

quittance, *subst. f.* Document attestant le paiement d'un dû : **Quittance** *de loyer.*

quitte, *adj.* Libéré d'une dette, d'un devoir moral. – *Loc. prép.* **Quitte** à (+*inf.*) : au risque de.

quitter, *verbe trans.* Se séparer de (*qqn*). – Laisser, abandonner (un lieu, une activité, etc.). – Enlever (un vêtement).

qui-vive, *subst. m. inv.* Sur le **qui-vive** : sur ses gardes.

quoi, *pron. Pron. interr.* Quelle chose : *Dis-moi* **quoi** *faire.* – *Pron. rel.* Reprend un antécédent exprimé (chose ou idée) : *Il a de* **quoi** *vivre,* le nécessaire pour vivre ; *Après* **quoi.** – **Quoi** *qu'il en soit* : de toute façon.

quoique, *conj.* Bien que, en dépit du fait que.

quolibet, *subst. m.* Raillerie, plaisanterie.

quorum, *subst. m.* Nombre minimal de membres présents nécessaire pour qu'une assemblée puisse délibérer.

quota, *subst. m.* Pourcentage, contingent fixés.

quote-part, *subst. f.* Dans un groupe, partie d'une somme que chacun doit payer ou recevoir.

quotidien, ienne, *adj. et subst. m. Adj.* De chaque jour. – *Subst.* Vie de tous les jours. – Publication qui paraît chaque jour.

quotient, *subst. m. Math.* Résultat d'une division.

R

r, r, *subst. m. inv.* Dix-huitième lettre de l'alphabet français et la quatorzième des consonnes.

rabâcher, *verbe* Répéter sans cesse.

rabais, *subst. m.* Réduction de prix, remise.

rabaisser, *verbe trans.* Replacer plus bas. – *Fig.* Réduire, minimiser. – Déprécier, avilir.

rabat, *subst. m.* Partie d'un objet, d'un vêtement, que l'on peut rabattre : *Poche à* **rabat.**

rabat-joie, *adj. inv. et subst. inv.* Qui contrarie la joie des autres par son humeur négative.

rabattre, *verbe trans.* Faire retomber ; replier. – Décompter, déduire. – **Rabattre** *des mailles* : arrêter un tricot. – **Rabattre** *du gibier* : faire en sorte qu'il coure vers les chasseurs. – *Empl. intrans. En* **rabattre** : réduire ses prétentions

(*fam.*). – *Pronom.* Se ranger sur la bonne file après avoir doublé. – *Fig. Se* **rabattre** *sur* : adopter faute de mieux.

rabbin, *subst. m.* Chef religieux et ministre du culte d'une communauté israélite.

râble, *subst. m.* Bas du dos d'un lièvre, d'un lapin.

râblé, ée, *adj.* Trapu et vigoureux.

rabot, *subst. m.* Outil de menuisier muni d'un fer tranchant réglable, permettant de raboter.

raboter, *verbe trans.* Amincir, aplanir (du bois ou du métal) avec un rabot.

rabougri, ie, *adj.* Mal développé, chétif.

rabrouer, *verbe trans.* Rudoyer ; accueillir durement, sèchement (*qqn*).

racaille, *subst. f.* Rebut de la société, canaille.

raccommoder, *verbe trans.* Réparer (surtout du linge, des vêtements). – *Fig.* Réconcilier (*fam.*).

raccompagner, *verbe trans.* Reconduire (*qqn* qui part).

raccord, *subst. m.* Assemblage, jonction de deux éléments. – Pièce utilisée à cet effet.

raccordement, *subst. m.* Action de raccorder ; son résultat. – *Ch. de fer. Voie de* **raccordement** : courte voie qui relie deux lignes.

raccorder, *verbe trans.* Réunir (deux éléments). – Servir de jonction à.

raccourci, *subst. m.* Chemin plus court. – *Fig.* Forme concise ; abrégé, résumé.

raccourcir, *verbe* Rendre ou devenir plus court.

raccrocher, *verbe trans.* Accrocher de nouveau. – *Empl. abs.* Reposer le combiné du téléphone. – Abandonner une activité (*fam.*).

race, *subst. f.* Subdivision de l'espèce humaine : *Les* **races** *jaune, noire et blanche.* – Subdivision d'une espèce animale : *Chat persan pure* **race**. – Lignée, origine. – Catégorie de personnes : *La* **race** *des vainqueurs.*

racé, **ée**, *adj.* De pure race. – Fin, distingué.

rachat, *subst. m.* Action de racheter : **Rachat** *d'une maison de famille.* – *Fig.* Pardon, rédemption.

racheter, *verbe trans.* Acheter de nouveau ; acheter (ce qu'on a vendu). – *Fig.* Compenser ; sauver du péché. – *Pronom.* Réparer ses fautes.

rachitique, *adj.* Qui souffre d'une carence en vitamine D, qui affecte la croissance du squelette. – Chétif.

racial, **ale**, **aux**, *adj.* Qui concerne la race.

racine, *subst. f.* Partie souterraine de la plante par laquelle elle se fixe au sol et se nourrit. – Base, origine. – *Fig.* Lien profond d'appartenance (*gén.* au *plur.*). – Portion d'un organe, implantée dans un tissu : **Racine** *d'une dent.* – *Ling.* Élément irréductible commun à tous les dérivés d'un mot. – *Math.* **Racine** *carrée, cubique d'un nombre* : dont le carré, le cube est égal à ce nombre.

racisme, *subst. m.* Théorie qui affirme la supériorité d'une race sur les autres. – Comportement hostile à l'égard des autres races.

racket, *subst. m.* Extorsion des biens d'autrui par la violence ou le chantage.

raclée, *subst. f. Fam.* Correction, volée de coups. – Défaite sévère.

racler, *verbe trans.* Gratter, frotter. – **Racler** *les fonds de tiroirs* : réunir ses dernières économies.

raclette, *subst. f.* Instrument à lame caoutchoutée utilisé pour nettoyer les vitres. – Plat à base de fromage fondu ; ce fromage.

racoler, *verbe trans.* Attirer de manière peu honnête.

racontar, *subst. m.* Ragot, commérage, médisance.

raconter, *verbe trans.* Faire le récit de, narrer. – Dire.

racornir, *verbe trans.* Rendre sec et ratatiné.

radar, *subst. m.* Appareil qui détecte les objets par réflexion (écho) d'ondes radioélectriques.

rade, *subst. f.* Grand bassin naturel s'ouvrant sur la mer, où les navires viennent mouiller. – *En* **rade** : en panne (*fam.*).

radeau, *subst. m.* Embarcation de fortune, plate, formée d'un assemblage de bois.

radiant, **ante**, *adj.* Qui émet des radiations.

radiateur, *subst. m.* Appareil de chauffage. – Dispositif servant à refroidir un moteur.

radiation, *subst. f. Phys.* Émission de particules. – Énergie propagée sous forme d'ondes.

radical, **ale**, **aux**, *adj. et subst. Adj.* Qui a trait à l'essence des êtres ou des choses ; fondamental : *Un changement* **radical**. – Décisif, énergique ; intransigeant. – *Adj. et subst. Pol.* Adepte du radicalisme. – *Subst. masc. Chim.* Groupement d'atomes dans une molécule, qui peut être isolé. – *Ling.* Forme concrète de la racine d'un mot.

radicaliser, *verbe trans.* Rendre radical, intransigeant.

radicalisme, *subst. m.* Doctrine républicaine, libérale et laïque. – Intransigeance absolue.

radicelle, *subst. f.* Petite racine secondaire.

radier, *verbe trans.* Effacer, rayer d'une liste.

radiesthésie, *subst. f.* Détection de corps fondée sur les radiations qu'ils émettent.

radieux, **ieuse**, *adj.* Éblouissant de lumière. – *Fig.* Rayonnant de joie, épanoui.

radin, **ine**, *adj. et subst.* Avare (*fam.*).

radio, *subst. f. Abrév.* de « radiodiffusion », de « radiographie » ou de « radioscopie ». – Station émettrice de radiodiffusion. – Poste récepteur.

radioactif, **ive**, *adj.* Doué de radioactivité.

radioactivité, *subst. f.* Propriété qu'ont certains corps de se désintégrer en émettant des radiations par suite de la modification de leur noyau atomique.

radiodiffusion, *subst. f.* Émission et transmission de sons par ondes hertziennes.

radiographie, *subst. f.* Examen de la structure interne du corps par rayons X. – Le cliché obtenu.

radiologie, *subst. f.* Partie de la médecine qui traite des applications des rayons X et d'autres radiations.

radiophonique, *adj.* Relatif à la transmission des sons par ondes radioélectriques.

radioscopie, *subst. f.* Examen de l'image que forment sur écran fluorescent un organe ou un objet exposés aux rayons X.

radis, *subst. m.* Petite plante potagère dont on mange crue la racine rose ou noire, à saveur piquante.

radius, *subst. m.* L'os le plus externe de l'avant-bras, qui tourne autour du cubitus.

radoter, *verbe intrans.* Tenir des propos séniles. – Répéter sans cesse la même chose, rabâcher.

radoub, *subst. m.* Réparation d'une coque de navire.

radoucir, *verbe trans.* Rendre plus doux, calmer. – *Pronom. Le temps se* **radoucit**.

rafale, *subst. f.* Coup de vent brutal. – Série rapprochée de coups tirés par une arme automatique : **Rafale** *de mitraillette*.

raffermir, *verbe trans.* Rendre plus dur, plus ferme. – *Fig.* Stabiliser, consolider, renforcer.

raffinage, *subst. m.* Action de raffiner un produit.

raffinement, *subst. m.* Caractère raffiné, subtil.

raffiner, *verbe trans.* Rendre plus pur (un produit brut). – *Fig.* Rendre plus fin, plus élégant.

raffinerie, *subst. f.* Usine de raffinage.

raffoler, *verbe trans. indir.* Aimer vivement, sans retenue : **Raffoler** *de cinéma, de chocolat, de Vivaldi*.

raffut, *subst. m.* Tapage, tintamarre (*fam.*).

rafiot, *subst. m.* Mauvais bateau (*fam.*).

rafistoler, *verbe trans.* Réparer de façon grossière ou provisoire, retaper (*fam.*).

rafle, *subst. f.* Action de rafler. – Descente de police, arrestation massive de gens.

rafler, *verbe trans.* Emporter rapidement (tout ce que l'on peut prendre) (*fam.*).

rafraîchir, *verbe Trans.* Rendre frais ou plus frais. – Remettre à neuf : **Rafraîchir** *sa maison.* – **Rafraîchir** *la mémoire de qqn* : lui rappeler ce qu'il a oublié, ou préfère oublier (*fam.*). – *Intrans.* Devenir plus frais : *Le temps* **rafraîchit.** – *Pronom.* Se désaltérer.

rafraîchissement, *subst. m.* Refroidissement atmosphérique. – Boisson qui rafraîchit. – *Fig.* Action de rafraîchir ; coup de neuf.

ragaillardir, *verbe trans.* Revigorer, réconforter.

rage, *subst. f.* Fureur intense. – Passion, désir frénétique. – Maladie virale mortelle, transmise à l'homme par la morsure d'animaux contaminés. – **Rage** *de dents* : mal de dents intense. – *Faire* **rage** : se déchaîner.

rager, *verbe intrans.* Être très en colère (*fam.*).

rageur, euse, *adj.* Qui exprime la rage.

ragot, *subst. m.* Médisance (*fam.*).

ragoût, *subst. m.* Plat de viande et de légumes cuits en sauce.

ragoûtant, ante, *adj.* Appétissant (*empl. gén.* négatif) : *Une viande peu* **ragoûtante.**

rai, *subst. m.* Rayon (de lumière, de roue, etc.).

raid, *subst. m.* Incursion éclair chez l'ennemi. – Attaque aérienne. – Épreuve d'endurance.

raide, *adj. et adv. Adj.* Rigide, qui ne plie pas. – Pentu, abrupt : *Gravir une côte* **raide.** – *Fam.* Sans argent. – Difficilement acceptable. – *Adv.* Tout d'un coup : *Tomber* **raide.**

raideur, *subst. f.* Caractère de ce qui est raide.

raidillon, *subst. m.* Petit chemin ou sentier escarpés.

raidir, *verbe trans.* Rendre raide ou tendu.

raie (i), *subst. f.* Sillon d'un champ. – Marque de séparation des cheveux. – Bande décorative, rayure : *Chemisiers à* **raies.**

raie (ii), *subst. f.* Poisson plat cartilagineux.

rail, *subst. m.* Chacune des barres d'acier parallèles formant une voie ferrée. – *Le* **rail** : transport par chemin de fer. – Barre métallique sur laquelle coulisse une pièce mobile.

railler, *verbe trans.* Ridiculiser, se moquer de.

raillerie, *subst. f.* Moquerie, ironie.

rainette, *subst. f.* Petite grenouille arboricole.

rainure, *subst. f.* Entaille en longueur.

raisin, *subst. m.* Fruit de la vigne, constitué de petites baies en grappe, dont on fait le vin.

raison, *subst. f.* Faculté humaine de penser, de juger. – État normal de santé mentale, lucidité : *Perdre la* **raison.** – Origine, motif ; argument. – *Avoir* **raison** : être dans le vrai ; *Se faire une* **raison** : se résigner. – *Plus que de* **raison** : excessivement.

raisonnable, *adj.* Doué de raison. – Sensé, sage. – *Un prix* **raisonnable** : acceptable.

raisonnement, *subst. m.* Faculté de raisonner. – Suite d'opérations intellectuelles menant à une conclusion.

raisonner, *verbe Intrans.* User de sa raison pour juger, évaluer, démontrer. – Discuter, argumenter. – *Trans.* Tenter d'amener (*qqn*) à la raison : **Raisonner** *un enfant.*

rajeunir, *verbe Trans.* Faire paraître plus jeune ; faire retrouver la jeunesse à. – Donner un âge moindre à. – Moderniser, rénover. – *Intrans.* Redevenir jeune.

rajouter, *verbe trans.* Ajouter encore. – *En* **rajouter** : exagérer (*fam.*).

rajuster, *verbe trans.* Remettre (*qqch.*) à la bonne place, en ordre. – Rectifier.

râle, *subst. m.* Respiration rauque des malades agonisants. – Bruit anormal perçu à l'auscultation des poumons.

ralentir, *verbe* Rendre ou devenir plus lent.

ralentissement, *subst. m.* Diminution de vitesse. – Baisse d'activité : **Ralentissement** *des affaires.*

râler, *verbe intrans.* Respirer en émettant des râles. – Émettre son cri, pour le cerf ou le tigre. – Se plaindre avec mauvaise humeur (*fam.*).

ralliement, *subst. m.* Regroupement de personnes. – *Signe de* **ralliement** : de reconnaissance. – Adhésion à une cause, à un groupe.

rallier, *verbe trans.* Regrouper (des gens dispersés). – Gagner à sa cause. – Rejoindre ; atteindre.

rallonge, *subst. f.* Pièce que l'on ajoute à une autre afin d'en augmenter la longueur. – Supplément financier (*fam.*).

rallonger, *verbe* Allonger ou devenir plus long.

rallumer, *verbe trans.* Allumer de nouveau. – *Fig.* Réveiller, raviver : **Rallumer** *l'espoir.*

rallye, *subst. m.* Compétition dans laquelle on doit rallier un lieu après différentes épreuves.

r.a.m., *subst. f. inv.* Informat. Mémoire vive (*random access memory*).

ramadan, *subst. m.* Mois durant lequel les musulmans jeûnent du lever au coucher du soleil.

ramage, *subst. m.* Chant des oiseaux. – *Plur.* Motif ornemental de rameaux, de fleurs.

ramasser, *verbe trans.* Rassembler ; tenir serré. – Prendre par terre. – Recueillir ; collecter. – *Fig.* Condenser. – *Pronom. Fam.* Tomber. – Échouer, rater.

ramassis, *subst. m.* Ensemble de gens ou d'objets sans valeur (*péj.*).

rambarde, *subst. f.* Balustrade d'un navire. – Rampe métallique, garde-fou.

rame (i), *subst. f.* Barre de bois à l'extrémité aplatie, servant à propulser une embarcation.

rame (ii), *subst. f.* File de wagons : *Une* **rame** *de métro.* – Lot de 500 feuilles de papier.

rameau, *subst. m.* Petite branche d'arbre.

ramener, *verbe trans.* Amener de nouveau ; reconduire : *On le* **ramena** *chez lui.* – Faire revenir (à un état, à un niveau de départ).

ramequin, *subst. m.* Petit récipient allant au four.

ramer, *verbe intrans.* Manœuvrer les rames. – *Fig.* Se donner beaucoup de peine (*fam.*).

rameuter, *verbe trans.* Rassembler en meute. – Réunir, regrouper en vue d'une action.

rami, *subst. m.* Jeu de cartes.

ramier, *subst. m.* Gros pigeon sauvage.

ramification, *subst. f.* Division en branches, en rameaux : **Ramification** *de l'arbre, du nerf.*

ramifier (se), *verbe pronom.* Former des ramifications. – Se subdiviser.

ramollir, *verbe trans.* Rendre mou. – *Fig.* Rendre moins déterminé : **Ramollir** *son ardeur.*

ramoner, *verbe trans.* Racler un conduit de cheminée pour en enlever la suie.

rampe, *subst. f.* Plan incliné : **Rampe** *de lancement d'une fusée.* – Balustrade d'escalier. – Rangée de projecteurs.

ramper, *verbe intrans.* Progresser par mouvements d'ondulation. – Avancer sur le ventre. – *Fig.* Se conduire avec servilité.

ramure, *subst. f.* Ensemble des branchages, des rameaux d'un arbre. – Bois d'un cervidé.

rance, *adj. et subst. m.* Se dit de l'odeur forte et du goût âcre qu'un corps gras prend avec le temps.

ranch, *subst. m.* Grande exploitation d'élevage, aux États-Unis.

rancœur, *subst. f.* Amertume, ressentiment dus à une déception, à une injustice.

rançon, *subst. f.* Somme exigée pour libérer un captif. – *Fig.* Contrepartie d'un avantage.

rançonner, *verbe trans.* Forcer (*qqn*) à remettre son argent, ses objets de valeur.

rancune, *subst. f.* Ressentiment vif et tenace.

rancunier, ière, *adj. et subst.* Qui est enclin à la rancune.

randonnée, *subst. f.* Longue promenade.

rang, *subst. m.* Alignement de front ; ensemble de choses, de personnes juxtaposées. – Position, numéro d'ordre dans une hiérarchie.

rangée, *subst. f.* Alignement, rang, ligne.

rangement, *subst. m.* Action, manière de ranger.

ranger, *verbe trans.* Aligner, mettre en rang. – Classer selon un ordre. – Situer, mettre au nombre de. – Mettre en ordre. – Garer. – *Pronom.* Devenir plus sage. – Se rallier (à).

ranimer, *verbe trans.* Faire reprendre conscience à. – *Fig.* Réveiller (une ardeur) ; raviver.

rapace, *adj. et subst. m.* Se dit d'un oiseau carnivore et vorace, à bec crochu et à fortes serres : **Rapaces** *diurnes, nocturnes.* – *Adj.* Âpre au gain, cupide.

rapatrier, *verbe trans.* Faire revenir dans son pays.

râpe, *subst. f.* Grosse lime. – Ustensile servant à réduire les aliments en fines lamelles.

râper, *verbe trans.* Frotter contre une râpe. – User, détériorer par frottement.

rapetisser, *verbe* Rendre ou devenir plus petit.

râpeux, euse, *adj.* Rugueux. – Au goût âpre.

raphia, *subst. m.* Palmier à longues feuilles. – Fibre de ces feuilles.

rapide, *adj. et subst. m. Adj.* Qui va vite : **Rapide** *comme l'éclair.* – Qui agit vite. – Qui ne dure pas longtemps. – *Subst.* Partie d'un cours d'eau où le débit s'accélère. – Train qui ne dessert que les gares très importantes.

rapidité, *subst. f.* Caractère de ce qui est rapide.

rapiécer, *verbe trans. et* Réparer (un vêtement) en appliquant une pièce de tissu.

rapière, *subst. f.* Ancienne épée longue.

rapine, *subst. f.* Action de prendre par la violence ; pillage, vol. – Butin ainsi obtenu.

rappel, *subst. m.* Action de rappeler, de faire revenir qqn. – Évocation, remise en mémoire. – Paiement d'une somme restant due : **Rappel** *d'impôts.* – Nouvelle injection de vaccin. – Technique de descente au moyen d'une corde double, en alpinisme.

rappeler, *verbe trans.* Appeler de nouveau, faire revenir. – Faire repenser à, remettre en mémoire. – Évoquer par une ressemblance.

rapport, *subst. m.* Profit, revenu. – Exposé ou compte rendu. – Lien ; relation. – *Loc. prép. Par* **rapport** *à* : relativement à.

rapporter, *verbe trans.* Apporter de nouveau, rendre (ce que l'on a emprunté). – Apporter avec soi en revenant d'un lieu. – Relater, répéter ; dénoncer. – Apporter comme profit ; *empl. abs.*, être rentable. – *Pronom.* Se **rapporter** *à* : avoir trait à.

rapporteur, euse, *subst.* Qui répète, dénonce. – *Masc.* Personne qui présente un rapport officiel. – Demi-cercle gradué servant à mesurer ou à dessiner des angles.

rapprocher, *verbe trans.* Mettre plus près, dans l'espace ou le temps. – *Fig.* Réconcilier. – Comparer.

rapt, *subst. m.* Enlèvement illégal de qqn.

raquette, *subst. f.* Instrument à manche et à cadre ovale, qui sert à envoyer des balles. – Large semelle ovale que l'on fixe à la chaussure pour ne pas s'enfoncer dans la neige.

rare, *adj.* Qui n'existe qu'en peu d'exemplaires. – Qui ne se produit presque jamais.

raréfier, *verbe trans.* Rendre rare.

rareté, *subst. f.* Caractère de ce qui est rare. – Chose rare, curiosité.

rarissime, *adj.* Extrêmement rare.

ras, rase, *adj. et adv. Adj.* Très court. – *À ras bord* : jusqu'au bord. – *Faire table rase de* : ne rien garder, retenir de. – *Adv. Cheveux coupés* **ras.** – *En avoir* **ras** *le bol* : être excédé (*fam.*).

rasade, *subst. f.* Contenu d'un verre que l'on a rempli à ras bord : **Rasade** *de vin.*

rascasse, *subst. f.* Poisson méditerranéen hérissé de piquants (*synon. scorpène*).

rase-mottes, *subst. m. inv.* Vol en **rase-mottes** : à très faible altitude.

raser, *verbe trans.* Couper (poils ou cheveux) au rasoir, au ras de la peau. – Mettre à bas, démolir. – Passer très près de. – Ennuyer (*fam.*).

raseur, euse, *subst.* Personne ennuyeuse (*fam.*).

rasoir, *adj. inv. et subst. m. Subst.* Instrument à lame effilée servant à raser. – *Adj.* Ennuyeux (*fam.*).

rassasier, *verbe trans.* Assouvir la faim de (*qqn*, un animal). – *Fig.* Combler.

rassemblement, *subst. m.* Action de rassembler, fait de se rassembler. – Réunion en nombre. – Groupement politique.

rassembler, *verbe trans.* Assembler de nouveau (ce qui était dispersé). – Grouper, réunir en un tout. – Concentrer : **Rassembler** *ses esprits, ses forces.*

rasséréner, *verbe trans.* Rendre la sérénité à.

rassis, ise, *adj.* Pain **rassis** : desséché mais non encore dur. – *Fig. Esprit* **rassis** : réfléchi.

rassurer, *verbe trans.* Redonner confiance à.

rat, *subst. m.* Rongeur plus gros que la souris, très prolifique et nuisible. – *Masc.* Petit **rat** : jeune élève de la classe de danse de l'Opéra.

ratatiner, *verbe trans.* Rapetisser en flétrissant. – Vaincre, écraser ; casser (*fam.*). – *Pronom.* Se rabougrir, se tasser.

rate, *subst. f.* Organe situé près de l'estomac.

raté, ée, *subst.* Personne dont la vie est un échec (*fam.*). – *Masc.* Bruit anormal d'un moteur ; au fig., dysfonctionnement.

râteau, *subst. m.* Outil à long manche et à dents, qui sert à nettoyer un terrain.

râtelier, *subst. m.* Mangeoire à claire-voie destinée à recevoir le fourrage. – Support de rangement vertical : *Un* **râtelier** *d'armes.* – Dentier (*fam.*).

rater, *verbe Intrans.* Échouer. – *Trans.* Ne pas atteindre (une cible, un but). – Manquer : **Rater** *qqn*, ne pas le rencontrer.

ratifier, *verbe trans.* Valider, confirmer (un engagement, une loi, un traité international).

ration, *subst. f.* Quantité journalière de nourriture nécessaire à *qqn*, à un animal.

rationaliser, *verbe trans.* Rendre rationnel. – Organiser de manière efficace, moins coûteuse.

rationalité, *subst. f.* Caractère rationnel.

rationnel, elle, *adj.* Fondé sur la raison ; conforme au bon sens.

rationner, *verbe trans.* Restreindre la consommation de (*qqch.*) : **Rationner** *l'eau.* – Soumettre à une ration limitée : **Rationner** *un pays.*

ratisser, *verbe trans.* Nettoyer, égaliser au râteau. – Fouiller systématiquement (un secteur).

raton, *subst. m.* **Raton** *laveur* : mammifère carnivore d'Amérique, qui lave sa nourriture.

rattacher, *verbe trans.* Attacher de nouveau. – Relier (à). – *Fig.* Faire dépendre (de).

rattraper, *verbe trans.* Attraper de nouveau ; saisir (*qqn* ou *qqch.*, pour l'empêcher de tomber). – Rejoindre (une personne, un véhicule qui est devant). – Réparer (une erreur). – Regagner (du temps ou de l'argent).

rature, *subst. f.* Trait dont on raye un ou plusieurs mots à supprimer.

raturer, *verbe trans.* Supprimer d'un trait, biffer.

rauque, *adj.* Éraillé, guttural : *Une voix* **rauque.**

ravage, *subst. m.* Dévastation. – Effet destructeur (*gén.* au *plur.*) ; dégâts.

ravager, *verbe trans.* Faire subir des ravages à.

ravaler, *verbe trans.* Avaler de nouveau. – Nettoyer, refaire la façade de. – *Fig.* Retenir (*fam.*) : **Ravaler** *sa colère.* – Rabaisser, déprécier.

ravauder, *verbe trans.* Repriser à l'aiguille (vieilli).

rave, *subst. f.* Plante potagère à racine ronde.

ravi, ie, *adj.* Très satisfait, transporté de joie.

ravier, *subst. m.* Petit plat ovale à hors-d'œuvre.

ravigoter, *verbe trans.* Redonner de la vigueur à (*fam.*).

ravin, *subst. m.* Vallée profonde et abrupte.

raviner, *verbe trans.* Éroder (un sol) en creusant des sillons. – Creuser (un visage) de rides.

ravioli, *subst. m.* Petit carré de pâte farcie.

ravir, *verbe trans.* Enlever de force ; voler (*littér.*). – Transporter, enthousiasmer. – *Loc. adv.* *A* **ravir** : admirablement, à merveille.

raviser (se), *verbe pronom.* Changer d'avis, revenir sur une décision.

ravissement, *subst. m.* État de l'âme en extase. – Joie intense ; enchantement.

ravisseur, euse, *subst.* Auteur d'un rapt.

ravitailler, *verbe trans.* Approvisionner en vivres, en munitions, en carburant.

raviver, *verbe trans.* Rendre plus vif : **Raviver** *une couleur.* – *Fig.* Réveiller, faire revivre : **Raviver** *une douleur, des souvenirs.*

rayer, *verbe trans.* Tracer des lignes, des rayures sur ; érafler. – Barrer d'un trait (du texte). – *Fig.* Rejeter, supprimer, radier.

rayon (i), *subst. m.* Ligne, trait issus d'une source lumineuse. – *Géom.* Ligne reliant le centre d'un cercle à un point de sa circonférence. – Pièce reliant le moyeu d'une roue à sa jante. – **Rayon** *d'action* : zone d'activité.

rayon (ii), *subst. m.* Gâteau de cire fait par les abeilles. – Étagère, tablette de bibliothèque. – Subdivision d'un magasin : **Rayon** *des jouets.*

rayonnage, *subst. m.* Ensemble d'étagères.

rayonnement, *subst. m.* Éclat d'une source lumineuse. – Propagation de radiations. – *Fig.* Influence prestigieuse ou bénéfique.

rayonner, *verbe intrans.* Projeter des rayons lumineux, de l'énergie ; au *fig.*, répandre son influence, son éclat ou son bonheur. – Partir d'un centre dans diverses directions.

rayure, *subst. f.* Bande étroite, ligne se détachant sur un fond de couleur différente. – Éraflure qui abîme une surface.

raz, *subst. m.* *Mar.* Passage étroit parcouru par un courant violent ; ce courant. – **Raz**(-)*de*(-)*marée* : vague énorme, d'origine sismique, qui submerge les zones littorales.

razzia, *subst. f.* Pillage éclair.

re-, r(é)-, *préfixe* Exprime la répétition, l'achèvement ou le retour en arrière ou à un état antérieur.

ré, *subst. m. inv.* *Mus.* Deuxième note de la gamme.

réacteur, *subst. m.* Moteur à réaction.

réaction, *subst. f.* Modification du comportement, en réponse à une action, un fait extérieurs. – Pensée, action contraire à une autre. – Refus de l'évolution des mœurs et du progrès social. – *Chim.* Transformation réciproque de corps mis en présence. – *Mécan.* Force en retour exercée par un corps soumis à l'action d'un autre corps. – *Moteur à* **réaction** : qui propulse l'engin en éjectant des gaz vers l'arrière.

réactionnaire, *adj. et subst.* Qui est partisan d'un ordre antérieur, qui s'oppose au progrès social.

réadapter, *verbe trans.* Adapter de nouveau ou à de nouvelles conditions. – Réaccoutumer.

réaffirmer, *verbe trans.* Affirmer de nouveau.

réagir, *verbe intrans.* Présenter une réaction en réponse à une action extérieure ou à une situation donnée. – **Réagir** *sur* : se répercuter sur. – **Réagir** *contre* : s'opposer, résister à. – *Chim.* Entrer en réaction.

réajuster, *verbe trans.* Ajuster de nouveau. – Modifier, en fonction de nouvelles données.

réalisateur, trice, *subst.* Responsable de la réalisation d'un film, d'une émission.

réalisation, *subst. f.* Action de réaliser ; ce qui a été réalisé. – Ensemble des opérations nécessaires à la création d'un film, d'une émission de radio ou de télévision. – Conversion d'un bien en argent, par sa vente.

réaliser, *verbe trans.* Donner une réalité à, concrétiser ; mener à bien, accomplir. – Créer (un film, une émission). – Vendre (un bien) pour disposer d'argent liquide.

réalisme, *subst. m.* Comportement qui prend en compte et sait utiliser la réalité. – Conception littéraire et artistique prônant la reproduction de la réalité, sans idéalisation.

réalité, *subst. f.* Caractère de ce qui existe vraiment. – Chose, situation réelles.

réanimer, *verbe trans.* Ramener à la vie.

réapparaître, *verbe intrans.* Apparaître de nouveau après une absence, une interruption.

réarmer, *verbe Trans.* Doter de nouveau d'un armement. – Remettre en état de fonctionner : **Réarmer** *un fusil, un navire.* – *Intrans.* Reconstituer son équipement militaire.

rébarbatif, ive, *adj.* Qui rebute ou décourage.

rebâtir, *verbe trans.* Bâtir de nouveau.

rebattre, *verbe trans.* Battre de nouveau. – **Rebattre** *les oreilles à qqn de qqch.* : lui en parler sans cesse, au point de le lasser.

rebelle, *adj. et subst.* Qui s'insurge, qui s'oppose ouvertement à une autorité établie. – *Adj.* Qui résiste : *Être* **rebelle** *à la loi.* – *Enfant* **rebelle** *aux études* : peu doué pour les études.

rebeller (se), *verbe pronom.* Se révolter, s'insurger.

rébellion, *subst. f.* Action de se rebeller, révolte.

rebiffer (se), *verbe pronom.* Refuser d'obéir (*fam.*).

rebiquer, *verbe intrans.* Se redresser (*fam.*) : *Col, cheveux qui* **rebiquent.**

reboiser, *verbe trans.* Replanter (un lieu) d'arbres.

rebondir, *verbe intrans.* Faire un ou des bonds après avoir heurté *qqch.* – *Fig.* Prendre un nouvel élan ; prendre un tour nouveau.

rebondissement, *subst. m.* Mouvement de ce qui rebondit. – Tournure nouvelle et inattendue (d'une situation, d'une affaire).

rebord, *subst. m.* Bord en saillie : **Rebord** *de balcon.* – Bord replié : *Manche à* **rebords.**

reboucher, *verbe trans.* Boucher, fermer de nouveau.

rebours (à), *loc. adv.* À rebrousse-poil. – *Fig.* À contre-courant : *Aller* **à rebours** *de la mode.* – *Compte* **à rebours** : minutage aboutissant à zéro.

rebouteux, euse, *subst.* Personne qui remet des membres démis ou qui réduit des fractures, des luxations sans être médecin (*fam.*).

rebrousse-poil (à), *loc. adv.* En relevant le poil. – *Fig.* Sans douceur, maladroitement.

rebrousser, *verbe trans.* Relever (cheveux ou poils) dans un sens contraire au sens naturel. – **Rebrousser** *chemin* : revenir sur ses pas.

rebuffade, *subst. f.* Accueil, refus blessants.

rébus, *subst. m.* Devinette en images dont la solution est une phrase.

rebut, *subst. m.* Ce que l'on a rejeté ; déchet. – Ce qui est mauvais, méprisable.

rebuter, *verbe trans.* Dissuader par un aspect peu engageant. – Décourager, dégoûter.

récalcitrant, ante, *adj. et subst.* Qui résiste, ne cède pas.

recaler, *verbe trans.* Refuser (*qqn*) à un examen.

récapituler, *verbe trans.* Résumer (*qqch.*) en énumérant les principaux points.

recel, *subst. m.* Détention de biens volés. – Fait de cacher un malfaiteur.

receler, *verbe trans.* Détenir (un bien volé). – Donner refuge à (un malfaiteur). – Contenir, renfermer : *Ce dossier* **recèle** *des secrets.*

recensement, *subst. m.* Liste détaillée, inventaire. – Dénombrement d'une population.

recenser, *verbe trans.* Compter chacun des membres (d'une population). – *Fig.* Dresser la liste, l'inventaire de.

récent, ente, *adj.* Qui vient d'avoir lieu. – Qui n'est pas très ancien.

récépissé, *subst. m.* Accusé de réception, document attestant qu'une chose a bien été reçue.

réceptacle, *subst. m.* Ce qui accueille ou réunit des choses, des gens de diverses origines.

récepteur, trice, *adj. et subst. m. Adj.* Qui reçoit ; qui est conçu pour recevoir. – *Subst.* Appareil qui transforme en images ou en sons les signaux électriques qu'il reçoit.

réceptif, ive, *adj.* Qui est sensible.

réception, *subst. f.* Action, fait de recevoir *qqch., qqn.* – Réunion mondaine ou officielle. – Comptoir d'accueil d'un hôtel, d'une entreprise. – Manière de se recevoir après un saut : *Bonne, mauvaise* **réception.**

réceptionner, *verbe trans.* Recevoir et contrôler l'état (d'une marchandise).

récession, *subst. f.* Ralentissement de l'activité économique, crise.

recette, *subst. f.* Somme d'argent reçue, encaissée. – Bureau où l'impôt est perçu. – Indications détaillées permettant de préparer un mets. – *Fig. La* **recette** *du bonheur* : son secret.

recevoir, *verbe trans.* Faire entrer chez soi ; accueillir. – Admettre (dans un groupe, à un examen). – Entrer en possession (d'une chose offerte, envoyée). – Accepter : **Recevoir** *une plainte.* – Subir : **Recevoir** *une gifle.* – *Pronom.* Retomber sur le sol d'une certaine manière, après un saut.

rechange, *subst. m.* Ce qui peut remplacer *qqch.* : *Vêtements de* **rechange.**

réchapper, *verbe trans. indir.* Échapper de justesse à (un péril) : *Il en* **a** (*ou* en **est**) **réchappé.**

recharge, *subst. f.* Action de recharger. – Ce dont on recharge : **Recharge** *de stylo.*

recharger, *verbe trans.* Charger de nouveau.

réchaud, *subst. m.* Petit fourneau portatif.

réchauffer, *verbe trans.* Chauffer de nouveau. – Faire retrouver sa chaleur à (*qqn*) ; ranimer, réconforter. – *Pronom.* Devenir plus chaud.

rêche, *adj.* Rapeux et désagréable au toucher. – *Fig.* Au caractère difficile, bourru.

recherche, *subst. f.* Action de rechercher. – Études scientifiques permettant de découvrir et d'expliquer des phénomènes. – Souci de se démarquer par un raffinement dans sa tenue.

rechercher, *verbe trans.* Prendre (*qqn que l'on a laissé en un lieu*) : *Il va la* **rechercher** *chez ses parents.* – S'efforcer de retrouver : **Rechercher** *un criminel.* – Chercher à connaître, à découvrir : **Rechercher** *les causes d'une maladie.* – Viser : **Rechercher** *le succès.*

rechigner, *verbe intrans. et trans. indir.* Manifester sa mauvaise volonté (à faire *qqch.*) : **Rechigner** *au travail.*

rechute, *subst. f.* Reprise d'une maladie qui évoluait vers la guérison. – Fait de retomber dans une mauvaise habitude.

récidiver, *verbe intrans.* Réapparaître, en parlant d'une maladie. – Commettre de nouveau le même crime, le même délit.

récif, *subst. m.* Rocher ou groupe de rochers, de coraux qui affleurent à la surface de l'eau.

récipient, *subst. m.* Tout ustensile creux destiné à contenir une substance.

réciprocité, *subst. f.* Caractère réciproque.

réciproque, *adj. et subst. f. Adj.* Qui s'échange de manière équivalente : *Admiration* **réciproque**. – *Subst. Rendre la* réciproque : la pareille.

récit, *subst. m.* Exposé détaillé, oral ou écrit, d'événements réels ou fictifs.

récital, als, *subst. m.* Concert donné par un soliste.

récitation, *subst. f.* Action de réciter. – Texte que les élèves doivent réciter par cœur.

réciter, *verbe trans.* Prononcer à haute voix (un texte appris par cœur) : **Réciter** *un poème.*

réclamer, *verbe Trans.* Demander instamment. – Exiger, avoir besoin de : *Sport qui* **réclame** *de l'endurance.* – *Intrans.* Protester. – *Pronom. Se* **réclamer** *de :* se recommander de, se prévaloir de.

reclasser, *verbe trans.* Classer de nouveau. – Affecter à un poste mieux adapté aux besoins.

réclusion, *subst. f.* État d'une personne volontairement isolée, recluse. – Peine d'emprisonnement assortie d'une obligation de travailler.

recoin, *subst. m.* Coin dissimulé au regard. – *Fig. Les* **recoins** *de la mémoire.*

récolte, *subst. f.* Action de recueillir les produits du sol ; ces produits. – Ce que l'on s'emploie à rassembler : **Récolte** *d'informations.*

récolter, *verbe trans.* Faire la récolte de. – *Fig.* Obtenir ; gagner : **Récolter** *des éloges.*

recommander, *verbe trans.* Conseiller avec insistance. – Signaler à une personne les mérites, les avantages de (*qqn, qqch.*). – **Recommander** *un colis :* payer une taxe pour qu'il soit délivré en main propre au destinataire.

recommencer, *verbe trans.* Commencer de nouveau ; refaire (ce qui est mal fait). – **Recommencer** *à :* se remettre à. – *Intrans.* Reprendre ; se produire de nouveau.

récompense, *subst. f.* Don fait à *qqn* en reconnaissance de ses mérites. – Satisfaction morale tirée d'un effort.

récompenser, *verbe trans.* Accorder une récompense à.

réconcilier, *verbe trans.* Rétablir l'entente entre (des personnes brouillées). – *Fig.* **Réconcilier** *qqn avec la musique.*

reconduire, *verbe trans.* Accompagner (*qqn* qui s'en va). – Renouveler (un contrat).

réconfort, *subst. m.* Ce qui réconforte.

réconforter, *verbe trans.* Redonner de la vigueur à (*qqn*). – Soutenir moralement.

reconnaissance, *subst. f.* Action de reconnaître. – Examen d'un lieu inconnu. – Sentiment de gratitude. – Acte écrit par lequel on reconnaît une obligation : **Reconnaissance** *de dette.* – *Dr.* Action de reconnaître officiellement la légitimité de *qqch.*, la paternité d'un enfant.

reconnaître, *verbe trans.* Identifier (*qqn, qqch.* de connu). – Avouer ; admettre. – Admettre officiellement comme légitime. – Explorer (un lieu).

reconsidérer, *verbe trans.* Considérer, étudier, examiner de nouveau (une question).

reconstituer, *verbe trans.* Constituer de nouveau. – Redonner sa forme originelle ou normale à. – **Reconstituer** *un crime :* en faire répéter le déroulement par les protagonistes.

reconvertir, *verbe trans.* Adapter (*qqch., qqn*) à des conditions nouvelles. – *Pronom.* Changer de métier, d'activité.

recopier, *verbe trans.* Copier (ce qui est déjà écrit). – Mettre au propre : **Recopier** *un brouillon.*

record, *adj. inv. et subst. m. Subst.* Résultat inégalé. – *Sp.* Performance qui surpasse les précédentes. – *Adj.* Jamais atteint : *Des ventes* **record.**

recoudre, *verbe trans.* Coudre (ce qui est décousu). – Faire des points de suture à (*qqn*).

recoupement, *subst. m.* Vérification d'un fait, d'une information, par confrontation de données issues de sources différentes.

recouper, *verbe trans.* Couper de nouveau. – *Fig.* Confirmer par recoupement.

recourber, *verbe trans.* Courber de nouveau. – Rendre courbe l'extrémité de.

recourir, *verbe* Courir une nouvelle fois. – **Recourir** *à qqn :* faire appel à lui. – **Recourir** *à qqch. :* le mettre en œuvre, l'utiliser.

recours, *subst. m.* Action de recourir à *qqch.*, à *qqn.* – Personne ou chose à laquelle on recourt. – *Dr.* Demande de révision d'une décision administrative ou juridique.

recouvrement (i), *subst. m.* Action, fait de recouvrer ce qu'on avait perdu (*littér.*). – Action de percevoir une somme due.

recouvrement (ii), *subst. m.* Action, fait de recouvrir : **Recouvrement** *d'une créance.* – Ce qui recouvre.

recouvrer, *verbe trans.* Rentrer en possession de : **Recouvrer** *la santé.* – Percevoir (une somme due) : **Recouvrer** *l'impôt.*

recouvrir, *verbe trans.* Couvrir de nouveau. – Couvrir complètement. – *Fig.* S'appliquer à, concerner : **Recouvrir** *une discipline.*

récréation, *subst. f.* Délassement. – Moment de détente accordé aux élèves.

récrier (se), *verbe pronom.* Protester, s'indigner avec force.

récriminer, *verbe intrans.* Protester avec aigreur. – **Récriminer** *contre :* critiquer amèrement.

recroqueviller (se), *verbe pronom.* Se racornir par dessèchement. – Se ramasser sur soi-même.

recrudescence, *subst. f.* Réapparition soudaine, avec plus d'intensité.

recrue, *subst. f.* Soldat que l'on vient de recruter. – Nouveau membre d'un groupe.

recruter, *verbe trans.* Enrôler (des soldats). – Attirer dans un groupe, dans un parti. – Engager (du personnel).

rectal, ale, aux, *adj.* Qui a trait au rectum.

rectangle, *adj. et subst. m. Adj.* Qui présente au moins un angle droit : *Triangle* **rectangle.** – *Subst.* Figure à angles droits dont les quatre côtés sont égaux deux à deux.

rectangulaire, *adj.* Qui a la forme d'un rectangle.

recteur, *subst. m.* Directeur d'une académie de l'Éducation nationale.

rectificatif, ive, *adj. et subst. m.* Se dit d'un texte qui rectifie une information antérieure.

rectifier, *verbe trans.* Rendre droit, exact. – Corriger.

rectiligne, *adj.* Qui est en ligne droite.

rectitude, *subst. f.* Caractère de ce qui est droit. – Rigueur morale.

recto, *subst. m.* Page de droite d'un livre ouvert. – Première page d'une feuille de papier (*oppos. verso*).

rectorat, *subst. m.* Charge de recteur ; sa durée. – L'administration correspondante.

rectum, *subst. m.* Dernière section du gros intestin, aboutissant à l'anus.

reçu, *subst. m.* Écrit attestant la bonne réception d'une somme, d'un objet.

recueil, *subst. m.* Ouvrage qui réunit des écrits, des illustrations, des documents.

recueillement, *subst. m.* Action de se recueillir. – État d'une personne qui se recueille.

recueillir, *verbe trans.* Collecter, ramasser : **Recueillir** *des documents.* – Obtenir : **Recueillir** *des voix.* – Accueillir chez soi : **Recueillir** *un orphelin.* – *Dr.* Recevoir en héritage. – *Pronom.* Méditer.

recul, *subst. m.* Action de reculer ; repli. – Distance nécessaire à un jugement serein. – *Fig.* Diminution : **Recul** *du chômage.*

reculer, *verbe Intrans.* Aller en arrière. – *Fig.* Décroître : *La délinquance* **recule**. – Renoncer. – *Trans.* Déplacer vers l'arrière. – Retarder, différer : **Reculer** *ses vacances.*

reculons (à), *loc. adv.* En reculant.

récupérer, *verbe trans.* Rentrer en possession (d'une chose perdue ou prêtée). – Recueillir pour utiliser (ce qui est mis au rebut). – Effectuer des heures de travail pour compenser des heures de repos ou vice versa. – *Pol.* Détourner (un mouvement d'opinion) à son profit. – *Empl. intrans.* Reprendre des forces.

récurer, *verbe trans.* Nettoyer en frottant.

récurrent, ente, *adj.* Qui se répète. – *Anat.* Qui revient en arrière : *Nerf* **récurrent**.

récuser, *verbe trans. Dr.* Refuser *qqn* que l'on soupçonne de partialité. – Ne pas admettre la valeur de : **Récuser** *un argument.*

recycler, *verbe trans.* Changer l'orientation professionnelle de (*qqn*). – Traiter industriellement des déchets pour les rendre utilisables.

rédacteur, trice, *subst.* Personne qui rédige un texte en vue de sa publication.

rédaction, *subst. f.* Action de rédiger ; son résultat. – Équipe des rédacteurs d'une publication ; leurs bureaux. – Exercice scolaire consistant à rédiger un texte ; ce devoir.

reddition, *subst. f.* Action de se rendre, capitulation : *La* **reddition** *d'une citadelle.*

rédemption, *subst. f.* Rachat des péchés. – *Relig. La* **Rédemption** : salut apporté aux hommes par la Passion du Christ.

redevable, *adj.* Qui a une dette envers *qqn.*

redevance, *subst. f.* Taxe, charge qui doit être payée à échéances fixes : *La* **redevance** *télé.*

rédhibitoire, *adj.* Qui constitue un obstacle radical. – *Dr. Vice* **rédhibitoire** : pouvant faire annuler une vente.

rédiger, *verbe trans.* Écrire selon une forme donnée.

redingote, *subst. f.* Ancienne veste d'homme, croisée et à longues basques.

redire, *verbe trans.* Répéter. – *Trouver à* **redire** *à qqch.* : trouver un point à critiquer dans *qqch.*

redite, *subst. f.* Répétition dans un texte.

redondance, *subst. f.* Répétition de la même chose sous diverses formes ; redite.

redonner, *verbe trans.* Donner de nouveau. – Rendre.

redoublement, *subst. m.* Fait de redoubler.

redoubler, *verbe Trans.* Répéter : **Redoubler** *une consonne.* – Recommencer : **Redoubler** *une classe.* – **Redoubler** *de violence* : devenir plus violent. – *Intrans.* S'intensifier : *La pluie* **redouble**.

redouter, *verbe trans.* Craindre vivement.

redoux, *subst. m.* Radoucissement du temps.

redressement, *subst. m.* Action de redresser. – **Redressement** *fiscal* : majoration d'impôt consécutive à une déclaration inexacte.

redresser, *verbe trans.* Replacer à la verticale ; rendre droit. – Rectifier. – *Pronom.* Se relever, se tenir droit. – Retrouver sa prospérité.

réducteur, trice, *adj.* Qui réduit. – Simpliste.

réduction, *subst. f.* Diminution. – Reproduction à plus petite échelle. – Simplification. – *Méd.* Remise en place d'os fracturés.

réduire, *verbe trans.* Diminuer : **Réduire** *les frais.* – Reproduire en plus petit. – Simplifier. – Broyer, pulvériser : **Réduire** *en miettes.* – Contraindre : **Réduire** *au silence.* – Concentrer par évaporation : **Réduire** *une sauce.* – *Pronom.* Se ramener (à).

réduit, *subst. m.* Petite pièce sombre.

r(é)écrire, *verbe trans.* Écrire de nouveau. – Écrire une nouvelle version (d'un texte).

rééditer, *verbe trans.* Éditer de nouveau. – *Fig.* Réitérer (*fam.*) : **Rééditer** *un exploit.*

rééduquer, *verbe trans.* Rétablir les fonctions organiques (d'un accidenté, d'un handicapé). – Réadapter à la société.

réel, réelle, *adj. et subst. m. Adj.* Qui existe effectivement. – Véritable, authentique. – *Subst.* La réalité.

rééquilibrer, *verbe trans.* Redonner un équilibre à.

réévaluation, *subst. f.* Action d'évaluer de nouveau. – Revalorisation d'une monnaie.

réexpédier, *verbe trans.* Expédier à une nouvelle adresse. – Retourner à l'expéditeur.

refaire, *verbe trans.* Faire de nouveau. – Faire tout différemment. – Réparer, remettre en état. – Duper (*fam.*). – *Pronom.* Récupérer (*fam.*) : *Se* **refaire** *une santé.*

réfection, *subst. f.* Remise à neuf ; réparation.

réfectoire, *subst. m.* Salle à manger communautaire : **Réfectoire** *d'un lycée.*

référence, *subst. f.* Ce à quoi on se réfère. – Mention qui renvoie le lecteur à un texte. – Identification d'un dossier ; en-tête d'un courrier. – *Ouvrage de* **référence** : conçu pour la consultation. – *Plur.* Attestation valant recommandation.

référendum, *subst. m.* Consultation de l'électorat sur une proposition du pouvoir exécutif.

référer, *verbe trans. indir. En* **référer** *à* : faire appel à (une autorité). – *Pronom. Se* **référer** *à* : se rapporter à ; prendre pour référence.

réfléchi, ie, *adj.* Renvoyé : *Lumière* **réfléchie.** – Enclin à la réflexion. – Empreint de réflexion. – *C'est tout réfléchi* : c'est décidé. – *Ling. Verbe pronominal* **réfléchi** : indique que le sujet est lui-même l'objet de l'action.

réfléchir, *verbe trans.* Renvoyer dans une autre direction (une lumière, un son). – Refléter – *empl. pronom.* : *Le saule se* **réfléchit** *dans la rivière.* – **Réfléchir à** : étudier avec soin. – *Intrans.* Penser.

reflet, *subst. m.* Lumière, image réfléchies. – Image, reproduction atténuées.

refléter, *verbe trans.* Réfléchir de manière floue (la lumière, une image). – Traduire, exprimer. – *Pronom.* Former un reflet. – Transparaître : *La colère se* **reflète** *dans son regard.*

réflexe, *subst. m.* Réaction organique, instantanée et involontaire, à une stimulation. – Réaction immédiate à une situation inattendue : *Avoir de bons* **réflexes** *en voiture.*

réflexion, *subst. f.* Changement de direction d'une onde lumineuse ou sonore au contact d'un corps. – Capacité d'avoir une pensée approfondie sur un sujet ; cette pensée. – Remarque désobligeante (*fam.*).

refluer, *verbe intrans.* Se retirer : *Les eaux* **refluent.** – *Fig.* Reculer, en parlant d'une foule.

reflux, *subst. m.* Marée descendante. – Recul.

réformateur, trice, *adj. et subst.* Qui propose ou pratique des réformes. – *Adj.* Qui tend à réformer.

réforme, *subst. f.* Changement profond visant à améliorer : *Réforme agraire.*

réformer, *verbe trans.* Transformer pour améliorer. – *Milit.* Dispenser du service pour inaptitude (physique ou mentale).

refouler, *verbe trans.* Repousser ; chasser, faire reculer. – *Fig.* Empêcher de se manifester : *Refouler ses larmes, ses désirs.* – *Psychan.* Censurer inconsciemment.

réfractaire, *adj. et subst.* Qui refuse de se soumettre. – *Adj.* Insensible, inaccessible à. – Qui résiste à des températures très élevées.

refrain, *subst. m.* Paroles d'une chanson répétées après chaque couplet. – *Fig.* Rengaine.

refréner, *verbe trans.* Contenir, réprimer : *Refréner ses ardeurs.*

réfrigération, *subst. f.* Action de réfrigérer.

réfrigérer, *verbe trans.* Refroidir artificiellement.

refroidir, *verbe Trans.* Rendre plus froid. – *Fig.* Décourager : *Refroidir l'enthousiasme.* – Tuer, assassiner (*fam.*). – *Intrans. et pronom.* Devenir froid.

refroidissement, *subst. m.* Abaissement de la température. – Indisposition due au froid. – *Fig.* Diminution de l'intensité (d'une relation, d'un sentiment).

refuge, *subst. m.* Lieu où l'on se trouve en sécurité. – Abri de haute montagne.

réfugié, ée, *adj. et subst. m.* Se dit d'une personne qui se réfugie dans un autre pays, un autre lieu.

réfugier (se), *verbe pronom.* Trouver refuge (en un lieu).

refus, *subst. m.* Action de refuser. – *Ce n'est pas de refus* : volontiers (*fam.*).

refuser, *verbe Trans.* Ne pas accorder : **Refuser** *une permission.* – Ne pas accepter : **Refuser** *une*

offre. – Ne pas consentir à : **Refuser** *de parler.* – Ne plus laisser entrer : **Refuser** *du monde.* – Ne pas retenir (un candidat). – Ne pas reconnaître : **Refuser** *l'évidence.* – *Pronom.* Se priver de : *Se* **refuser** *tout répit.* – *Se* **refuser** *à faire qqch.* : ne pas y consentir ; résister.

réfuter, *verbe trans.* Démontrer la fausseté de.

regagner, *verbe trans.* Gagner de nouveau. – Revenir, retourner à : **Regagner** *son domicile.*

regain, *subst. m.* Herbe repoussant après une première coupe. – *Fig.* Nouvel élan, renouveau.

régal, als, *subst. m.* Festin ; mets délicieux. – *Fig.* Grand plaisir : *Un* **régal** *pour l'oreille.*

régaler, *verbe trans.* Offrir un bon repas à (*qqn*). – *Pronom.* Prendre vivement plaisir à manger qqch. ; au *fig.* : *Se* **régaler** *d'un bon livre.*

regard, *subst. m.* Action de regarder. – Expression des yeux. – *Droit de regard* : de contrôle. – *Loc. adv. En regard* : vis-à-vis. – *Loc. prép. Au regard de* : par rapport à. – *Tech.* Ouverture permettant de pénétrer dans un conduit.

regardant, ante, *adj. Fam.* Qui regarde trop à la dépense. – Vigilant : *Être* **regardant** *sur la propreté.*

regarder, *verbe trans. Trans. dir.* Porter la vue sur. – Considérer : **Regarder** *de travers.* – Concerner : *Cela ne nous* **regarde** *pas.* – Être tourné vers. – *Trans. indir.* Être attentif : **Regarder** *à la dépense.* – *Pronom.* Porter les yeux l'un sur l'autre.

régate, *subst. f.* Course de bateaux à voile.

régence, *subst. f.* Intérim assuré avant la majorité ou pendant l'absence d'un monarque.

régénérer, *verbe trans.* Reconstituer (un tissu organique détruit). – Rendre ses propriétés initiales à (une substance). – Ramener à un état premier jugé meilleur (*littér.*).

régenter, *verbe trans.* Diriger autoritairement.

régicide, *adj. et subst.* Se dit de l'assassin ou de l'assassinat d'un roi. – *Subst. masc.* Meurtre d'un roi.

régie, *subst. f.* Gestion d'une entreprise ou d'un service publics par des fonctionnaires ; entreprise, service ainsi gérés. – Organisation pratique d'un spectacle. – Local des techniciens, dans un studio, un théâtre.

regimber, *verbe intrans.* Se cabrer, ruer. – *Fig.* Résister, refuser (*qqch.*) en protestant.

régime(i), *subst. m.* Forme de gouvernement, d'administration : *Régime parlementaire.* – Ensemble de dispositions légales régissant une institution. – Prescription alimentaire particulière destinée à traiter une maladie ou à faire maigrir. – Mode de variation des précipitations, du débit des cours d'eau, etc. – Vitesse de rotation d'un moteur.

régime(ii), *subst. m.* Grappe de fruits du bananier et du palmier dattier.

régiment, *subst. m.* Unité militaire formant corps, dirigée par un colonel. – *Fam.* Grand nombre. – Service militaire.

région, *subst. f.* Ensemble de territoires ayant des caractères communs. – En France, chacune des collectivités publiques regroupant plusieurs départements. – Partie du corps.

régional, ale, aux, *adj.* Qui a trait à la région.

régionalisme, *subst. m.* Doctrine politique qui affirme et valorise l'identité régionale. – Locution, mot propres à une région.

régir, *verbe trans.* Conduire, gouverner. – Servir de règle à : *Les lois qui* **régissent** *la société.*

régisseur, *subst. m.* Gérant d'une propriété. – Responsable de la régie d'un spectacle.

registre, *subst. m.* Livre où l'on consigne des renseignements, des actes. – Étendue de l'échelle sonore d'un instrument de musique, de la voix. – *Fig.* Domaine de compétence. – Tonalité d'une œuvre, d'un discours.

règle, *subst. f.* Instrument, *souv.* gradué, servant à tracer des lignes. – Principe de conduite. – Ensemble des conventions propres à une activité, à une technique, à un jeu. – *En* **règle** : conforme à la loi, au bon ordre. – *Plur.* Écoulement sanguin mensuel, chez la femme (*synon. menstrues*).

règlement, *subst. m.* Action de résoudre une question. – Action de s'acquitter d'une dette. – Acte législatif non édicté par le Parlement. – Ensemble des prescriptions propres à un groupement, à un établissement.

réglementaire, *adj.* Qui a trait au règlement. – Conforme au règlement.

réglementation, *subst. f.* Action de réglementer. – Ensemble des règlements régissant un domaine : **Réglementation** *du travail.*

réglementer, *verbe trans.* Assujettir à un règlement.

régler, *verbe trans.* Soumettre à un ordre, à une discipline ; déterminer, fixer. – Résoudre (un problème, une affaire). – Mettre au point (une mécanique) : **Régler** *un moteur.* – Payer, acquitter. – *Fig.* **Régler** *son compte à qqn* : le punir durement, le tuer.

réglisse, *subst. Fém.* Plante au jus sucré. – *Masc.* Pastille, bâton à mâcher, à base de ce jus.

règne, *subst. m.* Exercice du pouvoir souverain ; durée d'exercice de ce pouvoir. – Autorité, domination exercées par *qqn*, par *qqch.* : *Le* **règne** *de l'argent.* – Chacune des grandes divisions de la nature : **Règne** *animal.*

régner, *verbe intrans.* Gouverner (un pays) en tant que souverain. – Dominer, être prépondérant. – S'établir, s'imposer : *La paix* **règne.**

regorger, *verbe intrans.* Avoir en surabondance : **Regorger** *de fruits.*

régresser, *verbe intrans.* Revenir à un état antérieur moins évolué. – Diminuer.

regret, *subst. m.* Chagrin dû à une perte, à une absence, à une mort. – Insatisfaction de n'avoir pas réalisé *qqch.* – Repentir. – *Loc. adv. À* **regret** : malgré soi.

regretter, *verbe trans.* Ressentir vivement l'absence, la perte de : **Regretter** *sa jeunesse.* – Être mécontent de, déplorer. – Se repentir de. – Formule de politesse utilisée pour s'excuser : *Je* **regrette**, *les bureaux sont fermés.*

regrouper, *verbe trans.* Mettre ensemble, rassembler.

régulariser, *verbe trans.* Rendre conforme au règlement, à la loi. – Rendre régulier.

régularité, *subst. f.* Caractère de ce qui est régulier. – Caractère de ce qui est légal, conforme aux règles.

régulier, ière, *adj.* Conforme à une règle, à une loi, aux usages. – Qui se produit à moments, à intervalles fixes ; périodique. – Habituel, permanent. – Exact, ponctuel. – Qui présente des proportions harmonieuses. – *Clergé* **régulier** : appartenant à un ordre.

régurgiter, *verbe trans.* Rejeter (des aliments), vomir.

réhabiliter, *verbe trans.* Rétablir (*qqn*) dans ses droits : **Réhabiliter** *un innocent.* – Rétablir (*qqn*) dans l'estime d'autrui. – Remettre en état, rénover (un bâtiment, un quartier).

rehausser, *verbe trans.* Rendre plus haut ; placer plus haut. – Embellir, donner de l'éclat ou de la valeur, en soulignant.

réhydrater, *verbe trans.* Hydrater (ce qui est desséché).

réimpression, *subst. f.* Nouvelle impression d'un ouvrage, sans changements.

rein, *subst. m.* Chacun des deux organes qui purifient le sang de ses déchets et élaborent l'urine. – *Plur.* Région lombaire. – *Casser les* **reins** *à qqn* : briser sa carrière (*fam.*).

réincarnation, *subst. f. Relig.* Migration d'une âme dans un autre corps, après la mort.

reine, *subst. f.* Souveraine d'un royaume. – Femme de roi. – Femme qui domine un groupe. – Ce qui règne : *La corruption est* **reine.** – Chez certains insectes, femelle reproductrice : **Reine** *des abeilles.* – Figure d'un jeu de cartes ; pièce d'un jeu d'échecs.

reinette, *subst. f.* Variété de pomme.

réintégrer, *verbe trans.* Reprendre possession (d'un lieu) ; revenir dans. – Rétablir (*qqn*) dans la possession d'un bien, d'un droit.

réitérer, *verbe trans.* Renouveler, répéter (*littér.*).

rejaillir, *verbe intrans.* Jaillir avec force, gicler. – *Fig.* **Rejaillir** *sur qqn* : retomber sur lui.

rejet, *subst. m.* Action de rejeter ; son résultat. – Nouvelle pousse d'une plante.

rejeter, *verbe trans.* Renvoyer, jeter vers son lieu d'origine. – Expulser, vomir. – Écarter, refuser : **Rejeter** *une offre.* – Mettre plus loin : **Rejeter** *un paragraphe à la fin d'un ouvrage.* – **Rejeter** *ses fautes sur qqn* : les faire retomber sur lui.

rejeton, *subst. m.* Pousse qui apparaît au pied d'une plante. – Descendant, enfant (*fam.*).

rejoindre, *verbe trans.* Regagner, aboutir à (un lieu). – Retrou-ver, rattraper (*qqn*). – *Fig.* Présenter des points communs avec. – *Pronom.* Se réunir : *Se* **rejoindre** *au restaurant.*

réjouir, *verbe trans.* Donner de la joie à. – Amuser, divertir. – *Pronom.* Éprouver de la joie.

réjouissance, *subst. f.* Joie collective : *Des* **réjouissances** *familiales.* – *Plur.* Festivités publiques.

relâche, *subst. m. ou f.* Détente, pause, repos : *Sans* **relâche**, sans arrêt. – Fermeture temporaire d'un théâtre, d'une salle de spectacle : *Jour de* **relâche.** – *Fém. Mar.* Escale.

relâchement, *subst. m.* État de ce qui se relâche. – *Fig.* Laisser-aller, négligence ; diminution d'ardeur, d'activité.

relâcher, *verbe Trans.* Desserrer, détendre. – Rendre moins rigoureux. – Libérer de captivité. – *Intrans.* Faire escale, pour un navire. – *Pronom.* Se détendre, se desserrer. – Devenir plus négligent.

relais, *subst. m.* Lieu où l'on changeait de chevaux. – Hôtel d'étape. – Intermédiaire. – Émetteur qui retransmet les ondes. – *Prendre le* **relais** *de* : succéder à, prendre la suite de. – *Sp. Course de* **relais** : dans laquelle les membres d'une même équipe se succèdent.

relancer, *verbe trans.* Lancer de nouveau. – Effectuer une nouvelle sollicitation auprès de.

relater, *verbe trans.* Faire le récit, la relation de.

relatif, ive, *adj.* Qui se rapporte à : *Discours* **relatif** *aux sciences.* – Qui n'est pas absolu, qui dépend d'autre chose. – Incomplet, imparfait : *Succès tout* **relatif**. – *Ling. Pronom* **relatif** : terme qui sert de lien entre un nom (ou un pronom), qu'il représente, et une proposition subordonnée.

relation, *subst. f.* Lien, rapport unissant des personnes ou des choses. – Personne avec laquelle on est en rapport : **Relation** *d'affaires.* – *Avoir des* **relations** : connaître des gens influents. – Récit, narration.

relationnel, elle, *adj.* Qui concerne les relations.

relativiser, *verbe trans.* Donner un caractère relatif à. – Minimiser.

relativité, *subst. f.* Caractère de ce qui est relatif : *En toute* **relativité**.

relaxer, *verbe trans. Dr.* **Relaxer** *un prévenu* : le remettre en liberté après l'avoir reconnu non coupable. – Décontracter, reposer. – *Pronom.* Se détendre.

relayer, *verbe trans.* Prendre le relais de (*qqn*). – Retransmettre (une émission) par le biais d'un satellite, d'un relais.

reléguer, *verbe trans.* Exiler (*qqn*) dans un lieu précis. – Mettre à l'écart.

relent, *subst. m.* Odeur nauséabonde et tenace. – *Fig.* Trace, reste : *Des* **relents** *d'absolutisme.*

relevé, *subst. m.* Écrit donnant une liste de renseignements : **Relevé** *de compte.* – Plan d'une construction existante.

relève, *subst. f.* Action de relever, de remplacer *qqn*, un groupe, à son poste. – Personne, groupe qui relève.

relever, *verbe trans.* Remettre debout, redresser. – Collecter : **Relever** *les cahiers.* – Remarquer, noter : **Relever** *une erreur.* – Relayer : **Relever** *une équipe.* – Révoquer (*qqn*). – Épicer : Augmenter la valeur, le niveau de : **Relever** *les salaires.* – **Relever** *de* : dépendre de. – Se rétablir : **Relever** *de maladie.*

relief, *subst. m.* Ce qui fait saillie sur une surface plane. – Ensemble des inégalités de la surface terrestre : **Relief** *alpin.* – *Fig.* Éclat, profondeur. – *Mettre en* **relief** : en évidence. – *Plur.* Restes d'un repas (*littér.*).

relier, *verbe trans.* Assembler (les cahiers d'un livre) sous une couverture rigide. – Réunir, joindre : *Train qui* **relie** *deux villes.* – *Fig.* Établir un rapport entre : **Relier** *deux événements.*

religieux, ieuse, *adj. et subst. Adj.* Relatif à une religion, à ses rites. – Pieux. – *Fig.* Qui invite au recueillement, au respect ; qui en est empreint : *Un silence* **religieux**. – *Subst.* Personne qui appartient à un ordre, à une congrégation. – *Subst. fém.* Chou à la crème.

religion, *subst. f.* Croyances et pratiques régissant la relation de l'homme à Dieu (ou à un dieu) et au sacré ; leur organisation dogmatique et sociale. – Foi, croyance.

reliquat, *subst. m.* Ce qui reste d'un compte arrêté, d'une somme due.

relique, *subst. f.* Fragment vénéré du corps d'un saint. – Vieil objet conservé précieusement.

reliure, *subst. f.* Activité consistant à relier des livres. – Couverture rigide d'un livre.

reloger, *verbe trans.* Procurer un nouveau logement à (*qqn*) : **Reloger** *des sans-abri.*

reluire, *verbe intrans.* Luire en produisant des reflets.

reluisant, ante, *adj.* Qui reluit. – *Fig. Ce n'est pas* **reluisant** : c'est médiocre.

remanier, *verbe trans.* Changer la composition de : **Remanier** *un gouvernement.* – Apporter des modifications à : **Remanier** *un article.*

remarquable, *adj.* Qui attire l'attention, notable. – Digne d'admiration.

remarque, *subst. f.* Observation, écrite ou orale, qui attire l'attention. – Critique.

remarquer, *verbe trans.* Observer, constater ; avoir l'attention attirée par. – Distinguer : **Remarquer** *qqn dans la foule.* – *Se faire* **remarquer** : se singulariser.

remblai, *subst. m.* Action de remblayer ; son résultat. – Matériau utilisé à cet effet.

remblayer, *verbe trans.* Combler, hausser à l'aide de matériaux divers (terre, gravats, etc.).

remboîter, *verbe trans.* Remettre en place (ce qui est déboîté) : **Remboîter** *un os.*

rembourrer, *verbe trans.* Remplir, garnir de bourre.

rembourser, *verbe trans.* Rendre à *qqn* une somme d'argent qu'il a prêtée ou déboursée.

remède, *subst. m.* Moyen, méthode propres à soigner une maladie ; médicament. – *Fig.* Ce qui sert à résoudre une difficulté, à prévenir ou à combattre un mal quelconque.

remédier, *verbe trans. indir.* Apporter un remède (à).

remembrement, *subst. m.* Opération consistant à réunir des parcelles agricoles.

remémorer, *verbe trans.* Remettre en mémoire. – *Pronom.* Repasser dans sa mémoire.

remerciement, *subst. m.* Action de remercier. – Propos ou écrit par lesquels on remercie.

remercier, *verbe trans.* Exprimer sa reconnaissance à, dire merci à. – Licencier, congédier.

remettre, *verbe trans.* Ranger : **Remettre** *en place.* – Rétablir dans un état satisfaisant : **Remettre** *d'aplomb, sur pied.* – Mettre de nouveau : **Remettre** *du sel, une robe.* – Ajourner : **Remettre** *au lendemain.* – Livrer, donner : **Remettre** *un pli, sa démission.* – Pardonner ; faire grâce de : **Remettre** *une peine.* – *Pronom.* Recommencer : *Se* **remettre** *à fumer.* – Se rétablir. – *S'en* **remettre** *à qqn* : lui faire confiance.

réminiscence, *subst. f.* Souvenir imprécis.

remise, *subst. f.* Action de donner, de livrer. – **Remise** *de peine* : grâce, *gén.* partielle, accordée à un condamné. – Action de remettre à sa place ou dans son état antérieur : **Remise** *à neuf,* en marche, en ordre. – Rabais. – Ajournement. – Local abritant des véhicules, des outils, etc.

remiser, *verbe trans.* Ranger dans une remise.

rémission, *subst. f.* Pardon ; grâce. – Régression passagère d'une maladie.

remodeler, *verbe trans.* Modifier la forme de *qqch.* pour l'améliorer. – Modifier la structure, l'organisation de.

remontée, *subst. f.* Action, fait de remonter. – **Remontée** *mécanique* : toute installation hissant les skieurs en haut des pistes.

remonter, *verbe Intrans.* Monter, s'élever de nouveau. – Augmenter de nouveau. – Dater de : **Remonter** *au siècle dernier.* – *Trans.* Parcourir de nouveau vers le haut ; aller vers la source de : **Remonter** *le fleuve.* – Replacer en haut, relever. – Reconstituer (ce qui est démonté). – Réconforter. – **Remonter** *un réveil* : en retendre le ressort.

remontoir, *subst. m.* Clef ou dispositif servant à remonter un mécanisme.

remontrance, *subst. f.* Réprimande, reproche.

remords, *subst. m.* Souffrance morale causée par la conscience d'avoir mal agi.

remorque, *subst. f.* Véhicule sans moteur, destiné à être tracté. – Câble servant à remorquer.

remorquer, *verbe trans.* Tirer derrière soi.

rémoulade, *subst. f.* Mayonnaise à la moutarde et aux fines herbes : *Céleri* **rémoulade**.

rémouleur, *subst. m.* Artisan ambulant qui aiguise les couteaux, les instruments tranchants.

remous, *subst. m.* Tourbillon, agitation dans un fluide. – *Fig.* Mouvement confus, agitation.

rempailler, *verbe trans.* Regarnir (un siège) de paille.

rempart, *subst. m.* Mur large et haut entourant une place forte, une ville. – Ce qui sert de défense (*littér.*).

rempiler, *verbe Trans.* Remettre en pile : **Rempiler** *des livres.* – *Intrans.* Reprendre du service, pour un militaire (*fam.*).

remplacer, *verbe trans.* Mettre à la place de, substituer. – Prendre la place de, relever.

remplir, *verbe trans.* Rendre plein (un récipient, un espace, etc.). – Combler : **Remplir** *de joie.* – Compléter : **Remplir** *un formulaire.* – S'acquitter de, exécuter : **Remplir** *une mission* ; **Remplir** *une fonction,* l'exercer. – Satisfaire à : **Remplir** *une condition.*

rempoter, *verbe trans.* Changer (une plante) de pot.

remue-ménage, *subst. m. inv.* Agitation bruyante.

remuer, *verbe Trans.* Déplacer ; agiter : **Remuer** *des meubles* ; **Remuer** *les bras.* – *Fig.* Émouvoir, bouleverser. – *Intrans.* Bouger. – *Pronom.* Se déplacer, se mouvoir. – Se donner du mal pour *qqch.* (*fam.*).

rémunération, *subst. f.* Paiement d'un travail, rétribution d'un service.

rémunérer, *verbe trans.* Payer, rétribuer.

renâcler, *verbe intrans.* Renifler bruyamment, pour un animal. – Manifester de la mauvaise volonté, de la répugnance (*fam.*) : **Renâcler** *au travail.*

renaissance, *subst. f.* Action de renaître. – Nouvel essor, renouveau. – *Hist. La* **Renaissance** : période de renouveau artistique, intellectuel et social que connurent l'Italie puis toute l'Europe aux XVe et XVIe s.

renaître, *verbe intrans.* Recommencer à vivre, à croître : *Végétation qui* **renaît**. – Poindre de nouveau : *L'espoir* **renaît**. – *Empl. trans. indir.* **Renaître** *à la vie, au bonheur* : se sentir de nouveau vivant, heureux.

rénal, ale, aux, *adj.* Qui concerne les reins.

renard, *subst. m.* Mammifère carnivore à poil roux, au fin museau et à la queue touffue ; sa fourrure. – *Fig.* Personne rusée.

renchérir, *verbe intrans.* Devenir plus cher. – Proposer une enchère plus élevée. – *Fig.* Aller plus loin que *qqn,* en paroles ou en actes.

rencontre, *subst. f.* Fait de se rencontrer. – Entrevue. – Compétition sportive. – *Aller à la* **rencontre** *de* : au-devant de.

rencontrer, *verbe trans.* Croiser par hasard. – Faire connaissance, entrer en relation avec. – *Sp.* Se mesurer à, affronter, en parlant de deux adversaires. – *Pronom.* Se croiser, faire connaissance : *Ils se* **sont rencontrés** *très jeunes.* – Se trouver, exister : *L'aventure se* **rencontre** *partout.*

rendement, *subst. m.* Rapport entre le temps passé à effectuer un travail et le résultat obtenu. – Productivité d'un terrain, d'un placement.

rendez-vous, *subst. m.* Rencontre convenue à une heure et dans un lieu donnés. – Lieu où l'on se réunit habituellement.

rendormir, *verbe trans.* Endormir de nouveau. – *Pronom.* Replonger dans le sommeil.

rendre, *verbe trans.* Restituer. – Donner à son tour : **Rendre** *un baiser.* – Vomir (*fam.*). – Produire, prononcer, traduire : **Rendre** *un son, un jugement, une pensée.* – Faire devenir : *Le succès le* **rendent** *vaniteux.* – *Pronom.* Aller. – Capituler. – Agir pour être : *Elle se* **rend** *utile.* – *Se* **rendre** *compte de* : prendre conscience de.

rêne, *subst. f.* Courroie fixée au mors, servant à diriger un animal de selle.

renégat, ate, *subst.* Individu qui renie ou trahit sa religion, sa patrie ou ses idées.

renfermé, ée, *adj. et subst. m. Adj.* Secret, peu démonstratif : *Caractère* **renfermé**. – *Subst.* Mauvaise odeur propre aux lieux mal aérés.

renfermer, *verbe trans.* Enfermer de nouveau. – Contenir, comporter. – *Pronom.* Ne pas extérioriser ses sentiments ; se replier sur soi.

renflouer, *verbe trans.* Remettre à flot : **Renflouer** *un bateau.* – *Fig.* Fournir des fonds pour rétablir la situation de : **Renflouer** *une société.*

renfoncement, *subst. m.* Partie d'un bâtiment située en retrait : **Renfoncement** *de porte cochère.* – Retrait fixe en début de paragraphe.

renforcer, *verbe trans.* Rendre plus fort, plus intense, plus solide, plus nombreux : **Renforcer** *une couleur, un mur, une équipe.* – *Fig.* Affirmer : **Renforcer** *des soupçons.*

renfort, *subst. m.* Effectif ou matériel supplémentaires. – Ce qui sert à consolider.

renfrogner (se), *verbe pronom.* Exprimer son mécontentement par une mine maussade, fâchée.

rengorger (se), *verbe pronom.* Faire l'important, prendre un air avantageux.

reniement, *subst. m.* Fait de renier.

renier, *verbe trans.* Refuser de reconnaître comme sien, abandonner, désavouer : **Renier** *ses enfants, ses amis.* – Abjurer : **Renier** *sa foi.*

renifler, *verbe Intrans.* Aspirer bruyamment par le nez. – *Trans.* Aspirer par le nez, sentir : **Renifler** *du tabac.* – *Fig.* Flairer, pressentir : **Renifler** *une opportunité.*

renne, *subst. m.* Cervidé aux bois aplatis, domesticable, qui vit dans le Grand Nord.

renom, *subst. m.* Célébrité, réputation.

renommé, ée, *adj.* Réputé, fameux.

renommée, *subst. f.* Réputation favorable, étendue à un large public ; célébrité.

renoncement, *subst. m.* Fait de renoncer, détachement volontaire. – Abnégation.

renoncer, *verbe trans. indir.* Abandonner : **Renoncer** *au pouvoir, à un projet.* – Cesser d'envisager, de s'attacher à : **Renoncer** *à convaincre.*

renouer, *verbe trans.* Refaire un nœud à. – *Fig.* Recommencer, reprendre : **Renouer** *une liaison, la conversation.* – **Renouer** *avec* : reprendre une relation interrompue, se réconcilier avec.

renouveau, *subst. m.* Renaissance, regain, retour. – *Fig.* Printemps (*littér.*).

renouveler, *verbe trans.* Remplacer, rénover. – Refaire ; réitérer : **Renouveler** *une erreur, des excuses.* – Reconduire : **Renouveler** *un abonnement.* – *Pronom.* Recommencer. – *Artiste qui se renouvelle* : qui est toujours créatif.

renouvellement, *subst. m.* Action de renouveler. – Fait de se renouveler.

rénovation, *subst. f.* Action de remettre à neuf, de moderniser : **Rénovation** *d'un quartier.*

renseignement, *subst. m.* Information. – **Renseignements** *généraux* : service de la préfecture de police et de la Sûreté nationale.

renseigner, *verbe trans.* Donner des indications utiles à. – *Pronom.* Prendre des renseignements.

rentabiliser, *verbe trans.* Rendre rentable.

rentabilité, *subst. f.* Caractère rentable de *qqch.*

rentable, *adj.* Qui rapporte de l'argent.

rente, *subst. f.* Revenu d'un bien, d'un capital placé, d'un emprunt d'État : *Il vit de ses* **rentes**. – **Rente** *de situation* : avantage tiré d'une situation privilégiée.

rentier, ière, *subst.* Personne qui vit de ses rentes.

rentrée, *subst. f.* Reprise d'activité ; reprise des cours. – Retour d'un acteur à la scène. – Somme d'argent recouvrée.

rentrer, *verbe Intrans.* Retourner à l'intérieur, chez soi. – Reprendre ses activités. – Faire partie de : *Cela ne* **rentre** *pas dans mes attributions.* – Tenir : **Rentrer** *dans une valise.* – Pénétrer : *La pluie* **rentre** *par les trous.* – Heurter vivement : **Rentrer** *dans un mur.* – *Trans.* Mettre à l'intérieur : **Rentrer** *sa voiture.* – Rétracter : **Rentrer** *les griffes.*

renversant, ante, *adj.* Étonnant, stupéfiant.

renversement, *subst. m.* Retournement complet, bouleversement. – Action de provoquer la chute de : **Renversement** *du tyran.*

renverser, *verbe trans.* Retourner en mettant le haut en bas ; inverser. – Répandre. – Faire tomber : **Renverser** *un piéton.* – Chasser du pouvoir : **Renverser** *un dictateur.* – Sidérer : *Cette nouvelle l'a* **renversé**. – Incliner en arrière : **Renverser** *la tête.*

renvoi, *subst. m.* Action de renvoyer. – Signe invitant le lecteur à se reporter à un autre endroit du texte. – Rot.

renvoyer, *verbe trans.* Lancer en retour : **Renvoyer** *une balle.* – Réexpédier : **Renvoyer** *un colis.* – Exclure, licencier. – Réfléchir (des ondes) : *Miroir qui* **renvoie** *la lumière.* – Inviter à se reporter : **Renvoyer** *le lecteur au glossaire.* – Ajourner : **Renvoyer** *de huit jours.*

réorganiser, *verbe trans.* Organiser différemment.

réouverture, *subst. f.* Fait de rouvrir. – Reprise.

repaire, *subst. m.* Refuge d'un animal sauvage ou d'un groupe de malfaiteurs.

repaître (se), *verbe pronom.* Se nourrir, se rassasier. – *Fig.* **Se repaître** *de crimes.*

répandre, *verbe trans.* Verser : **Répandre** *de l'eau.* – Dégager : **Répandre** *une odeur.* – Propager, semer : **Répandre** *la terreur.* – *Pronom.* **Se répandre** *en injures* : injurier copieusement.

répandu, ue, *adj.* Couramment admis.

réparateur, trice, *adj. et subst.* Se dit d'une personne qui répare. – *Adj.* Qui rétablit, restaure : *Repos* **réparateur** ; *Chirurgie* **réparatrice**.

réparation, *subst. f.* Action de réparer. – Compensation, dédommagement.

réparer, *verbe trans.* Remettre en bon état, en état de marche : **Réparer** *un toit, une voiture* ; *au fig* : **Réparer** *ses forces.* – Racheter, expier : **Réparer** *sa faute.*

repartie, *subst. f.* Réponse vive et spirituelle : *Avoir la* **repartie** *facile.*

repartir, *verbe intrans.* Partir de nouveau. – Retourner : **Repartir** *chez soi.*

répartir, *verbe trans.* Distribuer selon une règle établie. – Échelonner dans le temps.

répartition, *subst. f.* Partage, distribution.

repas, *subst. m.* Nourriture prise à des heures régulières : *Faire trois* **repas** *par jour.*

repassage, *subst. m.* Action de repasser le linge.

repasser, *verbe Intrans.* Passer de nouveau, revenir (en un lieu). – *Trans.* Franchir de nouveau. – Projeter de nouveau : **Repasser** *un film.* – Lisser (du linge) au fer chaud. – Réviser : **Repasser** *une leçon.* – Affûter.

repêcher, *verbe trans.* Tirer hors de l'eau : **Repêcher** *le cadavre d'un noyé.* – Soumettre (un candidat éliminé) à une épreuve de rattrapage, de repêchage (*fam.*).

repenser, *verbe trans.* Penser de nouveau. – Reconsidérer : **Repenser** *un problème.*

repentir, *subst. m.* Regret, remords d'une faute.

repentir (se), *verbe pronom.* Regretter vivement (une faute), en ayant une intention de réparation.

repérage, *subst. m.* Action de repérer. – Recherche de lieux de tournage pour un film.

répercussion, *subst. f.* Contrecoup, retentissement.

répercuter, *verbe trans.* Renvoyer, transmettre : **Répercuter** *un son, un ordre.* – *Pronom.* Avoir des effets, réagir (sur).

repère, *subst. m.* Marque servant à se situer dans le temps ou l'espace : *Point de* **repère**.

repérer, *verbe trans.* Situer avec précision grâce à des repères. – Remarquer, découvrir (*fam.*) : **Repérer** *une erreur.* – *Pronom.* S'orienter, se retrouver : *Se* **repérer** *en forêt.*

répertoire, *subst. m.* Recueil de renseignements classés avec méthode : **Répertoire** *alphabétique.* –

Les œuvres interprétées par un théâtre, un artiste.

répertorier, *verbe trans.* Classer dans un répertoire.

répéter, *verbe trans.* Redire ou refaire (*qqch.*). – Rapporter, ébruiter : **Répéter** *un secret.* – Mettre au point avant de présenter au public : **Répéter** *un rôle* ; empl. abs. : *Les acteurs* **répètent.**

répétitif, ive, *adj.* Qui se répète, monotone.

répétition, *subst. f.* Redite : *Il y a trop de* **répétitions.** – Action de refaire : *Un fusil à* **répétition**, qui tire plusieurs coups d'affilée. – Séance de préparation d'une représentation.

repeupler, *verbe trans.* Réoccuper (une région dépeuplée). – Regarnir en espèces animales ou végétales : **Repeupler** *un étang.*

repiquer, *verbe trans.* Piquer de nouveau. – Replanter (un semis). – Enregistrer (un film, une musique, etc.) sur un nouveau support.

répit, *subst. m.* Arrêt, repos momentanés : *Nous travaillons sans* **répit**, continuellement.

replacer, *verbe trans.* Remettre en place. – Situer.

replâtrer, *verbe trans.* Plâtrer une nouvelle fois. – *Fig.* Arranger de manière superficielle.

replet, ète, *adj.* Dodu, potelé.

repli, *subst. m.* Légère ondulation. – Bord replié. – *Fig.* Lieu secret : *Les* **replis** *de la mémoire.* – Recul économique ; retraite militaire.

replier, *verbe trans.* Plier de nouveau. – *Pronom.* Reculer en bon ordre : *L'armée se* **replie.** – *Se* **replier** *sur soi-même* : s'isoler.

réplique, *subst. f.* Vive repartie. – Texte qu'un acteur doit prononcer en réponse à ses partenaires. – Copie très ressemblante.

répliquer, *verbe* Répondre avec vivacité ou insolence, rétorquer.

répondant, ante, *subst.* Personne qui sert de caution à *qqn*, garant. – *Masc. Avoir du* **répondant** : ne pas manquer d'argent ; avoir le sens de la repartie (*fam.*).

répondre, *verbe trans. Trans. dir.* Donner pour réponse : **Répondre** *une bêtise.* – S'exprimer en retour : **Répondre** *à une lettre, à une question.* – *Trans. indir.* Correspondre : **Répondre** *à un* signalement. – Marquer une même disposition : *Il* **répond** *à son amour.* – Garantir : *Je ne* **réponds** *pas de sa loyauté.* – *Empl. abs.* Réagir (à une action) : *Les freins ne* **répondent** *plus.*

réponse, *subst. f.* Ce que l'on répond à *qqn*. – *Avoir* **réponse** *à tout* : faire face à toutes les situations. – Solution, explication. – Réaction à une stimulation.

report, *subst. m.* Action de reporter *qqch.* – Renvoi à une autre date. – Copie sur autre document.

reportage, *subst. m.* Compte rendu écrit, oral ou filmé, qui témoigne d'une enquête sur le terrain effectuée par un reporter.

reporter, *verbe trans.* Porter une nouvelle fois au même endroit. – Remettre à plus tard. – Porter ailleurs : **Reporter** *son affection sur qqn.* – *Pronom.* Se référer à.

repos, *subst. m.* Pause dans une activité ; détente, congé : **Repos** *dominical* ; *Être de* **repos.** – Calme, tranquillité : *Troubler le* **repos** *d'un lieu.* – *Au* **repos** : immobile.

reposant, ante, *adj.* Qui repose, délasse.

reposer (i), *verbe Trans. dir.* Délasser. – *Trans. indir.* Être établi, fondé (sur). – *Intrans.* Rester immobile, étendu ; être enterré. – *Pronom. Se* détendre ; être inactif. – *Se* **reposer** *sur qqn* : lui faire confiance, compter sur lui.

reposer (ii), *verbe trans.* Poser de nouveau : **Reposer** *une caisse, une question.*

repoussant, ante, *adj.* Qui inspire le dégoût.

repousser (i), *verbe trans.* Pousser en arrière, faire reculer. – Rabrouer, éconduire. – Refuser, rejeter : **Repousser** *une offre.* – Différer, ajourner.

repousser (ii), *verbe intrans.* Pousser, croître de nouveau.

repoussoir, *subst. m.* Personne ou chose qui, par contraste, en fait valoir une autre.

répréhensible, *adj.* Blâmable, condamnable.

reprendre, *verbe Trans.* Prendre de nouveau : **Reprendre** *un café.* – Corriger, réprimander. – Retrouver : **Reprendre** *espoir.* – Recommencer après une interruption : **Reprendre** *le travail, le piano.* – *Répéter.* – *Intrans.* Redémarrer : *L'activité* **reprend.** – *Pronom.* Réagir, se ressaisir.

représailles, *subst. f. plur.* Acte de vengeance.

représentant, ante, *subst.* Personne qui représente *qqn*, un groupe, le peuple. – Commercial prospectant la clientèle pour une entreprise.

représentatif, ive, *adj.* Typique, caractéristique. – *Régime* **représentatif** : parlementaire.

représentation, *subst. f.* Action, fait de représenter. – Métier du représentant de commerce. – Spectacle : *Une* **représentation** *théâtrale.*

représenter, *verbe trans.* Présenter de nouveau. – Rendre sensible ; exprimer, symboliser : *On* **représente** *la paix par une colombe.* – Figurer : *Ce tableau* **représente** *un port.* – Agir au nom de (*qqn*, un groupe). – Jouer en public. – *Pronom.* Se présenter, survenir une nouvelle fois. – Imaginer.

répressif, ive, *adj.* Qui réprime.

répression, *subst. f.* Action de réprimer.

réprimande, *subst. f.* Blâme, reproche sévères.

réprimander, *verbe trans.* Blâmer sévèrement.

réprimer, *verbe trans.* Contenir : **Réprimer** *un sanglot.* – Empêcher, par la loi ou la force, le développement (d'une chose jugée blâmable ou dangereuse) : **Réprimer** *une émeute.*

reprise, *subst. f.* Action, fait de reprendre. – Regain, nouvel essor. – Rachat d'un droit ou de biens usagés. – Réparation à l'aiguille d'un tissu. – Nouvelle série de représentations d'un spectacle. – Accélération rapide d'un moteur. – *Loc. adv. A maintes* **reprises** : fréquemment.

repriser, *verbe trans.* Raccommoder (une étoffe).

réprobateur, trice, *adj.* Qui marque la réprobation : *Un silence* **réprobateur.**

réprobation, *subst. f.* Blâme, jugement sévère.

reproche, *subst. m.* Critique, blâme adressé à *qqn* sur son comportement.

reprocher, *verbe trans.* Faire grief de (*qqch.*) à *qqn.* – Trouver à redire à (*qqch.*).

reproduction, *subst. f.* Action de reproduire ; chose reproduite, copie : **Reproduction** *photographique.* – Propriété qu'ont les êtres vivants d'engendrer de nouveaux individus, de perpétuer leur espèce.

reproduire, *verbe trans.* Produire de nouveau ; répéter. – Faire une copie fidèle de. – *Pronom.* Se multiplier par génération.

réprouver, *verbe trans.* Condamner, blâmer (*littér.*).

reptation, *subst. f.* Action de ramper : *La* **reptation** *du serpent,* son mode de locomotion.

reptile, *subst. m.* Vertébré ovipare à peau écailleuse, à sang froid et aux membres atrophiés ou absents. – *Plur.* La classe correspondante.

républicain, aine, *adj. et subst.* Qui est favorable à la république. – *Adj.* Relatif à la république.

république, *subst. f.* Forme de gouvernement où le pouvoir est confié à des représentants élus par le corps social. – Régime politique d'un État dont le chef est élu (*oppos. monarchie*). – État ainsi gouverné.

répudier, *verbe trans.* Renvoyer (une épouse) aux fins de rompre légalement et autoritairement le mariage. – Renier : **Répudier** *sa foi.*

répugnance, *subst. f.* Répulsion, profond dégoût.

répugner, *verbe trans. indir.* Inspirer de la répugnance à : *Cette saleté me* **répugne.** – Ressentir de l'aversion pour : *Elle* **répugne** *à mentir.*

répulsion, *subst. f. Phys.* Force par laquelle deux corps se repoussent mutuellement (*oppos. attraction*). – *Fig.* Répugnance, aversion.

réputation, *subst. f.* Fait d'être honorablement considéré ; renommée. – Manière dont *qqn* ou *qqch.* est apprécié : *Jouir d'une* **réputation** *exécrable.*

réputé, ée, *adj.* Qui jouit d'une bonne réputation : *Région* **réputée** *pour son vin.*

requérir, *verbe trans.* Réclamer en justice ; *empl. abs.*, prononcer un réquisitoire. – Solliciter : *Je* **requiers** *votre attention.* – Nécessiter : *Un travail qui* **requiert** *de l'expérience.*

requête, *subst. f.* Demande pressante, écrite ou orale ; prière : *Accepter une* **requête.** – Demande adressée à un magistrat.

requiem, *subst. m. inv.* Prière pour les défunts. – Musique composée sur ce texte.

requin, *subst. m.* Squale au corps allongé et puissant, réputé pour sa voracité. – *Fig.* Homme d'affaires sans scrupule.

requis, ise, *adj.* Exigé, indispensable.

réquisition, *subst. f.* Opération par laquelle une autorité exige la cession d'un bien ou une prestation de services.

réquisitionner, *verbe trans. Dr.* Se procurer (*qqch.*) ou obtenir les services de (*qqn*) par voie de réquisition : **Réquisitionner** *la troupe.*

réquisitoire, *subst. m. Dr.* Dans une audience, rapport du ministère public exposant les griefs de l'accusation. – *Fig.* Accusation violente contre *qqn*, portée en détaillant les reproches.

rescapé, ée, *adj. et subst.* Qui est sorti vivant d'un accident, d'une catastrophe.

rescousse (à la), *loc. adv.* À l'aide, en renfort.

réseau, *subst. m.* Entrelacement de fils. – Ensemble de lignes, de canalisations, de voies reliées entre elles : **Réseau** *routier.* – Organisation ramifiée : **Réseau** *d'espionnage.*

réservation, *subst. f.* Action de réserver une place dans un hôtel, un avion, un train, une salle de spectacle.

réserve, *subst. f.* Ce que l'on stocke en vue d'une utilisation ultérieure : **Réserves** *de nourriture.* – Quantité de ressources disponibles : **Réserves** *bancaires* ; **Réserves** *de pétrole d'un sous-sol* ; *Armée de* **réserve** : troupes mobilisables en cas de guerre. – Local de stockage. – Territoire attribué à des indigènes : **Réserve** *d'Indiens.* – Territoire affecté à la conservation d'un site, de sa faune et de sa flore. – *Fig.* Attitude de discrétion, de prudence : *Se tenir sur la* **réserve.** – Restriction accompagnant une approbation : *Émettre des* **réserves.** – *Sous toutes* **réserves** sans garantie.

réservé, ée, *adj.* Discret, circonspect. – Affecté à un usage particulier ; destiné exclusivement à *qqn* : *Pêche* **réservée.**

réserver, *verbe trans.* Garder pour plus tard. – Affecter à un usage exclusif ou spécial : **Réserver** *une salle aux fumeurs.* – Retenir, faire garder : **Réserver** *une chambre.* – Destiner : *Que nous* **réserve** *demain ?* – *Pronom.* Attendre le moment propice pour (faire *qqch.*) : *Je me* **réserve** *de soulever cette question.* – Garder de l'appétit : *Se* **réserver** *pour le dessert.*

réservoir, *subst. m.* Lieu, cavité, récipient où sont stockés des gaz ou des liquides.

résidence, *subst. f.* Fait de résider en un lieu ; ce lieu. – **Résidence** *surveillée* : obligation judiciaire de demeurer en un lieu. – Immeuble ou groupe d'immeubles de bon standing.

résident, ente, *subst.* Personne qui réside dans un pays dont elle n'a pas la nationalité.

résider, *verbe intrans.* Avoir sa demeure habituelle à : **Résider** *à Nice.* – Consister en : *Son autorité* **réside** *dans son expérience.*

résidu, *subst. m.* Reste sans valeur. – Déchet qui subsiste après un traitement industriel, une opération physique ou chimique.

résiduel, elle, *adj.* Qui constitue un résidu. – Qui persiste, qu'on ne parvient pas à éliminer : *Une fatigue* **résiduelle.**

résignation, *subst. f.* Fait de se résigner. – Soumission, fatalisme.

résigner (se), *verbe pronom.* Se soumettre à, accepter sans protester : *Se* **résigner** *à son sort.*

résiliation, *subst. f.* Action de résilier : **Résiliation** *d'un bail.*

résilier, *verbe trans. Dr.* Mettre fin à (un contrat).

résine, *subst. f.* Substance translucide et collante sécrétée par des végétaux, notamment les Conifères. – Composé naturel ou synthétique de certaines matières plastiques.

résineux, euse, *adj. et subst. m.* Se dit d'un arbre qui produit de la résine.

résistance, *subst. f.* Action de résister à une autorité, à l'ennemi. – Capacité à supporter une épreuve morale ou physique. – Force qui s'oppose à une autre. – Solidité d'un corps. – **Résistance** *électrique* : conducteur qui convertit l'électricité en chaleur. – *Plat de* **résistance** : plat principal d'un repas.

résister, *verbe trans. indir.* Ne pas céder : **Résister** *à la pression.* – Supporter sans faiblir : **Résister**

au froid, à une envie. – Refuser de se soumettre. – Repousser : **Résister** *à la tentation.*

résolu, ue, *adj.* Décidé, déterminé.

résolution, *subst. f.* Fait de se résoudre : **Résolution** *de l'eau en vapeur.* – Fait de disparaître : **Résolution** *d'une tumeur.* – Fait de résoudre un problème. – Décision volontaire, ferme ; détermination : *Faire preuve de* **résolution.** – Annulation d'un contrat. – Motion prise par une assemblée.

résonance, *subst. f.* Propriété d'amplifier ou de prolonger un son. – *Fig.* Retentissement.

résonner, *verbe intrans.* Produire ou réfléchir un son amplifié et prolongé : *La cloche* **résonne** ; *Hall qui* **résonne.**

résorber, *verbe trans.* Éliminer peu à peu : **Résorber** *une tumeur.* – *Fig.* **Résorber** *une dette.*

résorption, *subst. f.* Fait de se résorber.

résoudre, *verbe trans.* Décomposer (un corps) en ses éléments. – Résorber. – *Fig.* Décider : *J'ai* **résolu** *de partir.* – Trouver la solution de, élucider : **Résoudre** *un problème, une énigme.* – *Pronom.* **Se résoudre** *à* : se décider à.

respect, *subst. m.* Sentiment de considération, de déférence envers *qqn* : **Respect** *filial.* – Action d'observer, de ne pas enfreindre : **Respect** *des règles.* – *Tenir qqn en* **respect** : sous la menace d'une arme.

respectabilité, *subst. f.* Caractère respectable.

respectable, *adj.* Digne de respect, d'estime. – Assez important : *Somme* **respectable.**

respecter, *verbe trans.* Considérer avec respect. – Se conformer à, ne pas porter atteinte à : **Respecter** *les lois, le silence.*

respectif, ive, *adj.* Qui concerne chaque chose, chaque personne dans un ensemble : *Âges* **respectifs,** de chacun.

respectivement, *adv.* Chacun en ce qui le concerne : *Il a deux enfants, nommés* **respectivement** *Luc et Antoine.*

respectueux, euse, *adj.* Qui fait preuve de respect. – Qui dénote le respect.

respiration, *subst. f.* Action de respirer. – Processus par lequel les êtres vivants absorbent de l'oxygène et rejettent du gaz carbonique.

respiratoire, *adj.* Qui permet la respiration. – Qui a trait à la respiration.

respirer, *verbe intrans.* Inspirer l'air puis l'expirer : **Respirer** *par le nez.* – *Fig.* Avoir un moment de répit. – *Trans.* Aspirer, inhaler : **Respirer** *des gaz toxiques.* – *Fig.* Exprimer : **Respirer** *la santé.*

resplendir, *verbe intrans.* Briller d'un vif éclat.

responsabilité, *subst. f.* Fait d'être responsable : *Assumer ses* **responsabilités.** – *Dr.* Obligation de remplir une charge, de réparer une faute : **Responsabilité** *civile.*

responsable, *adj. et subst.* Qui prend des décisions, qui dirige : *Un* **responsable** *de magasin ;* *Les autorités* **responsables.** – Qui est la cause ou l'auteur : *La* **responsable** *d'un accident.* – *Adj.* Qui doit répondre de ses actes, ou de ceux de *qqn* dont il a la charge. – Sérieux, réfléchi : *Enfant* **responsable.**

ressac, *subst. m.* Rejaillissement violent des vagues renvoyées sur elles-mêmes par un obstacle.

ressaisir, *verbe trans.* Saisir de nouveau. – *Pronom.* Retrouver son sang-froid.

ressasser, *verbe trans.* Revenir continuellement sur : **Ressasser** *sa rancœur.* – Répéter sans cesse : **Ressasser** *les mêmes histoires.*

ressemblance, *subst. f.* Rapport entre des éléments présentant des points communs : **Ressemblance** *d'un père et d'un fils, d'un portrait.*

ressemblant, ante, *adj.* Qui présente une ressemblance avec *qqch., qqn* : *Dessin* **ressemblant.**

ressembler, *verbe trans. indir.* Présenter une ressemblance avec : **Ressembler** *à sa mère.* – *Cela ne lui* **ressemble** *pas* : cela n'est pas conforme à son caractère.

ressemeler, *verbe trans.* Doter d'une semelle neuve.

ressentiment, *subst. m.* Souvenir persistant d'une offense, d'un tort dont on veut se venger.

ressentir, *verbe trans.* Éprouver (un sentiment, une sensation). – Être affecté par : **Ressentir** *les effets de la crise.*

resserre, *subst. f.* Endroit où l'on range, où l'on conserve à l'abri des outils, des denrées.

resserrer, *verbe trans.* Serrer de nouveau ou plus fortement : **Resserrer** *un étau.* – *Fig.* Rendre plus étroit : **Resserrer** *des relations.*

resservir, *verbe Trans.* Servir (*qqch.*) de nouveau. – *Intrans.* Être réutilisé.

ressort (i), *subst. m.* Pièce mécanique qui reprend sa forme après compression ou torsion. – *Fig.* Force morale, énergie : *Manquer de* **ressort.** – Force qui fait agir : *L'ambition fut le* **ressort** *de sa vie.*

ressort (ii), *subst. m.* Compétence : *Cette affaire est du* **ressort** *de la justice.* – *En dernier* **ressort** : en dernier lieu.

ressortir (i), *verbe Trans.* Sortir de nouveau (*qqch.*). – *Intrans.* Sortir de nouveau. – Se détacher sur un fond : *Le rouge* **ressort** *bien.* – *Empl. impers.* Résulter : *Qu'en* **ressort**-*il ?*

ressortir (ii), *verbe trans. indir.* Être du ressort de, relever de : *Cela* **ressortit** *aux tribunaux.*

ressource, *subst. f.* Possibilité, recours. – *Plur.* Moyens dont disposent un individu, une société ou un pays : **Ressources** *financières, humaines, naturelles.*

res(s)urgir, *verbe intrans.* Surgir de nouveau.

ressusciter, *verbe Intrans.* Revivre après la mort. – *Trans.* Ramener (*qqn*) de la mort à la vie. – *Fig.* Faire revivre (*qqch.*) par le souvenir.

restant, ante, *adj. et subst. m.* Qui reste : *Somme* **restante** ; *Le* **restant** *de ma vie.*

restaurant, *subst. m.* Établissement où l'on peut prendre un repas moyennant paiement.

restaurateur, trice, *subst.* Artisan qui restaure des œuvres d'art ou des objets de valeur. – Tenancier de restaurant.

restauration, *subst. f.* Remise en bon état : **Restauration** *d'un tableau.* – Rétablissement d'une valeur détrônée, d'un régime déchu. – Activité du tenancier de restaurant.

restaurer, *verbe trans.* Remettre en état. – Rétablir : **Restaurer** *la morale, la monarchie.* – Servir à manger à. – *Pronom.* Manger.

reste, *subst. m.* Élément subsistant d'un ensemble. – Faible quantité : *Un* **reste** *de crainte.* – *Au* **reste** ; *Du* **reste** : d'ailleurs. – *Plur.* Partie non consommée d'un repas. – Cadavre, ossements humains.

rester, *verbe intrans.* Continuer d'être dans un lieu : **Rester** *chez soi.* – Se maintenir dans le même état : **Rester** *fâché.* – Subsister. – *En* **rester** *là* : ne pas continuer.

restituer, *verbe trans.* Rendre à *qqn* (ce qui n'aurait pas dû être pris). – *Fig.* Reproduire fidèlement : **Restituer** *un son.*

restreindre, *verbe trans.* Diminuer, limiter. – *Pronom.* Réduire ses dépenses, sa consommation.

restriction, *subst. f.* Action de restreindre. – Condition qui restreint : *Sans* **restriction**, entièrement. – *Plur.* Limitation des dépenses, de la consommation.

résultante, *subst. f.* Conséquence de plusieurs facteurs conjugués. – Somme géométrique de vecteurs.

résultat, *subst. m.* Ce qui résulte d'une action, d'un fait ; solution (d'un calcul, d'un problème). – Réussite ou échec ; score : *Les* **résultats** *du bac, d'un match.* – Réalisation tangible : *Sans* **résultat**, en vain.

résulter, *verbe intrans.* Découler, être la conséquence (de) : *Il n'en* **résultera** *rien de fâcheux.*

résumé, *subst. m.* Abrégé. – *En* **résumé** : en bref.

résumer, *verbe trans.* Exprimer brièvement l'essentiel de. – *Pronom.* Se réduire à.

résurgence, *subst. f.* Rejaillissement à l'air libre, pour des eaux souterraines. – *Fig.* Réapparition : **Résurgence** *d'idées anciennes.*

résurrection, *subst. f.* Fait de ressusciter. – *Relig.* Retour à la vie réelle de Jésus-Christ, trois jours après sa mort. – *Fig.* Nouvel essor.

retable, *subst. m.* B.-A. Panneau peint ou sculpté qui surmonte un autel.

rétablir, *verbe trans.* Établir de nouveau ; rectifier : **Rétablir** *la vérité.* – Ramener : **Rétablir** *l'ordre.* – Faire recouvrer la santé (à *qqn*) ; *empl. pronom.*, guérir.

rétablissement, *subst. m.* Action de rétablir ; son résultat. – Guérison.

retard, *subst. m.* Fait d'arriver plus tard que prévu ; délai entre l'heure prévue et l'heure réelle d'arrivée : *Un long* **retard**. – Différence négative entre l'heure que donne une horloge et l'heure exacte. – Fait de rester en arrière par rapport à une norme : **Retard** *économique.*

retardataire, *adj. et subst.* Qui a du retard. – *Adj.* Dépassé ; rétrograde.

retardement, *subst. m. À* **retardement** : se dit d'un engin à explosion différée. – *Fig. Réagir à* **retardement** : avec retard.

retarder, *verbe Intrans.* Indiquer une heure inférieure à l'heure réelle, pour une montre, une horloge. – *Fig.* Se montrer rétrograde. – *Trans.* Mettre (*qqn*) en retard. – Différer (*qqch.*).

retenir, *verbe trans.* Garder (*qqch.*) par-devers soi. – Ne pas oublier : **Retenir** *les noms.* – Retrancher d'une somme : **Retenir** *les cotisations sociales.* – Réserver : **Retenir** *une table.* – Prendre en considération : **Retenir** *une idée.* – Réprimer : **Retenir** *ses larmes.* – Maintenir (*qqn* ou *qqch.*) en place : **Retenir** *à dîner* ; **Retenir** *ses cheveux.* – *Pronom.* S'accrocher à. – S'empêcher de.

rétention, *subst. f.* Fait de retenir, de garder pour soi : **Rétention** *d'informations.* – Accumulation anormale : **Rétention** *d'eau.*

retentir, *verbe intrans.* Produire un son éclatant. – Résonner : *L'air* **retentit** *de ses cris.* – Avoir des effets, des répercussions sur.

retentissant, ante, *adj.* Qui retentit. – Dont on parle beaucoup : *Échec* **retentissant.**

retentissement, *subst. m.* Répercussion, effet atteignant un large public.

retenue, *subst. f.* Somme retranchée d'un salaire. – Punition d'écolier. – Réserve, discrétion. – **Retenue** *d'eau* : lac artificiel, réservoir. – *Math.* Chiffre que l'on retient pour la colonne suivante, dans une opération.

réticence, *subst. f.* Omission délibérée. – Réserve.

réticent, ente, *adj.* Qui hésite, émet des réserves.

rétif, ive, *adj.* Qui refuse d'avancer ; indocile. – *Fig.* Difficile à convaincre, récalcitrant.

rétine, *subst. f.* Membrane du fond de l'œil, qui reçoit les impressions lumineuses.

retirer, *verbe trans.* Enlever, ôter : **Retirer** *sa main, sa candidature.* – Obtenir : **Retirer** *des avantages de qqch.* – Tirer de nouveau. – *Pronom.* Refluer ; s'en aller. – Abandonner (une activité, une profession).

retombée, *subst. f.* Ce qui retombe. – *Plur.* Conséquences, effets secondaires ou nuisibles.

retomber, *verbe intrans.* Redescendre au sol. – Tomber de nouveau : **Retomber** *dans l'oubli.* – Diminuer : *La tension* **retombe.** – Peser, rejaillir : *La honte* **retomba** *sur lui.*

rétorquer, *verbe trans.* Répliquer, répondre vivement.

retors, orse, *adj.* Rusé et tortueux.

rétorsion, *subst. f.* Mesures de **rétorsion** : prises en représailles.

retouche, *subst. f.* Légère correction d'un texte, d'une photo. – Adaptation d'un vêtement aux mesures du client.

retour, *subst. m.* Fait de revenir à son point de départ, de repartir en sens opposé : *L'aller et le* **retour** ; **Retour** *de manivelle.* – Fait de revenir à un état antérieur : **Retour** *au calme.* – Renvoi : *Par* **retour** *du courrier.* – Réapparition : *Le* **retour** *de l'été.* – *En* **retour** : en échange.

retournement, *subst. m.* Changement subit et complet, renversement.

retourner, *verbe Trans.* Tourner dans l'autre sens : Retourner *un disque.* – Renvoyer, réexpédier : **Retourner** *un paquet.* – Bouleverser (*fam.*). – *Intrans.* Regagner l'endroit d'où l'on vient ; se rendre de nouveau : **Retourner** *à l'école.* – Revenir à un état antérieur : **Retourner** *à la vie sauvage.* – *Pronom.* Se tourner en arrière. – Se renverser. – *S'en* **retourner** : repartir.

retracer, *verbe trans.* Tracer de nouveau. – Relater.

rétracter (i), *verbe trans.* Faire rentrer dedans : **Rétracter** *ses griffes.* – *Pronom.* Se contracter.

rétracter (ii), *verbe trans.* Désavouer, revenir sur (*littér.*). – *Pronom.* Se dédire.

rétractile, *adj.* Qui peut se rétracter (I) : *Les cornes* **rétractiles** *de l'escargot.*

retrait, *subst. m.* Fait de retirer ou de se retirer. – *En* **retrait** : en arrière.

retraite, *subst. f.* Retrait de la vie active ; pension touchée pendant cette période. – Lieu où l'on se retire. – Gel temporaire de l'activité de *qqn*, aux fins de méditation. – Recul devant un ennemi : *Battre en* **retraite**. – **Retraite** *aux flambeaux* : défilé nocturne lors d'une fête.

retraité, ée, *adj. et subst.* Qui est à la retraite, qui ne travaille plus.

retraitement, *subst. m.* Traitement d'un produit après une utilisation.

retranchement, *subst. m.* Fortification, défense. – *Fig. Pousser qqn dans ses derniers* **retranchements** : l'acculer.

retrancher, *verbe trans.* Ôter, soustraire. – *Pronom.* Se protéger, se mettre à l'abri.

retransmission, *subst. f.* Diffusion d'une émission de radio, de télévision. – Cette émission.

rétrécir, *verbe Trans.* Rendre plus étroit. – *Intrans.* Devenir plus étroit.

rétrécissement, *subst. m.* Fait de rétrécir. – Resserrement d'un orifice, d'un conduit.

rétribuer, *verbe trans.* Payer (*qqn*) pour un travail. – Payer pour (un service, une tâche).

rétribution, *subst. f.* Salaire, rémunération.

rétro, *adj. inv.* Qui s'inspire d'un proche passé : *Mode* **rétro**.

rétroactif, ive, *adj.* Qui exerce son action sur ce qui est passé, sur des faits antérieurs.

rétrograde, *adj.* Qui va en arrière. – *Fig.* Qui s'oppose au progrès.

rétrograder, *verbe Trans.* Ramener à un grade, à un classement inférieurs. – *Intrans.* Revenir en arrière. – Régresser. – Passer une vitesse inférieure, en conduisant.

rétrospectif, ive, *adj. et subst. f. Adj.* Relatif au passé. – Éprouvé après coup : *Peur* **rétrospective**. – *Subst.* Présentation de l'ensemble d'une production artistique. – Évocation des principaux événements d'une période.

retrousser, *verbe trans.* Relever. – *Fig.* **Retrousser** *ses manches* : se mettre au travail.

retrouvailles, *subst. f. plur.* Fait de retrouver *qqn* (*fam.*).

retrouver, *verbe trans.* Trouver (ce qu'on avait perdu, ce qu'on cherchait). – Rejoindre (*qqn*). – Revoir (*qqn qu'on avait perdu de vue*) : **Retrouver** *un ami d'enfance*. – *Pronom.* Être soudainement dans une situation : *Se* **retrouver** *ruiné*.

rétroviseur, *subst. m.* Petit miroir permettant à un conducteur de voir derrière son véhicule.

réunifier, *verbe trans.* Rétablir l'unité de.

réunion, *subst. f.* Action, fait de réunir ou de se réunir. – Assemblée de personnes ; durée de leur rencontre.

réunir, *verbe trans.* Rassembler, rapprocher. – Relier : *Autoroute qui* **réunit** *deux villes*. – Avoir en soi : **Réunir** *plusieurs qualités*. – *Pronom.* Se rassembler.

réussir, *verbe Intrans.* Connaître le succès. – Parvenir à un résultat. – *Trans. dir.* Faire bien : **Réussir** *un plat*. – *Trans. indir.* Parvenir : **Réussir** *à se lever*. – Être bénéfique : *Le mariage lui* **réussit**.

réussite, *subst. f.* Succès, bon résultat. – Jeu de cartes en solitaire.

revaloriser, *verbe trans.* Rendre sa valeur à. – Relever la valeur de : **Revaloriser** *un loyer*.

revanche, *subst. f.* Avantage repris sur *qqn*. – Fait de rendre la pareille à *qqn*. – *Jeux* et *sp.* Seconde partie donnant une nouvelle chance au perdant

de la première. – *Loc. adv. En* **revanche** : au contraire, inversement.

rêvasser, *verbe intrans.* S'abandonner à la rêverie.

rêve, *subst. m.* Production de l'activité psychique pendant le sommeil. – Production idéale ou chimérique de l'imagination. – *Loc. adv. De* **rêve** : idéal.

revêche, *adj.* D'un abord difficile, rébarbatif.

réveil, *subst. m.* Fait de se réveiller : **Réveil** *de la nature*. – *Fig.* Retour à la réalité.

réveille-matin, *subst. m. inv.* Petite pendule que l'on peut faire sonner à une heure précise (*abrév. réveil*).

réveiller, *verbe trans.* Tirer du sommeil. – Faire renaître : **Réveiller** *des souvenirs*. – *Pronom.* Cesser de dormir. – Se raviver, se ranimer.

réveillon, *subst. m.* Repas et fête de la nuit de Noël ou de celle de la Saint-Sylvestre.

révélateur, trice, *adj. et subst. m.* Qui révèle : *Un geste* **révélateur**, significatif. – *Subst.* Produit servant à développer des photos.

révélation, *subst. f.* Action, fait de révéler ; l'information révélée. – Connaissance délivrée aux hommes par des moyens surnaturels.

révéler, *verbe trans.* Divulguer (une découverte ou un secret) ; faire connaître (un mystère divin). – Laisser voir, manifester : **Révéler** *des dispositions pour*. – *Pronom.* Apparaître, se manifester : *Il se* **révéla** *très courageux*.

revenant, *subst. m.* Apparition, fantôme. – Personne qu'on ne pensait plus revoir (*fam.*).

revendication, *subst. f.* Action, fait de revendiquer : **Revendications** *salariales*.

revendiquer, *verbe trans.* Réclamer (son dû, un avantage). – Vouloir assumer, se proclamer l'auteur de : **Revendiquer** *un attentat*.

revenir, *verbe intrans.* Venir de nouveau, rentrer : **Revenir** *chez soi, de l'école*. – **Revenir** *sur un sujet* : le reprendre. – Retourner : **Revenir** *à de bons sentiments*. – Réapparaître. – Équivaloir. – Coûter au total : **Revenir** *cher*. – Échoir à : *Cette part lui* **revient**. – **Revenir** *à soi* : reprendre conscience.

revenu, *subst. m.* Gain perçu. – **Revenu** *national* : valeur de la production des biens et des services d'un pays.

rêver, *verbe Intrans.* Faire des rêves. – Oublier la réalité. – *Trans.* Voir en rêve ; imaginer ; désirer vivement.

réverbération, *subst. f.* Réflexion de la lumière, de la chaleur ou d'un son par une surface.

réverbère, *subst. m.* Appareil d'éclairage public.

révérence, *subst. f.* Salut cérémonieux. – *Tirer sa* **révérence** : s'en aller (*fam.*).

révérend, ende, *adj. et subst.* Titre de certains religieux, et des pasteurs anglicans.

révérer, *verbe trans.* Honorer, vénérer.

rêverie, *subst. f.* Rêve éveillé, pensée vague.

revers, *subst. m.* Côté opposé, dos ; au fig., le mauvais côté : *Le* **revers** *de la médaille*. – Repli extérieur d'un vêtement. – Échec, défaite. – *Prendre l'ennemi à* **revers** : par-derrière.

réversible, *adj.* Qui peut se produire en sens inverse. – Qui peut se porter à l'envers comme à l'endroit : *Tissu* **réversible**.

revêtement, *subst. m.* Matériau qui recouvre *qqch*.

revêtir, *verbe trans*. Mettre (un vêtement). – Couvrir d'un revêtement. – *Fig*. Prendre (un aspect) : **Revêtir** *de l'importance*.

rêveur, euse, *adj. et subst*. Qui est enclin à rêver.

revient, *subst. m. Prix de* **revient** : coût total de production et de distribution d'un article.

revigorer, *verbe trans*. Redonner de la vigueur à.

revirement, *subst. m*. Changement soudain et total d'opinion ou d'attitude.

réviser, *verbe trans*. Examiner de nouveau ; corriger. – Vérifier le bon état de. – Revoir (un cours), en vue d'un examen.

revivre, *verbe Trans*. Vivre de nouveau (*qqch*.). – Éprouver une nouvelle fois. – *Intrans*. Renaître, retrouver son énergie.

révocation, *subst. f*. Action de révoquer.

revoir (i), *verbe trans*. Voir de nouveau. – Retrouver : **Revoir** *sa famille*. – Revenir (dans un lieu) : **Revoir** *Venise*. – Corriger, vérifier : **Revoir** *un projet*. – Réviser : **Revoir** *sa leçon*.

revoir (ii), *subst. m. Au* **revoir** : formule de politesse utilisée pour prendre congé.

révolte, *subst. f*. Soulèvement contre une autorité. – Vive indignation.

révolter, *verbe trans*. Susciter une violente indignation chez. – *Pronom*. S'insurger, se soulever contre : *Se* **révolter** *contre l'injustice*.

révolu, ue, *adj*. Passé, achevé : *Époque* **révolue**.

révolution, *subst. f*. Rotation complète autour d'un axe ou d'un point central. – Bouleversement d'une situation politique, d'un ordre social : *La* **Révolution** *française*. – Changement profond : **Révolution** *industrielle*.

révolutionnaire, *adj. et subst. Adj*. Relatif à une révolution. – Qui apporte des bouleversements : *Procédé* **révolutionnaire**. – *Subst*. Partisan de la révolution ; qui y prend part.

révolutionner, *verbe trans*. Transformer profondément. – Mettre en émoi (*fam*.).

revolver, *subst. m*. Arme à feu à répétition, dotée d'un barillet : *Le colt est un* **revolver**.

révoquer, *verbe trans*. Destituer, priver de ses fonctions. – Annuler (un acte juridique).

revue, *subst. f*. Examen attentif : *Passer en* **revue**. – Défilé : **Revue** *militaire*. – Spectacle de music-hall, de variétés. – Magazine.

révulser, *verbe trans*. Remplir d'un profond dégoût. – Bouleverser le visage de. – *Pronom. Ses yeux se* **révulsent** : ils chavirent.

rez-de-chaussée, *subst. m. inv*. Appartement situé au niveau de la rue, du sol.

r(h)apsodie, *subst. f*. Poésie antique. – Pièce musicale d'inspiration populaire.

rhésus, *subst. m*. Singe du nord de l'Inde, du genre macaque. – *Facteur* **rhésus** : dont la présence ou l'absence détermine la compatibilité entre deux sortes de sang.

rhétorique, *subst. f*. Art de bien parler. – Éloquence emphatique et creuse (*péj*.).

rhinocéros, *subst. m*. Grand mammifère herbivore à peau épaisse, portant une ou deux cornes selon qu'il est originaire d'Asie ou d'Afrique.

rhizome, *subst. m*. Tige souterraine d'où partent des racines et des tiges aériennes.

rhododendron, *subst. m*. Arbuste de montagne prisé pour ses grandes fleurs ornementales.

rhubarbe, *subst. f*. Plante à larges feuilles dont les grosses tiges ont une saveur acide.

rhum, *subst. m*. Alcool de canne à sucre.

rhumatisme, *subst. m*. Inflammation articulaire douloureuse : *Une crise de* **rhumatismes**.

rhume, *subst. m*. Inflammation aiguë de la muqueuse nasale : **Rhume** *de cerveau, des foins*.

riant, riante, *adj*. Gai, agréable : *Paysage* **riant**.

ribambelle, *subst. f*. Suite nombreuse de personnes ou de choses (*fam*.).

ricaner, *verbe intrans*. Rire bêtement ou ironiquement.

riche, *adj. et subst*. Qui possède de nombreux biens ; fortuné. – *Adj*. Qui jouit d'une situation prospère : *Pays* **riche**. – Qui contient de nombreux éléments : *Langue* **riche**.

richesse, *subst. f*. Situation d'une personne riche ; fortune. – Abondance. – Éclat, magnificence. – *Plur*. Ressources. – Objets de valeur.

ricin, *subst. m*. Plante à grandes feuilles dont les graines produisent une huile purgative.

ricocher, *verbe intrans*. Faire des ricochets.

ricochet, *subst. m*. Rebond d'un objet plat lancé obliquement sur la surface de l'eau. – *Par* **ricochet** : par contrecoup.

rictus, *subst. m*. Sourire grimaçant.

ride, *subst. f*. Petit pli de la peau sur le visage, *gén*. dû au vieillissement. – Ondulation légère de l'eau.

rideau, *subst. m*. Pièce de tissu mobile que l'on tend devant les fenêtres ou les portes. – Au théâtre, draperie séparant la scène de la salle. – *Fig*. Masse formant écran : **Rideau** *d'arbres*. – **Rideau** *de fer* : fermeture métallique d'une devanture de magasin.

rider, *verbe trans*. Marquer de rides.

ridicule, *adj. et subst. m. Adj*. Risible, dérisoire : *Une somme* **ridicule**. – Absurde, déraisonnable. – *Subst*. Ce qui est **ridicule**. – *Tourner en* **ridicule** : se moquer de.

ridiculiser, *verbe trans*. Rendre ridicule.

rien, *pron. indéf. et subst. m. Pron*. Aucune chose (négation) : *Ne* **rien** *faire*. – Quelque chose (affirmation) : *Y a-t-il* **rien** *de plus grand ? – Cela ne fait* **rien** : peu importe ; **Rien** *que* : seulement ; *Pour* **rien** : gratuitement ; inutilement. – *Subst*. Chose sans importance. – *Un* **rien** *de* : très peu de.

rieur, rieuse, *adj. et subst*. Se dit d'une personne qui aime rire. – *Adj*. Qui exprime la gaieté.

rigide, *adj*. Qui résiste à la déformation ; dur, raide. – *Fig*. Inflexible, sévère.

rigidité, *subst. f*. Caractère de ce qui est rigide.

rigolade, *subst. f. Fam*. Amusement. – Chose sans importance ou peu sérieuse.

rigole, *subst. f*. Petit conduit creusé pour l'évacuation des eaux. – Filet d'eau qui ruisselle.

rigoureux, euse, *adj*. Très sévère, inflexible. – Très rude, pénible. – Exact, précis.

rigueur, *subst. f*. Grande sévérité. – Rudesse (du climat). – Netteté, précision. – *Loc. adv. A la* **rigueur** : si c'est absolument nécessaire. – *Loc. adj. De* **rigueur** : obligatoire. – *Tenir* **rigueur** *à qqn* : lui garder rancune.

rillettes, *subst. f. plur*. Viande de porc ou d'oie, hachée et cuite dans sa graisse.

rime, *subst. f.* Retour de sons identiques à la fin de deux ou de plusieurs vers.

rimer, *verbe Intrans.* Former des rimes : *Page* **rime** *avec sage.* – *Cela ne* **rime** *à rien* : cela n'a aucun sens. – *Trans.* Mettre en vers.

rincer, *verbe trans.* Nettoyer à l'eau pure.

ring, *subst. m.* Estrade entourée de cordes où se disputent les combats de boxe ou de catch.

riper, *verbe Trans.* Déplacer (un fardeau) en faisant glisser. – *Trans.* Glisser, déraper.

riposte, *subst. f.* Réponse vive et immédiate (en paroles ou en actes) à une agression.

riposter, *verbe trans.* Répliquer. – Contre-attaquer.

rire (i), *verbe intrans.* Manifester sa gaieté par des sons saccadés et par des mouvements du visage. – S'amuser, se réjouir. – Plaisanter : *J'ai dit ça pour* **rire**. – **Rire** *de* : se moquer de, railler. – *Pronom.* Se moquer de.

rire (ii), *subst. m.* Action de rire.

ris, *subst. m. Cuis.* Thymus de veau ou d'agneau, apprécié des gastronomes.

risée, *subst. f.* Objet de moquerie.

risible, *adj.* Qui prête à rire, grotesque.

risque, *subst. m.* Danger plus ou moins prévisible : *Courir un* **risque**. – *A* **risque** : qui comporte des dangers.

risquer, *verbe trans. Trans. dir.* Exposer ou s'exposer à (un risque). – Oser. – *Trans. indir. Tu* **risques** *de le choquer* : c'est une éventualité. – *Pronom.* Se hasarder à, dans.

risque-tout, *subst. inv.* Individu téméraire.

rissoler, *verbe* Dorer ou faire dorer à feu vif.

rite, *subst. m.* Ensemble de règles présidant à la pratique d'un culte. – Coutume ; habitude.

ritournelle, *subst. f.* Air qui se répète à la fin de chaque couplet d'une chanson. – *Fig.* Rengaine (*fam.*).

rituel, elle, *adj. et subst. m. Adj.* Qui constitue un rite. – Habituel. – *Subst.* Ensemble de rites.

rivage, *subst. m.* Bord de mer, littoral.

rival, ale, aux, *adj. et subst.* Qui est en compétition avec autrui pour l'obtention d'un bien, d'une faveur. – *Sans* **rival** : inégalable.

rivaliser, *verbe intrans.* Vouloir surpasser : **Rivaliser** *de zèle avec son collègue.*

rivalité, *subst. f.* Antagonisme, concurrence.

rive, *subst. f.* Bord d'un cours d'eau, d'un lac.

river, *verbe trans.* Attacher, fixer solidement. – *Être* *rivé à* : ne jamais quitter. – **River** *son clou à qqn* : le réduire au silence.

riverain, aine, *subst.* Personne qui habite le long d'une rivière, d'un lac, d'une rue.

rivet, *subst. m.* Élément d'assemblage métallique, non démontable, à tige cylindrique.

rivière, *subst. f.* Cours d'eau qui se jette dans un cours d'eau plus important. – *Fig.* **Rivière** *de diamants* : collier de diamants.

riz, *subst. m.* Céréale nourricière cultivée dans les zones chaudes et humides. – Son grain.

rizière, *subst. f.* Plantation de riz.

r.m.i., *subst. m. inv.* Sigle pour « revenu minimum d'insertion », allocation versée aux démunis.

robe, *subst. f.* Vêtement féminin d'une seule pièce formé d'un corsage et d'une jupe. – Vêtement long et ample propre à certaines professions : **Robe** *de magistrat.* – Pelage de certains animaux. – Couleur d'un vin.

robinet, *subst. m.* Dispositif relié à une canalisation, que l'on peut ouvrir ou fermer pour régler le débit d'un liquide ou d'un gaz.

roboratif, ive, *adj.* Qui donne des forces.

robot, *subst. m.* Machine susceptible de remplacer l'homme dans certaines activités. – *Fig.* Individu totalement conditionné (*péj.*). – *Portrait* **robot** : portrait établi par recoupement de témoignages.

robotiser, *verbe trans.* Équiper (une usine) de robots. – Transformer (*qqn*) en robot.

robuste, *adj.* Vigoureux, résistant.

robustesse, *subst. f.* Caractère de ce qui est robuste.

roc, *subst. m.* Bloc de pierre dure.

rocade, *subst. f.* Voie routière contournant une agglomération.

rocaille, *subst. f.* Amas de pierres, de cailloux. – Terrain rocailleux. – Ouvrage de pierres cimentées décorant un jardin.

rocailleux, euse, *adj.* Couvert de rocaille. – *Fig.* Rauque, sans harmonie : *Voix* **rocailleuse**.

rocambolesque, *adj.* Extraordinaire, extravagant.

roche, *subst. f.* Matière minérale de la surface terrestre ; bloc de cette matière. – *Clair comme de l'eau de* **roche** : limpide, évident.

rocher, *subst. m.* Importante masse de pierre, *gén.* abrupte. – Gâteau, friandise en forme de petit **rocher**. – Partie de l'os temporal.

rocheux, euse, *adj.* Formé ou rempli de rochers.

rock (and roll), *subst. m. inv.* Musique et danse populaires très rythmées, originaires des États-Unis. – *Empl. adj. inv.* Groupe, concert **rock**.

rocking-chair, *subst. m.* Fauteuil à bascule.

rococo, *subst. m.* Style artistique en vogue au XVIIIᵉ s., caractérisé par une extraordinaire profusion ornementale. – *Empl. adj. inv.* Tarabiscoté ; désuet (*péj.*).

rodage, *subst. m.* Action de roder. – Période où l'on rode, où l'on met au point *qqch.*

rodéo, *subst. m.* Jeu sportif américain, où l'on tente de monter et de maîtriser des animaux rétifs (chevaux, vaches). – Course improvisée de motos ou de voitures (*fam.*).

roder, *verbe trans.* Faire fonctionner pendant un certain temps (un moteur neuf) en deçà de ses possibilités, pour éviter d'en abîmer les pièces. – Mettre au point (une organisation, une méthode).

rôder, *verbe intrans.* Errer avec de mauvais desseins.

rôdeur, euse, *subst.* Personne louche, qui rôde.

rodomontade, *subst. f.* Fanfaronnade, vantardise.

rogner, *verbe trans.* Couper les bords de. – Diminuer, entamer : **Rogner** *ses économies.*

rognon, *subst. m. Cuis.* Rein comestible d'un animal.

rogue, *adj.* Rude et méprisant : *Un ton* **rogue**.

roi, *subst. m.* Chef d'État, monarque, *gén.* héréditaire, d'un royaume. – *Fig.* Personne qui domine dans un domaine : **Roi** *du pétrole.* – Figure de jeu de cartes ; pièce de jeu d'échecs. – *Morceau de* **roi** : mets exquis.

roitelet, *subst. m.* Petit passereau. – Roi d'un petit pays (*péj.*).

rôle, *subst. m.* Ce qu'un acteur doit dire et faire dans une pièce ou un film ; le personnage que joue l'acteur. – Fonction, tâche. – Liste, registre. – *A tour de* **rôle** : chacun à son tour.

r.o.m., *subst. f.* Informat. Mémoire morte (*read only memory*).

roman (i), *subst. m.* Œuvre littéraire en prose, racontant *gén.* les aventures de personnages imaginaires. – *Fig.* Histoire invraisemblable.

roman (ii), **ane**, *adj. et subst m. Ling.* Se dit des langues issues du latin. – *B.-A.* Se dit de l'art qui a fleuri en Europe aux Xᵉ-XIIᵉ s., produisant des chefs-d'œuvre d'architecture et de sculpture religieuses.

romance, *subst. f.* Mélodie sentimentale.

romancer, *verbe trans.* Donner le caractère, l'apparence d'un roman à : **Romancer** *les faits.*

romancier, **ière**, *subst.* Auteur de romans.

romanesque, *adj.* Qui semble davantage appartenir à un roman qu'à la réalité. – Qui voit la vie comme un roman.

romanichel, **elle**, *subst. Péj.* Tzigane. – Vagabond.

romaniser, *verbe trans.* Imposer la civilisation et la langue des Romains à : *La Gaule vaincue fut* **romanisée.**

romantique, *adj. et subst.* Se dit des écrivains et des artistes européens qui, au début du XIXᵉ s., rompirent avec l'esthétique classique en privilégiant l'exaltation des sentiments individuels. – *Adj.* Qui rappelle la sensibilité, les thèmes d'inspiration des **romantiques.**

romarin, *subst. m.* Arbrisseau aromatique méditerranéen, à fleurs bleues.

rompre, *verbe trans.* Briser. – *Intrans.* Se séparer. – *Pronom.* Se casser.

rompu, **ue**, *adj.* Épuisé, fourbu. – Expert : *Il est* **rompu** *à l'escalade.*

ronce, *subst. f.* Arbuste épineux à baies noires.

ronchonner, *verbe intrans.* Maugréer, manifester sa mauvaise humeur en grommelant.

rond (i), *subst. m.* Cercle. – Objet **rond** : *Rond de serviette.* – Sou (*fam.*). – *Faire des* **ronds** *de jambe* : des politesses exagérées. – *Tourner en* **rond** : ne pas progresser.

rond (ii), **ronde**, *adj.* Qui a la forme d'un cercle, d'une sphère. – Plein, rebondi : *Des joues* **rondes.** – Entier, complet : *Chiffres* **ronds.** – Ivre (*fam.*). – *Empl. adv. Il ne tourne pas* **rond** : il ne va pas bien (*fam.*).

ronde, *subst. f.* Danse où l'on tourne en rond en chantant. – Visite d'inspection, de surveillance : *Chemin de* **ronde** ; **Ronde** *de nuit.* – *Loc. adv. À la* **ronde** : alentour. – *Mus.* Note valant deux blanches.

rondeau, *subst. m.* Poème médiéval à forme fixe.

rondelet, **ette**, *adj.* Dodu. – *Fig.* Assez important : *Somme* **rondelette.**

rondelle, *subst. f.* Petite pièce métallique, *gén.* trouée. – Petite tranche ronde.

rondement, *adv.* Rapidement. – Franchement.

rondeur, *subst. f.* Forme ronde : *Elle a d'agréables* **rondeurs.** – *Fig.* Bonhomie.

rondin, *subst. m.* Morceau de bois cylindrique.

rond-point, *subst. m.* Place circulaire.

ronflant, **ante**, *adj.* Emphatique, pompeux (*péj.*).

ronflement, *subst. m.* Bruit du dormeur qui ronfle. – Bruit sourd et continu.

ronfler, *verbe intrans.* Respirer bruyamment par le nez ou la gorge en dormant. – Produire un bruit continu : *Le poêle* **ronfle** *doucement.*

ronger, *verbe trans.* Entamer à petits coups de dents. – Corroder, attaquer : *La mer* **ronge** *la falaise.* – *Fig. Les soucis le* **rongent**, le minent.

rongeur, **euse**, *adj. et subst. m. Adj.* Qui ronge. – *Subst.* Mammifère aux incisives tranchantes (rat, castor . . .) ; au *plur.*, l'ordre correspondant.

ronronner, *verbe intrans.* Émettre un ronflement sourd, pour un chat. – Ronfler régulièrement : *Le moteur* **ronronne.**

roquefort, *subst. m.* Fromage fabriqué avec du lait de brebis et ensemencé d'une moisissure.

roquet, *subst. m.* Petit chien agressif qui aboie pour un rien.

rorqual, **als**, *subst. m.* Grand cétacé des mers froides.

rosace, *subst. f. Archit.* Ornement représentant une rose stylisée inscrite dans un cercle.

rosaire, *subst. m.* Grand chapelet. – Les prières récitées en égrenant un **rosaire.**

rose, *adj. et subst. Subst. fém.* Fleur ornementale et odorante du rosier. – *À l'eau de* **rose** : mièvre. – *Adj. et subst. masc.* Couleur rouge pâle de certaines **roses.** – *Voir la vie en* **rose** : voir les choses du bon côté.

roseau, *subst. m.* Plante des lieux humides, à longue tige souple et lisse, *souv.* creuse.

rosée, *subst. f.* Vapeur d'eau qui se dépose en gouttelettes fines sur les végétaux, le matin ou le soir.

roseraie, *subst. f.* Plantation de rosiers.

rosier, *subst. m.* Arbuste épineux cultivé pour ses fleurs, les roses.

rosir, *verbe Trans.* Teinter de rose. – *Intrans.* Devenir rose.

rosse, *subst. f. Fam.* Mauvais cheval. – *Empl. adj.* Caustique, méchant, sévère.

rosser, *verbe trans.* Battre avec violence (*fam.*).

rossignol, *subst. m.* Petit passereau, renommé pour son chant mélodieux. – Ustensile servant à crocheter les serrures (*fam.*).

rostre, *subst. m. Antiq.* Éperon ornant la proue d'un navire antique. – *Zool.* Appendice buccal de certains insectes ; prolongement antérieur de la carapace de certains crustacés.

rot, *subst. m.* Renvoi buccal de gaz.

rotatif, **ive**, *adj. et subst. m. Adj.* Tournant : *Mouvement* **rotatif.** – *Subst.* Presse à imprimer constituée de cylindres tournant très rapidement.

rotation, *subst. f.* Mouvement tournant autour d'un axe fixe. – Alternance cyclique : **Rotation** *des équipes.*

roter, *verbe intrans.* Faire des rots (*fam.*).

rôti, **ie**, *adj. et subst. m. Adj.* Cuit à la broche ou au four. – *Subst.* Pièce de viande cuite à feu vif.

rotin, *subst. m.* Tige d'une variété de palmier : *Meubles en* **rotin.**

rôtir, *verbe Trans.* Faire cuire (une viande) à la broche ou au four à feu vif. – *Intrans. Le poulet est en train de* **rôtir.** – *Fig.* Être soumis à une forte chaleur.

rotonde, *subst. f.* Construction de forme circulaire, *gén.* surmontée d'une coupole.

rotor, *subst. m.* Élément mobile actionnant un mécanisme rotatif. – **Rotor** *d'un hélicoptère* : sa voiture tournante.

rotule, *subst. f.* Petit os mobile, légèrement convexe, de la face antérieure du genou. – *Tech.* Articulation, dans un mécanisme.

roturier, ière, *adj. et subst.* Se dit d'une personne qui n'appartient pas à la noblesse.

rouage, *subst. m.* Chacune des pièces mobiles d'un mécanisme. – *Fig. Les* **rouages** *de l'administration.*

roublard, arde, *adj. et subst.* Qui parvient à ses fins grâce à son habileté, à ses ruses (*fam.*).

roucouler, *verbe intrans.* Émettre un chant doux et monotone (le roucoulement), en parlant du pigeon. – *Fig.* **Roucouler** *de plaisir.*

roue, *subst. f.* Pièce circulaire, pleine ou évidée, qui tourne autour d'un axe : **Roue** *d'une voiture, d'un moulin* ; **Roue** *de gouvernail.* – *Faire la* **roue** : se pavaner tel un paon ; faire tourner son corps latéralement en prenant appui sur les mains.

roué, ée, *adj.* Rusé, sans scrupule.

rouer, *verbe trans.* **Rouer** *de coups* : Battre avec acharnement.

rouet, *subst. m.* Roue à rayons, actionnée par une pédale, servant à filer la laine, le lin, etc.

rouge, *adj. et subst. m.* Couleur du sang : *Vin* **rouge** ; *Fruits* **rouges** ; **Rouge** *de colère.* – Relatif aux révolutionnaires, aux communistes, dont cette couleur est l'emblème : *Armée* **rouge.** – *Subst.* La couleur **rouge.** – **Rouge** *à lèvres* : produit cosmétique coloré dont on s'enduit les lèvres.

rougeâtre, *adj.* D'une couleur proche du rouge.

rougeaud, aude, *adj. et subst.* Se dit d'un teint trop rouge : *Des pommettes* **rougeaudes.**

rouge-gorge, *subst. m.* Passereau insectivore dont la poitrine est rouge.

rougeole, *subst. f.* Maladie virale, infectieuse et contagieuse, caractérisée par l'apparition de taches rouges sur la peau.

rougeoyer, *verbe intrans.* Devenir rougeâtre, produire une lueur rougeâtre : *Le crépuscule* **rougeoie.**

rouget, *subs t. m.* Poisson de mer à grosses écailles rouges, à la chair appréciée.

rougeur, *subst. f.* Teinte rouge. – Coloration rouge du visage, due à une émotion. – Plaque rouge sur la peau.

rougir, *verbe Intrans.* Devenir rouge : *Les tomates* **rougissent** *en mûrissant* ; **Rougir** *de confusion.* – *Trans.* Rendre rouge.

rouille, *adj. inv. et subst.* *Subst. fém.* Matière brun-rouge recouvrant par plaques les métaux ferreux exposés à l'humidité. – Maladie de certaines plantes (qui les marque de taches orange). – *Adj. et subst. masc.* De la couleur de la **rouille.**

rouiller, *verbe Intrans.* Se couvrir de rouille. – *Trans.* Couvrir de rouille. – *Fig.* Rendre moins alerte, moins efficace : *L'inactivité* **rouille** *les muscles.*

roulade, *subst. f.* Galipette. – *Cuis.* Tranche de viande ou de poisson roulée et farcie.

roulant, ante, *adj.* Qui roule, qui est équipé de roues : *Fauteuil* **roulant** ; *Escalier* **roulant.** – *Fig. Feu* **roulant** : tir nourri, continu.

rouleau, *subst. m.* Objet enroulé sur lui-même : **Rouleau** *de papier.* – Longue vague déferlante. – Objet cylindrique : **Rouleau** *à pâtisserie* ; **Rouleau** *compresseur.* – *Fig. Être au bout du* **rouleau** : épuisé.

roulement, *subst. m.* Action de rouler. – Bruit sourd et prolongé : **Roulement** *de tambour, de tonnerre.* – *Mécan.* Dispositif qui réduit le frottement entre des pièces. – *Fig.* Alternance de personnes à un poste de travail.

rouler, *verbe Trans.* Déplacer (*qqch.*) en le faisant tourner sur lui-même. – Mettre en rouleau : **Rouler** *un tapis.* – Aplanir au rouleau. – *Fig.* Berner (*fam.*). – *Intrans.* Se déplacer en tournant sur soi. – Circuler à bord d'un véhicule muni de roues : *On a* **roulé** *toute la nuit.* – Avoir pour sujet : *La conversation* **roulait** *sur son mariage.*

roulette, *subst. f.* Petite roue : *Patins à* **roulettes.** – Fraise de dentiste. – Jeu de hasard.

roulis, *subst. m.* Balancement latéral (d'un flanc sur l'autre) d'un navire (*oppos. tangage*).

roulotte, *subst. f.* Grande voiture habitable, *gén.* remorquée : *Les* **roulottes** *des forains.*

roumain, *subst. m.* Langue romane parlée principalement en Roumanie.

round, *subst. m.* Chacune des reprises d'un combat de boxe.

roupiller, *verbe intrans.* Dormir (*fam.*).

rouquin, ine, *adj. et subst.* Qui a les cheveux roux.

rouspéter, *verbe intrans.* Protester en maugréant (*fam.*).

rousseur, *subst. f.* Couleur rousse : *Taches de* **rousseur**, taches rousses constellant la peau.

roussir, *verbe Trans.* Donner une couleur rousse à : *La flamme* **a roussi** *les poils du chat.* – *Intrans.* Devenir roux.

route, *subst. f.* Voie carrossable reliant des villes ou des villages. – Réseau de communication formé par ces voies. – Direction : *Se tromper de* **route.**

routier, ière, *adj. et subst. m. Adj.* De la route. – *Subst.* Chauffeur de camion sur de longs trajets.

routine, *subst. f.* Façon d'agir, de penser immuable, mécanique. – *De* **routine** : habituel.

rouvrir, *verbe Trans.* Ouvrir de nouveau : **Rouvrir** *un procès.* – *Intrans.* Être de nouveau ouvert : *Le musée* **rouvrira** *demain.*

roux, rousse, *adj. et subst.* Couleur orangée tirant sur le rouge. – *Subst.* Personne aux cheveux **roux.**

royal, ale, aux, *adj.* Relatif au roi, au royaume. – Digne d'un roi ; généreux, excellent, grandiose : *Un accueil* **royal.**

royaliste, *adj. et subst.* Qui soutient le roi. – Qui est partisan d'un régime monarchique.

royalties, *subst. f. plur.* Redevance versée au propriétaire d'un brevet, d'une œuvre, d'un gisement pétrolier en échange de leur exploitation commerciale.

royaume, *subst. m.* État dont le souverain est un roi ou une reine. – *Fig.* Lieu, domaine qui est propre à *qqn* ou à *qqch.*

royauté, *subst. f.* Pouvoir, dignité du roi. – Régime qui caractérise un royaume.

ruade, *subst. f.* Action de ruer. – Mouvement d'un animal qui rue.

ruban, *subst. m.* Bande étroite de tissu ou de toute autre matière souple.

rubéole, *subst. f.* Maladie virale contagieuse, proche de la rougeole.

rubis, *subst. m.* Pierre précieuse d'un rouge vif transparent : **Rubis** *du Brésil*, topaze.

rubrique, *subst. f.* Section d'un ouvrage, d'un journal consacrée à un thème spécifique : *La* **rubrique** *sportive*.

ruche, *subst. f.* Habitation des abeilles, naturelle ou fabriquée par l'homme. – *Fig.* Lieu qui évoque l'activité fébrile d'une **ruche**.

rude, *adj.* Difficile à endurer : *Climat* **rude**. – Rugueux, rêche : **Barbe** *rude*. – Fruste, brutal : *Homme* **rude**.

rudesse, *subst. f.* Caractère de ce qui est rude.

rudimentaire, *adj.* Sommaire, peu élaboré : *Explication* **rudimentaire**.

rudiments, *subst. m. plur.* Notions de base dans un domaine : **Rudiments** *de droit*.

rudoyer, *verbe trans.* Traiter avec brutalité.

rue, *subst. f.* Voie de passage bordée d'habitations, à l'intérieur d'une agglomération. – *L'homme de la* **rue** : le citoyen ordinaire.

ruée, *subst. f.* Action de se ruer. – Déferlement subit : *La* **ruée** *des eaux*.

ruelle, *subst. f.* Rue étroite.

ruer, *verbe intrans.* Lancer vivement les membres postérieurs en arrière, en parlant d'un quadrupède. – *Pronom.* Se jeter, se précipiter.

rugby, *subst. m.* Sport d'équipe qui se joue avec un ballon ovale qu'on lance à la main ou au pied.

rugir, *verbe intrans.* Pousser un cri rauque (rugissement), en parlant d'un fauve, en *partic.* du lion. – Hurler, crier.

rugosité, *subst. f.* État d'une surface rugueuse. – Petite aspérité sur une surface inégale.

rugueux, euse, *adj.* Dont la surface présente de petites aspérités. – Râpeux, rêche au toucher.

ruine, *subst. f.* Destruction, effondrement total ou partiel d'une construction : *Tomber en* **ruine(s)** ; au *plur.*, ce qui reste d'un édifice détruit. – Délabrement physique, moral ou intellectuel. – Effondrement financier.

ruiner, *verbe trans.* Dévaster. – Faire perdre ses biens à (*qqn*) : **Ruiner** *un concurrent*. – Anéantir : **Ruiner** *une réputation, un argument*. – *Pronom. Se* **ruiner** *au jeu*.

ruineux, euse, *adj.* Propre à ruiner, très coûteux.

ruisseau, *subst. m.* Petit cours d'eau peu profond. – Liquide qui s'écoule : **Ruisseau** *de pleurs*.

ruisseler, *verbe intrans.* Couler de façon continue. – Être couvert d'un liquide qui coule : *Le mur* **ruisselle** *d'humidité*. – *Fig. Les rues* **ruissellent** *de lumière*.

ruissellement, *subst. m.* Fait de ruisseler : **Ruissellement** *des eaux de pluie*. – Ce qui ruisselle.

rumeur, *subst. f.* Bruit confus ou lointain de voix. – Nouvelle incertaine qui court, qui se propage dans le public.

ruminant, ante, *adj. et subst. m. Adj.* Qui rumine. – *Subst.* Mammifère possédant un estomac à plusieurs poches, qui lui permet de ruminer ; au *plur.*, le sousordre correspondant.

ruminer, *verbe trans.* Mâcher une seconde fois (un aliment ingéré puis régurgité), en parlant d'un ruminant. – *Fig.* Tourner et retourner dans son esprit : **Ruminer** *sa vengeance*.

rupestre, *adj.* Exécuté sur une paroi rocheuse (*synon. pariétal*) : *Peintures* **rupestres**. – Qui croît sur les rochers : *Plante* **rupestre**.

rupture, *subst. f.* Fracture, déchirure brusque : **Rupture** *d'une branche*. – Séparation brutale de personnes unies. – Changement soudain, contraste : **Rupture** *de ton*.

rural, ale, aux, *adj.* Relatif à la campagne et aux paysans : *Monde* **rural** ; *Mœurs* **rurales**.

ruse, *subst. f.* Artifice trompeur dont on use pour parvenir à ses fins. – Habileté.

rusé, ée, *adj.* Qui fait preuve de ruse ; qui la dénote : *Des yeux* **rusés**. – *Empl. subst. Ah ! le petit* **rusé** !

ruser, *verbe intrans.* Agir habilement. – User de ruses.

russe, *subst. m.* Langue slave parlée surtout en Russie, qui s'écrit en alphabet cyrillique.

rusticité, *subst. f.* Caractère de ce qui est rustique. – Absence de raffinement (*péj.*).

rustine, *subst. f.* Rondelle de caoutchouc servant à réparer une chambre à air.

rustique, *adj.* Propre à la campagne ; simple, sans façon. – Fabriqué dans le style propre d'une province : *Meubles* **rustiques**. – Robuste : *Un cheval* **rustique**.

rustre, *adj. et subst.* Se dit d'une personne grossière et brutale.

rut, *subst. m.* Période, chez les Mammifères, où ils recherchent l'accouplement.

rutabaga, *subst. m.* Plante voisine du navet, dont la tige, renflée, est comestible.

rutilant, ante, *adj.* Qui est d'un rouge éclatant. – Qui brille, étincelle.

rythme, *subst. m.* Succession régulière dans le temps de sons, de mouvements ; allure, cadence : **Rythme** *cardiaque* ; *Rythme* **lent**, *rapide*. – **Rythme** *des saisons* : leur retour régulier.

rythmer, *verbe trans.* Donner du rythme à : **Rythmer** *une phrase*. – Régler selon une cadence : **Rythmer** *une production*.

S

s, s, *subst. m. inv.* Dix-neuvième lettre et quinzième consonne de l'alphabet français, qui se prononce [s] ou [z].

sa, *voir* son

sabbat, *subst. m.* Fête nocturne réunissant sorciers et sorcières.

sable, *subst. m.* Sédiment rocheux meuble, composé de très petits grains, *gén.* de quartz. – *Empl. adj. inv.* Beige clair.

sablé, ée, *adj. et subst. m. Adj.* Qui est recouvert de sable. – *Cuis. Pâte* **sablée** : pâte à tarte friable, riche en beurre. – *Subst.* Petit gâteau sec.

sableux, euse, *adj.* Qui contient du sable.

sablier, *subst. m.* Instrument de mesure du temps, constitué d'un récipient dans lequel du sable s'écoule d'une partie vers une autre.

sablonneux, euse, *adj.* Qui est naturellement recouvert de sable. – Qui est constitué de sable.

saborder, *verbe trans.* Faire couler volontairement (un navire) ; au *fig.* : **Saborder** *une entreprise*, la ruiner délibérément.

sabot, *subst. m.* Chaussure en bois. – Chez les Ongulés, formation cornée entourant le bout des doigts.

saboter, *verbe trans.* Bâcler (un travail). – Détériorer, détruire ; désorganiser.

sabre, *subst. m.* Arme blanche à longue lame tranchante d'un côté, munie d'une garde.

sabrer, *verbe trans.* Frapper avec un sabre. – Procéder à de larges coupes dans (un écrit).

sac (i), *subst. m.* Poche souple (en cuir, en toile, etc.) servant à transporter diverses choses.

sac (ii), *subst. m.* Pillage, saccage.

saccade, *subst. f.* Mouvement brusque et irrégulier, à-coup.

saccage, *subst. m.* Action de saccager. – Pillage.

saccager, *verbe trans.* Piller en ravageant. – Bouleverser, chambouler.

sacerdoce, *subst. m.* État, fonction du prêtre. – *Fig.* Activité exigeant le don de soi.

sacoche, *subst. f.* Sac qu'on porte en bandoulière.

sacraliser, *verbe trans.* Conférer un caractère sacré à.

sacre, *subst. m.* Cérémonie par laquelle l'Église sacre un souverain. – Consécration.

sacré, ée, *adj. et subst. m. Adj.* Qui appartient au domaine religieux. – Qui mérite un respect absolu. – Renforce un terme péjoratif ou introduit une nuance d'admiration (*fam.*) : *Un* **sacré** *musicien !* – *Subst.* Ce qui est **sacré** (*oppos.* *profane*).

sacrement, *subst. m. Relig.* Acte rituel qui sanctifie une personne, un événement : *Le* **sacrement** *du mariage*.

sacrer, *verbe trans.* Conférer un caractère sacré à.

sacrifice, *subst. m.* Offrande rituelle à une divinité, en *partic.* d'un être vivant qu'on immole. – *Fig.* Renoncement ; privation.

sacrifier, *verbe trans.* Offrir en sacrifice. – Renoncer à. – **Sacrifier** *à la mode* : s'y conformer.

sacrilège, *adj. et subst. Subst.* Personne coupable d'une profanation, d'un outrage. – *Subst. masc.* Profanation de ce qui est sacré. – *Adj.* Qui tient du **sacrilège**.

sacripant, *subst. m.* Chenapan, garnement (*fam.*).

sacristie, *subst. f.* Lieu attenant à une église, où l'on range les vêtements sacerdotaux et les objets du culte.

sacro-saint, -sainte, *adj.* Qui a un caractère quasi sacré (*souv. iron.*) : *Une* **sacro-sainte** *habitude*.

sacrum, *subst. m.* Os réunissant les cinq vertèbres du bas de la colonne vertébrale.

sadique, *adj. et subst.* Qui prend plaisir à faire souffrir.

safari, *subst. m.* Expédition de chasse au gros gibier, en Afrique noire.

safran, *subst. m.* Plante dont une partie de la fleur fournit une épice et un colorant. – *Empl. adj. inv.* Jaune orangé.

saga, *subst. f.* Récit légendaire scandinave. – Épopée relatant l'histoire d'une famille.

sagace, *adj.* À l'esprit vif et pénétrant.

sagaie, *subst. f.* Arme proche du javelot.

sage, *adj. et subst.* Se dit d'une personne savante, avisée. – *Adj.* Prudent, raisonnable ; chaste, réservé. – *Un enfant* **sage** : calme et obéissant.

sage-femme, *subst. f.* Auxiliaire médicale aidant les femmes à accoucher.

sagesse, *subst. f.* Discernement : *Un vieillard plein de* **sagesse**. – Modération. – Docilité, calme.

sagittaire, *subst. m.* Neuvième signe du zodiaque.

saignée, *subst. f.* Autrefois, évacuation importante de sang par incision d'une veine. – Entaille pour provoquer un écoulement : *Faire une* **saignée** *dans un arbre*.

saignement, *subst. m.* Écoulement de sang.

saigner, *verbe Intrans.* Perdre du sang. – *Trans.* Pratiquer une saignée sur.

saillant, ante, *adj.* Proéminent. – *Fig.* Remarquable, frappant.

saillie, *subst. f.* Avancée, protubérance. – Mot, trait d'esprit (*littér.*).

saillir, *verbe trans. et intrans. Trans.* S'accoupler à (une femelle). – *Intrans.* Dépasser, avancer.

sain, saine, *adj.* Qui n'est pas malade. – Qui n'est pas gâté, avarié. – **Sain** *d'esprit* : équilibré. – Sensé. – Bon pour la santé.

saint, sainte, *adj. et subst. Adj.* Vénéré pour sa vie exemplaire ; canonisé : *Prier* **saint** *Antoine*. – Admirable, sur un plan moral ou religieux : *Quelle* **sainte** *femme !* – Qui revêt un caractère sacré : *La Semaine* **sainte**. – Avec une majuscule et un trait d'union, par ellipse du mot « fête » : *La* **Saint***-Jean* ; pour une désignation : *L'église* **Saint***-Paul*. – *Subst.* Personne canonisée par l'Église. – Personne vertueuse.

saint-bernard, *subst. m. inv.* Grand chien que l'on peut dresser pour le sauvetage en montagne.

sainteté, *subst. f.* Qualité d'une chose ou d'une personne saintes : *Sa* **Sainteté** *le pape*.

saisie, *subst. f.* Procédure par laquelle la justice confisque un bien. – *Informat.* **Saisie** *de données* : leur enregistrement.

saisir, *verbe trans.* Prendre vivement, attraper. – Prendre en main (un objet). – S'emparer de : *La peur le* **saisit**. – Comprendre, discerner. – Mettre à profit : **Saisir** *une opportunité*. – *Dr.* Faire la saisie de. – *Informat.* Taper (un texte), enregistrer (des données). – *Pronom.* S'approprier ; prendre.

saisissement, *subst. m.* Vive impression causée par le froid ou par une émotion subite.

saison, *subst. f.* Chacune des quatre périodes de l'année (printemps, été, automne, hiver). – Période pendant laquelle se déroule une activité annuelle : *La* **saison** *des soldes*.

saisonnier, ière, *adj. et subst. Adj.* Relatif à la saison. – Qui dure une saison. – *Subst.* Personne employée pour une saison.

salade, *subst. f.* Mélange, *gén.* froid, d'aliments assaisonnés. – Plante potagère ainsi préparée. – **Salade** *de fruits* : macédoine de fruits agrémentée de sucre.

saladier, *subst. m.* Récipient arrondi dans lequel on sert la salade. – Son contenu.

salaire, *subst. m.* Rémunération d'un travail ou d'un service. – *Fig.* Récompense ; contrepartie.

salaison, *subst. f.* Action de saler un produit alimentaire pour le conserver. – Ce produit salé.

salamandre, *subst. f.* Batracien ressemblant à un lézard, à la peau noire et jaune.

salarié, ée, *adj. et subst.* Se dit d'une personne qui perçoit régulièrement un salaire.

sale, *adj.* Souillé, maculé ; mal lavé, négligé. – Malhonnête ; obscène ; mauvais (*fam.*) : *Un* **sale** *individu*.

salé, ée, *adj.* Qui contient du sel ; qui en a le goût. – Conservé dans le sel. – *Fam.* Grivois. – Exagéré.

saler, *verbe trans.* Assaisonner avec du sel. – Mettre une denrée dans le sel afin de la conserver. – Répandre du sel sur.

saleté, *subst. f.* État de ce qui est sale. – Chose sale, ordure. – *Fig.* Action vile, obscénité.

salière, *subst. f.* Petit récipient contenant du sel, que l'on place sur la table.

salin, ine, *adj. et subst. Adj.* Propre au sel ; qui contient du sel. – *Subst. masc.* Marais salant. – *Subst. fém.* Établissement où l'on produit du sel par extraction, ou par évaporation de l'eau de mer.

salir, *verbe trans.* Rendre sale, souiller. – *Fig.* Diffamer, avilir.

salissant, ante, *adj.* Qui salit. – Qui se salit aisément : *Un vêtement* **salissant**.

salive, *subst. f.* Liquide incolore sécrété par des glandes situées dans la bouche.

saliver, *verbe intrans.* Produire de la salive.

salle, *subst. f.* Pièce d'une demeure privée. – Local réservé à un usage collectif ; ensemble des personnes présentes dans ce local.

salon, *subst. m.* Pièce de réception d'une demeure. – **Salon** *de coiffure* : boutique du coiffeur. – Exposition, manifestation périodique.

salopette, *subst. f.* Combinaison de travail portée par-dessus les vêtements pour les protéger. – Pantalon à bavette et à bretelles.

salpêtre, *subst. m.* Couche poudreuse de nitrates, sur les vieux murs humides.

salsifis, *subst. m.* Plante potagère cultivée pour ses racines, qui sont comestibles. – Ces racines.

saltimbanque, *subst. m.* Baladin, bateleur qui fait des tours ou des acrobaties dans les foires, sur les places publiques.

salubre, *adj.* Favorable à la santé. – Sain.

saluer, *verbe trans.* Adresser une marque, un geste de respect ou de civilité à. – Honorer ; rendre hommage à. – *Fig.* Accueillir : **Saluer** *l'orateur par des huées*.

salut, *subst. m.* Fait d'échapper à la mort, au malheur, à un danger. – Fait d'être sauvé du péché ; rédemption. – Marque de civilité envers une personne rencontrée. – Geste, formule de respect, d'hommage. – *Empl. interj.* Bonjour ; au revoir (*fam.*).

salutaire, *adj.* Profitable, bénéfique.

salutation, *subst. f.* Action d'adresser un salut. – Formule écrite de politesse (*gén.* au *plur.*).

salvateur, trice, *adj.* Qui sauve (*littér.*).

salve, *subst. f.* Décharge simultanée d'armes à feu. – *Fig. Une* **salve** *d'applaudissements.*

samedi, *subst. m.* Sixième jour de la semaine.

samouraï, *subst. m.* Membre de la classe des guerriers, dans la société féodale japonaise.

samovar, *subst. m.* Bouilloire traditionnelle russe utilisée pour la préparation du thé.

sampan(g), *subst. m.* Légère embarcation chinoise.

sanatorium, *subst. m.* Établissement de soins où l'on traite certaines affections chroniques, en *partic.* la tuberculose.

sanctifier, *verbe trans.* Rendre saint ; révérer comme saint. – *Fig.* Conférer un caractère sacré à.

sanction, *subst. f.* Peine prévue par la loi pour réprimer une infraction. – Punition. – Conséquence.

sanctionner, *verbe trans.* Approuver officiellement. – Punir d'une sanction, réprimer.

sanctuaire, *subst. m.* Partie la plus sainte d'un édifice religieux. – Lieu de culte. – *Fig.* Lieu protégé (*littér.*).

sandale, *subst. f.* Chaussure constituée d'une semelle tenant au pied grâce à des lanières.

sang, *subst. m.* Liquide vital rouge, qui circule dans les veines et les artères, et qui irrigue les tissus de l'organisme. – *Fig.* Vie. – Race.

sang-froid, *subst. m. inv.* Contrôle de soi.

sanglant, ante, *adj.* Couvert de sang. – Qui s'accompagne d'effusions de sang : *Lutte* **sanglante**. – *Fig.* Offensant et cruel.

sangle, *subst. f.* Bande de cuir ou de tissu destinée à maintenir, à serrer *qqch.*

sanglier, *subst. m.* Porc sauvage.

sanglot, *subst. m.* Spasme de la poitrine, dû à une émotion vive ou à une peine, qui s'accompagne en *gén.* de larmes.

sangloter, *verbe intrans.* Pleurer avec des sanglots.

sangsue, *subst. f.* Ver annelé des eaux stagnantes, qui suce le sang en se fixant à la peau de sa victime par des ventouses.

sanguin, ine, *adj.* Relatif au sang. – *Un tempérament* **sanguin** : impulsif.

sanguinaire, *adj.* Qui aime à répandre le sang, à tuer. – *Fig.* Cruel.

sanitaire, *adj. et subst. m. plur. Adj.* Relatif à la santé publique, à l'hygiène. – *Subst.* Ensemble des appareils de la salle de bains, des toilettes.

sans, *prép.* Exprime l'absence, la privation, l'exclusion ou une condition restrictive : *Un hiver* **sans** *neige* ; **Sans** *cesse* ; **Sans** *tarder* ; **Sans** *vous, j'étais perdu !* ; **Sans** *quoi* : sinon. – *Loc. conj.* **Sans** *que* (+subj.) : *Je pars* **sans** *qu'il me voie*.

sans-abri, *subst. inv.* Personne qui n'a pas de logis.

sans-cœur, *adj. inv. et subst. inv.* Qui est insensible, méchant.

sans-culotte, *subst. m. Hist.* Révolutionnaire ardent qui portait le pantalon du peuple, et non la culotte aristocratique.

sans-gêne, *adj. inv. et subst. m. inv. Adj.* Qui se conduit avec une audace, une familiarité déplacées. – *Subst.* Attitude désinvolte, impolitesse.

sanskrit, *subst. m.* Langue de l'Inde ancienne.

sansonnet, *subst. m.* Étourneau.

santal, als, *subst. m.* Arbre exotique dont le bois est utilisé en ébénisterie et en parfumerie.

santé, *subst. f.* Bon fonctionnement physiologique d'un être vivant. – État de l'organisme. – **Santé mentale** : équilibre psychique.

santon, *subst. m.* Statuette provençale de plâtre peint, destinée à orner la crèche de Noël.

saoul, *voir* **soûl**

saouler, *voir* **soûler**

saper, *verbe trans.* Détruire les fondements (d'un édifice). – *Fig.* Ébranler, miner. – *Pronom.* S'habiller (*fam.*).

sapeur-pompier, *subst. m.* Pompier appartenant à un corps militaire organisé, dépendant de l'État ou d'une collectivité locale.

saphir, *subst. m.* Pierre précieuse transparente, d'un bleu lumineux. – *Empl. adj. inv.* De la couleur du **saphir**.

sapin, *subst. m.* Conifère résineux à aiguilles persistantes, dont le fruit est un cône.

sapristi, *interj.* Juron exprimant l'irritation ou l'étonnement.

sarabande, *subst. f.* Danse ancienne. – *Fig.* Agitation bruyante (*fam.*).

sarbacane, *subst. f.* Tuyau fin et long dans lequel on souffle pour lancer de petits projectiles.

sarcasme, *subst. m.* Moquerie, raillerie blessante.

sarcastique, *adj.* Qui exprime le sarcasme.

sarcler, *verbe trans.* Arracher (des mauvaises herbes) en extirpant les racines. – Désherber.

sarcophage, *subst. m.* Cercueil de pierre.

sardine, *subst. f.* Petit poisson de mer, qui se déplace en bancs.

sardonique, *adj.* Qui exprime une moquerie amère, cruelle : *Rire* **sardonique**.

s.a.r.l., *subst. f.* Sigle pour « société à responsabilité limitée ».

sarment, *subst. m.* Jeune pousse de la vigne.

sarrasin, *subst. m.* Céréale à graînes farineuses, très rustique (*synon. blé noir*).

sarriette, *subst. f.* Plante aromatique.

sas, *subst. m.* Sorte de tamis en tissu. – Bassin entre deux portes d'écluse. – Espace étanche assurant le passage d'un milieu à un autre : *Le* **sas** *d'un sous-marin*.

satané, ée, *adj.* Détestable, sacré (*fam.*) : *C'est un* **satané** *menteur*.

satanique, *adj.* Qui relève du diable, de Satan. – Démoniaque, infernal : *Un sourire, un regard* **sataniques**.

satellite, *subst. m.* Corps qui gravite autour d'un astre. – Engin lancé dans l'orbite d'une planète. – *Fig. Empl. adj. Un pays* **satellite** : qui est sous la dépendance politique et économique d'un autre.

satiété, *subst. f.* État d'une personne repue, pleinement satisfaite. – *À* **satiété** : à profusion ; jusqu'à saturation.

satin, *subst. m.* Étoffe, en *partic.* de soie, lisse et brillante.

satiné, ée, *adj.* Qui a l'aspect du satin.

satire, *subst. f.* Discours critique, écrit acerbe et moqueur.

satirique, *adj.* Qui tient de la satire. – Qui s'adonne à la satire.

satisfaction, *subst. f.* Action de satisfaire. – Contentement, bienêtre, plaisir.

satisfaire, *verbe trans.* Répondre à l'attente de. – Assouvir (un besoin), exaucer (un désir). –

Satisfaire *à* : s'acquitter de ; remplir (des conditions). – *Pronom.* Se contenter de.

satisfaisant, ante, *adj.* Qui satisfait, acceptable.

satisfait, aite, *adj.* Dont les désirs sont comblés : **Satisfait** *de*, content de. – Assouvi.

satisfecit, *subst. m. inv.* Témoignage d'approbation.

saturation, *subst. f.* Action de saturer. – État de ce qui est saturé.

saturer, *verbe trans.* Combiner (un corps) à un autre jusqu'à un degré maximal de concentration. – *Fig.* Emplir à l'excès ; accabler.

satyre, *subst. m. Myth. grecque.* Demi-dieu champêtre à corps humain poilu, à cornes et à jambes de bouc. – *Fig.* Individu lubrique.

sauce, *subst. f.* Préparation plus ou moins liquide servie pour accommoder un plat.

saucière, *subst. f.* Récipient utilisé pour servir les sauces et les jus de viande.

saucisse, *subst. m.* Boyau farci d'un hachis de viande, de gras et d'épices.

saucisson, *subst. f.* Grosse saucisse cuite ou séchée.

sauf (i), *prép.* Excepté, hormis : *Tous étaient là* **sauf** *toi* ; *Sauf erreur de ma part*.

sauf (ii), sauve, *adj.* Tiré d'un danger de mort : *Sain et* **sauf**, sans aucun dommage. – *Fig. Les apparences sont* **sauves** : préservées.

sauf-conduit, *subst. m.* Document officiel autorisant l'accès et le séjour dans un lieu.

saugrenu, ue, *adj.* Déroutant par son caractère insolite et légèrement ridicule.

saule, *subst. m.* Arbre qui croît près de l'eau : **Saule** *pleureur*, aux branches tombantes.

saumâtre, *adj.* Qui contient du sel : *Eaux* **saumâtres**. – *Fig.* Désagréable, au goût amer.

saumon, *subst. m.* Poisson de mer à la chair rose et délicate, qui fraie en eau douce. – *Empl. adj. inv.* Rose orangé.

saumure, *subst. f.* Liquide salé et épicé dans lequel on conserve certains aliments.

sauna, *subst. m.* Bain de vapeur sèche.

saupoudrer, *verbe trans.* Répandre une substance en poudre sur (un mets). – *Fig.* Parsemer.

saurien, *subst. m.* Reptile (serpent, lézard, etc.). – *Plur.* Le sous-ordre correspondant.

saut, *subst. m.* Action de sauter : **Saut** *périlleux* ; **Saut** *à la perche*. – *Fig.* Passage brutal d'un état à un autre. – *Faire un* **saut** *quelque part* : y passer rapidement.

saute, *subst. f.* Changement subit : **Saute** *de température* ; **Saute** *d'humeur*.

saute-mouton, *subst. m. inv.* Jeu consistant à sauter par-dessus une personne qui se tient penchée.

sauter, *verbe Intrans.* S'élancer, avec une impulsion, en l'air ou en avant ; se jeter d'un lieu élevé. – **Sauter** *sur qqn* : bondir sur lui. – Être projeté ; exploser. – *Faire* **sauter** *un aliment* : le cuire à feu vif. – *Trans.* Franchir d'un saut : **Sauter** *le ruisseau*. – Omettre, passer : **Sauter** *une page, un repas*.

sauterelle, *subst. f.* Insecte sauteur aux longues pattes postérieures.

sautiller, *verbe intrans.* Faire des petits sauts.

sautoir, *subst. m.* Collier tombant sur la poitrine. – *Sp.* Emplacement où l'athlète prend son élan avant de sauter.

sauvage, *adj. et subst.* Qui n'est pas civilisé ; au *fig.*, qui est peu sociable. – Qui est brutal, féroce. – Qui vit en liberté dans la nature. – *Animal* **sauvage** : non apprivoisé. – *Fleur* **sauvage** : non cultivée. – *Contrée* **sauvage** : non habitée.

sauvagerie, *subst. f.* Caractère de celui ou de ce qui est sauvage. – Brutalité, férocité.

sauvegarde, *subst. f.* Protection, garantie accordées par une autorité. – Préservation, défense : **Sauvegarde** *d'un site.* – *Informat.* Copie de données effectuée pour limiter les conséquences d'un effacement accidentel.

sauvegarder, *verbe trans.* Assurer la sauvegarde de.

sauver, *verbe trans.* Arracher au danger, à la mort. – Préserver de la destruction, de la ruine ; au *fig.* : **Sauver** *les apparences.* – *Relig.* Apporter le salut à. – *Pronom.* S'enfuir.

sauvetage, *subst. m.* Action de sauver *qqch.*, de secourir *qqn* : **Sauvetage** *en mer.*

sauveteur, *subst. m.* Personne qui prend part à un sauvetage.

sauvette (à la), *loc. adv.* Précipitamment, de façon à rester discret : *Vente à la* **sauvette**.

sauveur, *subst. m.* Celui qui apporte le salut : *Le* **Sauveur**, Jésus-Christ. – Personne qui sauve ; bienfaiteur.

savane, *subst. f.* Formation végétale pauvre, à hautes herbes, des régions tropicales.

savant, ante, *adj. et subst. m. Adj.* Qui sait beaucoup de choses. – Relatif à une culture érudite ou spécialisée : *Mot* **savant**. – Élaboré, habile : *Une manœuvre* **savante**. – Dressé, en parlant d'un animal. – *Subst.* Scientifique expert dans un domaine : *C'est un* **savant** *réputé.*

savate, *subst. f.* Vieille pantoufle usée.

saveur, *subst. f.* Qualité d'un aliment perçue par le goût : **Saveur** *sucrée.* – *Fig. Une histoire pleine de* **saveur** : plaisante, piquante.

savoir (i), *verbe trans.* Connaître par l'étude, par l'expérience : **Savoir** *le latin* ; **Savoir** *nager.* – Avoir dans la mémoire : **Savoir** *sa leçon.* – Être informé de : **Savoir** *le nom de qqn.* – Être capable de : **Savoir** *être patient.*

savoir (ii), *subst. m.* Ensemble des connaissances.

savoir-faire, *subst. m. inv.* Maîtrise acquise par la pratique, par l'expérience. – Habileté.

savoir-vivre, *subst. m. inv.* Connaissance et respect des convenances, des bonnes manières.

savon, *subst. m.* Produit à base de graisse végétale, servant à nettoyer. – *Fig. Passer un* **savon** *à qqn* : le réprimander (*fam.*).

savonner, *verbe trans.* Frotter avec du savon.

savonneux, euse, *adj.* Qui contient du savon. – Dont la consistance évoque le savon.

savourer, *verbe trans.* Manger, boire lentement *qqch.* pour en apprécier la saveur. – *Fig.* Se délecter de, jouir de : **Savourer** *sa victoire.*

savoureux, euse, *adj.* Plein de saveur, délicieux. – *Fig.* Plaisant : *Une anecdote* **savoureuse**.

saxophone, *subst. m. Mus.* Instrument à vent en cuivre, à anche simple.

saynète, *subst. f.* Petite pièce de théâtre légère comprenant une seule scène.

sbire, *subst. m.* Homme à qui sont confiées des basses tâches, en *partic.* criminelles (*littér.*).

scabreux, euse, *adj.* Risqué, dangereux (*littér.*). – Choquant, de mauvais goût, osé.

scalp, *subst. m.* Peau du crâne avec sa chevelure, trophée de certains Indiens d'Amérique.

scalpel, *subst. m.* Instrument en forme de petit couteau servant à inciser, à disséquer.

scalper, *verbe trans.* Dépouiller *qqn* de son scalp, par incision.

scandale, *subst. m.* Événement, agissements ou paroles qui choquent les consciences, offensent les bonnes mœurs ; l'émotion qu'ils produisent dans le public. – Esclandre.

scandaleux, euse, *adj.* Qui cause du scandale. – Qui offusque ou révolte.

scandaliser, *verbe trans.* Choquer profondément.

scander, *verbe trans.* Déclamer (un vers) en marquant le rythme. – **Scander** *un slogan* : le prononcer en détachant les syllabes.

scanner, *subst. m.* Appareil qui balaie électroniquement une surface et restitue l'image observée sur un écran.

scaphandre, *subst. m.* Équipement hermétiquement clos des plongeurs et des astronautes.

scarabée, *subst. m.* Coléoptère brun et brillant.

scarification, *subst. f.* Petite incision superficielle faite sur la peau.

scarlatine, *subst. f.* Maladie infectieuse très contagieuse, caractérisée par une éruption de rougeurs cutanées.

scatologique, *adj.* Qui a trait aux excréments : *Plaisanterie* **scatologique**.

sceau, *subst. m.* Cachet servant à fermer et à authentifier un document ; empreinte de ce cachet. – *Fig.* Marque (*littér.*) : *Le* **sceau** *du génie.*

scélérat, ate, *adj. et subst.* Criminel. – Coquin (*littér.*) : *Petit* **scélérat** !

sceller, *verbe trans.* Marquer d'un sceau. – Mettre des scellés sur. – Fermer hermétiquement. – Fixer avec du ciment. – *Fig.* Confirmer : **Sceller** *un pacte.*

scellés, *subst. m. plur.* Cachet de cire au sceau de l'État, apposé sur une bande de papier ou d'étoffe pour interdire l'ouverture d'une porte.

scénario, *subst. m.* Découpage d'un film, scène par scène. – Déroulement d'une action selon un plan prévu.

scénariste, *subst.* Auteur de scénarios.

scène, *subst. f.* Plate-forme sur laquelle se joue une pièce de théâtre. – *Mettre en* **scène** : diriger la réalisation d'une pièce, d'un film. – Lieu, décor de l'action : *La* **scène** *représente un bar.* – Division d'un acte ; action qui s'y déroule : *La* **scène** *du baiser.* – Toute action représentée ou décrite dans une œuvre littéraire, artistique, cinématographique. – *Fig.* Événement : *Le seul témoin de la* **scène**. – *Faire une* **scène** : s'emporter, se quereller.

scepticisme, *subst. m.* Attitude de défiance, d'incrédulité. – *Philos.* Refus de toute certitude.

sceptique, *adj. et subst.* Qui fait preuve de scepticisme.

sceptre, *subst. m.* Bâton de commandement, marque d'une autorité suprême.

schéma, *subst. m.* Dessin décrivant de façon simplifiée un objet, un processus. – Exposé sommaire, se limitant à l'essentiel.

schématique, *adj.* À l'état de schéma. – Sommaire, sans nuances.

schisme, *subst. m.* Séparation d'avec une autorité religieuse. – Scission, dissidence.

schiste, *subst. m.* Roche à structure feuilletée.

schizophrénie, *subst. f.* Psychose caractérisée par l'altération du rapport à la réalité et la tendance au repli sur soi.

sciatique, *adj. et subst. f. Adj.* Relatif à la hanche : *Nerf* **sciatique**. – *Subst.* Douleur vive sur le trajet de ce nerf, de la fesse au creux du genou.

scie, *subst. f.* Outil à lame dentée servant à couper les matériaux durs. – Rengaine (*fam.*).

sciemment, *adv.* De façon consciente, délibérée.

science, *subst. f.* Activité visant à l'acquisition méthodique de connaissances dans un domaine donné. – Le corps de connaissances ainsi constitué. – Culture, savoir étendu sur un sujet d'étude déterminé. – Savoir-faire nécessitant des connaissances.

science-fiction, *subst. f.* Genre littéraire et cinématographique qui fonde ses intrigues sur les progrès ou les dérives imaginables de la science.

scientifique, *adj. et subst. Adj.* Qui concerne la science. – Rigoureux, méthodique, précis. – *Subst.* Spécialiste d'une science.

scier, *verbe trans.* Couper avec une scie.

scierie, *subst. f.* Entreprise ou atelier outillés pour scier mécaniquement (*gén.* le bois).

scinder, *verbe trans.* Fractionner, diviser : **Scinder** *un problème, un groupe.*

scintillement, *subst. m.* Éclat de ce qui scintille.

scintiller, *verbe intrans.* Émettre ou refléter de petits éclats de lumière vive et intermittente.

scission, *subst. f.* Action de scinder, de se scinder. – Son résultat.

sciure, *subst. f.* Poudre d'une matière sciée.

sclérose, *subst. f. Méd.* Durcissement d'un tissu ou d'un organe. – *Fig.* Incapacité à s'adapter, à progresser.

scléroser (se), *verbe pronom.* Se durcir : *La lésion* **se sclérose**. – *Fig.* Se figer dans l'immobilisme.

scolaire, *adj.* Relatif à l'école : *Des fournitures* **scolaires**. – Banal, conventionnel.

scolarité, *subst. f.* Fait de suivre un enseignement régulier. – Durée des études.

scoliose, *subst. f.* Déviation latérale de la colonne vertébrale.

scoop, *subst. m. Journ.* Information donnée en exclusivité.

scorbut, *subst. m.* Maladie due à une carence en vitamine C.

score, *subst. m.* Nombre de points marqués par chaque compétiteur lors d'un match. – Performance : **Score** *électoral.*

scorie, *subst. f.* Fragment résiduel d'un métal ou d'un minerai en fusion.

scorpion, *subst. m.* Arthropode des régions chaudes, qui porte un aiguillon à venin. – Huitième signe du zodiaque.

scotch (i), *subst. m.* Whisky d'Écosse.

scotch (ii), *subst. m.* Ruban adhésif.

scout, scoute, *adj. et subst. Subst.* Membre d'une organisation de scoutisme. – *Adj.* Propre au scoutisme.

scoutisme, *subst. m.* Mouvement qui vise à développer les qualités morales et physiques des jeunes à travers des activités communes.

scribe, *subst. m. Antiq.* Homme qui rédigeait les actes administratifs, religieux ou juridiques.

script, *subst. m.* Écriture proche des caractères d'imprimerie. – *Cin.* Scénario.

scripte, *subst. f. Cin.* Personne chargée de consigner les détails techniques d'un tournage.

scrupule, *subst. m.* Inquiétude morale sur le bien-fondé de sa propre conduite.

scrupuleux, euse, *adj.* Qui témoigne d'une conscience exigeante. – Méticuleux, rigoureux.

scrutateur, trice, *adj. et subst. Adj.* Qui scrute. – *Subst.* Personne qui surveille le dépouillement d'un scrutin.

scruter, *verbe trans.* Considérer avec soin pour déceler ce qui est caché. – Fouiller du regard.

scrutin, *subst. m.* Vote par dépôt d'un bulletin dans une urne.

sculpter, *verbe trans.* Tailler, façonner (une matière dure) pour obtenir un objet d'art. – Créer (une œuvre d'art en trois dimensions).

sculpteur, *subst. m.* Personne qui pratique l'art de la sculpture.

sculpture, *subst. f.* Action et manière de sculpter. – Œuvre sculptée.

s.d.f., *subst. m. inv.* Sigle de « sans domicile fixe ».

se, s', *pron. pers.* Représente la 3ᵉ personne (*masc.* ou *fém.*, *sing.* ou *plur.*) : *Il* **s'**admire (lui-même) ; *Ils* **se** saluent (l'un l'autre) ; *Que se passerat-il ?* (*impers.*).

séance, *subst. f.* Réunion des membres d'un groupe organisé ; durée de cette réunion. – Portion de temps réservée à une activité : **Séance** *de travail.* – Durée d'un spectacle ; la représentation.

séant (i), *subst. m. Sur son* **séant** : en posture assise.

séant (ii), séante, *adj.* Qui sied, convenable (*littér.*).

seau, *subst. m.* Récipient cylindrique à anse : **Seau** *à charbon.* – Son contenu.

sébile, *subst. f.* Petite coupe servant à quêter ou à mendier.

sébum, *subst. m.* Matière grasse sécrétée par les glandes de la peau.

sec, sèche, *adj. et subst. m. Adj.* Dépourvu d'humidité ; débarrassé de son humidité naturelle : *Temps* **sec** ; *Figues* **sèches**. – Auquel rien n'a été ajouté : *Pain* **sec** ; *Whisky* **sec**, sans glaçons. – Que rien ne vient adoucir : *Style* **sec** ; *Bruit* **sec**, net et bref ; *Cœur* **sec**, insensible ; *Ton* **sec**, sévère. – *Subst. À* **sec** : sans eau ; *Au* **sec** : hors de l'eau.

sécable, *adj.* Qui peut être coupé.

sécateur, *subst. m.* Gros ciseaux de jardinage.

sécession, *subst. f.* Action par laquelle une partie de la population d'un État se détache volontairement de ce dernier.

sèchement, *adv.* De manière brève, brutale. – Avec froideur, dureté.

sécher, *verbe* Rendre sec ou devenir sec.

sécheresse, *subst. f.* État de ce qui est sec. – Absence de pluie. – *Fig.* Froideur, indifférence.

séchoir, *subst. m.* Local où l'on fait sécher des produits. – Support sur lequel on fait sécher le linge. – Sèche-cheveux.

second, onde, *adj. et subst. Adj.* Qui vient après le premier : **Second** *rang.* – Qui vient s'ajouter à *qqch.* de même nature : *Une* **seconde** *clef.* – *État* **second** : anormal, inconscient. – *Subst. Être* le **second** : le deuxième ; au *masc.*, personne qui en assiste une autre.

secondaire, *adj. et subst. m.* Qui représente une seconde phase : *Enseignement* **secondaire** (après le primaire). – *Ère* **secondaire** (ou *le* **secondaire**) : ère géologique caractérisée par l'apparition des Oiseaux et des Mammifères. – *Adj. Effet* **secondaire** : qui dérive d'un phénomène premier. – De second plan, accessoire : *Rôle* **secondaire**.

seconde, *subst. f.* Unité de temps, contenue 60 fois dans une minute. – Bref instant : *Une* **seconde**, *j'arrive !*

seconder, *verbe trans.* Assister, aider (*qqn*) dans une tâche, une mission.

secouer, *verbe trans.* Remuer en tous sens : **Secouer** *un arbre* ; faire tomber en agitant : **Secouer** *la neige de ses bottes.* – *Fig.* Ébranler ; toucher vivement. – *Pronom.* Faire un effort, réagir (*fam.*).

secourable, *adj.* Qui aide volontiers.

secourir, *verbe trans.* Procurer son aide, porter assistance à. – Réconforter.

secourisme, *subst. m.* Ensemble des méthodes destinées à secourir des personnes en danger et à leur donner les premiers soins.

secours, *subst. m.* Aide, assistance : *Porter* **secours**. – *Appeler les* **secours** : les équipes d'assistance. – *De* **secours** : que l'on utilise en cas de nécessité.

secousse, *subst. f.* Mouvement heurté, qui secoue. – **Secousse** *tellurique* : tremblement de terre. – *Fig.* Choc émotionnel.

secret, ète, *adj. et subst. m. Adj.* Caché à la vue : *Porte* **secrète**. – Connu d'un petit nombre ; confidentiel : *Code* **secret**. – *Fig.* Qui ne livre pas ses pensées. – *Subst.* Ce qui est tenu caché. – Discrétion : *Exiger le* **secret**. – Intimité : *Le* **secret** *des cœurs.* – Explication, clef : *Avoir le* **secret** *du bonheur.*

secrétaire, *subst.* Personne chargée du courrier, des dossiers, du téléphone, pour le compte d'un employeur, ou supérieur hiérarchique. – Titre attaché à certaines fonctions : **Secrétaire** *d'État* ; **Secrétaire** *général de l'O.N.U.* – *Masc.* Meuble à tiroirs muni d'un panneau rabattable servant de table à écrire.

secrétariat, *subst. m.* Charge, fonction de secrétaire. – Ensemble des secrétaires ; bureaux où ils travaillent.

sécréter, *verbe trans.* Produire par sécrétion. – *Fig.* Dégager : *Ce travail* **sécrète** *l'ennui.*

sécrétion, *subst. f.* Élaboration et émission d'une substance par des cellules organiques. – Cette substance.

sectaire, *adj. et subst.* Qui est intolérant envers les opinions d'autrui, qui a un esprit étroit.

secte, *subst. f.* Communauté fermée, à vocation *gén.* spirituelle, dont les membres vivent sous l'emprise d'un maître à penser.

secteur, *subst. m.* Espace délimité, zone, territoire. – Champ d'activité économique : **Secteur** *tertiaire.* – Endroit quelconque (*fam.*).

section, *subst. f.* Action de couper ; endroit de la coupure. – Surface d'une coupe transversale : **Section** *carrée d'une poutre.* – Subdivision d'un groupe, d'une organisation. – Partie d'une route.

sectionner, *verbe trans.* Scinder en plusieurs sections. – Trancher net : **Sectionner** *un câble.*

séculaire, *adj.* Qui a lieu tous les cent ans. – Qui existe depuis plusieurs siècles.

séculier, ière, *adj. et subst. m.* Se dit d'un prêtre qui n'est lié à aucune congrégation.

secundo, *adv.* En second lieu, deuxièmement.

sécuriser, *verbe trans.* Rassurer ; dissiper les craintes de. – Rendre (*qqch.*) plus sûr.

sécurité, *subst. f.* Situation exempte de danger. – État serein qui en résulte. – Ensemble de mesures ou organisme assurant la protection de l'individu : **Sécurité** *routière* ; **Sécurité** *sociale.*

sédatif, ive, *adj. et subst. m. Méd.* Se dit d'une substance qui calme la douleur, l'anxiété, l'insomnie.

sédentaire, *adj. et subst.* Qui vit dans un lieu fixe (*oppos. nomade*) : *Peuple* **sédentaire**. – Qui sort peu, casanier. – *Adj.* Qui n'entraîne pas de déplacements : *Emploi* **sédentaire**.

sédiment, *subst. m.* Dépôt de matière laissé par le vent, les eaux ou les glaces.

sédition, *subst. f.* Révolte organisée contre l'autorité en place (*littér.*).

séducteur, trice, *adj. et subst.* Qui séduit, charme.

séduction, *subst. f.* Action ou pouvoir de séduire.

séduire, *verbe trans.* Attirer irrésistiblement, charmer. – Obtenir les faveurs de (*qqn*).

segment, *subst. m.* Portion définie, détachée d'un ensemble : **Segment** *de droite.*

ségrégation, *subst. f.* Discrimination, organisée ou de fait, à l'égard de groupes humains : **Ségrégation** *raciale, sociale.*

seiche, *subst. f.* Mollusque marin comestible qui projette de l'encre contre ses agresseurs.

seigle, *subst. m.* Céréale des terres pauvres, dont le grain donne une farine brune.

seigneur, *subst. m.* Maître d'un fief, au Moyen Âge. – Titre donné à une personne de haut rang, dans l'Ancien Régime. – *Relig.* Dieu.

sein, *subst. m.* Poitrine : *Tenir sur son* **sein**. – Chacune des deux mamelles de la femme ; le même organe, atrophié, chez l'homme. – *Fig.* La partie intérieure, centrale de *qqch.* : *Au* **sein** *de*, au milieu de, dans.

séisme, *subst. m.* Ébranlement de la croûte terrestre, d'origine interne.

seize, *adj. num. inv. et subst. m. inv. Adj.* Quinze plus un. – Seizième : *Chapitre* XVI. – *Subst.* Le nombre **seize**, le numéro **16**.

séjour, *subst. m.* Fait de séjourner en un lieu ; temps pendant lequel on séjourne. – *Salle de* **séjour** : dans une habitation, pièce consacrée aux loisirs familiaux.

séjourner, *verbe intrans.* Résider quelque temps en un lieu, sans s'y fixer.

sel, *subst. m.* Substance blanche, friable, soluble dans l'eau, qui sert à conserver ou à assaisonner des aliments. – *Fig.* Ce qui donne de l'intérêt à qqch. ; esprit. – *Chim.* Corps résultant de l'action d'un acide sur une base. – *Plur.* Mélange acide utilisé autrefois pour ranimer les gens évanouis.

sélectif, ive, *adj.* Qui opère une sélection.

sélection, *subst. f.* Action de choisir les choses, les individus les mieux appropriés à une activité, à une fonction particulières. – Ensemble des éléments ainsi triés.

sélectionner, *verbe trans.* Choisir par une sélection.

selle, *subst. f.* Pièce de cuir, placée sur le dos d'un cheval, où s'assoit le cavalier. – Petit siège triangulaire d'un cycle. – Quartier postérieur de certaines viandes : *Une* **selle** *d'agneau grillée.* – *Plur.* Excréments humains.

seller, *verbe trans.* Munir (une monture) d'une selle.

sellette, *subst. f.* Support décoratif pour une statue, une plante. – *Être sur la* **sellette** : être accusé, pressé de questions.

selon, *prép.* D'après le point de vue de : **Selon** *moi, il faut partir.* – Conformément à : **Selon** *votre désir.* – En fonction de, suivant : **Selon** *les besoins.* – *Loc. conj.* **Selon** *que* (+*ind.*) : suivant que.

semailles, *subst. f. plur.* Action de semer. – Époque où l'on sème. – Grain semé.

semaine, *subst. f.* Période de sept jours allant du lundi au dimanche. – Toute période de sept jours consécutifs.

sémantique, *adj. et subst. f. Adj.* Qui a trait à la signification du langage. – *Subst.* Étude, science de la signification du langage.

sémaphore, *subst. m.* Poste de communication (par signaux optiques) avec les navires. – Signal d'arrêt sur une voie ferrée.

semblable, *adj. et subst. Adj.* Qui ressemble à, pareil à. – De ce genre, tel : *Un* **semblable** *individu.* – *Subst.* Être vivant de même nature qu'un autre. – Être humain : *Vivre parmi ses* **semblables**.

semblant, *subst. m.* Apparence : *Avec un* **semblant** *de sourire.* – *Faire* **semblant** *(de)* : feindre.

sembler, *verbe intrans. Intrans.* Avoir l'air, l'apparence de ; donner l'impression de. – *Impers.* Il **semble** *que* : il est très probable que.

semelle, *subst. f.* Pièce de cuir, de caoutchouc, etc., constituant le dessous d'une chaussure. – Pièce découpée que l'on glisse à l'intérieur d'une chaussure.

semence, *subst. f.* Graine que l'on sème. – Sperme. – Petit clou de tapissier.

semer, *verbe trans.* Mettre (des semences) en terre. – Jeter çà et là. – *Fig.* Répandre ; propager : **Semer** *la panique.* – Distancer (*fam.*).

semestre, *subst. m.* Chaque moitié de l'année civile. – Période de six mois consécutifs.

semestriel, ielle, *adj. et subst. m. Adj.* Qui a lieu, qui paraît tous les six mois. – *Subst.* Journal **semestriel**.

semi-, *élément inv.* Placé devant un mot, exprime l'idée de moitié ou de caractère partiel.

séminaire, *subst. m.* Établissement religieux qui forme les futurs prêtres. – Groupe de travail universitaire. – Réunion de spécialistes.

séminariste, *subst. m.* Élève d'un séminaire.

semi-remorque, *subst. Fém.* Remorque routière, dépourvue de train avant, que l'on attelle à la cabine de traction. – *Masc.* L'ensemble formé par le tracteur et la remorque.

semis, *subst. m.* Action de semer. – Terre ensemencée. – Ensemble des graines semées.

semonce, *subst. f.* Avertissement, remontrance.

semoule, *subst. f.* Farine granuleuse de céréales.

sempiternel, elle, *adj.* Qui n'en finit pas, perpétuel.

sénat, *subst. m.* Assemblée politique, dans diverses démocraties. – L'édifice où elle siège.

sénateur, *subst. m.* Membre d'un sénat.

sénescence, *subst. f.* Vieillissement physique.

sénile, *adj.* Qui est propre à la vieillesse. – Dont les facultés sont diminuées par l'âge.

sénilité, *subst. f.* État d'une personne sénile.

senior, *adj. et subst. Sp.* Qui appartient à la catégorie située entre celles des juniors et des vétérans.

sens (i), *subst. m.* Signification : *Le* **sens** *d'un mot.* – Ce qui explique, justifie : *Donner un* **sens** *à sa vie.* – Faculté de bien connaître, comprendre ou juger : *Le* **sens** *des affaires, de l'orientation.* – *Bon* **sens** : sagesse, raison. – *Les cinq* **sens** : les fonctions organiques de perception (vue, odorat, goût, ouïe, toucher).

sens (ii), *subst. m.* Direction, orientation.

sensation, *subst. f.* Phénomène ressenti par un être vivant, qui traduit la stimulation d'un de ses organes récepteurs : **Sensation** *de piqûre.* – État psychologique, affectif : **Sensation** *de lassitude.* – Forte impression : *Film à* **sensation** ; *Faire* **sensation**.

sensationnel, elle, *adj.* Qui frappe vivement l'attention. – Extraordinaire (*fam.*).

sensé, ée, *adj.* Qui fait preuve de bon sens.

sensibiliser, *verbe trans.* Rendre sensible. – Rendre (*qqn*) réceptif à (*qqch.*).

sensibilité, *subst. f.* Faculté de réagir à des excitations externes ou internes. – Aptitude de *qqn* à s'émouvoir affectivement, esthétiquement, etc. – Qualité d'une chose sensible : **Sensibilité** *d'un détonateur, d'une balance.*

sensible, *adj.* Qui est apte à percevoir qqch. et à en éprouver la sensation. – Qui est capable de sentiment, d'émotion. – Qui peut être perçu par les sens : *Le monde* **sensible**. – Fragile, douloureux : *Gorge, plaie* **sensibles**. – Qui réagit au contact ou à de faibles variations : *Pellicule* **sensible**. – Dossier **sensible** : délicat, épineux. – *Progrès* **sensibles** : appréciables.

sensoriel, ielle, *adj.* Relatif aux organes des sens.

sensuel, elle, *adj.* Propre aux sens, à ce qui les flatte. – Voluptueux. – *Empl. subst.* Personne qui recherche les plaisirs du sens, en partic. charnels.

sentence, *subst. f.* Jugement de tribunal. – Opinion à caractère définitif ou solennel ; précepte.

sentencieux, ieuse, *adj.* D'une solennité excessive.

senteur, *subst. f.* Odeur agréable (*littér.*).

sentier, *subst. m.* Chemin étroit.

sentiment, *subst. m.* Connaissance immédiate et floue de *qqch.* ; impression. – État affectif lié à des représentations, à des convictions ou à des émotions : **Sentiment** *religieux.* – Affection, amour ; capacité de s'émouvoir. – Opinion, manière de penser : *Donner son* **sentiment** *sur un sujet.*

sentimental, ale, aux, *adj. et subst.* Se dit d'une personne qui s'attendrit volontiers. – *Adj.* Qui a trait aux sentiments, notamment à l'amour.

sentinelle, *subst. f.* Soldat qui monte la garde.

sentir, *verbe Trans.* Éprouver (une sensation physique). – Percevoir par l'odorat. – Pressentir ; discerner. – *Intrans.* Exhaler une odeur : **Sentir** *le romarin* ; *Ça* **sent** *bon !* – *Pronom.* Éprouver un état : *Se* **sentir** *mal.* – Se manifester, être perceptible.

seoir, *verbe trans. indir.* Aller, convenir.

sépale, *subst. m.* Division du calice d'une fleur.

séparation, *subst. f.* Action de séparer ou de se séparer. – Ce qui sépare.

séparatisme, *subst. m.* Tendance, mouvement des habitants d'une région visant à la séparer politiquement de l'État dont elle dépend.

séparer, *verbe trans.* Éloigner l'un de l'autre. – Trier, classer. – Diviser, partager. – Constituer la limite, la frontière entre. – *Pronom.* Ne plus conserver : *Se* **séparer** *de son vieux vélo.* – Se quitter.

sépia, *subst. f.* Sécrétion de la seiche. – Matière brune extraite de cette sécrétion, utilisée pour dessiner ; le dessin lui-même. – *Empl. adj. inv.* Brun foncé.

sept, *adj. num. inv. et subst. m. inv. Adj.* Six plus un. – Septième : *Chapitre* VII. – *Subst.* Le nombre **sept**, le chiffre **7**.

septante, *adj. num. inv. Belg.* et *helv.* Soixante-dix.

septembre, *subst. m.* Neuvième mois de l'année.

septennat, *subst. m.* Durée de sept ans d'une fonction, d'un mandat. – Ce mandat.

septentrional, ale, aux, *adj.* Du nord.

septicémie, *subst. f.* Infection généralisée causée par le développement massif de germes pathogènes dans le sang.

septique, *adj.* Relatif à l'infection microbienne. – *Fosse* **septique** ; fosse d'aisances dans laquelle les matières fécales se décomposent sous l'action des bactéries.

septuagénaire, *adj. et subst.* Qui est âgé de 70 à 79 ans.

sépulcral, ale, aux, *adj.* Qui a trait à la tombe. – Lugubre. – *Voix* **sépulcrale** : caverneuse.

sépulcre, *subst. m.* Tombeau (*littér.*).

sépulture, *subst. f.* Lieu où l'on enterre un mort.

séquelle, *subst. f.* Trouble qui persiste après une maladie, une blessure. – *Fig.* Conséquence, contrecoup d'un événement.

séquence, *subst. f.* Suite ordonnée d'éléments. – Suite de plans cinématographiques.

séquentiel, ielle, *adj.* Relatif à une séquence.

séquestre, *subst. m.* Mise d'un bien litigieux sous la garde d'un tiers en attendant le règlement d'un conflit. – Confiscation par un État en guerre de biens appartenant à l'ennemi.

séquestrer, *verbe trans.* Mettre sous séquestre. – Enfermer, retenir *qqn* contre son gré.

séquoia, *subst. m.* Conifère de Californie caractérisé par sa hauteur élevée et sa longévité.

sérail, *subst. m.* Palais des sultans ottomans. – Harem (abusivement). – *Fig.* Milieu influent et fermé.

séraphin, *subst. m.* Ange de la première hiérarchie.

serbo-croate, *subst. m.* Langue slave parlée en Serbie, en Bosnie-Herzégovine, au Monténégro et en Croatie.

serein, eine, *adj.* Calme, pur : *Ciel* **serein**. – Tranquille, sans inquiétude : *Dans cette attente, elle restait* **sereine**.

sérénade, *subst. f.* Petit concert nocturne donné en hommage à *qqn*.

sérénité, *subst. f.* État serein, tranquillité.

séreux, euse, *adj.* Qui se rapporte au sérum, ou qui en a l'aspect.

serf, serve, *adj. et subst. Subst.* Au Moyen Âge, personne privée de liberté, attachée à une terre. – *Adj.* Relatif au servage.

sergent, *subst. m.* Premier grade de sous-officier.

série, *subst. f.* Ensemble d'éléments de même nature ; suite, succession. – *Fabrication en* **série** : en grande quantité. – Catégorie : *Film de* **série** *B.*

sérier, *verbe trans.* Classer par séries, ordonner.

sérieux, ieuse, *adj. et subst. m. Adj.* Qui fait preuve de gravité, de sagesse. – *Subst.* Qualité d'une personne ou d'une chose **sérieuses**.

serin, ine, *adj. et subst. Subst.* Petit oiseau chanteur, *souv.* jaune. – *Adj.* Niais, nigaud (*fam.*).

seriner, *verbe trans.* Répéter sans cesse (*fam.*).

seringue, *subst. f. Méd.* Instrument à piston, servant à prélever ou à injecter un liquide dans le corps.

serment, *subst. m.* Promesse solennelle, *gén.* faite en public : *Le* **serment** *du Jeu de paume.*

sermon, *subst. m.* Discours religieux prononcé par un prêtre. – Propos moralisateur.

sermonner, *verbe trans.* Faire des remontrances à.

séropositif, ive, *adj.* Dont le sérum contient certains anticorps ; en *partic.* dont l'analyse sanguine révèle la présence du virus du sida.

serpe, *subst. f.* Instrument à lame recourbée, servant à tailler, à élaguer, etc.

serpent, *subst. m.* Reptile sans membres qui se déplace en rampant, à la morsure parfois venimeuse.

serpenter, *verbe intrans.* Former une ligne sinueuse.

serpillière, *subst. f.* Carré de toile grossière utilisé pour laver les sols.

serre, *subst. f.* Lieu clos, vitré et parfois chauffé, qui abrite des plantes, des cultures délicates. – Griffe d'un rapace.

serrer, *verbe trans.* Maintenir par une pression vigoureuse ; presser contre soi, étreindre. – Comprimer, tasser ; rapprocher étroitement. – Longer de très près, frôler.

serrure, *subst. f.* Mécanisme de fermeture ou de verrouillage : *Le trou de la* **serrure**.

serrurier, *subst. m.* Artisan qui fabrique, vend, répare les serrures, les clefs, les blindages.

sertir, *verbe trans.* Fixer (une pierre) dans la monture d'un bijou, enchâsser.

sérum, *subst. m.* Liquide jaunâtre qui subsiste après la coagulation du sang. – Préparation liquide injectée pour combattre des germes infectieux ou pour s'en prémunir.

servage, *subst. m.* Condition du serf. – *Fig.* Asservissement, état de dépendance.

servante, *subst. f.* Femme, ou jeune fille, employée comme domestique.

serveur, euse, *subst.* Personne qui sert, dans un restaurant ou un café. – *Masc.* Service donnant accès à des banques de données.

serviable, *adj.* Qui aime à rendre service.

service, *subst. m.* Action de servir *qqn*, une cause, l'État, etc. : **Service** *militaire*. – Frais d'hôtel, de restaurant, etc., affectés au personnel. – Ensemble des repas servis à une heure donnée. – Assortiment de vaisselle ou de linge pour la table. – Fonctionnement d'une machine. – Action obligeante : *Rendre* **service** *à qqn*, l'aider. – Activité professionnelle : *Être de* **service**. – Subdivision d'une direction, d'une entreprise : *Le* **service** *du personnel*. – Prestation, produit immatériel fourni par une entreprise ou un artisan : *Société de* **services**. – Office religieux. – *Sp.* Action de servir, par *ex.* au tennis.

serviette, *subst. f.* Linge qui sert à s'essuyer. – Cartable, porte-documents.

servile, *adj.* Relatif au servage. – *Fig.* Qui se soumet bassement : *Un courtisan* **servile**.

servir, *verbe Trans. dir.* S'acquitter de certains devoirs envers : **Servir** *Dieu, la patrie*. – Être au service de (*qqn*). – Présenter (à table) : **Servir** *un plat* ; **Servir** *un invité*. – Fournir ; vendre à. – *Trans. indir.* **Servir** *à* : être utilisé par ; être profitable à (*qqn*). – Tenir lieu de : *Ce bâton me* **sert** *de canne*. – *Intrans.* Être militaire. – *Sp.* Remettre la balle ou le ballon en jeu. – *Pronom.* *Se* **servir** *de* : utiliser ; prendre de.

serviteur, *subst. m.* Personne qui est au service de *qqn*, d'une collectivité ou d'une cause.

servitude, *subst. f.* État de dépendance d'une personne, d'un peuple ; esclavage. – Contrainte, obligation légale ou morale.

ses, *voir* **son**

sésame, *subst. m.* Plante dont les graines fournissent une huile comestible.

session, *subst. f.* Période pendant laquelle siège une assemblée, un tribunal. – Période de déroulement d'un examen.

set, *subst. m.* Manche d'un match de tennis, de volleyball. – Ensemble de napperons de table ; l'un d'entre eux.

seuil, *subst. m.* Entrée d'une maison, d'un lieu. – *Fig.* Début d'une époque nouvelle. – Limite dont le franchissement modifie une situation : **Seuil** *de tolérance*.

seul, seule, *adj.* Qui est isolé, sans compagnie. – Sans pareil ; unique. – Seulement : **Seul** *le résultat compte*.

seulement, *adv.* Sans rien ou sans personne d'autre : *Ils sont* **seulement** *deux*. – À l'instant : *Il vient* **seulement** *d'arriver*. – Pas avant : *Ça commence* **seulement** *vers midi*. – Mais, cependant : *Il a entendu,* **seulement** *il n'a pas répondu.* – *Si* **seulement** : si au moins.

sève, *subst. f.* Liquide nourricier des végétaux. – *Fig.* Vigueur, énergie (*littér.*).

sévère, *adj.* Enclin à punir, à condamner rapidement ; intransigeant. – Rigoureux, contraignant. – Austère, dépouillé : *Style* **sévère**. – Grave : *Une rechute* **sévère**.

sévérité, *subst. f.* Manque d'indulgence ; rigidité. – Sérieux, gravité. – Austérité.

sévices, *subst. m. plur.* Brutalités physiques.

sévir, *verbe intrans.* Recourir à des mesures répressives. – Agir rudement ; exercer des ravages : *Le mauvais temps* **sévit** *encore.*

sevrer, *verbe trans.* Priver (un enfant ou un petit d'animal) de lait maternel. – Priver (*qqn*) d'une chose coutumière.

sexagénaire, *adj. et subst.* Qui est âgé de 60 à 69 ans.

sexe, *subst. m.* Organe génital mâle ou femelle. – Ensemble des caractères qui différencient le masculin du féminin. – Ensemble des personnes du même **sexe**. – Sexualité.

sexisme, *subst. m.* Comportement, opinion discriminatoires à l'égard du sexe opposé.

sextant, *subst. m.* Instrument de navigation permettant de définir la hauteur des astres par rapport à l'horizon.

sexualité, *subst. f.* Ensemble des caractères propres à chaque sexe. – Modalités selon lesquelles se manifeste l'instinct sexuel.

sexuel, elle, *adj.* Qui a trait au sexe.

seyant, ante, *adj.* Qui sied, met en valeur.

shampo(o)ing, *subst. m.* Lavage de cheveux. – Produit savonneux destiné à ce lavage.

shérif, *subst. m.* Chef de police, aux États-Unis.

sherpa, *subst. m.* Porteur, guide, dans l'Himalaya.

shetland, *subst. m.* Laine, ou tissu de laine, d'Écosse.

shinto(ïsme), *subst. m.* Religion historique du Japon.

short, *subst. m.* Culotte courte.

show-business, *subst. m. inv.* Industrie, monde du spectacle.

si (i), *adv.* Contredit une négation : *On ne vous a rien dit ? Mais* **si** ! – Exprime l'intensité : *Il est* **si** *grand*, tellement. – Exprime la comparaison : *Il n'est pas* **si** *grand qu'on le dit*, aussi, au même degré que. – *Loc. conj.* **Si** *bien que* : de sorte que.

si (ii), *conj.* Introduit une condition, une supposition ou un souhait : *Il ira au cinéma s'il est sage* ; *Je t'aiderai* **si** *je suis là* ; *Et* **si** *nous sortions ?*

si (iii), *subst. m. inv. Mus.* Septième note de la gamme.

siamois, oise, *adj. et subst.* Se dit de jumeaux rattachés l'un à l'autre par une partie du corps. – Se dit d'un chat de la race **siamoise**, au pelage brun clair et foncé, et aux yeux bleus.

sibyllin, ine, *adj.* Obscur, énigmatique.

sic, *adv.* Ainsi (indique, entre parenthèses, que l'on cite textuellement un auteur).

sida, *subst. m.* Sigle pour « syndrome immunodéficitaire acquis », très grave maladie virale, transmissible par voie sexuelle ou sanguine.

sidéral, ale, aux, *adj.* Qui a trait aux astres.

sidérer, *verbe trans.* Stupéfier, abasourdir (*fam.*).

sidérurgie, *subst. f.* Industrie de production du fer, de la fonte, et de l'acier.

siècle, *subst. m.* Période de cent ans à partir d'un moment défini arbitrairement : *Le* XXe *siècle a débuté en 1901.* – Toute période de cent ans. – Période qui paraît très longue (*fam.*).

siège, *subst. m.* Meuble sur lequel on s'assied. – Fesses. – Place, mandat : *Briguer un* **siège** *de député.* – Lieu où réside une autorité, un pouvoir : **Siège** *d'un tribunal* ; **Siège** *social.* – Endroit d'où provient un phénomène : *Le* **siège** *d'une douleur.* – *Milit.* Action d'encercler une place forte en vue de s'en rendre maître.

siéger, *verbe intrans.* Tenir séance. – Avoir son siège en un lieu : *L'O.N.U.* **siège** *à New York.* – Occuper une place attitrée. – Être situé à.

sien, sienne, *adj. poss., pron. poss. et subst. Adj.* Qui est à lui, à elle : *Un* **sien** *parent.* – *Pron. Le* **sien**, *la* **sienne**, *les* **siens**, *les* **siennes** : ce qui est à lui, à elle, à eux, à elles. – *Subst. Les* **siens** : sa famille. – *Faire des* **siennes** : des bêtises (*fam.*). – *Y mettre du* **sien** : faire des efforts.

sieste, *subst. f.* Repos d'après-midi.

sifflement, *subst. m.* Action de siffer. – Le son ainsi produit.

siffler, *verbe Intrans.* Émettre un son aigu en soufflant de l'air à travers une ouverture étroite ou, pour un projectile, en traversant l'air. – *Trans.* Interpréter (un air) en sifflant. – Huer, conspuer par des sifflets. – Appeler (*qqn*, un animal) par un sifflement. – Boire d'un trait (*fam.*).

sifflet, *subst. m.* Petit instrument servant à siffler. – *Plur.* Sifflements de désapprobation : *L'artiste sortit sous les* **sifflets**.

siffloter, *verbe* Siffler doucement.

sigle, *subst. m.* Suite de lettres initiales formant un mot : *O.N.U. et U.L.M. sont des* **sigles**.

signal, aux, *subst. m.* Signe convenu permettant de transmettre un ordre, un avertissement, de déclencher une action. – Objet, signe matériel qui donne une indication.

signalement, *subst. m.* Description physique détaillée.

signaler, *verbe trans.* Faire remarquer ; révéler, trahir. – Indiquer par un signal, annoncer. – *Pronom.* Se faire remarquer, s'illustrer.

signalisation, *subst. f.* Utilisation de signaux. – Ensemble de signaux.

signataire, *adj. et subst.* Qui a signé une lettre, un acte.

signature, *subst. f.* Action de signer. – Marque distinctive de qqn apposée sur une lettre, un acte, une œuvre d'art pour l'authentifier.

signe, *subst. m.* Chose vue ou ressentie qui permet de deviner, de savoir, de prévoir ; marque, indice. – Geste ou parole permettant de communiquer. – Dessin employé dans un sens convenu : **Signes** *de ponctuation.* – **Signe** *de croix* : geste de piété figurant la Croix de Jésus. – *Math.* Symbole indiquant une opération ou une relation : **Signe** *plus, égal.*

signer, *verbe trans.* Apposer sa signature sur. – *Pronom.* Faire le signe de croix.

signet, *subst. m.* Ruban ou bande de carton insérés comme repère entre deux pages d'un livre.

significatif, ive, *adj.* Révélateur, représentatif.

signification, *subst. f.* Ce que signifie qqch.

signifier, *verbe trans.* Avoir pour sens. – Faire connaître ; notifier.

silence, *subst. m.* Fait de se taire. – Absence de bruit, calme. – *Mus.* Interruption plus ou moins longue du son.

silencieux, ieuse, *adj. et subst. m. Adj.* Qui ne fait pas de bruit ; qui ne parle pas. – Où règne le silence. – *Subst.* Dispositif atténuant le bruit de divers engins (arme à feu, pot d'échappement).

silex, *subst. m.* Roche dure à éclats coupants.

silhouette, *subst. f.* Contour d'un corps. – Ombre projetée ; forme vague. – Allure de qqn.

silice, *subst. f.* Corps solide très abondant dans la nature, dans les minéraux.

sillage, *subst. m.* Trace laissée par un bateau en marche. – *Fig. Dans le* **sillage** *de qqn* : derrière lui ; à son exemple.

sillon, *subst. m.* Longue tranchée ouverte en terre par une charrue. – Fente profonde. – Rainure d'un disque gravé.

sillonner, *verbe trans.* Parcourir en tous sens.

silo, *subst. m.* Réservoir de stockage agricole.

simagrée, *subst. f.* Comportement affecté, manières (*gén.* au *plur.*).

simiesque, *adj.* Qui rappelle le singe.

similaire, *adj.* De même nature, analogue.

simili, *subst. m.* Imitation (d'une matière).

similitude, *subst. f.* Ressemblance, analogie.

simple, *adj.* Qui ne renferme qu'un seul élément ; indivisible : *Corps* **simple** ; *Aller* **simple**. – Aisé à comprendre, à suivre : *Schéma* **simple**. – Qui suffit à soi seul : *Un* **simple** *mot.* – Qui est seulement ce que son nom indique : *Un* **simple** *exécutant.* – Sans prétention : *Des goûts* **simples** ; *Il est resté* **simple**. – *Empl. subst. Un* **simple** *d'esprit* : un débile léger.

simplement, *adv.* De façon simple. – Seulement.

simplicité, *subst. f.* Qualité d'une personne ou d'une chose simples.

simplifier, *verbe trans.* Rendre moins complexe, moins difficile. – Ne retenir que l'essentiel de, schématiser.

simpliste, *adj.* Qui simplifie à l'excès.

simulacre, *subst. m.* Apparence se présentant comme une réalité : *Un* **simulacre** *de pardon.*

simulateur, trice, *subst. m.* Individu qui simule, en *partic.* une maladie. – *Masc. Tech.* Appareil qui simule le fonctionnement d'une machine : **Simulateur** *de vol.*

simuler, *verbe trans.* Feindre, faire semblant de ; imiter afin de tromper autrui. – *Tech.* Reproduire artificiellement (un mouvement réel) à l'aide d'une maquette, d'un ordinateur.

simultané, ée, *adj.* Qui a lieu en même temps.

simultanéité, *subst. f.* Caractère de ce qui est simultané, coïncidence.

sincère, *adj.* Qui exprime franchement sa pensée, ses sentiments ; de bonne foi. – Authentique : *Joie* **sincère**.

sincérité, *subst. f.* Caractère de ce qui est franc, loyal, sincère. – Authenticité, vérité.

sinécure, *subst. f.* Fonction bien rétribuée et exigeant peu de travail.

sine qua non, *loc. adj. inv. Condition* **sine qua non** : sans laquelle une chose est impossible.

singe, *subst. m.* Mammifère au cerveau développé, pourvu de mains et de pieds préhensiles.

singer, *verbe trans.* Imiter, contrefaire par moquerie.

singerie, *subst. f.* Grimace, pitrerie (*gén.* au *plur.*).

singulariser, *verbe trans.* Rendre singulier, distinguer. – *Pronom.* Se faire remarquer sur un point particulier.

singularité, *subst. f.* Caractère singulier, originalité. – Bizarrerie, excentricité.

singulier, ière, *adj. et subst. m. Adj.* Seul, unique. – Bizarre, excentrique. – *Combat* **singulier** : opposant deux personnes. – *Subst.* Catégorie grammaticale exprimant l'unicité : *Au* **singulier** *et au pluriel.*

sinistre (i), *adj.* Qui annonce le malheur, fatal. – Effrayant. – Triste, ennuyeux.

sinistre (ii), *subst. m.* Catastrophe, désastre qui occasionne de lourdes pertes. – *Dr.* Tout dommage couvert par une assurance.

sinon, *conj.* Et peut-être bien : *Sa fin est probable,* **sinon** *certaine.* – Autrement, sans quoi : *Pas de bruit,* **sinon** *gare à vous.* – Si ce n'est : *Que fait-il,* **sinon** *dormir ?*

sinueux, euse, *adj.* Qui présente de multiples courbures. – *Fig.* Tortueux, détourné.

sinuosité, *subst. f.* Boucle, courbe, méandre.

sinus, *subst. m. Anat.* Nom de certaines cavités de l'organisme : **Sinus** *crânien, cardiaque.* – *Math.* Valeur d'un angle de triangle rectangle égale au rapport entre son côté opposé et l'hypoténuse.

sionisme, *subst. m.* Mouvement religieux et politique visant à instaurer, puis à soutenir, un État juif indépendant en Palestine.

siphon, *subst. m.* Tuyau coudé servant à transvaser un liquide. – Canalisation en S servant à évacuer les eaux usées. – Bouteille maintenant sous pression l'eau gazeuse.

sire, *subst. m.* Titre de courtoisie donné à un souverain que l'on salue.

sirène, *subst. f.* Animal fabuleux à tête et à torse de femme, et à queue de poisson. – Puissant appareil produisant un signal sonore.

sirocco, *subst. m.* Vent chaud et sec qui souffle du Sahara vers la côte méditerranéenne.

sirop, *subst. m.* Liquide concentré sucré, *souv.* mêlé à du jus de fruit ou à des substances pharmaceutiques.

siroter, *verbe* Savourer en buvant à petites gorgées (*fam.*) : **Siroter** *un café.*

sirupeux, euse, *adj.* Qui a la viscosité ou le goût d'un sirop. – *Fig.* Mièvre.

sis, sise, *adj. Dr.* Situé, localisé.

sismique, *adj.* Relatif aux séismes.

site, *subst. m.* Paysage pittoresque. – Lieu affecté à une activité : *Un* **site** *industriel.*

sitôt, *adv.* Aussitôt, aussi vite (*littér.*). – Pas de **sitôt** : pas avant longtemps. – *Loc. conj.* **Sitôt** *que* : dès que.

situation, *subst. f.* Position géographique de *qqch.* – Ensemble des conditions de vie d'une personne, d'un groupe. – État, conjoncture : *Une* **situation** *délicate.* – Emploi rémunéré.

situer, *verbe trans.* Définir, dans l'espace ou dans le temps, la situation de (*qqn* ou *qqch.*). – *Pronom.* Se trouver, être placé.

six, *adj. num. inv. et subst. m. inv. Adj.* Cinq plus un. – Sixième : *Paul VI.* – *Subst.* Le nombre **six**, le chiffre **6.**

skate-board, *subst. m.* Planche à roulettes.

sketch, *subst. m.* Courte scène, en *gén.* comique.

ski, *subst. m.* Lame longue et étroite servant à glisser sur la neige. – Sport pratiqué avec un ou deux **skis** : **Ski** *de fond, alpin* ; **Ski** *nautique,* sur l'eau.

skier, *verbe intrans.* Pratiquer le ski.

slalom, *subst. m.* Descente à skis sur une piste aux virages jalonnés de portes à franchir. – Parcours sinueux.

slave, *adj. et subst. m.* Se dit d'un groupe de langues parlées en Europe centrale et orientale.

slip, *subst. m.* Culotte très ajustée servant de caleçon de bain ou de sous-vêtement.

slogan, *subst. m.* Formule concise et frappante, utilisée en publicité ou en politique.

smala(h), *subst. f.* Famille ou suite nombreuse et encombrante (*fam.*).

s.m.i.c., *subst. m. inv.* Sigle pour « salaire minimum interprofessionnel de croissance ».

smoking, *subst. m.* Costume de cérémonie masculin, à revers de soie, en drap noir ou blanc.

snack-bar, *subst. m.* Café-restaurant à service rapide.

snob, *adj. et subst.* Qui suit la mode, qui imite les usages d'une société dite distinguée.

snober, *verbe trans.* Mépriser, traiter de haut.

sobre, *adj.* Qui consomme avec modération. – Frugal. – Simple ; concis (*littér.*).

sobriété, *subst. f.* Qualité d'une personne ou d'une chose sobres.

sobriquet, *subst. m.* Surnom familier ou ironique.

soc, *subst. m.* Lame pointue de la charrue, qui tranche la terre et creuse le sillon.

sociable, *adj.* Qui aime à fréquenter autrui. – D'un tempérament agréable, facile.

social, ale, aux, *adj.* Relatif à une société, à un groupe humain. – Relatif aux rapports entre membres d'une société, ou entre divers groupes humains : *Luttes* **sociales.** – Qui vit en société : *Un insecte* **social.** – Relatif aux conditions de vie : *Droit* **social.** – Qui vise à améliorer les conditions de vie : *Réforme* **sociale.** – Relatif à une société civile ou commerciale : *Siège* **social.**

socialisme, *subst. m.* Doctrine préconisant une organisation sociale, politique, économique qui mènerait à une société plus égalitaire.

sociétaire, *adj. et subst.* Se dit d'un membre d'une association ou d'une société.

société, *subst. f.* Manière de vivre, en groupes organisés, propre à l'homme ou à certains animaux. – Ensemble organisé d'individus dont les relations sont régies par des règles, des coutumes. – Milieu humain dans lequel on vit. – Groupe restreint de personnes : *La haute* **société.** – Fréquentation d'autrui ; compagnie. – Association de gens réunis dans un but commun. – Organisme à capitaux, fondé en vue d'une activité déterminée.

sociologie, *subst. f.* Étude des sociétés humaines et des phénomènes sociaux.

socle, *subst. m.* Base, assise d'une sculpture.

socquette, *subst. f.* Chaussette courte.

soda, *subst. m.* Boisson gazeuse aromatisée.

sœur, *subst. f.* Fille issue des mêmes parents que *qqn.* – Titre donné à une religieuse.

sofa, *subst. m.* Lit de repos, canapé, divan.

soi, *pron. pers.* Forme accentuée de « se », qui se réfère en *gén.* à un sujet indéterminé : *Vivre pour* **soi** ; *Chez* **soi**.

soi-disant, *adj. inv. et adv. Adj.* Qui se dit tel : *Un* **soi-disant** *policier.* – *Adv.* Prétendument : *Il vient* **soi-disant** *pour s'instruire.*

soie, *subst. f.* Long poil raide du porc ou du sanglier. – Sécrétion filamenteuse du ver à **soie** ; fibre textile tirée de ce filament.

soif, *subst. f.* Sensation de manque d'eau ; envie de boire. – Désir intense de *qqch.*

soigner, *verbe trans.* Porter une attention particulière à (*qqn, qqch.*) : **Soigner** *ses invités* ; **Soigner** *son travail.* – Donner des soins médicaux à ; traiter : **Soigner** *les lépreux, une blessure.*

soigneur, *subst. m.* Personne qui veille à l'état physique d'un sportif.

soigneux, euse, *adj.* Qui prend soin de ce qu'il fait, de ce qu'il utilise. – Accompli avec minutie ; propre : *Travail* **soigneux**.

soin, *subst. m.* Application, attention particulière portée à *qqch.*, à *qqn* : *Prendre* **soin** de, veiller sur (ou à). – Mission, charge : *Il me confia le* **soin** *de conclure.* – *Plur.* Ensemble d'actions mises en œuvre pour entretenir ou rétablir la santé, l'hygiène : **Soins** *de beauté* ; **Soins** *dentaires* ; *Les premiers* **soins**.

soir, *subst. m.* Fin de la journée, début de la nuit. – *Fig.* **Soir** *de la vie* : vieillesse (*littér.*).

soirée, *subst. f.* Période allant de la fin du jour au moment où l'on se couche. – Fête ou réception données le soir. – Séance du soir (d'un spectacle).

soit, *conj. et adv. Conj.* Ou bien : **Soit** *lui*, **soit** *moi.* – C'est-à-dire : *Ses proches*, **soit** *deux personnes.* – Supposons : **Soit** *un triangle isocèle* ... – *Adv.* D'accord, bon (avec réticence) : **Soit**, *allons-y !*

soixante, *adj. num. inv. et subst. m. inv. Adj.* Six fois dix. – Soixantième : *Le kilomètre* **soixante**. – *Subst.* Le nombre **soixante**, le numéro 60.

soixante-dix, *adj. num. inv. et subst. m. inv. Adj.* Sept fois dix. – Soixante-dixième : *La page* **70**. – *Subst.* Le nombre **soixante-dix**, le numéro 70.

soja, *subst. m.* Plante oléagineuse alimentaire d'origine asiatique.

sol (i), *subst. m.* Couche superficielle de l'écorce terrestre ; terre, terrain. – Surface sur laquelle on marche : **Sol** *carrelé.*

sol (ii), *subst. m. inv. Mus.* Cinquième note de la gamme.

solaire, *adj.* Relatif au Soleil, à la lumière ou à l'énergie qui en émane. – Qui protège du soleil : *Huile* **solaire**.

soldat, *subst. m.* Homme qui sert dans une armée ; militaire. – *Simple* **soldat** : sans grade.

solde (i), *subst. f.* Salaire d'un soldat, d'un militaire.

solde (ii), *subst. m.* Différence entre le débit et le crédit d'un compte. – Pour **solde** *de tout compte* : en règlement de la somme restant à payer. – Marchandise vendue au rabais (*gén.* au *plur.*).

solder, *verbe trans.* Clôturer (un compte). – Payer (ce qui reste dû). – Vendre au rabais. – *Pronom. Se* **solder** *par* : aboutir finalement à (une situation *gén.* défavorable).

sole, *subst. f.* Poisson plat et ovale, à chair fine.

soleil, *subst. m.* Astre situé au centre du système planétaire, autour duquel gravite la Terre. – Chaleur et lumière reçues de cet astre.

solennel, elle, *adj.* Que l'on accomplit avec faste. – Qui revêt un caractère officiel. – Empreint de dignité, de gravité. – Pompeux (*péj.*).

solennité, *subst. f.* Célébration grave et majestueuse. – Caractère de ce qui est solennel.

solfège, *subst. m.* Étude de l'écriture musicale et de ses règles. – Manuel qui les enseigne.

solidaire, *adj.* Qui assume une responsabilité ou un devoir communs ; qui se sent lié à d'autres par des intérêts mutuels. – Se dit de choses qui sont dépendantes l'une de l'autre.

solidarité, *subst. f.* État de celui qui est ou se sent solidaire. – Entraide, fraternité.

solide, *adj. et subst. m.* Se dit d'un corps qui n'est ni à l'état liquide ni à l'état gazeux. – *Adj.* Qui ne se brise ni ne s'use facilement. – *Fig.* À quoi, à qui l'on peut faire confiance. – Robuste, vigoureux.

solidifier, *verbe trans.* Amener (une substance) à l'état solide. – *Pronom.* Devenir solide.

solidité, *subst. f.* Qualité de ce qui est solide.

soliloquer, *verbe intrans.* Se parler à soi-même.

soliste, *subst.* Instrumentiste ou chanteur qui interprète seul un morceau.

solitaire, *adj. et subst. Adj.* Qui vit seul, à l'écart d'autrui. – Retiré, inhabité : *Lieu* **solitaire**. – *Subst.* Personne qui vit seule. – *Subst. masc.* Animal qui vit seul (*gén.* un vieux mâle). – Pierre précieuse sertie seule sur un bijou. – Jeu de combinaisons auquel on joue seul.

solitude, *subst. f.* Condition d'une personne qui vit seule. – Isolement moral.

solliciter, *verbe trans.* Demander avec respect : **Solliciter** *une entrevue.* – Faire appel à (*qqn*). – Attirer, exciter (l'intérêt, l'attention).

sollicitude, *subst. f.* Prévenance affectueuse et zélée, bienveillance.

solo, *subst. m. Mus.* Morceau joué par un seul interprète. – *En* **solo** : en solitaire. – *Empl. adj. Une flûte* **solo**.

solstice, *subst. m.* Époque de l'année où le jour atteint sa durée maximale ou minimale : **Solstice** *d'hiver, d'été.*

soluble, *adj.* Qui peut être dissous dans un liquide, un solvant. – Qui peut être résolu.

solution, *subst. f.* Réponse à une difficulté, à un problème ; dénouement. – Mélange liquide contenant un corps dissous. – **Solution** *de continuité* : interruption.

solvable, *adj.* Qui peut payer ses dettes.

solvant, *subst. m.* Produit pouvant dissoudre une substance (peinture, vernis, etc.).

sombre, *adj.* Qui n'est guère éclairé ; foncé. – *Fig.* Triste, maussade ; dénué d'espoir : *De* **sombres** *perspectives.*

sombrer, *verbe intrans.* S'abîmer, couler : *Le navire* **sombra**. – *Fig.* S'enfoncer, disparaître : **Sombrer** *dans la misère, dans l'oubli.*

sommaire, *adj. et subst. m. Adj.* Réduit à l'essentiel. – Détaillé ou élaboré succinctement. – Expéditif : *Une exécution* **sommaire**. – *Subst.* Résumé d'un texte. – Table des matières.

sommation, *subst. f. Dr.* Mise en demeure, par huissier, de faire *qqch.* – Injonction lancée par un soldat ou un policier, prescrivant à *qqn* de s'arrêter.

somme (i), *subst. f.* Résultat d'une addition ; au *fig.*, ensemble de choses qui s'ajoutent. – Quantité d'argent. – Œuvre encyclopédique. – *Loc. adv. En* **somme** : finalement.

somme (ii), *subst. f.* Bête de **somme** : animal qui porte des charges.

somme (iii), *subst. m.* Sieste, brève période de sommeil.

sommeil, *subst. m.* État de *qqn* qui dort. – *Avoir* **sommeil** : avoir envie de dormir. – *Fig. En* **sommeil** : temporairement inactif ou mis de côté.

sommeiller, *verbe intrans.* Dormir d'un sommeil peu profond. – *Fig.* Être à l'état latent.

sommelier, ière, *subst.* Responsable des vins et des alcools dans un restaurant.

sommer, *verbe trans.* Mettre officiellement en demeure, par sommation. – Ordonner à.

sommet, *subst. m.* Partie élevée, point culminant : *Sommet d'une montagne.* – *Fig.* Degré suprême : *Au* **sommet** *de son art.* – Point d'intersection de deux côtés d'un angle, d'un triangle, etc.

sommier, *subst. m.* Partie du lit sur laquelle repose le matelas.

sommité, *subst. f.* Personne reconnue, distinguée dans un domaine.

somnambule, *adj. et subst.* Se dit d'une personne qui parle ou agit durant son sommeil sans en garder le souvenir au réveil.

somnifère, *adj. et subst. m.* Se dit d'un médicament qui favorise le sommeil.

somnolence, *subst. f.* Demi-sommeil, torpeur.

somptuaire, *adj.* Qualifie des dépenses excessives, superflues.

somptueux, euse, *adj.* Splendide, fastueux, luxueux.

son (i), *subst. m.* Sensation auditive engendrée par une vibration de l'air ; bruit, sonorité.

son (ii), *subst. m.* Résidu de la mouture des céréales.

son (iii), **sa**, **ses**, *adj. poss.* Qui lui appartient ; qui le ou la concerne : **Son** *nez ;* **Sa** *vie ; La mer et* **ses** *périls.*

sonar, *subst. m.* Appareil de repérage sous-marin utilisant les ondes sonores.

sonate, *subst. f.* Forme de composition musicale à 3 ou 4 mouvements.

sondage, *subst. m.* Action d'explorer au moyen d'une sonde. – Enquête d'opinion.

sonde, *subst. f.* Ligne plombée servant à mesurer la profondeur de l'eau. – Instrument servant à explorer, à prospecter : **Sonde** *spatiale*, engin envoyé dans l'espace. – *Méd.* Tube introduit dans un conduit à des fins thérapeutiques ou d'analyse.

sonder, *verbe trans.* Explorer, mesurer avec une sonde. – Soumettre à une enquête d'opinion. – *Fig.* Chercher à percer le secret de.

songe, *subst. m.* Rêve, rêverie.

songer, *verbe trans. indir.* Penser, envisager : *Il* **songe** *à partir.* – *Empl. intrans.* Rêver (*littér.*).

songerie, *subst. f.* Rêverie, vagabondage de l'esprit.

songeur, euse, *adj.* Perdu dans une rêverie. – Préoccupé, perplexe.

sonner, *verbe Intrans.* Produire un son, vibrer. – Se manifester par une sonnerie : *Midi* **a sonné**. – Prononcer clairement : *Faire* **sonner** *un mot.* – Actionner une sonnette : *On* **a sonné** *à la porte.* – *Trans. indir.* Jouer (d'un instrument à vent) : **Sonner** *du cor.* – *Trans. dir.* Faire résonner. – Annoncer (*qqch.*), appeler (*qqn*) en déclenchant un signal sonore : **Sonner** *le glas, son valet.* – Assommer, abasourdir (*fam.*).

sonnerie, *subst. f.* Son produit par une ou plusieurs cloches. – Avertissement sonore : **Sonnerie** *du téléphone.* – Air militaire joué par un clairon ou un autre cuivre.

sonnet, *subst. m.* Poème composé de 2 quatrains (4 vers) suivis de 2 tercets (3 vers).

sonnette, *subst. f.* Clochette ou sonnerie électrique servant à appeler ou à avertir.

sonore, *adj.* Qui rend un son. – Qui a un son fort : *Rire* **sonore**. – Qui résonne : *Pièce* **sonore**. – Relatif au son.

sonoriser, *verbe trans.* Doter d'un équipement qui diffuse ou amplifie le son. – Joindre une bande sonore à : **Sonoriser** *un film.*

sonorité, *subst. f.* Caractère de ce qui est sonore. – Tonalité d'un son, d'un instrument.

sophistiqué, ée, *adj.* Dont l'apparence est très recherchée, raffinée. – Subtil ; complexe.

soporifique, *adj. et subst. m.* Se dit d'une substance qui endort. – *Adj. Fig. Un discours* **soporifique** : très ennuyeux (*fam.*).

soprano, *subst.* Femme ou jeune garçon dont la voix appartient au registre le plus élevé. – *Masc.* Ce registre.

sorbet, *subst. m.* Glace aux fruits, sans crème.

sorbier, *subst. m.* Arbre produisant de petites baies rouges dont les oiseaux sont friands.

sorcellerie, *subst. f.* Actes du sorcier. – Phénomène incompréhensible, mystérieux (*fam.*).

sorcier, ière, *subst.* Personne se targuant d'avoir des pouvoirs maléfiques, ou accusée de commercer avec le diable. – *Empl. adj. Ce n'est pas* **sorcier** : c'est facile.

sordide, *adj.* Misérable et sale. – *Fig.* D'une bassesse ignoble.

sorgho, *subst. m.* Haute céréale d'Asie et d'Afrique, également appelée gros mil.

sornette, *subst. f.* Propos futile, fadaise (*gén.* au *plur.*) : *Dire des* **sornettes**.

sort, *subst. m.* Destinée. – Condition, situation de *qqn.* – Maléfice. – *Tirer au* **sort** : désigner par le hasard.

sorte, *subst. f.* Genre, espèce. – *Loc. adv. De la* **sorte** : ainsi. – *Loc. conj. De* (telle) **sorte** *que ; En* **sorte** *que* (+*subj.*) : de manière à.

sortie, *subst. f.* Action de sortir. – Moment où l'on sort ; lieu par où l'on sort. – Promenade. – **Sortie** *d'un livre, d'un film* : leur présentation au public.

sortilège, *subst. m.* Pratique d'un sorcier qui jette un sort. – Effet magique.

sortir, *verbe Intrans.* (Auxil. « être ».) Quitter un lieu, aller au-dehors : **Sortir** *de la maison ;* **Sortir** *avec qqn ;* **Sortir** *dîner.* – Pousser : *Une plante qui* **sort** *de terre.* – S'échapper, provenir (de). – Paraître : *Son livre* **sort** *le mois prochain.* – Être issu de. – *Trans.* (Auxil. « avoir ») – Mener, mettre dehors : **Sortir** *le chien, les poubelles* ; extraire : **Sortez** *vos mouchoirs !* – Faire paraître : **Sortir**

un roman. – Tirer (*qqn*) d'une situation difficile. – *Pronom.* Se tirer d'un mauvais pas : *Il s'en est bien sorti !*

s.o.s., *subst. m.* Signal de détresse émis en morse, par radio. – Appel au secours.

sosie, *subst. m.* Personne qui ressemble trait pour trait à une autre.

sot, sotte, *adj. et subst.* Qui manque d'intelligence ou de jugement. – *Adj.* Marqué par la bêtise.

sottise, *subst. f.* Défaut de réflexion, de finesse, de jugement. – Acte, propos d'un sot.

sou, *subst. m.* Ancienne petite pièce de monnaie. – *Être sans le* **sou** : sans argent.

soubassement, *subst. m.* Base des murs d'une construction, reposant sur les fondations.

soubresaut, *subst. m.* Brusque secousse, cahot. – Tressaillement du corps.

souche, *subst. f.* Partie d'un arbre abattu, qui reste en terre. – Origine, lignée. – Partie restante des feuilles d'un carnet, talon.

souci (i), *subst. m.* État d'un esprit inquiet, contrarié ; cause de cet état. – Préoccupation.

souci (ii), *subst. m.* Plante à fleurs orange ou jaune vif.

soucier (se), *verbe pronom.* **Se soucier** *de* : se préoccuper de.

soucieux, ieuse, *adj.* Marqué par l'inquiétude. – Attentif (à) : **Soucieux** *de plaire.*

soucoupe, *subst. f.* Petite assiette qui se place sous une tasse.

soudain, aine, *adj. et adv. Adj.* Brusque et imprévu. – *Adv.* Tout à coup : **Soudain**, *il disparut.*

soudaineté, *subst. f.* Caractère de ce qui survient subitement, de manière imprévisible.

souder, *verbe trans.* Assembler par une soudure. – *Fig.* Unir fortement.

soudoyer, *verbe trans.* Acheter, corrompre (*qqn*).

soudure, *subst. f.* Réunion de deux éléments à l'aide d'un alliage qui fond à la chaleur ; partie soudée. – *Méd.* Adhérence : **Soudure** *des os du crâne.*

souffle, *subst. m.* Mouvement produit par l'air expiré, ou par le vent. – Respiration. – *Fig.* Élan créateur.

soufflé, *subst. m.* Mets à base de blancs d'œufs montés en neige, qui gonfle à la cuisson.

souffler, *verbe Intrans.* Expulser de l'air ; haleter. – Déplacer de l'air : *Le vent* **souffle.** – Se reposer. – *Trans.* Envoyer de l'air sur : **Souffler** *la bougie*, l'éteindre. – **Souffler** *le verre* : le façonner en y insufflant de l'air. – Dire tout bas ; suggérer : **Souffler** *une réponse.* – *Fam.* Ahurir. – Voler.

soufflerie, *subst. f.* Installation servant à souffler de l'air avec force, à produire du vent.

soufflet, *subst. m.* Appareil servant à souffler de l'air sur un foyer. – Partie pliante de cuir, de tissu : **Soufflet** *d'un accordéon.* – Gifle.

souffleur, euse, *subst.* Personne qui souffle à l'acteur son texte en cas d'oubli. – **Souffleur** *de verre* : artisan qui façonne le verre en fusion.

souffrance, *subst. f.* Sensation de douleur causée par un mal physique ou moral. – *En* **souffrance** : en attente.

souffrant, ante, *adj.* Qui est un peu malade.

souffre-douleur, *subst. m. inv.* Victime désignée de mauvais traitements, de moqueries.

souffreteux, euse, *adj.* De constitution maladive.

souffrir, *verbe Intrans.* Éprouver de la souffrance : **Souffrir** *d'un mal de dents.* – Être endommagé par : *Les plantes* **ont souffert** *du froid.* – *Trans.* Endurer. – Tolérer, admettre : *Il ne* **souffre** *pas la critique.* – *Ne pas pouvoir* **souffrir** *qqn* : le détester (*fam.*).

soufre, *subst. m.* Élément chimique jaune citron, à l'odeur désagréable quand il brûle.

souhait, *subst. m.* Aspiration à *qqch.*

souhaitable, *adj.* Qu'il faut souhaiter.

souhaiter, *verbe trans.* Espérer ; vouloir : *Je* **souhaite** *qu'il réussisse.* – Former des vœux pour.

souiller, *verbe trans.* Salir, maculer de boue, d'ordures ; contaminer. – *Fig.* Déshonorer.

souillon, *subst. f.* Personne sale, négligée (*fam.*).

souillure, *subst. f.* Tache. – Flétrissure, déshonneur.

souk, *subst. m.* Marché arabe. – *Fig.* Lieu en désordre (*fam.*).

soûl, soûle, *adj. et subst. m. Adj.* Ivre ; repu et hébété. – *Subst.* Boire, dormir tout son **soûl** : à satiété.

soulagement, *subst. m.* Allégement ou disparition d'une souffrance physique ou morale.

soulager, *verbe trans.* Décharger d'un fardeau, d'une fatigue. – Alléger, apaiser (une souffrance). – *Pronom.* Uriner (*fam.*).

soûler, *verbe trans.* Faire boire (*qqn*) à l'excès, enivrer. – *Fig.* Lasser.

soulèvement, *subst. m.* Fait de soulever, d'être soulevé. – Révolte populaire.

soulever, *verbe trans.* Lever légèrement. – Provoquer : *Mon projet* **souleva** *l'enthousiasme.* – Inciter à la révolte. – Susciter, poser, provoquer : **Soulever** *une question.* – *Cette odeur me* **soulève** *le cœur* : elle m'écœure. – *Pronom.* S'insurger.

soulier, *subst. m.* Chaussure basse.

souligner, *verbe trans.* Tirer un trait sous (un mot, une phrase). – *Fig.* Mettre l'accent sur.

soumettre, *verbe trans.* Placer sous sa domination. – Astreindre à une obligation. – Faire subir à. – **Soumettre** *une idée* : la proposer. – *Pronom.* Se rendre, obéir.

soumission, *subst. f.* Fait de se soumettre, d'être soumis. – Propension à obéir, docilité.

soupape, *subst. f.* Obturateur qui se soulève sous la pression d'un fluide. – *Fig.* Exutoire.

soupçon, *subst. m.* Sentiment de défiance envers *qqn* à qui l'on impute, sans certitude, un acte ou des intentions blâmables. – *Un* **soupçon** *de* : une quantité infime de.

soupçonner, *verbe trans.* Faire peser des soupçons sur. – Pressentir, flairer.

soupçonneux, euse, *adj.* Qui exprime la méfiance.

soupe, *subst. f.* Aliment liquide à base de légumes pressés, de pâtes, etc.

soupente, *subst. f.* Réduit aménagé dans un grenier ou sous un escalier.

souper (i), *verbe intrans.* Dîner ou faire un souper. – *En avoir* **soupé** *de* : en avoir assez de (*fam.*).

souper (ii), *subst. m.* Dîner. – Repas pris dans la nuit, au sortir d'un spectacle.

soupeser, *verbe trans.* Soulever avec la main pour évaluer le poids. – *Fig.* Examiner avec attention.

soupière, *subst. f.* Grand récipient à couvercle, dans lequel on sert la soupe.

soupir, *subst. m.* Forte expiration exprimant une émotion. – *Le dernier* **soupir** : la mort. – *Mus.* Silence d'une durée égale à la noire.

soupirail, **aux**, *subst. m.* Ouverture dans le haut d'un mur de cave, de sous-sol.

soupirant, *subst. m.* Amoureux qui fait sa cour.

soupirer, *verbe intrans.* Pousser des soupirs. – **Soupirer** *après* : désirer ardemment.

souple, *adj.* Qui plie sans se rompre. – Agile. Qui s'adapte avec facilité, accommodant : *Un caractère* **souple**.

souplesse, *subst. f.* Qualité de celui ou de ce qui est souple.

source, *subst. f.* Eau souterraine qui jaillit du sol. – Origine, provenance de *qqch.*

sourcier, **ière**, *subst.* Personne censée détecter des sources à l'aide d'une baguette.

sourcil, *subst. m.* Ligne saillante, garnie de poils, bordant l'arcade sourcilière.

sourcilier, **ière**, *adj.* Arcade **sourcilière** : saillie osseuse située au-dessus de l'œil.

sourciller, *verbe intrans.* Sans **sourciller** : sans montrer son sentiment, son émotion.

sourd, **sourde**, *adj. et subst.* Qui n'entend pas ou qui entend très mal. – *Adj.* Sourd à : indifférent à. – *Un bruit* **sourd** : amorti. – Qui ne se manifeste pas clairement : *Douleur* **sourde**.

sourdine, *subst. f. Mettre une* **sourdine** à : baisser d'un ton, atténuer.

sourd-muet, **sourde-muette**, *adj. et subst.* Se dit d'une personne qui ne sait pas parler, en raison d'une surdité congénitale ou précoce.

souriant, **ante**, *adj.* Qui sourit ; aimable. – *Un avenir* **souriant** : prometteur.

souricière, *subst. f.* Piège à souris. – *Fig.* Embuscade tendue par la police.

sourire (i), *verbe Intrans.* Faire un sourire. – *Trans. indir.* **Sourire** à : plaire à ; favoriser.

sourire (ii), *subst. m.* Expression gaie ou cordiale, marquée par le relèvement de la commissure des lèvres.

souris, *subst. f.* Petit rongeur à longue queue.

sournois, **oise**, *adj. et subst.* Qui dissimule des sentiments malveillants, fourbe.

sous, *prép.* Marque la position inférieure ou intérieure, par rapport à *qqch.* : *Se cacher* **sous** *le lit* ; *Un chèque* **sous** *enveloppe*. – Marque la dépendance, la cause ou la situation dans le temps : **Sous** *les ordres du chef* ; *Vaciller* **sous** *le choc* ; **Sous** *la Révolution*.

sous-alimentation, *subst. f.* Apport alimentaire insuffisant en quantité et en qualité.

sous-bois, *subst. m.* Espace ou végétation à l'ombre des arbres d'un bois, d'une forêt.

souscription, *subst. f.* Action de souscrire à une publication, à un emprunt.

souscrire, *verbe trans. Trans. dir.* S'engager à payer une certaine somme en échange de (*qqch.*) : **Souscrire** *un abonnement*. – *Trans. indir.* Adhérer à, approuver. – Permettre la publication d'un livre en s'engageant à l'acheter. – **Souscrire** *à un emprunt* : y participer.

sous-cutané, **ée**, *adj.* Sous la peau.

sous-développé, **ée**, *adj.* Pays **sous-développé** : au développement économique insuffisant.

sous-développement, *subst. m.* État d'un pays dont le retard économique engendre misère, analphabétisme et malnutrition.

sous-entendre, *verbe trans.* Faire comprendre une chose sans le dire expressément, suggérer.

sous-entendu, *subst. m.* Insinuation, allusion.

sous-estimer, *verbe trans.* Estimer (*qqch.*, *qqn*) au-dessous de sa valeur réelle.

sous-évaluer, *verbe trans.* Évaluer (*qqch.*, *qqn*) au-dessous de sa valeur réelle.

sous-jacent, **ente**, *adj.* Situé en dessous. – *Fig.* Caché : *Une idée* **sous-jacente**.

sous-marin, **ine**, *adj. et subst. m. Adj.* Qui se situe ou qui vit sous la mer. – *Subst.* Navire capable de naviguer en immersion.

sous-officier, *subst. m.* Militaire de l'un des premiers grades.

sous-préfecture, *subst. f.* Subdivision d'un département. – Ville de résidence du sous-préfet et de ses services administratifs.

soussigné, **ée**, *adj. et subst.* Qui a signé au bas d'un acte.

sous-sol, *subst. m.* Couche de l'écorce terrestre, située juste sous la surface du sol. – Étage inférieur au rez-de-chaussée.

sous-titre, *subst. m.* Titre secondaire d'un article, d'un livre. – Traduction au bas de l'écran des paroles d'un film, d'une émission.

soustraction, *subst. f.* Opération qui consiste à soustraire une unité à une autre.

soustraire, *verbe trans.* Retrancher (un nombre d'un autre). – Ôter, retirer. – *Pronom.* Échapper à : *Se* **soustraire** *à ses obligations*.

sous-traiter, *verbe Intrans.* Effectuer un travail pour le compte d'une entreprise principale. – *Trans.* Faire exécuter par un tiers (un travail dont on reste responsable).

sous-vêtement, *subst. m.* Linge de corps que l'on porte à même la peau.

soutane, *subst. f.* Longue robe, boutonnée sur le devant, portée par les ecclésiastiques.

soute, *subst. f.* Partie de la cale d'un bateau ou d'un avion réservée au matériel, aux bagages.

soutènement, *subst. m.* Mur de **soutènement** : destiné à contenir la poussée de la terre.

soutenir, *verbe trans.* Maintenir, servir de support ou d'appui à. – *Fig.* Donner des forces à, encourager, prendre le parti de. – Affirmer. – **Soutenir** *un effort* : le faire durer.

souterrain, **aine**, *adj. et subst. m. Adj.* Qui est situé ou qui vit sous terre. – Caché, obscur. – *Subst.* Galerie, passage **souterrains**.

soutien, *subst. m.* Action de soutenir *qqch.* ; ce qui soutient, support. – Action de soutenir *qqn* moralement ; personne qui soutient.

soutien-gorge, *subst. m.* Sous-vêtement féminin servant à soutenir la poitrine.

soutirer, *verbe trans.* Transvaser (le vin, le cidre) d'un récipient dans un autre. – *Fig.* Obtenir (*qqch.*) par tromperie ou par insistance.

souvenir, *subst. m.* Ce que la mémoire conserve du passé. – Ce qui rappelle *qqn* ou *qqch.*

souvenir (se), *verbe pronom.* Se rappeler : **Souviens-toi** *que tu as promis !* – Garder en mémoire : *Je* **me souviens** *de lui*.

souvent, *adv.* Fréquemment, à maintes reprises.

souverain, aine, *adj. et subst.* *Adj.* Qui a atteint le plus haut degré ; suprême. – Dont l'efficacité est absolue : *Remède* **souverain**. – Qui détient la puissance. – *Subst.* Monarque.

souveraineté, *subst. f.* Autorité suprême. – Caractère d'un État indépendant.

soyeux, euse, *adj.* Qui est en soie. – Qui évoque la soie par sa douceur et sa brillance.

spacieux, ieuse, *adj.* Qui offre un vaste espace.

spaghetti, *subst. m.* Pâte alimentaire en forme de longs et fins cylindres pleins.

sparadrap, *subst. m.* Bande de matière adhésive servant à fixer un pansement.

spartiate, *adj. et subst. f.* *Adj.* *Une vie* **spartiate** : austère et frugale. – *Subst.* Sandale à lanières.

spasme, *subst. m.* Contraction involontaire d'un muscle.

spasmophilie, *subst. f.* Affection qui se manifeste par des spasmes, des crampes.

spatial, ale, aux, *adj.* Relatif à l'espace cosmique.

spationaute, *subst.* Synon. d'« astronaute ».

spatule, *subst. f.* Grande cuillère aplatie. – Extrémité recourbée d'un ski.

spécial, ale, aux, *adj.* Propre à un domaine déterminé (*oppos. général*). – Réservé à un usage particulier. – Exceptionnel. – Singulier.

spécialiser, *verbe trans.* Donner un emploi spécial à. – *Pronom.* Acquérir une compétence dans un domaine particulier.

spécialiste, *adj. et subst.* Qui a des compétences particulières dans un domaine déterminé.

spécialité, *subst. f.* Activité professionnelle, compétence déterminées. – Mets, produit régionaux : *Une* **spécialité** *du Sud-Ouest.*

spécieux, ieuse, *adj.* Qui semble vrai, mais est mensonger ou erroné.

spécificité, *subst. f.* Caractère spécifique.

spécifier, *verbe trans.* Indiquer de manière précise.

spécifique, *adj.* Qui est propre à une espèce. – Qui offre un caractère original et exclusif.

spécimen, *subst. m.* Élément typique d'une espèce. – Exemplaire gratuit d'une publication.

spectacle, *subst. m.* Ce qui est offert à la vue, à l'attention. – Représentation scénique.

spectaculaire, *adj.* Qui provoque une vive impression, saisissant. – Considérable.

spectateur, trice, *subst.* Témoin oculaire. – Personne qui assiste à un spectacle.

spectre, *subst. m.* Fantôme. – Perspective effrayante qui hante l'esprit : *Le* **spectre** *de la guerre.*

spéculation, *subst. f.* Opération financière visant à tirer profit des variations du marché.

spéculer, *verbe intrans.* Faire de la spéculation financière. – *Fig.* Miser sur (*qqch.*) pour réussir.

spéléologie, *subst. f.* Étude et exploration des gouffres et des grottes.

spermatozoïde, *subst. m.* Cellule reproductrice mâle : *Le* **spermatozoïde** *féconde l'ovule.*

sperme, *subst. m.* Liquide émis par les glandes génitales mâles, contenant les spermatozoïdes.

sphère, *subst. f.* Globe. – *Fig.* Domaine dans lequel s'exerce une compétence, une influence.

sphérique, *adj.* De forme ronde.

sphincter, *subst. m.* Muscle qui resserre ou ferme un orifice naturel : **Sphincter** *de l'anus.*

sphinx, *subst. m.* Être mythologique à corps de lion et à tête humaine. – Papillon de nuit.

spinal, ale, aux, *adj.* Relatif à la moelle épinière.

spirale, *subst. f.* Courbe qui s'enroule en plusieurs boucles autour de son axe.

spiritisme, *subst. m.* Doctrine et pratique de ceux qui croient à l'existence des esprits et tentent de communiquer avec eux.

spiritualité, *subst. f.* Ensemble des principes qui régissent la vie spirituelle.

spirituel, elle, *adj.* Qui relève du domaine de l'esprit ou de la religion. – Qui a une intelligence vive et fine.

spiritueux, euse, *adj. et subst. m.* Se dit d'une boisson fortement alcoolisée.

spleen, *subst. m.* Mélancolie, ennui profond.

splendeur, *subst. f.* Beauté somptueuse.

splendide, *adj.* Éclatant de beauté. – Magnifique : *Un temps* **splendide**.

spolier, *verbe trans.* Déposséder (*qqn*) par la force ou la fraude (*littér.*).

spongieux, ieuse, *adj.* Qui a la structure ou la consistance de l'éponge. – Imbibé d'eau.

spontané, ée, *adj.* Qui se produit de soi-même ; qui est naturel. – Sans préparation ni calcul ; instinctif : *Un geste* **spontané**.

spontanéité, *subst. f.* Qualité d'une personne qui exprime librement ses sentiments.

sporadique, *adj.* Qui se produit çà et là, ou par moments : *Des tirs* **sporadiques**.

sport, *subst. m.* Activité physique, individuelle ou collective, pratiquée à des fins d'hygiène, de jeu ou de compétition et qui est susceptible d'obéir à des règles.

sportif, ive, *adj. et subst.* Qui fait du sport ou entretient sa bonne forme physique. – *Adj.* *Journal* **sportif** : consacré aux sports.

spot, *subst. m.* Petit projecteur orientable. – Bref message publicitaire.

squale, *subst. m.* Poisson de grande taille, à denture puissante, tel que le requin. – *Plur.* Le sousordre correspondant.

square, *subst. m.* Jardin public entouré d'une grille, situé sur une place.

squatter, *verbe trans.* Occuper illégalement (un logement vide).

squelette, *subst. m.* Ensemble des os du corps. – Armature, ossature. – Schéma d'une œuvre.

squelettique, *adj.* Relatif au squelette. – D'une maigreur extrême.

stabiliser, *verbe trans.* Rendre stable. – *Pronom.* Cesser de s'aggraver, en parlant d'une maladie.

stabilité, *subst. f.* Qualité d'une chose ou d'une personne stables.

stable, *adj.* Qui reste solidement en place : *Un lampadaire* **stable**. – Qui ne varie pas ; durable, constant. – *Une personne* **stable** : équilibrée.

stade, *subst. m.* Terrain de sport *souv.* entouré de gradins. – Période, phase, degré.

stage, *subst. m.* Période d'initiation à un métier. – Brève formation professionnelle.

stagiaire, *adj. et subst.* Qui suit un stage.

stagnant, ante, *adj.* Qui ne s'écoule pas. – *Fig.* Qui n'évolue pas, ne fait aucun progrès.

stagnation, *subst. f.* État d'un fluide stagnant. – *Fig.* Manque d'activité ; inertie.

stagner, *verbe intrans.* Être stagnant ; croupir. – *Fig.* Ne marquer aucun progrès.

stalactite, *subst. f.* Colonne de calcaire qui descend de la voûte d'une grotte.

stalagmite, *subst. f.* Colonne de calcaire qui s'élève du sol d'une grotte.

stalle, *subst. f.* Compartiment d'une écurie, d'une étable affecté à un animal. – Siège de bois situé dans le chœur d'une église.

stand, *subst. m.* Emplacement réservé à un exposant, dans un salon.

standard (i), *subst. m.* Dispositif permettant de faire communiquer entre eux et avec l'extérieur des postes téléphoniques.

standard (ii), *adj. et subst. m.* Subst. Modèle, norme de fabrication. – *Adj.* Conforme à un prototype, à une norme. – De type courant.

standardiser, *verbe trans.* Soumettre à une norme. – Uniformiser.

standardiste, *subst.* Personne préposée à un standard téléphonique.

star, *subst. f.* Vedette du cinéma. – Personnage célébré par les médias.

station, *subst. f.* Position : Station *debout*. – Halte. – Endroit où s'arrête le bus, le métro. – Lieu où l'on séjourne. – Installation scientifique d'observation. – Émetteur de radio, de télévision ; canal, chaîne.

stationnaire, *adj.* Qui a cessé d'évoluer.

stationnement, *subst. m.* Fait de stationner.

stationner, *verbe intrans.* Demeurer un certain temps au même endroit.

station-service, *subst. f.* Poste où l'on vend du carburant et où l'on effectue l'entretien courant d'un véhicule.

statistique, *adj. et subst. f. Subst.* Analyse systématique et chiffrée de faits socio-économiques. – *Adj.* Qui relève de la **statistique**.

statue, *subst. f.* Sculpture représentant dans sa totalité un être animé ou allégorique.

statuer, *verbe trans. indir.* Se prononcer, prendre une décision sur : Statuer *sur un cas*.

statu quo, *subst. m. inv.* État actuel d'une situation.

stature, *subst. f.* Taille d'une personne. – *Fig.* Envergure : *Il a la* **stature** *d'un chef*.

statut, *subst. m.* Ensemble des textes qui définissent et régissent la situation d'un groupe. – Situation dans la société : *Le* **statut** *social*. – *Plur.* Acte écrit qui fixe légalement les objectifs, les règles d'une société, d'une association.

steak, *subst. m.* Grillade de bœuf.

stèle, *subst. f.* Monument taillé dans un seul bloc de pierre.

sténo, *subst. f.* Méthode de transcription rapide de la parole, selon un code (*abrév.* de « sténographie »).

stentor, *subst. m. Une voix de* **stentor** : puissante et sonore.

steppe, *subst. f.* Vaste plaine à la végétation herbeuse et pauvre.

stère, *subst. m.* Mesure de bois égale à 1 m^3.

stéréo, *adj. inv. et subst. f.* Se dit d'un procédé d'enregistrement et de reproduction des sons qui restitue le relief acoustique (*abrév.* de « stéréophonie »).

stéréotype, *subst. m.* Idée toute faite, lieu commun.

stéréotypé, ée, *adj.* Impersonnel. – Figé.

stérile, *adj.* Inapte à la procréation. – *Terre* **stérile** : inféconde. – Dépourvu de germes pathogènes. – *Fig.* Improductif, vain.

stérilet, *subst. m.* Objet contraceptif féminin, placé à l'intérieur de l'utérus.

stérilisation, *subst. f.* Suppression de la capacité reproductrice. – Désinfection.

stériliser, *verbe trans.* Rendre inapte à la procréation. – Aseptiser.

stérilité, *subst. f.* Inaptitude à la procréation. – Aridité, pauvreté. – *Fig.* Inutilité.

sternum, *subst. m.* Os plat et long de la face antérieure de la cage thoracique.

stéthoscope, *subst. m.* Instrument servant à ausculter le cœur et les poumons.

steward, *subst. m.* Membre masculin du personnel navigant d'un avion.

stigmate, *subst. m.* Cicatrice, trace laissée par une blessure. – *Fig. Les* **stigmates** *de la drogue*.

stigmatiser, *verbe trans.* Dénoncer avec virulence.

stimulation, *subst. f.* Action de stimuler.

stimuler, *verbe trans.* Accroître l'activité, l'énergie ou l'enthousiasme de.

stipuler, *verbe trans.* Notifier expressément. – Formuler comme clause, comme condition (dans un contrat, un acte).

stock, *subst. m.* Quantité de marchandises en réserve, non vendues.

stocker, *verbe trans.* Mettre en réserve.

stoïque, *adj.* Qui endure la souffrance, le malheur sans se plaindre ; imperturbable.

stomacal, ale, aux, *adj.* Relatif à l'estomac.

stomatologie, *subst. f.* Spécialité qui traite les maladies de la bouche et des dents.

stop, *interj. et subst. m. Interj.* Enjoint de s'arrêter. – *Subst.* Panneau routier ordonnant à un véhicule de s'arrêter et de céder le passage.

stopper, *verbe Intrans.* S'arrêter. – *Trans.* Faire cesser.

store, *subst. m.* Rideau de tissu ou de lamelles de bois, de plastique, qui se déroule devant une fenêtre, une devanture.

strabisme, *subst. m.* Défaut de parallélisme des yeux entraînant des troubles de la vision.

strangulation, *subst. f.* Action d'étrangler.

strapontin, *subst. m.* Petit siège rabattable, dans une salle de spectacle, dans un train, etc.

strass, *subst. m.* Verre coloré au plomb, imitant les pierres précieuses.

stratagème, *subst. m.* Ruse subtile, manœuvre.

strate, *subst. f.* Chacune des couches superposées constituant un terrain. – Niveau.

stratège, *subst. m.* Chef militaire d'envergure.

stratégie, *subst. f.* Art d'élaborer les plans d'attaque d'une armée ; organisation de la défense d'un pays. – Ensemble d'actions menées habilement pour atteindre un but.

stratégique, *adj.* Qui concerne la stratégie. – Déterminant.

stratifié, ée, *adj.* Disposé en strates.

stress, *subst. m. inv.* Tension nerveuse, anxiété.

strict, stricte, *adj.* Astreignant ; sévère, rigide. – Rigoureusement conforme à une norme. – Réduit à la valeur minimale.

strident, ente, *adj.* Très aigu, désagréable.

stridulant, ante, *adj.* Qui émet un son aigu.

strie, *subst. f.* Chacune des lignes parallèles marquant une surface, rainure.

strié, ée, *adj.* Qui porte des stries.

strophe, *subst. f.* Ensemble de plusieurs vers d'un poème. – Couplet.

structure, *subst. f.* Manière dont les éléments d'un ensemble sont organisés ou agencés. – Système organisé considéré dans ses éléments fondamentaux. – Armature.

structurel, elle, *adj.* Propre aux structures.

structurer, *verbe trans.* Donner une structure à.

stuc, *subst. m.* Mélange de plâtre fin et de colle, qui imite le marbre.

studieux, ieuse, *adj.* Qui étudie avec application.

studio, *subst. m.* Logement d'une pièce. – Local aménagé pour le tournage de films ou l'enregistrement de disques, d'émissions.

stupéfaction, *subst. f.* État d'une personne stupéfaite, ébahie.

stupéfait, aite, *adj.* Qui est saisi, figé par un profond étonnement.

stupéfiant, ante, *adj. et subst. m. Adj.* Qui stupéfie, ébahit : *Une nouvelle stupéfiante.* – *Subst.* Drogue.

stupéfier, *verbe trans.* Rendre stupéfait, abasourdir.

stupeur, *subst. f. Psych.* État pathologique mêlant hébétude et mutisme. – Extrême étonnement.

stupide, *adj.* Sans intelligence. – Absurde.

stupidité, *subst. f.* Caractère d'une personne stupide. – Des propos stupides.

style, *subst. m.* Forme particulière d'une écriture, d'un langage : *Un style concis.* – Type esthétique propre à un artiste, à un genre, à une époque : **Style** *roman* ; **Style** *Louis XV*. – Façon d'être, d'agir : **Style** *de vie*.

stylet, *subst. m.* Petit poignard.

styliser, *verbe trans.* Représenter en simplifiant, en épurant les formes.

styliste, *subst.* Professionnel de l'esthétique industrielle. – *Cout.* Créateur de modèles.

stylo, *subst. m.* Instrument contenant une réserve d'encre et servant à écrire.

suaire, *subst. m.* Linceul.

suave, *adj.* D'une douceur exquise.

subalterne, *adj. et subst.* Qui occupe une position subordonnée, inférieure. – *Adj.* Secondaire.

subconscient, iente *adj. et subst. m.* Se dit d'un état psychique dont on est inconscient.

subdiviser, *verbe trans.* Diviser de nouveau (un ensemble déjà divisé).

subir, *verbe trans.* Supporter ; endurer. – Être l'objet de ; être soumis à.

subit, ite, *adj.* Soudain et inopiné.

subjectif, ive, *adj.* Propre au sujet, en tant qu'être pensant. – Fondé sur les sentiments personnels : *Un avis subjectif.*

subjectivité, *subst. f.* Caractère de ce qui relève de la seule perception du sujet.

subjonctif, *subst. m.* Mode verbal qui exprime le souhait, la crainte, l'intention, etc.

subjuguer, *verbe trans.* Soumettre à sa loi. – Fasciner, envoûter.

sublime, *adj. et subst. m.* Qui élève l'âme par sa perfection morale ou esthétique.

submerger, *verbe trans.* Recouvrir d'eau, inonder. – *Fig.* Envahir : **Être submergé** *par les soucis.*

submersible, *adj. et subst. m. Adj.* Qui peut être recouvert d'eau. – *Subst.* Sous-marin.

subordonné, ée, *adj. et subst.* Qui est dans une position de dépendance. – *Ling.* Proposition **subordonnée** (ou *une* **subordonnée**) : dont le sens et la forme grammaticale dépendent d'une proposition principale.

subordonner, *verbe trans.* Soumettre à une autorité supérieure. – Faire dépendre de (*qqch.*).

suborner, *verbe trans.* Pousser *qqn* à agir contre son devoir, sa conscience en le corrompant.

subside, *subst. m.* Aide financière allouée à *qqn*.

subsidiaire, *adj.* Qui est accessoire, annexe. – *Question* **subsidiaire** : complémentaire, destinée à départager les candidats.

subsistance, *subst. f.* Fait de subsister. – Nourriture et entretien d'une personne.

subsister, *verbe intrans.* Continuer d'exister, demeurer : *Rien ne subsistait de la ville bombardée.* – Assurer sa subsistance.

substance, *subst. f.* Matière d'un corps. – Ce qui constitue le fond, l'essentiel : *La substance d'un discours.*

substantiel, ielle, *adj.* Nourrissant. – Essentiel, capital. – Important, considérable.

substantif, *subst. m. Ling.* Nom.

substituer, *verbe trans.* Mettre (une personne, une chose) à la place de (*qqn, qqch.*).

substitution, *subst. f.* Action, fait de substituer. – Remplacement.

subterfuge, *subst. m.* Moyen ingénieux, artifice.

subtil, ile, *adj.* Impalpable, délicat : *Parfum subtil* ; au *fig.* : *Différence subtile.* – Fin, ingénieux : *Esprit, propos subtils.*

subtiliser, *verbe trans.* Dérober (*qqch.*) avec habileté.

subtilité, *subst. f.* Caractère de ce qui est subtil. – *Plur.* Pensée, propos exagérément fins.

subvenir, *verbe trans. indir.* Pourvoir, satisfaire : **Subvenir** *aux besoins, aux frais de qqn.*

subvention, *subst. f.* Aide financière consentie par l'État ou par une institution.

subventionner, *verbe trans.* Accorder une subvention à : **Subventionner** *un projet, un théâtre.*

subversif, ive, *adj.* Propre à déstabiliser les institutions, l'ordre établi : *Œuvre subversive.*

suc, *subst. m.* Liquide végétal : *Le suc d'une fleur.* – Sécrétion organique : *Sucs digestifs.* – *Fig.* Le meilleur de (*qqch.* (littér.).

succédané, *subst. m.* Produit de remplacement : **Succédané** *de sucre.* – *Fig.* Ce qui remplace, en moins bien, une chose qui fait défaut.

succéder, *verbe trans. indir.* Prendre la suite de (*qqn* ou *qqch.*), remplacer définitivement : **Succéder** *à un ministre.* – Venir après : *L'effet succède à la cause.*

succès, *subst. m.* Issue heureuse, victoire : **Succès** *militaire.* – Faveur du public : **Succès** *d'un film.*

successeur, *subst. m.* Personne qui succède à une autre dans une fonction. – Personne qui poursuit l'œuvre d'une autre.

successifs, ives, *adj. plur.* Qui se succèdent : *Stades successifs d'une évolution.*

succession, *subst. f.* Le fait de succéder à *qqn*. – Suite, série ininterrompue : **Succession** *de gens,* *d'idées.* – *Dr.* Transmission des biens d'une personne après sa mort, héritage.

succinct, incte, *adj.* Bref, concis. – *Fig.* Simple, sommaire : *Ameublement* **succinct.**

succion, *subst. f.* Action de sucer, d'aspirer.

succomber, *verbe Intrans.* Être vaincu dans un combat. – Mourir. – S'affaisser : **Succomber** *sous la charge.* – *Trans. indir.* Céder à : **Succomber** *à la tentation.*

succulent, ente, *adj.* Savoureux, exquis.

succursale, *subst. f.* Établissement qui dépend d'un autre, tout en gardant quelque autonomie.

sucer, *verbe trans.* Aspirer avec les lèvres : *Les vampires* **sucent** *le sang.* – Presser entre la langue et le palais : **Sucer** *son pouce, une pastille.*

sucette, *subst. f.* Petite tétine que sucent les nourrissons. – Bonbon fixé à un bâtonnet.

sucre, *subst. m.* Aliment soluble de saveur douce, obtenu par traitement du suc d'une betterave ou de la canne à **sucre** : **Sucre** *en poudre.* – *Un* **sucre** : un morceau de **sucre.**

sucrer, *verbe trans.* Adoucir avec du sucre ou avec un succédané : **Sucrer** *son thé.* – *Fig.* Enlever, supprimer (*fam.*).

sucrerie, *subst. f.* Usine où l'on fabrique du sucre. – Friandise à base de sucre (*gén.* au *plur.*).

sucrier, ière, *adj. et subst. m. Adj.* Qui produit du sucre : *Betterave, industrie* **sucrière.** – *Subst.* Récipient dans lequel on met du sucre.

sud, *adj. inv. et subst. m. inv. Subst.* L'un des quatre points cardinaux, opposé au nord : *Naviguer plein* **sud,** vers ce point. – Partie méridionale d'une région, d'un pays. – *Adj.* Situé au **sud.**

sudation, *subst. f.* Production de sueur.

sudoripare, *adj.* Qui produit de la sueur.

suédois, *subst. m.* Langue germanique parlée en Suède et dans une partie de la Finlande.

suer, *verbe Intrans.* Évacuer de la sueur, transpirer. – Suinter : *Le mur* **sue.** – Peiner, travailler dur. – *Trans.* Rendre par les pores. – Exhaler : **Suer** *la bêtise.* – **Suer** *sang et eau* : faire de grands efforts (*fam.*).

sueur, *subst. f.* Sécrétion aqueuse évacuée par les pores sous l'effet de la chaleur, de la maladie, de l'émotion.

suffire, *verbe trans. indir.* **Suffire** *à, pour* : être apte à satisfaire, à contenter. – *Empl. impers. Il* **suffit** *de, que* : il faut seulement. – *Cela* **suffit** ! : assez!

suffisant, ante, *adj.* Qui suffit : *Quantité* **suffisante.** – *Fig.* Qui est imbu de lui-même.

suffixe, *subst. m.* Élément placé après le radical d'un mot pour constituer un dérivé.

suffocant, ante, *adj.* Qui suffoque : *Chaleur* **suffocante.** – *Fig. Nouvelle* **suffocante.**

suffoquer, *verbe Trans.* Couper le souffle à (*qqn*) ; étouffer. – *Fig.* Stupéfier. – *Intrans.* Respirer à grand-peine.

suffrage, *subst. m.* Volonté exprimée lors d'une election ; vote, voix. – Approbation.

suggérer, *verbe trans.* Inspirer, conseiller (*qqch.*) à *qqn.* – Faire penser à, évoquer.

suggestion, *subst. f.* Action de suggérer : *Pouvoir de* **suggestion.** – Ce que l'on suggère.

suicidaire, *adj. et subst.* Qui est disposé au suicide. – *Adj.* Qui mène au suicide ou, au *fig.*, à la

destruction, à l'échec : *Un tabagisme, une démission* **suicidaires.**

suicide, *subst. m.* Action de se tuer volontairement. – Fait de se détruire, de s'exposer à un danger mortel ou, au *fig.*, à un échec grave.

suicider (se), *verbe pronom.* Se tuer par suicide. – *Fig.* Provoquer sa propre ruine.

suie, *subst. f.* Dépôt noirâtre laissé par la fumée lorsque la combustion est incomplète.

suif, *subst. m.* Graisse animale : **Suif** *de mouton.*

suinter, *verbe intrans.* Couler lentement, en fines gouttelettes : *L'humidité* **suinte.** – Laisser s'écouler un liquide lentement : *Une plaie qui* **suinte.**

suite, *subst. f.* Ce qui suit, ce qui vient après : *Le roi et sa* **suite** ; *La* **suite** *au prochain numéro.* – Succession, série : *Une* **suite** *de nombres.* – *Tout de* **suite** : immédiatement. – *Propos sans* **suite** : incohérents.

suivant (i), *prép.* Conformément à ; en fonction de : **Suivant** *les usages, le temps, les cas.*

suivant (ii), ante, *adj. et subst.* Qui vient juste après : *Le jour* **suivant** ; *Au* **suivant** ! – *Subst.* Personne qui suit *qqn*, qui l'accompagne.

suivi, ie, *adj. et subst. m. Adj.* Continu : *Entretiens* **suivis.** – Cohérent. – *Subst.* Surveillance régulière et prolongée : **Suivi** *médical.*

suivre, *verbe trans.* Aller derrière ; accompagner : **Suis**-*moi* ; **Suivre** *qqn du regard.* – Venir après, succéder à ; *empl. pronom.* : *Les jours se* **suivent.** – Longer : **Suivre** *le fleuve.* – Se soumettre à : **Suivre** *un traitement.* – Être attentif à : **Suivre** *un film* ; comprendre : *Je ne* **suis** *pas ton exposé.*

sujet (i), *subst. m.* Argument, thème : *Le* **sujet** *d'un devoir* ; *Au* **sujet** *de,* à propos de. – Cause, raison : *Un* **sujet** *de satisfaction.* – Individu : *Quel mauvais* **sujet** ! – *Philos.* Être pensant (*oppos. objet*). – *Ling.* La personne ou la chose qui fait ou qui subit l'action exprimée par le verbe.

sujet (ii), ette, *adj. et subst. Adj.* Exposé à ; enclin à : *Être* **sujet** *au vertige.* – *Subst.* Personne soumise à une autorité : *Les* **sujets** *du roi.*

sulfate, *subst. m.* Sel d'un acide dérivé du soufre.

sulfater, *verbe trans.* Traiter (une vigne) en pulvérisant du sulfate de cuivre.

sulfureux, euse, *adj.* De la nature du soufre. – *Fig.* Hérétique : *Écrits* **sulfureux.**

sultan, ane, *subst. Masc.* Ancien titre des souverains de divers États islamiques. – *Fém.* Épouse du **sultan.**

summum, *subst. m.* Degré le plus haut, apogée : *Le* **summum** *du raffinement.*

super- (i), *préfixe* Marque le renforcement, la supériorité.

super (ii), *subst. m. Abrév.* de « supercarburant », essence de qualité supérieure.

super (iii), *adj. inv.* Épatant, formidable (*fam.*).

superbe, *adj. et subst. f. Adj.* Très beau, magnifique. – *Subst.* Orgueil ostentatoire (*littér.*)

supercherie, *subst. f.* Tromperie, fraude.

superficie, *subst. f.* Dimension, étendue d'une terre, d'une surface.

superficiel, ielle, *adj.* Limité à la surface : *Plaie* **superficielle.** – *Fig.* Sans profondeur, frivole.

superflu, ue, *adj.* Qui excède le nécessaire ; inutile. – *Empl. subst. Se passer du* **superflu.**

supérieur, ieure, *adj. et subst. Adj.* Situé au-dessus, plus haut : *Lèvre* **supérieure**. – Plus grand : *Note* **supérieure** *à 10*. – Qui dépasse en qualité, en valeur : *Intelligence* **supérieure**. – *Fig.* Arrogant : *Air* **supérieur**. – *Subst.* Personne qui domine hiérarchiquement : *Obéir à ses* **supérieurs** ; *La* **supérieure** *du couvent*.

supériorité, *subst. f.* Caractère supérieur.

superlatif, ive, *adj. et subst. m.* Se dit d'un élément grammatical exprimant le degré extrême de supériorité ou d'infériorité d'une qualité.

superposer, *verbe trans.* Poser l'un au-dessus de l'autre : **Superposer** *des briques*.

supersonique, *adj.* Dont la vitesse est supérieure à celle du son : *Avion* **supersonique**.

superstitieux, ieuse, *adj. et subst.* Qui fait preuve de superstition : *Un homme, un geste* **superstitieux**.

superstition, *subst. f.* Fait de prêter irrationnellement une influence (bonne ou mauvaise) à certains actes, à certains signes.

superstructure, *subst. f.* Construction superposée à une autre qui lui sert de base.

superviser, *verbe trans.* Contrôler dans ses grandes lignes (un travail fait par d'autres).

supplanter, *verbe trans.* Prendre de façon déloyale la place de, évincer. – Remplacer.

suppléant, ante, *adj. et subst.* Se dit d'une personne qui supplée qqn.

suppléer, *verbe trans.* **Suppléer** *qqn* : le remplacer, remplir ses fonctions. – **Suppléer** *à un manque* : y remédier, le compenser.

supplément, *subst. m.* Ce qui s'ajoute à qqch. : *Un* **supplément** *d'informations*. – *En* **supplément** : en plus.

supplémentaire, *adj.* Qui vient s'ajouter : *Heures* **supplémentaires**.

supplication, *subst. f.* Prière instante et humble.

supplice, *subst. m.* Lourde peine corporelle infligée à un condamné. – Souffrance intense, tourment : *Être au* **supplice**, souffrir vivement.

supplicier, *verbe trans.* Soumettre au supplice.

supplier, *verbe trans.* Implorer humblement, en insistant, en adjurant : *Je vous en* **supplie**.

supplique, *subst. f.* Requête écrite pour implorer une faveur, une grâce.

support, *subst. m.* Ce qui sert d'appui, de socle : **Support** *d'une étagère*. – **Supports** *publicitaires* : affiches, magazines, télévision, etc.

supporter (i), *verbe trans.* Servir de support à, soutenir. – Endurer : **Supporter** *le froid*. – Subir : **Supporter** *la grossièreté*. – Avoir la charge de : **Supporter** *les frais*.

supporter (ii), *subst.* Partisan qui soutient une équipe, un sportif.

supposer, *verbe trans.* Admettre par hypothèse : **Supposons** *que…* – Impliquer, rendre nécessaire : *Cela* **suppose** *du travail*. – Juger probable, présumer : *Je* **suppose** *que vous serez là*.

supposition, *subst. f.* Hypothèse.

suppositoire, *subst. m.* Médicament de forme conique, administré par voie rectale.

suppôt, *subst. m.* Serviteur d'une personne ou d'une cause nuisibles : **Suppôt** *de Satan*.

suppression, *subst. f.* Action, fait de supprimer : **Suppression** *d'emplois*.

supprimer, *verbe trans.* Faire cesser, faire disparaître : **Supprimer** *un mot, une loi*. – Assassiner.

suppurer, *verbe intrans.* Produire un écoulement de pus : *Plaie qui* **suppure**.

supputer, *verbe trans.* Calculer par estimation indirecte, évaluer : **Supputer** *un gain, ses chances*.

suprématie, *subst. f.* Domination, autorité absolue : *La* **suprématie** *économique d'un pays*.

suprême, *adj. et subst. m.* Qui est au-dessus de tout : *Une autorité* **suprême**. – Ultime : *Instants, volontés* **suprêmes**.

sur, *prép.* Indique une position haute : *La mouette plane* **sur** *l'océan*, au-dessus. – Marque une mise en contact : *Dessiner* **sur** *le mur* ; *Un béret* **sur** *la tête*. – En direction de : *Aller* **sur** *la gauche*. – Parmi : *Un* **sur** *quatre*. – Au sujet de : *Un film* **sur** *la guerre*. – D'après : *Croire* **sur** *parole*.

sûr, sûre, *adj.* Sans danger, sans risques : *Rue* **sûre** ; *Mettre en lieu* **sûr**. – Digne de confiance : *Ami* **sûr**. – Assuré, certain : *Notre succès est* **sûr** ; *J'en suis* **sûr**. – *Bien* **sûr** : évidemment.

surabondance, *subst. f.* Abondance extrême.

suranné, ée, *adj.* Hors d'usage. – Désuet.

surcharger, *verbe trans.* Charger à l'excès ; au *fig.* : **Surcharger** *d'impôts*. – Encombrer inutilement. – Réécrire par-dessus (un texte).

surchauffer, *verbe trans.* Chauffer à l'excès.

surclasser, *verbe trans.* Montrer une indéniable supériorité sur : **Surclasser** *ses rivaux*.

surcroît, *subst. m.* Ce qui vient s'ajouter à ce qui existe déjà : *Un* **surcroît** *de dépenses*. – *De, par* **surcroît** : en plus.

surdité, *subst. f.* Déficience totale ou partielle du sens de l'ouïe.

surdoué, ée, *adj. et subst.* Se dit d'une personne douée d'une capacité intellectuelle exceptionnelle.

sureau, *subst. m.* Arbuste au bois très léger, donnant des baies acides rouges ou noires.

surélever, *verbe trans.* Augmenter la hauteur, le niveau de : **Surélever** *un mur*.

surenchère, *subst. f.* Enchère supérieure à la précédente. – Action d'aller plus loin en actes, en paroles : *Une* **surenchère** *de violence*.

surestimer, *verbe trans.* Estimer au-delà de sa valeur, de son mérite, de son importance réelle.

sûreté, *subst. f.* Qualité de ce qui est sûr : *La* **sûreté** *d'un jugement*. – *En* **sûreté** : à l'abri du danger, en lieu sûr.

surévaluer, *verbe trans.* Attribuer trop de valeur à.

surexcité, ée, *adj.* Excité à l'extrême.

surexposer, *verbe trans.* Exposer trop longuement (une pellicule photographique) à la lumière.

surf, *subst. m.* Sport consistant à glisser sur les vagues, debout sur une planche.

surface, *subst. f.* Face apparente, partie extérieure d'un corps : *La* **surface** *de la Terre* ; *Faire* **surface**, émerger. – Étendue, aire : *La* **surface** *d'un triangle* ; *Une grande* **surface**, un supermarché.

surfait, aite, *adj.* Inférieur à sa réputation.

surgelé, ée, *adj. et subst. m.* Se dit d'une denrée congelée.

surgir, *verbe intrans.* Apparaître, s'élever, sortir soudainement. – *Fig. Les problèmes* **surgissent**.

surhumain, aine, *adj.* Qui dépasse les capacités humaines : *Force, effort* **surhumains.**

sur-le-champ, *adv.* Immédiatement, sans délai.

surlendemain, *subst. m.* Jour suivant le lendemain.

surmenage, *subst. m.* Fait de surmener ou de se surmener. – État d'épuisement qui en résulte.

surmener, *verbe trans.* Imposer un effort physique ou intellectuel exagéré à.

surmonter, *verbe trans.* Être situé au-dessus de. – *Fig.* Maîtriser, vaincre : **Surmonter** *sa peur.*

surnager, *verbe intrans.* Se maintenir à la surface d'un liquide. – *Fig.* Subsister, ne pas disparaître.

surnaturel, elle, *adj. et subst. m. Adj.* Qui se situe au-delà de la nature : *Lois* **surnaturelles**, divines. – Que la raison ne peut expliquer. – *Subst.* Croire au **surnaturel.**

surnom, *subst. m.* Nom distinctif qui s'ajoute ou se substitue au patronyme d'un individu.

surnombre, *subst. m.* Quantité qui excède le nombre fixé : *Être en* **surnombre.**

surnommer, *verbe trans.* Attribuer un surnom à.

surnuméraire, *adj.* Qui est en surnombre.

surpasser, *verbe trans.* Faire mieux que, surclasser. – *Pronom.* Aller au-delà de ses limites.

surpeuplé, ée, *adj.* Excessivement peuplé.

surplomb, *subst. m.* Partie saillante au-dessus de la base : *En* **surplomb**, en saillie.

surplomber, *verbe* S'avancer au-dessus de, dominer : *La falaise* **surplombe** *la mer.*

surplus, *subst. m.* Ce qui est en plus, en excédent : *Un* **surplus** *de personnel.*

surprenant, ante, *adj.* Qui surprend, étonne.

surprendre, *verbe trans.* Prendre sur le fait : **Surprendre** *un voleur.* – Prendre au dépourvu : *La pluie nous* **a surpris**. – Étonner.

surprise, *subst. f.* Émotion causée par *qqch.* d'inattendu. – Ce qui étonne, par son caractère imprévu ; cadeau, plaisir inattendus.

surproduction, *subst. f. Écon.* Production excessive par rapport aux besoins.

surréalisme, *subst. m.* Mouvement littéraire et artistique du début du XXe s., prônant les valeurs du rêve, du désir, de l'instinct contre toutes les idées établies.

sursaut, *subst. m.* Réaction brusque du corps causée par une émotion vive : *Se réveiller en* **sursaut**. – *Fig.* Nouvel élan subit : **Sursaut** *de volonté.*

sursauter, *verbe intrans.* Avoir un sursaut.

surseoir, *verbe trans. indir.* Différer (*littér.*) : *Il dut* **surseoir** *à son départ.*

sursis, *subst. m.* Ajournement. – Suspension de l'exécution d'une peine : *Un an de prison avec* **sursis**. – Délai supplémentaire ; répit.

sursitaire, *subst.* Qui bénéficie d'un sursis.

surtout, *adv.* Principalement, avant tout : *J'aime* **surtout** *le théâtre.*

surveillance, *subst. f.* Action de surveiller.

surveiller, *verbe trans.* Observer attentivement pour contrôler ou pour protéger.

survenir, *verbe intrans.* Arriver inopinément, en parlant de *qqn* ou de *qqch.*

survêtement, *subst. m.* Vêtement chaud que les sportifs enfilent sur leur tenue.

survie, *subst. f.* Le fait de rester en vie. – *Fig.* Existence après la mort : **Survie** *de l'âme.*

survivance, *subst. f.* Ce qui survit, subsiste d'une chose disparue : *Ce* **rite** *est une survivance.*

survivant, ante, *adj. et subst.* Qui survit à *qqn*, à un accident : *Rapatrier les* **survivants.**

survivre, *verbe Trans. indir.* **Survivre à** : continuer à vivre après la mort de (*qqn*) ; échapper à (un danger mortel). – *Intrans.* Se maintenir en vie.

survol, *subst. m.* Action de survoler.

survolté, ée, *adj. Électr.* Dont on a augmenté le voltage. – *Fig.* Extrêmement excité.

sus (en), *loc. adv.* En plus.

susceptibilité, *subst. f.* Disposition d'une personne susceptible, ombrageuse.

susceptible, *adj.* Apte, propre à faire ou à subir *qqch.* : **Susceptible** *d'être modifié.* – Qui se vexe facilement : *Ne soyez pas si* **susceptible.**

susciter, *verbe trans.* Provoquer l'apparition de, faire naître : **Susciter** *des vocations.*

suspect, ecte, *adj. et subst. Adj.* Qui éveille des soupçons ; de qualité douteuse. – *Subst.* Individu soupçonné par la police.

suspecter, *verbe trans.* Soupçonner, juger suspect.

suspendre, *verbe trans.* Accrocher, fixer une chose de manière qu'elle pende. – Interrompre, ajourner. – Démettre temporairement (*qqn*) de ses fonctions.

suspens (en), *loc. adv.* En attente : *Laisser un travail* **en suspens**. – *Fig.* Dans l'incertitude.

suspense, *subst. m.* Sentiment d'attente anxieuse, causé par l'incertitude de ce qui va arriver dans un récit, dans un film.

suspension, *subst. f.* Action de suspendre : **Suspension** *d'audience.* – Lustre. – Dispositif servant à amortir les chocs transmis à un véhicule par ses roues. – *Ling. Points de* **suspension** : signe de ponctuation (...) interrompant un énoncé, une énumération.

suspicieux, ieuse, *adj.* Empli de suspicion.

suspicion, *subst. f.* Sentiment de défiance à l'égard de *qqch.* ou de *qqn* estimés suspects.

sustenter, *verbe trans.* Alimenter.

susurrer, *verbe Intrans.* Parler à voix basse, murmurer. – *Trans.* **Susurrer** *un secret.*

suture, *subst. f. Chir.* Opération consistant à réunir des tissus en les cousant.

suzerain, aine, *adj. et subst. Subst. Hist.* Seigneur qui concédait des fiefs à des vassaux. – *Adj. État* **suzerain** : ayant autorité sur un autre.

svelte, *adj.* Fin et élancé : *Corps* **svelte.**

sweat-shirt, *subst. m.* Chandail en coton molletonné.

syllabe, *subst. f.* Unité phonétique constituée par un groupe de lettres, qui se prononce d'une seule émission de voix.

syllogisme, *subst. m.* Raisonnement déductif qui part de deux propositions données (prémisses) pour aboutir nécessairement à une troisième (conclusion).

sylvestre, *adj.* Des bois, des forêts (*littér.*).

symbiose, *subst. f. Biol.* Association d'organismes vivant en intime relation, avec un profit réciproque. – *Fig.* Rapprochement étroit.

symbole, *subst. m.* Figure, être ou objet qui évoque de manière imagée et instantanée une idée, un concept : *Le lion,* **symbole** *de la force.* – Personne incarnant idéalement *qqch.* : *Gandhi,*

symbole de la non-violence. – Signe convention-nel : H_2O, **symbole** de l'eau.

symbolique, *adj. et subst. f. Adj.* Qui relève du symbole. – Significatif, mais sans valeur réelle : *Un geste* **symbolique**. – *Subst.* Ensemble de symboles : *La* **symbolique** *chrétienne*.

symboliser, *verbe trans.* Représenter (*qqch.*) au moyen d'un symbole. – Être le symbole de.

symétrie, *subst. f.* Correspondance dans l'espace de deux ou de plusieurs éléments par rapport à un plan, à un point, à un axe. – Équilibre d'un ensemble ; harmonie qui en résulte.

symétrique, *adj.* Qui a de la symétrie, régulier.

sympathie, *subst. f.* Attirance, inclination natu-relle pour *qqn* ; amitié.

sympathique, *adj.* Qui attire la sympathie. – *Une soirée* **sympathique** : agréable.

sympathisant, ante, *adj. et subst.* Qui a des affi-nités d'opinion, d'idées avec un mouvement, un parti, sans toutefois y adhérer formellement.

symphonie, *subst. f.* Œuvre musicale en plusieurs mouvements composée pour un grand or-chestre. – *Fig.* Ensemble harmonieux (*littér.*) : **Symphonie** *de couleurs*.

symptomatique, *adj.* Qui concerne les symptômes d'une maladie. – *Fig.* Significatif.

symptôme, *subst. m.* Phénomène caractéristique qui permet de déceler une maladie. – *Fig. Les* **symptômes** *de l'amour*.

synagogue, *subst. f.* Lieu du culte israélite.

synchroniser, *verbe trans.* **Synchroniser** *un film* : faire concorder le son et l'image.

syncope, *subst. f.* Perte complète de connaissance, subite et momentanée, provoquée par une pause cardiaque.

syncrétisme, *subst. m.* Fusion de différentes doc-trines philosophiques ou religieuses.

syndic, *subst. m.* Personne chargée de gérer les affaires, les intérêts d'une collectivité : **Syndic** *de copropriété*.

syndical, ale, aux, *adj.* Relatif à un syndicat.

syndicat, *subst. m.* Groupement constitué pour la défense d'intérêts professionnels communs. – **Syndicat** *d'initiative* : organisme local chargé de favoriser le tourisme.

syndrome, *subst. m.* Ensemble des symptômes d'une maladie. – *Fig.* Traumatisme collectif agis-sant sur le comportement.

synergie, *subst. f.* Action coordonnée de plusieurs organes dans l'accomplissement d'une fonction.

synonyme, *adj. et subst. m.* Se dit d'un mot (ou d'une expression) ayant la même signification qu'un autre.

synopsis, *subst. m.* Résumé schématique du scé-nario d'un film.

synoptique, *adj.* Qui, par sa disposition logique et ordonnée, donne une vue d'ensemble.

syntaxe, *subst. f.* Partie de la grammaire qui étudie les règles d'agencement des mots, entre eux et au sein de la phrase. – Ces règles.

synthèse, *subst. f.* Opération intellectuelle con-sistant à réunir de manière ordonnée des élé-ments isolés d'un tout (*oppos. analyse*). – Exposé global. – Production d'une substance à partir de plusieurs éléments chimiques. – *Tech.* Recon-stitution : **Synthèse** *vocale*.

synthétique, *adj.* Relatif à la synthèse ; qui en résulte : *Exposé* **synthétique**. – Obtenu par syn-thèse chimique : *Tissu* **synthétique**.

synthétiser, *verbe trans.* Regrouper selon un ordre logique ; présenter de manière synthétique. – Produire par synthèse chimique.

synthétiseur, *subst. m.* Clavier électronique ca-pable de synthétiser les sons de divers instru-ments (*abrév. fam. synthé*).

syphilis, *subst. f.* Maladie vénérienne infectieuse et contagieuse.

systématique, *adj.* Fondé sur un système. – Structuré, méthodique. – Qui agit de manière invariable ; dogmatique (*péj.*).

systématiser, *verbe trans.* Organiser en système : **Systématiser** *un savoir*. – Rendre habituel, systématique.

système, *subst. m.* Ensemble d'éléments structu-rés en un tout cohérent : **Système** *philosophi-que* ; **Système** *solaire, nerveux, métrique*. – Ensemble de méthodes, de principes contri-buant à l'organisation de la vie collective : **Système** *politique* ; **Système** *monétaire*.

T

t, t, *subst. m. inv.* Vingtième lettre et seizième consonne de l'alphabet français.

ta, *voir* **TON**

tabac, *subst. m.* Plante cultivée pour ses feuilles riches en nicotine. – Ses feuilles, traitées pour être fumées, prisées. – Commerce où l'on vend des produits dérivés du **tabac**.

tabagisme, *subst. m.* Intoxication par le tabac.

tabasser, *verbe trans.* Rouer de coups (*fam.*).

tabatière, *subst. f.* Petite boîte dans laquelle on mettait le tabac à priser. – Fenêtre de toit.

tabernacle, *subst. m. Relig.* Petite armoire, sur l'autel de l'église ou dans le mur du chœur, où sont rangées les hosties.

table, *subst. f.* Meuble composé d'un plateau hori-zontal reposant sur des pieds, destiné no-tamment aux repas. – Liste d'informations, de données, claire et facile à consulter : **Table** *des matières d'un livre*.

tableau, *subst. m.* Panneau mural sur lequel on écrit. – Œuvre picturale exécutée sur un support autonome : *Un* **tableau** *de maître*. – Description. – Schéma alignant des données dans des colonnes. – **Tableau** *de bord* : ensemble des cadrans de contrôle, dans un véhicule, un avion.

tabler, *verbe trans. indir.* Compter, se fonder sur : **Tabler** *sur une rentrée d'argent*.

tablette, *subst. f.* Petite planche ou surface étroites servant de support.

tablier, *subst. m.* Vêtement destiné à protéger des taches ; blouse. – Plate-forme supérieure d'un pont. – Rideau de fer d'une cheminée.

tabou, oue, *adj. et subst. m. Subst.* Interdit culturel ou religieux. – *Adj.* Qui fait l'objet d'un **tabou**.

taboulé, *subst. m.* Semoule de blé avec menthe, citron et huile d'olive, préparée en salade.

tabouret, *subst. m.* Siège sans dossier ni bras.

tabulation, *subst. f.* Blocage des marges, repérage des colonnes d'un tableau, sur une machine à écrire, un ordinateur.

tache, *subst. f.* Marque naturelle et colorée d'un pelage, de la peau. – Salissure.

tâche, *subst. f.* Travail déterminé que l'on doit accomplir. – Mission : *Une* **tâche** *délicate.*

tacher, *verbe trans.* Faire une tache sur, salir par des taches. – *Fig.* Souiller moralement.

tâcher, *verbe trans.* **Tâcher** *de* : s'efforcer de. – **Tâcher** *que* : faire en sorte que.

tacheté, ée, *adj.* Parsemé de petites taches.

tachycardie, *subst. f.* Accélération du rythme des battements du cœur.

tacite, *adj.* Qui n'est pas exprimé de façon formelle, sous-entendu.

taciturne, *adj.* Peu loquace, renfermé, d'humeur sombre : *Un caractère* **taciturne.**

tact, *subst. m.* Sens du toucher. – Respect délicat de la sensibilité d'autrui.

tactile, *adj.* Relatif au toucher. – Perçu, commandé par le toucher : *Écran* **tactile.**

tactique, *subst. f.* Art ou manière de conduire une bataille. – Méthode habile visant à atteindre un objectif.

taffetas, *subst. m.* Tissu de soie, sans envers.

taie, *subst. f.* Enveloppe de tissu amovible pour oreiller ou traversin. – Tache de la cornée.

taïga, *subst. f.* Forêt de conifères du nord de l'Eurasie et de l'Amérique.

taillader, *verbe trans.* Faire des entailles, des coupures dans (*qqch.*) avec un instrument tranchant : **Taillader** *un arbre.*

taille, *subst. f.* Impôt féodal. – Action, manière de tailler. – Dimension ; mesure. – Partie resserrée du corps, au-dessus des hanches.

tailler, *verbe trans.* Couper (*qqch.*) de façon à obtenir une forme précise. – Élaguer.

tailleur, *subst. m.* Artisan qui taille des vêtements ; couturier. – Tenue féminine composée d'une jupe et d'une veste assorties.

taillis, *subst. m.* Végétation touffue formée par les repousses et rejets d'arbres coupés.

tain, *subst. m.* Couche de mercure et d'étain appliquée sur l'envers d'un miroir.

taire, *verbe trans.* Ne pas dire, ne pas révéler. – *Pronom.* Garder le silence ou cesser de parler, de faire du bruit.

talc, *subst. m.* Poudre blanche et douce de silicate naturel de magnésium.

talent, *subst. m.* Aptitude particulière à exercer une activité. – Disposition naturelle, intellectuelle ou artistique : *Avoir du* **talent.**

talion, *subst. m.* Châtiment identique à la faute.

talisman, *subst. m.* Objet auquel on a conféré, par un rite, un pouvoir magique ou protecteur.

talon, *subst. m.* Partie postérieure du pied de l'homme. – Support placé sous la partie postérieure de la semelle d'une chaussure. – Partie non détachable d'une feuille de carnet ou de registre à souche.

talonner, *verbe trans.* Frapper ou presser du talon : **Talonner** *un cheval,* l'éperonner. – Poursuivre de très près ; harceler.

talus, *subst. m.* Terrain en pente : **Talus** *d'un fossé.* – Pente d'un remblai.

tamanoir, *subst. m.* Mammifère d'Amérique du Sud au museau très allongé, qui capture des fourmis avec sa longue langue visqueuse.

tamaris, *subst. m.* Arbuste du littoral à feuillage très fin et à petites fleurs roses.

tambour, *subst. m.* Instrument à percussion, que l'on fait résonner avec des baguettes. – Joueur de **tambour.** – Pièce cylindrique : **Tambour** *de frein, de lave-linge.*

tambourin, *subst. m.* Tambour provençal allongé, que l'on bat avec une seule baguette.

tambouriner, *verbe Intrans.* Frapper des coups rapides et répétés (sur, contre *qqch.*). – *Trans.* Annoncer, répandre partout.

tamis, *subst. m.* Instrument utilisé pour séparer des particules solides de tailles différentes ou pour filtrer des liquides ; crible.

tamiser, *verbe trans.* Passer au tamis. – **Tamiser** *la lumière* : en diminuer l'intensité.

tampon, *subst. m.* Matière souple, comprimée en boule, servant à absorber, à récurer, etc. – Bouchon. – Dispositif amortissant les chocs. – Plaque de caoutchouc gravée servant à oblitérer ; oblitération.

tamponner, *verbe trans.* Donner des petits coups légers de tampon sur. – Oblitérer. – Heurter.

tam-tam, *subst. m.* Tambour africain utilisé pour rythmer des chants et des danses ou pour transmettre des messages codés.

tancer, *verbe trans.* Réprimander, admonester.

tanche, *subst. f.* Poisson d'eau douce, court et massif, qui recherche les fonds vaseux.

tandem, *subst. m.* Longue bicyclette à deux places. – Association étroite de deux personnes.

tandis que, *loc. conj.* Pendant que. – Alors que.

tangage, *subst. m.* Mouvement d'un navire dont l'avant et l'arrière plongent alternativement (*oppos. roulis*). – Oscillation d'une auto, d'un avion.

tangent, ente, *adj. et subst. f.* Adj. Géom. Qui touche en un seul point, sans couper : *Plan* **tangent** *à une surface.* – *Fig.* Acquis de justesse (*fam.*). – *Subst. Géom.* Droite **tangente.**

tangible, *adj.* Perceptible par le toucher. – *Fig.* Indéniable, incontestable.

tanguer, *verbe intrans.* Être soumis au tangage.

tanière, *subst. f.* Retraite, abri d'une bête sauvage. – Logis, lieu où l'on se cache, s'isole.

tank, *subst. m.* Char d'assaut. – Citerne d'un pétrolier.

tanker, *subst. m.* Navire-citerne, pétrolier.

tanner, *verbe trans.* Traiter une peau pour en faire du cuir. – *Fig.* Harceler de demandes (*fam.*).

tannerie, *subst. f.* Usine où l'on tanne les peaux.

tan(n)in, *subst. m.* Substance végétale utilisée pour traiter les cuirs, fabriquer des encres. – **Tanin** *du vin* : présent dans le vin rouge.

tant, *adv.* Tellement. – *Un* **tant** *soit peu* : si peu que ce soit. – **Tant** *s'en faut* : il s'en faut de beaucoup. – Autant. – *Si* **tant** *est que* : pour autant que. – *En* **tant** *que* : en qualité de. – Aussi bien : **Tant** *opprimé qu'oppresseur.* – **Tant** *mieux* : c'est bien ; **Tant** *pis* : c'est dommage. – **Tant** *que* : aussi longtemps que. – *Gagner* **tant** *par mois* : une quantité donnée.

tante, *subst. f.* Sœur du père ou de la mère. – Épouse de l'oncle.

tantinet, *subst. m. Un* **tantinet** : un peu (*fam.*).

tantôt, *adv.* Cet après-midi. – **Tantôt** *gai*, **tantôt** *triste* : alternativement gai et triste.

taoïsme, *subst. m.* Doctrine religieuse de Chine.

taon, *subst. m.* Grosse mouche dont la femelle pique les mammifères et leur suce le sang.

tapage, *subst. m.* Bruit fort et confus, accompagné de désordre, de cris. – Publicité exagérée.

tapageur, euse, *adj.* Qui fait du tapage. – Scandaleux. – Voyant et de mauvais goût.

tape, *subst. f.* Coup donné avec la main.

tape-à-l'œil, *adj. inv. et subst. m. inv. Fam. Adj.* Très voyant, tapageur : *Un vêtement* **tape-à-l'œil**. – *Subst.* Apparence clinquante, trompeuse.

taper, *verbe trans.* Donner des coups à ; frapper sur. – Dactylographier. – **Taper** *qqn* : lui emprunter de l'argent (*fam.*).

tapinois (en), *loc. adv.* En cachette.

tapioca, *subst. m.* Fécule de manioc.

tapir, *subst. m.* Mammifère herbivore tropical, qui possède une courte trompe.

tapir (se), *verbe pronom.* Se cacher en se blottissant. – S'enfermer pour échapper aux regards.

tapis, *subst. m.* Ouvrage textile qu'on étend sur le sol. – Ce qui recouvre une surface : **Tapis** *de feuilles*. – *Fig.* Table de négociations.

tapisser, *verbe trans.* Couvrir totalement (une surface). – Tendre d'un papier peint.

tapisserie, *subst. f.* Pièce textile décorative, tendue sur un mur ou couvrant un meuble. – Ouvrage d'aiguille exécuté sur un canevas. – Revêtement mural de tissu ou de papier.

tapoter, *verbe trans.* Donner de petites tapes sur.

taquet, *subst. m.* Petite pièce de bois ou de métal servant de butée, de cale ou de verrou.

taquin, ine, *adj. et subst.* Qui aime à taquiner.

taquiner, *verbe trans.* Se moquer gentiment de (*qqn*), s'amuser à faire enrager.

tarabiscoté, ée, *adj.* Surchargé de moulures, d'ornements. – *Fig.* Compliqué à l'excès.

tarabuster, *verbe trans. Fam.* Houspiller, importuner sans cesse. – Préoccuper.

tard, *adv.* Longtemps après le temps attendu, normal, habituel. – *Empl. subst. masc. Sur le* **tard** : à une heure avancée de la journée ; à un âge avancé.

tarder, *verbe intrans.* Mettre du temps à faire *qqch*. – Être en retard ; se faire attendre. – *Il me* **tarde** *de* : je suis très impatient de.

tardif, ive, *adj.* Qui a lieu à une heure avancée. – Qui vient tard, trop tard.

tare, *subst. f.* Poids d'un emballage, d'un contenant. – Déficience, défectuosité organique ou psychique, *souv.* héréditaire. – Défaut.

taré, ée, *adj. et subst.* Qui est affligé d'une tare physique ou psychique. – *Fig.* Imbécile (*fam.*).

tarentule, *subst. f.* Grosse araignée d'Europe méridionale, dont la piqûre est douloureuse.

targette, *subst. f.* Petit verrou plat.

targuer (se), *verbe pronom.* Se prévaloir, se vanter (de).

tarif, *subst. m.* Liste des prix pratiqués. – Prix fixé pour un droit, un service, une prestation.

tarir, *verbe Intrans.* Cesser de couler ou être mis à sec. – *Ne pas* **tarir** *de* : être prodigue de. – *Ne pas*

tarir *sur* : parler abondamment de. – *Trans.* Mettre à sec.

tarot, *subst. m.* Jeu de 78 cartes, au dessin particulier, qui servent aussi à la divination.

tarse, *subst. m.* Partie postérieure du squelette du pied, formée de sept os.

tarte, *subst. f.* Préparation de pâte amincie et garnie de fruits, de crème, de légumes, etc. **tartine**, *subst. f.* Tranche de pain sur laquelle on étale du beurre, de la confiture, etc. – Texte très long (*fam.*).

tartiner, *verbe trans.* Étaler du beurre, de la confiture, etc., sur (une tranche de pain).

tartre, *subst. m.* Dépôt calcaire. – Matière organique qui jaunit les dents.

tartu(f)fe, *adj. et subst. m.* Hypocrite.

tas, *subst. m.* Accumulation, amoncellement en hauteur d'objets, de matériaux. – *Un* **tas** *de* : une grande quantité, beaucoup de.

tasse, *subst. f.* Petit récipient à anse utilisé pour boire. – Son contenu.

tasseau, *subst. m.* Petit morceau de bois allongé, servant à fixer, à caler ou à soutenir.

tassement, *subst. m.* Action de tasser, de se tasser ; son résultat. – *Fig.* Baisse, ralentissement.

tasser, *verbe trans.* Réduire de volume en comprimant. – Serrer, resserrer dans un espace restreint. – *Pronom.* Se voûter. – *Ça se* **tasse** : ça se calme (*fam.*).

tâter, *verbe trans.* Explorer par le toucher. – *Fig.* Sonder *qqn* pour connaître ses capacités ou ses intentions. – **Tâter** *le terrain* : s'informer discrètement avant toute action. – **Tâter** *de* : faire l'expérience de. – *Pronom.* Hésiter.

tatillon, onne, *adj. et subst.* Qui est méticuleux à l'excès.

tâtonnement, *subst. m.* Action, fait de tâtonner.

tâtonner, *verbe intrans.* Se diriger au toucher, sans voir. – *Fig.* Faire différents essais avant d'agir, de se decider ; hésiter.

tâtons (à), *loc. adv.* À l'aveuglette, en tâtonnant. – *Fig.* En essayant au hasard.

tatou, *subst. m.* Mammifère édenté d'Amérique tropicale, pourvu d'une carapace cornée.

tatouage, *subst. m.* Action de tatouer, de se faire tatouer. – Dessin ainsi obtenu.

tatouer, *verbe trans.* Dessiner à l'aiguille des motifs indélébiles sur (la peau).

taudis, *subst. m.* Logement très misérable.

taupe, *subst. f.* Petit mammifère quasi aveugle, insectivore, qui creuse des galeries dans la terre. – Espion (*fam.*).

taupinière, *subst. f.* Petit monticule de terre rejetée par la taupe.

taureau, *subst. m.* Mâle non castré de la vache. – Deuxième signe du zodiaque.

tauromachie, *subst. f.* Art de combattre les taureaux dans l'arène.

taux, *subst. m.* Prix officiel de certains biens ou services. – Pourcentage, proportion, degré. – **Taux** *d'intérêt* : pourcentage auquel les intérêts d'un capital emprunté sont réglés.

tavelé, ée, *adj.* Marqué de petites taches.

taverne, *subst. f.* Café-restaurant rustique et populaire : *Une* **taverne** *alsacienne*.

taxation, *subst. f.* Action de taxer. – Fixation de certains prix par l'État. – Imposition.

taxe, *subst. f.* Redevance perçue par un organisme public pour prix de son service. – Impôt.

taxer, *verbe trans.* Assujettir à une taxe ; frapper d'une taxe. – *Fig.* Accuser, qualifier (de).

taxi, *subst. m.* Voiture avec chauffeur, louée pour une course.

taxidermie, *subst. f.* Art d'empailler des animaux en leur gardant l'apparence de la vie.

tchador, *subst. m.* Voile dont les femmes musulmanes se couvrent la tête et le corps, en *partic.* en Iran.

te, **t'**, *pron. pers.* Forme complément du pronom personnel de la 2ᵉ personne du singulier : *Je* **te** *remercie* ; *Je* **t'** *ai parlé*.

technicien, ienne, *adj. et subst. Adj.* Relatif à la technique. – *Subst.* Spécialiste, professionnel d'une technique donnée.

technicité, *subst. f.* Caractère de ce qui est technique : *La* **technicité** *d'un travail*.

technique, *adj. et subst. f. Adj.* Relatif à un savoir-faire, à une pratique. – Relatif aux applications de la connaissance scientifique : *Le progrès* **technique**. – *Subst.* Ensemble des savoir-faire d'une industrie, d'un métier, etc.

technocrate, *subst.* Responsable ou haut fonctionnaire qui privilégie l'aspect technique au détriment du facteur humain.

technologie, *subst. f.* Science des techniques. – Techniques propres à un domaine.

te(c)k, *subst. m.* Arbre d'Asie tropicale dont le bois, imputrescible, est recherché.

tee-shirt, *subst. m.* Maillot de coton à manches courtes, sans col, en forme de T.

teigne, *subst. f.* Mite. – Maladie du cuir chevelu due à un champignon. – Personne méchante (*fam.*).

teigneux, euse, *adj. et subst.* Malade de la teigne. – Méchant, hargneux (*fam.*).

teindre, *verbe trans.* Imprégner d'une substance colorante : **Teindre** *un tissu.* – *Pronom.* Donner à ses cheveux une couleur factice.

teint, *subst. m.* Couleur du visage, mine. – Couleur que la teinture donne à une étoffe.

teinte, *subst. f.* Couleur nuancée, résultant d'un mélange. – *Une* **teinte** *d'humour, de tristesse* : une touche, une petite dose.

teinter, *verbe trans.* Colorer légèrement. – Nuancer.

teinture, *subst. f.* Action de teindre ; son résultat. – Substance colorante. – *Pharm.* Principe actif en solution dans l'alcool. – *Fig.* Connaissance superficielle (*littér.*).

teinturerie, *subst. f.* Industrie de la teinture. – Atelier, magasin où l'on teint et nettoie les vêtements ; blanchisserie.

tel, telle, *adj. et pron. indéf. Adj.* Pareil, comparable : *Jamais on n'a dit de* **telles** *bêtises.* – Comme : *Il se bat* **tel** *un lion* ; *Je l'aime* **tel** *qu'il est.* – Si grand, si fort, etc. : *Une* **telle** *joie !* – Un certain : *J'arriverai à* **tel** *moment.* – *Pron.* Quelqu'un, cette personne (que l'on ne nomme pas) : **Tel** *est pris qui croyait prendre* ; *Monsieur Un* **tel**, *madame Une* **telle**. – **Tel** *quel* : sans modification.

télé, *subst. f. Abrév. fam.* pour « télévision ».

télécarte, *subst. f.* Carte à mémoire permettant d'utiliser un téléphone public.

télécommande, *subst. f.* Équipement assurant la commande à distance d'un appareil.

télécommunication, *subst. f.* Ensemble des techniques de communication à distance.

télécopie, *subst. f.* Procédé de reproduction d'un document à distance. – Le document ainsi reproduit.

télécopieur, *subst. m.* Appareil de télécopie, fax.

télégramme, *subst. m.* Message télégraphique.

télégraphe, *subst. m.* Système de transmission de messages à distance.

télégraphique, *adj.* Relatif au télégraphe. – *Style* **télégraphique** : bref, concis, abrégé.

téléguider, *verbe trans.* Diriger, piloter à distance. – *Fig.* Manipuler à distance et en secret.

télématique, *adj. et subst. f.* Se dit de l'ensemble des techniques alliant les possibilités des télécommunications et celles de l'informatique.

téléobjectif, *subst. m.* Objectif utilisé pour photographier de loin.

télépathie, *subst. f.* Transmission de pensée.

téléphérique, *subst. m.* Cabine de transport suspendue à un câble.

téléphone, *subst. m.* Dispositif de transmission de la parole à longue distance. – Appareil qui permet cette transmission.

téléphoner, *verbe* Communiquer par téléphone.

télescope, *subst. m.* Instrument d'optique utilisé pour observer les objets éloignés, les astres.

télescoper, *verbe trans.* Percuter violemment (*qqch.*), entrer en collision avec.

télescopique, *adj.* Fait au moyen du télescope. – Dont les éléments coulissent les uns dans les autres : *Antenne* **télescopique**.

téléscripteur, *subst. m.* Appareil permettant la transmission à distance de dépêches.

téléspectateur, trice, *subst.* Personne qui regarde les programmes de la télévision.

téléviseur, *subst. m.* Récepteur de télévision.

télévision, *subst. f.* Transmission, par câble ou sur le réseau hertzien, d'images et de sons. – Organisme qui diffuse des émissions par cette voie. – Téléviseur (*fam.*).

télex, *subst. m.* Service télégraphique dont les abonnés peuvent se transmettre des documents dactylographiés.

tellement, *adv.* Beaucoup, très : *Elle est* **tellement** *intelligente.* – Au point que, si : *Il va* **tellement** *vite qu'on ne le suit pas.*

tellurique, *adj.* Qui concerne la Terre.

téméraire, *adj. et subst.* Qui fait preuve de témérité.

témérité, *subst. f.* Manière d'agir qui néglige le danger, hardiesse imprudente.

témoignage, *subst. m.* Action de témoigner ; le résultat de cette action. – Preuve, marque.

témoigner, *verbe Trans.* Certifier la réalité de : *Il* **témoigne** *l'avoir vu.* – Marquer, manifester : **Témoigner** *sa peine.* – **Témoigner** *de* : être le signe de ; prouver une preuve de. – *Intrans.* Révéler ce que l'on sait, le dire. – Déposer en justice, sous serment.

témoin, *subst. m.* Personne qui témoigne. – Œuvre ou artiste représentatifs de leur époque. – *Empl. adj.* Qui sert de référence, de repère : *Lampe* **témoin** ; *Buttes* **témoins**.

tempe, *subst. f.* Région latérale de la tête.

tempérament, *subst. m.* Constitution physique ou morale d'une personne.

tempérance, *subst. f.* Modération, retenue. – Sobriété, en *partic.* en ce qui concerne la boisson.

température, *subst. f.* Degré de chaleur d'un lieu, d'un corps ou de l'air ambiant. – Fièvre.

tempéré, ée, *adj.* Ni très froid ni très chaud. – *Fig.* Modéré.

tempérer, *verbe trans.* Adoucir, atténuer (*littér.*).

tempête, *subst. f.* Violente perturbation atmosphérique. – *Fig.* Violente manifestation.

tempêter, *verbe intrans.* Manifester bruyamment sa colère, tonner.

temple, *subst. m.* Édifice consacré au culte d'un dieu. – Édifice consacré au culte protestant.

tempo, *subst. m. Mus.* Mouvement dans lequel une œuvre doit être jouée. – Rythme d'une action.

temporaire, *adj.* Qui ne dure qu'un temps.

temporal, ale, aux, *adj.* Relatif à la tempe.

temporel, elle, *adj.* Relatif au temps. – Matériel, par *oppos.* à spirituel.

temporiser, *verbe intrans.* Différer une action, dans l'attente d'une occasion propice.

temps, *subst. m.* Durée marquée par la succession des événements : *La fuite du* **temps**. – Durée considérée comme mesurable : *Ce travail me prend trop de* **temps**. – Délai suffisant, loisir : *Je n'ai pas le* **temps** *de finir*. – Époque : *Le* **temps** *des cathédrales* ; *Le* **temps** *des vendanges*. – *La plupart du* **temps** : presque toujours. – Ensemble des conditions météorologiques : *Un* **temps** *beau et sec*. – *Loc. adv. À* **temps** : assez tôt. – *De tout* **temps** : toujours. – *Ling.* Série de formes verbales marquant le **temps** (présent, passé, futur). – *Hist. Les* **Temps** *modernes* : période de l'histoire comprise entre le Moyen Âge et la Révolution française (fin xveˢ s.- fin xviiieˢ s.). – *Mus.* Division de la mesure.

tenace, *adj.* Qui adhère fortement. – Dont on ne peut se débarrasser. – Opiniâtre.

ténacité, *subst. f.* Caractère tenace.

tenaille, *subst. f.* Pince en croix servant à serrer.

tenailler, *verbe trans.* Faire souffrir, tourmenter.

tenancier, ière, *subst.* Personne qui dirige un hôtel, un café, une maison de jeu, etc.

tenant, ante, *adj. et subst. m. Adj. Séance* **tenante** : immédiatement. – *Subst.* Partisan. – *D'un seul* **tenant** : d'une seule pièce. – *Les* **tenants** *et les aboutissants d'une affaire* : tous les détails qui s'y rapportent.

tendance, *subst. f.* Prédisposition, penchant. – Orientation, évolution : **Tendance** *politique*.

tendancieux, ieuse, *adj.* Qui manque d'objectivité.

tendeur, *subst. m.* Courroie élastique munie de crochets servant à fixer *qqch.* à un support.

tendinite, *subst. f.* Inflammation d'un tendon.

tendon, *subst. m.* Tissu conjonctif fibreux fixant les muscles sur les os.

tendre (i), *verbe trans.* Étirer, bander, rendre raide. – Présenter en avançant : **Tendre** *la main*. – **Tendre** *à*, avoir pour objectif ; évoluer (vers) : *Un usage* **tendant** *à se perdre*.

tendre (ii), *adj.* Qui n'est pas dur ; peu résistant. – Doux, délicat. – Affectueux. – *Empl. subst.* Personne douce et affectueuse.

tendresse, *subst. f.* Qualité de ce qui est tendre. – Sentiment tendre d'affection ou d'amour.

tendron, *subst. m.* Morceau de viande situé sous le thorax, chez le bœuf et le veau.

tendu, ue, *adj.* Étiré, bandé. – Appliqué, concentré : *Avoir l'esprit* **tendu**. – Crispé, angoissé. – Empreint de tension, pesant.

ténèbres, *subst. f. plur.* Obscurité profonde. – *Fig.* L'enfer, le mal.

ténébreux, euse, *adj. Adj.* Sombre, obscur. – Que l'on comprend difficilement ; mystérieux.

teneur, *subst. f.* Contenu précis d'un document. – Proportion d'un corps entrant dans un mélange : **Teneur** *en alcool*.

ténia, *subst. m.* Ver parasite de l'homme et de certains animaux, aussi appelé *ver solitaire*.

tenir, *verbe Trans. dir.* Avoir à la main. – Avoir en son pouvoir : *On* **tient** *les coupables*. – Maintenir dans un état : **Tenir** *les genoux serrés*. – Considérer comme : *Je vous* **tiens** *pour responsable*. – Exécuter, respecter : **Tenir** *parole*. – Recevoir ou obtenir de : *Je* **tiens** *ce talent de mon père*. – Contenir. – *Trans. indir.* Adhérer à : *Ce papier* **tient** *bien au mur*. – Être attaché à : *Je* **tiens** *à mes amis*. – Désirer, vouloir : *Elle* **tient** *à vous revoir*. – Résulter de : *Son erreur* **tient** *à son ignorance*. – Avoir des points communs avec : *Cela* **tient** *du vaudeville* ! – *Intrans.* Se maintenir (dans une position) : **Tiens**-toi droit ! – Pouvoir être contenu : *Le sac* **tient** *dans la malle*. – Être fixé, résister, durer. – *Pronom.* Avoir lieu, se trouver. – Garder une position, une attitude. – *S'en* **tenir** *à* : ne pas aller au-delà de.

tennis, *subst. Masc.* Sport dans lequel 2 ou 4 joueurs munis de raquettes s'échangent une balle par-dessus un filet. – *Fém.* Chaussure utilisée pour ce sport.

ténor, *subst. m.* Voix d'homme élevée. – Chanteur qui a cette voix.

tension, *subst. f.* Action de tendre ; résultat de cette action. – *Fig.* Nervosité, crispation. – Désaccord. – Concentration intellectuelle. – *Méd.* Pression artérielle.

tentaculaire, *adj.* Relatif aux tentacules. – *Fig.* Qui s'étend dans toutes les directions.

tentacule, *subst. m.* Appendice mobile propre à certains animaux, servant à toucher, à prendre ou à se déplacer.

tentation, *subst. f.* Attrait pour *qqch.* de défendu. – Désir, envie de *qqch.* ; la chose désirée.

tentative, *subst. f.* Action d'essayer de faire *qqch.* – Résultat de cette action.

tente, *subst. f.* Abri de toile, démontable et transportable.

tenter, *verbe trans.* Éveiller le désir, l'envie de (*qqn*). – Entreprendre (*qqch.*). – Essayer, oser.

tenture, *subst. f.* Tissu d'ameublement utilisé comme rideau ou tendu sur les murs.

ténu, ue, *adj.* Très mince, très fin. – Léger, subtil : *Des différences* **ténues**.

tenue, *subst. f.* Manière ou action de tenir, de se tenir ; son résultat. – Habillement. – **Tenue** *de route* : stabilité, pour une automobile.

ter, *adv.* Pour la troisième fois.

tergiverser, *verbe intrans.* Retarder le moment d'agir par des prétextes, des échappatoires.

terme (i), *subst. m.* Fin d'un délai. – Achèvement d'une action, d'un état : *Le* **terme** *de la vie*, la mort. – *À court* **terme** : à brève échéance. – *À* **terme** : de façon certaine, après un délai plus ou moins long.

terme (ii), *subst. m.* Mot : *Le* **terme** *exact* ; *En ces* **termes**, avec ces mots. – *Être en bons* **termes** *avec qqn* : avoir de bonnes relations avec lui.

terminaison, *subst. f.* Partie finale d'un mot, accolée au radical. – Extrémité, fin.

terminal (i), **ale**, **aux**, *adj.* Qui se termine ; qui marque la fin. – *Méd.* Qui précède la mort de peu.

terminal (ii), **aux**, *subst. m.* Point où aboutit une ligne de transport ou de communication. – *Informat.* Poste de travail périphérique, relié à un ordinateur central.

terminer, *verbe trans.* Mettre fin à, achever. – Constituer l'extrémité de *(qqch.)*.

terminologie, *subst. f.* Ensemble des termes propres à un domaine précis.

terminus, *subst. m.* Dernière station d'une ligne de transports, arrivée.

termite, *subst. m.* Insecte social qui cause des dégâts en creusant des galeries dans le bois.

termitière, *subst. f.* Nid de termites.

terne, *adj.* Sans éclat, peu lumineux. – Inexpressif, sans caractère ; morne.

ternir, *verbe trans.* Rendre terne, sans éclat. – Affaiblir, porter atteinte à : *Ternir une renommée*.

terrain, *subst. m.* Espace de terre déterminé et pouvant avoir un usage particulier : **Terrain** *de jeux*. – Sol, considéré dans sa nature, ses qualités : **Terrain** *argileux*. – *Fig.* Domaine, matière : *Le* **terrain** *politique* ; *Un* **terrain** *d'entente*. – *Méd.* Ensemble des facteurs qui favorisent l'apparition d'une maladie.

terrasse, *subst. f.* Esplanade en plein air devant un édifice. – Grand balcon. – Dans une pente, partie de terre mise à l'horizontale : *Culture en* **terrasses**.

terrassement, *subst. m.* Action de creuser la terre, de la transporter et de remblayer.

terrasser, *verbe trans.* Renverser, jeter de force à terre, en luttant. – Vaincre complètement. – Consterner, abattre.

terre, *subst. f.* Planète du système solaire, habitée par l'espèce humaine. – Partie émergée de la surface terrestre. – Sol. – Matière formant la couche superficielle du globe, où croissent les végétaux : *Motte de* **terre** ; **Terre** *à poterie*. – Étendue cultivable ; champ ; domaine rural.

terreau, *subst. m.* Mélange de terre et d'humus, favorable au développement des végétaux.

terre-plein, *subst. m.* Légère levée de terre soutenue par un muret. – **Terre-plein** *central* : bande qui sépare les deux voies d'une route.

terrer (se), *verbe pronom.* Se cacher sous terre, pour un animal. – Se mettre à l'abri, pour fuir un danger.

terrestre, *adj.* Relatif à la planète Terre. – Qui se fait sur le sol : *Liaison* **terrestre**.

terreur, *subst. f.* Sensation de peur, d'épouvante. – Recours méthodique à la violence pour diriger : *Gouverner par la* **terreur**.

terreux, **euse**, *adj.* Propre à la terre. – Maculé de terre. – *Teint* **terreux** : grisâtre, terne.

terrible, *adj.* Qui inspire la terreur. – *Fig.* Violent et excessif.

terrien, **ienne**, *adj. et subst. Adj.* Qui possède des terres. – *Subst.* Habitant de la planète Terre.

terrier, *subst. m.* Cavité creusée par certains animaux pour leur servir de gîte, de refuge. – Sorte de chien de chasse.

terrifier, *verbe trans.* Plonger *(qqn)* dans la terreur.

terri(l), *subst. m.* Amas de déchets miniers.

terrine, *subst. f.* Plat de terre cuite, muni d'un couvercle. – Pâté réalisé dans ce plat.

territoire, *subst. m.* Étendue de terre soumise à un État, à une juridiction particulière. – Zone où vit un animal.

territorial, **ale**, **aux**, *adj.* Relatif au territoire.

terroir, *subst. m.* Terre, considérée du point de vue de sa production agricole. – *Fig.* Région rurale, provinciale.

terroriser, *verbe trans.* Frapper de terreur. – Soumettre à un régime de terreur.

terrorisme, *subst. m.* Emploi systématique de la violence (attentats, prises d'otages, destructions), *souv.* à des fins politiques.

terroriste, *adj. et subst. Subst.* Personne qui pratique le terrorisme. – *Adj.* Relatif au terrorisme.

tertiaire, *adj. et subst. m.* Qui représente la troisième phase d'un processus, d'une évolution : *L'ère* **tertiaire** (ou *le* **tertiaire**), la troisième grande ère géologique ; *Le secteur* **tertiaire** (ou *le* **tertiaire**), qui concerne les activités de services.

tertio, *adv.* En troisième lieu.

tertre, *subst. m.* Monticule, éminence de terre.

tes, *voir* **ton**

tessiture, *subst. f.* Registre des sons qu'une voix peut produire.

tesson, *subst. m.* Débris de verre ou de poterie.

test, *subst. m.* Épreuve servant à déterminer les aptitudes de *qqn* ou de *qqch*. – *Méd.* Essai, expérience servant à juger un procédé, à établir un diagnostic.

testament, *subst. m.* Acte rédigé par lequel *qqn* dicte ses dernières volontés.

testamentaire, *adj.* Relatif au testament.

tester, *verbe trans.* Soumettre à des essais, à un test.

testicule, *subst. m.* Glande génitale mâle, produisant les spermatozoïdes.

tétanisé, **ée**, *adj.* Raidi par le tétanos. – *Fig.* Figé, paralysé par une émotion.

tétanos, *subst. m.* Maladie infectieuse *souv.* mortelle, caractérisée par des contractures musculaires douloureuses.

têtard, *subst. m.* Larve aquatique des Batraciens.

tête, *subst. f.* Partie supérieure du corps de l'homme et extrémité du corps de nombreux animaux, comprenant le cerveau, la face, etc. – *Fig.* Esprit, intelligence. – Individu, personne. – Partie supérieure ou antérieure de *qqch*. : *La* **tête** *du train* ; *Une* **tête** *d'épingle*. – *En* **tête** : à la première place.

tête-à-queue, *subst. m. inv.* Mouvement de volte-face d'un véhicule, *gén.* dû à un dérapage.

tête-à-tête, *subst. m. inv.* Situation de deux personnes qui sont ensemble et isolées des autres.

tête-bêche, *adv.* Dans la position de deux personnes ou de deux objets placés côte à côte, mais en sens inverse.

tétée, *subst. f.* Action de téter. – Quantité de lait absorbée en une fois par un nourrisson.

téter, *verbe trans.* Sucer (le sein de sa mère) pour se nourrir de lait. – *Fig.* Aspirer par succions.

tétine, *subst. f.* Bout de la mamelle. – Embout de caoutchouc, percé, d'un biberon.

tétraèdre, *subst. m.* Volume à quatre faces. – Pyramide à base triangulaire.

tétralogie, *subst. f.* Ensemble de quatre œuvres (tableaux, livres, pièces…) formant une unité.

tétraplégie, *subst. f.* Paralysie des quatre membres.

tétrapode, *adj. et subst. m.* Se dit d'un animal doté de deux paires de membres, apparents ou atrophiés. – *Subst. plur.* Le groupe correspondant.

têtu, ue, *adj. et subst.* Obstiné, buté.

texte, *subst. m.* Ensemble de mots et de phrases constituant un écrit, une œuvre ; cet écrit, cette œuvre. – Œuvre ou extrait d'œuvre littéraire. – Teneur exacte d'une loi, d'un acte, etc., par *oppos.* aux commentaires. – *Dans le* **texte** : dans la langue d'origine.

textile, *adj. et subst. m. Adj.* Relatif à la fabrication des tissus ; qui peut être tissé. – *Subst.* Matière que l'on peut tisser ; tissu.

textuel, elle, *adj.* Exactement conforme au texte.

texture, *subst. f.* Mode d'entrecroisement des fils d'un tissu. – *Anat.* **Texture** *d'un muscle.* – Constitution, agencement des parties d'un matériau solide. – *Fig.* Structure, agencement des parties d'un ouvrage : *La* **texture** *d'une symphonie, d'un drame.*

t.g.v., *subst. m.* Sigle signifiant « train à grande vitesse ».

thalassothérapie, *subst. f.* Thérapie par l'eau de mer et le climat marin.

thé, *subst. m.* Arbrisseau d'Extrême-Orient dont on utilise les feuilles en infusion. – Ces feuilles ; cette infusion. – Réception d'après-midi.

théâtral, ale, aux, *adj.* Relatif au théâtre. – *Fig.* Exagéré, artificiel.

théâtre, *subst. m.* Édifice où l'on donne des spectacles. – Le spectacle lui-même. – Genre littéraire recouvrant les œuvres destinées à être jouées en public. – Ensemble des œuvres théâtrales d'un pays : *Le* **théâtre** *italien.* – *Fig.* Lieu où se déroule un événement : *Le* **théâtre** *des opérations.*

thélère, *subst. f.* Récipient à anse et à bec verseur où le thé infuse avant d'être servi.

thématique, *adj. et subst. f. Adj.* Relatif à un thème. – *Subst.* Ensemble structuré de thèmes.

thème, *subst. m.* Sujet, matière, concept d'une œuvre, d'un exposé. – Traduction d'un texte de sa langue dans une autre langue.

théologie, *subst. f.* Étude qui porte sur Dieu et sur les choses divines.

théorème, *subst. m.* Proposition scientifique qu'une démonstration rend évidente.

théorie, *subst. f.* Ensemble d'idées, de concepts sur un sujet particulier. – Connaissance abstraite, spéculative (*contr. pratique*). – Construction in-tellectuelle expliquant un ordre de phénomènes : **Théorie** *de la gravitation.*

théorique, *adj.* Relatif à une théorie. – Envisagé abstraitement ; hypothétique.

thérapeutique, *adj. et subst. f. Subst.* Partie de la médecine qui s'occupe de traiter les maladies. – Manière de traiter une maladie ; traitement. – *Adj.* Relatif au traitement des maladies.

thérapie, *subst. f. Méd.* Traitement, cure, soin.

thermal, ale, aux, *adj.* Relatif aux eaux minérales chaudes ou aux eaux possédant des vertus médicinales : *Cure* **thermale**.

thermidor, *subst. m.* Onzième mois du calendrier républicain, allant du 19-20 juillet au 17-18 août.

thermique, *adj.* Relatif à la chaleur. – *Centrale* **thermique** : qui produit de l'électricité à partir de gaz, de charbon ou de pétrole.

thermomètre, *subst. m.* Instrument qui permet de mesurer la température.

thermos, *subst. m. ou f.* Bouteille isolante qui permet de conserver un liquide à la même température pendant plusieurs heures.

thermostat, *subst. m.* Dispositif de régulation automatique de la température.

thésauriser, *verbe Littér. Intrans.* Économiser, mettre de l'argent de côté sans le faire fructifier. – *Trans.* Amasser sans utiliser.

thèse, *subst. f.* Proposition que l'on énonce et que l'on peut défendre. – Mémoire universitaire, soutenu devant un jury pour l'obtention du grade de docteur.

thon, *subst. m.* Grand poisson marin migrateur. – La chair savoureuse de ce poisson.

thoracique, *adj.* Relatif au thorax.

thorax, *subst. m. Anat.* Partie supérieure du tronc, limitée par les côtes et le diaphragme.

thuriféraire, *subst. m.* Flatteur, adulateur (*littér.*).

thuya, *subst. m.* Grand conifère ornemental, qui ressemble au cyprès.

thym, *subst. m.* Petite plante des régions méditerranéennes, employée comme aromate.

thymus, *subst. m.* Glande, située à la base du cou, qui n'existe que chez l'enfant et les jeunes animaux.

thyroïde, *adj. et subst. f.* Se dit d'une glande située au niveau du larynx, qui agit sur la croissance et sur le métabolisme général.

tiare, *subst. f.* Coiffure des rois, dans l'Orient ancien. – Haute coiffure à trois couronnes que portaient les papes ; dignité papale.

tibia, *subst. m.* Os de la jambe, parallèle au péroné, qui va du genou à la cheville.

tic, *subst. m.* Contraction convulsive involontaire de certains muscles, surtout de ceux de la face. – Manie, habitude.

ticket, *subst. m.* Billet attestant l'acquittement d'un droit d'entrée, de transport, etc.

tiède, *adj.* Dont la température est modérée, entre le chaud et le froid. – *Fig.* Sans conviction, timoré.

tiédeur, *subst. f.* État d'une chose tiède. – *Fig.* Manque de ferveur, d'ardeur.

tiédir, *verbe* Rendre ou devenir tiède.

tien, tienne, *pron. poss. et adj. poss. Adj.* À toi : *Ce livre est* **tien**. – *Pron.* Ce qui est à toi : *Mon livre et le* **tien**. – *Empl. subst. Les* **tiens** : tes proches. – *Mets-y du* **tien** : fais des efforts.

tierce, *subst. f. Jeux.* Suite de trois cartes de même couleur. – *Mus.* Intervalle de trois degrés.

tiercé, *subst. m.* Pari où l'on doit désigner les trois premiers chevaux d'une course.

tiers, tierce, *adj. et subst. m. Adj.* Qui vient en troisième. – *Subst.* Troisième personne. – Personne étrangère à un groupe, à une affaire. – Chaque partie d'un tout divisé en trois parts égales.

tiers-monde, *subst. m.* Ensemble des pays en voie de développement.

tige, *subst. f.* Partie allongée d'une plante supportant les feuilles, les fleurs et les bourgeons. – Partie allongée de certains objets.

tignasse, *subst. f.* Chevelure touffue et mal peignée (*fam.*).

tigre, tigresse, *subst.* Félin carnassier d'Asie, très puissant, au pelage orangé rayé de noir.

tigré, ée, *adj.* Rayé comme le pelage du tigre.

tilde, *subst. m.* En espagnol, signe (∼) qui, placé sur un *n*, le fait prononcer [ɲ]. – En phonétique, signale une prononciation nasale.

tilleul, *subst. m.* Arbre dont les fleurs jaunes odorantes sont utilisées pour préparer une tisane sédative. – Cette tisane.

timbale, *subst. f.* Gobelet de métal ; son contenu. – *Cuis.* Moule en métal ; le mets cuit dans ce moule. – *Mus.* Instrument à percussion.

timbre, *subst. m.* Qualité d'un son. – Vignette constatant le paiement d'une taxe : **Timbre-poste**, pour affranchir une lettre.

timbré, ée, *adj.* Qui porte un timbre. – Qui a tel timbre (en parlant d'un son). – Un peu fou (*fam.*).

timide, *adj. et subst.* Qui fait preuve de timidité.

timidité, *subst. f.* Manque d'aisance, d'assurance avec autrui, d'audace.

timon, *subst. m.* Pièce de bois d'une voiture, d'une charrue, à laquelle on attelle les animaux de trait. – *Mar.* Barre du gouvernail.

timonier, *subst. m. Mar.* Homme chargé des signaux et de la veille à la passerelle. – Homme qui tient la barre.

timoré, ée, *adj. et subst.* Qui redoute les responsabilités, craintif, timide.

tintamarre, *subst. m.* Grand bruit accompagné de confusion et de désordre.

tintement, *subst. m.* Son clair que produit une cloche. – Son léger et clair.

tinter, *verbe intrans.* Sonner lentement, en parlant d'une cloche. – Produire des sons clairs, aigus.

tintouin, *subst. m. Fam.* Tintamarre. – Tracas.

tique, *subst. f.* Acarien, parasite des Mammifères (chiens, bœufs, etc.), dont il suce le sang.

tir, *subst. m.* Action, manière de lancer un projectile à l'aide d'une arme ; résultat de cette action. – *Sp.* Action de lancer un ballon, une boule vers son but.

tirade, *subst. f.* Long développement ininterrompu sur un sujet. – *Théâtre.* Long passage qu'un acteur dit d'une traite.

tirage, *subst. m.* Prélèvement au hasard : **Tirage** *du loto.* – Mouvement ascendant de la fumée dans un conduit. – Action de reproduire, d'imprimer ; ensemble des exemplaires tirés en une seule fois. – Réalisation d'une épreuve photographique ; cette épreuve.

tiraillement, *subst. m.* Action de tirailler. – Sensation interne de contractions pénibles : **Tiraillements** *d'estomac.* – Conflit, opposition : **Tiraillements** *entre deux voisins.*

tirailler, *verbe Trans.* Tirer par petits coups, dans tous les sens, avec insistance. – *Fig.* Solliciter dans des directions diverses, contradictoires. – *Intrans.* Tirer souv. un petit nombre de coups, avec une arme à feu.

tire-bouchon, *subst. m.* Ustensile servant à déboucher les bouteilles. – *En* **tire-bouchon** : en spirale.

tire-d'aile (à), *loc. adv.* En battant des ailes avec vigueur, pour un oiseau qui fuit. – *Fig.* Le plus vite possible.

tirelire, *subst. f.* Boîte, objet creux qui comporte une fente par laquelle on glisse l'argent que l'on veut économiser.

tirer, *verbe Intrans.* Exercer une traction. – Tendre (vers). – *Une cheminée qui* **tire** *mal* : qui a peu de tirage. – Faire usage d'une arme : **Tirer** *au canon.* – *Trans.* Exercer une force sur *qqch.* pour l'allonger, l'agrandir. – Attirer vers soi, tracter. – Prendre au hasard : **Tirer** *une carte.* – Extraire : **Tirer** *de l'eau.* – Déduire : **Tirer** *des conclusions.* – Tracer. – Imprimer ; faire le tirage de : **Tirer** *une photo.* – Lancer (un projectile) avec une arme. – *Pronom.* S'enfuir (*fam.*). – *S'en* **tirer** : se sortir d'une situation difficile.

tiret, *subst. m.* Petit trait horizontal de séparation, dans un texte.

tireur, euse, *subst.* Personne qui tire, qui manie une arme à feu. – Personne qui lance une boule, un ballon.

tiroir, *subst. m.* Compartiment coulissant d'un meuble, ouvert sur le dessus, servant de rangement.

tisane, *subst. f.* Boisson préparée avec des plantes infusées.

tison, *subst. m.* Reste d'un morceau de bois déjà brûlé mais encore incandescent.

tisonner, *verbe trans.* Remuer les tisons (d'un feu).

tissage, *subst. m.* Action de tisser. – Son résultat.

tisser, *verbe trans.* Nouer et entrelacer (des fils, des fibres textiles) pour obtenir un tissu, un tapis. – *Fig.* Élaborer, tramer.

tisserand, ande, *subst.* Artisan ou ouvrier qui tisse.

tissu, *subst. m.* Matière composée de fils textiles entrelacés. – Ensemble d'éléments divers constituant un tout : **Tissu** *social.* – Enchevêtrement : *Un* **tissu** *de mensonges.* – *Biol.* Ensemble de cellules de même structure et de mêmes fonctions : **Tissu** *musculaire.*

titanesque, *adj.* Extraordinaire, gigantesque.

titiller, *verbe trans.* Chatouiller délicatement. – *Fig.* Agacer pour provoquer ; tracasser (*fam.*).

titre, *subst. m.* Nom donné à une œuvre. – Dignité, qualification honorifiques. – Acte authentique établissant un droit, une qualité. – *Chim.* **Titre** *en alcool d'une solution* : proportion d'alcool. – *Loc. prép. A* **titre** *de* : en tant que. – *Loc. adj. En* **titre** : en qualité de titulaire. – *A juste* **titre** : avec raison.

titrer, *verbe trans.* Donner un titre à, intituler. – *Chim.* Déterminer la proportion de.

tituber, *verbe intrans.* Vaciller, chanceler.

titulaire, *adj. et subst.* Se dit du détenteur officiel d'un titre, d'une fonction, d'un grade ou d'un droit particuliers.

titulariser, *verbe trans.* Rendre titulaire d'un poste, d'une fonction : *Titulariser un instituteur.*

t.n.t., *subst. m. inv.* Sigle pour « trinitrotoluène », explosif très puissant.

toast, *subst. m.* Tranche de pain grillée. – *Porter un* **toast** : boire à la santé de *qqn*, à un succès.

toboggan, *subst. m.* Piste glissante en pente, utilisée comme jeu. – Viaduc routier provisoire.

toc, *subst. m.* Imitation sans valeur de *qqch.* de précieux (*fam.*) : *Un bijou en* **toc**.

tocade, *voir* **toquade**

toccata, *subst. f.* Composition de forme libre écrite pour un instrument à clavier.

tocsin, *subst. m.* Signal d'alarme donné en sonnant une cloche. – La cloche elle-même.

toge, *subst. f. Antiq.* Vêtement des Romains. – Robe ample ou costume d'apparat de certaines professions : *Toge d'avocat.*

tohu-bohu, *subst. m. inv.* Confusion, tintamarre (*fam.*).

toi, *pron. pers.* Forme de la 2ᵉ personne du singulier, qui permet à celui qui parle de s'adresser à *qqn* : *C'est à* **toi** ; *A* **toi** *de jouer.*

toile, *subst. f.* Tissu de la texture la plus simple, *souv.* très solide. – Pièce de **toile** servant de support à une peinture ; cette peinture. – **Toile** *d'araignée* : réseau de fils tissés par une araignée. – *Fig.* **Toile** *de fond* : arrière-plan ; contexte.

toilette, *subst. f.* Action de se laver, de se coiffer, de se raser : *Faire sa* **toilette**. – Vêtement d'une femme. – *Plur.* Les cabinets, les W.-C.

toiletter, *verbe trans.* Faire la toilette (d'un animal) : **Toiletter** *un caniche.* – *Fig.* Retoucher légèrement : **Toiletter** *un texte.*

toise, *subst. f.* Tige graduée servant à mesurer la taille des personnes.

toiser, *verbe trans.* Regarder avec mépris, avec dédain, ou avec défi.

toison, *subst. f.* Pelage frisé des ovins. – Chevelure très abondante.

toit, *subst. m.* Couverture d'un bâtiment ou d'un véhicule. – Maison : *Être sans* **toit**.

toiture, *subst. f.* Ensemble des toits d'un édifice.

tôle, *subst. f.* Mince plaque métallique.

tolérance, *subst. f.* Respect des croyances et opinions d'autrui. – Indulgence, modération. – *Méd.* Propriété, capacité d'un organisme, à bien supporter une substance donnée.

tolérer, *verbe trans.* Ne pas empêcher, accepter sans autoriser formellement. – *Méd.* Supporter (un traitement).

tollé, *subst. m.* Clameur collective d'indignation, de protestation.

tomate, *subst. f.* Plante potagère que l'on cultive pour ses fruits rouges et charnus. – Fruit de cette plante.

tombe, *subst. f.* Lieu, fosse où l'on ensevelit un mort. – Dalle qui recouvre cette fosse.

tombeau, *subst. m.* Monument élevé sur une tombe. – *A* **tombeau** *ouvert* : à toute vitesse.

tombée, *subst. f. La* **tombée** *du jour, de la nuit* : le crépuscule. – Chute : **Tombée** *de neige.*

tomber, *verbe intrans.* Être entraîné de haut en bas, faire une chute. – Se détacher de son support : *Le fruit mûr* **est tombé** *de l'arbre.* – Descendre vers le sol, pour la pluie, la neige, etc. – Pendre : *Sa chevelure* **tombe** *sur ses épaules.* – Cesser, perdre sa force : *Le vent* **tombe**. – Perdre le pouvoir : *Le gouvernement* **est tombé**. – **Tomber** *malade* : le devenir. – Mourir au combat. – Avoir lieu, survenir : *Sa fête* **tombe** *un lundi.* – *Fig.* **Tomber** *sur qqn* : se jeter sur lui ou le rencontrer à l'improviste. – *Laisser* **tomber** : délaisser (*fam.*).

tombereau, *subst. m.* Voiture dont l'arrière bascule pour décharger son contenu. – Ce contenu.

tombola, *subst. f.* Loterie où les gagnants reçoivent des lots en nature.

tome, *subst. m.* Division d'un ouvrage, qui correspond le plus *souv.* à un volume.

tom(m)ette, *subst. f.* Petite brique plate, hexagonale et rouge, destinée à carreler des sols.

ton (i), *subst. m.* Hauteur d'un son : **Ton** *grave*. – Inflexion de la voix ; timbre : **Ton** *agressif* ; **Ton** *aigu*. – Manière, style. – Couleur : *Des* **tons** *chauds*. – *De bon* **ton** : selon les convenances. – *Fig. Donner le* **ton** : lancer une mode.

ton (ii), **ta**, **tes**, *adj. poss.* De toi.

tonalité, *subst. f.* Son continu que l'on entend en décrochant le téléphone. – *Mus.* Propriété caractéristique d'un ton : **Tonalité** *mineure ou majeure d'un concerto*. – Couleur dominante d'un tableau.

tondeuse, *subst. f.* Appareil servant à tondre.

tondre, *verbe trans.* Couper à ras (des cheveux, une toison, de l'herbe) : **Tondre** *sa pelouse.*

tonifier, *verbe trans.* Revigorer, vivifier.

tonique, *adj. et subst. m. Adj.* Qui a de l'énergie. – Qui accroît les forces vitales, revigore, stimule. – *Subst.* Remède ou lotion qui tonifie.

tonitruant, **ante**, *adj.* Qui fait un bruit énorme.

tonnage, *subst. m.* Capacité d'un navire exprimée en tonneaux : *Bâtiment d'un fort* **tonnage**.

tonne, *subst. f.* Unité de masse valant 1 000 kg. – Vaste tonneau.

tonneau, *subst. m.* Grand récipient ventru fait de pièces de bois : *Un* **tonneau** *de cidre.* – Accident d'une voiture qui se retourne. – *Mar.* Unité de jauge d'un navire (2,83 m³).

tonnelier, *subst. m.* Artisan qui fabrique ou répare les tonneaux.

tonnelle, *subst. f.* Voûte de treillage recouverte de verdure : *Déjeuner sous une* **tonnelle**.

tonner, *verbe Impers.* Gronder, en parlant du tonnerre. – *Intrans.* Produire un bruit semblable au tonnerre. – *Fig.* Fulminer.

tonnerre, *subst. m.* Bruit de la foudre. – La foudre elle-même (*littér.*). – Grondement.

tonsure, *subst. f.* Petit cercle rasé au sommet du crâne des ecclésiastiques. – Calvitie.

tonte, *subst. f.* Action de tondre. – Laine récupérée de la **tonte** des moutons.

tonus, *subst. m.* Vitalité, dynamisme.

topaze, *subst. f.* Pierre semi-précieuse, *gén.* jaune.

topinambour, *subst. m.* Plante cultivée pour ses tubercules comestibles. – Ce tubercule.

topo, *subst. m. Fam.* Résumé sommaire d'une situation. – Discours, exposé.

topographie, *subst. f.* Technique permettant d'établir la cartographie d'un lieu, de son relief. – Configuration d'un lieu.

toponyme, *subst. m.* Nom de lieu.

toquade, *subst. f.* Engouement subit et éphémère.

toque, *subst. f.* Coiffure cylindrique sans bords.

toqué, ée, *adj. et subst.* Qui a l'esprit dérangé (*fam.*).

toquer, *verbe intrans.* Frapper à petits coups.

toquer (se), *verbe pronom.* (3) S'enticher (de).

torche, *subst. f.* Flambeau de bois résineux. – Lampe de poche cylindrique.

torchère, *subst. f.* Grand candélabre. – Haute cheminée de brûlage, dans une raffinerie.

torchis, *subst. m.* Mélange de terre et de paille hachée, utilisé comme mortier.

torchon, *subst. m.* Pièce de tissu servant à essuyer la vaisselle. – *Fam.* Texte peu soigné et mal présenté ; journal peu estimable.

tordant, ante, *adj.* Comique, désopilant (*fam.*).

tordre, *verbe trans.* Enrouler une chose sur elle-même en serrant : **Tordre** *du linge.* – Faire tourner avec violence : **Tordre** *un bras.* – *Pronom.* Se **tordre** *de douleur.*

tordu, ue, *adj.* Qui a subi une torsion, une déformation ; qui n'est pas droit. – *Avoir l'esprit* **tordu** : tortueux, compliqué.

torero, *subst. m.* Homme qui combat les taureaux.

tornade, *subst. f.* Tourbillon de vent très violent.

torpeur, *subst. f.* Léthargie, état d'engourdissement physique et psychique.

torpille, *subst. f.* Poisson voisin de la raie produisant des décharges électriques. – Engin autopropulsé sous-marin, chargé d'explosif.

torpiller, *verbe trans.* Détruire à l'aide de torpilles. – *Fig.* Faire échouer (un projet).

torréfier, *verbe trans.* Griller des grains, des feuilles, pour révéler un arôme : **Torréfier** *du café.*

torrent, *subst. m.* Cours d'eau rapide et impétueux. – *Fig.* Écoulement abondant, flot : *Des* **torrents** *de larmes.*

torrentiel, ielle, *adj.* Relatif au torrent. – Qui a l'impétuosité du torrent.

torride, *adj.* Extrêmement chaud : *Été* **torride**.

torsade, *subst. f.* Assemblage d'éléments tordus en spirale.

torsader, *verbe trans.* Tordre, rouler en torsade.

torse, *subst. m.* Buste, poitrine d'un être humain.

torsion, *subst. f.* Action de tordre. – La déformation ainsi obtenue.

tort, *subst. m.* Ce qui est contraire à la justice, au droit, à la raison ; faute. – Dommage, préjudice. – *Avoir* **tort** : se tromper. – *Donner* **tort** *à qqn* : le désapprouver. – *Loc. adv. À* **tort** : injustement. – *À* **tort** *et à travers* : sans discernement.

torticolis, *subst. m.* Contraction douloureuse de la région du cou.

tortiller, *verbe Trans.* Tordre à plusieurs tours. – *Intrans.* Marcher en ondulant (*fam.*). – *Pronom.* Se trémousser.

tortionnaire, *subst.* Bourreau, personne qui inflige une torture.

tortue, *subst. f.* Reptile à carapace dorsale, dont certaines espèces vivent sur terre et d'autres dans l'eau (douce ou salée).

tortueux, euse, *adj.* Qui fait des détours, sinueux. – *Fig.* Qui manque de franchise.

torture, *subst. f.* Violence physique que l'on inflige à *qqn.* – Souffrance morale extrême.

torturer, *verbe trans.* Faire subir une torture à. – Tourmenter, faire souffrir.

torve, *adj.* *Œil* **torve** : au regard oblique et menaçant.

tôt, *adv.* Rapidement. – En avance, de façon précoce : *La neige arrive* **tôt** *cette année.* – De bonne heure. – *Au plus* **tôt** : le plus rapidement possible ; pas avant. – **Tôt** *ou tard* : un jour ou l'autre.

total, ale, aux, *adj. et subst. m. Adj.* Qui est complet, entier. – *Subst.* Résultat d'une addition. – *Au* **total** : en tout.

totaliser, *verbe trans.* Additionner, faire la somme de. – Compter en tout.

totalitaire, *adj.* Se dit d'un régime politique qui ne tolère aucune opposition, qui pratique le totalitarisme.

totalité, *subst. f.* L'ensemble, considéré comme l'addition de toutes ses parties. – Le total.

totem, *subst. m.* Animal ou plante considérés comme les ancêtres mythiques d'un clan, chez certains peuples. – Effigie, représentation de cette plante ou de cet animal.

toucan, *subst. m.* Oiseau d'Amérique tropicale très coloré, à gros bec.

touchant, ante, *adj.* Qui attendrit, qui émeut.

touche, *subst. f. Escrime.* Coup qui atteint, qui touche l'adversaire. – Fait, pour le poisson, de mordre à l'hameçon. – Manière d'appliquer les couleurs sur une toile ; résultat d'un coup de pinceau. – Détail caractéristique dans un ensemble : *Une* **touche** *d'exotisme.* – Petit levier constituant, avec d'autres, le clavier d'un instrument, d'une machine.

touche-à-tout, *subst. inv.* Personne qui a de multiples activités, sans s'y intéresser sérieusement.

toucher (i), *verbe trans. Trans. dir.* Palper avec les doigts. – Être ou entrer en contact avec. – Atteindre par un projectile. – Gagner, encaisser (de l'argent). – Concerner. – Émouvoir. – *Trans. indir.* Porter la main sur : **Toucher** *à tout.* – Consommer : **Toucher** *à sa nourriture.* – Aborder : **Toucher** *au port, à un sujet délicat.*

toucher (ii), *subst. m.* Celui des cinq sens qui permet de percevoir par la palpation ou le contact. – Action ou manière de **toucher**.

touffe, *subst. f.* Ensemble d'éléments filiformes et naturellement serrés : **Touffe** *de poils.*

touffu, ue, *adj.* Fourni, épais, dense.

toujours, *adv.* En permanence, sans cesse. – Encore à présent : *L'aimes-tu* **toujours ?** – De toute façon, quoi qu'il arrive : *Garder* **toujours** *le sourire.*

toundra, *subst. f.* Végétation de lichens, de mousses, caractéristique des régions froides.

toupet, *subst. m.* Petite touffe de cheveux, de poils. – Aplomb, culot (*fam.*) : *Un sacré* **toupet** !

toupie, *subst. f.* Jouet en forme de cône que l'on fait tourner sur sa pointe.

tour (i), *subst. f.* Bâtiment étroit et construit en hauteur ; immeuble très élevé. – *Dans sa* **tour** *d'ivoire* : dans une retraite hautaine.

tour (ii), *subst. m.* Dispositif, machine-outil animés par un mouvement de rotation, servant à façonner, à usiner des pièces.

tour (iii), *subst. m.* Bordure, pourtour : *Le* **tour** *du lac.* – Parcours autour d'un lieu : **Tour** *de piste.* – Promenade : *Faire un* **tour**. – Mouvement de rotation. – Exercice d'habileté : **Tour** de cartes. – Évolution, tournure. – Rang, ordre successif : *Parler à son* **tour**. – *Jouer un* **tour** : faire une farce. – **Tour** de reins : lumbago.

tourbe, *subst. f.* Matière d'origine végétale utilisée comme combustible.

tourbillon, *subst. m.* Mouvement tournoyant, tourbillonnant (d'air, d'eau, etc.).

tourelle, *subst. f.* Petite tour. – Coupole pivotante abritant une pièce d'artillerie.

tourisme, *subst. m.* Action de voyager pour son agrément. – Secteur d'activité lié à ce type de voyage.

touriste, *subst.* Personne qui fait du tourisme.

tourment, *subst. m.* Vive souffrance morale (*littér.*).

tourmente, *subst. f.* Tempête violente et brutale. – *Fig.* Agitation politique ou sociale violente.

tourmenté, ée, *adj.* Qui éprouve un tourment. – *Fig.* Mouvementé, tumultueux, troublé.

tourmenter, *verbe trans.* Faire souffrir ; persécuter. – *Pronom.* Être en proie à une vive inquiétude.

tournage, *subst. m.* Action de tourner un film.

tournant, *subst. m.* Virage, courbe. – *Fig.* Nouvelle orientation (dans une vie, une carrière, etc.).

tournée, *subst. f.* Voyage officiel ou professionnel, dont le déroulement est fixé. – *Payer une* **tournée** : offrir à boire aux gens présents.

tournemain (en un), *loc. adv.* En un instant (*littér.*).

tourner, *verbe Intrans.* Effectuer une rotation ; décrire une courbe. – Changer de direction, virer. – Se transformer (en), évoluer (vers) : *Le temps* **tourne** *à l'orage.* – Devenir aigre : *Le lait a* **tourné**. – *Avoir la tête qui* **tourne** : avoir le vertige. – *Trans.* Imprimer un mouvement de rotation à. – Présenter dans un sens différent. – Éviter : **Tourner** *une difficulté.* – Formuler : **Tourner** *un compliment.* – **Tourner** *un film* : procéder aux prises de vue. – *Pronom.* Changer de position. – Se diriger (vers).

tournesol, *subst. m.* Plante dont la fleur jaune se tourne vers le soleil, et qui est cultivée pour l'huile que fournissent ses graines.

tournevis, *subst. m.* Outil servant à serrer ou à desserrer les vis.

tourniquet, *subst. m.* Barrière pivotante qui ne laisse passer qu'une personne à la fois. – Présentoir rotatif, dans un magasin.

tournis, *subst. m. Avoir, donner le* **tournis** : avoir la tête qui tourne, donner le vertige (*fam.*).

tournoi, *subst. m.* Au Moyen Âge, fête qui voyait les chevaliers s'affronter en champ clos. – Compétition comprenant plusieurs épreuves.

tournoyer, *verbe intrans.* Tourner en rond, en spirale, autour d'un objet ou sur soi-même.

tournure, *subst. f.* Expression. – Aspect, allure que prend une situation. – **Tournure** *d'esprit* : manière personnelle de penser.

tourte, *subst. f.* Tarte garnie, recouverte de pâte.

tourteau, *subst. m.* Gros crabe à la chair appréciée.

tourtereau, *subst. m.* Petit de la tourterelle. – *Plur. Fig.* Jeunes amoureux.

tourterelle, *subst. f.* Oiseau voisin du pigeon, au plumage gris clair.

tousser, *verbe intrans.* Chasser brusquement et par à-coups l'air contenu dans les poumons.

toussoter, *verbe intrans.* Tousser faiblement.

tout (i), *adv.* Entièrement, complètement : **Tout** content. – **Tout** à coup : soudain.

tout (ii), *subst. m.* Ensemble considéré dans sa totalité par rapport aux parties qui le constituent : *Diviser le* **tout**. – L'essentiel, le plus important : *Le* **tout** *est de vouloir.* – *Pas du* **tout** : en aucune façon.

tout (iii), **toute, tous, toutes**, *adj. indéf. et pron. indéf. Adj.* Qui est considéré dans sa totalité. – Entier ; plein : **Tout** *l'hiver* ; *En* **toute** confiance. – Chaque, n'importe quel : *À* **tout** *instant.* – *Pron.* Chose prise dans sa totalité : **Tout** *est prêt.* – N'importe quoi : *Capable de* **tout**. – *Plur.* L'ensemble des éléments d'un groupe : **Toutes** *sont là.*

tout-à-l'égout, *subst. m. inv.* Installation permettant l'évacuation directe vers l'égout des eaux usées.

toutefois, *adv.* Cependant, néanmoins, mais.

tout-venant, *subst. m. inv.* Ce qui se présente sans avoir été sélectionné, trié.

toux, *subst. f.* Expiration réflexe causée par une inflammation des voies respiratoires.

toxicomanie, *subst. f.* Usage habituel et excessif de substances toxiques, en *partic.* de drogues, qui engendre un état de dépendance.

toxine, *subst. f.* Substance toxique élaborée par un organisme vivant.

toxique, *adj. et subst. m.* Se dit d'une substance nocive pour un organisme vivant.

trac, *subst. m.* Angoisse ressentie au moment d'agir, de paraître en public.

tracas, *subst. m.* Souci, embarras causés en *gén.* par des difficultés matérielles.

tracasser, *verbe trans.* Donner du tracas à, inquiéter.

tracasserie, *subst. f.* Désagrément provoqué par des choses futiles, par de mauvais procédés.

trace, *subst. f.* Empreinte. – Marque persistante. – Indice, témoignage. – Quantité infime.

tracé, *subst. m.* Représentation par des lignes ; ces lignes. – Ligne continue dessinant un contour : *Le* **tracé** *des côtes.* – Parcours d'une voie, d'un cours d'eau : *Le* **tracé** *d'un fleuve.*

tracer, *verbe trans.* Représenter par des lignes. – Dessiner schématiquement. – Dépeindre, décrire : **Tracer** *un tableau de la situation.*

trachée, *subst. f.* Voie respiratoire qui va du larynx aux bronches (*synon.* trachée-artère).

trachéite, *subst. f.* Inflammation de la trachée.

tract, *subst. m.* Feuille de propagande.

tractation, *subst. f.* Marchandage, négociation *gén.* longue et officieuse.

tracter, *verbe trans.* Tirer, remorquer au moyen d'un véhicule ou d'un mécanisme.

tracteur, *subst. m.* Véhicule automobile destiné à tracter des remorques, des engins ou des machines agricoles.

traction, *subst. f.* Fait de tirer, de tracter ; son résultat. – *Sp.* Exercice consistant à soulever son corps en tirant sur les bras.

tradition, *subst. f.* Histoire, façon d'agir et de penser transmises de génération en génération. – Habitude, coutume.

traditionnel, elle, *adj.* Fondé sur la tradition. – Passé dans l'usage, coutumier.

traduction, *subst. f.* Action, manière de traduire un texte ; texte traduit. – Version d'un ouvrage dans une langue autre que celle dans laquelle il a été écrit.

traduire, *verbe trans.* Faire passer (un énoncé) d'une langue à une autre. – *Fig.* Manifester, exprimer (un effet, un sentiment).

trafic (i), *subst. m.* Commerce illicite, clandestin. – Agissements douteux (*fam.*).

trafic (ii), *subst. m.* Circulation de véhicules sur l'ensemble d'un réseau.

trafiquant, ante, *subst.* Celui qui fait du trafic (I).

trafiquer, *verbe Intrans.* Faire du trafic. – *Trans.* Falsifier. – Manigancer (*fam.*).

tragédie, *subst. f.* *Litt.* et *théâtre.* Œuvre dramatique au sujet historique ou légendaire. – *Fig.* Événement fatal ; catastrophe.

tragique, *adj.* Relatif à la tragédie. – *Fig.* Funeste, désastreux : *Un accident* **tragique**.

trahir, *verbe trans.* Abandonner, livrer ; ne pas être fidèle à. – *Empl. abs.* Passer à l'ennemi. – Dénaturer : *Cette traduction* **trahit** *la pensée de l'auteur.* – Abandonner : *Ses forces l'ont* **trahi**. – Révéler : **Trahir** *un secret.*

trahison, *subst. f.* Action de trahir. – Son résultat.

train, *subst. m.* Convoi ferroviaire, rame de wagons tractés par une locomotive ; chemin de fer. – File de véhicules attachés entre eux : *Un* **train** *de péniches.* – **Train** *avant, arrière* : partie portante d'un véhicule. – Partie du corps d'un quadrupède comprenant les membres antérieurs ou postérieurs. – Fessier (*fam.*) : *Se faire botter le* **train**. – Vitesse, allure. – Manière de vivre. – *Loc. prép. En* **train** *de* : occupé à, en voie de.

traîne, *subst. f.* Partie très longue d'un vêtement, qui traîne sur le sol. – *Être à la* **traîne** : s'attarder, être le dernier.

traîneau, *subst. m.* Véhicule équipé de patins pour se déplacer sur la glace ou sur la neige.

traînée, *subst. f.* Empreinte, trace allongée laissée sur une surface par une substance répandue, par un corps en mouvement.

traîner, *verbe Trans.* Déplacer, faire avancer en tirant derrière soi. – Emmener (*qqn*) de force. – *Intrans.* Pendre jusqu'à terre. – Être laissé en désordre. – Errer. – Accomplir *qqch.* avec lenteur. – Durer trop longtemps.

train-train, *subst. m. inv.* Cours routinier de la vie (fam.)

traire, *verbe trans.* Tirer le lait des mamelles de (la vache, la brebis, etc.).

trait, *subst. m.* Ligne tracée. – Manière d'exprimer, de décrire : *À grands* **traits**, sommairement. – Signe distinctif : *Un* **trait** *de caractère* ; au *plur.*, lignes caractéristiques du visage. – Flèche ; au fig., propos blessant (*littér.*). – Bête de **trait** : propre à l'attelage. – *D'un* **trait** : d'un coup.

trait d'union, *subst. m.* Petit tiret (-) placé entre les éléments d'un mot composé ou entre un verbe et un pronom postposé.

traite, *subst. f.* Action de traire. – Commerce de personnes, trafic : *La* **traite** *des Blanches.* – *Fin.* Lettre de change. – *D'une (seule)* **traite** : en une seule fois, sans interruption.

traité, *subst. m.* Ouvrage didactique dans lequel on expose un sujet, une thèse, de façon systématique. – Accord, convention entre États.

traitement, *subst. m.* Action ou manière de traiter. – Ensemble des soins ou médicaments prescrits. – Rémunération d'un fonctionnaire.

traiter, *verbe Intrans.* **Traiter** *avec qqn* : négocier avec lui. – *Trans. dir.* **Traiter** *qqn avec rudesse* : agir avec lui de cette manière. – **Traiter** *qqn de* : le qualifier de. – Soumettre à un traitement médical. – **Traiter** *des déchets* : les transformer par une série d'opérations. – Examiner, développer (une question). – *Trans. indir.* **Traiter** *de* : avoir pour sujet.

traiteur, *subst. m.* Commerçant qui prépare des mets à emporter ou qui les sert à domicile.

traître, traîtresse, *adj. et subst.* Se dit d'une personne qui trahit ; perfide. – *En* **traître** : par surprise.

traîtrise, *subst. f.* Acte déloyal. – Comportement de traître : *Prendre qqn par* **traîtrise**.

trajectoire, *subst. f.* Parcours, courbe que décrit un corps en mouvement.

trajet, *subst. m.* Fait d'aller d'un lieu à un autre. – Espace à parcourir, itinéraire.

trame, *subst. f.* Ensemble des fils qui passent au travers des fils de chaîne pour former un tissu. – Ce qui constitue l'organisation, le fond, la structure : *La* **trame** *d'un récit.*

tramer, *verbe trans.* Préparer secrètement (une action) ; ourdir : **Tramer** *un complot.* – Tisser, en croisant les fils de trame et de chaîne.

tramontane, *subst. f.* Vent froid des régions méditerranéennes, soufflant du nord-ouest.

trampoline, *subst. m. Sp.* Tremplin souple de toile, sur lequel on effectue des sauts.

tramway, *subst. m.* Chemin de fer urbain à traction électrique (*abrév. tram*).

tranchant, ante, *adj. et subst. m. Adj.* Qui coupe bien ; aigu, vif. – *Fig.* Catégorique, sans nuances. – *Subst.* Le côté **tranchant** d'un instrument.

tranche, *subst. f.* Morceau coupé dans la largeur ou l'épaisseur de *qqch.* – Section perpendiculaire de certaines choses : **Tranche** *dorée d'un livre.* – Chaque partie d'un ensemble divisé : **Tranche** *d'âge* ; **Tranche** *de travaux.*

tranchée, *subst. f.* Fossé creusé dans le sol.

trancher, *verbe trans.* Couper nettement. – Régler (une question) énergiquement et définitivement.

tranquille, *adj.* Calme, paisible. – Serein.

tranquilliser, *verbe trans.* Rendre tranquille, apaiser.

tranquillité, *subst. f.* État de ce qui est tranquille. – État d'une personne sans inquiétude.

transaction, *subst. f.* Arrangement entre les parties ; compromis. – Marché commercial.

transatlantique, *adj. et subst. m.* Qui traverse l'Atlantique : *Un (paquebot)* **transatlantique**. – *Subst.* Chaise longue pliante (*abrév. transat*).

transborder, *verbe trans.* Faire passer d'un navire, d'un engin de transport à un autre.

transcendant, ante, *adj.* Élevé ; sublime. – Qui dépasse un certain ordre de réalités ; hors de portée de la connaissance.

transcoder, *verbe trans.* Traduire (une information) dans un code différent.

transcription, *subst. f.* Action de transcrire ; son résultat. – Reproduction officielle d'un acte.

transcrire, *verbe trans.* Recopier fidèlement. – Reproduire avec un autre code, d'autres signes.

transe, *subst. f.* État d'exaltation, perte du contrôle de soi. – *Plur.* Grande appréhension, frayeur extrême.

transept, *subst. m.* Nef transversale d'une église, séparant la nef principale du chœur.

transférer, *verbe trans.* Faire passer d'un lieu dans un autre. – *Dr.* Céder formellement (un bien, un droit).

transfert, *subst. m.* Action de transférer. – *Dr.* Acte par lequel une personne transmet un droit, un bien à une autre.

transfigurer, *verbe trans.* Transformer *qqn* ou *qqch.*, en lui donnant un aspect, un éclat, un rayonnement inhabituels.

transformer, *verbe trans.* Donner une forme nouvelle à, rendre différent. – **Transformer** *en* : faire prendre l'aspect de, la nature de.

transfuge, *subst.* Personne qui abandonne son parti pour passer dans le parti adverse.

transfuser, *verbe trans.* Procéder à la transfusion (du sang). – Soumettre (*qqn*) à une transfusion.

transfusion, *subst. f. Méd.* Injection intraveineuse lente de sang prélevé sur un donneur.

transgresser, *verbe trans.* Enfreindre, violer, ne pas se conformer à : **Transgresser** *une loi*.

transhumance, *subst. f.* Mouvement d'un troupeau vers ses pâturages saisonniers.

transi, ie, *adj.* Pénétré, engourdi par le froid. – *Fig.* Saisi d'une forte émotion (*littér.*).

transiger, *verbe intrans.* Régler un différend par des concessions réciproques. – *Fig.* Ne pas se montrer ferme sur des questions morales.

transistor, *subst. m.* Composant électronique utilisé comme amplificateur. – Poste de radio portable muni de **transistors**.

transit, *subst. m.* Passage de marchandises, de voyageurs à travers un lieu, un pays situés sur leur itinéraire.

transitif, ive, *adj.* Se dit d'un verbe qui admet un complément d'objet direct (**transitif** direct) ou indirect (**transitif** indirect).

transition, *subst. f.* Action de passer plus ou moins graduellement d'un état à un autre. – Passage d'une idée à une autre, d'un raisonnement à un autre.

transitoire, *adj.* Passager. – Qui forme une transition ; provisoire.

translucide, *adj.* Qui laisse passer la lumière, sans être entièrement transparent.

transmettre, *verbe trans.* Faire passer (*qqch.*) à autrui, directement ou par un intermédiaire. – Faire parvenir, communiquer.

transmission, *subst. f.* Action de transmettre ; résultat de cette action. – *Mécan.* Ensemble des éléments qui transmettent un mouvement.

transparaître, *verbe intrans.* Paraître à travers *qqch.* – Devenir visible, se laisser deviner.

transparence, *subst. f.* Caractère transparent.

transparent, ente, *adj.* Qui laisse passer les rayons lumineux ; au travers de quoi on voit parfaitement, nettement. – *Fig.* Facile à comprendre. – Qui ne dissimule rien.

transpercer, *verbe trans.* Percer de part en part. – Pénétrer à travers (*qqch.*).

transpiration, *subst. f.* Formation, à la surface de la peau, de la sueur produite par les glandes sudoripares.

transpirer, *verbe intrans.* Suer. – *Fig.* S'ébruiter, commencer à être connu.

transplantation, *subst. f.* Action de déplacer un végétal, un animal, une personne de son lieu d'origine pour l'installer ailleurs. – *Méd.* Greffe d'organe.

transplanter, *verbe trans.* Faire la transplantation de.

transport, *subst. m.* Action de transporter. – *Plur.* Les moyens permettant de transporter des personnes, des marchandises. – **Transports** *de joie* : manifestations de joie.

transporter, *verbe trans.* Porter d'un lieu dans un autre. – Exalter, soulever : *La colère le* **transporte**. – *Pronom.* Se déplacer.

transposer, *verbe trans.* Présenter sous une forme différente ou dans un autre contexte. – Intervertir. – *Mus.* Transcrire ou exécuter (un morceau) dans une tonalité différente.

transsexuel, elle, *adj. et subst.* Qui pense appartenir à l'autre sexe et se conforme à cette idée.

transvaser, *verbe trans.* Verser (un liquide) d'un récipient dans un autre.

transversal, ale, aux, *adj. et subst. f. Adj.* En travers ; qui coupe perpendiculairement un axe principal. – *Subst.* Route, droite ou ligne **transversale**.

trapèze, *subst. m.* Quadrilatère dont deux des côtés sont parallèles et inégaux. – Appareil de gymnastique formé d'une barre horizontale suspendue par deux cordes.

trapéziste, *subst.* Gymnaste ou acrobate spécialiste du trapèze.

trappe, *subst. f.* Fosse dissimulée constituant un piège. – Ouverture munie d'un panneau à abattant, donnant accès à une cave, à un grenier, etc.

trappeur, *subst. m.* Chasseur de bêtes à fourrure, en Amérique du Nord.

trapu, ue, *adj.* Petit et large, massif.

traquenard, *subst. m.* Piège.

traquer, *verbe trans.* Pousser, rabattre (le gibier) vers les chasseurs. – Poursuivre avec acharnement, harceler, serrer de près.

traumatiser, *verbe trans.* Causer un traumatisme à.

traumatisme, *subst. m.* Perturbation de l'état organique ou psychique due à un choc : **Traumatisme** *crânien*. – Violent choc émotionnel.

travail, aux, *subst. m.* Activité humaine exigeant un effort soutenu. – Profession, occupation rétribuées. – Ouvrage à faire ; tâche ; manière dont cet ouvrage est fait. – Modification que subit une matière, un élément naturel : *Le* **travail** *d'une poutre*. – *Méd.* Ensemble des phénomènes conduisant à l'expulsion du fœtus. – *Plur.* Ensemble de tâches propres à une activité : **Travaux** *de terrassement*.

travailler, *verbe Intrans.* Exercer un effort, une activité intellectuelle, un métier. – *Trans.* Soumettre (*qqch.*) à une action : **Travailler** *la terre*. – Étudier. – Chercher à perfectionner : **Travailler** *son style*. – Tourmenter (*fam.*).

travée, *subst. f.* Espace vide entre deux rangées de tables, de sièges. – Chacune des rangées.

travers, *subst. m.* Biais. – *Fig.* Défaut, imperfection de *qqn*. – *Loc. prép.* À **travers** : en traversant. – *Loc. adv. De* **travers** : oblique, dévié ; *En* **travers** : transversalement.

traverse, *subst. f.* Pièce de bois disposée en travers, sous une voie ferrée, pour maintenir les rails. – *Chemin de* **traverse** : raccourci.

traversée, *subst. f.* Action de traverser (la mer, un désert, etc.). – Trajet ainsi parcouru.

traverser, *verbe trans.* Parcourir (un espace) d'un bout à l'autre ; passer d'un côté à l'autre : **Traverser** *l'océan Atlantique*. – Transpercer : *La pluie* **traverse** *mon manteau.* – Vivre, passer par : **Traverser** *des moments difficiles.*

traversin, *subst. m.* Oreiller cylindrique occupant la tête du lit sur toute sa largeur.

travesti, ie, *adj. et subst. m. Adj.* Qui est déguisé. Où l'on se déguise. – Modifié pour tromper. – *Subst.* Homosexuel qui s'habille en femme.

trébucher, *verbe intrans.* Perdre l'équilibre sans tomber, à la suite d'un faux pas. – *Fig.* Buter sur une difficulté.

trèfle, *subst. m.* Plante portant des feuilles à trois lobes. – Une des deux couleurs noires (avec le pique) d'un jeu de cartes.

tréfonds, *subst. m.* Ce qui constitue la partie la plus profonde, le fondement de *qqch*. (*littér.*).

treillage, *subst. m.* Réseau, assemblage de lattes qui supporte *gén.* des plantes grimpantes.

treille, *subst. f.* Ceps de vigne s'élevant sur un treillage ou une tonnelle.

treillis (i), *subst. m.* Assemblage de lattes ou de fils métalliques entrecroisés, servant de clôture.

treillis (ii), *subst. m.* Tenue de combat des militaires.

treize, *adj. num. inv. et subst. m. inv. Adj.* Dix plus trois. – Treizième : *Louis XIII.* – *Subst.* Le nombre **treize**, le numéro **13**.

tréma, *subst. m.* Signe orthographique ( ) placé sur les voyelles *e, i, u* pour indiquer que celle qui précède doit se prononcer séparément ; ainsi, *ambigüe* se prononce [ãbigy], et non pas [ãbig].

tremblement, *subst. m.* Agitation de ce qui tremble. – **Tremblement** *de terre* : séisme.

trembler, *verbe intrans.* Être agité de petits mouvements musculaires rapides et involontaires. – Subir des variations d'intensité, en parlant de la voix, de la lumière, etc. – *Fig.* Avoir peur : *Cette perspective me fait* **trembler**.

trembloter, *verbe intrans.* Trembler légèrement.

trémolo, *subst. m. Mus.* Effet de vibration obtenu par la répétition rapide d'une note (*gén.* avec un instrument à cordes). – Tremblement de la voix, dû à une vive émotion.

trémousser (se), *verbe pronom.* S'agiter avec de petits mouvements vifs et irréguliers. – Se dandiner.

trempe, *subst. f.* Fermeté d'âme, force de caractère. – *Recevoir une* **trempe** : une correction (*fam.*). – *Tech.* Immersion dans un bain froid d'une pièce métallique portée à haute température, pour en augmenter la dureté.

tremper, *verbe Trans.* Mouiller abondamment ; plonger dans un liquide. – *Tech.* Soumettre (un métal) à la trempe. – *Intrans.* Baigner dans un liquide. – **Tremper** *dans un crime* : en être complice.

tremplin, *subst. m. Sp.* Planche élastique à plan incliné permettant de s'élancer. – *Fig.* Ce qui aide à la réussite d'un projet.

trentaine, *subst. f.* Ensemble de trente unités ; nombre d'environ trente. – L'âge de trente ans.

trente, *adj. num. inv. et subst. m. inv. Adj.* Trois fois dix. – Trentième. – *Subst.* Le nombre **trente**, le numéro **30**.

trépaner, *verbe trans. Chir.* Pratiquer une ouverture dans un os, en *partic.* du crâne (de *qqn*).

trépas, *subst. m.* Décès, mort : *Passer de vie à* **trépas**.

trépasser, *verbe intrans.* Mourir (*littér.*).

trépidation, *subst. f.* Mouvement vibratoire d'intensité plus ou moins forte. – Agitation.

trépider, *verbe intrans.* Être animé de trépidations.

trépied, *subst. m.* Meuble ou support à trois pieds.

trépigner, *verbe intrans.* Frapper des pieds sur place, d'un mouvement saccadé : *Il* **trépigne** *d'impatience.*

très, *adv.* Indique un degré élevé devant un adjectif, un adverbe : **Très** *grand* ; **Très** *vite.*

trésor, *subst. m.* Ensemble d'objets précieux, *souv.* tenus cachés. – Toute chose de grande valeur. – *Le* **Trésor** *public* : administration gérant les finances publiques.

trésorerie, *subst. f.* Bureau régional du Trésor public. – Ensemble des capitaux immédiatement disponibles ou réalisables d'une personne ou d'une société.

tressaillement, *subst. m.* Brusque secousse du corps due à une sensation ou à une émotion vives.

tressaillir, *verbe intrans.* Être animé de tressaillements.

tressauter, *verbe intrans.* Tressaillir fortement. – Être agité de secousses.

tresse, *subst. f.* Entrelacement de trois longues mèches de cheveux ; natte. – Galon ou cordon de brins entrelacés.

tresser, *verbe trans.* Mettre en tresse.

tréteau, *subst. m.* Pièce de bois ou de métal servant à soutenir une table, une estrade, etc.

treuil, *subst. m.* Appareil fait d'un cylindre horizontal sur lequel s'enroule un câble, et qui sert à tirer ou à élever des charges.

trêve, *subst. f.* Arrêt momentané des combats. – *Fig.* Temps de répit : *Travailler sans* **trêve**.

tri, *subst. m.* Action de trier ; son résultat. – *Faire un* **tri** : opérer une sélection.

triage, *subst. m.* Opération de tri, de répartition.

triangle, *subst. m.* Figure géométrique à trois côtés. – Instrument de musique à percussion.

triangulaire, *adj.* Qui a la forme d'un triangle. – Qui met en cause trois personnes, trois groupes, etc. : *Un accord* **triangulaire**.

tribal, ale, als ou aux, *adj.* Relatif à la tribu.

tribord, *subst. m.* En regardant la proue, partie droite d'un navire (*oppos. bâbord*).

tribu, *subst. f.* Groupe social culturellement homogène, organisé autour d'un chef.

tribulations, *subst. f. plur.* Suite d'aventures plus ou moins pénibles.

tribun, *subst. m.* Magistrat romain. – Orateur populaire à l'éloquence efficace.

tribunal, aux, *subst. m.* Le ou les magistrats formant une juridiction. – Le lieu où ils siègent.

tribune, *subst. f.* Emplacement surélevé : **Tribune** *d'église.* – Estrade d'où parle un orateur. – Ensemble de gradins.

tribut, *subst. m.* Impôt dû au vainqueur par le vaincu. – *Payer un lourd* **tribut** *à* : subir de graves dommages du fait de.

tributaire, *adj.* Qui dépend de *qqn*, de *qqch.*

triceps, *adj. et subst. m.* Se dit d'un muscle dont l'une des extrémités a trois faisceaux d'insertion.

tricher, *verbe intrans.* Enfreindre les règles tout en feignant de les respecter. – *Empl. trans. indir.* **Tricher** *sur* : mentir sur.

tricherie, *subst. f.* Fait de tricher.

tricolore, *adj.* Qui a trois couleurs. – Qui porte les trois couleurs de la France.

tricot, *subst. m.* Tissu de mailles tricotées. – Action de tricoter. – Vêtement tricoté.

tricoter, *verbe trans.* Exécuter (un ouvrage) en tissant un réseau de mailles à l'aide d'aiguilles.

tricycle, *subst. m.* Vélo à trois roues.

trident, *subst. m.* Fourche ou harpon à trois dents.

triennal, ale, aux, *adj.* Qui a lieu tous les trois ans. – Qui dure trois ans.

trier, *verbe trans.* Séparer (ce que l'on garde de ce que l'on rejette) ; sélectionner. – Classer.

trigonométrie, *subst. f. Math.* Étude des fonctions circulaires des angles et des arcs (sinus, cosinus, tangente).

trilingue, *adj. et subst.* Qui parle trois langues. – *Adj.* Écrit en trois langues.

trille, *subst. m.* Modulation musicale sur deux notes proches, en alternance rapide.

trilogie, *subst. f.* Ensemble de trois œuvres dont les sujets sont liés : *La* **trilogie** *d'Eschyle.*

trimaran, *subst. m.* Voilier à trois coques.

trimba(l)ler, *verbe trans. Fam.* Traîner partout avec soi. – *Pronom.* Aller et venir.

trimer, *verbe intrans.* Travailler dur à des tâches pénibles (*fam.*) : *Il a* **trimé** *toute sa vie.*

trimestre, *subst. m.* Période de trois mois.

trimestriel, ielle, *adj.* Qui dure trois mois. – Qui revient tous les trois mois.

tringle, *subst. f.* Tige, *souv.* métallique, utilisée en *partic.* pour suspendre les rideaux.

trinité, *subst. f.* Dans le dogme chrétien, réunion en un seul Dieu de trois personnes distinctes : le Père, le Fils et le Saint-Esprit.

trinquer, *verbe intrans.* Choquer les verres avant de boire. – Subir un dommage (*fam.*).

trio, *subst. m.* Composition pour trois voix ou trois instruments. – Formation de trois musiciens. – Groupe de trois personnes.

triomphal, ale, aux, *adj.* Qui constitue un triomphe. – *Accueil* **triomphal** : très enthousiaste.

triomphalisme, *subst. m.* Attitude triomphante anticipée et exagérée : **Triomphalisme** *électoral.*

triomphant, ante, *adj.* Qui triomphe. – Qui exprime la joie du triomphe.

triomphateur, trice, *subst.* Personne qui triomphe.

triomphe, *subst. m.* Grand succès, réussite éclatante déchaînant l'enthousiasme.

triompher, *verbe Intrans.* Remporter une victoire décisive. – *Trans. indir.* Venir à bout (de).

tripe, *subst. f.* Boyau. – *Plur.* Mets constitué par l'estomac et les boyaux de ruminants, préparés de diverses façons. – Ce qu'il y a de plus profond

chez *qqn* (*fam.*) : *Une musique qui prend aux* **tripes.**

triple, *adj., subst. m. et adv. Adj.* Formé de trois éléments semblables. – Multiplié par 3. – *Adv.* Trois fois plus. – *Subst.* Nombre, quantité **triples** : *Payer le* **triple** *du prix.*

tripler, *verbe Trans.* Multiplier par 3, rendre triple. – *Intrans.* Devenir triple.

triplés, ées, *subst. plur.* Les trois enfants nés d'une même grossesse.

tripot, *subst. m.* Maison de jeu clandestine.

tripoter, *verbe Fam. Trans.* Toucher sans cesse. – Caresser indiscrètement. – *Intrans.* Se livrer à des opérations douteuses.

triptyque, *subst. m.* Tableau à trois volets. – Œuvre en trois parties.

trique, *subst. f.* Bâton grossier, gourdin.

trisomie, *subst. f.* **Trisomie** *21* : anomalie chromosomique se traduisant par un faciès particulier et une arriération mentale (*synon. mongolisme*).

triste, *adj.* Qui a de la peine, du chagrin. – Qui dénote la morosité : *Un sourire* **triste.** – Qui afflige, chagrine. – Vil, méprisable.

tristesse, *subst. f.* État d'abattement, chagrin, mélancolie. – Caractère de ce qui est triste.

triturer, *verbe trans.* Réduire en poudre, broyer. – Tordre en tous sens. – *Pronom. Se* **triturer** *la cervelle* : se creuser la tête (*fam.*).

trivialité, *subst. f.* Absence d'originalité, banalité. – Grossièreté, vulgarité.

troc, *subst. m.* Échange de marchandises diverses sans recours à la monnaie.

troène, *subst. m.* Arbuste à fleurs blanches odorantes, utilisé pour former des haies.

troglodyte, *subst. m.* Habitant d'une grotte ou d'une demeure creusée dans la roche. – Passereau insectivore, à queue courte et relevée.

trognon, *subst. m.* La partie non comestible, dure et centrale, d'un fruit, d'un légume.

trois, *adj. num. inv. et subst. m. inv. Adj.* Deux plus un. – Troisième : *Henri III.* – *Subst.* Le nombre **trois**, le chiffre 3, le numéro 3.

trolleybus, *subst. m. Autobus* électrique à deux perches glissant sur une caténaire.

trombe, *subst. f.* Colonne d'eau ou de nuages tourbillonnant sous l'action de vents violents ; cyclone. – *En* **trombe** : vite, brusquement.

trombone, *subst. m. Mus.* Instrument à vent de la famille des cuivres, à coulisse ou à pistons. – Petite attache métallique.

trompe, *subst. f.* Organe buccal ou nasal allongé, propre à certains animaux tels que l'éléphant. – Cor de chasse.

trompe-l'œil, *subst. m. inv.* Peinture donnant l'illusion du réel. – *Fig.* Faux-semblant.

tromper, *verbe trans.* Induire sciemment en erreur. – Trahir, commettre une infidélité envers. – Décevoir. – *Pronom.* Faire une erreur.

tromperie, *subst. f.* Fait de tromper. – Parole, acte visant à tromper ; infidélité.

trompette, *subst. f. Mus.* Instrument à vent de la famille des cuivres, au son éclatant.

tronc, *subst. m.* Partie de l'arbre comprise entre les racines et les branches. – Le corps sans la tête ni les membres. – Boîte à offrandes. – **Tronc** *commun éducatif* : partie commune d'un programme (*oppos. spécialisation*).

tronçon, *subst. m.* Portion coupée d'un objet long. – Segment de route, de voie ferrée.

tronçonner, *verbe trans.* Couper, scier en tronçons.

trône, *subst. m.* Siège d'apparat des souverains.

trôner, *verbe intrans.* Occuper une place d'honneur. – Être placé en évidence : *Le portrait de l'aïeul* **trône** *au-dessus du buffet.*

tronquer, *verbe trans.* Couper, réduire. – Altérer en retranchant : **Tronquer** *une citation.*

trop, *adv.* Excessivement : **Trop** *cher.* – En quantité excessive : **Trop** *d'argent.* – **Trop** *peu* : pas assez. – *En* **trop** : en excès (*fam.*).

trophée, *subst. m.* Objet attestant un succès militaire, sportif. – Partie empaillée d'un animal tué à la chasse.

tropical, *ale, aux, adj.* Qui concerne les tropiques ou la zone située entre les tropiques.

tropique, *subst. m.* Chacun des deux parallèles du globe terrestre de latitude 23° 26′ N. et S. – *Plur.* La zone située entre les **tropiques**.

trop-plein, *subst. m.* Excédent de liquide. – Dispositif d'évacuation évitant l'inondation. – *Fig.* Excès, débordement.

troquer, *verbe trans.* Donner en troc, échanger.

trot, *subst. m.* Allure naturelle du cheval, entre le pas et le galop.

trotter, *verbe intrans.* Aller au trot. – Marcher à petits pas vifs. – *Fig. Cela me* **trotte** *dans la tête* : cela m'obsède.

trottoir, *subst. m.* Passage surélevé ménagé pour les piétons des deux côtés d'une rue.

trou, *subst. m.* Orifice anatomique. – Cavité, creux naturels ou artificiels. – Accroc. – *Fig.* Endroit perdu. – **Trou** *de mémoire* : oubli.

troubadour, *subst. m.* Poète courtois de langue d'oc, au Moyen Âge.

trouble, *adj. et subst. m. Adj.* Qui manque de clarté, de limpidité : *Eau* **trouble**. – Peu net, flou. – *Fig.* Louche, équivoque. – *Subst.* Perturbation, désordre. – Émotion. – Dérèglement physique ou mental. – Défaut de limpidité, de transparence. – *Plur.* Agitation politique ou sociale ; émeute.

troubler, *verbe trans.* Rendre moins limpide. – Agiter, déranger. – Émouvoir, séduire. – *Pronom.* Devenir trouble. – Être décontenancé, perdre son assurance.

trouée, *subst. f.* Percée naturelle ou artificielle ; ouverture : *Faire une* **trouée** *dans une haie.*

trouer, *verbe trans.* Faire un ou des trous dans.

troupe, *subst. f.* Groupe de soldats. – Réunion de gens en marche. – Groupe de comédiens, d'artistes se produisant ensemble.

troupeau, *subst. m.* Groupe d'animaux qui vivent, se déplacent ensemble. – Foule (*péj.*).

trousse, *subst. f.* Pochette compartimentée dans laquelle on peut ranger divers accessoires.

trousseau, *subst. m.* Linge et vêtements d'un pensionnaire, d'une jeune mariée. – **Trousseau** *de clefs* : clefs attachées ensemble.

trouvaille, *subst. f.* Découverte heureuse, due au hasard. – Idée originale.

trouver, *verbe trans.* Découvrir par hasard ou à la suite d'une recherche. – **Trouver** *que* : penser que, estimer que. – *Pronom.* Être situé. – Être dans un état donné ; se sentir. – *Se* **trouver** *mal* : s'évanouir. – *Il se* **trouve** *que* : il apparaît que.

trouvère, *subst. m.* Poète et jongleur de langue d'oïl, au Moyen Âge : *Les* **trouvères** *picards.*

truand, *ande, subst.* Malfaiteur qui appartient au milieu ; bandit. – Individu malhonnête.

truc, *subst. m. Fam.* Astuce secrète, tour habile. – Ce qu'on ne peut ou ne veut nommer.

truchement, *subst. m. Par le* **truchement** *de qqn, de qqch.* : par son intermédiaire.

truculence, *subst. f.* Caractère haut en couleur d'un personnage, d'un langage, d'un style.

truelle, *subst. f.* Outil de maçon à lame plate en forme de triangle ou de trapèze.

truffe, *subst. f.* Champignon enfoui au pied des chênes, très prisé. – Bouchée au chocolat. – Nez du chien.

truffé, *ée, adj.* Garni de truffes. – Bourré, empli.

truie, *subst. f.* Femelle du porc, du verrat.

truite, *subst. f.* Poisson voisin du saumon, carnassier, à la chair délicate.

truquage, *subst. m.* Ensemble de procédés destinés à créer une illusion. – Action de truquer ; fraude.

truquer, *verbe trans.* Modifier (*qqch.*) de manière frauduleuse : **Truquer** *des dés à jouer.*

tsar, *tsarine, subst.* Titre des anciens souverains de Russie et de Bulgarie.

tsigane, *voir* **tzigane**

tu, *pron. pers.* Sujet de la 2e personne du singulier.

tube, *subst. m.* Cylindre creux, *gén.* rigide. – Conduit anatomique. – Conditionnement pour des pâtes, des pommades. – Chanson ou musique à succès (*fam.*).

tubercule, *subst. m.* Renflement d'une racine, réserve alimentaire de la plante.

tuberculeux, *euse, adj. et subst.* Qui souffre de tuberculose. – *Adj.* Qui concerne la tuberculose. – *Bot.* Pourvu de tubercules.

tuberculose, *subst. f.* Maladie infectieuse et contagieuse qui provoque des lésions nodulaires, en *partic.* dans les poumons.

tubulaire, *adj.* Qui est fabriqué avec des tubes métalliques. – Qui a la forme d'un tube.

tuer, *verbe trans.* Faire mourir violemment. – Causer la mort de. – Exténuer (*fam.*). – Faire disparaître : *La routine* **tue** *les passions.* – *Pronom.* Se suicider ; mourir dans un accident. – *Fig. Se* **tuer** *à* : s'évertuer à.

tuerie, *subst. f.* Action de tuer de manière massive et sauvage. – Massacre, carnage.

tue-tête (à), *loc. adv. Crier* **à** *tue-tête* : très fort.

tuile, *subst. f.* Pièce de terre cuite moulée, utilisée pour couvrir les toits. – Événement fâcheux (*fam.*).

tulipe, *subst. f.* Plante bulbeuse cultivée en *partic.* en Hollande, pour sa belle fleur.

tulle, *subst. m.* Tissu léger et vaporeux.

tuméfié, *ée, adj.* Se dit d'une partie du corps qui est boursouflée, enflée, *souv.* à la suite d'un coup violent.

tumeur, *subst. f.* Grosseur pathologique, due à une prolifération cellulaire.

tumulte, *subst. m.* Agitation, désordre bruyant et confus d'un groupe de personnes.

tumultueux, *euse, adj.* Agité et bruyant. – *Une vie* **tumultueuse** : pleine d'aventures.

tumulus, *subst. m. Hist.* Amas artificiel de terre ou de pierres recouvrant une sépulture.

tunique, *subst. f.* Vêtement féminin couvrant le buste et les hanches. – Longue veste militaire à col droit : **Tunique** *d'apparat.*

tunnel, *subst. m.* Galerie souterraine donnant passage à une voie de communication.

turban, *subst. m.* Coiffure orientale masculine faite d'une bande d'étoffe ceignant la tête.

turbine, *subst. f.* Moteur dans lequel un fluide (eau, vapeur, gaz, etc.) entraîne la rotation d'une roue.

turbot, *subst. m.* Grand poisson marin plat, à la chair très fine.

turbulent, ente, *adj.* Qui est porté à faire du bruit, à s'agiter, à semer le désordre.

turc, turque, *adj. et subst. m* Se dit d'un groupe de langues parlées en Asie centrale. – *Subst.* Langue parlée en Turquie.

turf, *subst. m.* Ensemble des activités concernant les courses de chevaux.

turpitude, *subst. f.* Conduite abjecte d'une personne. – Acte, parole infâmes.

turquoise, *subst. f.* Pierre fine d'un beau bleu-vert. – *Empl. adj. inv.* Couleur de cette pierre.

tutélaire, *adj.* Qui protège (*littér.*) : *Génie* **tutélaire**. – Qui se rapporte à la tutelle.

tutelle, *subst. f.* Protection légale accordée à un mineur ou à un incapable majeur, et s'exerçant sur ses biens. – Dépendance, surveillance, protection : *Placer qqn sous* **tutelle**.

tuteur, tutrice, *subst. Dr.* Personne chargée de veiller sur un mineur ou un incapable majeur, et de gérer ses biens. – *Masc.* Piquet qui soutient une plante.

tutoiement, *subst. m.* Action, fait de tutoyer.

tutoyer, *verbe trans.* S'adresser à (*qqn*) en employant le pronom personnel « tu ».

tuyau, aux, *subst. m.* Conduit cylindrique, rigide ou souple. – Information confidentielle (*fam.*).

tuyauterie, *subst. f.* Ensemble des tuyaux et des conduites d'une installation. – Ensemble des tuyaux d'un orgue.

t.v.a., *subst. f. inv.* Sigle de « taxe à la valeur ajoutée », impôt indirect.

tympan, *subst. m. Anat.* Membrane séparant l'oreille moyenne du conduit auditif externe et qui transmet les vibrations de l'air. – *Archit.* Paroi, *souv.* sculptée, qui clôt l'arc des portails romans ou gothiques.

type, *subst. m.* Ensemble de caractéristiques d'une catégorie. – Modèle. – Homme (*fam.*).

typhoïde, *adj. et subst. f. Subst.* Maladie infectieuse et contagieuse caractérisée par une forte fièvre et des troubles intestinaux. – *Adj.* Relatif à la **typhoïde** ou au typhus.

typhon, *subst. m.* Cyclone dévastateur des mers de Chine et de l'océan Indien.

typhus, *subst. m.* Maladie infectieuse et contagieuse transmise par les poux.

typique, *adj.* Qui présente les caractéristiques, qui est un exemple parfait d'un type.

typographie, *subst. f.* Art de composer un texte destiné à l'impression. – Présentation graphique d'un texte imprimé.

tyran, *subst. m.* Chef politique abusant d'un pouvoir absolu, gouvernant par la peur.

tyrannie, *subst. f.* Pouvoir absolu, oppressif, violent et injuste. – *Fig. La* **tyrannie** *des préjugés.*

tyranniser, *verbe trans.* Exercer une domination cruelle et méchante sur ; persécuter.

tzigane, *adj. et subst.* Se dit d'un peuple musicien et nomade, originaire de l'Inde.

U

u, u, *subst. m. inv.* Vingt et unième lettre et cinquième voyelle de l'alphabet français.

ubac, *subst. m.* Versant d'une montagne exposé à l'ombre, *gén.* au nord (*oppos. adret*).

ubiquité, *subst. f.* Capacité à être présent en plusieurs lieux au même instant.

ulcère, *subst. m. Méd.* Perte de substance du tissu cutané ou d'une muqueuse, se traduisant par une lésion qui cicatrise difficilement : *Un* **ulcère** *à l'estomac.*

ulcérer, *verbe trans.* Affecter d'un ulcère. – *Fig.* Blesser profondément *qqn.*

u.l.m., *subst. m. inv.* Sigle pour « ultraléger motorisé », engin volant au moteur de faible cylindrée.

ultérieur, ieure, *adj. Géogr.* Situé au-delà. – Qui vient après, postérieur : *Repousser à une date* **ultérieure**.

ultimatum, *subst. m.* Ensemble de conditions imposées par un État à un autre, assorties d'une menace de guerre. – Sommation.

ultime, *adj.* Dernier, final.

ultrason, *subst. m.* Son de fréquence trop élevée pour que l'oreille humaine le perçoive.

ultraviolet, ette, *adj. et subst. m. Phys.* Se dit de radiations invisibles pour l'œil humain, utilisées comme moyen thérapeutique (*abrév. U.V.*).

ululer, *verbe intrans.* Pousser son cri (ululement), en parlant d'un rapace nocturne.

un (i), une, *adj. num. et subst. sing. Adj.* Le premier des nombres entiers, exprimant une quantité unique : *Deux poires et* **une** *pomme.* – Premier : *Acte* I. – *Subst. masc.* Le nombre **un**, le chiffre 1, le numéro 1. – *Subst. fém. La* **une** : la première page du journal.

un (ii), une, *art. indéf.* Qualifie une personne ou une chose indéterminées, dont l'unicité est occasionnelle : **Une** *pomme.*

un (iii), une, *pron. indéf.* Remplace une personne ou une chose nommées avant ou après, ou sous-entendues : *Venez* **un** *de ces jours.* – Opposé à « autre » : *L'*un *aime jouer, l'autre pas ; L'*un *l'autre,* réciproquement.

unanime, *adj.* Qui exprime un avis commun à tous : *Accord* **unanime**. – *Plur.* Qui sont du même avis.

unanimité, *subst. f.* Unité de vue, accord complet de tous les membres d'un groupe.

uni, unie, *adj. et subst. m.* Adj. Lisse, sans aspérités. – D'une seule couleur. – Lié par l'affection ou l'amour. – *Subst.* Étoffe d'une seule couleur.

unicellulaire, *adj. et subst. m.* Se dit d'un être vivant formé d'une seule cellule, comme les bactéries, les protozoaires, etc.

unifier, *verbe trans.* Réaliser l'unité de (*qqch.*), à partir d'éléments dispersés : **Unifier** *l'Europe*. – Rendre homogène, cohérent : **Unifier** *les mentalités*.

uniforme, *adj. et subst. m.* Adj. De forme, d'aspect identiques : *Des emballages* **uniformes**. – Régulier, sans variation ; monotone. – *Subst.* Vêtement réglementaire propre à certaines professions.

uniformité, *subst. f.* État de ce qui est uniforme.

unijambiste, *adj. et subst.* Qui n'a plus qu'une jambe.

unilatéral, ale, aux, *adj.* Qui ne concerne qu'un seul côté. – Qui n'engage qu'une seule partie. – Qui n'est le fait que d'une personne.

union, *subst. f.* Fusion, association entre des personnes ou des entités. – Rapport d'affinité intime, d'attrait réciproque. – Mariage.

unique, *adj.* Seul en son genre. – Incomparable, exceptionnel. – Incroyable (*fam.*).

unir, *verbe trans.* Créer des liens d'affinité entre, associer ; marier. – Joindre ensemble (des éléments divers).

unisson, *subst. m.* Mus. Accord de voix ou d'instruments jouant des sons de même hauteur. – À *l'*unisson : avec un accord parfait.

unitaire, *adj.* Qui forme une unité, ou qui tend vers l'unité.

unité, *subst. f.* Caractère de ce qui est un, unique, indivisible. – Harmonie, homogénéité. – Chose qui est une. – Grandeur déterminée servant de base à la mesure d'autres grandeurs : **Unité** *de longueur*. – Formation militaire. – Partie d'un ensemble plus vaste.

univers, *subst. m.* Le monde terrestre, l'humanité. – *L'*Univers : le monde entier, tout ce qui existe. – Fig. Domaine, milieu : *L'*univers *du rêve* ; *Sa maison est son seul* univers.

universalité, *subst. f.* Caractère de ce qui est universel. – Qualité d'un esprit universel.

universel, elle, *adj.* Qui concerne tous les individus d'une catégorie. – Qui concerne tous les hommes. – Dont les connaissances, les aptitudes couvrent tous les domaines. – Qui concerne l'Univers.

universitaire, *adj. et subst.* Subst. Enseignant d'université. – *Adj.* Qui a trait à l'université.

université, *subst. f.* Établissement d'enseignement supérieur.

urbain, aine, *adj.* Qui a trait à la ville. – Qui fait preuve d'urbanité (*littér.*).

urbaniser, *verbe trans.* Donner un caractère urbain à (un site, une région).

urbanisme, *subst. m.* Science et technique de l'aménagement des villes.

urbanité, *subst. f.* Civilité, politesse (*littér.*).

urètre, *subst. m.* Canal servant à l'évacuation de l'urine hors de la vessie.

urgence, *subst. f.* Caractère de ce qui est urgent.

urgent, ente, *adj.* Qui ne tolère aucun délai.

urinaire, *adj.* Qui concerne l'urine.

urine, *subst. f.* Liquide formé dans les reins lors de la purification du sang.

uriner, *verbe Intrans.* Évacuer son urine. – *Trans.* Évacuer (*qqch.*) dans l'urine.

urne, *subst. f.* Vase funéraire contenant les cendres d'un défunt. – Boîte recueillant les bulletins de vote.

urticaire, *subst. f.* Éruption cutanée accompagnée de démangeaisons.

us, *subst. m. plur.* Les **us** *et coutumes* : les traditions d'un pays, d'un peuple.

usage, *subst. m.* Utilisation, emploi : *Faire* **usage** *d'une pelle* ; *L'*usage *du latin*. – Coutume, tradition. – *Plur.* Règles du savoir-vivre.

usagé, ée, *adj.* Qui a beaucoup servi : *Un vêtement* usagé. – Qui est hors d'usage.

usager, *subst. m.* Personne qui utilise un service public : **Usager** *du métro, du téléphone*.

user, *verbe trans.* Détériorer peu à peu par un usage prolongé. – Fig. Diminuer, affaiblir peu à peu. – **User** *de* : se servir de (*littér.*).

usine, *subst. f.* Établissement industriel producteur d'énergie ou de marchandises en série.

usiner, *verbe trans.* Façonner (une pièce) avec une machineoutil.

usité, ée, *adj.* Couramment employé.

ustensile, *subst. m.* Objet d'usage domestique.

usuel, elle, *adj.* D'usage courant.

usufruit, *subst. m.* Droit de jouissance d'un bien dont on n'est pas propriétaire.

usure (i), *subst. f.* Intérêt monétaire d'un taux excessif au regard des normes réglementaires.

usure (ii), *subst. f.* Dégradation d'une chose matérielle au fil du temps. – Fig. Affaiblissement.

usurpateur, trice, *subst.* Personne qui usurpe.

usurper, *verbe trans.* S'approprier (*qqch.*) de manière illégale : **Usurper** *un bien, le pouvoir*.

ut, *subst. m. inv.* Mus. Synon. de *do*.

utérus, *subst. m.* Organe femelle qui reçoit l'œuf fécondé jusqu'à l'accouchement.

utile, *adj.* Qui sert. – Qui rend service.

utilisation, *subst. f.* Action, manière d'utiliser.

utiliser, *verbe trans.* Se servir de, employer avantageusement (*qqch.* ou *qqn*).

utilitaire, *adj. et subst.* Adj. Qui a pour seul but l'utilité. – *Subst.* Camion ou autocar.

utilité, *subst. f.* Qualité de ce qui est utile.

utopie, *subst. f.* Projet irréalisable. – Illusion.

V

v, v, *subst. m. inv.* Vingt-deuxième lettre de l'alphabet français et dix-septième consonne.

vacance, *subst. f.* État d'une charge, d'un poste vacants. – *Plur.* Période de congé accordée aux salariés, aux élèves, aux étudiants.

vacancier, ière, *subst.* Personne qui est en vacances en dehors de son domicile habituel.

vacant, ante, *adj.* Qui est disponible, inoccupé : *Un appartement* **vacant**. – Qui n'a pas de titulaire : *Poste* **vacant**.

vacarme, *subst. m.* Grand bruit, tumulte, tapage.

vaccin, *subst. m.* Substance inoculée à une personne, à un animal pour les immuniser contre une maladie.

vacciner, *verbe trans.* Administrer un vaccin à. – *La télé, je* **suis vacciné** : je ne veux plus en entendre parler (*fam.*).

vache, *subst. f.* Subst. Bovidé domestique, femelle du taureau. – *Empl. adj.* Sévère, méchant (*fam.*) : *Un professeur* **vache**.

vaciller, *verbe intrans.* Trembler de faiblesse, chanceler, tituber. – Scintiller faiblement. – *Fig.* Manquer d'assurance ; s'affaiblir : *Mémoire qui* **vacille**.

vacuité, *subst. f.* État de ce qui est vide. – Vide moral ou intellectuel.

vadrouille, *subst. f.* Promenade, balade (*fam.*) : *En* **vadrouille**, hors de chez soi, en voyage.

va-et-vient, *subst. m. inv.* Mouvement d'aller et retour d'un mécanisme. – Allées et venues de personnes, de véhicules.

vagabond, onde, *adj. et subst.* Adj. Qui erre, qui est itinérant. – Inconstant. – *Subst.* Nomade. – Clochard, personne sans domicile fixe.

vagabonder, *verbe intrans.* Mener la vie d'un vagabond. – *Fig.* Errer, passer d'une chose à l'autre : *Esprit qui* **vagabonde**.

vagin, *subst. m.* Organe génital féminin constitué d'un canal allant de la vulve à l'utérus.

vagir, *verbe intrans.* Émettre un cri (vagissement), en parlant d'un nouveau-né, d'un crocodile ou d'un lièvre.

vague (i), *adj. et subst. m.* Adj. Qui ne se laisse pas définir avec précision, imprécis : *Des propos* **vagues**. – *Subst. Rester dans le* **vague** : se montrer évasif.

vague (ii), *adj. Terrain* **vague** : à l'abandon, sans cultures ni constructions.

vague (iii), *subst. f.* Mouvement ondulatoire à la surface des eaux. – *Fig.* Masse de personnes. – Phénomène de masse qui se propage : *Une* **vague** *d'enthousiasme souleva le public*.

vaillance, *subst. f.* Bravoure, courage (*littér.*).

vaillant, ante, *adj.* Qui ne craint pas le danger, courageux. – Vigoureux.

vain, vaine, *adj.* Illusoire, sans fondement : *Vains espoirs*. – Infructueux, inutile. – *Loc. adv. En* **vain** : inutilement.

vaincre, *verbe trans.* Battre, venir à bout de, l'emporter sur (un adversaire). – Triompher de : **Vaincre** *la maladie*.

vainqueur, *adj. m. et subst. m.* Qui a remporté une victoire.

vaisseau, *subst. masc.* Grand navire. – **Vaisseau** *spatial* : véhicule de l'espace. – *Anat.* Conduit dans lequel circulent le sang ou la lymphe.

vaisselle, *subst. f.* Ensemble des récipients qui contiennent la nourriture. – Lavage de ces récipients et des couverts utilisés pour le repas.

val, vaux ou vals, *subst. m.* Petite vallée, espace enserré entre deux collines : *Par monts et par* **vaux**.

valable, *adj.* Qui présente les conditions requises pour être accepté : *Passeport* **valable**. – Fondé : *Une raison* **valable**.

valériane, *subst. f.* Plante médicinale.

valet, *subst. m.* Serviteur, domestique. – Homme servile. – Figure d'un jeu de cartes, située immédiatement avant la dame.

valeur, *subst. f.* Prix : **Valeur** *d'un bijou*. – Titre négociable : *Bourse des* **valeurs**. – Importance donnée à *qqch*. – Qualité morale ou intellectuelle. – Critère du vrai, du beau, du bien dans un jugement moral ou esthétique. – Quantité équivalente approximative : *Ajouter la* **valeur** *d'un verre*.

valeureux, euse, *adj.* Vaillant, courageux (*littér.*).

valide, *adj.* En bonne santé. – Valable, en règle : *Ticket* **valide**.

valider, *verbe trans.* Rendre (*qqch.*) valide, entériner.

validité, *subst. f.* Qualité de ce qui est valide.

valise, *subst. f.* Bagage de forme rectangulaire, muni d'une poignée.

vallée, *subst. f.* Dépression du relief terrestre résultant de l'action d'un cours d'eau.

vallon, *subst. m.* Petite vallée.

valoir, *verbe Intrans.* Être estimé à un certain prix, coûter. – Avoir une certaine qualité. – *Trans.* Être égal à : *Un franc* **vaut** *cent centimes*. – Causer, provoquer. – *Impers. Il* **vaut** *mieux* (+*inf.*) : il est préférable de. – *Pronom.* Être équivalent, avoir la même valeur.

valoriser, *verbe trans.* Accroître la valeur de (*qqch.*). – Augmenter le mérite de (*qqn*).

valse, *subst. f.* Danse à trois temps. – *Fig.* Changement fréquent (*fam.*) : **Valse** *des prix*.

valser, *verbe intrans.* Danser la valse. – *Fig.* Être manié avec désinvolture ou brutalité (*fam.*).

valve, *subst. f.* Système qui ne laisse passer un flux (d'air, d'électricité) que dans un sens.

vampire, *subst. m.* Mort-vivant qui suçerait le sang des vivants. – Grande chauve-souris d'Amérique du Sud.

van, *subst. m.* Fourgon à chevaux.

vandale, *subst.* Qui se livre au vandalisme.

vandalisme, *subst. m.* Agissements malveillants de celui qui détruit des biens, des œuvres d'art.

vanille, *subst. f.* Fruit du vanillier, qui fournit une substance aromatique. – Cette substance.

vanité, *subst. f.* Caractère de ce qui est vain, inutile (*littér.*). – Prétention, orgueil injustifié.

vaniteux, euse, *adj. et subst.* Qui est plein de vanité.

vanne, *subst. f.* Dispositif mobile servant à régler le débit d'une canalisation.

vanner, *verbe trans.* Fatiguer, harasser (*fam.*).

vannerie, *subst. f.* Confection d'objets tressés en rotin, en osier, en raphia, etc. – Ces objets.

vannier, *subst. m.* Artisan, ouvrier en vannerie.

vantail, aux, *subst. m.* Panneau mobile d'une fenêtre, d'une porte ; battant.

vantard, arde, *adj. et subst.* Qui se vante, fanfaron.

vantardise, *subst. f.* Attitude, caractère, propos d'une personne qui se vante.

vanter, *verbe trans.* Louer, célébrer, faire l'éloge de (*qqn* ou *qqch.*). – *Pronom. Se vanter* : mentir par vanité ; *Se vanter de* : tirer vanité de ; se faire fort de.

va-nu-pieds, *subst. inv.* Misérable, vagabond (*péj.*).

vapeur, *subst. Fém.* Eau à l'état gazeux ou sous forme de fines gouttelettes d'eau en suspension. – Tout corps à l'état gazeux : **Vapeur** *d'essence.* – *Locomotive à* **vapeur** : mue par la force de la vapeur d'eau. – *Masc.* Bateau à **vapeur** (vieilli).

vaporeux, euse, *adj.* Voilé de brume légère. – *Fig.* Dont la légèreté évoque la vapeur : *Étoffe* **vaporeuse**.

vaporisateur, *subst. m.* Appareil servant à vaporiser.

vaporiser, *verbe trans.* Transformer (un corps) en vapeur ou en gaz. – Diffuser un liquide en fines gouttelettes.

vaquer, *verbe Intrans.* Suspendre son activité (vieilli) : *Les tribunaux* **vaquent**. – *Trans. indir.* **Vaquer** *à* : s'occuper de, s'adonner à.

varan, *subst. m.* Grand lézard tropical.

varappe, *subst. f.* Escalade d'une paroi rocheuse.

varech, *subst. m.* Algues rejetées par la mer, *souv.* utilisées comme engrais.

vareuse, *subst. f.* Blouse de toile des marins. – Veste de certains uniformes. – Veste ample.

variable, *adj. et subst. f. Adj.* Qui varie ou est susceptible de varier. – *Subst. Math.* Symbole qui peut prendre différentes valeurs.

variante, *subst. f.* Forme d'une chose, solution d'une question, version d'un texte légèrement différentes de l'original.

varice, *subst. f.* Dilatation permanente d'une veine, *gén.* sur la jambe.

varicelle, *subst. f.* Maladie contagieuse, accompagnée de boutons et de démangeaisons.

varié, ée, *adj.* Qui est divers dans ses éléments : *Programme* **varié**. – *Plur.* Différents, distincts les uns des autres.

varier, *verbe Trans.* Apporter de la variété à (*qqch.*), diversifier : **Varier** *les plaisirs.* – *Intrans.* Changer de valeur, d'avis : *Le prix* **varie** ; *Les opinions* **varient**.

variété, *subst. f.* Caractère d'un ensemble présentant des éléments variés, diversité. – Catégorie d'éléments au sein d'un ensemble : *Une* **variété** *de tulipes.* – *Plur.* Spectacle ou émission présentant des chansons et des attractions variées.

variole, *subst. f.* Grave maladie contagieuse.

vasculaire, *adj.* Qui a trait aux vaisseaux du corps, en *partic.* aux vaisseaux sanguins.

vase (i), *subst. m.* Récipient utilitaire ou décoratif destiné à recevoir des fleurs.

vase (ii), *subst. f.* Dépôt boueux qui se forme au fond des plans d'eau.

vaseline, *subst. f.* Substance grasse, issue du pétrole, utilisée comme lubrifiant.

vaseux, euse, *adj.* Qui contient de la vase. – *Fam.* Mal réveillé, en état de torpeur ; légèrement malade. – Confus : *Explication* **vaseuse**.

vasistas, *subst. m.* Petit panneau mobile et vitré s'ouvrant dans une porte ou une fenêtre.

vasque, *subst. f.* Bassin ornemental peu profond. – Large coupe décorant une table.

vassal, ale, aux, *adj. et subst.* Au Moyen Âge, se disait d'une personne liée à un suzerain par les obligations féodales. – Se dit d'un homme ou d'un groupe qui dépend d'un autre.

vaste, *adj.* De grande étendue. – De grande ampleur : *Un* **vaste** *projet*.

va-tout, *subst. m. inv.* Coup sur lequel un joueur risque tout son argent. – *Jouer son* **va-tout** : le tout pour le tout.

vaudeville, *subst. m. Litt. et théâtre.* Comédie légère.

vaudou, *subst. m.* Culte pratiqué en Haïti.

vau-l'eau (à), *loc. adv.* Au fil de l'eau. – *Aller à* **vau-l'eau** : péricliter, se désorganiser.

vaurien, ienne, *subst.* Garnement, galopin.

vautour, *subst. m.* Grand oiseau de proie qui se nourrit de charognes : *Le* **vautour** *moine des Pyrénées.* – *Fig.* Homme dur et rapace.

vautrer (se), *verbe pronom.* Se coucher, s'affaler.

va-vite (à la), *loc. adv.* De manière hâtive.

veau, *subst. m.* Petit de la vache. – Viande ou cuir de cet animal.

vecteur, *subst. m.* Ce qui joint, véhicule, transporte ou transmet (*qqch.*). – *Math.* Segment de droite orienté.

vécu, ue, *adj. et subst. m. Adj.* Réel, qui s'est effectivement passé. – *Subst.* Expérience de la vie.

vedette, *subst. f.* Acteur ou artiste de variétés en renom. – Personnalité, célébrité dans un domaine particulier. – *En* **vedette** : en évidence, en valeur. – Bateau léger à moteur.

végétal, ale, aux, *adj. et subst. m. Subst.* Être vivant fixé au sol, plante. – *Adj.* Qui a trait aux plantes.

végétarien, ienne, *adj. et subst.* Dont la nourriture ne comprend pas de viande.

végétatif, ive, *adj.* Relatif aux fonctions vitales des plantes et des animaux. – *Fig.* Qui se limite aux fonctions vitales de l'homme, en excluant toute activité intellectuelle : *Vie* **végétative**.

végétation, *subst. f.* Ensemble des végétaux d'un lieu. – *Plur. Méd.* Excroissances charnues qui obstruent les fosses nasales.

végéter, *verbe intrans.* Croître avec difficulté. – *Fig.* Vivre dans la médiocrité ou l'inaction.

véhémence, *subst. f.* Fougue, impétuosité.

véhément, ente, *adj.* Fougueux, impétueux.

véhicule, *subst. m.* Ce qui sert à communiquer. – Engin de déplacement, de transport.

véhiculer, *verbe trans.* Transporter. – Faire circuler. – Propager, répandre : **Véhiculer** *un microbe*.

veille, *subst. f.* Action de veiller. – Garde de nuit. – Jour précédant celui dont on parle.

veillée, *subst. f.* Soirée conviviale qui s'étend entre le dîner et le coucher. – Action de veiller un malade, un mort. – **Veillée** *d'armes* : soirée qui précède un jour important.

veiller, *verbe Intrans.* Rester délibérément en éveil la nuit. – *Trans. indir.* **Veiller** *à qqch.* : y faire attention. – **Veiller** *sur* : prendre soin de. – *Trans. dir.* **Veiller** *un malade* : l'assister pendant la nuit.

veilleur, *subst. m.* **Veilleur** *de nuit* : garde chargé de surveiller un établissement la nuit.

veilleuse, *subst. f.* Petite lampe à faible lumière. – Petite flamme permanente servant à l'allumage automatique d'un appareil à gaz ou à mazout. – *En* **veilleuse** : au ralenti. – *Plur.* Feux de position d'un véhicule.

veine, *subst. f.* Vaisseau véhiculant le sang vers le cœur. – Filon de minerai. – Dessin sinueux dans la pierre ou le bois. – *Fig.* Inspiration. – Chance (*fam.*).

veiné, ée, *adj.* Aux veines apparentes. – Dont le motif évoque les veines.

veineux, euse, *adj.* Qui concerne les veines.

vêler, *verbe intrans.* Mettre bas, pour la vache.

vélin, *subst. m.* Peau de veau mort-né, utilisée autrefois comme parchemin. – Papier luxueux, très blanc et fin.

velléitaire, *adj. et subst.* Qui fait preuve de velléité.

velléité, *subst. f.* Volonté faible et fugitive, rarement suivie d'actes.

vélo, *subst. m.* Bicyclette.

véloce, *adj.* Rapide et vif (*littér.*).

vélocipède, *subst. m.* Ancêtre du vélo.

vélocité, *subst. f.* Rapidité (*littér.*).

vélodrome, *subst. m.* Piste entourée de gradins, réservée aux courses cyclistes.

vélomoteur, *subst. m.* Petite motocyclette, dont la cylindrée va de 50 à 125 cm³.

velours, *subst. m.* Étoffe d'aspect lourd, rase sur l'envers et couverte de poils courts et drus sur l'endroit. – Ce qui est doux au toucher (*littér.*) : *Une peau de* **velours**.

velouté, ée, *adj. et subst. m.* Qui évoque la douceur du velours. – *Subst.* Potage onctueux.

velu, ue, *adj.* Qui a des poils en abondance.

venaison, *subst. f.* Chair du gros gibier.

vénal, ale, aux, *adj.* Qui se fait payer au mépris de l'intégrité, de la dignité. – Qui a trait à la valeur en argent d'un bien.

vendange, *subst. f.* Cueillette du raisin. – *Plur.* Époque où cette cueillette a lieu.

vendanger, *verbe Trans.* Cueillir le raisin de (la vigne). – *Intrans.* Faire la vendange.

vendémiaire, *subst. m.* Premier mois du calendrier républicain, qui s'étendait du 22-24 septembre au 21- 23 octobre.

vendetta, *subst. f.* Coutume corse qui fait obligation à tous les membres d'une famille de venger une offense.

vendeur, euse, *adj. et subst. Adj.* Qui favorise la vente. – *Subst.* Particulier qui vend un bien. – Professionnel de la vente.

vendre, *verbe trans.* Céder (*qqch.*) contre paiement. – Faire le commerce de : **Vendre** *des fruits et légumes*. – *Fig.* Trahir.

vendredi, *subst. m.* Cinquième jour de la semaine, veille du samedi.

vendu, ue, *adj. et subst.* Qui est vénal ou traître (*péj.*).

venelle, *subst. f.* Petite rue étroite (*littér.*).

vénéneux, euse, *adj.* Se dit d'une plante qui contient un poison dangereux.

vénérable, *adj.* Qui suscite une attitude de vénération. – Respectable.

vénération, *subst. f.* Respect des choses sacrées. – Grand respect teinté d'admiration.

vénérer, *verbe trans.* Avoir de la vénération pour.

vénerie, *subst. f.* Art de la chasse à courre.

vénérien, ienne, *adj.* Relatif aux maladies sexuellement transmissibles.

vengeance, *subst. f.* Action ou désir de se venger. – Châtiment, revanche.

venger, *verbe trans.* Réparer le tort fait à (*qqn, qqch.*) en punissant l'auteur de l'offense : **Venger** *son honneur, un ami.* – *Pronom.* Réparer une offense, se faire justice : *Se* **venger** *de qqch., de qqn.*

vengeur, eresse, *adj. et subst.* Qui venge.

véniel, ielle, *adj.* Qui peut être absous. – Insignifiant, anodin (*littér.*).

venimeux, euse, *adj.* Qui sécrète du venin. – *Fig.* Haineux ; malveillant (*littér.*).

venin, *subst. m.* Substance toxique que sécrètent certains animaux pour se défendre. – *Fig.* Haine ; malveillance (*littér.*).

venir, *verbe intrans.* Rejoindre l'endroit où l'on est attendu. – Arriver, survenir. – **Venir** *de* : provenir, émaner de ; être issu de. – Apparaître. – **Venir** *de* (*+inf.*), avoir fait récemment : *Il vient de partir.*

vent, *subst. m.* Mouvement de l'air qui se déplace dans l'atmosphère. – Tendance, mouvement : *Un* **vent** *de fronde.* – *Instrument à* **vent** : instrument de musique dans lequel on souffle pour produire un son.

vente, *subst. f.* Action de céder un bien contre paiement : *La* **vente** *d'un immeuble.*

venter, *verbe impers.* Faire du vent.

venteux, euse, *adj.* Où souffle le vent.

ventilateur, *subst. m.* Appareil qui déplace de l'air pour rafraîchir, ou pour refroidir un moteur.

ventilation, *subst. f.* Action de faire circuler de l'air. – *Fig.* Répartition d'argent, d'objets, de personnes : **Ventilation** *des frais.*

ventiler, *verbe trans.* Faire circuler l'air (en un lieu) pour aérer ou rafraîchir. – *Fig.* Répartir.

ventôse, *subst. m.* Sixième mois du calendrier républicain, allant du 19-21 février au 20-21 mars.

ventouse, *subst. f.* Organe adhésif de certains animaux. – Rondelle de caoutchouc qui adhère à une surface plane par pression.

ventral, ale, aux, *adj.* Qui concerne le ventre. – Qui est placé contre le ventre.

ventre, *subst. m.* Région du corps, opposée au dos, qui abrite les intestins. – Renflement de *qqch.* : *Le* **ventre** *d'un flacon.*

ventricule, *subst. m.* Chacune des deux cavités inférieures du cœur.

ventriloque, *adj. et subst.* Se dit d'un artiste qui réussit à parler sans remuer les lèvres.

ventripotent, ente, *adj.* Qui a un gros ventre.

ventru, ue, *adj.* Qui a un gros ventre. – Qui présente un renflement.

venu, ue, *adj. et subst. Adj.* Qui vient : *Bien, mal* **venu**. – *Subst.* Personne qui vient d'arriver : *Nouveau* **venu**. – *Le premier* **venu** : n'importe qui. – *Subst. fém.* Fait de venir, d'arriver, de se produire. – **Venue** *au monde* : naissance.

ver, *subst. m.* Petit animal mou et allongé, sans pattes. – Larve de certains insectes : **Ver** *à soie.*

véracité, *subst. f.* Qualité de ce qui est vrai.

véranda, *subst. f.* Pièce entièrement vitrée ajoutée au bâtiment principal.

verbal, **ale**, **aux**, *adj.* Qui se fait de vive voix, oral. – Qui concerne la parole. – *Ling.* Relatif au verbe.

verbaliser, *verbe intrans.* Dresser un procès-verbal.

verbe, *subst. m.* Parole (*littér.*). – *Ling.* Mot autour duquel s'articule une phrase, et qui exprime une action, un état, un devenir.

verbeux, **euse**, *adj.* Qui utilise beaucoup trop de mots et, de ce fait, manque de clarté.

verbiage, *subst. m.* Profusion de paroles creuses.

verdeur, *subst. f.* Vigueur de la jeunesse. – Âpreté, acidité d'un vin, d'un fruit. – Crudité d'un langage.

verdict, *subst. m.* Décision d'un tribunal rendue après délibération. – Jugement quelconque, décision rendue.

verdir, *verbe* Devenir ou rendre vert.

verdoyant, **ante**, *adj.* Qui devient vert. – Couvert d'une végétation bien verte.

verdure, *subst. f.* Couleur verte de la végétation. – L'herbe et les feuillages. – Plante potagère mangée en salade.

véreux, **euse**, *adj.* Qui renferme des vers. – *Fig.* Corrompu, malhonnête.

verge, *subst. f.* Baguette de bois souple utilisée pour châtier. – Membre viril.

verger, *subst. m.* Champ planté d'arbres fruitiers.

vergeture, *subst. f.* Trace nacrée qui strie une peau distendue.

verglacé, **ée**, *adj.* Couvert de verglas.

verglas, *subst. m.* Mince couche de glace qui se forme sur le sol, en *partic.* sur la route.

vergogne, *subst. f. Sans* **vergogne** : sans pudeur ni honte ; sans scrupule.

vergue, *subst. f. Mar.* Barre placée en travers du mât, qui porte la voile.

véridique, *adj.* Qui dit la vérité (*littér.*). – Conforme à la vérité.

vérification, *subst. f.* Action de vérifier. – Opération de contrôle : **Vérification** *des comptes.*

vérifier, *verbe trans.* Contrôler l'exactitude, la conformité ou le bon état de. – Confirmer : *Résultat qui* **vérifie** *l'hypothèse.*

vérin, *subst. m.* Appareil de levage.

véritable, *adj.* Conforme à la vérité. – Vrai, réel, naturel : *Cuir* **véritable**. – Digne de son nom : *Une* **véritable** *épopée.*

vérité, *subst. f.* Caractère de ce qui est vrai, conforme à la réalité, ou démontré. – Sincérité.

vermeil, **eille**, *adj. et subst. m. Adj.* D'un rouge vif et léger. – *Subst.* Argent recouvert d'une dorure.

vermifuge, *adj. et subst. m.* Se dit d'un médicament qui provoque l'évacuation des vers intestinaux.

vermillon, *adj. inv. et subst. m.* Rouge vif tirant sur l'orangé.

vermine, *subst. f.* Parasites externes de l'homme, des animaux. – *Fig.* Individus vils ; canaille.

vermisseau, *subst. m.* Petit ver. – Petite larve.

vermoulu, **ue**, *adj.* Se dit du bois rongé par les vers. – *Fig.* Vieux et près de s'effondrer.

vernir, *verbe trans.* Enduire de vernis.

vernis, *subst. m.* Solution résineuse brillante dont on protège ou décore un support. – *Fig.* Apparence brillante, mais superficielle.

vernissage, *subst. m.* Opération qui consiste à vernir. – Inauguration, sur invitation, d'une exposition de peinture.

vernissé, **ée**, *adj.* Se dit d'une poterie vernie.

vérole, *subst. f.* Syphilis (*fam.*).

verrat, *subst. m.* Porc mâle reproducteur.

verre, *subst. m.* Substance minérale, dure, cassante et transparente. – Plaque, lame de **verre**. – Lentille conçue pour corriger la vue. – Récipient utilisé pour boire ; son contenu.

verrerie, *subst. f.* Fabrication et commerce du verre. – Objets en verre.

verrier, **ière**, *adj. et subst. m. Adj.* Du verre. – *Subst.* Ouvrier, artisan en verrerie ou en vitraux.

verrière, *subst. f.* Partie vitrée d'un toit. – Grande surface vitrée.

verroterie, *subst. f.* Bijoux de verre coloré et travaillé, de faible valeur ; pacotille.

verrou, *subst. m.* Pièce de métal coulissante servant à fermer une porte. – Barrage, obstacle.

verrouillage, *subst. m.* Action de fermer au verrou ; son résultat. – Blocage.

verrouiller, *verbe trans.* Fermer au verrou. – Bloquer. – Empêcher l'évolution de.

verrue, *subst. f.* Petite excroissance cutanée.

vers (i), *subst. m.* Ligne rythmée d'une œuvre poétique.

vers (ii), *prép.* En direction de. – Environ.

versant, *subst. m.* Chacune des pentes d'une vallée ou d'une montagne. – Chacun des deux aspects opposés d'une même chose.

versatile, *adj.* Qui change *souv.* d'opinion.

verse (à), *loc. adv. Il pleut* **à verse** : en abondance.

versé, **ée**, *adj.* Qui connaît à fond un domaine : **Versé** *dans les arts.*

verseau, *subst. m.* Onzième signe du zodiaque.

versement, *subst. m.* Action de verser de l'argent ; paiement, règlement. – Somme versée.

verser, *verbe Trans.* Faire basculer sur le côté. – Transvaser ; répandre. – Remettre (de l'argent à *qqn*). – *Intrans.* Se renverser. – Se laisser aller à : **Verser** *dans l'orgueil.*

verset, *subst. m.* Subdivision numérotée d'un chapitre d'un livre sacré : *Un* **verset** *du Coran.*

verseur, **euse**, *adj. et subst. f. Adj.* Qui sert à verser. – *Subst.* Cafetière à poignée horizontale.

versifier, *verbe Intrans.* Composer des vers. – *Trans.* Mettre (un texte) en vers.

version, *subst. f.* Traduction d'un texte écrit dans une langue étrangère. – Interprétation d'un fait ; narration que l'on en fait. – Variante d'une œuvre littéraire ou artistique.

verso, *subst. m.* Envers d'une page (*oppos. recto*).

vert, **verte**, *adj. et subst. m.* Couleur combinant le jaune et le bleu. – *Fig.* Relatif à la campagne. – Pas mûr ; acide. – Resté vigoureux, jeune. – Sévère : **Verte** *réprimande.* – Blême : **Vert** *de peur.* – *Subst.* Écologiste.

vert-de-gris, *subst. m. inv.* Dépôt verdâtre dû à l'humidité, patinant le bronze ou certains alliages. – *Empl. adj. inv.* Gris verdâtre.

vertébral, **ale**, **aux**, *adj.* Qui se rapporte aux vertèbres : *Colonne* **vertébrale**, tige de vertèbres qui supporte le squelette.

vertébré, ée, *adj. et subst. m.* Se dit d'un animal possédant une colonne vertébrale. – *Subst. plur.* L'embranchement correspondant.

vertèbre, *subst. f.* Chacun des os courts formant la colonne vertébrale.

vertement, *adv.* Avec sévérité et vivacité.

vertical, ale, aux, *adj. et subst. f. Adj.* Parallèle au fil à plomb ; perpendiculaire à un plan horizontal. – *Subst.* Position, droite **verticales**.

vertige, *subst. m.* Perte du sens de l'équilibre face au vide. – Trouble, égarement.

vertigineux, euse, *adj.* Propre à donner le vertige. – *Fig.* Impressionnant.

vertu, *subst. f.* Bonne moralité. – Qualité morale estimée. – Chasteté féminine (*littér.*). – Propriété, effet, pouvoir. – *Loc. prép.* En **vertu** de : au nom de, en conséquence de.

vertueux, euse, *adj.* Qui fait preuve de vertu.

verve, *subst. f.* Inspiration créatrice. – Éloquence brillante. – Brio, fantaisie.

verveine, *subst. f.* Plante herbacée ornementale ou médicinale. – Tisane calmante.

vésicule, *subst. f.* Organe en forme de sac. – Petite cloque sur la peau.

vessie, *subst. f.* Organe où s'accumule l'urine. – Membrane gonflée d'air.

veste, *subst. f.* Vêtement couvrant le buste, court et à manches, ouvert devant. – *Fig.* Défaite, échec (*fam.*).

vestiaire, *subst. m.* Lieu où l'on dépose manteaux et parapluies. – Local où l'on se change.

vestibule, *subst. m.* Pièce ou couloir d'entrée d'une maison, d'un bâtiment.

vestige, *subst. m.* Reste du passé, ruine.

vestimentaire, *adj.* Qui a trait aux vêtements.

veston, *subst. m.* Veste d'un complet d'homme.

vêtement, *subst. m.* Toute pièce de tissu qui sert à couvrir ou à protéger le corps humain.

vétéran, *subst. m.* Ancien combattant. – Sportif âgé de plus de 35 ans.

vétérinaire, *adj. et subst. Adj.* Relatif à la médecine des animaux : *Médicament* **vétérinaire**. – *Subst.* Spécialiste de la médecine animale.

vétille, *subst. f.* Petit fait insignifiant.

vêtir, *verbe trans.* Mettre un, des vêtements à.

veto, *subst. m. inv.* Droit qu'a une institution de s'opposer à l'entrée en vigueur d'une loi. – Interdiction ; refus.

vétuste, *adj.* Vieux et en mauvais état.

vétusté, *subst. f.* État de ce qui est vétuste.

veuf, veuve, *adj. et subst.* Dont le conjoint est mort.

veule, *adj.* Sans énergie, lâche, faible.

veuvage, *subst. m.* État d'une personne veuve et non remariée.

vexation, *subst. f.* Acte ou propos qui vexe.

vexatoire, *adj.* Qui vise à humilier.

vexer, *verbe trans.* Blesser dans son amour-propre.

via, *prép.* En passant par.

viabilité, *subst. f.* Aptitude à vivre d'un organisme naissant. – Caractère de ce qui peut se développer.

viable, *adj.* Apte à vivre. – Capable de se développer, susceptible d'aboutir : *Ce projet est* **viable**.

viaduc, *subst. m.* Pont élevé, *gén.* à plusieurs arches, franchissant une vallée, un fleuve.

viager, ère, *adj. et subst. m.* Se dit d'une rente versée jusqu'à la mort de celui qui la reçoit. – *En* **viager** : en échange d'une telle rente.

viande, *subst. f.* Chair comestible des animaux.

viatique, *subst. m.* Aide, secours, soutien. – *Relig.* Communion administrée à un mourant.

vibrant, ante, *adj.* Qui vibre. – Passionné, émouvant : *Hommage* **vibrant**.

vibration, *subst. f.* Mouvement de ce qui vibre. – Modulation d'un son.

vibratoire, *adj.* Constitué d'une suite de vibrations : *Mouvement* **vibratoire**.

vibrer, *verbe intrans.* Être agité d'un tremblement léger et rapide. – Ressentir une vive émotion.

vicaire, *subst. m.* Prêtre desservant une paroisse sous l'autorité d'un curé.

vice, *subst. m.* Mauvais penchant irrépressible ; perversion sexuelle. – Défaut, malfaçon.

vice-roi, *subst. m.* Dans un État monarchique, gouverneur d'une province ayant rang de royaume : **Vice-roi** *des Indes*.

vice versa, *loc. adv.* Inversement.

vicié, iée, *adj.* Corrompu, pollué.

vicieux, ieuse, *adj. et subst.* Qui est dépravé, corrompu, pervers. – *Adj.* Fautif, incorrect : *Un tour* **vicieux**. – Exécuté avec ruse.

vicinal, ale, aux, *adj.* Se dit d'un chemin qui relie entre eux des villages, des hameaux.

vicissitudes, *subst. f. plur.* Événements malheureux qui jalonnent une vie.

vicomte, esse, *subst.* Titre de noblesse immédiatement inférieur à celui de comte.

victime, *subst. f.* Personne tuée ou blessée dans une guerre, un accident. – Personne qui subit les conséquences de la malveillance d'autrui ou de ses propres agissements.

victoire, *subst. f.* Succès dans une guerre, un combat. – Succès dans une compétition.

victorieux, ieuse, *adj.* Qui a remporté la victoire. – Propre au vainqueur : *Air* **victorieux**.

victuailles, *subst. f. plur.* Vivres, nourriture.

vidange, *subst. f.* Opération qui consiste à vider pour nettoyer : **Vidange** *d'un réservoir*. – Dispositif d'évacuation d'un liquide.

vidanger, *verbe trans.* Procéder à la vidange de.

vide, *adj. et subst. m. Adj.* Qui ne renferme rien. – Inoccupé ; désert. – *Fig.* Qui manque d'intérêt ; morne. – *Subst.* Espace **vide**. – Néant.

vidéo, *adj. inv. et subst. f.* Se dit des techniques d'enregistrement, de traitement et de restitution sur écran d'images et de sons.

vider, *verbe trans.* Rendre vide. – Évacuer. – Expulser d'un établissement (*fam.*). – Ôter les boyaux (d'un animal). – *Fig.* Mettre un terme à, régler. – Épuiser (*fam.*).

vie, *subst. f.* Ensemble des phénomènes qui caractérisent l'activité des organismes animaux et végétaux, de leur naissance à leur mort. – Fait de vivre. – Ensemble des événements qui jalonnent l'existence de *qqn*. – Vitalité, entrain ; animation, inspiration. – Manière de vivre. – Ensemble des moyens matériels nécessaires pour vivre.

vieil, vieille, *voir* **vieux**

vieillard, *subst. m.* Homme très âgé.

vieillerie, *subst. f.* Vieille chose, usée et démodée.

vieillesse, *subst. f.* Période ultime de la vie ; fait d'être vieux. – Ensemble des personnes âgées.

vieillir, *verbe Intrans.* Avancer en âge ; devenir vieux. – Subir les effets du temps. – Se démoder. – *Trans.* Rendre plus vieux.

vieillissement, *subst. m.* Fait de vieillir. – Processus physiologique de la vieillesse. – Évolution que le temps fait subir à une chose.

vierge, *adj. et subst. f. Adj.* Qui n'a pas eu de relations sexuelles. – Pur, intact, inexploré. – *Subst.* Fille qui n'a jamais eu de rapports sexuels. – Sixième signe du zodiaque. – *Relig.* La Sainte **Vierge** : Marie, mère du Christ.

vieux, vieil, vieille, *adj. et subst.* Qui est d'un grand âge. – *Adj.* Qui dure depuis longtemps. – Qui appartient au passé ; révolu. – *Subst. Fam.* Père ou mère ; ami. – *Subst. masc.* Ce qui est ancien.

vif, vive, *adj. et subst. m. Adj.* Vivant. – Plein de vitalité, éveillé : *Un enfant* **vif**. – Intense ; violent. – *Subst. Dr.* Personne vivante. – Chair : *À* **vif**, avec la chair à nu. – *Fig.* Point le plus sensible ou le plus intéressant : *Entrer dans le* **vif** *du sujet*.

vigie, *subst. f.* Matelot qui veille à bord d'un navire. – Surveillance ainsi exercée.

vigilance, *subst. f.* Surveillance très soutenue et scrupuleuse.

vigilant, ante, *adj.* Qui fait preuve de vigilance.

vigile, *subst. m.* Agent de surveillance.

vigne, *subst. f.* Arbrisseau qui donne le raisin, aussi cultivé pour la production du vin. – Vignoble.

vigneron, onne, *adj. et subst.* Se dit de celui qui cultive la vigne, qui produit du vin.

vignette, *subst. f.* Petit ornement de première page ou de fin de chapitre d'un livre. – Timbre attestant le paiement d'une taxe, ou servant au remboursement d'un médicament par la Sécurité sociale.

vignoble, *subst. m.* Terrain planté de vignes. – Ensemble des vignes d'une région, d'un pays.

vigoureux, euse, *adj.* Qui est plein de vigueur.

vigueur, *subst. f.* Force physique. – Énergie. – Fermeté et puissance de l'expression. – *En* **vigueur** : en pratique, en application.

vil, vile, *adj.* Méprisable (*littér.*) : *Une* **vile** *manœuvre*. – De piètre valeur.

vilain, aine, *adj. et subst. Adj.* Méchant, bas, malhonnête. – Qui rebute par sa laideur. – *Fig.* Déplaisant, fâcheux. – *Subst.* Personne, *gén.* enfant, qui se conduit mal. – *Subst. masc.* Au Moyen Âge, paysan libre.

vilenie, *subst. f.* Action vile (*littér.*).

vilipender, *verbe trans.* Dénoncer (*qqn, qqch.*) comme méprisable.

villa, *subst. f. Antiq.* Domaine agricole ou riche résidence d'été. – Maison individuelle, de plaisance ou d'habitation, avec jardin.

village, *subst. m.* Agglomération en milieu rural.

villageois, oise, *adj. et subst. Adj.* Propre au village. – *Subst.* Habitant d'un village.

ville, *subst. f.* Réunion importante d'habitations disposant des structures nécessaires à la vie sociale. – La population qui y vit.

villégiature, *subst.* Séjour passé dans un lieu propice au repos, à la détente. – Le lieu de ce séjour.

vin, *subst. m.* Boisson alcoolique obtenue à partir de la fermentation de raisin.

vinaigre, *subst. m.* Liquide produit par la fermentation acétique du vin.

vindicatif, ive, *adj.* Dont la rancune est tenace.

vingt, *adj. num. inv. et subst. m. inv. Adj.* Deux fois dix. – Vingtième : *Les années* **vingt**. – *Subst.* Le nombre **vingt**, le numéro **20**.

vingtaine, *subst. f.* Ensemble constitué de vingt, ou d'environ vingt unités.

vinicole, *adj.* Relatif à la production du vin.

vinification, *subst. f.* Ensemble des opérations de transformation du raisin en vin.

vinyle, *subst. m.* Matière plastique : *Disque en* **vinyle**.

viol, *subst. m.* Agression sexuelle. – Profanation d'un lieu sacré ou interdit. – Transgression (d'une opinion, d'une loi).

violation, *subst. f.* Fait de violer (un lieu, une loi).

viole, *subst. f.* Instrument de musique à cordes et à archet : **Viole** *de gambe*.

violence, *subst. f.* Caractère de ce ou de celui qui est violent. – Force brutale. – *Plur.* Actes agressifs.

violent, ente, *adj. et subst.* Qui est brutal, coléreux, sans retenue. – *Adj.* Très intense, puissant. – Qui requiert une grande énergie physique.

violer, *verbe trans.* Se rendre coupable de viol sur (*qqn*). – Profaner (un lieu) ; pénétrer de force dans (un lieu). – Enfreindre (une loi) ; trahir (un secret).

violet, ette, *adj. et subst. m. Adj.* D'un bleu mêlé de rouge. – *Subst.* La couleur **violette**.

violette, *subst. f.* Plante des bois à petites fleurs violettes parfumées.

violon, *subst. m.* Instrument de musique à quatre cordes et à archet, tenu entre l'épaule et le menton.

violoncelle, *subst. m.* Grand instrument de musique de la famille du violon, dont on joue assis.

vipère, *subst. f.* Serpent venimeux, à tête triangulaire. – *Fig.* Personne médisante, malfaisante.

virage, *subst. m.* Mouvement d'un véhicule qui change de direction. – Partie courbe d'une route : **Virage** *dangereux*. – *Fig.* Modification brusque d'orientation.

viral, ale, aux, *adj.* Qui relève d'un virus.

virement, *subst. m. Fin.* Transfert d'argent de compte à compte. – *Mar.* Action de virer de bord.

virer, *verbe Trans. indir.* Changer d'aspect, de couleur, de caractère : **Virer** *à l'aigre*. – *Trans. dir.* Transférer (une somme) d'un compte à un autre. – Congédier ; expulser d'un lieu (*fam.*). – *Intrans.* Tourner sur soi. – Opérer un virage. – **Virer** *de bord* : changer de direction.

virevolter, *verbe intrans.* Tourner rapidement sur soi. – *Fig.* Aller en tous sens.

virginal, ale, aux, *adj.* Qui a la pureté, l'innocence d'une vierge.

virginité, *subst. f.* État d'une personne vierge. – Caractère de ce qui est vierge.

virgule, *subst. f.* Signe de ponctuation (,) servant à séparer les membres d'une phrase. – *Math.* Signe séparant, dans un nombre décimal, la partie entière de la partie décimale.

viril, ile, *adj.* Propre à l'homme en tant que mâle. – Fort, résolu, énergique.

virilité, *subst. f.* Caractères physiques de l'homme. – Puissance sexuelle de l'homme.

virtuel, elle, *adj.* Qui est susceptible d'être, mais n'est pas ; possible, potentiel.

virtuose, *subst.* Musicien talentueux. – Personne très habile dans un domaine particulier.

virulence, *subst. f.* Caractère de ce ou de celui qui est virulent : **Virulence** *d'une réplique.*

virulent, ente, *adj.* Violent, corrosif.

virus, *subst. m.* Micro-organisme parasite des cellules vivantes, agent infectieux. – *Fig.* Le **virus** *de* : la passion de. – *Informat.* Instruction qui, introduite dans un système informatique, en perturbe le fonctionnement.

vis, *subst. f.* Tige filetée, *gén.* à tête ronde, qui s'enfonce en tournant dans la pièce à fixer.

visa, *subst. m.* Mention portée sur un document, le validant ou certifiant le paiement d'un droit. – Cachet apposé sur un passeport, autorisant *qqn* à entrer dans un pays.

visage, *subst. m.* Face de l'homme, partie antérieure de la tête. – Mine, air. – Apparence, aspect des choses.

vis-à-vis, *loc. prép. et subst. m.* Loc. prép. **Vis-à-vis** *de* : en face de ; au *fig.*, en regard de, envers. – *Subst.* Personne ou chose placée en face d'une autre.

viscéral, ale, aux, *adj.* Qui se rapporte aux viscères. – Profond, instinctif : *Peur* **viscérale**.

viscère, *subst. m.* Chaque organe interne du corps.

visée, *subst. f.* Direction de la vue, d'une arme, d'un objectif photographique vers un point donné. – *Fig.* Dessein, prétention (*gén.* au *plur.*).

viser, *verbe trans. Trans. dir.* Braquer son regard, son arme vers (le but à atteindre). – *Fig.* Rechercher, briguer. – Concerner. – *Trans. indir.* **Viser** *à* : chercher à.

visibilité, *subst. f.* Caractère de ce qui est visible. – Possibilité de voir plus ou moins loin.

visible, *adj.* Qui peut être vu. – Concret, tangible. – Manifeste, évident.

visière, *subst. f.* Dans une coiffure, bord faisant saillie et abritant les yeux.

vision, *subst. f.* Perception par la vue. – Façon de voir, de se représenter les choses. – Hallucination ; apparition.

visionnaire, *adj. et subst.* Qui a des visions surnaturelles. – Qui a une vision juste de l'avenir.

visite, *subst. f.* Inspection, examen : **Visite** *des lieux* ; **Visite** *médicale.* – Fait de visiter un lieu. – *Rendre* **visite** *à qqn* : aller le voir chez lui.

visiter, *verbe trans.* Procéder à la visite, à l'inspection de. – Aller à la découverte (d'un lieu, d'un pays). – Rendre visite à (*qqn*).

vison, *subst. m.* Petit mammifère carnivore, proche du putois, à la fourrure recherchée.

visqueux, euse, *adj.* Qui s'écoule avec difficulté, sirupeux. – Dont la surface est gluante.

visser, *verbe trans.* Fixer avec des vis. – **Visser** *un couvercle* : fermer, en effectuant un mouvement de rotation.

visualiser, *verbe trans.* Rendre visible (un phénomène qui ne l'est pas naturellement). – *Infor-mat.* Faire apparaître sur l'écran (du texte, des images).

visuel, elle, *adj. et subst. m. Adj.* Qui concerne la vue : *Mémoire* **visuelle**, mémoire de ce qui a été vu. – *Subst.* Aspect graphique d'une publicité (*oppos. rédactionnel*).

vital, ale, aux, *adj.* Qui concerne la vie. – Nécessaire à la vie. – *Fig.* Crucial, très important.

vitalité, *subst. f.* Caractère de ce qui est plein de vie, de vigueur, de dynamisme.

vitamine, *subst. f.* Substance indispensable au bon fonctionnement de l'organisme, *gén.* apportée par l'alimentation.

vite, *adv.* À vive allure. – En hâte. – Bientôt, sous peu : *Je reviendrai* **vite**.

vitesse, *subst. f.* Capacité à se déplacer ou à agir vite. – Rapport entre la distance parcourue et le temps mis à la parcourir. – *Mécan.* Chacune des combinaisons d'engrenage du système de traction d'un véhicule.

viticulture, *subst. f.* Culture de la vigne.

vitrage, *subst. m.* Action de poser des vitres. – Ensemble des vitres d'un édifice.

vitrail, aux, *subst. m.* Panneau constitué de morceaux de verre colorés formant motif, que l'on fixe au châssis d'une fenêtre.

vitre, *subst. f.* Panneau de verre isolant que l'on fixe à une baie, à une portière.

vitreux, euse, *adj.* Qui a l'aspect du verre. – *Œil* **vitreux** : qui a perdu son éclat.

vitrifier, *verbe trans.* Transformer (une matière) en verre par fusion. – Revêtir (un sol) d'une couche protectrice transparente.

vitrine, *subst. f.* Devanture vitrée d'un magasin. – Meuble vitré où sont exposés des objets.

vitriol, *subst. m.* Acide sulfurique concentré. – *Fig.* Au **vitriol** : incisif, corrosif.

vitupérer, *verbe trans.* **Vitupérer** *qqn* (ou *contre qqn*) : le blâmer vivement.

vivable, *adj.* Supportable.

vivace, *adj.* Qui peut vivre longtemps : *Plante* **vivace**. – *Fig.* Tenace, persistant.

vivacité, *subst. f.* Promptitude à agir, à comprendre ou à s'emporter. – Intensité ; éclat ; ardeur, entrain.

vivant, ante, *adj. et subst. Adj.* Animé par la vie, en vie : *Être* **vivant**. – Vif, dynamique ; plein d'animation : *Enfant* **vivant** ; *Quartier* **vivant**. – *Langue* **vivante** : qui est en usage. – *Subst.* Être doué de vie. – *Du* **vivant** *de qqn* : du temps où il vivait.

vivarium, *subst. m.* Établissement où l'on conserve des insectes, des reptiles dans leur milieu naturel reconstitué.

vive, vivent, *interj.* Acclamation d'enthousiasme, souhait de prospérité : **Vive(nt)** *les vacances !*

vivement, *adv. et interj. Adv.* Rapidement : *Se saisir* **vivement** *de qqch.* – Intensément. – *Interj.* Marque un désir intense : **Vivement** *l'été !*

vivier, *subst. m.* Bassin réservé à l'élevage et à la conservation des poissons vivants. – *Fig.* Milieu propice au développement (d'idées, de personnalités).

vivifier, *verbe trans.* Donner de la vigueur, de la vitalité (physique ou psychique) à.

vivipare, *adj.* Se dit d'un animal qui donne naissance à un petit dont le développement est achevé (*contr. ovipare*).

vivisection, *subst. f.* Opération pratiquée à des fins expérimentales sur un animal vivant.

vivre, *verbe Intrans.* Être, demeurer en vie. – Durer, exister. – Habiter. – Connaître un mode de vie ; se conduire : **Vivre** *seul, sagement.* – Assurer sa subsistance : **Vivre** *du produit de sa pêche.* – *Trans.* Faire l'expérience de ; mettre en pratique : **Vivre** *des revers de fortune* ; **Vivre** *son engagement.*

vivres, *subst. m. plur.* Provisions, aliments.

vizir, *subst. m.* Ministre d'un sultan. – *Grand* **vizir** : Premier ministre de l'Empire ottoman.

vocabulaire, *subst. m.* Ensemble des mots d'une langue. –Ensemble des mots utilisés par une personne. – Termes propres à un domaine.

vocal, ale, aux, *adj.* Qui concerne la voix. – Destiné au chant : *Ensemble* **vocal**.

vocalise, *subst. f.* Exercice de chant consistant à moduler sa voix sur une seule syllabe.

vocation, *subst. f.* Appel à la vie religieuse. – Vive inclination pour une activité, un état.

vociférer, *verbe Intrans.* S'exprimer avec colère, en criant. – *Trans.* **Vociférer** *des injures.*

vodka, *subst. f.* Eau-de-vie de grain (blé, seigle).

vœu, vœux, *subst. m.* Promesse faite à Dieu ; engagement religieux. – Souhait. – Intention.

vogue, *subst. f.* Renom, succès plus ou moins passager : *Être en* **vogue**, à la mode.

voguer, *verbe intrans.* Naviguer (*littér.*).

voici, *prép.* Présente celui ou ce qui est le plus proche. – Annonce ce qui va suivre.

voie, *subst. f.* Route, chemin. – Subdivision d'une route large : *Autoroute à trois* **voies**. – **Voie** *ferrée* : chemin de fer. – Mode de transport : *Par* **voie** *aérienne.* – Moyen, intermédiaire : *Par* **voie** *diplomatique.* – Conduit naturel : **Voies** *respiratoires.* – *Fig.* Vocation : *Chercher sa* **voie**. – *En* **voie** *de* : en cours de. – *En bonne* **voie** : près de réussir.

voilà, *prép.* Présente celui ou ce qui est plus éloigné ; rappelle ce qui vient d'être dit.

voile (i), *subst. m.* Pièce d'étoffe qui couvre la tête et parfois le visage. – Tissu léger et fin. – *Fig.* Ce qui altère la vision ou masque une réalité : *Un* **voile** *de brume, de mystère.*

voile (ii), *subst. f.* Toile qui capte la force du vent, servant à la propulsion d'un navire. – Navigation sportive sur bateau à **voile**.

voiler (i), *verbe trans.* Recouvrir d'un voile. – *Fig.* Dissimuler ; atténuer. – *Pronom. Le ciel se* **voile** : il se couvre de nuages.

voiler (ii), *verbe trans.* Déformer, fausser (un objet).

voilier, *subst. m.* Bâteau à voile.

voilure, *subst. f.* Ensemble des voiles d'un bateau. – Surface portante d'un avion. – Toile d'un parachute.

voir, *verbe trans.* Percevoir par le sens de la vue. – Assister à, être témoin de. – Regarder avec attention ; juger ; constater. – Rencontrer ; rendre visite à (*qqn*). – *Je ne* **vois** *pas* : je ne comprends pas ; *Je* **vois** *bien* : je me rends compte. – *Pronom.* S'imaginer, se considérer. – Se produire.

voire, *adv.* Et même : *Il est doué,* **voire** *génial.*

voirie, *subst. f.* Ensemble des voies de communication aménagées et entretenues par les pouvoirs publics. – Administration chargée de cet entretien.

voisin, ine, *adj. et subst.* Qui habite, qui se trouve près de qqn. – *Adj.* Proche. – *Fig.* Qui présente des similitudes : *Un sens* **voisin**.

voiture, *subst. f.* Véhicule de transport à roues. – Automobile. – *Ch. de fer.* Véhicule remorqué servant au transport des voyageurs.

voix, *subst. f.* Ensemble des sons émis par le larynx ; manière d'émettre ces sons. – Sentiment intime servant de guide : *La* **voix** *de la sagesse.* – Suffrage, vote. – *Ling.* Forme que prend le verbe selon que le sujet exécute ou subit l'action : **Voix** *active, passive.*

vol (i), *subst. m.* Action de voler (I) ; espace parcouru en volant. – Oiseaux volant ensemble : *Un* **vol** *de grues.* – *Saisir au* **vol** : au passage.

vol (ii), *subst. m.* Action de voler (II) ; acte frauduleux. – Produit d'un **vol**.

volage, *adj.* Inconstant, en *partic.* en amour.

volaille, *subst. f.* Ensemble des volatiles d'une basse-cour. – Un de ces volatiles ; sa chair.

volant, *subst. m. Jeux.* Petit cône léger que l'on lance avec une raquette. – Bande d'étoffe froncée qui orne le pourtour d'un vêtement, d'un rideau. – Instrument circulaire, organe de direction d'une automobile.

volatil, ile, *adj.* Qui s'évapore facilement.

volatile, *subst. m.* Oiseau, *gén.* de basse-cour.

volatiliser (se), *verbe pronom.* Se transformer en vapeur. – *Fig.* Disparaître subitement.

volcan, *subst. m.* Relief formé par l'émission de matière en fusion issue des profondeurs de l'écorce terrestre.

volcanologie, *subst. f.* Étude des volcans.

volée, *subst. f.* Action de voler (I). – Bande d'oiseaux qui volent ensemble. – Tir simultané. – **Volée** *de coups* : série de coups.

voler (i), *verbe intrans.* Se mouvoir en l'air au moyen d'ailes. – Se déplacer en avion. – Être projeté en l'air, flotter. – Se précipiter : **Voler** *au secours de qqn.*

voler (ii), *verbe trans.* S'emparer illicitement de (*qqch.*). – S'approprier le bien de (*qqn*).

volet, *subst. m.* Panneau utilisé pour clore une baie. – Feuillet rabattable d'un document : *Les* **volets** *d'un dépliant.* – *Fig.* Partie : *Le premier* **volet** *d'une émission.*

voleur, euse, *adj. et subst.* Se dit d'une personne qui a volé ou qui a l'habitude de voler (II).

volière, *subst. f.* Grande cage à oiseaux.

volley-ball, *subst. m.* Sport opposant 2 équipes de 6 joueurs qui se renvoient un ballon par-dessus un filet.

volontaire, *adj. et subst. Adj.* Fait délibérément, sans contrainte. – Qui a de la volonté. – *Subst.* Personne qui accomplit une mission, une tâche de son plein gré.

volonté, *subst. f.* Faculté de se déterminer à agir ou à ne pas agir. – Qualité d'une personne qui exerce avec énergie et constance cette faculté. – Décision, souhait. – *Disposition* à agir d'une certaine manière : *Bonne, mauvaise* **volonté**. – *Plur.* Caprices. – *À* **volonté** : tant que l'on veut.

volontiers, *adv.* Spontanément et de bon gré.

volte-face, *subst. f. inv.* Demi-tour effectué pour faire face. – *Fig.* Changement subit d'opinion, de comportement.

voltige, *subst. f.* Exercice acrobatique effectué sur un cheval, sur une corde ou au trapèze volant. – **Voltige** *aérienne* : exécutée par le pilote d'un avion. – *Fig.* Entreprise risquée.

voltiger, *verbe intrans.* Voler çà et là. – Flotter dans l'air au gré du vent.

volubile, *adj.* Qui parle beaucoup et avec rapidité. – Se dit d'une plante qui s'élève en s'enroulant autour d'un support.

volume, *subst. m.* Livre broché ou relié. – Espace occupé par un corps ; la mesure de cet espace. – Masse, quantité. – Intensité sonore.

volumineux, euse, *adj.* D'un grand volume.

volupté, *subst. f.* Plaisir sensuel ou intellectuel fortement ressenti. – Plaisir sexuel.

voluptueux, euse, *adj.* Qui recherche, procure ou exprime une certaine volupté.

volute, *subst. f.* Motif ornemental en spirale. – Ce qui est en spirale : **Volutes** *de fumée.*

vomir, *verbe trans.* Rejeter par la bouche (les aliments qu'on avait ingérés). – Projeter avec force au dehors.

vomissement, *subst. m.* Fait de vomir. –Matière vomie.

vorace, *adj.* Qui mange avec avidité. – *Fig.* Insatiable : *Appétit* **vorace.**

vote, *subst. m.* Action de voter. – Suffrage ainsi exprimé : *Un* **vote** *majoritaire.*

voter, *verbe Intrans.* Exprimer son opinion, son choix par un suffrage, lors d'une élection. – *Trans.* Adopter au moyen d'un vote.

votre, vos, *adj. poss.* Qui est à vous, qui vous appartient, qui vous concerne.

vôtre, *adj. poss. et pron. poss.* Adj. Qui est à vous : *Ce succès est* **vôtre.** – Pron. Ce qui est à vous : *Mes préoccupations sont les mêmes que les* **vôtres.** – Empl. *subst. Les* **vôtres** : vos proches.

vouer, *verbe trans.* Engager de manière irrévocable : **Vouer** *son amitié à qqn.* – Consacrer : **Vouer** *sa vie à la science.* – *Être* **voué** *à* : être condamné à.

vouloir (i), *verbe trans.* Avoir la volonté de. – Exiger, commander. – Désirer : *Je* **voudrais** *vous parler.* – Pouvoir : *La voiture ne* **veut** *pas démarrer.* – **Vouloir** *bien* : accepter. – **Vouloir** *dire* : signifier. – *En* **vouloir** *à qqn* : lui garder rancune. – *Pronom.* Vouloir paraître. – *S'en* **vouloir** *de* : se reprocher de.

vouloir (ii), *subst. m.* Volonté, intention : *Selon votre bon* **vouloir.**

vous, *pron. pers.* Sert à s'adresser à plusieurs personnes ou à une personne que l'on vouvoie.

voûte, *subst. f.* Ouvrage de maçonnerie en arc formé de pierres taillées. – Partie supérieure courbe (d'une cavité, d'un objet).

vouvoyer, *verbe trans.* Employer le « vous », et non le « tu », en s'adressant à (*qqn*).

voyage, *subst. m.* Déplacement vers un lieu assez éloigné : *Un* **voyage** *à l'étranger.* – Trajet effectué pour transporter qqch.

voyager, *verbe intrans.* Faire un voyage. – Être déplacé, transporté : **Voyager** *en avion.*

voyant, ante, *adj. et subst.* Adj. Qui attire l'œil. – *Subst.* Personne qui jouit de la vue (*oppos. aveugle*). – Personne qui possède le pouvoir surnaturel de connaître le passé et le futur. – *Subst. masc.* Signal optique.

voyelle, *subst. f.* Son émis par la voix résonnant dans la cavité buccale plus ou moins ouverte. – Lettre représentant ce son.

voyou, *subst. m.* Jeune délinquant. – Individu sans moralité. – Garnement.

vrac (en), *loc. adv.* Sans emballage. – Pêle-mêle, en désordre : *Prendre des notes* **en vrac.**

vrai, vraie, *adj., subst. m. et adv.* Adj. Conforme à la réalité, à la vérité. – Sincère, franc. – Dont l'apparence ne trahit pas la nature : **Vrais** *cheveux.* – Unique, principal : *Le* **vrai** *problème.* – *Subst.* La vérité. – *Adv. Parler* **vrai.** – *Loc. adv. À* **vrai** *dire* : pour être sincère.

vraiment, *adv.* Véritablement. – Tout à fait.

vraisemblable, *adj.* Qui semble vrai, probable.

vraisemblance, *subst. f.* Caractère vraisemblable.

vrombir, *verbe intrans.* Faire entendre un ronflement vibrant, en parlant d'un insecte volant ou d'un moteur.

vrombissement, *subst. m.* Bruit de ce qui vrombit.

v.t.t., *subst. m. inv.* Sigle pour « vélo tout terrain ».

vu, vue, *adj., subst. m. et prép.* Adj. *Être bien* **vu** : bien considéré. – *Loc. conj.* **Vu** *que* : attendu que. – *Prép.* **Vu** *la quantité* : étant donné, eu égard à. – *Subst. Au* **vu** *et au su de qqn* : ouvertement.

vue, *subst. f.* Faculté de l'œil à percevoir l'environnement ; cette perception elle-même. – Action de regarder ; ce que l'on voit : *A la* **vue** *de,* en voyant ; *Avoir* **vue** *sur la mer.* – Représentation figurée d'un lieu ; photographie : *Une* **vue** *aérienne.* – *Fig.* Façon de voir, d'envisager les choses ; idées, intentions. – *En* **vue** *de* : afin de.

vulgaire, *adj.* Banal, sans originalité. – *Nom* **vulgaire** : qui appartient à la langue usuelle. – Grossier, qui manque d'élévation morale.

vulgariser, *verbe trans.* Mettre (des connaissances) à la portée de tous.

vulgarité, *subst. f.* Caractère de ce ou de celui qui est vulgaire, trivial.

vulnérabilité, *subst. f.* Caractère vulnérable.

vulnérable, *adj.* Qui peut être facilement blessé, atteint. – Sensible, faible : *Le grand âge l'a rendu* **vulnérable.**

vulve, *subst. f.* Ensemble des organes génitaux externes chez la femme et les Mammifères femelles.

Y

w, w, *subst. m. inv.* Vingt-troisième lettre de l'alphabet français et dix-huitième consonne.

wagon, *subst. m. Ch. de fer.* Véhicule remorqué, servant au transport des marchandises, des animaux et (abusivement) des personnes.

wagonnet, *subst. m.* Petit wagon utilisé sur les chantiers ou dans les mines.

walkman, *subst. m.* Baladeur.

wallaby, *subst. m.* Nom de diverses espèces de petits marsupiaux australiens.

wapiti, *subst. m.* Grand cerf du Canada, d'Alaska et de Sibérie.

water-closet, *subst. m.* Lieux d'aisances, toilettes (*abrév. W.-C.*).

water-polo, *subst. m.* Sport de ballon qui se pratique dans l'eau entre 2 équipes de 7 joueurs.

week-end, *subst. m.* Temps de repos en fin de semaine, le samedi et le dimanche.

western, *subst. m.* Film d'aventure exaltant l'Ouest américain au temps des pionniers.

whisky, *subst. m.* Eau-de-vie de grain.

whist, *subst. m.* Jeu de cartes, ancêtre du bridge, pratiqué surtout au XIXe s.

white-spirit, *subst. m.* Solvant pétrolier utilisé comme diluant de peinture.

x, x, *subst. m. inv.* Vingt-quatrième lettre et dix-neuvième consonne de l'alphabet français.

xénophobe, *adj. et subst.* Qui n'aime pas les étrangers, qui leur manifeste de l'hostilité.

xénophobie, *subst. f.* Hostilité de principe à l'égard des étrangers.

xérès, *subst. m.* Vin d'Espagne.

xylophone, *subst. m. Mus.* Instrument formé de lamelles de bois que l'on frappe avec de petits marteaux.

y (i), y, *subst. m. inv.* Vingt-cinquième lettre et sixième voyelle de l'alphabet français.

y (ii), *pron. pers. et adv. Adv.* Ici, à cet endroit-là : *Allez-*y. – *Il* **y** *a* : il existe, il se trouve, il est. – *Pron.* À cela, à lui, à elle : *J'*y *pense.*

yacht, *subst. m.* Bateau de plaisance, à voiles ou à moteur.

yachting, *subst. m.* Navigation de plaisance.

ya(c)k, *subst. m.* Ruminant du Tibet, massif et à longs poils.

yaourt, *subst. m.* Lait caillé à l'aide de ferments lactiques.

yard, *subst. m.* Unité de longueur anglo-saxonne, équivalant à 0,914 m.

yéti, *subst. m.* Hominien qui, selon la légende, vivrait dans l'Himalaya.

yeux, *voir* œil

yiddish, *subst. m. inv.* Langue germanique parlée par les Juifs d'Europe centrale et orientale.

ylang-ylang, *subst. m.* Arbre d'Asie dont les fleurs sont utilisées en parfumerie.

yoga, *subst. m.* Discipline corporelle et spirituelle originaire d'Inde.

yogi, *subst. m.* Celui qui pratique le yoga.

yog(h)ourt, *voir* yaourt

yourte, *subst. f.* Tente des populations nomades d'Asie centrale.

youyou, *subst. m.* Petit canot de transbordement.

yucca, *subst. m.* Plante ornementale originaire d'Amérique tropicale et ressemblant à l'aloès.

z, z, *subst. m. inv.* Vingt-sixième (et dernière) lettre et vingtième consonne de l'alphabet français.

zakouski(s), *subst. m. plur.* Hors-d'œuvre russes variés.

zapper, *verbe intrans.* Changer de chaîne de télévision au moyen de la télécommande.

zèbre, *subst. m.* Équidé sauvage d'Afrique, au pelage rayé noir et blanc. – *Fig.* Individu, personne étrange.

zébré, ée, *adj.* Qui est marqué de raies rappelant la robe du zèbre.

zébu, *subst. m.* Bœuf domestique d'Afrique ou d'Asie ayant une bosse sur le garrot.

zélateur, trice, *subst.* Partisan zélé, ardent.

zèle, *subst. m.* Vive ardeur, empressement à accomplir une tâche, à servir *qqn* ou une cause.

zélé, ée, *adj.* Qui fait preuve de zèle.

zen, *adj. inv. et subst. m.* Se dit de l'une des formes du bouddhisme pratiqué au Japon.

zénith, *subst. m.* Point de la sphère céleste situé sur la verticale d'un lieu donné. – *Fig.* Degré le plus élevé, apogée : *Être au* **zénith** *de sa gloire.*

zéphyr, *subst. m.* Brise légère et agréable.

zéro, *adj. num. inv. et subst. m. Adj.* Aucun. – *Subst.* Symbole numérique (0) de valeur nulle, mais qui, placé à la droite d'un nombre, le décuple. – Point de départ de diverses graduations. – Quantité nulle ; rien : *Profits réduits à* **zéro**. – *Fig.* Personne nulle.

zeste, *subst. m.* Partie externe de l'écorce des agrumes. – *Fig.* Petite dose : *Un* **zeste** *d'ironie.*

zézayer, *verbe intrans.* Prononcer le son [z] pour , et le son [s] pour [ʃ].

zibeline, *subst. f.* Martre très recherchée pour sa fourrure. – Cette fourrure.

zigzag, *subst. m.* Ligne brisée. – Tracé sinueux.

zigzaguer, *verbe intrans.* Avancer en zigzag. – Former des zigzags.

zinc, *subst. m.* Métal blanc bleuté, utilisé pour les toitures, les gouttières. – *Fam.* Comptoir de bar. – Avion.

zircon, *subst. m.* Silicate de zirconium, utilisé en joaillerie pour imiter le diamant.

zizanie, *subst. f.* Discorde, mésentente.

zodiaque, *subst. m.* Zone céleste où s'effectuent les mouvements apparents du Soleil, de la Lune et des principales planètes du système solaire. – Cette zone, divisée en douze parties.

zombi(e), *subst. m.* Dans le vaudou, mort-vivant. – *Fig.* Personne amorphe, à l'air absent.

zona, *subst. m.* Maladie virale caractérisée par une éruption de vésicules.

zone, *subst. f.* Étendue de territoire, aire. – Domaine : **Zone** *d'activité, d'influence.* – Secteur soumis à un statut, à des lois. – Banlieue défavorisée.

zoo, *subst. m.* Parc ouvert au public, regroupant de nombreuses espèces animales.

zoologie, *subst. f.* Science naturelle dont l'objet est d'étudier les animaux.

zoom, *subst. m.* Objectif à distance focale variable.
– Effet obtenu avec cet objectif.

zouave, *subst. m.* Soldat d'un corps d'infanterie
française d'Afrique. – *Fig.* Imbécile, pitre.

zut, *interj.* Exclamation de dépit, d'irritation.

zygomatique, *adj.* Relatif à la pommette. – *Empl.
subst.* Les **zygomatiques** : les trois muscles de la
pommette.